U0785160

第九册目录

唐纪五十五

唐宪宗元和七年至十一年（公元 812—公元 816）

【起玄黓执徐（壬辰，公元 812 年）十月，尽柔兆涒滩（丙申，公元 816 年），凡四年有奇】

【大事提要】

本卷记事起公元 812 年十月，讫公元 816 年，凡四年又三个月。当唐宪宗元和七年十月到元和十一年。此时期是唐宪宗执政取得辉煌成绩的时期，李绛为相，直言敢谏，又善策划。元和七年（公元 812 年），魏博节度使田季安死，其子田怀谏，年十一，被军士立为留后，宰相李吉甫主张用兵，李绛认为，只要朝廷不派中使慰问，不授节钺，魏博镇当自归于朝。事势发展果如李绛之策。魏博效顺，重赏将士，处置事宜，皆为李绛所策。李吉甫善逢迎，和柔自媚，排挤李绛。唐宪宗思念吐突承璀，元和九年（公元 814 年），唐宪宗召吐突承璀回京师，官复原职，为左神策军中尉，李绛罢相。淮西节度使吴少阳死，其子吴元济自领军务，朝廷大发十六道兵征讨。淄青节度使李师道出兵阳为讨贼，暗助淮西。李师道还派刺客到京师暗杀宰相武元衡，伤裴度，又欲血洗东都，为东都留守李元膺挫败。韩愈上平淮西之策。柳宗元著政论《梓人传》、《种树郭橐驼传》讽喻时政。成德王承宗再叛助贼，唐宪宗违众开辟河北第二战场，志在表明讨逆决心。

宪宗昭文章武大圣至神孝皇帝中之上

唐宪宗元和七年（壬辰，公元 812 年）

冬季，十月初十日乙未，魏博监军把将士们拥戴田兴而废黜田怀谏的事情向朝廷奏报，宪宗紧急召见宰相，对李绛说："你对魏博的事态发展，真是料事如神。"李吉甫请求宪宗派遣使者去魏博安抚，并观察事态的发展，李绛说："不能这样做。现在田兴将魏博的土地军队和百姓进献给朝廷，正等待着朝廷的诏令，如果不乘这个机会对田兴推心置腹，安抚接纳，用很大的恩宠团结田兴，而一定让敕使去那里以后，带回将士们为田兴请求节度使旌节的表章回朝，然后再把节度使职务授给田兴，那么就是恩惠来自田兴的将士们，而不是出自陛下。将士们在田兴的心中重要，而朝廷在田兴的心中不重要，那个时候田兴对朝廷感恩戴德的心意是不能和现在的期望相比了。机会一丧失，后悔就来不及了。”李吉甫一向与枢密使梁守谦相交结，梁守谦也为李吉甫对宪宗说：“从前的惯例，都要派遣宫中使者去宣旨慰劳，现在只有魏博一镇不这样，恐怕魏博人更难知道朝廷的意向了。”宪宗最后还是派遣宫中的宦官使者张忠顺去魏博镇宣旨慰问，打算等张忠顺回来以后再商议主帅任命事宜。十月十八日癸卯，李绛又对宪宗说：“朝廷施行的恩典和威严，成功与失败，就在此一举了。好的机会，应该特别珍惜，怎么能随便放弃呢？处理这一事情的利弊是非常清楚的，希望陛下的心里不要再怀疑。估计张忠顺的行程，应该才过了陕州，请求陛下明天早上就颁布白麻纸诏书，任命田兴为节度使，这样还来得及。”宪宗还打算暂时任命田兴为留后，李绛说：“田兴对朝廷如此恭谨顺从，如果朝廷不对田兴施行非同寻常的恩典，那就不能让田兴对朝廷有超常的感激。”宪宗采纳了他的主张。十月十九日甲辰，宪宗任命田兴为魏博节度使。张忠顺还没有踏上回程，宪宗的任命就到了魏州。田兴感谢皇帝的恩典，激动得泪流满面，全军将士没有不受鼓舞的。

二十五日庚戌，宪宗给皇子们改名，李宽改为李恽，李察改为李悰，李寰改为李忻，李寮改为李悟，李审改为李恪。

李绛又对宪宗说：“魏博的人已经五十多年没有沾润君王恩德的教化了。现在突然一下子带着全镇六州的土地归顺了朝廷，等于挖了河朔地区的心脏，倾覆了黄河南北地区反叛作乱的巢穴，朝廷如果没有超出他们意料的重赏，那么就难以安慰将士们的忠心，而让相邻四周各道的人们受到劝勉而羡慕了。请陛下拿出宫中内库的钱一百五十万缗来赏赐给他们。”宪宗身边的宦官们认为：“如果赏赐得太多，以后再有相同的事情，那又用什么来赏赐呢？”宪宗将这话说给李绛听，李绛说：“田兴不贪图专擅一地的权利，不顾忌四方邻道的危害，归顺朝廷，陛下怎么能吝惜小小的花费而耽误了大事，不借此收拢一道的人心呢？钱用光了还会再来，好的时机一丧失，就再也无法追回来了。假如朝廷调派十五万兵力去攻这六个州，以一年为期限攻下来的话，花费难道只有这一百五十万缗吗？”宪宗很高兴，说道：“朕之所以穿粗劣的衣服，吃俭省的食物，蓄积钱财，正是为了要平定天下四方。要不然，将钱财白白地存在仓库里干什么呢？”十一月初六日辛酉，宪宗派遣担任知制诰的裴度去魏博镇宣旨慰劳，带去一百五十万缗钱赏赐给军中将士，免除六州的老百姓一年赋税。军中将士接受了朝廷的赏赐，发出雷鸣般的欢呼声。成德、淄青、平卢三镇的几批使者见到这种场面，相视着，脸上黯然失色，感叹道：“支持不服从朝廷命令的人真的会有什么好处呢！”

裴度替田兴讲述君臣上下之间关系的原则，田兴听了一整夜都不觉得疲倦，他对待裴度的礼仪极为周到，请裴度走遍他统辖下的所有州县，向军民宣布朝廷的命令。田兴上奏朝廷请求任命节度副使，宪宗下诏任命担任户部郎中的河东人胡证去做节度副使。田兴又上奏朝廷说他的属下还缺九十名官员，请求有关部门选拔派任，奉行朝廷的法令，向朝廷交纳赋税。田承嗣就任节度使以来建造的超过规定的豪华房屋，田兴一律回避，不去居住。

郓州李师道、蔡州吴少阳、恒州王承宗都派遣说客去魏博千方百计地劝说田兴不要归顺朝廷，田兴始终不理睬。李师道派人对宣武节度使韩弘说：“我李家世代与田家约定互相保护援助。现在田兴不是田承嗣的同宗，又首先改变了黄河南北地区军镇的规矩，这也是您所厌恶的！我准备派兵与成德军一同讨伐田兴。”韩弘说：“我不知道你说的利害关系，只知道遵奉朝廷的命令行事。如果你的兵马向北渡过黄河，那我就派兵东进，攻下你的曹州！”李师道害怕了，不敢出兵。

田兴安葬了田季安以后，就把田怀谏送到了京城长安。十一月二十六日辛巳，宪宗任命田怀谏为右监门卫将军。

（以上为第一段，写唐宪宗重赏魏博归顺将士，处置事宜皆为李绛所策划。）

李绛上奏振武军和天德军一带有良田将近一万顷，请选择能干的官吏负责开垦营田，能够节省驻军的衣服和粮食开支，宪宗采纳了这一建议。李绛命令度支使卢坦编列所需费用，在四年之内，开垦田地四千八百顷，收获谷物四十多万斛，每年节省度支的开支二十多万缗钱，边防驻军依靠营田收入来维持开销。

宪宗曾经在延英殿对宰相们说：“卿等应该为朕珍惜官职，不要把它给亲戚朋友。”李吉甫和权德舆都表示不敢这样做。李绛说：“以前的宰相崔祐甫说过一句话：‘不是亲戚和朋友，就不熟悉他的才能。’对熟悉的人尚且不能给一个官职，对不熟悉的人，怎么敢给官职呢？只要追问这个人的才能和器识与他的官职是否相称而已。如果回避任用亲朋的嫌疑，使本朝没有人才济济的美称，这是得过且过，只求自己安稳的臣子做法，不符合大公无私的原则。假如用人不当，那么朝廷自有法典刑律，谁又敢逃脱惩罚呢？”宪宗说：“实在是应该按卿说的那样做。”

这一年，吐蕃侵犯泾州地区。敌人到了泾州城西门外边，驱赶、掳掠人口和牲畜回去了。宪宗很为此事担忧，李绛上奏说：“京城西边和北边都有神策军的镇守部队，最初，把他们安置在那里是为了防备和抵御吐蕃军队，让他们与各边镇节度使的军队形成犄角，互相策应。现在他们穿着华美的衣服，吃着鲜美的食物，坐在那里消耗朝廷的钱财。每当有敌人来的时候，边镇节度使要求他们一同出击抗敌，他们就说要报告给护军中尉，听候护军中尉的指示，等得到护军中尉的答复时，敌人早已远离了。即使是有果断的神策军将领，听到命令后立即出击，但节度使没有行使刑罚和处死的权力来约束他们，对待他们就像平级官员一样，节度使指挥他们前进或后退，他们不肯服从命令。让他们驻守在那里有什么用处呢？请陛下根据他们所在的地点，将人马和衣服粮食、武器装备分割出来，划给当地节度使管辖，使号令整齐，指挥自如，那么就能使军队的声威大为振作，敌人就不敢侵犯了。”宪宗说："朕不知道原来情况是这样的，应该立即采取这一措施。"不久，因为神策军骄横惯了，不愿意隶属于节度使，这事最后因宦官们劝阻而作罢。

（以上为第二段，写唐宪宗宠信宦官重于朝士，李绛之言，只要事及宦官，则不得施行。）

唐宪宗元和八年（癸巳，公元 813 年）

春季，正月初九日癸亥，宪宗任命博州刺史田融为相州刺史。田融是田兴的哥哥。田融和田兴在年龄很小的时候就失去了父母。田融年龄大一些，抚育并教养了田兴。田兴曾在军中与将士们比赛射箭，全军将士没有人比得上田兴。田融退场后鞭打了田兴，对他说："你不能自我隐藏才能，就会大祸临头！"所以田兴能够在猜疑、残暴的田季安统治时期自我保全下来。

渤海定王大元瑜去世，弟弟大言义暂代理渤海国内事务。正月十六日庚午，宪宗册封大言义为渤海王。

李吉甫和李绛多次在宪宗面前争论事情，礼部尚书、同平章事权德舆在中间不偏不倚，宪宗很瞧不起权德舆。正月十七日辛未，权德舆被罢免宰相职务，仍担任礼部尚书一职。

二月初七日辛卯，宪宗给魏博节度使田兴赐名为田弘正。

司空、同平章事于頔长期居留在京城长安，闷闷不乐，难以伸展平生志向。有一个叫梁正言的人，自称和枢密使梁守谦同一宗族，能够为别人办好所托的事情，于頔就让他的儿子太常丞于敏用很厚重的礼物贿赂梁正言，要求让自己出去做节度使。过了很长时间后，梁正言行骗的事情渐渐暴露出来，于敏追索不回所贿赂的东西，就以利诱惑梁正言的家奴，把梁正言杀了后肢解，丢到厕所里。事情暴露后，于頔带着儿子殿中少监于季友等人穿着素色衣服到建福门前去请宪宗治罪，守门的人不让他们进去。他们退下来后，背朝着南墙站着，派人上奏表给宪宗，阁门中值班的人因为表章上没有印信不接受。他们一行到天黑时才回家，第二天，又到这里来了。二月十三日丁酉，宪宗把于頔降职为恩王傅，禁止于頔奉朝请。把于敏流放到雷州，于季友等人都被贬职，奴仆为此事而死的有好几个人，于敏走到秦岭时就死了。

这件事牵连到僧人鉴虚。鉴虚自贞元年间以来，用钱财交结权贵宠臣，接受各地军镇的贿赂和赠馈，使自己生活得十分优裕，官吏们也不敢过问鉴虚的事。到这时，权贵宠臣纷纷争着为鉴虚说情，宪宗准备赦免鉴虚的罪行，御史中丞薛存诚认为不能这样做。宪宗派宫中使者前去御史台宣布意旨说："朕想当面责问这个僧人，不是要释放这僧人。"薛存诚回答说："陛下如果一定要当面释放这个僧人，那么就请先杀了臣下，然后再将他从御史台提走，否则，臣下肯定不会接受诏令。"宪宗对薛存诚很赞赏，就听从了他的意见。三月初三日丙辰，朝廷将鉴虚用军棍打死，没收了这僧人的所有财产。

三月十一日甲子，宪宗征召前任西川节度使、同平章事武元衡入朝处理朝廷事务。

夏季，六月，发生了洪水灾害。宪宗认为这是阴气太盛的缘故，六月初五日辛丑，放出了二百车宫女回家乡。

（以上为第三段，写唐宪宗惩治请托，贬于頔，杖杀僧人鉴虚。）

秋季，七月，振武节度使李光进请求朝廷修筑受降城，兼带治理黄河堤防。当时受降城被黄河冲毁，李吉甫请求将受降城的人迁移到天德军的旧城中去，李绛和户部侍郎卢坦认为："受降城是中宗皇帝时期张仁愿修建的，地处大沙漠的出口，占据着控制异族人的要害之地，这里水草肥美，是防守边疆很有利的地方。现在为了躲避黄河水患，退后二三里就行了，怎么能舍弃万代安定的长远大计，而只为一时节省开支的便利着想呢？何况天德军旧城地处偏远的贫寒之地，离黄河极远，烽火报警告急不能互相接应，胡虏突然前来侵犯，势必无法预先得知，这是无缘无故地缩减国土二百里啊。"后来受降城的城防使周怀义上奏朝廷，讲述修城与否的利弊得失，想法与李绛和卢坦相同。但宪宗最后却采用了李吉甫的建议，将受降城的骑兵划归天德军统辖。

李绛对宪宗说："边防军只有数字而实际上没有那么多人，白白浪费了衣服和粮食，将帅们只知道假公济私，储积钱财以交结权贵宠臣，未曾训练士兵，以防备不测，这种情况不能不请陛下事先注意。"当时受降城的士兵名册上本有四百人，等到与天德军移交兵员的时候，只有五十人，武器装备只有一张弓，其余的东西跟这差不多。因此李绛就谈到了这一事情。宪宗吃惊地说："边防军队竟然这样虚弱吗？你们应该仔细加以追查。"适逢李绛被罢相，这事就无人过问了。

八月二十五日乙巳，宪宗撤销天威军，把天威军的人马划归神策军统辖。

八月二十七日丁未，辰州和溆州叛乱的首领张伯靖请求向朝廷投降。九月初二日辛亥，宪宗任命张伯靖为归州司马，交给荆南节度使差遣。

（以上为第四段，写唐宪宗惜小费，李吉甫顺适圣意排挤李绛，不纳李绛策，以至于受降城失修缩地二百里，边兵空缺，不加按阅。）

当初，吐蕃人想修建乌兰桥，先在黄河边上储存了木材，朔方军经常暗中派人去把木材丢进黄河流走，乌兰桥始终没有架成。吐蕃人知道朔方和灵盐节度使王佖贪婪，就先用很厚重的礼物贿赂他，然后集中力量把桥架好了，还在桥旁修筑一座月牙形的城墙防守。从此以后，朔方地区抵御吐蕃入侵的战事就接连不断了。

冬季，十月，回鹘调兵穿越沙漠南下，从柳谷渡向西攻击吐蕃。十月二十三日壬寅，振武军和天德军上奏朝廷说回鹘几千名骑兵到了鷿鹈泉，边防军队加强了警备。

振武军节度使李进贤不体恤士兵。判官严澈是严绶的儿子，因为对人刻薄严厉而得到李进贤的宠信。李进贤派遣牙将杨遵宪率领五百名骑兵赶赴东受降城去防备回鹘，所发给物资装备多半不是原物，而是用另外的东西折价给的。这支军队到了鸣沙县，杨遵宪一个人住在屋里，将士们都宿营在露天里。大家十分愤怒，晚上，弄了许多柴草堆集在杨遵宪住的房屋四周，放火烧死了杨遵宪，然后收起铠甲回到振武军。十月十一日庚寅晚上，他们烧毁了振武军城的城门，向李进贤发起攻击，李进贤翻城墙逃走，将士们杀了他的全家，并把严澈也杀了。李进贤逃奔到静边军那里。

朝廷群臣多次上表请求宪宗册立德妃郭氏为皇后。宪宗因为郭妃是郭子仪的孙女，这一家族势力强盛，担心册立她为皇后以后，就不能亲近其他嫔妃了，于是以岁时禁忌为借口，最后还是没有答应。

十月十八日丁酉，振武军的监军骆朝宽上奏朝廷说叛乱的士兵已经平定，请求发给将士们衣服。宪宗很生气，调任夏绥节度使张煦为振武节度使，张煦带领夏州的两千人马去就任，宪宗还命令河东节度使王锷带领二千人马去迎接，让张煦见机行事。骆朝宽将罪责都归在将领苏若方身上，就将他杀了。

宪宗调集郑滑、魏博的士兵开凿黎阳山附近的黄河故道十四里，以便缓解滑州的水灾。

宪宗问宰相们说："人们说朝廷内外拉结朋党的风气很盛，这是为什么？"李绛回答说："自古以来君主最痛恨的事情，就是臣子们结成朋党，所以小人要诬陷君子就一定要说他们结成朋党。这是为什么呢？这是因为拉结朋党这一事情是可恶的，但仔细追查却没有什么痕迹。东汉末年，凡是天下的贤人和君子，宦官们都称他们是朋党中的人而永不任用他们，于是终于使东汉王朝灭亡了。这都是小人们想陷害好人的话，希望陛下深入地考察一下！一般说来，君子总是与君子在一起，难道能够一定让他们与小人们合群，然后才说他们不是朋党中的人吗？"

（以上为第五段，写边将贪暴，或受赂吐蕃，或不恤士卒以致兵变，而朝廷惩治不力，宪宗却忌刻朋党。）

唐宪宗元和九年（甲午，公元 814 年）

春季，正月二十六日甲戌，王锷派遣五千兵马在善羊栅与张煦会合。正月二十七日乙亥，张煦进入单于都护府城内，杀了叛乱的苏国珍等二百五十三人。二月丁丑日，宪宗把李进贤贬为通州刺史。二月十六日甲午，骆朝宽因为纵容叛乱将士而获罪，被打了八十军棍，削夺了官品和官服，发配到定陵服劳役。

李绛多次因脚病向宪宗请求辞职。二月二十五日癸卯，李绛被罢免宰相职务，改任礼部尚书。

当初，宪宗准备提拔李绛为宰相，就先把吐突承璀外放去担任淮南的监军，到这时，宪宗要召回吐突承璀，就先罢免了李绛的宰相职务。二月二十六日甲辰，吐突承璀回到京城长安，宪宗又让他担任弓箭库使和左神策军护军中尉。

李吉甫上奏说："朝廷以前在灵州和盐州境内设置六个胡州，开元年间废除了，另外设置宥州统领归降的胡人。天宝年间，宥州附属于经略军治理。宝应年间以来，遵循旧制又废除了宥州。现在请陛下恢复宥州，以防备回鹘，安抚党项。"宪宗采纳了李吉甫的建议。夏季，五月十四日庚申，朝廷恢复宥州，治所在经略军，将驻防鄜城的神策军九千人调来充实宥州的力量。

在此之前，回鹘可汗多次向朝廷请求娶公主为妻。朝廷认为公主出嫁远地，要花费很多钱，所以就没有答应。礼部尚书李绛上奏宪宗，认为："回鹘凶猛强悍，不能没有防备。淮西地区穷迫困窘，要经营收复大计。现在江淮一带的大县，每年向朝廷交纳的赋税都有二十万缗钱，足够备办公主下嫁的费用，陛下为什么珍惜一个县的赋税收入，而不用它来牵制、维系强悍的胡人？回鹘如果得到迎娶公主的许可，一定会很高兴，而不猜疑朝廷。然后朝廷可以修筑城墙沟堑，储存铠甲武器，等边疆防备巩固以后，就能够专心致志地对付淮西地区，这样一定会获得万无一失的成功。现在既不下嫁公主而使受降城防卫空虚，又不防备沙漠的南路，还在天德军修建东受降城，让回鹘心中疑虑。万一北部边疆有异族入侵，那么淮西的残余叛逆就又可以苟延残喘了！假如回鹘的战马南侵，朝廷若没有三万步兵、五千骑兵，就无法阻挡抵御。假如在一年之内打败了回鹘人，那所花的费用岂是下嫁公主所花的钱能比的吗？"宪宗对这个建议不予理睬。

五月十九日乙丑，桂王李纶去世。

六月二十七日壬寅，宪宗任命河中节度使张弘靖为刑部尚书、同平章事。张弘靖是张延赏的儿子。

翰林学士独孤郁是权德舆的女婿。宪宗称赞独孤郁才华横溢说："权德舆能够以独孤郁为女婿，朕反而比不上权德舆吗？"在此之前，聘娶公主的人都是权贵、皇室的亲戚以及功勋卓著的家族的子弟，宪宗这才命令宰相选择王公卿相、大臣的子弟们中温文尔雅、可以担当清闲职位的人。但很多家庭都不愿意高攀公主，只有司议郎杜佑的孙子杜悰不推辞。秋季，七月十八日戊辰，宪宗任命杜悰为殿中少监、驸马都尉，娶岐阳公主。岐阳公主是宪宗的长女，是郭妃生的。八月十三日癸巳，杜悰与岐阳公主完成婚礼。岐阳公主有贤淑的品行，杜氏家族是一个大家族，是公主长辈的有几十人，岐阳公主对他们都很谦卑和蔼，对待他们和对待自己家人的礼数一样。在二十年内，杜家人没有丝毫的借口指责公主娇贵傲慢。岐阳公主刚到杜家时，就与杜悰商量说：“陛下赐给我们的奴仆，他们终究不肯屈从的，上奏请陛下将他们收回去，我们所有的奴仆都从市场上买那些出身寒微贫贱可以使唤的人。”从此以后，闺门之内十分清静，闲言碎语的声音再也听不到了。

（以上为第六段，写唐宪宗召吐突承璀入朝复任中尉，李绛罢相。宪宗长女岐阳公主贤淑。）

闰八月十二日丙辰，彰义节度使吴少阳去世。吴少阳在蔡州，暗中召集各地的亡命之徒，放养马骡，经常抢劫寿州茶山的钱财来充实军需。吴少阳的儿子、蔡州代理刺史吴元济封锁吴少阳的死讯，向朝廷上奏说吴少阳病了，自己掌管了军中事务。

宪宗自从平定西蜀的刘辟以后，就想攻占淮西。当时的淮南节度使李吉甫上奏宪宗说：“吴少阳军中上下之间人心离散，请允许我将治所移到寿州去筹划这件事。”但正值朝廷出兵讨伐王承宗，没有力量考虑这事。后来李吉甫入朝担任宰相，田弘正带着魏博镇归顺朝廷。李吉甫认为汝州护卫着东都洛阳，驻扎在河阳军的军队，本来是用来控制魏博镇的，现在田弘正归顺了朝廷，那么河阳就成了内地军镇，不应该再在这里屯驻重兵，来表示对魏博的猜疑。闰八月十七日辛酉，宪宗任命河阳节度使乌重胤为汝州刺史，让他充任河阳、怀州、汝州地区的节度使，将治所迁移到汝州。闰八月二十五日己巳，宪宗任命田弘正为检校右仆射，赏赐给魏博军钱二十万缗，田弘正说：“这些给我带来的喜悦，都比不上朝廷将河阳的军队移到汝州啊。”

九月初七日庚辰，宪宗任命洺州刺史李光颜为陈州刺史，充任忠武军都兵马使。任命泗州刺史令狐通为寿州防御使。令狐通是令狐彰的儿子。九月十三日丙戌，宪宗将山南东道节度使袁滋调任荆南节度使，调荆南节度使严绶为山南东道节度使。

吴少阳的判官苏兆、杨元卿和大将侯惟清都劝说吴少阳进京入朝，吴元济讨厌他们，杀了苏兆，囚禁了侯惟清。杨元卿因为入朝奏事已到长安，就把淮西的各种情况和攻取吴元济的策略告诉了李吉甫，请求派兵讨伐。当时吴元济还隐瞒着父亲死亡的消息，杨元卿劝李吉甫，凡是蔡州派来的使者，他们走到哪里就将他们阻留在哪里。吴少阳死了将近四十天，宪宗没有为吴少阳而停止上朝，只是将蔡州四周各军镇的将帅们调换了，增加兵力，加强防备。吴元济杀了杨元卿的妻子和四个儿子，将他们的血涂在箭靶上。淮西的旧将董重质是吴少诚的女婿，吴元济便让董重质作为主要策划人。

九月二十五日戊戌，宪宗加授河东节度使王锷为同平章事。

李吉甫对宪宗说：“淮西的情况不同于河北地区，它的四周没有同伙可以支援，朝廷经常在这里驻扎几十万军队防备它，将士的辛劳和朝廷的开支都难以支撑下去，如果失掉现在的机会不去攻打它，那以后就很难下手了。”宪宗准备派兵去讨伐，张弘靖请求先为吴少阳的死停止上朝，给吴少阳追赠官爵，派遣使者去吊祭和赠送治丧的钱财，等吴元济有不恭顺朝廷的迹象，然后才使用武力，宪宗采纳了张弘靖的建议，派遣工部员外郎李君何去吊丧。吴元济不迎接朝廷的使者，调兵四面出击，血洗舞阳，焚烧叶城，抢劫了鲁山和襄城，关东地区受到了极大的震动。李君何不能进蔡州，只好回朝了。

冬季，十月初三日丙午，中书侍郎、同平章事赵公李吉甫去世。

十月十九日壬戌，宪宗任命忠武节度副使李光颜为节度使。十月二十一日甲子，宪宗任命严绶为申州、光州和蔡州招抚使，督促各道军队招抚讨伐吴元济。十月二十二日乙丑，宪宗命令负责内侍省事务的内常侍崔潭峻担任严绶的监军。十月二十五日戊辰，宪宗任命尚书左丞吕元膺为东都留守。

党项人侵犯振武军的防地。

十二月二十五日戊辰，宪宗任命尚书右丞韦贯之为同平章事。

（以上为第七段，写淮西节度使吴少阳死，其子吴元济不发丧，自领军务，唐宪宗与宰臣决策征讨。）

唐宪宗元和十年（乙未，公元 815 年）

春季，正月十三日乙酉，宪宗加授韩弘司徒职位。韩弘镇守宣武军，十几年一直不进京入朝，因为自己兵力强大，很自负，朝廷也不把韩弘当作竭诚尽忠的臣子看待。朝廷加授王锷同平章事之后，韩弘以自己位在王锷之下为耻辱，写了一封信给宰相武元衡，露出了一些愤愤不平的意向。朝廷正想利用韩弘统辖地区的有利形势来制服吴元济，所以给韩弘加授的官职在王锷之上，以表示对韩弘的宠信和安慰。

吴元济放纵兵马出去侵扰抢劫，到了东都洛阳的近郊地区。正月二十七日己亥，宪宗下制书削夺吴元济的官职爵位，命令宣武等十六道进军讨伐吴元济。严绶进攻淮西的军队，获得一场小胜利，由于不设防备，结果被淮西军队在夜晚返回袭击。二月初二日甲辰，严绶在磁丘战败，后退五十多里，进入唐州防守。寿州团练使令狐通被淮西的军队打败，退保寿州城，寿州边境上的各个营栅都被淮西兵血洗。二月十一日癸丑，宪宗任命左金吾大将军李文通代替令狐通，将令狐通贬为昭州司马。

宪宗下诏命令鄂岳观察使柳公绰将五千将士交给安州刺史李听统领，让他去讨伐吴元济，柳公绰说：“朝廷认为我是一个书生，不懂得用兵的方法吗？”于是立即就向朝廷上奏，请求自己带兵去讨伐吴元济，朝廷同意了。柳公绰到了安州，李听让军中将领们前去迎接他。柳公绰将鄂岳都知兵马使和先锋行营兵马都虞候的两项委任书给了李听，从军中挑选六千名士兵交给李听统辖，柳公绰还告诫自己的部下说："行军打仗的事情，一切由都将决定。"李听感激柳公绰的恩德，敬畏柳公绰的威严，就像柳公绰的部下一样。柳公绰的军令整齐严肃，处理军中各种事务，将领们没有不服从的。出征打仗的士兵，如果家中有生病和死亡的事情，柳公绰就给他们丰厚供给；如果军人妻子有与别人淫乱的，就把她沉在江中，士兵们都高兴地说："柳中丞为我们治理家务，我们还有什么理由不为他拼命打仗呢？"因此每打一仗都取得了胜利。柳公绰平时骑的一匹马，踢死了养马的人，柳公绰下令杀了马来祭祀那个养马的人，有人说："养马的自己不提防才被踢死的，这是匹好马，杀了可惜！"柳公绰说："这匹马善于奔跑，但性子顽劣，杀了它哪里值得可惜呢？"最后还是将马杀了。

（以上为第八段，写唐宪宗大发兵十六道讨淮西。鄂岳观察使柳公绰公忠体国顾大局，虽为文士，而带兵有方，士兵乐为死战。）

河东军的将领刘辅杀了丰州刺史燕重旰，王锷杀了刘辅及其同伙。

王叔文的同党因罪被贬官流放的，一共有十年没有按赦免诏令酌情内移，朝中执掌大政的人怜惜他们的才能，打算逐渐起用他们，就将他们全都召到京城长安。谏官们纷纷上奏说这样做不合适，宪宗和武元衡也讨厌这些人。三月十四日己酉，将他们全任命为边远州的刺史，他们虽然升了官，但是去的地方却更加偏远。永州司马柳宗元担任柳州刺史，朗州司马刘禹锡担任播州刺史。柳宗元说："播州不是人能住的地方，刘梦得的母亲还健在，万万没有母亲和儿子一起去的道理。"打算向朝廷请求，愿意将柳州刺史一职换为播州刺史。正好御史中丞裴度也为刘禹锡向宪宗求情说："刘禹锡实在是有罪的，但刘禹锡的母亲老了，要她同儿子作生死离别，实在是太伤心了！"宪宗说："作为儿子的，尤其应该自我谨慎，不要给双亲带来忧虑，要说起来，刘禹锡是应该重加责罚的。"裴度说："陛下正侍奉太后，恐怕应对刘禹锡有所怜悯吧。"宪宗深思了很久，才说："朕刚才说的话，那只是责备做儿子的人而已，但并不是想要让刘禹锡的母亲伤心。"退朝以后，宪宗对身边的侍从说："裴度对朕爱护得很深切啊。"第二天，宪宗将刘禹锡改任为连州刺史。

柳宗元很会写文章，曾写了一篇《梓人传》，在文中谈道："负责作房屋的工匠头目，不使用斧头、刀锯的技巧，专门用长尺、圆规角尺以及墨斗来估量各种木料的用途，他考察房屋的格局，观测高度、方圆、长短是否合适，指挥各位工匠，各负责自己的事情，不能够胜任职责的人就辞退他们。房屋建成之后，功劳只是他一个人的，他所得的酬金是工匠们的三倍。朝廷的宰相也同他的情况一样，建立政纲法纪，整肃法令制度，选择天下的人才，让他们与担负的职位相称，让天下的百姓都安居下来，各自安心从事自己的职业，有才能的人就提拔起来，没有才能的人就斥退出去。天下得到治理后，谈论这一事情的人只称赞伊尹、傅说、周公、召公等宰相，其他的朝廷文武百官的辛勤和劳苦都不能够记载下来。有的宰相不知道为政大体，只是一味地炫耀自己的才能，夸张自己的名声，亲自做些琐碎的小事，侵犯百官职责内的事情，在官署中争论不休，而没有抓住朝廷政务中重要和长远的事情，这是因为他们不知道做宰相的原则啊。”

柳宗元又写了一篇《种树郭橐驼传》说：“郭橐驼所种的树，没有不能活下来而且长势茂盛的。有人问他其中的道理，郭橐驼回答说：‘并不是我郭橐驼能够使树木长寿而且滋长繁茂。一般来说，树木的特性是，它的根要舒展，它周围的泥土要随移植而来。把树栽下以后，就不要动它，不要为它担心，离开这里不再来看它。栽种树木的时候要像子女一样爱护，栽进泥土之后就像丢弃的东西一样，那么，树木的特性就能保存下来而生长自得。其他栽树的人就不一样，将树根盘拳起来而换了树苗原来的泥土，爱护它太过于深切了，为它担忧得太殷勤了，早上去看，晚上去摸，已经离开了又回来看。甚至抓破树皮，来检查树是活的，还是枯死了，摇晃着树干来观察两树之间的疏离距离，而使树木一天天脱离了自然本性。虽然说是爱护它，实际上是害了它；虽然说是为它担心，实际上却是在仇恨它。所以他们都不如我了！处理政事也是这样。我住在乡下，看到当官的人，喜欢不断地发号施令，像是很爱惜老百姓，最后却是祸害老百姓。早晚都有官吏来，召集老百姓发号施令，催促他们去耕种和收获，督促他们养蚕织布，使这些平民百姓忙得放下饭碗，去慰劳官吏还来不及，这又哪里是让他们休养生息，增殖生计，安宁地生活呢！要说老百姓困窘懈怠，都是这个原因造成的。’”这是柳宗元具有深刻道理的文章。

（以上为第九段，摘引柳宗元论时政的讽喻散文，认为执政者要用人唯才，垂拱无为，如梓人之使能，如种树人之植树一样，任人办事而拱手无为，没有不能治理的。）

三月二十九日庚子，李光颜又向朝廷奏报说在临颍打败了淮西军队。

田弘正派儿子田布率三千名士兵协助严绶进攻吴元济。

四月初三日甲辰，李光颜又向朝廷奏报说在南顿县打败了淮西军队。

吴元济派遣使者向王承宗和李师道求救，王承宗、李师道多次上奏请求赦免吴元济，宪宗不答应。当时朝廷调派各道军队讨伐吴元济，但没有命令淄青镇参与，李师道就派大将率两千人马赶到寿春，名义上是帮助朝廷讨伐吴元济，实际上是想援助吴元济。

李师道一直豢养着几十个刺客和奸邪之徒，给他们的待遇十分优厚，他们劝李师道说：“派兵打仗最急需的东西，没有先于粮食储备的了。现在河阴转运院聚积着江淮一带的赋税，请让我们去暗中烧毁了它。再在东都洛阳招募几百名不良少年，让他们抢劫都市，焚烧宫殿，那么朝廷就没有时间来攻打蔡州，而会先去援救自己的核心后方。这也是一条援救蔡州的奇策。”李师道采纳了他们的建议。从此以后，各地都有盗贼暗中活动。四月初十日辛亥的傍晚，几十名盗贼进攻河阴转运院，杀死杀伤护院的十几人，烧毁了钱币、布帛三十多万缗、匹和谷物三万多斛，这样一来，人们就感到惶恐不安了。很多朝廷大臣都请求停止军事行动，宪宗不肯答应。

各路军队攻打淮西，很长时间都没有获得成功。五月，宪宗派遣御史中丞裴度到行营去慰问将士，察看打仗的形势。裴度回来，谈了淮西一定能攻下的情况，而且还说：“观察各位将领，只有李光颜勇敢善战，懂得为朝廷效忠，一定能立下功勋。”宪宗听后很高兴。

担任考功郎中和知制诰的韩愈上奏朝廷，认为：“淮西地区仅有三个小州，在残破困顿、难以支撑的形势下，面对着全国军力的攻打，其失败是可以预料的。但是现在所不清楚的，是陛下有没有真正做出决断。”于是逐条陈说用兵的利害，认为：“现在各道调派二三千人出征，势单力弱，将士们因为客居异地他乡，不了解敌人的情况，一遇见敌人就感到害怕。将帅们因为他们是外地来的军队，给他们的待遇菲薄，但又极力役使他们。甚至将他们原来的队伍拆散，使原来的士兵和将领们相互分离，以致将士们深感孤单，心怀胆怯，很难立下战功。另外，各道又各自为派出的军队运送给养，道路遥远，辛劳和花费成倍增多。听说陈、许、安、唐、汝、寿等州与敌人相邻接壤，各个村落的老百姓家家有武器，已经习惯与敌人打仗，非常熟悉敌人的详情，近来虽然没有招募他们，但他们还是愿意自己准备衣服和粮食，保卫家乡的平安。如果下令招募他们，就可以立即组成军队。敌人被平定以后，也容易让他们回乡务农。请撤回各道的军队，招募当地的老百姓来代替。”又说：“蔡州地区的士兵都是朝廷的百姓，如果吴元济山穷水尽不能够再作恶下去时，不必过多地杀害他们。”

（以上为第十段，写淄青节度使李师道暗助淮西吴元济，烧官军给养，扰乱东都。韩愈上奏平淮西之策。）

五月二十六日丙申，李光颜上奏朝廷说在时曲打败了淮西军队。淮西兵一早上就紧逼着李光颜的营垒摆开阵势，李光颜的军队不能出营作战，李光颜于是将营垒左右边的栅栏毁掉，派骑兵出去攻打。李光颜亲自率领几名骑兵冲锋陷阵，多次出入敌人军中，敌人都认识李光颜，射箭都射到李光颜身上，使他像刺猬一样，儿子拉着李光颜的战马劝止，李光颜对儿子举着刀，把儿子喝骂走了。于是，将士们争相拼死杀敌，淮西军队大规模溃散，被杀了几千人。宪宗觉得裴度善于识别人才。

自从李吉甫去世以后，宪宗就把调兵征讨的事全交给武元衡处理。李师道豢养的刺客劝李师道说：“天子之所以要坚决讨伐蔡州，都是由于武元衡的赞同，请允许我们秘密地去刺杀他。武元衡死了，那么其他宰相就不敢主持讨伐蔡州的行动，会纷纷劝说皇上停止用兵了。”李师道觉得有道理，就给了很多钱打发他们去行刺。

王承宗派遣牙将尹少卿入朝奏报事情，为吴元济说情。尹少卿到了中书省，说的话很不谦逊，武元衡当场将尹少卿呵斥出去。此后，王承宗又向宪宗上书攻击毁谤武元衡。

六月初三日癸卯，天还没有亮，武元衡去上朝，出了所居住的靖安坊的东门，有贼寇从暗地里突然跑出来向武元衡射箭，随从人员都纷纷逃散，贼寇牵着武元衡的马走了十几步，就把武元衡杀了，砍下武元衡的头颅后离开了。贼寇又闯进通化坊去袭击裴度，伤了裴度的头，裴度掉到沟里，因为头上的毡帽很厚，裴度才得以幸免一死。裴度的侍从王义从背后抱住一个贼寇大喊大叫，贼寇砍断了王义的手臂后就跑了。京城为此大为震惊，于是宪宗下诏令宰相出住宅和入朝堂，都加派金吾骑兵全副武装保卫，他们所经过的街坊大门，都严格搜索。要上朝的大臣天不亮不敢出家门。宪宗有时候上殿很久了，上朝的人还没有到齐。

贼寇在金吾卫和京兆府与各县留下纸条威胁说：“你们不要急着搜捕我们，否则，我们就先拿你们开刀。”因此，各个搜捕贼寇的人不敢太急。兵部侍郎许孟容去见宪宗说：“自古以来，没有宰相横尸大街，而没有抓获刺杀者的事情，这是朝廷的奇耻大辱啊！”说着就泪流满面。许孟容又到中书省抹着眼泪说：“请上奏任用裴中丞为宰相，大规模搜捕贼寇的同党，查清他们谋杀的根源。”六月初九日戊申，宪宗下诏京城内外各地搜捕贼寇，只要抓获行刺的贼寇，就赏钱一万缗，给五品官职。胆敢包庇窝藏的，就杀窝藏者的全家。于是，在京城大规模地进行了搜捕，王公卿相家有夹层墙壁的、双层楼层的，都进行了搜索。

成德军在京城长安的进奏院中有恒州来的士兵张晏等几人，他们行踪诡秘，很多人都怀疑他们是刺客。六月初十日庚戌，神策军的将军王士则等人上告王承宗派遣张晏等人刺杀了武元衡。官吏们逮捕了张晏等八人，宪宗下令京兆尹裴武、监察御史陈中师审讯他们。六月二十三日癸亥，宪宗下诏把王承宗上的前后三个奏章给群臣看，商议如何处置王承宗。

裴度养伤，在家卧床二十天，宪宗下诏派宫廷卫士去守卫裴度的住宅，宫中使者去询问病情的人轮流不断。有人请求宪宗罢免裴度的官职来安定恒州和郓州的人心，宪宗十分生气地说：“如果罢免了裴度，那就让王承宗等人的阴谋得逞了，朝廷再没有纲常政纪可言。朕任用裴度一人，就足以打败这两个叛贼。”六月二十四日甲子，宪宗召裴度入朝商议事情。六月二十五日乙丑，宪宗任命裴度为中书侍郎、同平章事。裴度对宪宗说：“淮西地区是朝廷的心腹大患，不能不消灭。而且朝廷已经在进攻吴元济，黄河南北军镇中专横跋扈的人，将以此来衡量他们同朝廷谁的力量强大，决不能中止军事行动。”宪宗觉得裴度说的对，就把打仗用兵的事务全部交给裴度处理，加紧进攻吴元济。当初，宪宗对朝廷大臣多有怀疑之心，大臣们有相互交往的，金吾卫的人都暗中侦察，上报给皇帝，宰相不敢在自家宅第中会见客人。裴度上奏说：“现在叛贼们还没有平定，宰相应该招揽延引四方的贤能人才参与平叛事宜。”开始请求在自己家里会见客人，宪宗同意了。

陈中师讯问张晏等人，他们都承认刺杀了武元衡。宰相张弘靖怀疑这与实情不符，多次向宪宗谈到这件事，宪宗不听从。六月二十八日戊辰，杀了张晏等五人，还杀了他们的同伙十四人，最后竟让李师道派来的刺客暗中逃跑了。

（以上为第十一段，写淄青刺客杀宰相武元衡于京师，宪宗任裴度为相，矢志讨淮西。）

秋季，七月初一日庚午，灵武节度使李光进去世。李光进与弟弟李光颜关系很好，李光颜先娶妻室，他们的母亲就将家事交给李光颜的妻子处理。他们的母亲去世后，李光进才娶妻室，李光颜让他的妻子将钥匙和记载财产的账本交给嫂子保管。李光进又送回给李光颜说：“弟媳曾侍奉过先母，先母让她主持家务，这不能更改。”于是兄弟俩握着手哭起来。

七月初五日甲戌，宪宗下诏列举王承宗所犯罪恶，不让王承宗再进京朝贡，说：“希望王承宗幡然醒悟，改过自新，入朝负荆请罪。进攻讨伐的日期，再等以后的命令。”

八月初一日己亥，发生日食。

李师道在东都洛阳设立了留后院，所在一道的人员纷纷往来于留后院，洛阳的官吏不敢盘问。当时淮西的军队侵犯东都近郊，洛阳的防御兵全部驻守在伊阙。李师道暗中派士兵住在洛阳的留后院中，人数达到了几十上百人，他们策划焚烧宫殿，派士兵在城中烧杀抢劫，已经炖了牛肉犒劳士兵，准备在第二天起事。其中有一名士兵到东都留守吕元膺那里告发了这一阴谋，吕元膺紧急调伊阙的守军回洛阳包围留后院。贼寇们冲出包围，防御兵紧跟在后边，但不敢太迫近了。贼寇们出了长夏门之后，朝山上逃跑了，当时东都全城震惊，留守的兵力人数少力量弱。吕元膺坐在皇城门前，指挥部署，神态自如，东都的人依赖吕元膺才安心下来。

东都西南部与邓州和虢州接壤，都是高山密林，老百姓不耕田种地，以打猎为生，人们都矫健勇猛，被称为山棚。吕元膺设重金来鼓励人们捉捕贼寇。过了几天，有一个山棚去卖鹿，与贼寇相遇，鹿被夺走，山棚跑回去召集同伙，并且带领官府的军队一起将贼寇包围在山谷中，将他们全部捉住。经过审讯，知道了这次贼寇的头目是中岳寺的和尚圆净。圆净曾经做过史思明的将领，凶猛强悍超出常人，曾向李师道建议，在伊阙和陆浑之间多买田地，让打猎的山棚们居住下来，并给他们提供衣服粮食。有訾嘉珍、门察这两个人，暗中组织部属交给圆净统领，圆净用李师道的钱上千万，名义上是修建佛光寺，实际上是用来集结同党，约定訾嘉珍等人暗中在洛阳城起事，圆净在山中举火把作号令，召集伊阙、陆浑两县的山棚进洛阳城援助。圆净当时已经八十多岁了，搜捕的人抓到圆净以后，用锤子奋力猛击圆净的小腿，但还是打不断。圆净骂他们说："你们这些无名鼠辈，连别人的小腿都打不断，还敢称是什么健儿！"于是就自己伸出小腿来，教他们折断了自己小腿。圆净受刑前叹息说："你们耽误了我的大事，不让我使洛阳血流满城了！"被杀的圆净的同党总共有几千人。有两名东都留守和防御的将领、八名驿站的士兵都暗中接受了李师道的委任，替李师道刺探各种消息。

吕元膺审讯訾嘉珍、门察后，才知道刺杀宰相武元衡的主谋是李师道。吕元膺将此事密奏给宪宗，又用囚车将訾嘉珍、门察送到京城长安。宪宗因为已经声讨过王承宗，就不再彻底追究李师道了。吕元膺上奏说："近些日子以来，军镇专横跋扈，不臣服朝廷的，有可以宽容处置的人。但是李师道阴谋策划血洗都城，焚烧宫殿，背叛陛下，忤逆朝廷极为厉害，不能不杀了他。"宪宗觉得吕元膺说得对，但是当时正在讨伐吴元济，又禁绝王承宗向朝廷进贡，所以没有时间来惩治李师道。

（以上为第十二段，写东都留守吕元膺挫败李师道血洗东都的阴谋。）

八月二十七日乙丑，李光颜在时曲打了败仗。

当初，宪宗认为严绶以前曾担任河东主帅，这次派出严绶的部将多半都立了功劳，因此就派严绶镇守襄阳，而且还统领各军进攻吴元济。严绶没有什么才能，到襄阳赴任时，就把军府库存的钱财拿出来赏赐给将士们，军府多年的积蓄，一下子就用光了。严绶又用很多钱财贿赂宦官，让他们在朝廷为自己通气声援，他率领襄、邓、唐、随、均、房、郢、复八州的一万多兵力驻扎在边境上，整年守在营垒中，没有建一点功劳。裴度多次向宪宗说严绶的军队没有军纪军威。

九月初五日癸酉，宪宗任命韩弘为进攻淮西的各支军队的都统。韩弘独断专行，打算借助敌人的力量抬高自己的地位，不希望淮西马上就平定下来。李光颜在各位将领中作战最卖力，韩弘打算取得李光颜的欢心，就在整个大梁城中到处搜寻，找到一个美丽的女人，教给她歌舞演奏的技巧，再在她身上装饰金银珠宝，总价值有几百万钱，派使者赠送给李光颜。使者先给李光颜送了信。李光颜正大规模地犒劳将士们，韩弘的使者送进这个歌女，她的姿色容貌举世无双，满座将士都惊呆了。李光颜对使者说："韩相公怜悯我身在军旅之中，赏赐给我一个美丽的歌女，我所蒙受的恩德实在是深厚。但是几万将士，都是离家远道来这里作战，他们出生入死拼命战斗，我李光颜怎么能忍心一个人用声色来娱乐自己呢？"说着就流下了眼泪，在座的将士们都哭起来。李光颜就在宴席上，将很多丝帛送给使者，并且要使者将歌女送回给韩弘，说："你要替我多多向韩相公表示谢意，我将身体交给了国家，发誓与叛贼势不两立，不共戴天，死了也不会有二心！"

冬季，十月初三日庚子，朝廷开始将山南东道分成两个军镇，任命户部侍郎李逊为襄、复、郢、均、房五州节度使，任命右羽林大将军高霞寓为唐、随、邓三州节度使。朝廷大臣商议唐州与蔡州相邻，所以让高霞寓专门进攻吴元济，而李逊征调所辖五州的赋税来供应高霞寓的军队。

十月初四日辛丑，刑部侍郎权德舆上奏宪宗说："自开元二十五年修撰《格式律令事类》后，到现行《长行敕》的有关律令，最近已删定为三十卷，请陛下下令施行。"宪宗采纳了他的建议。

（以上为第十三段，写李光颜尽心讨贼。）

宪宗虽然禁止王承宗朝贡，但没有下诏讨伐王承宗。魏博节度使田弘正在王承宗的边境驻扎军队，多次被王承宗打败。田弘正很恼火，上表请求进攻王承宗，宪宗不同意。田弘正上了十次奏表，宪宗才允许田弘正到贝州。十月初九日丙午，田弘正率军驻扎在贝州。

十月十三日庚戌，东都上奏盗贼烧毁了清河县的柏崖仓。

十一月，寿州刺史李文通上奏说打败了淮西的军队。

十一月初五日壬申，韩弘请求宪宗下令各路军队联合攻打淮西，宪宗同意了。

李光颜、乌重胤在小溵水打败了淮西军队，攻下了溵水县城。

十一月初八日乙亥，宪宗任命严绶为太子少保。

盗贼烧毁了设在襄州佛教寺庙的军用物资。朝廷下令将京城内堆积的柴草全部移到四周郊外，以防备盗贼纵火。

十一月初十日丁丑，李文通在固始县打败了淮西军队。

十一日戊寅，盗贼烧毁了献陵的寝宫、永巷。

宪宗下诏征调振武军的士兵二千人，与义武军会合，共同讨伐王承宗。

十一月二十二日己丑，吐蕃与陇州交好，请求双方往来交易货物，宪宗同意了。

当初，吴少阳听说了信州人吴武陵的名声，邀请吴武陵来做自己的宾客和朋友，吴武陵不理睬。后来吴元济反叛朝廷，吴武陵写信劝导吴元济说："您不要以为部下不会欺蒙自己，您部下的心思与您的心思一样。你要反叛天子，您的部下也想反叛您。您要换到他们的位置上去考虑这事，那您就了解这种情况了。"

十一月三十日丁酉，武宁节度使李愿上奏朝廷说打败了李师道的军队。当时李师道多次派兵攻打徐州，打下萧县、沛县等好几个县。李愿将全部步兵、骑兵都交给担任都押牙官的温州人王智兴指挥，打败了李师道的军队。十二月初七日甲辰，王智兴又打败了李师道的军队，杀敌二千多人，乘胜追击敌人到平阴县才返回。李愿是李晟的儿子。

东都防御使吕元膺上奏朝廷请求招募打猎的山棚来保卫宫城，宪宗同意了。

十二月二十八日乙丑，河东节度使王锷去世。

王承宗放纵军队四处抢劫掳掠，幽州、沧州、定州三个军镇都被他害苦了，争相上表朝廷请求讨伐王承宗。宪宗准备答应，中书侍郎、同平章事张弘靖认为，南北两地都调兵打仗，恐怕国力难以支撑，等集中力量平定淮西以后，再去讨伐王承宗。宪宗不肯打消讨伐王承宗的念头，张弘靖于是请求辞去宰相职务。

（以上为第十四段，写淄青李师道、成德王承宗公开助贼反叛朝廷，李师道寇徐州，王承宗纵兵四掠。）

唐宪宗元和十一年（丙申，公元 816 年）

春季，正月初三日己巳，宪宗任命张弘靖为同平章事，出朝廷充任河东节度使。

幽州节度使刘总上奏朝廷说打败了成德的军队，攻占了武强县城，杀敌一千多人。

十二月十四日庚辰，翰林学士、中书舍人钱徽和驾部郎中、知制诰萧俛，都被解除翰林学士的职务，回到原来的官位。当时朝廷大臣中请求停止军事行动的人很多，宪宗很厌恶他们，因此罢免钱徽、萧俛的官职以警告其他的人。钱徽是吴地人。

十二月十七日癸未，宪宗下制书削除了王承宗的官职爵位，下令河东、幽州、义武、横海、魏博和昭义六道军队讨伐王承宗。宰相韦贯之多次请求宪宗先攻下吴元济，然后再讨伐王承宗，说："陛下难道不知道建中年间的事情吗？开始是攻打魏博的田悦和淄青的李纳，但是蔡州的李希烈、卢龙的朱滔和恒冀的王武俊都起兵响应田悦和李纳，最后导致了朱泚的叛乱，这是因为德宗皇帝不能够忍下几年的愤怒，想很快就使天下太平无事的缘故。"宪宗对韦贯之的意见不理睬。

正月十八日甲申，强盗折断了建陵的门戟四十七枝。

二月，西川节度使上奏称吐蕃赞普死了，新赞普可黎可足继位。

二月初九日乙巳，宪宗任命中书舍人李逢吉为门下侍郎、同平章事。李逢吉是太宗皇帝时期文学馆学士李玄道的曾孙。

二月十九日乙卯，昭义节度使郗士美上奏朝廷说打败了成德的军队，杀敌一千多人。

南诏王劝龙晟荒淫残暴，上上下下都痛恨劝龙晟，弄栋节度使王嵯巅起来杀了劝龙晟，拥立劝龙晟的弟弟劝利为南诏王，劝利感激王嵯巅，给王嵯巅赐姓为蒙氏，称之为"大容"。"容"在蛮语中是"哥哥"的意思。

二月二十三日己未，刘总打败成德的军队，杀敌一千多人。

荆南节度使袁滋的父亲和祖父的坟墓在朗山县，请求进京入朝，打算劝说宪宗停止军事行动。走到邓州的时候，听说萧俛和钱徽被贬职的消息。后来晋见宪宗，反过来用一定会攻下蔡州的话劝说宪宗继续采取行动，这才得以返回镇所。

二十五日辛酉，魏博镇上奏说打败了成德的军队，攻下了固城。二月二十九日乙丑，魏博镇又上奏说攻下了鵶城。

三月初四日庚午，皇太后王氏去世。三月初五日辛未，宪宗敕令说因为遭逢国丧，朝廷各部的事情暂由中书省和门下省处理，不再设置首相。

寿州团练使李文通上奏朝廷说在固始县打败了淮西的军队，攻下了鏉山。三月十三日己卯，唐邓节度使高霞寓上奏说在朗山打败了淮西的军队，杀死一千多人，烧毁了敌人两处营栅。

幽州节度使刘总包围了乐寿城。

夏季，四月初五日庚子，李光颜、乌重胤上奏说在陵云栅打败了淮西军队，杀敌三千多人。

四月十六日辛亥，司农卿皇甫镈因兼任御史中丞而暂负责度支事务。皇甫镈因为善于搜刮钱财而得到宪宗的宠幸。

四月二十日乙卯，刘总上奏说在深州打败了成德的军队，杀敌二千五百人。四月三十日乙丑，义武节度使浑镐上奏称在九门打败成德军队，杀敌一千多人。浑镐，是浑瑊的儿子。

宥州发生士兵哗变，驱逐了刺史骆怡。夏州节度使田进派兵讨伐，平定了宥州的叛乱。

五月初七日壬申，李光颜、乌重胤上奏说在陵云栅打败了淮西的军队，杀敌两千多人。

六月初十日甲辰，高霞寓在铁城打了一个败仗，仅仅自己一人幸免于难。当时各个进攻淮西的将帅，打了胜仗就虚张声势，谎报杀敌和俘虏的数量，打了败仗就隐瞒不报。到这时，打了大败仗不能掩盖了，才上奏给朝廷，朝野内外听到这一消息都十分震惊。宰相入朝见宪宗，准备劝说宪宗停止军事行动，宪宗说："胜败是打仗人经常遇到的事情，现在你们只应该讨论用兵策略，将不胜任的将帅撤换，军队粮食不充足就想法供应而已。怎么能因为一个将领打了败仗，就马上商议停止军事行动呢？"于是，宪宗只采纳裴度的意见，其他人主张停止军事行动的言论也渐渐消失了。六月十五日己酉，高霞寓退守唐州。

（以上为第十五段，写唐宪宗违众开辟第二条战线，诏命六道进兵讨成德。两线作战，官军势分，讨淮西兵失利，罢兵之声再起，宪宗不听，独用裴度之言，坚决征讨。）

宪宗责问高霞寓失败的原因，高霞寓说李逊没有及时来接应。秋季，七月，宪宗将高霞寓贬为归州刺史，将李逊降职去担任恩王傅。任命河南府尹郑权为山南东道节度使。又任命荆南节度使袁滋为彰义节度使和申、光、蔡、唐、随、邓六州观察使，以唐州为治所。

七月十八日壬午，宣武军上奏说打败了郾城的两万多叛军，杀敌两千多人，抓获俘虏一千多人。

田弘正上奏说在南宫县打败成德的军队，杀敌两千多人。

中书侍郎、同平章事韦贯之，性格清高孤傲，喜欢品评官吏士人才能和德行的等级，又多次请求宪宗停止军事行动。左补阙张宿就在宪宗面前毁谤韦贯之，说韦贯之与人结成朋党。八月初九日壬寅，韦贯之被罢免宰相职务，降任吏部侍郎。

各支讨伐王承宗的军队互相观望，踟蹰不前，只有昭义节度使郗士美率领精锐军队逼近王承宗的境内。八月二十六日己未，郗士美上奏说在柏乡县将王承宗的军队打得大败，杀敌一千多人，敌人投降的也有一千多人，昭义军已修建三个营垒将柏乡城围了起来。

八月二十七日庚申，把庄宪皇后安葬在丰陵。

九月十三日乙亥，右拾遗独孤朗因请求宪宗停止军事行动而获罪，被贬到兴元府去任仓曹。独孤朗是独狐及的儿子。

饶州发生洪水，淹没了四千七百户人家。

九月十四日丙子，宪宗任命韦贯之为湖南观察使，这是对韦贯之请求停止军事行动的处罚。九月十九日辛巳，宪宗把吏部侍郎韦顗和考功员外郎韦处厚等人都贬到偏远地方担任刺史。张宿诬陷他们，说他们是韦贯之的同党。韦顗是玄宗皇帝时期宰相韦见素的孙子。韦处厚是后周时韦夐的九世孙。

九月二十三日乙酉，李光颜、乌重胤上奏说攻占了吴元济的陵云栅。九月二十五日丁亥，李光颜又上奏说攻下了石、越两个营栅。寿州上奏说打败了殷城的敌人，攻占了六个营栅。

冬季，十一月初一日壬戌，容管上奏说黄洞蛮人侵扰当地。十一月初四日乙丑，邕管上奏说进攻黄洞蛮人，打退了他们，收复了宾州和蛮州等地。

十一月初五日丙寅，宪宗加授幽州节度使刘总为同平章事。

李师道听说吴元济的陵云栅被攻占之后，感到恐惧，假意请求为朝廷效忠。宪宗因为没有力量讨伐李师道，就加授李师道检校司空一职。

王锷家的两个仆人告发王锷的儿子王稷私下篡改了父亲留下的表章，隐瞒了王锷要进献给朝廷的家产。宪宗下令在朝堂的内廊中审讯此案，又派遣宫中使者到东都洛阳去搜查审核王锷的家产。裴度规劝宪宗说："王锷已经死了，向朝廷进献的财产已经为数不少了。现在又因为家仆上告而搜查王锷的家，臣下担心各个将帅听说这事以后，各自都会担忧死后的家事。"宪宗连忙停派使者去东都。十一月初八日己巳，宪宗下令把王锷的两个家仆交给京兆府，将他们用棍棒打死。

十一月初九日庚午，宪宗任命给事中柳公绰为京兆尹。柳公绰刚到任的时候，有一个神策军的下级将领策马横冲直撞柳公绰前面的仪卫，柳公绰停下马，下令用军棍将此人打死。第二天，柳公绰到延英殿去奏对，宪宗神色十分愤怒，责问柳公绰擅自杀人的情况，柳公绰回答说："陛下不觉得臣下愚昧不才，让我担任京兆尹。京兆府是首都所在，为全国的表率。现在我就职刚开始，就有下级将领胆敢如此冒犯，这是他轻视陛下的诏令，而不仅仅是侮辱臣下一个人。我只知道要杖杀一个无礼的人，不知道他是神策军的将领。"宪宗说："那你为什么不上奏？"柳公绰回答说："我的职责应该是杖杀他，而不应该是上奏这件事。"宪宗问："那谁应该将这事上奏呢？"柳公绰回答说："这个人所属军队的主帅应该上奏。如果死在大街上，那么金吾左右巡逻的街使应该上奏。如果死在坊市里，那么御史台的左右巡使应该上奏。"宪宗没有理由加罪于柳公绰。退朝以后，宪宗对身边的侍从们说："你们必须小心谨慎地对待这个人，朕也畏惧他。"

征讨淮西地区的各路军队将近九万人，宪宗对各个将领久战无功很恼怒。二十日辛巳，下令负责枢密事务的梁守谦慰问将士，就此留下来监督各军进攻，还交给他空着姓名的官职委任书五百份以及大量金银布帛，来劝勉将士们拼死作战。十一月二十九日庚寅，宪宗先给李光颜等人加授了检校官，然后在诏书中严厉地责备他们，表示如果他们不立战功就一定要受到惩罚。

十一月三十日辛卯，李文通上奏说在固始打败了淮西军队，杀敌一千多人。

十二月十一日壬寅，程执恭上奏说在长河打败了成德军队，杀敌一千多人。

义武节度使浑镐与王承宗交战，多次打胜仗，于是就带领全军人马开进王承宗的境内，在离恒州三十里远的地方驻扎下来。王承宗很恐惧，暗中派兵进入浑镐的境内，在城镇中烧杀抢劫，浑镐的军心开始因顾念家园而受动摇。正好宫中使者来督促他们作战，浑镐带兵进逼恒州，与王承宗交战，被打得大败，逃回定州。十二月十五日丙午，宪宗下诏任命易州刺史陈楚为义武节度使，军中的士兵们听到这一消息后，抢劫浑镐和他家人的衣服，甚至让他们赤身露体。陈楚快马奔入定州，制止了作乱的人，从将士手中将衣服收缴回来还给浑镐，派兵护送他回朝。陈楚是定州人，他是张茂昭的外甥。

十二月十六日丁未，宪宗任命翰林学士王涯为中书侍郎、同平章事。

袁滋到了唐州，撤除了巡逻哨，不让军队进犯吴元济的境内。吴元济包围了袁滋的新兴栅，袁滋用卑谦的言辞请求吴元济撤军，吴元济从此不再把袁滋放在心上。朝廷知道了这件事，十二月二十三日甲寅，宪宗任命太子府詹事李愬担任唐、随、邓三州节度使。李愬是李听的哥哥。

朝廷开始设置淮、颍水运使。杨子转运院的大米从淮阴溯淮水而上进入颍水，到了项城以后进入溵水，运到郾城，以供应攻打淮西的各支军队，从而节省了通过汴水漕运的费用七万多缗钱。

十二月二十八日己未，容管上奏说黄洞蛮人血洗了岩州。

（以上为第十六段，写两线讨逆官军均连连告捷。柳公绰为京兆尹，当街杖杀犯禁的神策军将官。）

【点评】

本卷点评三事：宪宗惩治请托、柳公绰杖杀神策军小将、柳宗元著文讽喻时政。

宪宗惩治请托。请托，今谓之“走后门”，就是运用各种手段，疏通人际关系，给个人捞好处。元和八年（公元813年），于頔居留京师，担任检校司空、同平章事的闲职，闷闷不乐。于頔的儿子太常丞于敏找了一个叫梁正言的人，用厚礼托梁正言疏通大宦官枢密使梁守谦的关系，替于頔谋节度使的职位。梁正言是个骗子，疏通不了这个关系。于敏损失了许多钱财要不回来，就杀了梁正言。事发后，于頔降职为恩王傅，于敏被流放到雷州，走出京师不远，到秦岭就死了。这件事牵连了僧人鉴虚。鉴虚是当时的一个政治掮客，用贿赂与权贵宠臣和地方各镇将帅交结。许多权贵替鉴虚说话，宪宗准备赦免他。御史中丞薛存诚抗旨，坚决不放鉴虚，宪宗很赞赏，最终用军棍打杀鉴虚，没收了鉴虚的财产。

柳公绰杖杀神策军小将。柳公绰，字起之，唐代著名书法家柳公权之兄，京兆华原（今陕西铜川耀州区）人。历仕德宗、顺宗、宪宗、穆宗、敬宗、文宗六朝，唐代著名的耿正大臣，能文能武，不畏强暴，深受朝野敬重。元和十一年（公元816年），柳公绰以给事中为京兆尹。柳公绰初上任出行，就有神策军一个下级军官，跑马横冲直撞，冒犯了柳公绰的前行卫队。柳公绰立即下马，当场擒拿神策军小将，杖杀在路边。第二天，宪宗怒气冲冲地传召柳公绰，亲自责问他擅自杀人的过错。打狗还看主人面，神策军驾前卫队，主子就是皇帝，柳公绰没有请旨就把他杀了，是大不敬。柳公绰没有被宪宗的满面怒气所吓倒，而是从容不迫地说：“臣职为京兆尹，一举一动要为全国做表率。臣刚上任就遭这个下级军官的冒犯，不仅是侮辱大臣，而且是蔑视诏令，臣杀的是一个无礼之人，不知道他是神策军将领。”宪宗明知柳公绰是有意借神策军小将的头来立威，整治纲纪，没有理由加罪柳公绰。宪宗退朝，对身边的人说：“你们见了柳公绰要小心谨慎，朕也惧怕他三分。”

柳公绰杖杀神策军小将，冒了杀头的危险，不如此不能整肃京师风气，惩治豪强就要敢打老虎，拍几个苍蝇无济于事。柳公绰敢摸老虎屁股，表现了一个尽忠职守的大臣的风采。唐宪宗折服于理，不护短神策军，也表现了明君的风采。唐宪宗时昏时明，是一个多面性的人物。

柳宗元著文讽喻时政。柳宗元，字子厚，河东解县（今山西运城柳州镇）人。唐代著名文学家、哲学家，世称柳河东，贞元进士。柳宗元参与永贞革新被贬为永州司马，后量移柳州刺史，故又称柳柳州。与韩愈倡导古文运动，同列入“唐宋八大家”，并称“韩柳”。柳宗元的散文峭拔矫健，说理透彻，关切时政，尖锐有力。司马光引的《梓人传》和《种树郭橐驼传》两文就是柳氏散文中典型的时政论，用通俗的类比，把深奥的政治说得通透明白。柳宗元认为宰相，其实是指君主，讽喻唐宪宗，劝谏君主治理国家，要像一个建筑师和种树人一样，任用贤才，无为而治。梓人，木工头，今称之建筑师。建筑师本人并不使用刀锯斧刨，只是指挥百工劳作，可是大厦建成，只留下建筑师的姓名，百工没有份。人君就应当是一个政治梓人，任使贤才治国，而不是事事亲为。人君还应当像一个种树人一样，不要拔苗助长，而是让树木自然生长。人君治政，应当无为而治，少干预老百姓，让百姓休养生息。柳宗元正如范仲淹在《岳阳楼记》中所说的那样：“居庙堂之高，则忧其民；处江湖之远，则忧其君。”柳宗元长期处于远州贬所，仍然在忧国忧民，写出《梓人传》、《种树郭橐驼传》这样精彩的散文，所以司马光才大段引入史中。在《资治通鉴》全书中是不多见的。

唐纪五十六

唐宪宗元和十二年至十四年（公元817—公元819）

【起强圉作噩（丁酉，公元817年），尽屠维大渊献（己亥，公元819年）正月，凡二年有奇】

【大事提要】

本卷记事起公元817年，讫公元819年正月，凡两年又一个月。当唐宪宗元和十二年到元和十四年一月。此时期唐宪宗为政之要，仍是征讨不服朝命的藩镇，裴度为相，李愬为将，取得讨平淮西的成绩，又移兵淄青，取得决定性的胜利。当高霞寓和袁滋两路官军为淮西所败，停战之声大起。唐宪宗启用李愬为将，代袁滋领军。李愬智勇双全，至军存抚士卒，先计后战，战则必胜，积小胜为大胜，一个一个攻取淮西外围据点，连战皆捷，提振官军士气。李愬不杀俘虏，用恩信和大义诱降，使淮西勇将丁士良、吴秀琳战败请降。唐宪宗增兵李愬，又移河北之师于淮西，裴度又自请督师，奏罢中使监军，由诸将自专军事，故所战皆捷。淮西震恐，李愬雪夜进兵，智破蔡州，擒吴元济，淮西平定。李师道、王承宗恐惧，皆上表请罪自新。唐宪宗恢复王承宗官爵，集中全力讨淄青，官军节节进逼，李师道旦夕覆灭，已成定局。胜利冲昏了宪宗的头脑，猜忌功臣，以朋党为名压抑朝官，又一头扎进宦官的怀抱，任用奸邪小人皇甫镈为相，五坊使作威作福，宪宗还求神拜佛，服食金丹求长生，大做佛教功德，迎佛骨入京。韩愈上表谏迎佛骨，被贬潮州。

宪宗昭文章武大圣至神孝皇帝中之下

唐宪宗元和十二年（丁酉，公元817年）

春季，正月二十四日甲申，宪宗将袁滋贬为抚州刺史。

李愬去唐州赴任，唐州军队在经历死丧战败之后，将士们都害怕打仗，李愬了解这一情况，有出来迎接他的人，李愬就对他们说："天子知道我李愬柔弱怯懦，能忍受耻辱，所以让我来安抚你们。至于进攻打仗，攻城略地，那就不是我的事了。"大家都听信李愬的话而安下心来。

李愬亲自巡视看望将士们，士兵中有受伤生病的，李愬就安慰抚恤，一点也没有主帅的威风和严厉。有人对李愬说军中政事不够整肃，李愬说："我不是不知道这件事。袁尚书一味用恩惠安抚感召敌人，敌人轻视他，听说我来了，一定会加强防备，所以我故意要做出军民不整肃的样子。他们一定会认为我懦弱而放松警惕，这样我们才能想法去攻打他们。”淮西的那些人自以为曾经打败过高霞寓和袁滋两位主帅，轻视李愬的名声和地位一直很卑微，于是就不加防备。

宪宗派遣盐铁转运副使程异在江淮一带督促征收赋税。

回鹘可汗多次请求娶公主为妻，有关部门计算下嫁公主去回鹘的花费将近五百万缗钱，当时中原地区正在打仗，所以宪宗没有答应。二月初一日辛卯，宪宗打发回鹘的摩尼僧人等回去；命令宗正少卿李诚出使回鹘，向他们说明朝廷的意图，以便延缓婚期。

李愬计划袭击蔡州，上表朝廷请求增加兵力。宪宗下诏命令将昭义、河中、鄜坊三军的步兵、骑兵共二千人拨给李愬。二月初七日丁酉，李愬派遣下级军官马少良带十几名骑兵巡逻，遇到了吴元济的捉生虞候丁士良，与丁士良交战，抓住了丁士良。丁士良是吴元济的一员猛将，经常祸害唐州和邓州的东部地区。将士们请求挖了丁士良的心，李愬同意了。不久李愬又召见了丁士良，加以责问，丁士良毫无惧色。李愬说：“这是一个真正的男子汉！”于是下令给丁士良松绑。丁士良这才主动地说：“我本来不是淮西的士兵，贞元年间我是安州的士兵，与吴少阳作战，被他抓住了，当时我自以为要被杀，但吴氏没有杀我，还任用我，我因为吴氏而获得再生，因此就为吴氏父子竭尽全力。昨日我兵力不够，又被您捉住了，也以为要被杀，现在您又让我活下去，请允许我拼尽死力来报答您的恩德。”李愬于是就发给丁士良衣服和武器，任命丁士良为捉生将。

二月初九日己亥，淮西行营上奏说攻占了蔡州的古城葛伯城。

丁士良对李愬说：“吴秀琳率领三千将士，占据着文城栅，为吴元济的左臂，朝廷的军队不敢接近，这是因为有陈光洽做主谋。陈光洽勇敢而轻率，喜欢亲自出营交战，请允许我为您先抓住陈光洽，那么吴秀琳自然就会投降了。”二月十八日戊申，丁士良擒获陈光洽回营。

鄂岳观察使李道古率领军队出了穆陵关。二月二十四日甲寅，进攻申州，攻下了外城，又进军攻打内城。申州城的守将晚上带兵袭击，李道古的军队受惊慌乱，死的人很多。李道古是曹成王李皋的儿子。

淮西地区受战火之灾多年，将仓库中的储藏全都用光，以供应作战的士兵，百姓很多人都没有粮食吃，就采猎菱角、芡实、鱼鳖和鸟兽来吃，这些东西也都吃光了，相继投奔朝廷军队的有五千多户人家。吴元济也担心他们消耗粮食，不再禁止他们投奔朝廷军队。二月三十日庚申，宪宗下令暂时设置一个行县来安置他们，为他们选择县令，让县令负责抚恤和教养事宜，还派兵保护他们。

三月初五日乙丑，李愬从唐州移军驻扎宜阳栅。

郗士美在柏乡打了败仗，撤营而回，士兵战死的有一千多人。

三月初八日戊辰，宪宗给程执恭赐名为程权。

三月十八日戊寅，王承宗派兵二万进入东光县，切断了通往白桥的道路。程权抵挡不住，带领军队回到沧州。

吴秀琳率领文城栅的军队向李愬投降。三月二十八日戊子，李愬带兵到了文城栅西边五里远的地方，派遣唐州刺史李进诚带领八千名身穿铠甲的将士到了文城营栅下面，召吴秀琳出城投降，从城上射下的箭和石头像雨一样密集，将士们不能前进。李进诚回来向李愬报告说："敌人假装投降，不能让我们相信。"李愬说："他们这样做是等我去而已。"李愬马上就来到文城下面，吴秀琳将兵器收藏起来，扑在李愬的马足前面，李愬抚摸着吴秀琳的背加以安慰，接受了吴秀琳三千将士的投降。吴秀琳的将领李宪有才能又勇敢，李愬给他改名叫李忠义并重用他，又将文城的妇女全部迁移到唐州。这样一来，唐州和邓州军队的士气又振作起来了，将士们又有了出去打仗的决心。敌人投降李愬的络绎不绝，李愬根据他们的实际情况一一做出安排处置，听说投降者中有父母在家的，就发给粮食布帛打发他们回家，还说道："你们都是天子的臣民，不要扔下父母不管。"大家都感动得哭了。

朝廷军队和淮西军队隔着溵水驻扎，朝廷的各支军队互相观望，没有敢渡过溵水的。陈许兵马使王沛率先带领五千名将士渡过了溵水，占据险要地势修建营垒，于是河阳、宣武、河东、魏博等各支军队相继都渡过了溵水，逼近郾城。三月二十七日丁亥，李光颜在郾城打败淮西的军队三万人，赶走了这里的将领张伯良，杀死的敌人占总数的十分之二三。

三月二十九日己丑，李愬派遣山河子弟的十将军官董少玢等人各带人马进攻淮西的一些营垒。当天，董少玢攻占了马鞍山和路口栅。夏季，四月初二日辛卯，山河子弟的十将军官马少良攻下了山岈山，擒获了淮西将领柳子野。

吴元济任命蔡州人董昌龄为郾城县令，将董昌龄的母亲杨氏扣为人质。杨氏对董昌龄说："归顺朝廷而死比反叛朝廷而活下去要强，你脱离叛贼，而我因此死了，那你才是孝子。你协从叛贼，而我因此能活下去，那就等于是杀了我。"正好朝廷军队包围了青陵这个地方，切断了郾城通向蔡州的归路，郾城的守将邓怀金与董昌龄商议对策，董昌龄劝邓怀金归顺朝廷。邓怀金于是去向李光颜请求投降说："守郾城的将士父母妻子儿女都在蔡州，请您前来攻城，我点起烽火求救，蔡州的救兵到来，您就迎面攻击，蔡州的军队一定会战败，然后我再向您投降，那么这些人的父母妻子儿女就大概可以免于一死了。"李光颜采纳了他的建议。四月初六日乙未，董昌龄和邓怀金带领全城将士向李光颜投降，李光颜带兵进城驻守。吴元济听说郾城失守，非常恐惧。当时，董重质带着骡军防守洄曲，吴元济把亲信将士和守蔡州城的士兵全部派到董重质那里，全力抵抗李光颜。

李愬的山河十将军官妫雅、田智荣攻占了炉城。四月初七日丙申，十将军官阎士荣攻占了白狗和汶港两座营栅。十四日癸卯，妫雅和田智荣攻克了西平城。四月十七日丙午，游弈兵马使王义攻下了楚城。

五月初二日辛酉，李愬派遣柳子野、李忠义袭击朗山，擒获守将梁希果。

河东、幽州、义武、横海、魏博、昭义等六个军镇讨伐王承宗的军队有十几万，绵延包围几千里，既没有一个节制各军的统帅，各军镇的军队又相隔很远，很难采取统一的军事行动，因此经过两年的征战却没有什么建树，朝廷千里迢迢运送军用物资，牛和驴死掉的有十分之四五。刘总攻占武强县以后，带兵离开武强县境内才五里远，驻扎在那里不进攻，每个月度支都要给他军费十五万缗钱。李逢吉和朝廷中的大臣很多都向宪宗进言说："应该集中力量先攻下淮西，等淮西平定之后，乘打了胜仗的形势，再回师攻占恒冀地区，那就像拾根草一样容易！"宪宗犹豫不决，过了很久才采纳这一建议。五月十七日丙子，宪宗下令撤除河北行营，让各支军队返回本军镇去。

五月十八日丁丑，李愬派遣方城镇遏使李荣宗进攻青喜城，攻占了该城。

（以上为第一段，写李愬代袁滋为将讨淮西。李愬抚巡士卒，励其斗志，连战皆捷，官军士气大振。唐宪宗又移讨成德之军增益李愬，集中全力讨淮西。）

李愬每当获得敌人的投降士兵，一定让人带来亲自询问各种情况，因此，敌人的险要和容易攻占的地方、什么地方远、什么地方近以及哪里空虚、哪里充实等情况，都了解得十分清楚。李愬对吴秀琳十分优厚，与吴秀琳商议攻占蔡州的事情。吴秀琳说："你要攻占蔡州，没有李祐这个人，我实在无能为力。"李祐是淮西的骑兵将领，既勇敢又有谋略，防守着兴桥栅，经常欺凌侮辱朝廷的军队。五月二十一日庚辰，李祐带士兵到张柴村割麦子，李愬召唤厢虞候史用诚，告诫史用诚说："你带三百名骑兵埋伏在那一带的树林中，又派人在李祐的前面摇旗呐喊，做出像是要去烧他们的麦堆的样子。李祐一向轻视朝廷的军队，一定只带几名轻装骑兵来追赶。你这时就带埋伏的骑兵来袭击他，就一定能抓住他。"史用诚按照李愬说的去做，将李祐活捉回来了。将士们因为李祐往日杀害了很多朝廷的将士，争着要求李愬杀了李祐。李愬不同意，给李祐松了绑，用宾客礼对待他。

当时李愬想袭击蔡州，一切策划更加保密，只召见李祐和李忠义单独商议，有时商议到半夜，其他人没有机会参与讨论。各位将士担心李祐叛变，都来劝阻李愬，李愬待李祐反而更优厚。士兵们也不高兴，各支军队每天都有文书来声称李祐要做吴元济的内应，而且说是抓获的敌人的间谍交代的这一事情。李愬担心毁谤的话先传到宪宗那里，自己就来不及救李祐了，于是拉着李祐的手哭着说："难道是上天不想平定吴元济这个叛贼吗？为什么我们两人彼此了解得这样深刻，还抵挡不住大家的议论呢？"于是就对大家说："大家既然怀疑李祐，那么就请大家允许送李祐到朝廷，让天子来处死李祐吧。"于是就将李祐锁起来押送京城，事先向宪宗上一密奏讲明与李祐商议袭击蔡州的事，而且说："如果杀了李祐，攻占蔡州就无法成功。"宪宗下诏赦免李祐无罪，将李祐交还给李愬。李愬见李祐回来很高兴，拉着李祐的手说："你得以保全，是社稷的福分啊！"就任命李祐为散兵马使，让李祐佩带刀剑巡视警戒，自由出入军帐中。李愬有时与李祐同住一处，秘密交谈，整夜不睡，直到天亮，有在军帐边偷听的人，只听到李祐受感动的哭泣声。当时唐州和随州节度使的卫队有三千人，号称六院兵马，都是山南东道的精锐将士。李愬又任命李祐为六院兵马使。

根据以前的军令，对窝藏敌人间谍的人，要杀了窝藏者全家。李愬废除了这条军令，让人们厚待窝藏者的家人。这样，敌人的间谍反而把各种情况告诉了李愬，李愬更加了解敌人的虚实。五月二十六日乙酉，李愬派兵攻打朗山，淮西的军队来援救，朝廷军队吃了败仗，将士们都惆怅恼恨，只有李愬高兴地说："这是我的计策啊！"李愬于是招募敢死将士三千人，号称突将，自己亲自早晚训练，让他们经常做好出发的准备，打算用他们来袭击蔡州。正碰上长期下雨，很多地方都积了很深的水，袭击没有成功。

闰五月初十日己亥，程异从江淮地区回朝，督收供应军需的钱一百八十五万缗。

谏议大夫韦绶兼任太子侍读，总是拿些山珍海味来让太子吃，又说些诙谐的笑话让太子高兴。宪宗知道了这件事，闰五月十八日丁未，罢免了韦绶的太子侍读职务，不久就外放为虔州刺史。韦绶是京兆府人。

吴元济见部下很多人背叛，军事形势日益窘迫，六月初四日壬戌，向朝廷上表称自己有罪，愿意入朝投案。宪宗派遣宫中使者赐给吴元济一个诏令，答应免吴元济一死。但吴元济被身边的人和大将董重质控制了，不能出蔡州。

秋季，七月，发生了严重的洪水，有的地方平地涨了二丈深的水。

（以上为第二段，写李愬以恩信招降，迅速攻下淮西外围防线，吴元济始惧。）

当初，国子祭酒孔戣担任华州刺史，明州每年要向朝廷进贡蚶子、蛤蜊、淡菜等水产品，水陆长途转运的运夫既辛苦，耗费也多，孔戣上奏朝廷请求停止这项进贡。七月十七日甲辰，岭南节度使崔咏去世，宰相上奏了几个代替崔咏职务的人选，宪宗都没有看中，说："近年进谏停贡蚶子、蛤蜊、淡菜的那个人是谁，可以找到这个人，把岭南节度使的职务交给这个人。"七月二十三日庚戌，宪宗任命孔戣为岭南节度使。

各路攻打淮西的官军，历时四年攻不下蔡州，军需物资的转运弄得人们疲惫不堪，老百姓甚至有因为牛死了用驴耕田的。宪宗也一直担忧这事，就征询宰相们的意见。李逢吉等人争相说军队士气衰竭，钱财消费已尽，意思是想停止军事行动。只有裴度一个人不说话，宪宗询问裴度，裴度回答说："我请求亲自前去督战。"七月二十八日乙卯，宪宗又对裴度说："你真能为我去前线督战吗？"裴度回答说："我发誓不与吴元济同在人世。我近来观看吴元济上的奏章，吴元济的形势已到了十分窘迫的境地，只是我们各路讨伐的主帅心不齐，没有集中力量进攻，所以吴元济才没有投降。如果臣下亲自去行营督战，各位主帅担心臣下会争夺他们的功劳，一定会争着进攻消灭敌人了。"宪宗很高兴，八月二十九日丙戌（丙辰）这一天，任命裴度为门下侍郎、同平章事，兼任彰义节度使，还充当淮西宣慰招讨处置使。宪宗又任命户部侍郎崔群为中书侍郎、同平章事。委任的诏令颁布后，裴度认为韩弘已经做了都统，不想再担任招讨一职，请宪宗只给自己宣慰处置使职务。裴度还上奏请刑部侍郎马总担任宣慰副使，让右庶子韩愈担任彰义行军司马，判官和书记官都从朝廷中挑选，宪宗答应了这些要求。裴度将要出发时，对宪宗说："如果我消灭了吴元济，那么就会回来朝见陛下；如果吴元济还在，那我就不会回朝。"宪宗听了流下眼泪。

八月初三日庚申，裴度前往淮西，宪宗在通化门为裴度送行。右神武将军张茂和，是张茂昭的弟弟，曾经在裴度面前炫耀自己有胆识和谋略。裴度上奏章请求任命张茂和为自己去淮西督战的都押牙官，张茂和以有病为借口加以推辞，裴度上奏请宪宗杀了张茂和。宪宗说："他们张家一门忠诚恭顺朝廷，朕为你将他贬斥到遥远的地方去。"八月初四日辛酉，宪宗把张茂和贬为永州司马。任命嘉王傅高承简为都押牙。高承简是高崇文的儿子。

李逢吉不想讨伐蔡州，翰林学士令狐楚与李逢吉关系很好，裴度担心他们联合宫廷内外的势力阻挠军事行动，就请求宪宗在制书上改动几个字，并且说令狐楚起草诏制措辞失当。八月初五日壬戌，宪宗将令狐楚降职为中书舍人。

李光颜、乌重胤与淮西军队交战，八月初六日癸亥，在贾店打了败仗。

裴度经过襄城南边白草原这个地方时，淮西派出七百名精悍的骑兵来袭击，当地镇守的将领楚丘人曹华事先得知这事，做了准备，将敌人打退了。裴度虽然辞去了招讨的官名，实际上却行使元帅的职责，以郾城为指挥所。八月二十七日甲申，裴度到了郾城。在此之前，各道的军队都有宫中使者监战，军队进攻撤退不由主帅决定，如果打了胜仗，监军就率先派人向朝廷报捷，如果打了败仗，监军就百般凌辱将帅。裴度上奏宪宗撤除所有监军，各位将帅才得以一心一意指挥军队，作战多有建树。

（以上为第三段，写裴度自请督师，奏罢中使监军，诸将始专军事，战多有功。）

九月十四日庚子，淮西军队侵犯溵水镇，杀死三个将领，烧毁喂牲口的草料后离开了。

当初，宪宗做广陵王的时候，平民百姓张宿因为能言善辩得到了宠信。宪宗即位之后，张宿一直升官到刑部的比部员外郎。张宿在朝廷内外结纳权贵人物，收受贿赂，门下侍郎、同平章事李逢吉很讨厌他。宪宗打算任命张宿为谏议大夫，李逢吉说："谏议大夫责任重大，一定要能判断朝廷的是非，才适宜担任这一职务。张宿是一个小人，怎么能够窃得贤明者的职位呢？陛下一定要任用张宿，那就请先免了臣下的职务。"宪宗因此不高兴。李逢吉又与裴度持不同意见，宪宗正依靠裴度平定蔡州。九月二十一日丁未，宪宗罢免了李逢吉的宰相职务，改任为东川节度使。

九月二十八日甲寅，李愬准备攻打吴房县，各位将领说："今天是不利于前去攻战的往亡日啊。"李愬说："我们的兵力太少，不能够正式与敌人交战，应该采取出乎敌人意料的行动。敌人因为今天是往亡日，不会防备我们，我们正好乘这一机会去进攻。"于是带军前去，攻下吴房县的外城，杀敌一千多人。残余的敌人退保里城，不敢出城迎战，李愬就带兵回去，借以引诱敌人出城，淮西将领孙献忠果然中计，带领五百精锐骑兵跟着李愬后面追击。李愬的将士惊慌失措，准备逃走，李愬下马坐在胡床上，下令说："谁敢后退就杀谁！"将士们回军与敌人拼死作战，孙献忠被杀。淮西士兵这才退回去。有人劝李愬乘胜去攻吴房县城，说可以攻占。李愬说："打吴房不是我的策略。"于是带领军队回营。

李祐对李愬建议道："蔡州的精兵都在洄曲和四面边境上抵御，防守蔡州城的都是老弱的士兵，可以乘蔡州空虚直接进攻蔡州城。等到敌人的将领们听到这一消息，吴元济已经被我们擒获了。"李愬同意李祐的意见。冬季，十月初八日甲子，李愬派遣掌书记郑澥到郾城去，将这个计划秘密地告诉给裴度。裴度说："用兵，如果不能采取奇袭措施，就不能取胜，李常侍的计划很好。"

宪宗最后还是要任用张宿作谏议大夫，崔群和王涯坚持劝谏，但宪宗不采纳他们的意见。于是，他们就请宪宗让张宿暂时代理谏议大夫一职，宪宗同意了。张宿从此以后怨恨执掌朝政的人和品德端正的人士，与皇甫镈勾结，诬陷这些人，将他们赶出朝廷。

裴度带着部下僚属去视察沱口的筑城情况，董重质带领骑兵从五沟这个地方出来，拦击裴度一行，大声呼叫着向前冲锋，张弓拔剑，看情况马上就要接近裴度了。李光颜和田布率军拼命迎战，抵挡住了敌人。裴度才得以进入沱口城内。敌人撤退，田布控制了敌人退回五沟的归路，敌人纷纷下马跨沟，掉到沟里和压死的有一千多人。

十月十五日辛未，李愬命令马步都虞候、随州刺史史旻留在文城镇守，命令李祐和李忠义率领三千名突将作前锋，自己与监军带三千名将士作中军，命令田进诚率领三千名将士作后卫。军队出发后，将领们不知要去哪里。李愬说："你们只管向东前进！"行军六十里，晚上，到达张柴村，他们将淮西在这里守卫的士兵和负责守候烽火报警的士兵全部杀光。占领了这里的营垒，李愬下令士兵们稍事休息，吃一些干粮，整理一下马身上的器具，留下义成军的五百名将士在这里镇守，以切断洄曲和各条通往蔡州道路上的桥梁。李愬又连夜带着军队出了营门。各位将领们询问军队要去哪里，李愬说："进蔡州城活捉吴元济！"各位将领都大惊失色。监军哭着说道："我们果然中了李祐的奸计了！"当时正刮大风，下着大雪，军旗都被风撕破了，被冻死的人和马随处可以见到。天气阴沉漆黑，从张柴村到东边去的路，官军以前都没有行走过，人人都自以为此行一定活不成了。但是又害怕李愬，不敢违抗命令。到了半夜的时候，雪下得更大，军队行军七十里，到了蔡州城下。靠近蔡城边有一个满是鹅鸭的水池，李愬下令去扰击鹅鸭，以掩盖军队行动的声音。

自从吴少诚抗拒朝廷的命令以来，官军有三十几年没有到蔡州城下来了，所以蔡州人没有防备。十月十六日壬申凌晨四更时分，李愬的军队来到蔡州城下，蔡州城内没有一个人知道。李祐和李忠义先用锄头在城墙上挖掘，弄成梯坎，率先登城，让强壮的士兵接着上城。守卫城门的士兵们正在熟睡，他们将这些人杀光，只留下敲更的人，让他继续敲更。然后打开城门放军队进城，军队到了里城，也跟前面一样，城内没有一个人知道这事的。鸡叫的时候，大雪停止了，李愬已经进入了吴元济的外宅。有人告诉吴元济说："官军到了！"吴元济那时还在睡觉，笑着说："这是被俘的囚徒们在闹事！天亮后一定把他们全杀了。"又有人告诉吴元济说："州城已经沦陷了！"吴元济说："这一定是洄曲的士兵们到这里来找我要御寒衣服的。"他起床，在厅堂中处理事情，听到李愬的军队传达号令的声音："常侍传令。"响应的人将近一万人。吴元济这才害怕起来，说："这是什么样的常侍，竟然能到这里来！"于是率领侍卫登上军府的牙城上抵抗。

当时，董重质带着一万多精锐军队守在洄曲一带。李愬说："吴元济所希望的，只是董重质的救援而已！"于是去拜访董重质的家，很优厚地安抚他的家人，派他的儿子董传道带着自己的信去劝说董重质，董重质最终单人匹马到李愬这里来投降。

李愬派遣李进诚进攻吴元济的军府城墙，毁坏城墙的外门，得到武器库，取出兵器。十月十七日癸酉，李愬的军队又进攻，烧毁了吴元济军府的南门，老百姓争着背柴草来帮助攻打吴元济，官军射到城墙上的箭像刺猬的毛一样多。到太阳西沉的时候，城门被攻破，吴元济在城墙上请求治罪，李进诚用梯子让吴元济下来。十月十八日甲戌，李愬用囚车将吴元济押送到京城长安去，并且向裴度报告了。这一天，申州和光州的将士，一些军镇援助淮西的军队二万多人，相继向官军投降。

自从吴元济被擒以后，李愬不再杀一人，凡是吴元济的官吏和军帐下、马厩、厨房的士兵，李愬一概让他们恢复原来的职事，让他们不起疑心。然后将军队驻扎在鞠球场上等候裴度的到来。

（以上为第四段，写李愬雪夜取蔡州。）

宪宗任命淮南节度使李鄘为门下侍郎、同平章事。

十月二十三日己卯，淮西行营上奏擒获了吴元济。光禄少卿杨元卿对宪宗说："淮西有不少珍奇宝贝，臣下对此了解得很清楚，让臣下去淮西，一定能够找到。"宪宗说："朕派兵征讨淮西，目的在于为民除害，珍奇宝贝不是朕所要找的。"

董重质离开洄曲的军队，李光颜率军奔进洄曲的军营，招降了这里的全部敌军。十月二十四日庚辰，裴度派遣马总先进蔡州城去安抚百姓和投降将士。十月二十五日辛巳，裴度打出彰义军的节度使标志，带着投降的将士一万多人进蔡州城，李愬全副武装出来迎接，在路的左边向裴度行礼。裴度准备回避李愬的拜礼，李愬说："蔡州人愚顽悖逆，不懂得上级和下级的名分礼数，已经几十年了。希望您借此做给他们看，让他们知道朝廷的尊严。"裴度才接受李愬的行礼。

李愬带军队回去，驻扎在文城，各位将领请教说："开始，您在朗山打了败仗而不忧虑，在吴房打了胜仗却又不攻下县城，顶冒着大风大雪行军不止，用一支孤军深入敌人的境内却不畏惧，然而最终取得了胜利，这都是我们大家所不明白的，请问这是什么缘故？"李愬说："在朗山战事中失利，那么敌人就会轻视我们而不加防备了。要是攻占吴房县，那么敌人就会逃向蔡州，集中力量固守蔡州，所以不攻占吴房县，是为了将敌人的兵力分散。在大风大雪的阴暗天气中出兵，那么敌人的烽火不能连接传递，就不知道我们要到了。我们以孤军深入敌人境内，那么将士们就都要拼死力战，打起仗来就会使军力倍增了。一般来说，看得远的人不会顾及近处的事情，考虑大事的人不必知道琐细的事情，如果因一次小胜利而洋洋自得，因一次小失败而忧心忡忡，那首先就搅乱了自己的阵脚，哪里还有时间来立功呢？"大家听了以后都十分佩服。李愬自己生活节俭，但对将士们却很优厚，任用贤明的人不再怀疑，了解到可以实行的事能够当机立断，这就是他获得成功的原因。

（以上为第五段，写李愬智勇，与诸将论取胜之道。）

裴度用蔡州降兵作节度使的卫队，有人劝阻说："蔡州人中反复无常的人还很多，不能不作防备。”裴度笑着说：“我担任彰义节度使，元凶既然已被擒获，那么蔡州人就是我们的自己人，对他们又有什么要怀疑的呢？”蔡州人听了这话感动得哭了。在此之前，吴少阳、吴元济父子拥兵抗拒朝廷，禁止有两人以上的人在路上说话，不准人家晚上点蜡烛，有用酒和食品相互招待的人，就犯了死罪。裴度主持政事之后，下令只是禁止盗贼，其余的一概不管，人们相互往来没有白天黑夜的限制，蔡州人这才知道有人生的正常乐趣。

十月二十八日甲申，宪宗下诏韩弘和裴度，要他们罗列平定蔡州的将士们的功劳情况和蔡州投降的将士名单，都分等级上奏朝廷。免除淮西各州县百姓的赋税两年。靠近淮西的四个州，都免除明年的夏税。朝廷军队战死的人，都要收尸埋葬，发给他们的家属五年的衣服和粮食；那些在战场上受伤残废的人，要一直供应他们的衣服和粮食。

十一月，宪宗到兴安门去接受俘虏，将吴元济带到宗庙社稷前献祭后，在独柳树下将他斩首。

当初，淮西百姓受李希烈、吴少诚暴政的威胁，无法从中超脱出来，时间一长，年老的人衰弱了，年幼的成了壮年，他们都安于悖逆朝廷的现状，不再知道有朝廷了。自吴少诚统治以来，派遣各位将领出兵抢掠进攻，都不用法令制度来约束他们，听任他们根据实际情况自己指挥打仗，所以每个人都能施展自己的才干。韩全义在溵水被打败以后，淮西兵在他的营帐中得到朝廷中的权贵们写给他们的问候信，吴少诚把信件捆起来给大家看，说：“这都是王公卿相们给韩全义的信，说在攻下蔡州的那一天，要求弄一个蔡州将士的妻子和女儿作奴婢和小妾。”于是众人都非常愤怒，拼命为叛贼效力。淮西虽在中原，但这里民风剽悍暴戾，比周边胡人还厉害。所以，吴元济凭借三个州的军民，朝廷用全国的兵力四面围攻，攻打了四年才攻下来。

官军攻打吴元济的时候，李师道招募人作使者去蔡州通风报信，并考察蔡州的形势，担任牙前虞候的刘晏平应召，从汴州和宋州之间出发，暗中来到蔡州。吴元济非常高兴，送给他很重的礼物打发他回去。刘晏平回到郓州之后，李师道让其他人走开，单独询问情况，刘晏平说：“吴元济将几万兵马派到外地防守，形势如此危险，但吴元济整天与仆人侍妾在城内赌博下棋，寻欢作乐，没有一点忧虑的神色。依我的愚见，吴元济肯定会败亡，时间不会太长了！”李师道一向依靠淮西作为后援，听到这话又惊讶又恼怒，不久就借别的过错，用军棍打死了刘晏平。

十一月初三日戊子，宪宗任命李愬为山南东道节度使，赐封凉国公。加授韩弘兼任侍中职务。对李光颜、乌重胤等人都有不同等级的升迁。

以前的制度规定，用两名监察御史管理全国驿站。十一月初七日壬辰，宪宗下诏任命宦官为馆驿使。左补阙裴潾劝谏宪宗说："宫廷内的臣子和朝廷的事务，职责和名分各自不同。最重要的是堵住侵犯官员职守的根源，杜绝越官任职的势头。如果事情处理得不合适，一定在最初就引起警惕，颁行的命令如果有妨碍，不一定是大事情才纠正。"宪宗不采纳这一意见。

十一月初九日甲午，恩王李连去世。

十一月十六日辛丑，宪宗任命唐州、随州兵马使李祐为神武将军，掌管军中事务。

裴度任命马总为彰义留后。十一月二十八日癸丑，裴度从蔡州出发回朝。宪宗将两把宝剑封好授予梁守谦，让梁守谦去杀吴元济的旧日将领。裴度到郾城，遇到梁守谦，又与梁守谦一起进蔡州城，根据罪行对吴元济的部将实施刑罚，不完全按宪宗的诏令旨意办事，随之上奏陈述自己的意见。

十二月初七日壬戌，宪宗封赐裴度为晋国公，让裴度再入朝处理政事。宪宗任命马总为淮西节度使。

当初，吐突承璀正受宪宗宠信而手握大权，担任淮南监军。李鄘担任淮南节度使，性格刚直威严，与吐突承璀互相敬畏，所以关系没有弄僵。吐突承璀回朝以后，就推荐李鄘为宰相。李鄘以被宦官推荐为耻辱，后来将领僚佐们为他饯行，当乐声大作时，李鄘流着眼泪对大家说："我到老都安于在军镇任外官，宰相一职不是我能胜任的啊！"十二月二十三日戊寅，李鄘到了京城长安，以生病辞职，不进宫朝见宪宗，不去处理政事，朝廷文武百官到家门口拜会，李鄘一概推辞，不肯接见。

十二月二十五日庚辰，宪宗将淮西降将董重质贬为春州司户。董重质是吴元济的主谋，多次打败过官军。宪宗打算杀董重质，李愬上奏说事先已答应董重质不处死他。

（以上为第六段，写裴度优抚淮西士民，处置善后事宜。）

唐宪宗元和十三年（戊戌，公元818年）

春季，正月初一日乙酉，大赦天下。

当初，李师道策划抗拒朝廷，判官高沐和同僚郭昈、李公度多次劝阻李师道。判官李文会、孔目官林英一向受李师道的亲近信任，流着眼泪对李师道说："我们这些人尽心尽力地为您担忧操持家务事情，反而受高沐等人的憎恨，您为什么不爱惜自己十二个州的土地，而用它来成就高沐等人的功名呢？"李师道从此以后就疏远高沐等人，把高沐外放到莱州去做刺史。正好林英入京上奏事情，他让淄青设在京城长安的进奏院的官吏秘密报告李师道说："高沐等人暗中向朝廷表示忠诚。"李文会接着就诬陷高沐等人。李师道于是就杀了高沐，并囚禁了郭昈，凡是军中劝说李师道为朝廷效力的人，都被李文会指责为高沐的党羽而囚禁起来。

等到淮西被朝廷平定，李师道既担忧又害怕，不知所措。李公度和牙将李英昙乘李师道害怕而劝说李师道，让李师道向朝廷派出人质，献出土地来自我赎罪。李师道采纳了这一建议，派遣使者向朝廷上奏，请求让长子进京侍奉宪宗，并且向朝廷献出沂、密、海三个州。宪宗同意了。正月二十一日乙巳，宪宗派遣左常侍李逊去郓州宣诣慰问。

宪宗下令中央禁军的六军修建麟德殿。右龙武统军张奉国和大将军李文悦认为外地的寇贼才平定，营造缮修的地方太多了，就把这事向宰相说了，希望能有所论议和劝谏。裴度乘上奏事情的时候向宪宗谈了这件事。宪宗很生气。二月十三日丁卯，宪宗将张奉国降职为鸿胪卿。二月十八日壬申，宪宗将李文悦改任为右武卫大将军，让他担任威远营使。这以后，朝廷调集人力疏通了龙首池，建起了承晖殿，宪宗开始渐渐地大兴土木。

李愬向宪宗上奏请求任命判官、大将军以下的官员共有一百五十人。宪宗对此很不高兴，对裴度说："李愬确实建立了功劳，但上奏请求任命的官员太多了，假使像李晟、浑瑊那样立了功劳，那又该怎么办呢？"于是将李愬的奏章留在宫中，不下发给中书省。

李鄘坚决辞去宰相职位，三月十四日戊戌，宪宗任命李鄘为户部尚书。宪宗又任命御史大夫李夷简为门下侍郎、同平章事。

当初，渤海国的僖王大言义去世，弟弟简王大明忠继位，改年号为太始，一年以后就死了。叔叔大仁秀继位，改年号为建兴。三月二十一日乙巳，大仁秀派遣使者向朝廷报丧。

横海节度使程权自己觉得世代承袭沧州、景州地区的主帅职位，与河朔地区三个军镇没有什么区别，内心很是不安。三月二十五日己酉，派遣使者上表朝廷，请求率领全族人口进京入朝，宪宗同意了。横海军的将士喜欢自作主张，不听朝廷命令，不让程权离开，掌书记林蕴用祸福的道理开导他们，程权才得以离开。宪宗下诏任命林蕴为礼部员外郎。

（以上为第七段，写朝廷平定淮西，淄青李师道恐惧，假意效顺，称将派长子入朝为质。）

裴度在淮西的时候，有一个叫柏耆的平民百姓向韩愈献计策，说："吴元济已经被擒，王承宗就被吓破了胆，我希望能够带着宰相写的信去劝说王承宗，可以不用麻烦朝廷用兵而让他归顺。"王承宗很害怕，向田弘正哀求，请求让两个儿子做人质，而且还向朝廷献出德、棣二个州，向朝廷交纳赋税，请朝廷委派官吏。田弘正为王承宗向朝廷上奏请求，宪宗当初不同意。田弘正一个接一个地上奏章，宪宗不想违背田弘正的意见于是就同意了。夏季，四月初一日甲寅，田弘正派遣使者送王承宗的儿子王知感、王知信和德、棣二州的地图、印信到了京城长安。

幽州的大将谭忠劝刘总说："自从元和年间以来，刘辟、李锜、田季安、卢从史、吴元济凭借着军队和地势险要违抗朝廷，自认为根深蒂固，天下的人不能危害他们。但是在短暂的时间内，他们一个个身首异处，家族覆没，这都是他们无自知之明，这不是人力能够达到的，而是上天要杀戮他们啊。况且现在的天子神圣英明，威严勇武，苦心思虑，节衣缩食来供养战士，皇帝的这个志向，难道有片刻忘记了天下的安宁吗？现在朝廷的军队快速向北挺进，王承宗已经向朝廷进献了德州和棣州共十二个县的土地，我谭忠深深为您的处境担忧。"刘总流着眼泪向谭忠行礼说："听了先生的一席话，我的决定就下定了。"于是决意归顺朝廷。

四月十五日戊辰，宪宗从宫内拿出两枚废弃了的印信，赐给左、右三军辟仗使。以前的制度规定，让宦官担任中央禁军六军的辟仗使，职掌与外面军镇的监军相同，但没有印信。张奉国因事获罪以后，到此时宪宗才赐给辟仗使印信，可以处置军政事务，处理意见可以直接上奏宪宗。

四月二十七日［庚辰］，宪宗下诏为王承宗和成德军的将士们洗雪罪名，恢复他们的官职爵位。

（以上为第八段，写成德效顺，朝廷恢复王承宗官爵。）

李师道昏庸怯懦，军府中的事情，只与妻子魏氏，奴仆胡惟堪、杨自温，婢妾蒲氏、袁氏以及孔目官王再升商议，军中的大将和幕僚们都不能参与。魏氏不想让自己的儿子入朝作人质，就和蒲氏、袁氏一起向李师道说："自从故司徒李公以来，我们就拥有这十二个州的地方，为什么要无故割让出来献给朝廷呢？现在合计境内我们的兵力不下几十万人，如果不献出三州来，朝廷不过就是对我们使用武力。如果我们拼出全力作战，打不赢的话，再向朝廷献出三个州也不晚。"李师道听后十分后悔，打算杀了李公度。幕僚贾直言对李师道亲信的奴仆说："现在大祸就要临头了，这难道不是高沐冤死的魂魄造成的吗？如果又杀了李公度，那军府就十分危险了啊！"李师道于是将李公度囚禁起来。又调李英昙去莱州任职，李英昙还在赴任的路上，就被李师道派人勒死了。

李逊到了郓州，李师道大规模地布置军阵来迎接他。李逊的态度很强硬，用极严肃的语气向李师道陈说利害祸福，要他一句话决定何去何从，准备回去奏报天子。李师道回去以后，与亲信们商议这件事。亲信都说："先答应好了，以后只需要写一纸奏章就解决问题。"李师道于是向李逊道歉说："以前只因为父子的私情，而且迫于将士们的压力，所以就耽搁了事情，没有派儿子入朝。现在又麻烦朝廷的使者远道而来，我怎么敢再三心二意呢？”李逊看出李师道没有诚意，回到朝廷，对宪宗说：“李师道愚妄顽固，反复无常，恐怕一定要动用武力。”不久，李师道上表奏说军中情况，将士们不让自己向朝廷献土地，送人质。宪宗发怒，决定讨伐李师道。

贾直言冒死规劝李师道两次，抬着棺材死谏李师道一次，又画了李师道被捆绑在囚车中，妻儿老小被囚的图画献给李师道来劝止他。李师道很恼火，将贾直言囚禁起来。

五月十三日丙申，宪宗调任忠武节度使李光颜为义成节度使，这是策划讨伐李师道的措施。任命淮西节度使马总为忠武节度使和陈州、许州、溵州、蔡州等地观察使。将申州划归鄂岳观察使统辖，将光州划归淮南节度使管辖。

五月十八日辛丑，宪宗册封代理渤海国事务的大仁秀为渤海王。

宪宗任命河阳都知兵马使曹华为棣州刺史，诏令河阳的军队护送曹华到滴河去。正好滴河县被李师道的军队攻下，曹华率军进攻，打退了李师道的军队，杀敌两千多人，恢复了滴河县的秩序，曹华将此事上奏朝廷，宪宗下诏加授曹华为横海节度副使。

六月初一日癸丑，出现日食。

六月二十五日丁丑，宪宗又任命乌重胤兼任怀州刺史，镇守河阳。

秋季，七月初一日癸未，宪宗又将李愬调任为武宁节度使。

七月初三日乙酉，宪宗颁下制书数列李师道的罪状，下令宣武、魏博、义成、武宁、横海各军出兵共同讨伐李师道，任命宣歙观察使王遂为供应军队后勤需要的供军使。王遂是王方庆的孙子。

宪宗正任用裴度负责讨伐李师道的事宜，门下侍郎、同平章事李夷简自认为才能赶不上裴度，要求宪宗允许自己外出担任节度使。七月二十八日辛丑，宪宗任命李夷简为同平章事，担任淮南节度使。

八月初一日壬子，中书侍郎、同平章事王涯被罢去宰相职位，改任兵部侍郎。

（以上为第九段，写李师道反复无常，唐宪宗用兵淄青。）

吴元济被平定后，韩弘害怕。九月，亲自率领军队进攻李师道，包围了曹州。

淮西地区被平定以后，宪宗渐渐骄傲奢侈。担任户部侍郎、负责度支事务的皇甫镈和担任卫尉卿、盐铁转运使的程异了解宪宗的心意，多次向宪宗进贡盈余以供开销，两人因此受宪宗的宠信。皇甫镈又用厚重礼物贿赂、巴结吐突承璀。九月二十三日甲辰，皇甫镈以现任官职、程异以工部侍郎的官职一同担任同平章事，两人各自像从前一样负责度支和盐转运事务。委任书一颁布，朝野十分惊讶，甚至连街市上贩卖东西的小商人也都嘲笑他们。

裴度和崔群极力陈说这一任命不合适，但宪宗对他们的意见毫不理会。裴度以与这样的小人平起平坐为耻辱，上表请求宪宗允许自己辞去宰相一职，宪宗不同意。裴度又上疏宪宗，认为："皇甫镈和程异都是负责钱粮方面的官吏，是奸诈取巧的小人，陛下突然一下子任命他们为宰相，宫廷内外没有人不诧异和嘲笑的。何况皇甫镈负责度支事务，一味地以多多收取，刻薄地拨给为职事，凡是宫廷内外依靠度支拨给钱粮的人，没有哪一个不想生吃了他的肉。以前裁减进攻淮西各支军队的粮草，军中将士怨恨愤怒。正好臣下去行营开导，劝慰将士们，才得以避免了军队的溃败。现在都是攻打淮西的原班将领和士兵去围攻李师道，他们听说皇甫镈担任宰相，一定都吃惊忧虑，知道再没有可以申诉的地方了。程异虽然人品平庸，但心地平和，可以让程异处理繁杂的重任，但不适合让程异做宰相。至于皇甫镈，生性狡诈奸邪，天下的人都知道，皇甫镈能迷惑陛下的视听，由此可见皇甫镈奸诈邪恶到了极点。臣下如果不向陛下陈说这一意见，天下的人就会说臣下辜负了陛下对我的恩典和宠爱。现今臣的辞职，既然陛下不准许，臣的意见陛下又不接受，臣现今的情况正如烈火烧心、万箭穿体一样。最可惜的是，淮西的奸贼才清除，河北地区也才安宁，王承宗拱手割让土地，韩弘带病讨伐李师道，这难道是朝廷的力量控制他们的命运取得的吗？这只是因为对他们采取的措施合适，能够让他们从内心服从啊。陛下要创建天下太平的宏伟大业，十分已经完成了八九分，怎么能够忍心返回去自行破坏，让天下的人心涣散呢？"宪宗觉得裴度与人结成了朋党，不肯考虑裴度的意见。

皇甫镈知道自己不被大家接受，就更加投机取巧向宪宗献媚，以巩固自己的地位，上奏减省朝廷内外官员的薪俸，来资助国家的开支。给事中崔植把宪宗批准皇甫镈建议的诏书封好退回宫中，极力反对这样做，宪宗才作罢。崔植是德宗时宰相崔祐甫弟弟的儿子。

当时，宪宗将宫廷内库存的陈年丝帛交给度支让他们出卖，皇甫镈用度支的钱高价将这些丝帛买了下来，将它拨给守卫边疆的军队。这些丝帛都朽烂毁坏了，随手一拿就破烂不堪，边防军把这些东西堆在一起焚烧了。裴度向宪宗陈奏事情时说了这件事，皇甫镈当着宪宗的面伸出脚说："这双靴子也是从宫廷内库中来的，我花了两千钱买下了它，结实牢固，可以久穿。裴度说的话不能相信。"宪宗觉得皇甫镈说的对。从此以后，皇甫镈更加肆无忌惮。程异也自知不合众人的心意，却能够廉洁、谨慎、谦虚、礼让，担任宰相一个多月，不敢持印提笔处理政事，所以最后能免遭灾祸。

五坊使杨朝汶随便拘捕普通百姓，拷打刑问，索要利息钱，于是转相牵连、诬陷，拘囚了将近一千人。御史中丞萧俛将这一事件弹劾上奏，裴度和崔群也向宪宗反映这件事。宪宗说："暂且与你们讨论用兵的事情，这是件小事，我自然会处理。"裴度说："用兵的事情小，所担忧的不过是太行山以东地区而已。但五坊使残暴蛮横，恐怕要扰乱京城。"宪宗听了很不高兴，退朝以后，召见杨朝汶，斥责说："因为你的缘故，使得朕羞于见宰相们！"冬季，十月，宪宗赐令杨朝汶自杀，将五坊使拘捕的人全放了出来。

（以上为第十段，写唐宪宗骄侈，宦官得势，奸邪小人为相，五坊使擅作威福。）

宪宗晚年喜欢神仙长生之术，下令天下寻求方士。宗正卿李道古以前担任过鄂岳观察使，以贪婪残暴闻名，担心最后会被治罪，就想办法向宪宗献媚，于是就通过皇甫镈向宪宗推荐了山野人柳泌，说他能够制造长生不老的药物。十月二十四日甲戌，宪宗下诏命令柳泌住进兴唐观内炼制长生不老药。

十一月初一日辛巳，盐州上奏说吐蕃侵犯河曲和夏州地区。灵武节度使上奏攻破吐蕃占据的长乐州，攻下了长乐州的外城。

柳泌对宪宗说："天台山是神仙们聚集的地方，那里多生长灵草，臣下虽然知道这一情况，但却没有能力将灵草弄来，真的要是成了那里的地方官，灵草就都可以求到了。"宪宗相信柳泌说的话。十一月初七日丁亥，宪宗任命柳泌暂代理台州刺史，还赐予金紫色的官服。谏官们争相上奏劝阻宪宗这样做，他们认为："君王喜欢方术之士，但还没有让方术之士统领百姓，处理政务的先例。"宪宗说："麻烦一个州的人力物力，但能够为君王求得长生不老，做臣子的又有什么可吝惜的呢？"从此以后，朝廷文武大臣都不敢说这件事。

十一月十四日甲午，盐州上奏称吐蕃军队逃走了。

（以上为第十一段，写唐宪宗因骄侈而昏庸，好神仙，妄求长生，任用方士为刺史。）

十一月二十二日壬寅，宪宗任命河阳节度使乌重胤为横海节度使。十一月二十七日丁未，任命华州刺史令狐楚为河阳节度使。乌重胤带着河阳军的三千名精锐将士去横海军就职，河阳的士兵们不愿意离开自己的故乡，走到半路就溃散了，但他们又不敢进河阳军镇所在的城内，驻扎在城外的北边，准备对河阳城大肆抢掠。正好令狐楚到了河阳城镇，他单人匹马地出到城外，慰问安抚溃散回来的将士们，与他们一同进城。

在此之前，田弘正请求从黎阳南渡过黄河，与义成节度使李光颜会合，一起攻打李师道，裴度说："魏博军渡过黄河以后，不能再退回去，必须立即进攻李师道，才能有所成功。他们要是到了义成军的治所滑州后，马上就要度支给他们提供军需物资，这样一来，朝廷空有供应军饷的烦劳，却反而使魏博产生观望情绪。田弘正或许会与李光颜相互间怀疑猜忌，更加贻误战机。与其让他渡过黄河不向李师道进攻，不如就让他在黄河水退以后，从杨刘镇渡过黄河，直接向郓州逼近，得以在阳谷县境设营驻军，那么军势自然会盛大，敌人就会军心动摇了。”宪宗采纳了裴度的意见。在这个月中，田弘正率领全部军队从杨刘镇渡过黄河，在距郓州四十里的地方修建营垒。敌人大为震惊。

功德使上奏宪宗说：“凤翔的法门寺塔中有佛祖的手指骨，相传每隔三十年打开一次，如果打开了藏佛祖手指骨的塔门，就庄稼丰收，百姓平安。明年应该打开法门寺塔，请陛下派人去迎接佛祖手指骨。”十二月初一日庚戌，宪宗派遣宫中使者率领一些僧人去迎接佛祖手指骨。

十二月十九日戊辰，宪宗任命春州司户董重质担任试太子詹事一职，让董重质去为武宁军效劳，这是根据李愬的请求而做的。

十二月二十九日戊寅，魏博和义成军向朝廷送来俘虏的李师道的都知兵马使夏侯澄等四十七人，宪宗都未将他们治罪，不加杀头，让他们去俘虏他们的行营效劳，说道：“他们中如果有父母健在，想回家的，从优发给路费，打发他们回家。我要诛杀的，只有李师道一个人而已。”这样一来，敌人听说了这件事后，一个接一个地向朝廷军队投降。

当初，李文会与哥哥李元规都在李师古的手下任职。李师古去世后，李师道继位，李元规辞去官职离开，李文会嘱托李师道的亲信请李元规留下来。李元规准备离开的时候，对李文会说：“我离开这里，人一去就会获得安全；你留下来，一定会一下子就显贵起来，但会遭受灾祸。”等到朝廷军队从四面逼近郓州，平卢的军事形势日益窘困，将士们吵吵闹闹，都说：“高沐、郭旴、李存为李司空忠心耿耿地出谋划策，李文会奸邪险诈，杀害了高沐，囚禁了郭旴和李存，才导致了今天的灾祸。”李师道迫不得已，将李文会外放出去，代理登州刺史，召回郭旴和李存回幕府内任职。

宪宗时常对宰相们说：“做人臣的，应该竭力做好事，为什么喜欢树朋立党呢？朕非常讨厌做这种事的人。”裴度回答说：“事情的法则是同一类别相聚一处，万事万物是按着群体而区分的。无论是君子，还是小人，他们的志向和趣味相同，就一定会聚集结合在一起。君子们结成一团，那么就称他们是同德的人；小人们抱成一团，那么就称他们是朋党中人。这两者外表上虽然相似，但实质上却有天壤差别。这就在于圣明的君主如何辨别他们是邪恶的，还是正派的而已。”

武宁节度使李愬与李师道的军队打了十一次仗，每次都取得了胜利。十二月十五日己未晚上，李愬进攻金乡县，攻克了这里。李师道生性胆小怯懦，自从朝廷讨伐他以来，一听到打了小败仗和失掉了城镇，马上忧急交加，以致生病，因此他身边的人都隐瞒情况，不把实情告诉他。金乡县是兖州地势险要的地方，失掉金乡县以后，兖州刺史的驿传兵向郓州告急，李师道身边的人没有把这一情况报告给李师道，李师道到死也不知道这一情况。

（以上为第十二段，写诸镇讨李师道，节节进逼。唐宪宗深忌朋党。）

唐宪宗元和十四年（己亥，公元 819 年）

春季，正月初二日辛巳，韩弘攻下了考城县，杀敌两千多人。

正月初七日丙戌，李师道委任的沭阳县令梁洞带领全县军民向楚州刺史李听投降。

吐蕃派遣使者论短立藏等人到唐朝来要求建立和好关系，他们还没有回去，吐蕃军队就侵犯了河曲地区。宪宗说："这是他们的国家失去信用，他们的使者又有什么罪过呢？"正月十一日庚寅，打发他们回国。

正月十三日壬辰，武宁节度使李愬攻下了鱼台县。

宫中使者将佛祖手指骨迎回京城，宪宗把佛手指骨在宫禁中留了三天，才送到各寺庙去。王公大臣，士绅百姓瞻仰供奉佛指骨，进行施舍，唯恐没有机会。有的人将财产全部施舍给了佛寺，有的人在手臂和头顶上燃香供佛。

刑部侍郎韩愈向宪宗上奏章极力劝阻这样做，认为："佛教只是异族人的一个信仰。从黄帝到夏禹、商汤、周文王、周武王，都享有高寿，百姓们安居乐业。那个时候，还没有佛教。汉明帝时期，中国才开始有佛教。这之后，天下大乱，王朝衰亡的事情一件接一件，每个王朝的国运都不长久。南朝宋、齐、梁、陈和北魏以来，君王信奉佛教渐渐恭谨，在位年数都很短促。只有梁武帝在位四十八年，先后三次将自身施舍给寺庙作奴仆，最后落得被侯景逼迫，饿死在台城的下场，国家不久也灭亡了。梁武帝信奉佛教是为了求福，却相反得到了祸患。由这一事情，佛教不值得信奉也就可知了！平民百姓愚昧无知，容易被迷惑而难以明白其中的道理，他们如果看到陛下这样信佛，都会说：'天子还这样一心一意敬奉佛教，我们地位卑贱的平民百姓，信奉佛教，怎么能更爱惜身家性命呢？'佛祖本来是异族的人，所说的不是先王们传下来的言语，身上不穿先王们确立下来的服饰，不知道君臣之间的上下法则和父子之间的恩泽。假如佛祖还健在的话，奉他们国王之命来京城朝见，陛下宽容而接见，只不过是在宣政殿见他一面，在礼宾院设宴招待一次，赏赐给一套衣服，派人护送出国境，这是为了不让佛祖蛊惑天下的百姓。何况佛祖已经死了很久，枯朽的骨头，怎么适宜让其进入宫禁呢？古时候，诸侯为别人吊丧，先都要用桃木笤帚扫除不祥之气。现在陛下却无缘无故地将朽烂污秽的东西弄到宫中，亲自去察看，还不让巫祝们先用桃木笤帚除邪，满朝文武大臣不说这样做的不是，御史们不弹劾与这事相关的有罪之人，我实在是以此为耻辱！请求陛下将这根骨头交给有关部门，丢到水或火中去，永远断绝了根源，消除天下人的疑虑和后人的迷惑，让天下的人都知道伟大的先圣先贤们的所作所为，高出一般事情的万万倍，这不是件很盛大的事情吗？佛祖如果有灵，能够左右福祸之事，所有的灾殃罪过，应该全加在臣身上。”

宪宗看了韩愈的表章后，大为恼怒，拿给宰相们看，准备对韩愈处以极刑。裴度和崔群为韩愈解释说：“韩愈虽然狂妄，但出自一片忠心，应该宽容对待，以便广开言路。”十二月十四日癸巳，宪宗将韩愈贬职为潮州刺史。

自从战国时期以来，老子和庄子的学说与儒家学说争论长短，互相之间认为自己对，对方错。到东汉末年，又加上了一个佛教，但当时信奉的人还不多。晋朝和刘宋以来，佛教一天天兴盛，从帝王到官吏百姓，没有不尊敬信奉的。普通人害怕获罪和祈求得福，高层的人就讨论空无和实有的问题，只有韩愈一人憎恨佛教蛊惑百姓，消耗财力，竭力排斥，韩愈说的话很多都太激烈，太过分。只有《送文畅师序》一文抓住了关键，说：“要说鸟儿低头啄食，总抬头左顾右盼，野兽深居简出，这都是害怕别的东西伤害它们，这样小心还难以避免灾祸。弱者的肉，是强者的食物。现有我与文畅安宁地居住，悠闲地生活，自由自在地生或死，和飞禽走兽们不同，难道能不知道这种生活是怎么来的吗？”

十二月十七日丙申，田弘正上奏称在东阿县一带打败了李师道的军队，杀敌一万多人。

沧州刺史李宗奭与横海节度使郑权有矛盾，不接受郑权的调动和控制。郑权把这事上奏朝廷。宪宗派宫中使者来收回李宗奭的印信，李宗奭让军中将士挽留自己，他上表称怕军中变乱，不敢离开沧州。宪宗诏令乌重胤来代替郑权，沧州将士害怕了，他们驱逐了李宗奭。李宗奭逃往京城。十二月二十二日辛丑，李宗奭在独柳树下被斩首。

十二月二十七日丙午，田弘正上奏说在阳谷县打败了平卢李师道的军队。

（以上为第十三段，写韩愈上表谏阻唐宪宗迎佛骨，被贬潮州。）

【点评】

本卷点评三事：裴度督师讨淮西、李愬雪夜取蔡州、韩愈谏阻宪宗迎佛骨。

裴度督师讨淮西。吴元济割据淮西，地处南北漕运交通线之侧，正当唐王朝的心脏地区，威胁朝廷的生命线，征讨吴元济，势在必行。淮西处在中原朝廷控制的各镇包围之中，取胜应在情理之中。宪宗意志坚决，启用主战的裴度为相，主持征讨大局。裴度，字中立，河东闻喜县（今属山西）人，贞元进士，由监察御史升为御史中丞。裴度力主削除藩镇，宪宗任为宰相。淮西只有申、光、蔡三小州，朝廷动员了数倍于敌的十余万大军，征讨四年，不见成功。官军众不敌寡，有多种原因。其一，诸镇出兵，总量多于敌，而各镇分散，每一路官军则少于敌，故常败北。其二，神策军与各镇官兵待遇悬殊，影响士气。其三，诸镇互相观望，莫肯先进。宣武镇韩弘，兵力最强，又为行营都统，但韩弘不愿速胜，存敌以为己功，作战不肯卖力。其四，淄青、成德两镇为淮西声援。李师道用游击战骚扰东都，派刺客杀害宰相武元衡，刺伤了裴度，企图挫伤朝廷的作战决心。其五，宪宗违众，征讨成德，两线用兵，分散了力量。其六，朝廷遥控，监军掣肘，将帅离心，这是官军怠惰的根本原因。征讨淮西，四年不决，双方疲困。吴元济请降。宰相三人，李逢吉、王涯力主罢兵，趁势下坡，裴度坚决主战，自请督师。裴度对宪宗说："臣与贼势不两立。从吴元济奏章看，贼已势困，只是各镇官军主帅心不齐，吴元济得以苟安。臣自请督师，集中力量进攻，定能取胜。如果臣消灭了吴元济，那就回来见陛下，吴元济不灭，臣就不会回朝。"裴度被刺，头部受重伤，不但没有被叛臣的刺刀吓倒，而且更坚定了灭贼的决心。裴度自请督师，誓死效忠。宪宗这次做出了英明的决策，征讨计划，一一听从裴度之请，撤了前线各镇官兵监军，齐心用力，一战功成。其中李愬直捣叛贼巢穴，擒获吴元济，立下大功。吴元济被灭，结束了淮西李希烈以来四十余年的割据，河北藩镇大惧，多表示效顺朝廷。唐朝藩镇割据的局面，受到抑制，暂告结束。唐宪宗一朝的中兴气象达于鼎盛。裴度也以名臣垂名汗青。晚年因宦官专权，裴度辞官退居东都。

李愬雪夜取蔡州。李愬，字元直，唐洮州临潭县（今属甘肃）人，中唐名将李晟之子，在朝做太子詹事，一个闲差小京官。李愬有筹略，胸怀壮志，他在等待时机，为国展力。宪宗元和八年（公元 813 年），官军分东西南北四道征讨淮西吴元济。征战四年，官军南北两路略有收获，东西两路都吃败仗。西路军为主力，由山南东道节度使严绶统领。严绶连吃败仗，元和十年（公元 815 年），西路军改由唐随邓节度使高霞寓指挥，也被吴元济打败。元和十一年（公元 816 年），由袁滋接替高霞寓，袁滋更是一个窝囊废，他不敢打仗，讨好吴元济。这年冬，李愬请缨，宰相李逢吉推荐，宪宗委任李愬为唐邓随节度使。唐西路军，两年内四易其帅，加之李愬素无名望，受到吴元济的轻视。这时官军加强了北路进攻。元和十二年（公元 817 年），宰相裴度继李愬之后，也是主动请缨到淮西督师，坐镇北路。主战场转移到了北面，西路唐军成为牵制淮西军的侧翼。

李愬到镇，他利用吴元济轻视自己，不用重兵防备的时机，进一步示弱麻痹敌人。李愬故意对迎接的人说："皇上知道我能忍让，派我来慰问你们，打仗，我是外行，皇上也没有给我这个任务。”当时西路官军连吃败仗，士气低落，论敌色变，害怕打仗，李愬的一席话，给官军吃了定心丸，大家安下心来。李愬亲自劳问将士，抚恤伤病，受到大家的拥戴。

军心安定以后，李愬利用淮西后防空虚的机会，大胆策划深入巢穴、奇计破敌的战略方针。达此目的，要有两个条件，一是先打小仗，战则必胜，提高士气。二是“以敌制敌”，擒获敌人勇将反为我用。淮西军队中有两员勇将，一个低级军官丁士良，一个中级军官李祐，两人作战勇敢，生性残暴，抓了官军将士就加以杀害。官军恨之入骨，又十分害怕。李愬用计擒获了两人，特地奏本宪宗赦免李祐。两人感恩，决定改邪归正，反戈一击报效国家。丁士良，原本不是淮西人，十年前是安州的官兵，与淮西作战被擒，吴少阳没有杀他，他于是为吴氏父子卖命。如今被李愬擒获，回到了官军，李愬给他重新做人的机会，打仗更是勇气倍增。

李愬接连攻占了几座淮西前哨敌栅，官军士气高涨，不害怕打仗，还争先杀敌，立功受赏。李愬俘获了几千淮西兵，他们长年打仗，有很强的战斗力。李愬安抚他们，从中挑选三千精兵，进行强化训练，称为“突将”。做好这一切准备，奇袭蔡州的条件成熟。李祐了解蔡州部署，在李祐引导下，李愬选择了一个大风雪的夜晚强行军到蔡州城下，官军已无后退之路，必须死战取胜求活。这就是西汉名将韩信破赵置背水阵的策略，兵法上叫“置之死地而后生”。李愬，名将之后，不仅熟读兵法，而且家风熏染，有谋略，有勇气，在实战中学习，先集小胜为大胜，打仗一次次升级，创造条件，然后奇袭。李愬不像赵括那样纸上谈兵，“以敌制敌”，活用兵法知彼知己，所以一战功成。可以说李愬请缨，是“受任于败军之际，奉命于危难之间”，不负宪宗皇帝重托，奇袭蔡州，生擒吴元济，结束了淮西数十年的割据，在中国军事史上创造了雪夜奔袭，深入虎穴，出奇制胜的光辉战例。

淮西乱平，宪宗进授李愬山南东道节度使，封凉国公。

韩愈谏阻宪宗迎佛骨。韩愈，字退之，唐代文学家，哲学家，河南河阳县（今河南孟县）人，自称郡望昌黎，世称韩昌黎，贞元进士，任监察御史，宪宗朝官至刑部侍郎，卒谥文，世称韩文公。政治上，韩愈反对藩镇割据，思想上尊儒排佛，文学上主张散文，反对六朝以来的骈体文风。韩愈提倡古文运动，以先秦两汉散文为基础，创新发展，为文气势雄健，被尊为唐宋八大家之首，有《昌黎先生集》行于世。

唐宪宗取得淮西军事胜利之后，河北诸镇纷纷效顺，逐渐产生了骄侈心，修道求长生不死。元和十五年（公元820年），宪宗服药中毒，被宦官杀死，享年四十三岁。一个本应大有作为之君，由于愚昧妄诞，英年被家奴所弑，黯然谢幕，出人意料，令人深思。

用兵淮西胜利以前，唐宪宗尚能纳谏，依靠朝官和忠臣良将取得消灭藩镇割据的胜利，由于长期战争，国穷民困，胜利后的要务是改善政治，纾缓民困，休养生息，巩固统一。唐宪宗却不是这样，自以为立了大功，开始对朝官猜疑，回到宠信家奴的老路上，把一切权力都交给宦官，在宦官导引下享乐，再也不听劝谏，由一个明君转化为一个昏君，中唐政治急转直下，唐宪宗死后，唐王室步入了晚唐。

元和十三年（公元818年）十二月初一日，唐宪宗派宦官带领一批僧人到凤翔法门寺迎接佛祖的手指骨。功德使上奏宪宗，说："法门寺塔中的佛指骨，每隔三十年打开一次，迎来京师供人观览供奉，可保年丰人安。"元和十四年（公元819年）正月十三日，佛指骨迎回京城，在皇宫中摆放了三天，然后送到各寺庙巡回展放。王公大臣、士绅百姓瞻仰膜拜，唯恐落后。有的人把全部家产施舍给佛寺，有的人在手臂和头顶上燃香供佛。把整个京城闹得乌烟瘴气。宪宗以此为升平景象，替自己求福。

时任刑部侍郎的韩愈，拍案而起，奋笔疾书，上奏宪宗，极力陈词佞佛祸国殃民，南朝宋齐梁陈，以及北魏佞佛而国运短祚，禹汤文武时没有佛教，国君高寿，国运昌盛。百姓佞佛，是愚昧无知，如果天子也一心敬佛，上行下效，整个社会，就更加愚昧荒唐。韩愈请求宪宗把佛指骨交给有关部门销毁，或投入水中，或用火化，永除祸患。佛祖果真有灵，降下灾难，韩愈自己一人承担。宪宗览奏，大为恼怒，他把奏章给宰臣们传观，要处韩愈以极刑。裴度和崔群，两位宰相极力劝解，说韩愈狂悖，一片忠心用错了地方，请皇上宽容，以广开言路。此时的宪宗已听不进劝谏了，碍于立大功的裴度的情面，韩愈才保住了性命，被贬为潮州刺史。

唐纪五十七

唐宪宗元和十四年至唐穆宗长庆元年（公元819—公元821）

【起屠维大渊献（己亥，公元819年）二月，尽重光赤奋若（辛丑，公元821年）六月，凡二年有奇】

【大事提要】

本卷记事起公元819年二月，讫公元821年六月，凡两年又四个月，即唐宪宗元和十四年二月至唐穆宗长庆元年六月。两年多的时间是短暂的，但唐代政治却发生了重大转折。表现在两个方面：第一，唐宪宗之死和唐穆宗之立，不是正常的两代皇帝交替，而是突发事件，宦官梁守谦、陈弘志、王守澄等杀唐宪宗，朝官不敢追问，王守澄等立穆宗，杀澧王李浑，朝官亦无反映。皇帝废立完全操纵于宦官之手，从此唐政权旁落宦官，皇帝成了傀儡。第二，伴随宪宗之死，中唐中兴的曙光戛然而止，此后藩镇割据，农民起义，边患不断，战乱不止，直到唐朝之灭，社会没有一天安宁。用一句话概括，唐代政治由中唐步入了晚唐。唐宪宗元和十四年，官军杀李师道，朝廷收复淄、青等十二州，接着横海镇节度使程权自请离镇做朝官，幽州镇节度使刘总上表归顺，成德镇王承宗上表求自新，中唐时期的藩镇割据基本被消灭，唐朝实现了全国统一，唐宪宗的事业达于巅峰，进尊号，赦天下，庆成功，唐朝政治呈现中兴气象。唐宪宗毕竟不是一个真正的中兴之君，他宠信宦官而猜疑朝官。他依靠朝官，依靠贤相裴度取得了削藩的胜利，不采纳李翱上奏修德政，而是反其道，不信朝官信家奴，排斥裴度，权移宦官，又求长生服仙丹中毒，性情乖张，被宦官毒杀。继立者穆宗是一个昏君，嬉戏玩乐无度，政权完全被宦官把持，唐朝的衰落无可避免。

宪宗昭文章武大圣至神孝皇帝下

唐宪宗元和十四年（己亥，公元819年）

二月，李听袭击海州，占领了东海、朐山、怀仁等县。李愬在沂州打败平卢兵，攻克丞县。

李师道听说官军渐渐逼近，分派民众修治郓州城防和守备工事，连妇人也被征派，民众更加惧怕，而且怨恨。

都知兵马使刘悟，是刘正臣的孙子，李师道命他带领士兵万余人驻扎在阳谷以抵抗官军。刘悟尽量采取宽惠的措施，使士卒都比较自由，军中称他为“刘父”。等到田弘正军渡过黄河，刘悟的军队尚未做好防守准备，几次交战均被打败。有人对李师道说：“刘悟不整顿军队的法纪，只知收买人心，恐怕有其他意图，应当早些处置他才是。”李师道召刘悟来讨论军事，想借机杀了他。有人劝阻李师道说：“今官军四面包围过来，刘悟没有叛逆行为，只听信一个人的话就把他杀死，其他将领谁肯再为你所用！其结果将是你自己使将领疏远。”李师道留刘悟住了十天，然后打发他回营去，并且赠给他很多金帛财物，以使他安心。刘悟知道李师道的图谋，回到军营，暗地里做了防备。李师道以刘悟将兵在外，不放心，就任命刘悟的儿子刘从谏为门下别奏。刘从谏和李师道手下的奴仆们时常在一起玩耍，得知李师道的阴谋，就秘密地写信告诉了父亲。

又有人对李师道说：“刘悟始终是一个祸患，不如趁早杀了他。”二月初八日丙辰，李师道暗地派遣两名使者带着文帖送给行营兵马副使张暹，命令他杀死刘悟并献上首级，令张暹暂时兼任行营长官。当时刘悟正在一个离营地二三里的高丘上设置帐幕，举行酒宴。两名使者到军营，秘密地将文帖交给张暹。张暹素来和刘悟要好，假意与使者商量说：“刘悟从节度使府回来后，多有防备，不可急忙行事，让我先去告诉他，说‘司空派人来慰问将士，并有赏赐物品，请都头马上回去，共同听取传达上司的话语’。这样做，刘悟不至于怀疑，就可以照办了。”使者同意这样做。张暹带着文帖跑到刘悟那里，避开旁人把文帖给刘悟看。刘悟于是暗地派人先把两名使者抓起来，随即杀掉。

当时已是傍晚，刘悟骑马缓缓回军营，坐在帐下，设置森严的警卫，召集诸将，严厉地对他们说：“我与你们不顾生死地抵抗官军，实在没有对不起司空的地方。现在司空听信谗言，来取我的头。我一死，接下来就轮到你们了。再说天子所要诛杀的只有司空一人，现在军事形势一天天危急，我们为什么要跟随着送死灭族！我想与你们挥旗整装，挥军回袭郓州，奉行天子的命令，不仅可避免危亡，还能够得到富贵。你们认为这样好不好？”兵马使赵垂棘站在众人前头，沉默了一会，回答说：“事情能成功吗？”刘悟应声骂道：“你与司空合谋是不是！”立即杀了赵垂棘。遍问其余的人，一些迟疑没有表态的，都被杀了，并杀了那些在军队中向来为群众所讨厌的人，一共三十多个，把尸体摆在军帐前。其余的人吓得两腿发抖，说：“听从都头的命令，愿尽死力！”

刘悟于是命令士卒说：“攻入郓城，每人赏钱一百串，只是不得接近军需仓库。节度使的住宅和叛逆者的家财，随各人掠取，有仇人的可以报仇。”命令士兵吃饱饭带上武器，半夜听到三声鼓响后就出发。士兵口中衔着枚，战马缚着嘴，遇上过路的人，就扣留起来，外人没有知道部队行动的。在离郓州城数里之处，天尚未明，刘悟停止了进军，先派人打听到城上巡夜的梆声停了，就派十人打前站，宣称“刘都头奉文帖召入城”。守门的人要求等候书面报告节度使，十人抽出刀比划着要杀人的样子，守门人都逃走了；刘悟带领大军接着到来，城里鼓噪喧哗之声震动天地。大军到达时，子城已大开，只有牙城有人防守抵抗，不久便放火劈开城门攻进城去。牙城中守兵不过数百人，开始还有射箭的，一会儿知道寡不敌众不是对手后，就都放下了武器。

刘悟带兵到厅堂上，派人搜捕李师道。李师道和他的两个儿子躲在床边，被搜出来后，刘悟命令把他们捆在牙门外空地上，派人对李师道说：“刘悟奉密诏送司空回朝廷，然而司空又有什么脸面见天子呢！”李师道还希望有一条生路，他的儿子李弘方抬头说：“事情已到了这一步，只希望快点死！”不久就都被杀了。从早晨到中午，刘悟派了两个都虞候巡视街坊市场，禁止抢掠，随即稳定了城中秩序。在毬场召开了兵民大会，刘悟亲自乘马巡绕，慰问安抚他们。把二十多家赞成李师道谋反的人都杀了，文武将吏又惧怕，又高兴。刘悟会见李公度，握手抽噎；从狱中放出了贾直言，安置他在幕府任职。

（以上为第一段，写官军压境，平卢都知兵马使刘悟火并李师道，割据六十年的平卢被平定。）

刘悟从阳谷回兵袭郓州的时候，暗地派人把行动计划告诉田弘正：“事情成功了，就举烽烟相告；万一城中有备攻不下，希望您引兵相助。功成的时候，皆归功于您，刘悟不敢占有。”并且要田弘正尽据自己的营地。田弘正见烽烟，知已得郓州，派人前去祝贺。刘悟把李师道父子三人的头用盒子装着派人送至田弘正营，田弘正大喜，用露布的形式向朝廷报捷。淄、青等十二州就这样平定了。

田弘正刚收到李师道的头，怀疑它不是真的，叫夏侯澄来认识。夏侯澄仔细看其脸面，放声痛哭以致气绝了好一会儿，他抱着那个头颅，舔去眼中尘垢，又痛哭起来。田弘正被其感动，认为他很讲情义而不责备他。

二月十四日壬戌，田弘正报捷的奏疏送到。二月十七日乙丑，任命户部侍郎杨於陵为淄青宣抚使。二月二十一日己巳，装着李师道人头的盒子送到了。自从代宗广德年间以来，将近六十年，藩镇专横跋扈黄河南北三十余州，他们自己任命官吏，不向朝廷交纳赋税，到现在才回归朝廷的管辖。

宪宗命令杨於陵分划李师道原来管辖的地盘，杨於陵按照地图，就土地的远近，计算兵马的多少，审核仓库的盈亏，分为三道，让各方面都比较平均：以郓、曹、濮三州为一道，淄、青、齐、登、莱五州为一道，兖、海、沂、密四州为一道。宪宗同意了这种划分。

刘悟根据当初讨伐李师道的诏书所说："部将中有谁能杀死李师道并率领其兵众投降朝廷，李师道所任官爵就都给予他。"以为可以全部得到十二州的领地，于是补充任命了一批文武官吏，调换了一些州县的长官，并向其部下说："军中和府衙的一切事务，依照先前的旧例办理。从现在起只管和大家抱子弄孙享清福，还忧虑什么呢！"

宪宗想把刘悟调到别镇去，怕他不接受更代，以致又要打仗，就秘密地叫田弘正去观察刘悟的情况。田弘正经常派使者到刘悟那里去，借口搞好关系，实际上是观察他的所作所为。刘悟力气大，喜欢徒手搏斗，攻克郓州才三天，就训练军队中的壮士进行徒手搏斗，他和魏博镇使者在庭前观看，自己也摇肩举臂，有时还离开座位去为他们助威。田弘正听到这种情况，笑着说："他听到改授别官，马上就会启行，还能做其他什么啊！"二月二十二日庚午，任命刘悟为义成节度使。刘悟听到宪宗调职的命令，一时手足无措，第二天，就出发上任。田弘正已经带领几道的兵马，和他并行到城西二里处，与刘悟在客亭相见，刘悟接受了旌旗符节以后，就往滑州进发，同时聘请李公度、李存、郭昈、贾直言跟随自己赴任。

刘悟素来与李文会友好，既得郓州，派人去请他来，尚未到达。听说刘悟要调到别镇去，郭昈、李存商量说："李文会是个奸巧之徒，他败乱了淄青一道，使李师道遭灭族之祸，是大家共同仇恨的人！如果不乘这个机会杀掉他，等到田弘正来了以后，务求政策宽大，那时如何洗雪三齐地方的愤怒呢！"于是假造刘悟的文帖，派人到李文会所在地，杀了他取其头来回话。使者在丰齐驿遇到了李文会，把他杀了。等使者回到郓州，刘悟和郭昈、李存已经离开了那里，回报的地方都没有了。李文会的两个儿子，一个逃走了，一个死在监狱中，家财都被人抢走，田地房屋被官府没收。

（以上为第二段，写唐宪宗徙置刘悟为义成节度使，是稳定平卢局势最为妥善的善后措施。）

宪宗颁诏书任命淄青行营副使张暹为戎州刺史。

二月二十五日癸酉，加田弘正检校司徒、同平章事。

此前，即李师道失败的前数月，听到风动鸟飞，大家都疑惑是否将发生变乱，李师道于是禁止郓州人亲朋好友聚会，以及在大路上会面说话，违令者要受处罚。田弘正进驻郓州后，把苛刻的禁令都废除了，让人们尽情游乐，寒食节期间七天七夜不禁止行人往来。有人劝谏说："郓州人长久与朝廷为敌，现在虽然平定了，人心尚未安定，不可不防备。"田弘正说："现在暴虐的人已经除掉了，应当用宽惠的政策对待民众，要是再采取严厉的措施，便是用暴君更换暴君，又好在哪里呢！"

先前，反叛者屡次派人入关，抢劫陵园和官府，焚烧仓库货场，放暗箭及投寄匿名信，用这些活动来扰乱京师，以阻挠朝廷出兵平定叛乱。有关部门严厉追查，守潼关的官吏甚至要打开过往人的口袋箱子进行搜查，就是这样也不能杜绝祸患。等到田弘正入郓州，查看李师道的官署文书档案材料，其中有奖赏杀武元衡凶手王士元等和奖赏潼关、蒲津关吏卒的文书记载，这才知道过去官府吏卒是从叛贼那里得到贿赂，因而容许杀人凶手得逞的。

裴度编纂了蔡州、郓州用兵以来宪宗忧国勤政的计谋事略，乘侍宴的时候献给宪宗，请求让内侍盖上大印交给史馆的官员。宪宗说："这样做，就好像是出于我的意图，我不想这么干。"宪宗没有答应。

三月初十日戊子，以华州刺史马总为郓、曹、濮等州节度使。三月十一日己丑，以义成军节度使薛平为平卢节度使兼淄、青、齐、登、莱等州观察使。以淄青四面行营供军使王遂为沂、海、兖、密等州观察使。

横海节度使乌重胤上奏："河朔藩镇所以能够共同抗拒朝廷命令达六十多年的原因，就在于诸州县各置镇将领事，将刺史、县令的权力夺去，擅自作威作福。过去要是刺史都能行使其职权，那么虽然有奸雄如安禄山、史思明，却一定不能凭借一州之地反叛朝廷。臣所领辖的德、棣、景三州，已发公文，把刺史职权都还给他们，属于各州的州兵仍归刺史统领。"夏季，四月十九日丙寅，宪宗下令各道节度使、都团练使、都防御使、经略使等所统支郡兵马，都归刺史来统领。自从唐肃宗至德年间以来，节度使权力大，所统各州都设镇兵，由大将来统领，暴虐专横，成为祸患，所以乌重胤对此进行评论和改革。从此以后黄河以北各镇，横海镇最为服从朝廷命令，这是由于乌重胤处置得宜的缘故。

四月二十四日辛未，工部侍郎、同平章事程异去世。

（以上为第三段，写唐宪宗调任节度使，削弱领兵权，加强中央对地方的控制。）

裴度担任宰相时，知无不言，皇甫镈那一派人就暗地排挤他。四月二十九日丙子，任命裴度以门下侍郎、同平章事的官衔担任河东节度使。

皇甫镈专门用苛刻的手段掠取财物来讨好宪宗，大臣中没有敢说话的，只有谏议大夫武儒衡上疏指责他。皇甫镈亲自向宪宗辩解，宪宗说："你因为武儒衡上疏告了状，要对他进行报复吗？"皇甫镈于是不敢说话了。武儒衡是武元衡的堂弟。

史馆修撰李翱向宪宗上奏疏，认为："平定祸乱，靠武功；使国家长治久安，靠礼乐教化等德政。今皇上既然用武功平定了海内，要立即革除弊政，恢复高祖、太宗时的制度；任用忠良正直的臣子而不猜疑，屏弃奸邪狡诈的臣子而不与他们接近；改变征税办法，不只计钱而应收布帛实物；禁止额外献纳，放宽对百姓交纳租赋的时限；增强边疆兵力，以防止外族的侵盗；多去访问以备顾问的待制官，以沟通上下关系、了解民情等。这六个方面，是政治上的根本问题，国家的长治久安就靠它。皇上难的既然都已经做到了，为什么容易的不去做呢！凭着皇上天生的才智，如若不被身边那些逢迎阿谀之辞所迷惑，任用骨鲠之臣、正直之士，和他们一起推行长治久安的治国之道，不需要花很大的力量就可以取得成功。假如不这么做，为臣的恐怕在大功之后，贪图安逸的欲望就容易滋生。那些向皇上进言的人一定会说：'天下既已太平，皇上可以高枕无忧自享安乐了'，要是这样，那么国家长治久安就难以实现了！"

秋季，七月初一日丁丑，田弘正押送杀害武元衡的凶手王士元等十六人到京师，宪宗下诏送交京兆府和御史台一一审问，都供认不讳。京兆尹崔元略让他们描述武元衡的形貌体征，各人说的多不一样。崔元略追问原因，犯人回答说："恒、郓两镇同谋派刺客杀武元衡，等我们稍后赶到时，听说恒州人已行刺成功，就假说是自己的功劳，好回话受赏赐。如今我们考虑所犯罪过是一样的，终究免不了一死，所以就承认了杀武元衡之罪。"宪宗也不想再来弄清楚这个问题，就把王士元等都杀了。

七月初二日戊寅，宣武节度使韩弘第一次朝见天子，宪宗待他很优厚。韩弘献上马三千匹，绢五千匹，杂缯三万匹，金银器一千件，而汴州的仓库和马厩里尚有钱百万缗，绢百余万匹，马七千匹，粮食三百万斛。

七月十三日己丑，群臣给宪宗献上尊号，称为"元和圣文神武法天应道皇帝"，大赦天下。

（以上为第四段，写史馆修撰李翱上奏唐宪宗修德政。唐宪宗进尊号，赦天下，庆成功。）

兖、海、沂、密四州观察使王遂，本来是管钱谷的小官吏，性情狭隘急躁，无远见。当时军府刚刚建立，人情未安，而王遂只知用严厉残酷的手段进行治理，他用的刑杖比一般的刑杖大得多；每每责骂将卒，动不动就称"反虏"；又在盛夏的日子里驱使士卒修造府舍，监督催促十分严厉紧急，将士吏卒都很愤怨。

七月十五日辛卯，服役的士兵王弁和他的徒弟四人在沂水洗澡，密谋作乱，王弁说："现在服劳役得罪上司是犯死罪，拼着命去建立事业也是犯死罪，为建立事业而犯死罪，不是还好一些吗！第二日，观察使和监军、副使有宴会，军中将吏都在休假，值勤的卫兵多半在休息，我们乘这个机会夺取军政大权，是完全可以成功的。"四人都认为分析得对，约定事情成功后推举王弁为节度使留后。

七月十六日壬辰，王遂正在宴会上饮酒，刚过中午，王弁等五人突然冲进来，在值班室夺取弓箭刀枪，径直向前射副使张敦实，把他杀了。王遂与监军狼狈跳起来想逃走，王弁抓住王遂，数落他在盛暑天大兴土木，刑罚刻毒残暴，随即杀了王遂。王弁传话不要惊骇了监军，并自称留后，坐于厅堂上发布号令，与监军分庭抗礼，召集将吏，要他们参见并祝贺，众人没有敢不听从的。监军把这些情况报告了朝廷。

七月十八日甲午，韩弘又献上绢二十五万匹，绝三万匹，银器二百七十件；左右军中尉各献钱一万缗。自从对淮西镇用兵以来，度支使、盐铁使和四方官员争着进献财物，叫作“助军”；叛逆者平定后又进奉，叫作“贺礼”；以后又进奉，叫作“助赏”；宪宗加尊号又进奉，也叫作“贺礼”。

七月二十一日丁酉，任命河阳节度使令狐楚为中书侍郎、同平章事。令狐楚与皇甫镈是同年考中进士的，所以皇甫镈推荐他为宰相。

朝廷听到沂州军中发生叛乱，七月二十八日甲辰，任命棣州刺史曹华为沂、海、兖、密四州观察使。

韩弘多次上表请求留在京师，八月初三日己酉，任命韩弘守司徒，兼中书令。八月初七日癸丑，任命吏部尚书张弘靖同平章事，担任宣武节度使。张弘靖是宰相张延赏的儿子，年少时就有好名声，在朝廷中简朴不多言；河东、宣武两镇缺统帅，朝廷认为他的地位威望素来就很高，于是派他去镇守。张弘靖的前任河东王锷专事聚敛，宣武韩弘法治严猛，两镇喜欢张弘靖的廉谨宽大，所以上下相安无事。

八月十三日己未，田弘正回到朝廷，宪宗待他很优厚。

八月二十二日戊辰，陈许节度使郗士美去世，宪宗任命库部员外郎李渤为吊祭使。李渤上奏说：“臣经过渭南，听说长源乡原有四百户人家，现在只有百余户了，阌乡县原有三千户，现在只有一千户了，其他州县情况都差不多。追究其原因，都是由于把逃亡户的赋税分摊给了邻居，迫使大家都逃走，这都是那些聚敛的臣子剥削小民向上级献媚，只知尽量搜刮，不考虑后果所导致的。我请求皇上发下诏令，杜绝因摊派而引起民众逃亡的弊病；只把逃户所有的财产偿还欠税，不够的部分请求免除。估计不到几年，人们都会回来务农了。”皇甫镈看到李渤的奏疏很反感，李渤就假装有病辞去官职，回东都去了。

八月二十七日癸酉，吐蕃侵扰庆州，在方渠扎营。

朝廷讨论起兵征讨王弁，又害怕青、郓等州相互煽动又起变乱，于是任命王弁为开州刺史，派中使赐给他委任状。中使欺骗他说：“开州估计已有人在路上迎接了，留后应该赶快出发。”王弁当天就从沂州出发，开始时，导引和随从者尚有一百多人，进入徐州地界，当地官员命他减少随从人员，随从也渐渐逃走。于是他被套上脚镣手铐，用驴子载着进入关中。九月初三日戊寅，王弁在东市被腰斩。

此前，把郓镇兵分为三部分属三镇统领，直到王遂被杀，朝廷认为李师道余党凶恶的态度并未改变，命令曹华带领棣州兵赶去讨伐他们。沂州将士前来迎候的，曹华都用好话安慰他们，叫他们先入城，以安慰其他的兵众，大家都未产生疑心。曹华上任的第三天，大张宴席招待将士，埋伏甲士千人在幕下，召集军众并告谕他们说："天子认为郓人有迁徙的辛劳，特别加以优待，应当使郓人在左边，沂人在右边。"定位以后，叫沂人都出去，关上门，对郓人说："王常侍奉天子的命令在这里任统帅，将士们哪能随便杀害他！"话还未讲完，埋伏的甲士都跑出来，围住郓人并把他们杀死，共杀死一千二百人，没有一个逃脱的。门屏中间赤色雾气一丈多高，很久才消散。

臣司马光评论说：《春秋》中记载楚子虔把蔡侯般诱到申以后杀了他。那是列国的事，孔子还深深贬斥，讨厌这种欺骗的手法，何况是天子去诱骗平民呢！

王遂凭着会搜刮钱财的本领，镇守新平定的地方政府，由于苛责暴虐而引起变乱。王弁是个平庸之人，乘机会起事，假若沂州统帅选得好，杀掉王弁等和杀死猪狗一样容易，何必要用天子的诏书为诱饵呢！况且作乱的只有五个人，让曹华设诈，屠杀千余人，不是太过分了吗！然而从此以后，士卒谁不猜疑他们的将帅，将帅又如何去领导他的士卒！上下互相仇恨，好像敌人一样聚在一起，只要有机会就互相吞噬，先动手的就成为霸主，祸乱什么时候才能停止啊！

真是可惜！宪宗平定叛乱，几乎达到了天下太平，他的完美大业最后未能完成，是由于只追求眼前的功利而不注重长远的信用的缘故。

（以上为第五段，写唐宪宗计除兖海沂密王弁之乱，使用诈计滥杀无辜，受到司马光的严厉批评。）

九月二十九日甲辰，宪宗任命田弘正兼侍中，魏博节度使照旧担任。田弘正三次上表请求留在京师，宪宗没有答应。田弘正经常担心死后，魏博人还会沿引故事推举他的亲属继任节度使，所以他让兄弟子侄都在朝廷做官，宪宗把他们都安排在显要的职位上。穿红带紫的高官出自一家的很多，当时的人都认为那是很光荣的。

九月三十日乙巳，宪宗问宰相："玄宗时代的政事，开始治理得很好，后来就败乱了，是什么原因呢？"崔群回答说："玄宗任用姚崇、宋璟、卢怀慎、苏颋、韩休、张九龄为宰相，国家就治理得很好，任用宇文融、李林甫、杨国忠为宰相，国家就乱。所以用人的得失，关系是很重大的。一般人都认为天宝十四年是安禄山反叛为乱的开始，臣独认为开元二十四年罢免宰相张九龄，专任李林甫，才是由治到乱的分水岭。愿陛下以开元初做榜样，用天宝末为鉴戒，这才是国家的最大幸福！”皇甫镈对崔群的话深深地记恨在心。

冬季，十月十七日壬戌，容管观察使报告说安南贼杨清攻陷都护府，杀了都护李象古和其妻子、官属、部下士卒一千多人。李象古是李道古的兄长，由于贪污放纵苛刻而失去了民心。杨清世代都是蛮人首领，李象古召他来担任牙将，杨清郁郁不得志。李象古命令他带领三千兵去征讨黄洞蛮人，杨清利用人们对李象古的怨恨和愤怒，带兵在夜间返回，偷袭都护府城，把城攻下了。

当初，蛮人黄少卿自贞元年间以来多次投顺、反叛，桂管观察使裴行立、容管经略使阳旻想侥幸立功，争相请求去讨伐黄少卿，宪宗答应了。岭南节度使孔戣多次上疏谏说：“这些蛮人同禽兽一般，只考虑自己的利害关系，不必和他们评论是非。”宪宗不听，大量征发江西、湖南士兵合容、桂二管兵进行征讨，士卒多染上瘴疠恶疾，死了很多人。安南叛将乘这样一个机会，于是杀了都护。裴行立、杨旻最终一点战功也没有，反而使二管地区人穷财尽，民生凋敝，只有孔戣所统辖的地方平安无事。

十月二十一日丙寅，任命唐州刺史桂仲武为安南都护；赦免了杨清的罪，任命他为琼州刺史。

这一年，吐蕃节度使论三摩等带领十五万兵众围盐州，党项也发兵帮助他们。盐州刺史李文悦竭力抵抗防守，经过二十七天，吐蕃未能攻下盐州。灵武牙将史奉敬向朔方节度使杜叔良求援，请求杜叔良给他三千兵，带三十天的粮食，深入到吐蕃去解盐州之围。杜叔良给了史奉敬二千五百人。史奉敬走了十多天，一点音讯也没有，朔方人以为他被吐蕃消灭了。不久，史奉敬从另外一条路出现在吐蕃的后面，吐蕃大惊，溃败而走。史奉敬奋勇追击，大破吐蕃军，杀死和俘虏的吐蕃兵不计其数。史奉敬与凤翔将领野诗良辅、泾原将领郝玼都由于勇敢而在边境著名，吐蕃很惧怕他们。

（以上为第六段，写南疆安南蛮夷反叛、西疆吐蕃犯边。）

柳泌到台州，驱使官民都去采药，经过一年多，没有采到什么，柳泌因而惧怕，全家逃入山中，浙东观察使逮捕了他们并送到京师。皇甫镈、李道古保护柳泌，宪宗又让他任待诏翰林官；吃了他的药，宪宗一天比一天暴躁焦渴。

起居舍人裴潾上奏，认为：“除去为害天下的人，就能享受天下之利，和天下的人同乐，就能享受天下之福，从黄帝到周文王、周武王，他们在位时间既久，寿命又长，都是由于这个原因所致。从去年以来，各地多推荐方士，辗转互相引进，人数就越来越多。假使天下真有神仙，他们一定深藏在山野僻静处，怕别人知道。凡是在权贵之门伺候，用大话来炫耀自己的奇技以使别人感到惊异的，都是些行为不正，专门谋利之徒，怎么可以信他们的话而吃他们的药呢！药是用来治病的，不是早晚常常吃的东西，况且金石之类的药物酷烈有毒，又加以用火炼了，不是人的五脏所能承受的。古时候君主饮药，臣子先尝，让献药的人自己先吃一年，那么真假就可以分辨得很清楚了。”宪宗很生气，十一月二十五日己亥，贬裴潾为江陵令。

此前，群臣讨论宪宗尊号，皇甫镈想增加“孝德”二字，中书侍郎、同平章事崔群说：“有圣字就包括孝的内容了。”皇甫镈在宪宗面前毁谤崔群道：“崔群吝惜把‘孝德’二字加于陛下。”宪宗很恼怒。当时皇甫镈发给边军的赏赐，多数不能按时送到，而且多半是陈旧腐败的东西，不能服用，军士怨怒，流传出要作乱的话。李光颜对此很忧惧，想自杀，派人向宪宗诉苦，宪宗不相信。京师方面也很恐惧，崔群把朝廷和地方上的民情动态具体地报告给宪宗。皇甫镈秘密地对宪宗说：“边军的赏赐都是照老规矩办的，而民情突然这样不安的原因，是由于崔群从中鼓动，拿这来炫耀自己的正直，让大家埋怨皇上。”宪宗也认为是这么一回事。十二月二十一日乙卯，贬崔群为湖南观察使，这样一来从中央到地方都非常痛恨皇甫镈了。

中书舍人武儒衡，有气节，喜欢讲直话，宪宗很器重他，对待他很优厚，人们都说不久他将要做宰相。令狐楚很嫉妒他，想方设法阻止他入相，于是推荐山南东道节度推官狄兼謩的才华品行。十二月二十九日癸亥，提升狄兼謩为左拾遗内供奉。狄兼謩是狄仁杰的族曾孙。令狐楚亲自起草任命书，夸张地说：“天后窃取皇帝位置，奸臣掌握国家大权，全靠狄仁杰保佑中宗，才能恢复皇位。”武儒衡向宪宗哭诉，认为令狐楚这番话是影射自己的祖先，并说：“臣曾祖武平一，在天后时代，辞去了官职养老在家。”所以宪宗很鄙薄令狐楚的人品。

（以上为第七段，写唐宪宗受奸相皇甫镈蛊惑，迷恋方士服金丹，贬谪直臣。）

唐宪宗元和十五年（庚子，公元 820 年）

春季，正月，沂、海、兖、密四州观察使曹华请求把治所从沂州迁到兖州，朝廷答应了。

义成节度使刘悟入京朝见天子。

当初，左军中尉吐突承璀谋划立澧王李恽为太子，宪宗不允许。等到宪宗病重时，吐突承璀的谋划还未停止。太子听到这件事很担忧，秘密派人去向司农卿郭钊问对策，郭钊说：“殿下只管尽心孝谨以等待形势的发展，不要顾虑其他的事。”郭钊是太子的舅父。

宪宗服食金丹以后，时常暴躁发脾气，左右的宦官往往获罪，有被处死的，人人自危。正月二十七日庚子，宪宗突然死于中和殿。当时人们都说是内常侍陈弘志杀死的，他们的党羽忌讳这件事，不敢讨伐凶手，只说宪宗是由于丹药毒性发作而死，外面的人也弄不明白这件事。

中尉梁守谦与其他宦官马进潭、刘承偕、韦元素、王守澄等共立太子，杀了吐突承璀和澧王李恽，赏赐左、右神策军士每人五十串钱，六军、威远军士每人三十串钱，左、右金吾卫军士每人十五串钱。

（以上为第八段，写宦官梁守谦发动宫廷政变，弑宪宗，立穆宗。）

闰正月初三日丙午，穆宗在太极殿东厢房即皇帝位。这天，召见翰林学士段文昌等和兵部郎中薛放、兵部驾部员外郎丁公著等，在思政殿谈话。薛放是薛戎的弟弟；丁公著，苏州人。二人都是太子的侍读。穆宗还没有听政时，薛放、丁公著常在禁中侍奉他，参加机密大事的筹划，穆宗想任命他们为宰相，二人坚决推辞了。

闰正月初四日丁未，停止向西宫宪宗的灵堂吊丧，召集群臣在月华门外会见。把皇甫镈贬为崖州司户，市民们都为此而庆贺。

穆宗提出任命宰相的事，令狐楚推荐御史中丞萧俛；闰正月初八日，任命萧俛和段文昌为中书侍郎、同平章事。令狐楚、萧俛和皇甫镈都是同年中的进士，穆宗想杀掉皇甫镈，萧俛和宦官从中救他，所以皇甫镈免于一死。

闰正月初九日壬子，用杖刑处死了柳泌和僧人大通，其余的方士都流放去岭南；把左金吾将军李道古贬为循州司马。

闰正月初十日癸丑，任命薛放为工部侍郎，丁公著为给事中。

闰正月十二日乙卯，尊郭贵妃为皇太后。

闰正月二十四日丁卯，穆宗与群臣都脱去丧服穿上吉服。

二月初五日丁丑，穆宗登上丹凤门楼，宣布大赦天下。完事以后，在门内大设各种杂耍戏乐让大家观看。二月十五日丁亥，穆宗到左神策军观看搏斗杂戏。

二月十八日庚寅，监察御史杨虞卿上疏，认为："陛下应当接见群臣并和他们谈话，广泛地征求意见，给他们和善的态度，使臣下进忠言如追求财利一样，讨论政事如诉说冤屈一样，这样做而达不到天下太平，那是没有的事。"衡山人赵知微也上疏劝谏穆宗游乐狩猎要有节制。穆宗虽不能照办，也不处罚他们。

（以上为第九段，写穆宗即位，逐杀方士，罢皇甫镈相位。）

二月二十日壬辰，撤销邕管，命令容管经略使阳旻兼领原邕管之事。

安南都护桂仲武到安南，杨清在边境拒绝接纳他上任。杨清用刑残酷，他的党徒都和他离心离德；桂仲武派人去说服那些小头目，几个月时间，归降的人一个接一个，得到降兵七千多人。朝廷认为桂仲武逗留不进，二月二十二日甲午，任命桂管观察使裴行立为安南都护。二月二十三日乙未，任命太仆卿杜式方为桂管观察使。二月二十四日丙申，贬桂仲武为安州刺史。

丹王李逾死。

吐蕃侵扰灵武。

宪宗末年，回鹘派合达干来求婚，态度很殷切，宪宗答应了。三月初一日癸卯，打发合达干回国。

穆宗看到夏州观察判官柳公权书法手迹，很喜爱。三月十九日辛酉，任命柳公权为右拾遗、翰林侍书学士。穆宗问柳公权："你的书法为什么这样好？"柳公权回答说："用笔在心思，心思端正笔就端正。"穆宗默默动容，知道柳公权是借用写字进行劝谏。柳公权，是柳公绰的弟弟。

三月二十九日辛未，安南将士开城接纳桂仲武，把杨清抓起来杀掉。裴行立到达海门镇死了，朝廷再次任命桂仲武为安南都护。

吐蕃侵扰盐州。

（以上为第十段，写安南再乱，吐蕃犯边。）

先前，膳部员外郎元稹为江陵士曹，和监军崔潭峻很友好。穆宗在东宫时，听到宫人朗诵元稹的诗歌就喜欢这个人，等到做了皇帝，潭峻回到朝廷，向他献上元稹的诗歌一百多篇。穆宗问："元稹在什么地方？"潭峻回答说："现在是散郎。"夏季，五月初九日庚戌，任命元稹为祠部郎中、知制诰；朝廷中人都鄙薄元稹的为人。恰遇同事们在省阁中吃瓜，有青蝇飞集在瓜上，中书舍人武儒衡用扇子驱赶青蝇并说："刚才从那里飞来的，一下就聚集在这里了！"同僚们听他用苍蝇来讽刺元稹，都变了脸色，武儒衡却和平时一样若无其事。

五月十九日庚申，将神圣章武孝皇帝葬在景陵，庙号宪宗。

六月，任命湖南观察使崔群为吏部侍郎，在别殿召见了他。穆宗说："朕被立为皇太子时，知道你尽了羽翼之力。"崔群回答说："先帝的意思，早就定了是陛下，臣没有出什么力！"

太后居兴庆宫，每月的初一、十五，穆宗带领百官到宫中祝贺问安。穆宗喜欢奢侈，所以奉养太后更是华丽奢靡。

秋季，七月初五日乙巳，将郓、曹、濮节度命名为天平军。

门下侍郎、同平章事令狐楚兼任山陵使，部吏盗窃公家的东西，又不给工人工资，将聚敛的十五万串钱作为节余献给穆宗，路上到处是埋怨哭诉的人，七月二十七日丁卯，罢免令狐楚相位，改任宣、歙、池观察使。

八月二十四日癸巳，派遣二千名神策兵去疏浚鱼藻池。

八月二十九日戊戌，任命御史中丞崔植为中书侍郎、同平章事。

八月三十日己亥，再贬令狐楚为衡州刺史。

穆宗刚刚过了公除日，就从事游玩、打猎、声色等活动，赏赐没有节制。九月，穆宗想在重阳节举行大宴会，拾遗李珏带领他的同事上疏说："臣下认为年号还没有改，先帝陵墓尚是新的，虽然陛下顺应天下人要求，按期除去了丧服；而《礼经》上规定三年的丧期，在内心上还应记得。全国参加葬礼的人才离开京师，派到边远四夷的告哀使还没有回来复命。开放娱乐活动是为了全国百姓，但在皇宫后庭奏乐是很不应当的。"穆宗不听。

九月十九日戊午，穆宗加授邠宁节度使李光颜、武宁节度使李愬为同平章事。

冬季，十月，王承宗死，他的部下隐瞒不公布丧事消息，王承宗的儿子王知感、王知信都在都城朝廷中，王承宗的将领想在所属的州内选立统帅。参谋崔燧以王承宗祖母凉国夫人命令的名义，将王承宗去世消息遍告诸将和亲兵，立王承宗的弟弟观察支使王承元为统帅。

王承元当时二十岁，将士拜见他，王承元不接受，边哭边回拜；诸将不停地请求，王承元说："天子派遣中使监军，有关大事应当和他商议。"等到监军来后，也劝王承元接受继任的事。王承元说："诸公未忘记先人的恩德，不认为承元年少，想要我暂时主持军务，承元请求尽忠于国以遵从忠烈公的志愿，诸公肯依从我吗！"众人应承。王承元于是在都将大厅上开始办公，命令左右之人不得称自己为留后，把政事交给参军和僚佐去办，秘密上表请求朝廷任命统帅。

十月十一日庚辰，监军报告说王承宗病危，他的弟弟王承元暂时担任留后，并且把王承元的奏表也呈给了穆宗。

党项又引导吐蕃侵扰泾州，驻营连接达五十里。

十月十二日辛巳，穆宗派起居舍人柏耆到镇州去表达朝廷的慰问之意。

十月十三日壬午，群臣到便殿去朝见穆宗，谏议大夫郑覃、崔郾等五人向穆宗说："陛下饮宴娱乐过多，狩猎游玩没有节制。现在胡寇逼近边境，忽然有紧急报告，不知道皇上在哪里。又早晚都和歌伎杂耍艺人在一起，赏赐过于优厚。金银绸帛都是民脂民膏，没有功劳的人不能给予。虽然宫内库藏还很多，希望陛下珍惜它，万一四方发生变故，不再要有司向老百姓征敛就可以应付。"当时很久没有在閤中议论政事了，穆宗开始感到很惊讶，向宰相说："这些是什么人？"宰相回答说："谏官。"穆宗就派人慰劳他们，并说："应当照你们说的去做。"宰相都向穆宗表示祝贺，然而实际上穆宗并未接受。郑覃，是郑珣瑜的儿子。

穆宗曾向给事中丁公著说："听说外面的人多举行宴乐，这是社会稳定人民安泰的表现，是很值得高兴的。”丁公著回答说：“这不是好事，恐怕慢慢要劳皇上操心。”穆宗说：“为什么？”回答说：“自从天宝年间以来，公卿大夫争着游玩饮宴，日夜沉醉酣饮之中，倡优男女混杂在一起，不知羞耻。这样发展下去，那么什么工作都会停顿，陛下能不为之担忧吗！希望稍稍加以禁止，那就是天下的福分了。”

（以上为第十一段，写唐穆宗初即位，游畋声色无度。）

十月十四日癸未，泾州报告说吐蕃推进营地离州城只三十里了，告急求救。任命右军中尉梁守谦为左、右神策，京西、北行营都监，带领四千兵，并征发八镇的全部人马去救援。赏赐将士行装钱二万串。任命郯王府长史邵同为太府少卿兼御史中丞，充当答吐蕃请和好使。

当初，秘书少监田洎为告哀使到吐蕃去，吐蕃请求和唐朝在长武城下签订盟约，田洎怕吐蕃扣留他不能回朝，就唯唯诺诺应付过去了。接着吐蕃为党项引导侵扰边境，并拿其做借口，说是：“田洎答应我带领军队来参加盟会。”于是把田洎贬为郴州司户。

成德军这时才上奏称王承宗已死。十月十六日乙酉，迁田弘正为成德节度使，任命王承元为义成节度使，刘悟为诏义节度使，李愬为魏博节度使，又任命左金吾将军田布为河阳节度使。

渭州刺史郝玼多次出兵袭击吐蕃营，杀伤敌兵很多。李光颜派出邠宁兵去救援泾州。邠宁兵认为神策兵得到的赏赐多，都恼怒地说：“每人赏给五十串钱而不知道打仗的，都是些什么人！按常规应给的衣服资粮都领不到而在前线和敌人搏斗的，这又是些什么人！”吵闹不停。李光颜亲自讲说大义来劝说他们，声泪俱下，然后军士们情绪才稳定下来，高兴地出发了。邠宁军快到达泾州时，吐蕃人害怕撤退了。十月十七日丙戌，裁撤神策军行营。

西川节度使奏报说吐蕃侵扰雅州；十月二十二日辛卯，盐州奏报说吐蕃在乌、白池扎营，不久也退走了。

十一月初五日癸卯，派遣谏议大夫郑覃到镇州去表达慰问。赏赐将士们一百万串钱。王承元已经请求朝廷任命元帅，诸将和邻道争着用过去的事例劝阻他不要那样做，王承元一概不听。等到朝廷命令他改任义成节度使时，将士吵闹着不接受命令，王承元和柏耆召集诸将把穆宗的诏旨告诉他们，诸将号哭着不服从。王承元把家中的财产拿出来散发给他们，选择有功劳的人加以提拔，并对他们说：“诸位由于先人的关系，不想承元离开这里，这种情意十分深厚。但如果让我王承元违抗天子的诏命，那罪就很大了。过去李师道在未破败的时候，朝廷曾赦免了他的罪，李师道想离开郓州，诸将坚决要留住他；后来李师道被杀就是诸将的责任了。诸将不要让承元和李师道一样，那就算我的幸运了。”王承元流泪不止，非常悲伤，并且向诸将下拜。牙将李寂等十多人还坚持要挽留王承元，王承元杀了他们示众，军中才稳定下来。十一月初九日，王承元赶往滑州上任。将吏们有把镇州的用具财务等带走的，王承元命令都要留下来。

（以上为第十二段，写成德留后王承元遵奉朝命。）

穆宗打算到华清宫去，十一月二十日戊午，宰相带领中书、门下两省供奉官到延英门，三次上表恳切地劝阻，并且说：“这样做，臣下们应当跟随去。”请求当面对话，穆宗都不听。谏官们伏在延英门下，到傍晚才回家。十一月二十一日己未，天还未亮，穆宗从复道出城去华清宫，只有公主、驸马、中尉、神策六军使带领禁兵千余人跟随，下午晡时才回宫。

十二月初一日己巳，盐州奏报吐蕃千余人围乌、白池。

十二月十二日庚辰，西川奏报南诏二万人从边界进来，请求讨伐吐蕃。

十二月十五日癸未，容管奏报打败了黄少卿一万多人，攻占营栅三十六处。当时黄少卿久未平定，国子祭酒韩愈上奏说：“臣去年贬官到岭外，熟悉黄家贼的底细。他们没有城郭可以居住，依靠山岩险要的地方自守，自己称自己为洞主，平常都是各自去经营生计，在危急时才聚居在一起团结自卫。近来因为邕管经略使大多没有找到合适的人选，既不能用德惠去安抚他们，又不能用武力去制服他们，只知侵扰、欺凌、奴役、束缚，引起他们的怨恨；他们因而就攻劫州县，侵暴平民，或报私仇，或贪小利，或聚或散，最终他们是不能有什么作为的。近来的征讨本来起因于裴行立、阳旻，这两个人原来就没有深谋远虑，用意只在立功得到赏赐。也是因为看到叛贼未聚集的时候，以为势单力弱，才争相提出征服他们的办法。自从发兵征讨以来，已经两年，前后奏报杀死俘获总共两万余人，倘若都不假，敌人已经接近全部消灭了。至今叛贼还是和从前一样，足以证明下面是欺骗了朝廷。邕、容两管所属的地方，经过这次战争的摧残，因杀伤和疾疫而死伤，已是十室九空，照这样下去，臣恐怕岭南一道没有安宁的时候了。自从对南方用兵以来，叛贼也受到很大的损伤，观察他们的情况，一定也深深地对战争感到厌恶和愁苦。叛贼居住的地方很荒僻，即使把他们都杀了，把土地都占领了，对于国家也没有什么好处。要是借着改年号举行庆祝典礼这个时机，赦免他们的罪过，派遣使者去告谕他们，他们一定会听到风声就投降。再为他们选择有威信的经略使，假若处置得宜，自然永远不会再有侵扰叛乱的事情发生了。”穆宗没能采纳韩愈的意见。

（以上为第十三段，写韩愈上奏安抚岭南之策，穆宗不纳。）

穆宗睿圣文惠孝皇帝上

唐穆宗长庆元年（辛丑，公元 821 年）

春季，正月初四日辛丑，穆宗到圜丘祭天，大赦天下，改年号为长庆。命令河北各道把两税的税额定下来。

门下侍郎、同平章事萧俛，耿直廉洁，痛恨坏人坏事，任宰相时，对官位看得重，很少提拔人。西川节度使王播向朝廷供奉很多财物，又用贿赂交结宦官，请求任宰相，段文昌又从中帮助王播，穆宗下诏叫王播到京师来。萧俛多次在延英殿极力阻止，并说："王播吝啬奸巧，社会上议论他的人很多，不能让他玷污了宰相的职位。"穆宗不听，萧俛就辞职。正月二十二日己未，王播到达京师。正月二十五日壬戌，萧俛被降职为右仆射。萧俛坚决辞右仆射，二月初六日癸酉，改为吏部尚书。

卢龙节度使刘总把父兄杀了之后，心中常常疑惧不安，多次看到变为鬼神的父兄作怪，他常在府中养着几百名僧人，叫他们白天黑夜都念经拜佛，刘总公事办完了就与和尚们混在一起，要是到别的房间去，就会惊恐不敢睡觉。到了晚年，更加惊恐不安。他又看到大河南北都已归顺朝廷，二月十二日己卯，上奏请求放弃官位去做和尚，仍请求赐钱百万串用来赏给将士。

穆宗当面告谕西川节度使王播要他回到西川节度使任上，王播多次上表请求留任京师。恰遇中书侍郎、同平章事段文昌请求辞去相位，二月初五日壬申，穆宗任命段文昌带着同平章事官衔，充任西川节度使；任命翰林学士杜元颖为户部侍郎、同平章事；任命王播为刑部尚书，充当盐铁转运使。杜元颖是杜淹的六世孙。

回鹘保义可汗逝世。

三月十七日癸丑，任命刘总兼侍中，担任天平节度使；任命宣武节度使张弘靖为卢龙节度使。

三月十九日乙卯，任命代理京兆尹职务的卢士枚为瀛莫观察使。

三月二十一日丁巳，穆宗诏令刘总的兄弟子侄都授予官职，大将僚佐也应提升官位，给百姓免除一年的赋税，赏赐军士一百万串钱。

三月二十二日戊午，穆宗册立弟弟李憬为鄜王，李悦为琼王，李惮为沔王，李怿为婺王，李愔为茂王，李怡为光王，李协为淄王，李憺为衢王，李惋为澶王；册立儿子李湛为景王，李涵为江王，李凑为漳王，李溶为安王，李瀍为颍王。

刘总上奏恳切请求为僧，并且把他的私人住宅作为佛寺；穆宗下诏赐刘总佛名大觉，寺名报恩，派遣中使把紫色的僧衣和天平军的符节斧钺、侍中的任命书都给他，听随他自己选择。

诏书尚未送到，刘总已经剃去头发做和尚，将士想阻止他，刘总把那些为首的十多人杀了，到夜晚，把大印和符节交给留后张玘，逃走了。等到天亮，军队中才知道此事。张玘上奏说不知刘总在什么地方。三月二十七日癸亥，刘总死在定州地界。

（以上为第十四段，写刘氏割据幽州历三世，至刘聪而灭。）

翰林学士李德裕，是李吉甫的儿子，由于中书舍人李宗闵曾在对策时讥笑李德裕的父亲，李德裕很憎恨李宗闵。李宗闵又和翰林学士元稹因争夺官位而产生矛盾。右补阙杨汝士和礼部侍郎钱徽主持进士考试，西川节度使段文昌、翰林学士李绅各自写信把投考进士的亲友嘱托给钱徽；等到发榜，段文昌、李绅所嘱托的人都落选了。考取进士的人中，郑朗是郑覃的弟弟，裴譔是裴度的儿子，苏巢是李宗闵的女婿，杨殷士是杨汝士的弟弟。

段文昌向穆宗说："今年礼部很不公平，所录取的进士都是些无本领的公卿子弟，是通过拉关系取得的。"穆宗就此事问学士们，李德裕、元稹、李绅都说："段文昌说的是实话。"穆宗就命令中书舍人王起等举行复试。夏季，四月十一日丁丑，穆宗下诏免去郑朗等十人的进士资格，贬钱徽为江州刺史、李宗闵为剑州刺史、杨汝士为开江县令。

有人劝钱徽把段文昌、李绅写的嘱托信交上去，穆宗看了以后一定会领悟其中的关系，钱徽说："只要问心无愧，得失都一样，为什么要把别人的私信交出，这难道是读书人应当做的吗！"于是把信拿来烧了，当时人都赞美他这种做法。李绅是李敬玄的曾孙；王起是王播的弟弟。从这时候起，李德裕、李宗闵各分党派、互相倾轧将近四十年之久。

（以上为第十五段，写唐李宗闵、李德裕党争，史称牛李党争，始于长庆元年贡举案，此是第一回合。）

四月二十日丙戌，册封回鹘嗣君为登啰羽录没密施句主毗伽崇德可汗。

五月初一日丙申，回鹘派遣都督、宰相等五百多人来迎接公主。

五月十七日壬子，盐铁使王播上奏，规定收茶税的数额，在原来每百钱的基础上再增加五十文。右拾遗李珏等上疏，认为："征茶税起始于贞元年间以来国家动乱的时候，如今国家安定了，应当放宽征税，减少收税名目。现在反而增加收税，老百姓什么时候才能喘一口气！"朝廷不听。

五月二十一日丙辰，建王李恪去世。

五月二十八日癸亥，把太和长公主嫁给回鹘可汗。公主是穆宗的妹妹。吐蕃听到唐朝和回鹘通婚，六月初七日，侵扰青塞堡。盐州刺史李文悦把他们打退了。六月十四日，回鹘上奏说："用一万骑兵从北庭开出，一万骑兵从安西开出，防备吐蕃的进攻以迎接公主。"

当初，刘总奏请把所统属的地方分为三道：把幽、涿、营三州为一道，请求任命张弘靖为节度使；平、蓟、妫、檀四州为一道，请求任命平卢节度使薛平为节度使；瀛、莫二州为一道，请求任命暂兼京兆尹的卢士玫为观察使。

张弘靖先在河东任职的时候，由于施政宽大简易，很得民心，刘总和他辖地相邻，听到他的风度名望，认为燕人很久以来就凶暴不逊，就推荐张弘靖代替自己以安辑燕人。薛平是薛嵩的儿子，了解河朔地方的风俗，对国家很忠诚，所以推荐薛平管理河朔地区。卢士玫是刘总妻子的亲戚。

刘总又把部下那些傲慢强健、难以控制的人如都知兵马使朱克融等，全部挑选出来送往京师，请求加以奖赏提拔，使燕人有羡慕朝廷禄位的意愿。又献上征马一万五千匹，然后剃去头发当和尚去了。朱克融是朱滔的孙子。

当时穆宗正贪图饮宴，不关心国家大事，崔植、杜元颖没有长远治国方略，不知安危大体，只想到尊崇张弘靖，仅割瀛、莫二州，由卢士玫统领，其余都归张弘靖统辖。朱克融等人长期在京师逗留，以致穿衣吃饭都要向别人借贷，时常去中书省请求授官的事，做宰相的崔植和杜元颖又不关心他们。等到任命张弘靖为幽州节度使后，强令朱克融等人回到本军去服役，朱克融等人都非常愤怨。

先前，河北节度使都是不顾寒暑，和士兵们同甘共苦。等到张弘靖到任，便摆出雍容娇贵的态度，坐着轿子到人群中去，燕人都感到惊讶。张弘靖庄严沉默显示出自尊自大，十多天才出来办理一次政事，宾客将吏很少听到他的讲话，平时不交流感情，政事多半交给幕僚去处理。而他所任用的判官韦雍等人多半年少轻薄，既好饮酒，又放荡不受约束，进进出出都要大量使唤人，有时晚上回来烛火满街都是，这些都是燕人所看不惯的。朝廷诏令赐给将士一百万串钱，张弘靖从中扣留二十万串作为军府的杂用，韦雍等又裁剪克扣军士粮饷和赏赐，稍有不满就用法令制裁他们，还多次用"反虏"的字眼责骂吏卒，向军士说："今天下太平，你们能拉开两石弓，比不上认识一个'丁'字！"由于这样，军中人人既怨恨，又愤怒。

（以上为第十六段，写穆宗游宴，辅臣无远略，丧失抚慰幽州最佳时机，朱克融回镇，乱将再起。）

【点评】

唐宪宗靖乱，削平藩镇割据，高奏凯歌，又正当英年，当大有作为之时，突发政变，有为之君却死于臣竖之手，唐王室亦由此衰落不振。伴随唐宪宗之死，唐王朝由中唐政治步入了晚唐政治。如何评价宪宗功过，透视当时的各种社会矛盾，这是本卷点评的重点。

宪宗之功。宪宗是中唐政治的终结者。中唐时期，从唐玄宗天宝元年（公元742年）起到唐宪宗元和十五年（公元820年）止，共78年，历玄宗后期、肃宗、代宗、德宗、顺宗、宪宗六代皇帝。中唐是唐王朝的乱世，前期是安史之乱，中后期是藩镇割据，与朝廷对立，统一与割据成为压倒一切的主要矛盾。唐宪宗二十八岁即位，年轻有为，雄心勃勃，有振作朝廷的意愿，也有掌控执政的能力。唐德宗不委政宰相，人间细务，都要亲自过问，宰相备位，实际大权旁落。自贞元十年以后，朝廷威福日削，方镇权重，无视朝廷。宪宗慕唐太宗创业之为人，尊为先圣。从太子监国，以至临御，讫于元和，军国枢机，尽归之于宰相。宪宗所用宰相杜黄裳、武元衡、裴垍、李绛、裴度等，皆一时之选，李吉甫善逢迎，还不是奸佞。后期用皇甫镈，皇甫镈是依附宦官的奸佞小人，但为时不长，未造成大害。宪宗有纳谏的雅量，也多少做了一些改革，因此在政治上出现中兴的新气象，军事上获得了讨伐叛逆的成功，朝廷重新控制了河北三镇，扫平淮西、淄青的割据，全国统一于中央。唐宪宗是安史之乱以来六代帝王中最有为的一代明君，他胜过了肃宗、代宗、德宗、顺宗这些先辈，更超过了晚唐穆宗、敬宗、文宗、武宗、宣宗等后辈。《旧唐书·宪宗本纪》史臣蒋系评价说："中外咸理，纪律再张，果能剪削乱阶，诛除群盗。睿谋英断，近古罕俦，唐室中兴，章武而已。"这个评价是符合实际的。

宪宗之过。但是宪宗没有成为中兴之主，唐王朝没有像西汉那样出现昭宣中兴，宪宗死于宦官之手，既是他个人的悲剧，也是唐王朝的悲剧。宪宗死后，不过三年，河朔再失，统一局面丧失，宪宗一朝经过十余年的统一战争成就，顿时化为乌有。主要责任是继任者穆宗、敬宗两代皇帝误国，而祸乱之端也是宪宗一手制造的，这就是宪宗之过。

晚唐政治有三大社会主要矛盾：一是藩镇跋扈，无视中央；二是宦官专政，为祸朝野；三是朋党倾轧，南北司对立。穆宗长庆二年（公元822年），朝廷放弃统一河朔，藩镇与朝廷对立的矛盾退居次要，宦官擅权与朋党倾轧上升为主要的两个矛盾，其中宦官擅权是最主要的矛盾。这两大矛盾都在宪宗朝表面化。宦官之祸不自宪宗始，而宪宗的宠信，强化了宦官之祸的体制，使皇帝的家奴骑在了主子的头上。唐代宦官得势，始于唐玄宗宠信高力士，宦官监军也是唐玄宗开的恶例。肃宗朝的李辅国、程元振，代宗朝的鱼朝恩，都是跋扈一时的大宦官。德宗任用宦官为中尉掌控神策军，宦官掌握了军权。代宗设枢密二人凌驾于宰相之上，出纳章奏与传达诏令，代皇帝立言。宰相的任用，先由皇帝与枢密商量，听取枢密意见。这样，宦官既掌握了军权，又掌握了宰辅的任用之权，于是宦官擅权凌驾在皇权之上。宫中左右枢密与左右神策军中尉被称为"四贵"，是最有权势的宦官。而且从唐代宗时起，节度使多从禁军将领派出，宦官势力从朝内扩大到了地方。唐宪宗忌惮功臣与朝士大夫，而宠信宦官，认为宦官是家奴好控制，他没有削弱宦官权力，反而强化了“四贵”的权力，导致宪宗被宦官弑杀，朝官不敢追问。晚唐宦官掌控皇帝废立，追根溯源，宪宗的前代皇帝有责任，宪宗也难辞其咎。

宪宗讨逆，本可大有为而无大为，则是他的刚愎个性和猜忌心理造成的。唐肃宗平定安史之乱，德宗用兵河朔，都派宦官监军，控制诸将不得自专。用兵将领，战败要承担责任，战胜功归监军，因此消极作战，官军总是在优势状态中打败仗，几乎败坏国事。宪宗讨逆，高崇文平定西川之乱，李愬平定淮西之乱，田弘正平定淄青之乱，都是由宰相掌控大政，撤除监军或削弱监军职权取得的。唐宪宗明明知道这才是用兵的正轨，但他却违众用吐突承璀为统帅，更违众加给吐突承璀诸道行营兵马使、招讨处置使之职，用兵河朔讨王承宗。朝官群起反对，宪宗仍固执己见，用吐突承璀为主帅，只是名义上改为宣慰使。官军动员二十万以上，十倍于叛军，耗费军资七百余万缗，无功而返，使朝廷威信大损为天下笑。唐玄宗逃蜀，马嵬兵变，使以后的各代皇帝错误地吸取教训，猜忌功臣，信用家奴。吐突承璀的失败，严酷的现实给唐宪宗上了一课，他认识到与割据势力做斗争，要想有成就，必须任用李绛等朝官。李绛是一个直臣，与宦官势不两立。用李绛就得抑制宦官。元和五年（公元 810 年），唐宪宗出吐突承璀为淮南监军，李绛为相，一群直臣得势，朝廷才颇有振作气象。按照李绛的策划，朝廷不用兵而魏博归服。对于李绛的才智，唐宪宗不是重用，反而猜疑，于是元和九年（公元 814 年），李绛罢相，吐突承璀还朝，重任神策军中尉，宦官势力上升，朝官势力下降。当元和十五年（公元 820 年），宦官杀唐宪宗，立唐穆宗，朝官不敢过问，开了宦官废立皇帝的先例，从此宦官掌握唐政权，皇帝成了傀儡。唐宪宗以家奴待宦官，任其权力扩张，中尉掌禁军，枢密定宰相，宦官势力尾大不掉，这是唐宪宗施政的最大失败，也是唐宪宗的最大之过。

宪宗之短。短与过有别。过是指犯错误，短是指缺失，有局限。唐宪宗刚愎而固执，小气无大量，这是他的短，从而障蔽了他的明识与决断，是以建功不深。史馆修撰李翱上奏宪宗兴文德，即革新政治，提出六条主张：其一，恢复唐高祖、唐太宗之旧制，指武德、贞观年间的善政；其二，用忠直，远邪佞；其三，改税法，以布帛代钱缴纳，减轻民众负担；其四，绝进献，宽百姓租赋；其五，厚边兵，以制戎狄侵盗；其六，访问待制官，以通壅蔽。这些政治主张如果得以施行，唐朝中兴有望。唐宪宗能用忠直，但不远邪佞；唐宪宗尚能纳谏，但用心不专，更信用宦官，唐宪宗在六条中做到了两个半条，取得了显著成绩。其他各条，唐宪宗能做也不做。各道州府进献，实质是变相卖官，这一弊政，皇帝心知肚明，但就是割舍不下。皇帝贪财怎能明？厚边兵，以制戎狄侵盗，在圣明之朝，三尺童子都明白的道理，但是政治腐败，触及既得利益者，这一至关国防的善政，也就推不动了。例如驻京西、京北的神策军，本是加强边防以御回鹘、吐蕃。由于神策军掌握在宦官手中，平时给养优厚，战时不听边将指挥，引起边兵不满，反而削弱了战斗力。边将吃空额，兵不满员，武备废弛。李绛提出，把驻防京西、京北的神策军划归节度使统率。李绛又提出检阅边兵，革除边将吃空额的积弊。如受降城，额定四百名守军，实际只有五十人，武器只有弓一张。这些具体建议，触犯宦官和边将利益，都被唐宪宗搁置。像这样边防要事而只是涉及局部人利益的事唐宪宗都做不到，那涉及全国民生国计的大政，当然就更做不到了。

宪宗无容人之量，为朋党倾轧树立了坏的榜样。朋党比周，就是不分是非，排斥异己。永贞革新，有许多利国利民的善政，唐宪宗统统取消，二王八司马全都一棍子打死。唐宪宗以市井小民报私仇的心态来处置不同政见的朝士，从此开了一个恶例，皇帝用人，当作自己的奴仆，后任皇帝把前任皇帝所用的人看作是前任皇帝的奴仆，不分功过是非，一律排斥。朋党倾轧在宪宗朝方兴未艾。宪宗本意也是忌惮朋党比周，但自己行事却党同伐异，欲要臣属坦坦荡荡，自然是不可能了。

此外，唐宪宗处置沂州兵变，派中使授予兵变头目王弁开州刺史，在半道设伏捕拿，用欺诈手段行法，又滥杀无辜，五人作乱，杀了一千多人。堂堂皇帝，处置一个小州的兵变，采用下流手段，食言不信，受到司马光严厉批评，说唐宪宗开了中兴事业的头，却不能完成中兴的事业，就是由于只追求眼前功利而丢了长远大信的缘故。司马光的批评是中肯的，但没有触及根本。专制帝王不受制衡力的约束，没有几个不食言的，因此我们也就不能苛责古人了。

“性格决定成败”，这句话也适用于唐宪宗。

唐纪五十八

唐穆宗长庆元年至二年（公元 821—公元 822）

【起重光赤奋若（辛丑，公元 821 年），七月，尽玄默摄提格（壬寅，公元 822 年），凡一年有奇】

【大事提要】

本卷记事起公元 821 年，讫公元 822 年，凡一年又六个月。当唐穆宗长庆元年至二年。穆宗李恒继位，河北三镇归服，应是安史之乱以来形势最好的时候，即使是一个中庸之君也可有一番作为。无奈李恒是一个典型的花花太岁，只知吃喝玩乐，即位伊始就游宴无度，放手宦官恣意所为，逐走贤相裴度，政治急转直下。幽州、成德、相州、瀛州、武宁、宣武接二连三地发生兵变，朱克融据幽州，王庭凑据成德，河北复乱。穆宗发诸镇兵讨成德，虽然启用裴度为招讨使，又有乌重胤、李光颜等当时名将助阵，但由于朝政不肃、宰相庸劣、宦官监军，使得裴度及各镇主将受多方牵制，官军虽然十倍于叛军，以十五万之众讨一万余之叛军，却屡战不胜，屯围逾年，竟无成功，财竭力尽。白居易上奏靖乱良策，穆宗不纳，而是姑息，授节朱克融与王庭凑，各为节度使，朝廷再失河朔，直至灭亡，不能复取。兵部侍郎韩愈宣慰成德，不辱君命。

穆宗睿圣文惠孝皇帝中

唐穆宗长庆元年（辛丑，公元 821 年）

秋季，七月初十日甲辰，韦雍外出，遇到小将领骑马冲撞了他前头的随从，韦雍命令把小将领从马上拉下来，想在街道中用杖打他一顿。河朔军士不习惯受杖刑，不服从。韦雍把这件事报告给张弘靖，张弘靖命令军虞候把那人抓起来治罪。当晚，各营地士卒呼叫作乱，将校已不能控制。他们冲入节度使府中，抢掠张弘靖的财物、妇女，把张弘靖囚禁在蓟门馆，杀死幕僚韦雍、张宗元、崔仲卿、郑埙，都虞候刘操，押牙张抱元。第二天，军士稍微有点后悔，都到蓟门馆去向张弘靖认罪，请求改正错误并服侍他，请求了三次，张弘靖都未答话，军士们于是互相说："相公不说话，就是不肯赦免我们的罪。军中哪能一天没有统帅！"于是共同去接旧将朱洄，推举他为留后。朱洄是朱克融的父亲，当时因为生病，在家卧床养病。他以年老有病拒绝了军士的请求，要他们请朱克融担任这个职务，大家同意了。军众认为判官张彻是一个宽厚谨慎的人，没有杀他。张彻却骂道："你们怎敢造反，要遭灭族之灾的！"大家这才把他杀了。

七月十八日壬子，群臣上尊号称文武孝德皇帝；大赦天下。

七月二十日甲寅，幽州监军报告军士作乱；七月二十三日丁巳，贬张弘靖为太子宾客，分司东都；七月二十五日己未，再贬吉州刺史。七月二十六日庚申，任命昭义节度使刘悟为卢龙节度使。刘悟认为朱克融势力正强大，上奏请求"暂时任命朱克融为节度使，慢慢再来惩治他"。于是又以刘悟为昭义节度使。

（以上为第一段，写幽州军变起，朱克融据幽州。）

七月二十七日辛酉，太和公主从长安出发，前往回鹘。

当初，田弘正被任命为成德军节度使。他自己觉得过去长期与镇州人作战，有杀死他们父兄的仇隙，于是带了两千魏博士兵跟随到镇州去，把他们留下来做侍卫，奏请度支供应他们粮饷和赏赐。户部侍郎兼度支崔倰，性情刚直褊狭，没有远见，认为魏州和镇州各自都有兵众，怕开先例，不肯发给粮饷。田弘正四次上表，没有回音；不得已，只好把魏博士兵打发回去。崔倰就是崔沔的孙子。

田弘正对自己的骨肉之亲很优厚，兄弟子侄在两都的有数十人，争着过奢侈的生活，每天用费大约要二十万钱，田弘正从魏、镇二州运财货供应亲戚的车子，在路上络绎不绝，河北将士很反感。穆宗命令拿一百万串钱赐给成德军，度支没有及时运到，军士更加不高兴。

都知兵马使王庭凑，本是回鹘阿布思的后裔，性情果敢、强悍、阴险、狡猾，暗地谋划作乱，每每利用一些小事来激怒士兵，开始由于魏博士兵还在，不敢行动。等到魏博士兵离开了，七月二十八日壬戌晚上，王庭凑纠集牙兵在节度使府作乱，杀死田弘正和幕僚佐吏、随从将士和家属三百多人。王庭凑自称留后，逼迫监军宋惟澄上奏求做节度使。八月初六日癸巳［己巳］，宋惟澄上报这件事，朝廷震动和惊骇。崔倰是崔植的同族兄弟，所以当时人们不敢说崔倰的坏话。

原先，朝廷调换魏州、镇州的节度使，左金吾将军杨元卿上奏，认为不合适，又到宰相那里陈述利害关系；等到镇州军叛乱，穆宗赏赐杨元卿白玉带。八月初八日辛未，任命杨元卿为泾原节度使。

瀛莫将士家属多半住在幽州，八月初九日壬申，莫州都虞候张良佐暗地引导朱克融兵入城，刺史吴晖不知跑到什么地方去了。

八月初十日癸酉，王庭凑派人杀了冀州刺史王进岌，分派军队占领其地。

魏博节度使李愬听到田弘正被杀害，穿着丧服对将士说："魏州人之所以能接受朝廷教化，至今安宁富乐，是因为田公尽了力。现在镇州人不遵法度，随意杀害田公，是看不起魏州，认为没有能人。诸君受田公的恩惠，应当如何报答他呢？”大家都失声痛哭。深州刺史牛元翼，是成德军的良将，李愬派人把宝剑、玉带赠给他，说：“从前我的先辈用这柄剑立了大功，我又用它平定了蔡州吴元济，现在赠给你，希望你努力翦灭王庭凑。”牛元翼把宝剑和玉带在军中展示，回报李愬说：“愿尽死力！”李愬将要出兵，恰巧疾病发作，未能如愿。牛元翼是赵州人。

八月十二日乙亥，穆宗起用前泾原节度使田布为魏博节度使，命令他乘驿站车马赴任。田布坚决推辞未获允许，只得与妻子宾客告别说：“我这次可能回不来了！”他旌旗符节和随从都不带就出发了，离魏州还有三十里，他披头散发赤着脚，号哭进入魏州城。他居住在居丧才用的白色粉刷的房子里；一千串钱的月俸，一点也未动用，卖掉旧有的产业，得钱十多万串，都用来分给士卒；对旧将中年纪大的，如兄长般对待。

八月十三日丙子，瀛洲军作乱，观察使卢士玫和监军僚佐都被抓起来送去幽州，囚禁在客馆中。

王庭凑派属将王立攻深州，未攻下。

八月十四日丁丑，诏令魏博、横海、昭义、河东、义武诸军各出兵到成德军所辖的边境去，如果王庭凑执迷不悟，应当立即进行征讨。成德军大将王俭等五人谋划杀掉王庭凑，事机泄露，和部下士兵三千人都被杀了。

八月十六日己卯，任命深州刺史牛元翼为深冀节度使。

八月二十四日丁亥，任命殿中侍御史温造为起居舍人，充任镇州四面诸军宣慰使，并到泽潞、河东、魏博、横海、深冀、易定等各道去，告诉他们进军的日期。温造是温大雅的五世孙。八月二十六日己丑，任命裴度为幽、镇两道招抚使。

八月三十日癸巳，王庭凑带领幽州兵围深州。

（以上为第二段，写成德都知兵马使王庭凑杀田弘正叛据镇州。）

九月十二日乙巳，相州军作乱，杀死刺史邢滺。

吐蕃派他的礼部尚书论讷罗来请求签订盟约。九月十七日庚戌，任命大理卿刘元鼎为吐蕃会盟使。

九月十九日壬子，朱克融焚烧抢掠易州、涞水、遂城、满城等地。

自从制定实施两税法以来，钱币一天天贵重，实物价格一天天轻贱，百姓缴纳的赋税是当初的三倍，穆宗诏令百官讨论如何改革这种弊病。户部尚书杨於陵认为：“钱是用来交换百货的，在买卖过程中使有无相通，它应当流通分散，不应蓄聚起来不使用，现在百姓交纳的税钱藏在国家仓库里。另外，开元年间国家铸钱七十多炉，每年收进来百万，现在才十多炉，每年收进来十五万，又聚积在富商大贾家里和流散到四方外族手中。还有，大历年间以前淄青、太原、魏博诸道贸易杂用铅铁，岭南杂用金、银、丹砂、象齿，现在一概用钱。这样一来，钱哪能不贵重，货物哪能不轻贱！今天应当使天下都用谷、帛纳赋税，增加铸钱的数量并且禁止储积铜钱和流出边关，那么钱就会一天天多起来了。”朝廷采纳了杨於陵的意见，开始命令两税都交纳布、丝、丝棉，只有盐、酒税还是交钱。

冬季，十月初三日丙寅，任命盐铁转运使、刑部尚书王播为中书侍郎、同平章事，转运使的职仍旧兼任。王播任宰相，只知奉承逢迎，对于国家安危大事没有听他议论过。

任命裴度为镇州四面行营都招讨使。左领军大将军杜叔良，由于善于侍奉权贵而得到重用；当时幽州和镇州兵力正强大，诸道征讨兵不敢向前进攻，穆宗想很快就取得成功，宦官推荐杜叔良，于是任命他为深州诸道行营节度使。任命牛元翼为成德军节度使。

十月初十日癸酉，命令宰相和大臣共十七人与吐蕃论讷罗在城西会盟；派遣刘元鼎与论讷罗去吐蕃，也与吐蕃宰相以下诸官会盟。

十月十二日乙亥，任命沂州刺史王智兴为武宁节度副使。以前，副使都由文职官员担任，穆宗听说王智兴有勇有谋，想让他到河北任职，所以就用这样的职位宠待他。

十月十四日丁丑，裴度亲自带兵从承天军故关出发讨伐王庭凑。

朱克融派兵侵扰蔚州。

十月十五日戊寅，王庭凑派兵侵扰贝州。

十月十六日己卯，易州刺史柳公济在白石岭打败幽州兵，杀死一千多人。

十月十七日庚辰，横海军节度使乌重胤奏报在饶阳打败成德兵。

十月十八日辛巳，魏博节度使田布带领全军三万人讨伐王庭凑，驻扎在南宫县以南，攻占了两个营栅。

翰林学士元稹和知枢密魏弘简结交很深，求当宰相，渐渐为穆宗所宠信，穆宗事事都征求元稹的意见。元稹对裴度本来无怨隙，只是由于裴度本是先达，威望高，元稹害怕裴度再立大功而受到重用，妨碍自己取得高位，所以裴度上奏的军事谋略，元稹多和魏弘简从中加以阻挠破坏。裴度于是上表极力陈述他们狼狈为奸的状态，以为：“叛逆者作乱，震惊山东；奸臣结成党，败坏国家政事。陛下要想扫平幽、镇两镇的叛乱，首先就应当肃清朝廷内的奸臣。为什么这么说？造成的祸患有大小，谋议的国事就有先后。河朔叛逆的贼徒，只在山东一方作乱；禁闱中的奸臣，必然要使天下都大乱；可见河朔祸患小，禁闱祸患大。小的祸患臣与诸将一定能平定，大的祸患除非陛下明白决断，否则是不能驱除的。现在文武百官、中外各类人物，有心对朝廷尽忠的没有不愤怒的，能说话的没有不叹息的，只是由于朝廷正在奖赏信用这些奸臣，才不敢抵触他们，担心检举的事尚未开始而祸患已经临头，不为国家打算，暂且为自己谋划而已。臣自从战事兴起以来，所陈章疏，讲的内容都是重要迫切的事，收到的书函诏令，内容却很不一致，承蒙陛下重托，责任不轻，遭奸臣抑制贬损的事件不少。臣向来与奸臣没有什么仇隙猜疑，只是由于臣前时请求乘驿传回朝，向皇上面陈军事情况，奸臣最惧怕这件事，恐怕臣揭发他们的罪过，千方百计阻止臣回来。臣又请与诸军齐举进攻，随机攻讨叛乱，奸臣担心臣或许能取得成功，想方设法加以阻碍，拖延时间。臣进退都受到牵制，意见都遭受塞隔。他们只想使臣失去依靠，让臣一无所成，而天下治乱、山东胜负，什么都可不管了。为臣侍奉君主，竟然达到如此地步！假如朝廷中奸臣都消除了，那么河朔叛逆不讨伐也会平定，假如朝廷中奸臣依然存在，那么叛贼即使平定了也没有好处。陛下倘若不信臣的话，请求把臣的表章拿出来，交给百官讨论，如果奸臣不受到责备，臣当即伏罪。”奏表三次呈上，穆宗虽然不高兴，由于裴度是元老大臣，才没有阻止，十月二十日癸未，改任魏弘简为弓箭库使，元稹为工部侍郎。元稹虽然被解除翰林职务，恩宠待遇还和过去一样。

宿州刺史李直臣因贪赃枉法犯了死罪，宦官收受了他的贿赂，为他在穆宗面前说情，御史中丞牛僧孺则坚决请求杀掉李直臣。穆宗说：“李直臣有才干，杀了可惜！”牛僧孺回答说：“那些没有才干的人，不过追求衣食温饱和养活妻子，对他们不用担心！设置法令的本意，就是用来对付有才干的人。安禄山、朱泚都是才干超人，而法令又控制不了的人。”穆宗依从了牛僧孺的意见。

横海节度使乌重胤带领全军援救深州，诸军倚靠乌重胤独挡幽州、镇州东南方面，乌重胤是老将，知道敌人不能一下攻破，于是按兵不动等待进攻的机会。穆宗大怒，任命杜叔良为横海节度使，调迁乌重胤为山南西道节度使。

灵武节度使李进诚奏报，称在大石山下打败吐蕃骑兵三千人。

十一月二十八日辛酉，淄青节度使薛平奏称突将马廷崟作乱，已被处决。当时幽州和镇州兵进攻棣州，薛平派大将李叔佐带兵去救援。刺史王稷供应粮饷稍微少一点，军士怨怒，在晚上溃逃了，推选马廷崟为主将，边走边收揽溃兵达七千多人，径直逼近青州。青州城兵少，不能抵挡，薛平把府库的钱财和家中的钱财都拿出来招募战士，得精兵二千人，迎战马廷崟，大破叛军，杀死了马廷崟，马的党徒死的有数千人。

横海节度使杜叔良率领诸道兵马和镇州人作战，遇到敌人就逃跑；镇州人知道他怕死，常常先进攻他。十二月初八日庚午，监军谢良通奏报杜叔良在博野被打得大败，损失七千多人。杜叔良逃脱回军营，把旌旗符节都丢了。

十二月十五日丁丑，义武节度使陈楚奏报在望都和北平打败了朱克融的军队，杀死和俘虏的共一万多人。

十二月十六日戊寅，任命凤翔节度使李光颜为忠武节度使，兼深州行营节度使，以取代杜叔良。

自从宪宗征伐四方以来，国家财政已经空虚，穆宗即位以后，赏赐左右和宿卫诸军又不节制，等到幽州和镇州用兵很久不能结束，国库完全空竭，看形势不能再支持下去了。当权的大臣于是商议："王庭凑杀了田弘正而朱克融保全了张弘靖，他们犯的罪重轻有不同，请赦免朱克融的罪，专门讨伐王庭凑。"穆宗依从了。十二月二十三日乙酉，任命朱克融为卢龙节度使。

十二月二十六日戊子，义武节度使奏报攻破莫州清源等三个敌人的营栅，杀死和俘虏一千多人。

（以上为第三段，写唐穆宗发诸镇兵讨成德，朝政不肃，招讨使裴度受诸多牵制，官军多于贼而屡战不胜。）

唐穆宗长庆二年（壬寅，公元822年）

春季，正月初五日丁酉，幽州兵攻占弓高。本来弓高守备很严密，有朝廷中使晚上到达，守将不让进城，早晨，才允许进城，中使发怒大骂。敌人的间谍知道了这件事，有一天，派人假装中使，晚上到城下，守将连忙让他进城；众多的叛贼跟在后面，把弓高攻下了。同时又包围了下博。中书舍人白居易上奏，认为："自从幽州和镇州反叛朝廷以来，朝廷征伐各道的士兵，共计有十七八万人，四面围攻，已经超过半年，王师没有取得成功，叛贼的势力还是很强大。弓高已经被占领，运粮的道路也被堵塞了，下博和深州，饥饿和穷困一天比一天厉害。原因大概是由于节度使将领太多，他们不能齐心协力，没有人肯带头进攻，互相观望。另外，朝廷赏罚，近日也没有切实执行，未立功的人有的已升了官，已经打了败仗的人没有听到治罪；既然没有惩罚和奖励，必然带来拖延观望，假若不改变这种状态，一定不会有胜利的希望。请令李光颜带领诸道精兵约三四万人从东道速进，打通弓高运粮的道路，解救深州的围困，与牛元翼的兵力汇合。命令裴度带领太原全部军队以招讨使的名义，从西面逼近镇州，看到有机会就发动进攻。要是遇到好的机会，就命令共同歼灭敌人，要是打了胜仗，敌人已穷途末路了，也允许他们接受敌人投降。这样，用夹攻分散敌人的兵力，用招降动摇敌人的军心，一定会在还没有消灭敌人的时候，敌人内部就发生变故。又请诏令李光颜挑选诸道兵中精锐的人留下来，其余不能用的都打发回本道去，自守土地和疆域。因为兵多而不精良，不仅白白浪费衣服粮饷，还恐怕败坏军阵。现在既然只留下东西两位将帅，请各派都监一人就可以了，其他各道监军，暂时都可以不用。这样，就能士众齐心，军令统一，一定能取得成功。再有，朝廷本用田布，使报杀父之仇，现在他带领全部军队出界，由度支供给粮饷，几个月以来，全不进行征讨，不是田布本来就想这样，其中也是有原因的。听说魏博镇这支军队，屡次得到朝廷重赏，士兵骄傲将领富有，不肯听从指挥。况且这支军队一个月的费用，需要钱二十八万串，要是驻扎久一些，怎么供应得起？这就尤其应当下命令让他们早些撤回本镇去。假若东西两道共只留兵六万人，所需的费用不太多，自然容易支持，可以充分满足。现在时机很紧急，中间的变故很难预先知道。假若兵数不抽调，军费不减少，粮食不足，兵众怎么能安心！在不安心的情况下，什么事情做不出来！何况有关部门由于供应军队的紧迫任务，千方百计聚敛搜刮，不许他们那样做就会无法支付军费，放任他们去做就会动摇人心。自古以来国家安危都联系在这件事上，请求皇上明察深思。”奏疏呈上去了，穆宗没有看。

（以上为第四段，写中书舍人白居易上奏靖乱良策，唐穆宗不纳。）

正月初七日己亥，度支运往沧州的粮车六百辆，行到下博地方，都被成德军抢走了。当时诸军都缺乏粮饷，供军院运送的衣粮，往往到不了供军院，在路上就被那些军队拦路抢走了，那些孤军深入敌人边境的，都因得不到衣粮而挨饿受冻。

起初，田布跟随他父亲田弘正在魏博，对牙将史宪诚很好，多次称赞推荐史宪诚，使他升到高位；等到田布担任节度使，就将史宪诚作为心腹对待，任命他为先锋兵马使，军队中的精锐部队，都交给他领导。史宪诚的祖先，是奚族人，世代为魏博将领；魏博和幽、镇二州本来是互相依从，互为表里的，到幽、镇二州反叛，魏州人也已动摇了。田布统帅魏州兵讨伐镇州，在南宫驻扎，穆宗多次派遣中使督战，然而将士骄惰，没有斗志，又加上下大雪，度支不能按时送来粮饷。田布征发所领柳州的租赋用来供应军队，将士不高兴，说：“按照过去的事例，军队出州境，都由朝廷供给军饷，现在尚书搜刮六州的民脂民膏用来供奉军队，虽然尚书损了自己肥了国家，但六州的人民为什么要受这种痛苦呢！”史宪诚暗地里有反叛的打算，利用众将兵的不悦心情，从中离间鼓动他们。恰遇到有诏令分派魏博军归李光颜指挥，使救深州，正月初八日庚子，田布军大乱溃散，多数投归史宪诚；田布单独和中军八千人转向魏州，正月初十日壬寅，到达魏州。

正月十一日癸卯，田布再次召集诸将议论出兵的事，诸将更加傲慢，说：“尚书如能按照河朔旧章行事，那么死生如何都为你尽力，若要再去打镇州，那是不能够的。”田布拿他们没有办法，叹着气说：“功业完不成了！”当天，写好遗表具体说明一切情况，大略是说：“臣观察众人的心意，最终是要背叛国家的；臣既然没有功劳，怎敢忘记立即殉职。唯愿陛下赶快去救援李光颜、牛元翼，不然的话，忠臣义士都被河朔屠杀了！”他捧着遗表大哭，跪着交给幕僚李石，于是入内在父亲的灵位前禀告，抽出佩刀说：“上以向君父谢罪，下以向三军表明心迹。”就自杀身亡了。史宪诚听说田布已死，于是告谕他的部下，按照河北的旧章行事。军众很高兴，簇拥着史宪诚回到魏州，推举他为留后。正月十六日戊申，魏州宣布田布自杀。正月十七日己酉，任命史宪诚为魏博节度使。史宪诚虽然高兴地得到节度使官职，表面上尊奉朝廷法令，然而在内部实际上和幽州、镇州勾结在一起。

正月十八日庚戌，任命德州刺史王日简为横海节度使。王日简，本是成德军的牙将。正月二十日壬子，贬杜叔良为归州刺史。

王庭凑把牛元翼包围在深州，官军从东、西、北三个方面去救援他，都因为缺乏军粮不能前进，就是李光颜也只能关闭壁垒自守而已。军士自己去打柴割草，每天发给的粮食不过是一点陈米。深州被围困更加紧急，朝廷不得已，在二月初二日甲子，任命王庭凑为成德节度使，军中将士官爵都照旧恢复；任命兵部侍郎韩愈为宣慰使。

穆宗初即位的时候，两河地区大体平定，萧俛、段文昌以为“天下已经太平，应当逐渐减少兵员，请求秘密诏令全国，军镇驻扎军队的地方，每年在一百人中限定要有八人或逃或死除去军籍”。穆宗当时正沉湎于饮宴，不把国家的大事放在心上，就批准了萧、段的奏折。军士被除名的人很多，都聚集在山寨水泽当强盗；等到朱克融、王庭凑作乱，一声召唤，那些逃亡的兵卒都集中到他们那里去了。下诏令征发诸道兵去讨伐，诸道兵既少，又都是临时招募的乌合之众；同时，诸节度使处既有监军，那些分设偏军的地方也置中使监督作战，主将不能独自发号施令，打了小胜仗就赶快乘驿马报捷，认为是自己的功劳，失败了就威胁逼迫主将，把罪责都推给主将；又把军队中勇敢的士兵全部挑选出来保护自己，只派遣那些懦弱胆小的人去作战，所以作战多半遭到失败。另外，凡是派兵打仗，一举一动都要由禁中指示方略，朝令夕改，不知所以；又不考虑是可行还是不可行，只晓得催促迅速作战。中使在路上往来如穿梭织布一样络绎不绝，驿站的马匹供应不上，就抢行人的马来满足需要，使得人们都不敢在驿路上行走。所以虽调用诸道十五万人马，有裴度这样有威望的老臣，乌重胤、李光颜这样当时的名将，征讨幽州、镇州一万多军队，驻扎攻守超过了一年，结果还是未取得胜利，弄得人财两空。

崔植、杜元颖为宰相，都是平庸的人，没有远见。史宪诚既逼使田布自杀，朝廷又没有力量讨伐他，就连同朱克融、王庭凑一起任命他们为节度使。就这样，再度丢了河朔地方，一直到唐朝灭亡，都没有能够再收复。

朱克融既然得到节度使，于是就释放了张弘靖和卢士玫。

二月初四日丙寅，任命牛元翼为山南东道节度使，任命左神策行营乐寿镇兵马节度使清河人傅良弼为沂州刺史，任命瀛州博野镇遏使李寰为忻州刺史。傅良弼和李寰所戍守的地方处在幽州和镇州的中间，朱克融、王庭凑引诱、威胁他们，傅良弼和李寰都不理，各自带领部下坚壁防守，敌人最终也没能攻下来，所以朝廷奖赏他们。

（以上为第五段，写穆宗姑息，庸臣当道，宦官监军，主将不得专号令，是以官军无功，朝廷再失河朔，直至唐亡，不能复取。）

二月十四日丙子，赐横海节度使王日简姓名为李全略。

二月十九日辛巳，中书侍郎、同平章事崔植降职，改任刑部尚书，任命工部侍郎元稹同平章事。

二月二十一日癸未，加李光颜为横海节度使兼沧景观察使，他原任忠武节度使兼深州行营节度使还照旧担任。改任横海节度使李全略为德棣节度使。当时朝廷认为李光颜孤军深入，难得运送军粮，所以把沧、景二州划归他领属。

王庭凑虽然得到旌节，仍不解除对深州的包围。二月二十四日丙戌，任命知制诰东阳人冯宿为山南东道节度副使，暂时担任留后，仍旧派遣中使去深州催促牛元翼上任。裴度也给幽州和镇州写信，向他们晓以大义；朱克融当即撤了包围走了，王庭凑虽带兵稍稍退后了一点，还是驻守在那里不离开。

元稹怨恨裴度，想解除他的兵权，所以劝穆宗赦免王庭凑的罪而结束战争。二月二十五日丁亥，任命裴度为司空、东都留守，同平章事仍旧。谏官争着向穆宗说："现在还没有罢兵，裴度有将相才能，不应当把他摆在闲散的地方。"穆宗于是令裴度先来朝廷，然后再去东都上任。

任命灵武节度使李听为河东节度使。原先，李听为羽林军将军，有良马，穆宗当时还是太子，派左右的人暗示索要那匹马，李听由于担任亲军总领的关系，不敢把马献给太子。等到河东需要继任元帅，穆宗说："李听没有把马给我，这件事说明他是可以信任的。"就重用他。

昭义军监军刘承偕依仗有拥立穆宗的功劳，欺压节度使刘悟，多次当众凌辱他，又放纵他的下属违抗法令。还暗地里和磁州刺史张汶阴谋捆押刘悟送往京城，让张汶取代刘悟为节度使；刘悟发觉了这个阴谋，暗地煽动军士作乱，杀了张汶。又包围刘承偕，想杀掉他。幕僚贾直言进来，责备刘悟，说："您这样做，想效法李师道吗！在这些将卒中怎么知道会没有和你一样的人呢，假如李师道尚有感知，能不在地下笑你吗！"刘悟就向贾直言谢罪，把刘承偕救出来，囚禁在府舍内。

过去，穆宗在东宫，听到天下人对宪宗出兵打仗很厌恶，很苦恼，所以即位以后，尽量对将士兵卒采取优惠宽缓政策以求得暂时的安定。三月初一日壬辰，下诏令："神策六军使和南牙常参武官，将得官的原因、经历、功绩具体写出来，送到中书省，酌量加以奖赏和提拔。其他各道的大将长久在职和有功绩的，都奏报上来，给予升迁官职。当前天下的各军，各交付本道按照旧的数额为准审定，不得随便减省。"于是富商大贾和差役小吏争相贿赂藩镇，填写漏掉列将的名册而向朝廷推荐，随即升为朝官的名籍。这种推荐人员的奏章堆积很多，士大夫都愤懑叹息。

武宁节度副使王智兴带领军中三千精兵参加讨伐幽、镇二州的叛乱，节度使崔群妒忌他，奏请朝廷任命王智兴为节度使，否则召他到京城去，另外安排官职。朝廷没有回答，王智兴也产生了猜疑；恰遇有诏旨赦免王庭凑，各道都收兵，王智兴带领军队早于预定日期就进入州境。崔群很恐惧，派人迎接慰劳，并且要军士脱去铠甲进城，王智兴没有听从。三月十四日乙巳，王智兴带领军队挺进徐州城，守城人开城门迎接。王智兴杀了不拥护自己的十多人，于是进入节度使府的衙门，进见崔群和监军，跪着说："军众要这么做，我也没有办法！"他为崔群和判官、随从官吏准备的人马和行装，都预先办好了，派士兵护卫崔群，到埇桥就返回来。在埇桥，他掠取了盐铁院的钱、绸、帛以及诸道行驶在汴河中船只上进奉的财物。商人旅客的财物，也都被抢去了三分之二。

（以上为第六段，写穆宗昏庸，削裴度之权，又处置失宜，逼反武宁军镇。）

三月十五日丙午，加给朱克融、王庭凑检校工部尚书官衔。穆宗听到他们解除了对深州的包围，所以就褒奖他们，然而王庭凑的军队实际上还在深州城下。

韩愈将要出发，众人都担忧他的安危；朝廷诏令他到边境上再观察形势，不要马上进去。韩愈说："停止而不立刻进去，是君主的仁慈；不畏死而随即进入，是臣子应尽的义务。"于是就去了。到达镇州，王庭凑使士兵抽出刀，箭扣在弓弦上来迎接他，到客馆，穿着铠甲的士兵罗列在庭院中。王庭凑说："这样纷纷扰扰的原因，是这些士兵要这么做，不是我王庭凑的心意。"韩愈厉声说："天子认为尚书有将帅才具，所以委托你为节度使，谁知道尚书竟然指挥不动这些士卒！"有甲士上前说："先太师为国家打败朱滔，染血的衣服还留着，这支军队对朝廷有什么对不起的地方，竟然把我们当贼！"韩愈说："你们还能记得先太师，这很好。由叛逆而转为顺从，因祸转为福的事例难道很远吗！自从安禄山、史思明以来，到吴元济、李师道，他们的子孙有现在还在做官的吗！田令公把魏博的政权交还朝廷，子孙哪怕是小孩，都得到美官；王承元把成德这支军队交给朝廷调配，二十岁就当上了节度使；刘悟、李祐现在都是节度使；你们也听说了吧！"王庭凑怕军众听了韩愈的话思想动摇，挥手叫他们离开，对韩愈说："侍郎到这里来，想叫我做些什么？"韩愈说："神策军等六军中的将领和牛元翼一样的人还很多，但是朝廷从大体考虑，不能抛弃牛元翼！尚书为什么到现在仍围着他不放呢？"王庭凑说："马上放他出来。"随即设宴招待韩愈，用客礼送他回朝。不久，牛元翼带领十位骑士突围出来。深州大将臧平等弃城投降了，王庭凑责备臧平等长久坚守不屈，杀了臧平等将吏一百八十多人。

三月十七日戊申，裴度到长安，拜见穆宗，为讨贼没有成功而谢罪。前时，穆宗诏令刘悟把刘承偕送回京师，刘悟借口军事形势问题，没有按时间要求执行诏命。穆宗问裴度："应当如何处理这件事？"裴度回答说："刘承偕在昭义军时，骄横放纵不遵守法度，臣都了解，刘悟在行营给臣的信中，详尽叙述了那些事。当时有中使赵弘亮在军队中，把刘悟的信拿去了，说是'要亲自向皇上报告'，不知他报告没有？"穆宗说："朕一点不知道，再说刘悟是大臣，为何不亲自上奏？"裴度回答说："刘悟是武臣，不懂得办事情。然而现在这件事情这么议论纷纷，臣等当面陈述，陛下还是不能做出决断，何况刘悟当时是一面之词，难道能打动皇上吗！"穆宗说："过去的不谈了，只说当前如何处理？"裴度回答说："陛下要想使天下民心归附，只要发下半张纸的诏书，具体陈述刘承偕骄横放纵的罪恶，命令刘悟召集将士把刘承偕杀掉，那么藩镇大臣，谁不想为陛下出死力！岂止是刘悟一个人。"穆宗低头沉默了好一会，说："朕不可惜刘承偕，然而太后把他收为养子，现在囚禁了他，还不敢让太后知道，更何况是把他杀了！你再想其他办法吧。"裴度于是和王播等奏请："把刘承偕流放到僻远的州县去，刘悟一定会将刘承偕放出来。"穆宗依从了。过了一个多月，刘悟把刘承偕释放了。

李光颜统领的军队听说要留在沧景镇，都大喊大叫向西边逃跑，李光颜制止不了他们，因而惊慌惧怕病倒了。三月十八日己酉，送上坚决辞去横海节度使职务的奏表，请求回到许州去，朝廷答应了。

三月二十一日壬子，任命裴度为淮南节度使，其余的官职仍旧不变。

加授刘悟检校司徒官衔，其他官职照旧。从这时起，刘悟逐渐骄傲起来，想仿效河北三镇一样，召集那些不满现实和不得志的人，因此送给朝廷的章表大多不谦逊了。

裴度在征讨幽州和镇州叛乱的时候，回鹘请求派兵相助；经朝廷讨论以后认为不妥当，于是派中使去阻止派兵。回鹘派大臣李义节带领三个人已经到达丰州北面，要他们退回去，他们不愿意；穆宗命令赏赐他们缯帛七万匹，三月二十三日甲寅，他们才回去。

王智兴派遣轻装士兵两千人袭击濠州；三月二十五日丙辰，刺史侯弘度弃城投奔寿州。

担任向穆宗进谏的言官都说裴度不应当离开朝廷去做地方官，穆宗自己也很看重他。三月二十七日戊午，下令留裴度在朝廷辅政；任命中书侍郎、同平章事王播同平章事，代裴度为淮南节度使，仍旧兼任诸道盐铁转运使。

李寰率领部队三千人离开博野，王庭凑派兵追击他；李寰奋起反击，杀死王庭凑士兵三百多人，王庭凑的追兵只好退回。李寰留下的两千人还固守在博野。

朝廷由于刚刚结束战争，还没有力量讨伐徐州，三月二十八日己未，任命王智兴为武宁节度使。

又任命德棣节度使李全略为横海节度使。

夏季，四月初一日辛酉，发生了日食。

四月十四日甲戌，任命傅良弼、李寰为神策军的都知兵马使。

（以上为第七段，写韩愈宣抚成德，不辱君命，裴度再被任用为宰相。）

户部侍郎、判度支张平叔上奏说：“由官府直接卖盐，可以得到加倍的利益。”又请求：“叫所有官吏把盐拿到村里去发卖。”又请求：“命令宰相兼任盐铁转运使的官职。”又请求：“把卖盐多少作为考核刺史、县令政绩的根据。”又请求：“核实各地实有户口，依据户口互相出具担保证明，由政府给予一年的盐，然后叫他们按四季交纳盐价款。”又要求：“实行这一政策以后，富商大贾有用财物进行贿赂，拦路喧闹告状的，为首的人就地用杖打死，连名告状的人都要受杖脊背的刑罚。”穆宗下诏令百官讨论这一政策是可行还是不可行。

兵部侍郎韩愈向穆宗进言，认为：“城郊以外，用现钱买盐的人很少，他们多用杂物来交换盐。盐商在交易中什么东西都收，有的还可以赊贷，以后慢慢归还盐款，用这种办法做补充，两方面都得到好处。现在要官吏坐在店铺内卖盐，不是现钱的话，一定不会接受。这样，贫穷的人得不到盐，自然平常的盐税也会收不到，哪里还会有加倍的利益！要是又使官吏把盐拿到各家各户去卖，必定又要向老百姓任意索取，骚扰一定是很多的。再说，刺史、县令的主要职责在于办好民事以分担皇上忧民之心，怎能只用得到盐利的多少来决定他们的升降，不再考核他们治民的政绩！另外，贫穷人家盐吃得很少，有的甚至一个月也不吃盐，假若按每户给盐，按时来征收盐款，官吏怕收不齐盐款而得罪，一定会用严厉的刑罚，臣恐怕这样一来到处都不会安宁，这是不能做的最重要的一个原因。”

中书舍人韦处厚认为：“宰相的职位是议论国家大政的，夹杂着管理盐的买卖的职务，实在是不相宜。窦参、皇甫镈都是兼管钱谷的宰相，名和利不能并有，最后都走上了犯罪的道路。又想用严刑重法禁止人民说话、告状，强迫百姓去做难以做到的事，这种事一定做不好；禁止百姓不去触犯那种百姓必定会触犯的法律，这种法律一定不能执行。”这件事就作罢了。

张平叔又奏请征收好些年前拖欠的赋税。江州刺史李渤上奏说：“度支征收本州贞元二年逃亡户所欠税钱四千多串，本州今年遭旱灾，田禾十亩中有九亩受灾，陛下为什么在大旱灾的年份中催征三十六年前的欠税！”于是穆宗下诏令赋税都免收。

（以上为第八段，写唐穆宗罢盐铁专卖和三十六年前欠赋。）

邕州人不愿意划归容管领属，刺史李元宗把官吏们的奏状交给御史，请转奏朝廷。容管经略使严公素听到这件事，派遣官吏去审查李元宗擅自把罗阳县划归蛮酋黄少度一事。五月十二日壬寅，李元宗带领一百士兵连同州印投奔黄洞去了。

王庭凑在围困牛元翼的时候，和王李绮的老师于方想通过献奇异计策求得升官，对元稹说：“请派说客王昭、于友明私下游说贼党，放出牛元翼。再贿赂兵部和吏部的令史，假造告身二十张，叫王昭他们根据情况赏赐给对方。”元稹都答应了。有个叫李赏的，知道了这个计谋，就告诉裴度。说是于方为元稹勾结刺客要杀裴度，裴度隐匿了这件事而没有揭发。李赏又到左神策军那里报告这件事。五月二十七日丁巳，诏令左仆射韩皋等审理这件事。

五月二十八日戊午，幽州节度使朱克融进献一万匹马，十万头羊，但是在奏表中却请求先给价钱以便做犒赏之用，然后再将这些马、羊送来。

三司审理于方谋刺裴度一事，都没有证据。六月初五甲子，裴度和元稹都罢了宰相，裴度为右仆射，元稹为同州刺史。任命兵部尚书李奉吉为门下侍郎、同平章事。

党项侵扰灵州、渭北，抢掠官马。

谏官向穆宗说："裴度无罪，不应当罢免宰相。元稹和于方一起策划奸邪之事，对他们的处置太轻了。"穆宗不得已，六月十三日，免去元稹长春宫使的兼职。

吐蕃侵扰灵武。

六月二十一日庚辰，盐州奏报党项都督拓跋万诚请求投降。

六月二十三日壬午，吐蕃侵扰盐州。

六月二十九日戊子，又设置邕管经略使一职。

从前，张弘靖担任宣武节度使的时候，屡次奖赏军士以取得他们的欢心，府库的钱财都用完了。李愿接任以后，性奢侈，奖赏既比张弘靖任职时少，又用严刑峻法对待他们，军士们很不高兴。李愿任用他的妻弟窦瑗主管宿卫当值的军队，窦瑗骄傲贪财，军队中的人都讨厌他。牙将李臣则等作乱，秋季，七月初四日壬辰晚上，就在军帐中杀了窦瑗，接着大声呼叫，府中都响应他们。李愿和他的一个儿子跑出城逃到郑州。乱兵杀了李愿的妻子，推举都押牙李㝏为留后。

七月初八日丙申，宋王李结死。

七月初十日戊戌，宣武军监军奏报本军作乱。七月十二日庚子，李㝏自己上奏称已暂时担任留后。

七月十七日乙巳，下诏令三省官和宰相一起商议汴州反叛事，都认为应当照河北成例，授予李㝏节钺。李逢吉说："河北那种做法，实在是不得已。现在要是连汴州也放弃，那么江淮以南的地方都不在国家控制之内了。"杜元颖、张平叔争论道："为什么要爱惜数尺长的符节，而不怜悯一个地方百姓的死难呢！"商议还没结果，恰遇宋、亳、颍三州刺史各上奏本，请朝廷不要承认李㝏，另外任命节度使。穆宗大喜，认为李逢吉的意见是对的，随即派中使到三州去表示安抚和慰问。李逢吉接着请求："用提升为将军的名义命令李㝏到朝廷来，任命义成节度使韩充为宣武节度使。韩充是韩弘的弟弟，向来以宽容厚道为百姓所敬重。假若李㝏他们拒不接受命令，就要徐州和许州两支军队从左右两个方向向他进攻，而滑州军队从北面向他压过来，这样韩充一定能进入汴州。"穆宗答应了。

七月十八日丙午，贬李愿为随州刺史，任命韩充为宣武节度使兼义成节度使。

征召李㝏担任左金吾将军，李㝏不接受诏命。宋州刺史高承简杀了李㝏派去的使者，李㝏派了两千士兵去攻打他，占领了宁陵、襄邑两县。宋州有三座城池，敌人已攻占了南城，高承简保卫着北边两座城，与敌人打了十多仗。二十五日癸丑，忠武节度使李光颜带领两万五千军队讨伐李㝏，驻所在尉氏县。兖海节度使曹华听说李㝏作乱，没有等穆宗下诏令，就发兵讨伐他。李㝏派遣三千人攻打宋州，刚到城下，二十八日丙辰，曹华迎击，打败了他们。七月二十九日丁巳，李光颜在尉氏打败宣武兵，斩首和俘虏的共两千多人。

八月初三日辛酉，大理寺卿刘元鼎从吐蕃回朝。

八月初六日甲子，韩充进入汴州境内，在千塔驻扎。武宁节度使王智兴和高承简共同打败了宣武军的部队，杀了一千多敌人，其余敌人逃走了。十四日，韩充在郭桥打败了宣武兵，杀了一千多人，军队进到万胜。

原先，李㝏既担任了留后，把都知兵马使李质当作心腹之人对待；等到李㝏被任命为将军，不接受诏令，李质多次劝他都不听。恰逢李㝏头上长疽，派遣李臣则等带兵在尉氏抵抗李光颜。接着官军从四面包围过来，军队又多次打败仗，李㝏的病加重了，把作战之事都交给李质负责，自己躺在家里。八月十八日丙子，李质和监军姚文寿抓住李㝏，把他杀了；又假称是李㝏的文牒，追李臣则等回来，他们一到达，就全部杀掉；又把李㝏的四个儿子抓起来，送去京师。

在韩充还未抵达汴州时，李质暂时主管军队事务，当时府衙中有兵三千人，每天供应他们酒食，物资方面维持不下来。李质说："要是韩公一到就撤除酒食供应，那么做是很不得人心的！不要把这个弊病留给我们的统帅。"当即命令撤除供给而后迎接韩充。八月十九日丁丑，韩充进入汴州。

八月二十五日癸未，命韩充只担任宣武节度使，调曹华为义成节度使，高承简继曹华为兖、海、沂、密节度使，加李光颜兼侍中，任命李质为右金吾将军。

韩充已经上任，人心大体已安定，于是秘密登记军中做坏事的一千多人，一天早上，连同他们的父母妻子一起驱逐出境，说："有敢稍稍在境内逗留的，处死。"于是军政大治。

九月初一日戊子，浙西观察使京兆人窦易直奏大将王国清作乱，已被杀死。原先，窦易直听说汴州军士作乱，因而恐惧，想散发金钱布帛奖赏军士，有人对他说："没有名义的赏赐，恐怕更加容易引起军士猜疑。"于是作罢。然而外面已有人知道了这回事，所以引起王国清作乱。窦易直平定了作乱的人，杀了王国清和他的同党二百多人。

德州刺史王稷，继承了他父亲王锷留下的大宗财产，家里非常富有；横海节度使李全略贪图他的财产，初九，秘密指使军士杀了王稷及其全家，把他的女儿收为妾，向朝廷报告说军士发生变乱。

朝廷在讨伐李岕的时候，派遣司门郎中韦文恪到魏博军进行宣劳慰问，史宪诚上表请求授给李岕旌节，又在黎阳修建码头，做出要派兵渡过黄河以支援李岕的态势，见到韦文恪，说话、礼节之中表现很傲慢；等到听说李岕被杀，说话、礼节马上恭敬很多，并说："宪诚是胡人，好比狗一样，虽被主人鞭打，终究是不会离开主人的。"

冬季，十一月十四日庚午，皇太后到华清宫。十一月十五日辛未，穆宗从复道到华清宫，就在骊山打猎，当天回到宫中。太后停了几天才回宫。

十一月二十日丙子，集王李缃死。

十一月二十四日庚辰，穆宗和宦官在宫中打毬，有宦官从马上掉下来，穆宗受到惊吓，因而得了一种风病，不能行走，从此人们听不到穆宗的生活情况的消息了；宰相多次请求进宫见穆宗，都没有得到答复。裴度三次上疏请求立太子，并且请求入宫见穆宗。十二月初五日辛卯，穆宗在紫宸殿接见群臣，坐在大绳床上，左右卫官一个也不用。只有十多个宦官在旁边侍候，大家的情绪才稍稍安定下来。李逢吉向穆宗说："景王已经长大了，请立为太子。"裴度请求迅速下诏令，以满足天下人的愿望。接着两省的官员也继续有人请求立太子的。十二月初七日癸巳，下诏立景王李湛为皇太子。穆宗的病渐渐好起来。

这一年，开始用《宣明历》。

（以上为第九段，写宣武兵变被韩充抚定。穆宗册立景王李湛为太子。）

【点评】

本卷点评河朔再失、白居易上奏靖乱良策、韩愈宣慰成德。

河朔再失。唐穆宗李恒昏庸懦弱，只知游乐嬉戏，根本不懂治国为何物。穆宗是依靠大宦官王守澄发动宫廷政变上的台，甘心做傀儡。宦官势力抬头，以裴度为首的耿直派朝官受到压迫。见风使舵的朝官则投靠宦官来争权。中唐著名诗人元稹，宪宗朝进士，元和五年贬为江陵士曹，于是得以与监军崔潭峻交结，他写的诗歌为穆宗所称善。崔潭峻归朝，向穆宗献元稹诗百余首，元稹因之得官为祠部郎中知制诰。元稹走宦官门路，被朝官们鄙视。有一次同僚相聚吃瓜，有苍蝇飞来，中书舍人武儒衡挥扇驱蝇，随口指桑骂槐说："这东西从哪里来，也到此凑热闹。"朝官们对依附宦官的朝官视作苍蝇，双方积怨很深，把个人斗气凌驾于国家大政之上。河北战事重起，元稹帮助宦官破坏裴度对叛镇的用兵计划，穆宗长庆二年（公元 822 年），河北战事结束，官军无功，裴度被宦官排挤出朝，元稹入相，达到个人的目的，朝廷却丢掉了河北三镇。

河北战事重启，起于成德节度使王承宗之死，朝廷错误调防节度，引起战乱。元和十五年（公元 820 年）宪宗死，穆宗立，新君威望不孚。河北三镇，骄兵悍将，不听朝廷号令，积习日久。三镇归顺以后，朝廷应慎择主将以便控驭。元和十五年十月，成德节度使王承宗死，朝廷趁此调换节度，以王承宗之弟王承元为义成节度使，徙义成节度使刘悟为昭义节度使，徙昭义节度使李愬为魏博节度使，徙魏博节度使田弘正为成德节度使。朝廷调换节度使，目的有二：一是不让王承元留在成德，杜绝世袭，二是各镇换帅避免兵将长期结合形成一体的割据势力。初衷是好的，也显示朝命的威望。由于田弘正是讨伐成德最卖力的主将，成德骄兵悍将视田弘正为仇人。田弘正要求带领二千魏博士兵赴任，朝廷不供给养，田弘正只好让魏博士兵回镇。徙田弘正为成德节度就是一个错误，不让田弘正带魏博士兵赴任又是一个错误。幽州节度使刘总弑父杀兄自为留后，良心受到谴责，夜不能寐，自动辞官出家，朝廷派张延赏为幽州镇节度使，处事不当激起兵变。成德都知兵马使王庭凑趁机杀田弘正，发动叛乱。唐穆宗发六镇兵讨成德，招讨使裴度受诸多牵制，元稹与枢密使魏弘简狼狈为奸，唯恐裴度建功，破坏裴度奏划的军事，是以无功。又不幸的是，魏博节度使李愬病死，朝廷任命田弘正之子田布为魏博节度使。魏博先锋兵马使史宪诚暗中与成德相勾结。田布悉以精兵委史宪诚。史宪诚阴蓄异志，煽动士兵离心，田布大败自杀，史宪诚自为留后，朝廷授以节钺。史宪诚外奉朝廷，内实与幽镇连结。河北三镇于是再叛。

唐宪宗征伐四方，国库已虚，穆宗即位，游宴无度，又赏赐宿卫禁军没有节制，河朔再次用兵，国库不能支撑。河朔战事引发连锁变乱。相州军乱，瀛州军乱，武宁、宣武也发生兵变。长庆二年（公元 822 年），朝廷放弃河朔三镇，罢兵停战，姑息割据，直至唐亡。

白居易上奏靖乱良策。白居易，字乐天，太原人，中唐大诗人。德宗贞元十四年（公元 798 年），白居易进士及第入仕，为秘书省校书郎。唐宪宗元和元年（公元 806 年），白居易应策试制举为第四等，授盩厔县尉、集贤校理。白居易所著诗歌，皆意存讽喻，箴贬时弊，补政之缺，受到士大夫的称赞。上百篇流入禁中，宪宗纳谏思治，非常欣赏。元和二年（公元 807 年）十一月，宪宗召白居易入翰林为学士，三年五月拜左拾遗，元和十年（公元 815 年）授太子左赞善大夫。白居易守官正直，敢直言切谏，能言人之难言者，宪宗多有采纳。执政恶居易言直，一度贬白居易为江州司马。元和十三年（公元 818 年）冬，白居易任忠州刺史，元和十四年（公元 819 年）冬，召还京师，拜司门员外郎。穆宗即位，转主客郎中，知制诰，加朝散大夫。长庆元年（公元 821 年）十月，转中书舍人。白居易仕进二十余年，因其言直，才未尽其用。当河朔战事再起，穆京荒纵，宰执非其人，白居易上奏靖乱良策。指出官军十七八万，四面围攻，已过半年，还没有成功。白居易总结原因有四：一是节度将领太多，没有统一指挥；二是赏罚不明；三是供应短缺；四是官军人数虽众而不精。如不改变现状，没有人带头进攻，互相观望，恐有军溃之虞。白居易建议，裁撤各道官军回本镇，只留李光颜和裴度两支军队夹攻镇州，留下各道精兵五六万人，也易于供应，减轻财政负担。再用招降办法动摇敌人军心。这样士众一心，军令统一，一定能取得成功。白居易奏疏呈上，穆宗根本就不看。从白居易奏议的内容，以及所遭冷遇，可见当时政治已腐败到极点，将士怎能用命打仗。宦官不愿看到裴度取胜，南司望重，元稹不愿看到裴度取胜，深恐阻碍自己的仕途。穆宗长庆二年（公元 822 年）二月，元稹进言穆宗罢兵，解除了裴度的兵权，元稹达到了入相的目的。

元稹，字微之，与白居易同科进士，两人友善，诗才与白居易齐名，并称元白。白居易为官守正仕途不显，元稹党附宦官而得宰相。故两人品德不可同日而语。

韩愈宣慰成德。韩愈，字退之，河北昌黎人。唐代大文学家，古文运动的发起者，被尊为唐宋八大家之首。韩愈亦进士出身，德宗朝官至监察御史。德宗晚年，韩愈上奏极言宫市之弊，被贬为连州阳山令，量移江陵府掾曹。元和初召为国子博士，迁都官员外郎。裴度督师淮西，兼彰义军节度使，请韩愈为行军司马。淮西平，韩愈随裴度还朝，授刑部侍郎。元和十四年（公元 819 年），宪宗迎佛骨入宫，韩愈上疏谏迎佛骨，谓东汉奉佛以来，信佛帝王“乱亡相继，运祚不长”，“事佛求佛，乃更得祸”。宪宗大怒，要处以极刑，宰相裴度、崔群，乃至国戚诸贵交章救护，减刑贬为潮州刺史，量移袁州刺史。元和十五年（公元 820 年），穆宗即位，征韩愈为国子祭酒，转兵部侍郎。河朔再度用兵，王庭凑围深州，上表效顺。穆宗加王庭凑检校工部尚书，令韩愈往镇州宣慰。王庭凑阳奉阴违，实际未解深州之围。朝臣忧虑韩愈的安全，穆宗诏命韩愈到了镇州，观察形势，不要贸然进入。韩愈慷慨陈词曰：“诏令臣停止，是皇上的仁爱；不畏死而立即进入，是臣子应当做的。”韩愈视死如归，毫不迟疑入镇州宣尉。韩愈意气轩昂，义正辞严责王廷凑以大义，谕以顺逆祸福，辞情恳切，王庭凑敬畏有加，以礼相待。韩愈奉使叛军贼臣，不辱君命，是士人的脊梁。

韩愈奉使回京，改吏部侍郎，长庆四年（公元 824 年）十二月，韩愈卒于官，享年五十七岁，赠礼部尚书，谥曰文。

唐纪五十九

唐穆宗长庆三年至唐文宗太和二年（公元823—公元828）

【起昭阳单阏（癸卯，公元823年），尽著雍涒滩（戊申，公元828年），凡六年】

【大事提要】

本卷记事起公元823年，讫公元828年，凡六年。当唐穆宗长庆三年至唐文宗太和二年。一卷书记事，仅六年时间，历穆宗、敬宗至文宗初年，说明此一时期乃多事之秋。穆宗、敬宗都是昏庸皇帝，共同的特点都是在宦官手下做傀儡，他们只要求奢侈放纵得到满足，根本不关心朝政。穆宗、敬宗又都懦弱无能，穆宗识李逢吉之奸，却畏而用之，敬宗明李绅之冤，容忍李逢吉排挤李绅出朝，只是嗟叹而已。裴度再度入相，曾巧谏敬宗罢游幸东都，但无大的作为。惩治宦官扰乱市井的县令崔发遭系狱，以致牛僧孺畏惧宦官而主动离相位。穆宗服食长生药而死，敬宗竟被宦官刘克明所杀。枢密使王守澄等四贵拥立文宗即位，杀了已经接见过朝官的绛王李悟，朝官们只能噤若寒蝉。宦官权力凌驾在皇权之上，唐文宗感到自身危险，想要诛除宦官。名士刘蕡应贤良方正科，对策公开反对宦官，主考官不敢录取，刘蕡虽然落第，却发出了清流朝官反击宦官的信号。南衙北司之争在文宗朝表面化，潜伏着重大的政治危机。

穆宗睿圣文惠孝皇帝下

唐穆宗长庆三年（癸卯，公元823年）

春季，正月二十七日癸未，赏赐钱给神策军左右中尉以下的官员。二月初六日辛卯，按品级赏赐统军、军使等官员锦彩、银器等物。

户部侍郎牛僧孺，一向为穆宗所厚待。前些时，韩弘的儿子右骁卫将军韩公武为他父亲谋划，用钱财交结朝廷内外有权势的官吏。等到韩公武死时，其父韩弘也接着死去，幼小的孙子韩绍宗继承家业，主管财产的家奴与官吏向御史府起诉韩家行贿。穆宗怜惜韩家境况，把韩弘家的财产账簿都拿来亲自查看，凡是朝廷内外掌权的官吏，多数接受了韩弘的财货，只有一处用红笔小字写道：“某年月日，送户部牛侍郎一千万钱，不收。”穆宗大喜，把这给左右的侍从看，并说：“果然如此，我没有看错人！”三月初七日壬戌，任命牛僧孺为中书侍郎、同平章事。

当时牛僧孺与李德裕都有入朝任宰相的希望，李德裕调任浙西观察使，八年没有升迁，以为是李逢吉排挤自己，引荐牛僧孺为宰相。因此，牛李两派结怨，日益加深。

夏季，四月初十日甲午，安南奏报陆州的獠人攻打抢掠州县。

四月十二日丙申，赏赐宣徽院供奉官钱，服紫衣品级的一百二十串，以下直到承旨，按等级给予。

（以上为第一段，写牛僧孺不受贿而得相，李德裕疑是李逢吉引援牛僧孺，由是牛李之怨益深。）

起初，翼城人郑注，个子矮小，眼睛习惯往下看，奸巧诡诈，擅长谄媚，善于揣摩人意，以行医为名，游走四方，寄食旅途，非常贫困。曾凭借医药技术谒见徐州节度使府牙将，牙将喜欢他，把他推荐给节度使李愬。李愬吃了他的药颇有效验，于是宠信他，任命他为牙推。郑注渐渐干预军政，任意作威作福，军府中的人都厌恶他。监军王守澄把大家不满的情况告诉李愬，请求把郑注辞掉，李愬说：“郑注虽然这样，然而是一个有奇才的人，将军与他谈话试试看，若是没有什么用，再辞掉他也不迟。”于是叫郑注前去谒见王守澄。王守澄开始不愿接见，后不得已接见了他，坐下谈话不久，王守澄大喜，请他到中堂，促膝谈笑，相见恨晚。第二天，王守澄告诉李愬说：“郑先生的确如你所说，是一个奇人。”从这时起，郑注又为王守澄所宠信，权势更大，李愬任命郑注为巡官，列在宾客的席位之中。郑注既已受到重用，担心推荐自己的牙将泄露自己的身世，秘密地以其他的罪过向李愬诬陷牙将，李愬便把牙将杀掉了。等到王守澄到朝廷任枢密使，把郑注也带去了，为郑注建立居宅，供给衣食，又把郑注推荐给穆宗，穆宗对郑注也很器重。

自从穆宗得病，王守澄独掌国家大权，势力超过了朝廷内外任何人；郑注日夜和他来往，商量谋划，谈话通宵达旦，他们通关节，行贿赂，一般人看不到他们干坏事的痕迹。开始时有些微贱钻营之士，借助郑注以求进取，数年以后，达官贵人的车马挤满了郑注门前。工部尚书郑权，家里姬妾很多，俸禄少不能赡养，通过郑注向王守澄请求担任节度使；四月二十五日己酉，任命郑权为岭南节度使。

五月十八日壬申，任命尚书左丞柳公绰为山南东道节度使。柳公绰督察邓县时，该县有二吏，一个犯有贪赃罪，一个犯有舞文罪，大家认为柳公绰一定会杀掉犯贪赃罪的人。柳公绰判决说：“贪赃的官吏犯法，有法令在；奸巧的官吏搅乱法，法令将消亡。”最后把犯有舞文罪的人杀了。

（以上为第二段，写王守澄、郑注两人狼狈为奸，专擅弄权。）

五月二十二日丙子，在晋、慈二州设置保义军，任命观察使李寰为节度使。

六月初六日己丑，任命吏部侍郎韩愈为京兆尹；六军不敢犯法，私下里互相说："他是佛骨都想烧的人，怎么敢触犯！"

秋季，七月十一日癸亥，岭南奏报，黄洞蛮侵扰邕州，攻破左江镇。七月十四日丙寅，邕州奏报，黄洞蛮攻破钦州千金镇，此时杨屿奔往石南砦。

南诏劝利死，国人要求立他的弟弟丰祐继位。丰祐勇敢，善于领导民众，开始仰慕中原，取名时不采用与父亲名连一字的旧习惯。

八月十一日癸巳，邕管上奏打败了黄洞蛮。

八月十四日丙申，穆宗从复道去兴庆宫，到达通化门城楼时，投下二百匹绢，布施山僧。穆宗随意不受限制的赏赐，像这一类事情，不能一一记载下来。

八月二十一日癸卯，改任左仆射裴度为司空、山南西道节度使，不兼平章事。李逢吉憎恨裴度，右补阙张又新等人依附李逢吉，争相制造流言，诽谤裴度，终于把裴度排挤出朝廷。张又新是张荐的儿子。

九月初五日丙辰，加官昭义节度使刘悟同平章事。

李逢吉任宰相，勾结担任枢密使的宦官王守澄，权势压倒了朝廷内外所有官员。只有翰林学士李绅每次接受穆宗咨询时，常常排抑李逢吉，草拟的文书送到宫内，李绅常常给以评论，指出好与坏；李逢吉觉得李绅是一个祸患，但穆宗对李绅很宠信，李逢吉不敢立刻疏远李绅。恰好遇到御史中丞缺人，李逢吉推荐李绅清廉正直，应当担任掌管风纪法度的官职；穆宗认为御史中丞也是次对官，就毫不怀疑地答应了。正值李绅和京兆尹兼御史大夫韩愈争论台参和其他职事，双方文件往来，言辞尖刻；李逢吉就上奏章，说二人不和，冬季，十月初五日丙戌，改任韩愈为兵部侍郎，李绅为江西观察使。

十月初八日己丑，任命中书侍郎、同平章事杜元颖同平章事、充西川节度使。

十月初十日辛卯，安南奏报黄洞蛮侵扰边地。

韩愈、李绅入宫辞谢，穆宗要他们各自叙述不和之事，于是彻底了解了内中底细。十月十一日壬辰，又改任韩愈为吏部侍郎，李绅为户部侍郎。

（以上为第三段，写李逢吉挑动韩愈与李绅二人相争以排之，唐穆宗优柔，识李逢吉之奸，仍用之不疑。）

唐穆宗长庆四年（甲辰，公元 824 年）

春季，正月初一日辛亥，穆宗第一次到含元殿举行大朝会。

起初，柳泌等被杀以后，方士们渐渐通过穆宗左右得到进用，穆宗服食他们的金石药物。处士张皋上疏，认为："思虑不过度血气就和畅，纵欲疾病就会发生。药物是用来治病的，没有病不应当吃药。从前大医学家孙思邈说过：'药力是偏向某个方面的，乱服药的人，内脏气血不得和平，即使有病用药，也要特别慎重。’平民尚且如此，何况天子呢！先帝听信方士的胡言乱语，服食他们的药物得病，这是陛下都知道的，怎能又照旧走这条路！现在朝野的人都私下纷纷议论，但怕得罪皇上，没有人敢向你说实话。臣生长在草野荒郊，与麋鹿同游，没有什么奢求，但略知忠义，想对国家有万分之一补益就满足了！”穆宗认为张皋说得好，派人找他，没有找到。

正月十七日丁卯，岭南奏报黄洞蛮侵扰钦州，杀戮将吏。

正月二十日庚午，穆宗旧病复发；正月二十二日壬申，病危，命太子监国处理政事。宦官想请郭太后出来掌管国政，太后回答说："从前武后主国政，几乎使国家灭亡。我家世代以忠义传家，不是武氏那一类人。太子虽年少，只要得到贤能宰相辅佐，你们这些人不要干预朝政，用不着担心国家不安定！从古以来难道有女子为天下君主而能使国家治理得如唐虞时代吗！"随即把制书拿来撕碎了。太后兄太常卿郭钊听到要太后称制的言论，秘密给太后写信说："假如真正答应了宦官的请求，臣请预先就带领诸子交出官爵回老家去。"太后流着泪说："祖先的福庆，集中表现在哥哥身上。"当晚，穆宗在寝殿去世。正月二十三日癸酉，任命李逢吉为冢宰。正月二十六日丙子，敬宗在太极殿东厢正式即皇帝位。

当初，穆宗即位，对神策军士每人赐钱五十千，宰相商议，认为太多难以继续，于是下诏令说："担任宿卫是很辛苦的，实在应当给以优厚的赏赐，由于连年干旱歉收，宫中府库空虚，边兵尚未给衣，布施的恩惠希望公平一些。神策军士每人赏赐绢十匹，钱十千。京畿内各镇又减少五千。仍然从内库取出绫二百万匹交给度支，用来作边军春衣之用。"当时人认为这件事办得好。

从正月二十八日戊寅到三十日庚辰，敬宗赏赐给宦官的服饰和锦彩、金银很多，有的今日赐绿色服，明日赐红色服。

（以上为第四段，写唐穆宗步宪宗后尘，食金丹而亡，敬宗即位。）

当初，穆宗既留李绅，李逢吉更加忌恨他。李绅的族子李虞由于文学而出名，说自己不喜欢当官，隐居在华阳川。等到他的叔父李耆担任左拾遗时，李虞就写信给李耆，请求推荐，信被误送到李绅手里；李绅写信责备李虞，并且把这件事公之于众。李虞深深怨恨李绅，于是跑到李逢吉那里，详细把李绅平日秘密议论李逢吉的话都告诉了他。李逢吉愈益愤怒，指使李虞与补阙张又新及侄子前河阳掌书记李仲言等窥伺搜求李绅的短处，在士大夫之间张扬；并且说："李绅在暗地里侦查士大夫有群聚在一起议论的，就指为朋党，报告皇上。"由于这件事，士大夫多忌恨李绅。

等到敬宗即位，李逢吉和同党为李绅失去依靠而高兴，又怕敬宗再用李绅，日夜谋划陷害李绅的办法。楚州刺史苏遇向李逢吉的党羽说："主上初听政，必定开延英殿，召见次对官问话，只有这一招可以防止皇上复用李绅。"李逢吉的党羽认为是可行，马上向李逢吉说："事情很紧迫了，若是等到皇上听政，后悔都来不及了！"李逢吉于是叫王守澄向敬宗说："陛下能当储君的原因，臣都知道，都是李逢吉出力助成的。至于杜元颖、李绅他们，都想立深王。"度支员外郎李续之等接着上奏章说这件事。敬宗当时十六岁，有怀疑，未相信。遇到李逢吉也有奏章，说："李绅对陛下不利，请求加以贬谪。"敬宗虽然再三查问，最后还是听从了李逢吉的话。二月初三日癸未，贬李绅为端州司马。李逢吉因而带领百官上表朝贺，退朝以后，百官又到中书省祝贺，当时李逢吉正与张又新在里面谈话，守门的人不让入内；过了好一会，张又新擦着汗出来，向百官一一拜揖说："端州这件事，又新不敢多谦让。"众人为之惊愕而不觉后退，都有点怕他。右拾遗内供奉吴思不去道贺，李逢吉很生气，就让吴思去当赴吐蕃的告哀使。二月初六，贬翰林学士庞严为信州刺史，蒋防为汀州刺史。庞严是寿州人，与蒋防都是李绅所引荐的。给事中于敖，向来与庞严友好，把敬宗的敕书封好退回，人们都为于敖担心，并说："于给事为庞、蒋申冤，不怕触犯宰相发怒，真是难得！"等到奏章发下来，才知道于敖封还敕书是说贬得太轻。李逢吉因此奖励了于敖。

张又新等人还是忌恨李绅，每日上书说，处置李绅太轻了，敬宗于是答应对李绅重加贬斥。朝臣都不敢说话，只有翰林学士韦处厚上疏，陈述说："李绅为李逢吉一党的人所谗害，人们都叹息惊骇。李绅承蒙先帝奖赏信用，即使有罪，还应该宽容，以实现三年不改变父亲成规的孝道，何况他没有罪呢！"于是敬宗开始有所明白，又逢翻阅宫中文书时，看到穆宗封存的一箱文书，打开之后，内有裴度、杜元颖、李绅请求立敬宗为太子的奏疏，敬宗感叹不已，于是把别人所上毁谤李绅的奏疏全部烧了，虽然没有立即把李绅召回来，但以后再有说李绅坏话的，就听不进去了。

（以上为第五段，写唐敬宗优柔寡断，既识奸相李逢吉排挤李绅出朝，只是嗟叹而不敢召还。）

二月十九日己亥，尊郭太后为太皇太后。

二月二十五日乙巳，尊母亲王妃为皇太后，太后是越州人。

二月二十七日丁未，敬宗到中和殿击毬，从这以后多次游宴、击毬、奏乐，赏赐宦官、乐人财物，多得记也记不完。

三月初三日壬子，大赦天下；诸道常规贡品以外，不需要再进奉财物。

三月初五日甲寅，敬宗第一次在延英殿召见宰相问话和回答问题。

从前，牛元翼镇襄阳时，多次送财物给王庭凑，请求释放他的家属，王庭凑不答应；听说牛元翼去世，三月十五日甲子，王庭凑把他的家属全部杀死了。

敬宗上朝常常很晚，三月十九日戊辰，太阳很高了，还没有坐朝，百官在紫宸门外排列着，等久了，有的年老有病的人都要跌倒了。谏议大夫李渤问宰相说："昨日上疏讲到坐朝太晚，今天早晨更晚了，请出閤的人留下来，向皇上进谏。"坐朝退班以后，左拾遗刘栖楚一个人留下来，向敬宗进谏说："宪宗和先帝穆宗都是年长的君主，四方还发生不少叛乱事件，陛下年纪很轻，继承皇位的开始，应当辛勤地把国家治理好；然而贪睡好色，很晚才起床。先帝的棺椁还停在那里，就日夜奏乐，好的名声没有，坏的名声却传播很远。臣担心国家福禄不会长久，请让我死在玉阶之前为没有尽到谏官的职责谢罪。"于是用额头叩御座前台阶，血流不止，叩头声閤门外都听得到。李逢吉宣布旨意说："刘栖楚不要叩头了，等候皇上的处置！"刘栖楚捧着头站起来，又讲宦官的有关事情，敬宗连连挥手叫他出去。刘栖楚说："不采纳我的意见，就请让我死在这里。"牛僧孺宣布旨意说："你上奏的话，皇上已经知道了，在门外等候处置！"刘栖楚这才退出朝堂，但仍留在金吾仗中等待再谏。于是宰相都赞成刘栖楚的话。敬宗命令中使到金吾仗，连同李渤一起安慰刘栖楚，叫他回家。不久，提升刘栖楚为起居舍人，还赐给他红色的袍服。刘栖楚借口有病不接受新的官职，回到东都洛阳。

三月二十一日庚午，赏赐内教坊一万串钱，准备将来皇上去那里时方便一些。

夏季，四月十五日甲午，免去淮南节度使王播的盐铁转运使职务。

四月十六日乙未，任命布衣姜洽为补阙，试大理评事陆洿、布衣李虞、刘坚为拾遗。当时李逢吉当权，他所亲近的人有张又新、李仲言、李续之、李虞、刘栖楚、姜洽及拾遗张权舆、程昔范，又有跟从依附他们的人，当时憎恨李逢吉的人，称他们为八关、十六子。

从事占卜业的苏玄明与在染坊做事的张韶交情好，苏玄明向张韶说："我为你占卜过，你会到金殿上坐皇位，和我一起进食。现在皇上日夜只知击毬、打猎，很多时候都不在皇宫中，夺取他的皇位是可以考虑的。"张韶认为对，于是和苏玄明商量，勾结染坊中无生活依靠的一百多人，四月十七日丙申，把兵器藏在柴草车中，从银台进入皇宫，等晚上发起叛乱。还没有到达目的地，有人因怀疑他们的车子装载着重物而盘问他们，张韶很着急，就把盘问的人杀了，与他的同伙换了衣服举着武器，大声呼唤着直向禁中跑去。

敬宗当时在清思殿击毬，那些宦官看见举事的人，既震惊又害怕，急忙入内关上门，跑去告诉敬宗。叛乱的人不久冲破宫门进到里面。原先右神策军中尉梁守谦为敬宗所宠爱，每每两军比赛武艺，敬宗常常偏袒右军。这次敬宗狼狈之中欲到右军去，左右侍从说："右军隔得远，怕在途中遇上叛乱的人，不如到左军去路近。"敬宗依从了。左神策军中尉河中府人马存亮听说敬宗到来，忙跑出来迎接，捧着敬宗的脚直哭，亲自背着敬宗到军营中，派遣大将康艺全带领骑卒入宫讨贼。敬宗担心与两位太后分开，马存亮又派五百名骑兵迎接两位太后到军中来。

张韶登上清思殿。坐在御榻上，与苏玄明共同吃饭，说：“和你说的一样！”苏玄明吃惊地说：“事情也就只能到此结束！”张韶感到惧怕而逃走了。康艺全与右军兵马使尚国忠带的兵马到了，合兵攻打叛军，杀死了张韶、苏玄明和他们的党徒，死的人到处都是。到晚上才安定下来，残余的党徒还分散躲藏在禁苑中，第二天，都被抓起来了。

当时宫门都关闭了，敬宗住在左军中，朝廷内外不知道敬宗在什么地方，人们都惊慌不安。四月十八日丁酉，敬宗回宫，宰相带领百官到延英门祝贺，只有数十人参加。叛乱者所经过那些宫门，守门的宦官三十五人依法应当处死；四月二十日己亥，诏令都只受杖罚，仍旧叫他们官复原职。四月二十三日壬寅，给神策军左右两军立功将士以优厚的赏赐。

五月初七日乙卯，任命礼部侍郎李程、户部侍郎、判度支窦易直并同平章事。敬宗问李逢吉谁适合任宰相，李逢吉把当时大臣中有资望的人列举出来，以李程为首，所以就任命李程为相。敬宗喜欢修治宫室，想营建一所别殿，规模很大，李程进谏，请求把准备了的木材石料拿去修陵墓，敬宗立即依从了。

六月初一日己卯，任命左神策军大将军康艺全为鄜坊节度使。

（以上为第六段，写唐敬宗好游宴击毬，日晏方起，刘栖楚强谏不听，招致宫廷变乱。）

敬宗听说王庭凑屠杀了牛元翼全家，感叹宰相辅臣无才能，致使凶贼残暴放纵。翰林学士韦处厚因而上书说：“裴度在全国功勋是很高的，声誉已传播到四夷，要是把他安置在朝廷中，把参谋决定国家大事的权力交给他，河北、山东等地方的割据势力一定会遵从朝廷的旨意办事。管仲说过：‘人只听个别人的话就是愚昧，兼听众人的话就会聪明。’治乱的根本问题，并没有别的方法，顺乎人心国家就能治理好，违反了人心，国家就会发生动乱。看到陛下在吃饭时叹息，遗憾没有萧何、曹参辅政，现在有裴度尚且不能留在朝廷中，这就是冯唐所说的汉文帝虽得到廉颇、李牧也不能用的原因。任用宰相时，应当交给他工作，信任他、亲近他、尊重他，对于工作未办好，对国家没有贡献的，就要撤换他，安置在闲散的位置上去，或贬黜到边远的州郡去，这样，那些正在任职的人，不敢不自我勉励，将要来任职的也不敢苟且妄求了。臣与李逢吉向来没有个人恩怨，曾被裴度在没有过错的情况下贬了官。现在所陈述的，在上是用以报答圣明的皇上，在下是转达了大家意见而已。”敬宗见裴度奏状上无平章事官衔，就问韦处厚。韦处厚详细讲了李逢吉如何排挤裴度的情况。敬宗听了说：“为何做到这个地步！”李程也劝敬宗对裴度加以礼遇。六月十八日丙申，加给裴度同平章事官衔。平定张韶的叛乱，马存亮功劳最大，马存亮不夸耀自己的功劳，愿意交出兵权到地方任职；秋季，七月，任命马存亮为淮南监军使。

夏绥节度使李祐调到京城任左金吾大将军，七月二十五日壬申，进献马一百五十匹，敬宗拒绝了。七月二十七日甲戌，侍御史温造在阁内上奏弹劾李祐违反敕令，进奉马匹，请求按照法令治罪，诏令免予追究。李祐对旁人说："我夜半攻入蔡州城捉拿吴元济，一点也不惧怕，今天温御史使我的胆都被吓掉了！"

八月初一日丁卯，安南奏报黄洞蛮侵扰边境。

龙州刺史尉迟锐上奏说："牛心山向来以神异著称，有被挖断了的地方，请求加以填补充塞。"敬宗依从了。在危险的地方使数万人服劳役，东川地方被这件事弄得疲弊不堪。

九月初二日丁未，波斯李苏沙进献沉香亭子的材料。左拾遗李汉上奏说："这和瑶台、琼室有什么不同呢？"敬宗虽然不高兴，也宽容了他。李汉是李道明的第六代孙。

冬季，十月二十三日戊戌，翰林学士韦处厚劝谏敬宗宴游说："先帝由于酒色引起疾病以致缩短了寿命，臣当时不拼死进谏的原因，是因为陛下已经有十五岁了。现在皇子才一岁，臣哪里敢因怕死而不敢进谏呢！"敬宗为他的话所感动，赏赐他锦彩一百匹，银器四件。

十一月十三日戊午，安南都护奏报，黄洞蛮和环王联合出兵攻陷了陆州，刺史葛维被杀。

十一月十五日庚申，将睿圣文惠孝皇帝安葬在光陵，庙号穆宗。

王播用十万串钱贿赂王守澄，请求仍旧兼任盐铁转运使。十二月初九，谏议大夫独孤朗、张仲方，起居郎柳公权，起居舍人宋申锡，拾遗李景让、薛廷老请求开延英殿讨论王播的奸邪事迹。敬宗问道："以前廷争的那个人怎么不在其中啊？"当天，任命刘栖楚为谏议大夫。李景让是李憕的曾孙；薛廷老是河中府人。

十二月十六日庚寅，加给天平节度使乌重胤同平章事。

十二月二十一日乙未，徐泗观察使王智兴为祝贺敬宗的生日，请求在泗州设置戒坛，接受僧尼受戒以求福祐，敬宗答应了。自从元和年间以来，曾下令禁止这种弊端，王智兴想聚敛财产，以他为首请求设置戒坛，于是四面八方的人都聚集到这里来，江、淮一带来的人更多，王智兴的家财由于这件事积累到很多万贯。浙西观察使李德裕上奏说："假若不加控制，到生日那天才停止，算计两浙、福建会失去六十万服役纳税的丁口。"奏章送到朝廷，当天就停止了剃度僧尼的事。

这一年，回鹘崇德可汗死，弟弟曷萨特勒继位。

（以上为第七段，写唐敬宗纳韦处厚之谏，起用裴度，听王智兴之请，剃度僧尼，是一个与善人处则为善，与恶人处则为恶的中庸之君。）

敬宗睿武昭愍孝皇帝

唐敬宗宝历元年（乙巳，公元825年）

春季，正月初七日辛亥，敬宗到南郊举行祭天仪式；回来时，登上丹凤门城楼，发布大赦天下的命令，改年号为宝历。

此前，鄠县县令崔发听到外面喧闹，问旁人，回答说："是五坊的人殴打百姓。"崔发大怒，命令把殴打百姓的人抓起来，拖到厅堂上。当时天已昏黑，过了好一会，盘问那人，才知是中使。敬宗大怒，把崔发抓起来，押在御史台。大赦那天，崔发和其他的囚犯站在金鸡竿下，等候释放，忽然有品级的宦官数十人执木棒乱打崔发，脸被打破了，牙齿被打掉了，直到昏过去才离开，过了几刻钟崔发才苏醒过来，又有人要来继续殴打崔发，御史台的小吏用席子遮住崔发，才避免了他再挨打。敬宗命令再把崔发关押在御史台的监狱中，而把其他的囚犯释放了。

中书侍郎同平章事牛僧孺看到敬宗荒淫无道，任用宠信的人掌握国家大权，又怕得罪敬宗因而不敢直说，只是多次上表请求调到外地去任职。正月十一日乙卯，升鄂岳地方为武昌军，任命牛僧孺同平章事、充武昌军节度使。朝廷又任命王播兼盐铁转运使，谏官多次争论这件事，敬宗都不采纳。

牛僧孺经过襄阳，山南东道节度使柳公绰全副武装地在客馆等候着，将佐谏止说："襄阳的政治地位比夏口高，这种礼节太过分了！"柳公绰说："奇章公刚离开相位，方镇尊重宰相，也就是尊重朝廷。"最终照柳公绰的意见办了。

敬宗游玩没有节制，和一群小人混在一起，十分亲近，一个月上朝不过两三次，大臣都难得被接见。

二月初八日壬午，浙西观察使李德裕献《丹扆六箴》：一曰《宵衣》，是讽谏敬宗坐朝少，时间晚；二曰《正服》，是讽谏服饰的奇形怪状，不合礼制；三曰《罢献》，是讽谏征求珍奇玩乐的东西；四曰《纳诲》，是讽谏轻视或不接受正直的劝谏；五曰《辨邪》，是讽谏信任那些小人；六曰《防微》，是讽谏轻易外出游玩。其中《纳诲箴》大略说："汉成帝刘骜好喝酒，举着大酒杯只顾痛饮；魏明帝曹睿生活奢侈，修造的宫殿高出云霄。虽然不打击忠良之臣，对于善良的意见也不接受。把规劝的话当作塞耳的玉，这叫堵塞聪明。"《防微箴》说："乱臣猖獗，数也数不清。穿着黑色衣服的刺客分辨不出来，阴谋杀害皇帝的马何罗因触瑟跌倒了才被发现。汉武帝微服出行到柏谷，豺狼、野猪塞满路，因缘形貌奇伟才得食，这要吸取教训啊！"敬宗下诏书褒扬李德裕。

敬宗既然又把崔发投入监狱，给事中李渤上奏说："县令不应该拖中人，中人不应该打御囚，他们所犯的罪是一样的。然而县令所犯的罪在大赦以前，中人所犯的罪在大赦以后。中人竟横暴到这种地步！若不及早按刑法治罪，臣恐怕四方藩镇听到了，会产生看不起朝廷的念头。”谏议大夫张仲方上奏，大略说：“陛下的恩惠散布于天下，而在御前却没有，恩霈雨泽连昆虫也都沾了光而只有崔发被遗忘。”其余的谏官上奏议论的很多，敬宗都听不进去。二月十四日戊子，李逢吉等人从容地对敬宗说：“崔发擅自拖扯中人，实在是犯了大不敬罪，然而他的母亲，是过去宰相韦贯之的姐姐，快八十了，自从崔发坐牢后，因忧伤而得了病。陛下正用孝来治理天下，在这件事上应该怜悯他。”敬宗于是怜惜地说：“每每谏官只说崔发冤枉，没有讲到他的不敬罪，也没有讲到还有老母。如果像你这样说，我为什么不赦免他呢！”随即命令中使赦免了崔发的罪，送他回家，又安慰他的母亲。崔发的母亲当着中使的面，打了崔发四十棒。

（以上为第八段，写唐敬宗荒淫，嬖幸用事，惩治中人的县令崔发遭系狱。牛僧孺畏懦离朝，李德裕献箴言讽谏。）

三月十七日辛酉，派遣司门郎中于人文册回鹘曷萨特勒为爱登里啰汨没密於合毗伽昭礼可汗。

夏季，四月二十日癸巳，群臣给敬宗加上文武大圣广孝皇帝的尊号，大赦天下。赦文只说：“左降官已经酌情移往近处任职的人，应当再酌情迁移任职。”没有讲到未酌情移往近处任职的人，翰林学士韦处厚上奏说：“李逢吉担心李绅酌情移往近处任职，所以有这样的处置。这样一来，近年来流贬的官吏，因为李绅一个人的缘故都得不到酌情移往近处任职了。”敬宗立即追回赦文进行了修改。李绅由此得到移为江州长史。

秋季，七月初二日甲辰，盐铁转运使王播进羡馀绢一百万匹。王播兼任盐铁转运使，向老百姓征求严厉急迫，正额的赋税未收齐而羡馀却不断送来。

七月十七日己未，诏令王播制造竞渡船二十艘，把材料运到京师去建造，计算要用去盐铁转运半年的收入。谏议大夫张仲方等尽力劝谏，于是减少制造任务的一半。

谏官说京兆尹崔元略用对伯父叔父的礼节侍奉内常侍崔潭峻；七月二十五日丁卯，崔元略迁为户部侍郎。

昭义节度使刘悟离开郓州的时候，带领郓兵两千人作为亲兵跟随自己。八月初十日庚戌，刘悟得暴病死了，他的儿子、担任将作监主簿的刘从谏，秘不发丧，与大将刘武德及亲兵商量，想用刘悟遗表的方式请求担任留后。司马贾直言入府内直言责备刘从谏说：“你的父亲拿着十二州土地归顺朝廷，对国家功劳并非不大，只是因为张汶的缘故才没有得到朝廷的表彰和重用，他自以为这是把屎盆子往自己头上扣，竟至羞愧而死。你这个小孩子，怎么敢这么干！父亲死了不哭，怎么在社会上做人！”刘从谏惶恐而无话可说，于是宣布刘悟去世这件事。

当初，陈留人武昭被免去石州刺史，改任袁王府长史，心情郁郁不乐，埋怨朝廷当权的人。李逢吉与李程二人不和，水部郎中李仍叔是李程同族之人，故意激怒武昭说：“李程想给你一个好官职，被李逢吉阻止而未成。”武昭借着酒醉，对左金吾卫兵曹茅汇说，想刺杀李逢吉，被别人告发了这件事。九月初十日庚辰，诏令三司共同审理这个案子。从前担任过河阳掌书记的李仲言对曹茅汇说：“你说出李程与武昭合谋之事就有生路，不然的话一定会被判死刑。”曹茅汇说：“我心甘情愿含冤而死！诬陷别人来保全自己，我不做那种事！”狱讼审理完毕定了案。冬季，十月二十五日甲子，武昭被杖死，李仍叔被贬为道州司马，李仲言被流放到象州，曹茅汇被流放到崖州。

敬宗想到骊山温泉去，左仆射李绛、谏议大夫张仲方等屡谏止都不听，拾遗张权舆拜伏在紫宸殿下，叩头谏说：“从前周幽王到骊山，被犬戎杀死；秦始皇葬在骊山，不久亡国；玄宗在骊山建华清宫而有安禄山之乱；先帝穆宗到骊山，享年不长久。”敬宗说：“骊山真的这样凶险吗？我应当去试验一下，看张权舆的话对不对。”十一月二十一日庚寅，敬宗到温泉，当天回到宫中，向左右说：“那个叩头人讲的话，哪里值得相信！”

十一月二十七日丙申，立皇子李普为晋王。

朝廷收到刘悟的遗表，议论的人多半说上党昭义军是内地方镇，与河北诸镇不同，不应该允许它自置留后。左仆射李绛上奏疏，认为：“兵机的掌握要快，决断要有坚定意志，敌人意见未统一，就可用计谋战胜他。刘悟已经死几个月了，朝廷尚未做出安排，朝廷内外的人，都惋惜没有及时抓住事机。现在昭义的兵众，不一定都是和刘从谏站在一起的，即使有一半人和他协力同心，还有一半是效忠朝廷的。刘从谏没有长久地领导军队，在将士中还没有威信。而这个道向来贫穷，不是特殊的时节一定没有过多的赏赐。现在朝廷只要迅速任命邻近泽州、潞州的一员将领担任昭义节度使，命令他赶快赴镇上任，刘从谏还未安排好，新节度使已经到潞州，这就是前人所说的‘先发制人便可压倒对方心理’。新的节度使既然来了，军心就有所维系了；刘从谏没有职位，拿什么名义提出主张？假使刘从谏要阻挠朝廷的命令，他的将士必定不会依从。现在朝廷久不安排，那些军众不晓朝廷的旨意，想效忠朝廷就怕忽然叫刘从谏作节度使，想同刘从谏一道行动又怕朝廷另外任命节度使，在犹豫不决的时候，要是有坏人为他们出谋划策，虚妄地大张赏格，定出钱数，军士抱着获赏的希望，就更难指挥了。希望皇上赶快做出决定，先下一道明确的诏书，告诉军众，奖励、褒赏该道从来就忠于朝廷的，赐新上任的节度使缯五十万匹，让他用来奖赏将士，再授给刘从谏一个刺史的官职。刘从谏既然略有所得，一定会选择有利的事去做，肯定不会抗拒的。假设刘从谏不服从朝廷命令，臣也以为不要去讨伐他。为什么呢？臣听说刘从谏已禁止山东三个州的军士，不允许他们私藏武器，足以证明军心还不一致，很明显他的部下有反对他的。仔细分析利害关系，绝对没有需要授予刘从谏以节镇之权的理由。”当时李逢吉、王守澄已经商量好了办法，最终没有采用李绛的谋略。十二月初三日辛丑，任命刘从谏为昭义节度使留后。刘悟政令繁杂苛刻，刘从谏用宽厚来补救以前的不足，群众比较愿意服从他。

李绛喜欢讲直话，李逢吉不喜欢他。按照旧例，仆射在上朝的那一天，宰相要为仆射送行，百官要排列班序，中丞要排列站立门廷中，尚书以下每月还要到牙门中去参拜。元和年间，伊慎为仆射，太常博士韦谦上奏说旧仪太繁重，削去了那一套。御史中丞王播倚仗李逢吉的权势，和李绛在路上相遇，不回避他，李绛援引旧例上奏说：“仆射，国初是正宰相，礼数是很庄重的。倘若人才不胜任职位，就应当另外选择贤良的人担任；要是朝廷认为这人还可以任职，怎么能不遵守法制。请求交给百官议定这件事。”参加讨论的人多数依从李绛的意见。敬宗听从按旧仪行事的意见。十二月二十六日甲子，因李绛有足疾，任命他为太子少师、分司东都。

进言的人大多称赞裴度贤能，不应久在藩镇任职，敬宗多次派遣使者到兴元去慰问裴度，还暗地告诉回朝的时期，裴度因而要求入朝，李逢吉的党羽大为恐惧。

（以上为第九段，写唐敬宗偏听亲信，不纳忠言，轻授刘从谏节度，李绛反遭贬黜。）

唐敬宗宝历二年（丙午，公元 826 年）

春季，正月二十四日壬辰，裴度从兴元入京朝见敬宗，李逢吉的党人千方百计诋毁他。从前民间有歌谣云：“绯衣小儿坦其腹，天上有口被驱逐。”还有，长安城中有横着的六条高坡，如乾卦六画的样子，裴度的住宅偶然处在第五条高坡末端。张权舆上奏说：“裴度是名字和图谶相应验，住宅又占在冈原之上，没有被召就来京师，他的不可告人的用意是看得出来的。”敬宗虽然年纪轻，但对于他们的诬陷和诽谤都看出来了，对待裴度更加亲近。

裴度刚回到京师，拜谒的朝廷士大夫挤满家门，裴度留他们饮酒。京兆尹刘栖楚贴近裴度的耳朵说话，侍御史崔咸举起酒杯要罚裴度饮酒，并说：“丞相不应当允许所由官轻声附耳说话。”裴度笑着把罚酒饮了。刘栖楚感到不自在，偷偷溜走了。

二月初九日丁未，任命裴度为司空、同平章事。裴度在中书省，左右忽然告诉他官印不见了，听到这话的人都大惊失色。裴度饮酒自如，隔了一会，左右又告诉他在原地找到了官印，裴度也不说话。有人问他为什么这样，裴度说：“这一定是吏人偷了去盖文书罢了，如果追查急了他就会把印丢在水火中毁掉，不马上追究所以又回到原来的地方。”众人叹服他的见识和度量。

敬宗从即位以来，就想到东都去看一看，劝阻的宰相和朝臣很多。敬宗都听不进去，坚决表示一定要去，已经命令度支员外郎卢贞先去察看，修整东都宫阙和沿途的行宫。裴度从容地对敬宗说："国家设两个都城本来就是为了皇上巡幸的，自从发生几次叛乱以后，巡幸的事就停止了。今宫阙、营房、百官署舍大都已经荒废了，陛下倘若想到那里去，应当命令有关部门在一段时间里慢慢把它修缮好，然后就可以去了。"敬宗说："从来进言的人都说不应当去，像你说的这样，不去也可以。"恰遇朱克融、王庭凑都请求派兵匠协助修复东都。三月二十日丁亥，诏敕说由于修缮东都太烦扰了，放弃这项工程，把卢贞也召了回来。

前些时，朝廷派遣中使赏赐朱克融时令衣服，朱克融认为太粗糙了，把使者扣留下来；上奏"本道今年将士春衣不足，请求度支发给三十万匹绸布"，又奏"想带兵马和工匠五千帮助修缮宫阙"。敬宗忧虑这件事，就问宰相怎么处理，并说想派大臣去慰劳，并领回被扣留的使者。裴度回答说："朱克融无礼已甚，大概快要死了！好像一头猛兽，自己在山林中咆哮跳跃，时间久了就会疲倦，一定不敢随意离开巢穴。希望陛下不要派使者慰劳，也不要索取被扣使者，隔十天以后，赐给朱克融诏书说：'听说中使到了你那里，行动有稍失礼的地方，等中使回朝后，朕自有处分。时令服装，有司制造不谨慎，朕很想了解毛病在哪里，以便进行处理。你那里将士的春衣，从来就不是由朝廷分发，都是由本道自己准备。朕不会吝惜数十万匹布物，只是向来没有这个先例，不能只给范阳一个道。'朱克融所说的帮助修宫阙，都是空话，假若要直率打击他的奸计，就应说：'丁匠应该快些派来，已命令各地安排了供应。'朱克融得到这封诏书，必定是慌忙不知如何办才好。假若要表示宽容一些，就说：'修宫阙的事有关方面去办，不需要借重你那里的工匠从远地赶来。'这样便可以了，不值得圣上辛劳忧虑。"敬宗很高兴，依从了裴度的意见。

立才人郭氏为贵妃。郭妃是晋王李普的生母。

横海节度使李仝略去世；其子副大使李同捷擅自担任留后的职务，向相邻各道送很多贿金，以求继承他父亲的官位。

夏季，四月十一日戊申，任命昭义留后刘从谏为节度使。

五月，幽州军发生变乱，杀死了朱克融和他的儿子朱延龄，军中立他的小儿子朱延嗣主持军务。

（以上为第十段，写裴度入朝重执相印，巧谏唐敬宗罢游幸东都，裴度又筹策拒绝幽州求索而朱克融果自毙。）

六月二十八日甲子，敬宗到三殿，命令左右军、教坊、内园进行击毬、手搏和杂戏。杂戏进行到剧烈的时候，有折断手臂的，有打破头的，到夜深了方才散场。

秋季，七月十四日己卯，敬宗到兴福寺，观看沙门文溆浅俗讲述佛学。

七月十八日癸未，衡王李绚去世。

七月二十七日壬辰，宣旨索取左藏现存银十万两、金七千两，都存放在内藏，以便作赏赐之用。

道士赵归真用神仙一类事向敬宗进说，僧人惟贞、齐贤、正简用祷祠求福一类事劝说敬宗信佛，他们都在宫禁中进进出出，敬宗相信了他们的话。号称山人的杜景先请求敬宗让他周游江、岭等地，访问异人。有润州人周息元，自称有数百岁年寿了，敬宗派中使去迎接他。八月初十日乙巳，周息元到京师，敬宗把他安置在宫中山亭的客馆中。

朱延嗣取得了幽州的统治权之后，对百姓很暴虐；都知兵马使李载义和弟弟牙内兵马使李载宁共杀朱延嗣，并把朱延嗣家里三百多人都杀了。李载义临时担任留后职务，九月，把朱延嗣的罪过一一报告朝廷。李载义，是李承乾的后裔。

八月二十五日庚申，魏博节度使史宪诚虚妄地奏报李同捷被军士驱逐，逃到本道来了，请求自缚归顺朝廷；不久又上奏李同捷又回到沧州去了。

九月初八日壬申，改任中书侍郎、同平章事李程同平章事、充河东节度使。

冬季，十月初五日己亥，任命李载义为卢龙节度使。

十一月二十一日甲申，改任门下侍郎、同平章事李逢吉同平章事、充山南东道节度使。

敬宗游戏没有节制，和一群小人亲近玩耍。敬宗很会打毬，又喜欢摔跤，禁军和各道争着进献大力士，又用钱一万缗交给内园，叫他们招募大力士，那些大力士一天到晚跟着敬宗；敬宗又喜欢在深夜亲自去捉狐狸。敬宗性情又特别狭隘急躁，大力士有的仗着有恩宠而不谦恭，就被流放到边远地方并没收其财物；宦官有小过错，动不动就挨鞭打，大家既怨恨，又惧怕。十二月初八日日辛丑，敬宗晚上打猎后回到皇宫，和宦官刘克明、田务澄、许文端及击毬军将苏佐明、王嘉宪、石从宽、阎惟直等二十八人饮酒。敬宗喝足了酒，到室内去解大小便，殿上的灯烛忽然熄灭，苏佐明等在室内把敬宗杀死了。刘克明等假称敬宗的圣旨，命令翰林学士路隋起草遗诏，命绛王李悟临时主持国家军政大事。

十二月初九日壬寅，宣布遗诏，绛王在紫宸殿外廊接见宰相和百官。

（以上为第十一段，写唐敬宗好神仙，食金丹，喜怒无常，被宦官刘克明弑杀。）

刘克明等人想更换宦官中掌权的人，于是枢密使王守澄、杨承和，中尉魏从简、梁守谦商议决定，派禁卫兵迎接江王李涵入宫，命令左右神策兵和飞龙兵进攻敬宗的贼党，把他们都杀了。刘克明跳入井中躲避，也被拖出来杀死。绛王也被乱兵杀掉。

当时乱事发生很突然，王守澄认为翰林学士韦处厚通晓古今大事，整晚的所有安排，都和韦处厚共同商量后才决定。王守澄等人想向朝廷内外发号施令，而又不知道用什么口实。韦处厚说："名正言顺地讨伐罪人，对于大义来说是不用怀疑了，不要犹豫不决，有所顾忌！"又问："江王应当怎样继承皇位？"韦处厚说："明天早上，应当用江王的教令布告中外，说已经平定了内难。然后群臣三次上表劝江王即位，再用太皇太后的命令，赐给他册书命他即皇帝位。"大家都听从韦处厚的意见，没有时间再去问有关的部门，所有的各种仪制法式，都由韦处厚提出，没有不合乎制度的事。

十二月初十日癸卯，任命裴度为治丧冢宰。百官在紫宸殿外廊拜见江王，江王穿着白色衣服不停地涕泣。十二月十一日甲辰，在少阳院接见各军使。赵归真等术士和敬宗时一班奸巧得幸的人，都被流放到岭南或边远地方。

十二月十二日乙巳，文宗即皇帝位，改名李昂。十二月十五日戊申，尊生母萧氏为皇太后，王太后为宝历太后。当时，郭太后居兴庆宫，王太后居义安殿，萧太后居大内。文宗本性很孝谨，侍奉三公太后都一个样子，每次收到珍贵奇异的东西，先拿去祭祀天地和宗庙，然后奉献给三宫皇太后，最后才自己享用。萧太后是福建人。

十二月十七日庚戌，任命翰林学士韦处厚为中书侍郎、同平章事。

文宗从做王的时候起，就深深了解穆宗和敬宗两朝存在的弊病，等到自己做了皇帝，励精图治，去掉奢侈，力求节俭。诏令宫女不是担任了职务的都放回家去，总共放出三千多人。五坊驯养的鹰犬等物，按照元和年间的规定，只酌量留下校猎需用的，其余都放走了。有司供应宫禁中按年支给的物品，都按照贞元年间的标准办理。减教坊、翰林院、苑总监闲散人员一千二百多人，停止宫内各司新增加的衣粮。御马坊场和近年另外贮存的钱谷，占有的陂田，都交给有关部门。以前宣诏索取的刺绣、雕刻物品，都不要了。敬宗在位的时候，每月上朝不过一两次，文宗开始恢复旧时规定，每逢单日没有不上朝的，面对宰相群臣询访国家大事，很久才结束。待制官过去虽然设置了，但没有召见询问，到这个时候才多次被召见询问。停止上朝或放假不朝都在双日，朝廷内外互相道贺，认为太平盛世有希望了。

（以上为第十二段，写宦官王守澄拥立唐文宗，唐文宗初即位励精求治，去奢从俭，中外翕然望治。）

文宗元圣昭献孝皇帝上之上

唐文宗太和元年（丁未，公元 827 年）

春季，二月十三日乙巳，大赦天下，改年号为太和。

李同捷擅自据沧景，朝廷近一年未追究。李同捷希望换了帝王之后会加以恩准。三月初一日壬戌，李同捷派遣掌书记崔从长带着奏表与他的弟弟李同志、李同巽一同入朝见天子，请求遵照朝廷的旨意办事。

文宗虽虚怀纳谏，但是不能做到坚定不移，和宰相商议决定了的事情，不久又中途改变主意。夏季，四月二十五日丙辰，韦处厚在延英殿严厉地谏诤文宗的这种态度，因而请求辞职；文宗再三安慰挽留了他。

忠武节度使王沛去世。四月二十九日庚申，任命太仆卿高瑀为忠武节度使。

自大历年间以来，节度使多半从禁军中选拔，那些禁军大将中资历高的人，都用高利贷向富有之家借钱，用来贿赂神策军中尉，动不动就是数万贯，然后得到任命，这事是不经过宰相的；到了节镇，就加重剥削人民以归还所欠的债。到王沛死的时候，裴度、韦处厚才奏请用高瑀接替王沛。朝廷内外互相道贺说："从今以后靠借债当上节度使的人就少了！"

五月十五日丙子，任命天平节度使乌重胤为横海节度使，以前横海节度副使李同捷为兖海节度使。朝廷还担心河南、北各节度使煽动李同捷不服从命令，于是加给魏博节度使史宪诚同平章事官衔。五月十六日丁丑，加给卢龙李载义、平卢节度使康志睦、成德节度使王庭凑检校官。

盐铁转运使王播从淮南回到朝廷，力求得到朝廷重用，他进献的银器数千件，绫绢数十万匹。六月初三日癸巳，任命王播为左仆射、同平章事。

秋季，七月十三日癸酉，葬睿武昭愍孝皇帝于庄陵，庙号敬宗。

李同捷借口被将士留住，不接受诏命；七月二十五日乙酉，武宁节度使王智兴奏请带领本镇军三万人，自己准备五个月的粮食伐以讨伐李同捷，朝廷答应了。八月十一日庚子，削去李同捷官爵，命令乌重胤、王智兴、康志睦、史宪诚、李载义和义成节度使李听、义武节度使张播各领本镇军讨伐李同捷。

李同捷派遣他的子弟带着珍玩、女伎贿赂河北各藩镇。八月二十九日戊午，李载义把李同捷的侄子抓起来，连同他送的贿赂献给朝廷。

史宪诚与李全略是姻亲关系，到李同捷反叛时，史宪诚秘密用粮食帮助他。裴度不知他的这些事，向文宗说史宪诚不会不忠于朝廷。史宪诚派亲信到中书省请示有关政事，韦处厚对他说："晋国公在皇上面前用自己一百名家口担保你的主人无二心；我韦处厚就不那样，只知看着你们的所作所为，根据朝廷的法典办事而已！"史宪诚感到有些惧怕，不敢再和李同捷串通。

王庭凑为李同捷请求担任节度使不成功，于是帮助他作乱，出兵到边境上以阻挠魏博军。又派遣使者厚礼贿赂沙陀酋长朱邪执宜，想和他合兵抗拒朝廷，朱邪执宜拒绝了他的要求。

冬季，十月，天平、横海节度使乌重胤攻打李同捷，多次打败了他。十一月初八日丙寅，乌重胤去世。十一月二十二日庚辰，任命保义节度使李寰为横海节度使，这是依从了王智兴的请求做的。

十二月二十三日庚戌，加给王智兴同平章事的官衔。

（以上为第十三段，写李同捷据沧景叛乱。）

唐文宗太和二年（戊申，公元 828 年）

春季，三月二十三日己卯，王智兴攻打棣州，烧了三处城门。

自从元和末年以来，宦官更加专横，天子的废立都在他们手掌之中，威权比君主还要大，没有人敢说话。文宗亲自参加考试对策举人，贤良方正昌平人刘蕡对策，尽情指出宦官对国家的危害，大略是说："陛下应当首先忧虑的事是，宫廷中将有变乱，国家会遇到危险，天下将要倾覆，海内将要大乱。"又说："陛下想要杜绝弑君篡位的事发生，就要有皇帝的尊严而接近正直的群臣，疏远宦官一类低贱人，亲近耿直忠良的贤人，使宰相能够充分行使其职权，百官能够在位尽其职守，为什么要让亲近的五六个人总揽国家的大政呢！祸患在宫内酝酿，奸谋在帷幄间产生，臣担心在今天又会出现像曹节、侯览那样专横擅权的宦官。"又说："对于忠良贤能的臣子没有完全信任他们，却让宦官掌握了废立君主的大权，使得先君敬宗未能得到善终，致使陛下即位不能名正言顺。"又说："朝廷权力削弱了，方镇藩臣却飞扬跋扈。有的不懂得作臣子的礼节，为首作乱的反用安君为名号；不了解《春秋》书中的微言大义，兴兵作乱的人还用驱逐恶人为借口。那么国家的赏罚大权已经不掌握在天子手中，军事上的征伐大事一定由诸侯所决定。"又说："陛下何不堵塞通向阴邪之人的道路，不接近那些贱俗的宦官，控制他们欺压胁迫人的心思，恢复他们打扫门户的工作，应该警戒的事，就及早警戒，应当担心的事，就时刻记在心！既然不能把以前的事办好，就应当把以后的事办好；既然不能有一个好的开头，就应当有一个好的结尾；这样就称得上是尊奉先贤的告诫，能继承祖先的大业了。从前秦朝的灭亡由于强暴，汉朝的灭亡由于微弱，那么奸臣就会窃取权力而使主上感到不安。臣看到敬宗皇帝没有想到秦朝灭亡的祸患，因而未翦除发生祸患的根子，臣希望陛下深深思虑汉朝灭亡的灾祸，早些防止它发生，那么祖宗的大业就可以继承，三皇五帝远古的道路就可以追求了。"又说："臣听说从前汉元帝刚即位的时候，改革七十多项旧制度，他的心意是很诚恳的，他的名誉也是很好的，然而国纪朝纲一天比一天紊乱，国运一天比一天衰弱，奸邪之人一天比一天强大，黎民百姓一天比一天穷困，这是为什么呢？就是因为他不能选择贤明的臣子担任国家的要职，把统治国家的大权给丢了。"又说："陛下真能把国家的行政权力交给宰相，把兵权交给领军的大将，那么心想的事一定能办到，所作所为一定会为大家所尊信了。"又说："法令应当统一并严格执行，官吏应当名实相副。现在分为外官、中官两部分，建立南司、北司两个系统，有人在南司犯法就逃往北司，有人在外官中要受刑法的处分而在中官中却可以不受法律制裁，各个部门法令不一样，人们不知怎么办才好，这实在是由于士兵和农民地位不一样而朝廷内外法令不相同的缘故。”又说：“现在兵部不知道士兵的情况，只是参加朝会而已；六军的将领不统领士兵作战，只是享受勋阶的俸禄。把军事职务合并到中官的工作中去了，军中的法纪附在内臣的职务之中。头上把武士的帽子一戴，就把文官看成仇敌一样；脚刚踏进军队中，就把农夫看成草芥一般。论计谋在翦除凶逆时毫无作用，讲奸诈在作威作福时却大有作为；勇敢不能用来保卫国家，暴逆足以欺压邻里百姓。随意拘押边藩大臣，冒犯欺侮宰相，毁坏国家制度，扰乱朝廷纲纪。助长武夫的权力，从上面控制君父；假借天子的名义，在下面驾驭英豪。有藏奸观衅的坏心思，无伏节死难的气节。这难道是先王用文武两方面的人才治理国家的本意吗！”又说：“臣不是不知道把话讲出来就要遭祸，计议如果实行而自身就要被杀，实在是痛心国家危艰，哀惜生民的困苦，怎能忍心不去说那些犯忌讳的话而窃取陛下一官半职的恩惠啊！”

闰三月初一日丙戌，史宪诚奏说派遣他的儿子副大使史唐、都知兵马使亓志绍带领二万五千人前往德州讨伐李同捷。当时史宪诚想帮助李同捷，史唐涕泣苦谏，并且请求发兵去讨伐；史宪诚不能违背。

闰三月初九日甲午，贤良方正裴休、李郃、李甘、杜牧、马植、崔玙、王式、崔慎由等二十二人中第，皆授予官职。考官左散骑常侍冯宿等人看到刘蕡的对策，都很赞叹佩服，但是惧怕宦官，不敢录取他。录取的诏令颁发后，社会舆论纷纷叫屈。谏官和御史想弹劾考官，被宰相阻止了。李郃说：“刘蕡落第，我们登科，能不感到羞愧吗！”于是呈上奏疏，认为：“刘蕡所写的对策，汉、魏以来没有哪个人比得上。现在有关部门由于刘蕡指责文宗左右的人，不敢把策文报告朝廷，这样恐怕会让忠良之臣无路可走，国家的法纪也不存在了。况且臣所作的对策远远赶不上刘蕡，请求把臣所得官职转给刘蕡，用来表扬他的正直。”朝廷没有答复。刘蕡由于这样不能在朝廷做官，最终只担任了节度使府御史。杜牧是杜佑的孙子；马植是马勋的儿子；王式为王起的孙子；崔慎由是崔融的玄孙。

（以上为第十四段，写刘蕡对策，直言宦官之祸，主考不敢取，刘蕡落第。）

夏季，六月，晋王李普死。六月初七日辛酉，赠悼怀太子。

从前，萧太后年幼离开乡里，知道家里有个弟弟，文宗即位后，叫福建观察使探求访问，没有下落。有一个在茶纲服役的萧洪，自己说有姐姐流落在外，商人赵缜把萧洪带去和太后的近亲吕璋的妻子见面，也分不清真假，于是一同去谒见太后。文宗以为找到了真的舅舅，六月初十日甲子，任命他为太子洗马。

峰州刺史王升朝反叛；六月二十六日庚辰，安南都护武陵人韩约讨伐并把他杀了。

王庭凑暗地里派兵和用盐粮帮助李同捷，文宗想讨伐他；秋季，七月二十日甲辰，诏令中书省召集百官讨论这件事。宰相以下的官吏不敢不同意文宗的意见，只有卫尉卿殷侑认为："王庭凑虽然和凶徒勾结在一起，但这件事尚未完全暴露出来，应当暂时包涵一下，集中力量讨伐李同捷。"八月十六日己巳，下诏令宣布王庭凑的罪状，命令与成德临近的各道严兵防守，等待王庭凑改过自新。

九月初四日丁亥，王智兴奏报攻下了棣州。

李寰从晋州带兵到横海镇去，沿途不管束士兵，经过的地方都受到骚扰，到达时虽拥有大量军队却不进攻敌人，只是驻守索取供应和赏赐。九月初七日庚寅，任命李寰为夏绥节度使。

九月十一日甲午，下诏削去王庭凑的官爵，命令各路军队从四面进行讨伐。

加给王智兴守司徒的官衔，任命前夏绥节度使傅良弼为横海节度使。

岳王李绲死。

九月二十七日庚戌，容管奏报安南军队发生叛乱，赶走了都护韩约。

冬季，十月，洋王李忻死。

魏博镇的军队在平原打败了横海镇的军队，于是攻下了平原县。

十一月初一日癸未，易定节度使柳公济奏报进攻李同捷防守的坚固寨，并攻下了；又在寨东打败了他的军队。当时河南、河北各路军队讨伐李同捷久未成功，每每打了小胜仗，就虚报斩首和俘虏的数字以求得到重赏，朝廷尽全力供应他们，江淮一带因为这个缘故被弄得衰敝不堪。

傅良弼到陕州时就死了。十一月初三日乙酉，任命左金吾大将军李祐为横海节度使。

十一月二十二日甲辰，禁中的昭德寺发生火灾，蔓延到了宫人居住的地方，烧死了数百名宫人。

十二月初六日丁巳，王智兴奏报兵马使李君谋带兵渡河，攻下了无棣。

十二月二十一日壬申，中书侍郎、同平章事韦处厚去世。

李同捷的军事势力一天天缩小，王庭凑不能去救，于是派人去劝说魏博军的大将亓志绍，让他杀史宪诚父子，夺取魏博。亓志绍于是作乱，带领他的部队两万人回头进逼魏州。十二月二十六日丁丑，命令谏议大夫柏耆到魏博镇去安抚慰劳，并且派义成、河阳二镇兵用以讨伐亓志绍。

十二月二十七日戊寅，任命翰林学士路隋为中书侍郎、同平章事。

十二月三十日辛巳，史宪诚奏报亓志绍的军队已经进驻到了永济，特向朝廷告急，请求支援，于是诏令义成节度使李听带领沧州行营所属各军队去讨伐亓志绍。

（以上为第十五段，写唐文宗诏命讨贼王庭凑，河北战事又起。）

【点评】

本卷点评穆、敬二宗昏庸误国，宦官专皇权，刘蕡对策反对宦官三大史事。

穆、敬二宗昏庸误国。宪宗用武，削平藩镇割据，收功实在穆宗即位之初。头一年，李师道授首，平卢平；穆宗即位当年，王承宗死，承元归命，成德平；明年刘总尽纳其土地士马，为僧以去，卢龙平。至是，河北三镇归朝廷，割据跋扈之风，消尽无余。穆宗赶上了旷世澄清的时代，当励精图治，重振唐室雄风，但穆宗却游宴无节度，君不像君；所用之臣崔植、杜元颖等庸懦不知远略，臣不像臣；张弘靖出镇卢龙，骄贵不明政事，帅不像帅。未几，朱克融首乱，囚张弘靖，穆宗则授以卢龙节钺；史宪诚逼迫忠孝之田布以死，而授以魏博节钺；王庭凑杀忠诚平贼之田弘正，而授以成德节钺，于是河朔三镇再失，唐之不可以复兴而至灭亡，这是一个先兆。穆宗如彼，敬宗更如此，比穆宗还要骄恣而狂愚，成天与嬖幸打闹在一起，击毬、酗酒，晏睡不早朝。历仕宪宗、穆宗、敬宗、文宗、武宗五朝的大宦官仇士良，在会昌三年（公元 843 年）致仕时告诫宦官们说："侍奉天子，不能让他有闲暇时间，一有闲暇，他就要看书，会见儒臣，就会纳谏，这样天子就会增长见识，深谋远虑，就不会再去追求享受、游山玩水，那么我们这些人就不会受到宠信，就掌控不了大权了。"穆、敬二宗正是在仇士良及其同伙的掌控之中，不问国事，不知创业之艰难，不恤黎庶之疾苦，错误地认为只要威权在手，就可任意胡为，就可控驭万方。敬宗整夜在殿中踢毬，卜者苏玄明与染坊杂役张韶轻易地发动了一场入宫坐御榻的闹剧，敬宗仍不知省，最后在酗酒游宴中遭到宦官的毒手。穆宗二十七岁即位，三十一岁食金丹中毒而亡，在位四年。敬宗十五岁即位，十八岁被宦官杀害，在位仅三年。一个是青年皇帝，一个是少年天子，都正当盛年而横死，完全是咎由自取。两代皇帝的荒淫，不但害了自身，因其为皇帝，更害了国家。敬宗之早死不幸，实乃唐王室社稷之福。设若敬宗不早死，唐王室将有可能毁于他之手。

宦官专皇权。唐宪宗元和十五年（公元 820 年），宪宗死，穆宗立，中唐政治结束，进入了晚唐政治。宦官专皇权与朋党之争交织，是晚唐政治的特点。宪宗之死，为宦官所杀；穆宗之立，为宦官拥戴。事后，朝官无人声讨，由是宦官专权，以至于专皇权，开了宦官废立皇帝的先例。

宦官专皇权，有一个渐进的过程。唐宪宗尊宠宦官，四贵权力足以与朝官争衡。主管宦官的内侍省在大内之北，称北司。唐宰相办公的尚书省在大内之南，称南衙或南省。习惯上以北司为宦官之代称，南衙为宰相和朝官之代称。正常情况下，太子之立是皇帝与宰辅大臣商定，按宗法制度是立嫡长子。太子之废立，皇帝即位，是国家大政，宦官没有插嘴的地方。中唐自肃宗以后，宦官权力日增，由于皇帝的宠信，宦官插足，但没有朝官的支持，宦官不具有单独废立的权力。宪宗元和六年（公元 811 年）十二月，宪宗之惠昭太子死，第二年七月，宪宗召群臣商议另立太子，当时有两个人选。一是澧王李恽，年长，但非嫡子；二是遂王李恒，年次李恽但为嫡子。朝官按宗法，主张立遂王李恒。但这时宦官已有能力插手，分为两派。最受宪宗宠信的吐突承璀与澧王李恽关系友好，主张立李恽。另一派大宦官梁守谦、王守澄想通过拥立太子与吐突承璀争权，支持朝官拥立李恒。当吐突承璀外出为淮南监军时，梁守谦与朝官联合确立李恒为太子。但是吐突承璀不死心，他回朝后极力主张更换太子。元和十五年（公元 820 年）正月，宪宗食金丹染疾，梁守谦、王守澄先下手为强，发动宫廷政变，杀了唐宪宗，立太子李恒为帝，是为穆宗。穆宗立，杀吐突承璀及澧王李恽。由于李恒是合法储君，又是朝官拥立的，投鼠忌器，不敢追究唐宪宗之死，于是开了宦官废立皇帝的恶例。敬宗宝历三年（公元 827 年），宦官刘克明杀敬宗，拥立绛王李悟，还以唐敬宗遗诏名义向百官宣布，以绛王李悟主持军国事务，李悟又在紫宸殿外厅接见宰相与百官，算是已经准备登位的皇帝了。枢密使王守澄、杨承和，中尉魏从简、梁守谦等四贵合议，紧急发动兵变，用禁军迎立江王李涵即皇帝位，杀宦官刘克明和李悟。江王即位，是为文宗，更名李昂。这一次废立完全由宦官一手导演，还翻了朝官的案，没有一个人敢吭声。这一事件，巩固了宦官专皇权的体制，直至唐亡，唐王室的皇帝逃不出宦官的掌控。

宦官专权，带来了两个严重的后果。一是皇帝感到自身难保，唐文宗就不甘心做傀儡，想从朝官方面取得一些力量来和宦官对抗，皇帝有了这一倾向，朝官也就敢和宦官对抗。唐文宗发动了两次诛灭宦官的行动，虽然失败了，但鼓励了南衙对抗北司，皇帝一得势就宠信宦官，用内朝控制外朝。皇帝在宦官与朝官之间摆动，激起南北司的斗争势同水火。二是宦官权重，吸引奸佞小人依附，分化朝官对立，加剧朋党斗争。朋党之争的实质是争夺仕途职位。唐高祖定制，“工商杂类，无预士流”。宦官的出身属于杂类，宦官权势扩张，朝官的职位遭侵夺，宦官的权力一直在上升，职官被侵夺的范围也一直在扩大。宦官统率神策军，给工商杂类大开方便之门，长安富家子弟贿赂宦官，便可入神策军籍。穆宗即位，重奖神策军士。随后又开禁，非正式取消杂类不得入仕的限制，允许神策军及京外各镇保荐有功将士，因此大批商贾、胥吏用贿赂取得朝官资格，士流无法抵制。宦官是工商杂类在政治上的代表，朝官是士流的代表，也就是宦官一方是官职的侵夺者，朝官一方是被侵夺者，南北司水火不容，其根本原因就是在这里。三是宦官贪婪纳贿，政治腐败，激化社会矛盾。自唐代宗时起，节度使使多从禁军派出。禁军大将用高利向富家借款，送给中尉，然后出朝作节度使，到镇后，加紧敲剥搜刮民财来还本付息，利息一般是本钱的三倍。时人称这种贿买来的节度使为“债帅”。节度使要入朝为相，或得到加官荣衔，地方刺史等要入朝做京官，奸佞小人依附宦官，都要行贿赂。以上就是宦官专权带来的社会三害，造成唐统治集团内部的纷争不断，各方势力为争夺官位而狂斗，已得职位的官吏敲骨吸髓刻剥民众。这就是晚唐宦官专权带来的黑暗政治。

穆、敬二宗之得位大宝与横死，确立了宦官专权的体制。

刘蕡对策反对宦官。文宗太和二年（公元 828 年），文宗下诏求言，开举贤良方正科。名士刘蕡在对策中，旗帜鲜明地反对宦官。刘蕡说：法律应该统一，官位应该正名。现在官员分为外官、内官，政权分为南司、北司，在南司犯法，跑到北司就没有事，有的外官判了刑，内官认为无罪。法出多门，是非混乱，根源就是兵与农地位悬殊，中官外官各自有法。刘蕡还说：现在兵部不管军政，六军将领只存空名，军政大权，全归中官掌控。头一戴武士帽，便把文官看作仇敌，脚一踏进军门，便把农夫看作草芥。这些武夫，依靠宦官势力，只会作威作福，欺压民众。宦官却依靠武夫的骄横挟制皇帝，再利用皇帝名义驱使朝官。这难道是先王经文纬武的治国原则吗？刘蕡要求文宗远离宦官，信任朝官，政权交给宰相，兵权交给将帅，这样才能拯救国家，维护皇权。刘蕡还说，要是考虑个人安危，就不说这些话了。为了国家，他是不能不说了。刘蕡对策，大长朝士志气，吐发人所难言之言，考官非常欣赏，但不敢录取。许多人替刘蕡抱不平，反映到宰相裴度那里，裴度为了局势稳定，没有上奏文宗，也保护了刘蕡免遭迫害。刘蕡虽然落第，但他却代表了朝士大夫郁结于心中的怨愤，也是朝官发动对宦官反击的信号。文宗达到了火力侦察的目的。他要依靠朝官来打击宦官，诛灭宦官。这次开举贤良方正科，吹响了文宗反击宦官的号角。

唐纪六十

唐文宗太和三年至七年（公元829—公元833）

【起屠维作噩（己酉，公元829年），尽昭阳赤奋若（癸丑，公元833年），凡五年】

【大事提要】

本卷记事起公元829年，讫公元833年，凡五年。当唐文宗太和三年至七年，是唐文宗执政的前期。唐文宗优于穆宗、敬宗两代皇帝，欲有一番作为，要摆脱宦官的控制，又厌恶朝官结朋党。太和三年（公元829年），文宗召浙西观察使李德裕入朝任兵部侍郎，裴度推荐他做宰相。不到二十天，李德裕就被李宗闵、牛僧孺排挤出朝，后任西川节度使，西疆稳固。吐蕃边将降唐，李德裕上安边之策，李宗闵、牛僧孺妒忌李德裕建功，不顾国家利益，败坏其事，迫令李德裕送还吐蕃降人，使数千吐蕃降人遭屠。李宗闵、牛僧孺勾结宦官，文宗恶之。太和六年（公元832年），牛僧孺被罢相，李德裕回朝任兵部尚书，第二年任相。李宗闵被李德裕排挤出朝，李党得势，牛党失势，这是牛李党争的第二回合。太和五年（公元831年），文宗任命宋申锡为相，第一次谋诛宦官，宋申锡办事不密败下阵来。宦官王守澄使人诬告宋申锡谋立皇弟漳王李凑，欲兴大狱，文宗竟信以为真，把宋申锡交给王守澄治罪，朝官力争，宋申锡才免一死。这一冤案表明文宗也是一个昏愦之君，猜忌朝官甚于厌恶宦官，这注定了他办不了大事。文宗有平定沧景节度使李同捷之乱，遇强镇则姑息，容忍何进滔犯上自立为魏博节度，成德王庭凑假意效顺复其官爵，卢龙兵马使杨志诚逐帅得节度，强化了河朔三镇的割据，受到司马光的批评。杜牧上奏《罪言》、《原十六卫》、《守论》等政论，论藩镇割据，切中时弊。

文宗元圣昭献孝皇帝上之下

唐文宗太和三年（己酉，公元829年）

春季，正月，亓志绍与成德镇联合出兵抢掠贝州。

义成行营兵三千人原驻在齐州，命令他们开赴禹城，在途中溃散叛变，横海节度使李祐前去讨伐，并把他们杀了。

李听和史唐合兵进攻亓志绍，打败了他；亓志绍带着他的五千人投奔镇州。

李载义奏报进攻沧州的长芦，把它攻下了。

正月二十三日甲辰，昭义奏亓志绍余众一万五千人到本道投降，把他们安置在洛州。

二月，横海节度使李祐帅各道行营兵进攻李同捷，打败了他，接着进攻德州。

武宁捉生兵马使石雄很勇敢，爱士卒；王智兴残酷暴虐，军中将士想驱逐王智兴而立石雄为帅，王智兴知道此事后，借口说石雄立了战功，奏请任命他为刺史。二月初六日丙辰，任命石雄为壁州刺史。

史宪诚听到沧景镇即将平定而感到恐惧，他的儿子史唐劝他到朝廷中去。二月十六日丙寅，史宪诚差史唐带着奏表请求入朝，并且请求朝廷安置他所管辖的地方。

石雄走了以后，武宁节度使王智兴把军队中和石雄要好的一百多人都杀掉了。夏季，四月初九日戊午，王智兴上奏说石雄动摇军情，请求杀掉石雄。文宗知道石雄没有罪，赦免了他的死罪，将他长久流放到白州。

四月十九日戊辰，李载义上奏说进攻沧州，攻下了外城。李祐攻下了德州，城中将卒三千多人逃向镇州。李同捷写信给李祐表示愿意投降，李祐将他的信一并上奏给文宗。谏议大夫柏耆受命去慰劳行营将士，他喜欢张大声势以威制诸将，诸将已经讨厌这个人了；等到李同捷向李祐请求投降，李祐派大将万洪接替守沧州；柏耆怀疑李同捷是诈降，亲自带领数百名骑兵跑到沧州，借故杀了万洪，把李同捷和他的家属带回京师去。四月二十六日，柏耆行至将陵，听到有人说王庭凑想用奇兵救李同捷，于是把李同捷杀了，将他的头送到京城，沧景一带全部平定了。

五月十二日庚寅，加给李载义同平章事官衔。各道兵进攻李同捷，经过三年，才攻下来。而柏耆径直进入沧州城，取李同捷作为自己的功劳，诸将都憎恨他，争相上奏表论述这件事。五月十三日辛卯，朝廷贬谪柏耆为循州司户参军。李祐不久也死了。

（以上为第一段，写官军平定沧景李同捷之乱。）

五月二十四日壬寅，代理魏博副使的史唐上奏改名史孝章。

六月初八日丙辰，诏令说："镇州四面的行营各自回到本道去休息，但是务必保卫好边境，不要互相往来；只有王庭凑表示归顺的章表，才可以传进，其他都不要接受。"

六月十三日辛酉，任命史宪诚为兼侍中、河中节度使；任命李听兼魏博节度使。分出相、卫、澶三州成立一新道，以史孝章为节度使。

起初，李祐听说柏耆杀了万洪，大惊，病就加重了。文宗说："李祐要是死了，就是柏耆杀了他！"六月二十五日癸酉，命柏耆自杀。

河东节度使李程奏称收到王庭凑的书信，请求交出景州；又上奏说亓志绍自缢死。

文宗派遣中使赐史宪诚旌节，六月二十五日癸酉，到达魏州。当时李听从贝州还军到馆陶，拖延时间，没有向魏州进发，史宪诚尽府库所有钱财来治办行装。六月二十六日甲戌，军中发生叛乱，杀死了史宪诚，推奉牙内都知兵马使灵武人何进滔知留后。李听前进到魏州，何进滔拒绝他，不能入城。秋季，七月，何进滔出兵攻击李听，李听没有防备，大败，溃散逃走，日夜赶路，奔赴浅口，损失兵员超过一半，辎重兵械等都丢掉了。昭义兵来救援他，李听才免被敌人追上，回到滑台。

河北长期作战，运送的粮饷常常供应不上，朝廷深以为苦。八月初五日壬子，任命何进滔为魏博节度使，又把相、卫、澶三州划归给他。

沧州在丧乱之后，到处都是尸体，城镇乡村都空荡荡的，留存的户口不到十分之三四。八月初六日癸丑，任命卫尉卿殷侑为齐、德、沧、景节度使。殷侑到达镇府以后，和士卒同甘共苦，招抚百姓，督促他们努力农耕和蚕桑，流离在外的人逐渐恢复从事本业。原先，本道军队三万人都要靠度支供给；殷侑到那里一年，租税收入就能够供给一半；两年就完全不要度支供给了；三年以后，户口增加很多，仓库中都装满了粮食和财物。

王庭凑通过邻道转达了一些愿意归服朝廷的意思；八月二十五日壬申，赦免王庭凑和将士的罪过，恢复他们的官爵。

（以上为第二段，写唐文宗姑息，容忍何进滔犯上自立为魏博节度，王庭凑阳奉阴违效顺，而复其官爵，于是魏博、成德两镇叛臣得以授节。）

征浙西观察使李德裕为兵部侍郎，裴度推荐任命他为宰相。恰遇吏部侍郎李宗闵有宦官的帮助，八月二十七日甲戌，任命李宗闵为同平章事。

文宗习惯于节俭朴素，九月初四日辛巳，命令中尉以下不得穿用纱縠绫罗做的衣服；听朝以外的闲暇时间里，只以阅读经史书籍来取乐，对于声色游乐打猎等事未曾留意过。驸马韦处仁曾戴着夹罗巾，文宗对他说："朕羡慕你家门庭清高朴素，所以选择你配尚公主。这样的头巾装扮，让其他贵戚去使用好了，你不要这个样子。"

九月十五日壬辰，任命李德裕为义成节度使。李宗闵忌恨李德裕威胁到自己的职位，所以把他调出朝廷。

冬季，十月初九日丙辰，任命李听为太子少师。

路隋对文宗说："宰相责任重大，不应当兼任钱谷等琐碎的职务，如杨国忠、元载、皇甫镈都是奸臣，他们所兼任的事不值得去效法。"文宗赞同此话。于是宰相裴度就提出辞去兼任度支的职务，文宗答应了。

十一月十八日甲午，文宗到圜丘参加祭天仪式，大赦天下。命四方不许贡献奇巧的东西，那些纤细华丽的布帛都禁止织造，并把织机烧掉。

（以上为第三段，写唐文宗昏庸，李德裕入朝为相，不到二十天，又被牛党李宗闵排挤出京。此牛李党争第二回合。）

十一月二十日丙申，西川节度使杜元颖上奏说南诏侵扰边境。杜元颖自以为过去做过宰相，摆出一副文雅高傲的样子，既不懂军事，只知搜刮积蓄家财，因而把士卒的衣粮都克扣了。西南地区守边的兵卒，衣食不足，都靠到蛮人境内去抢掠来维持生计，蛮人不仅不制止他们，反而用衣食资助他们；因此，蜀中虚实动静等情况，蛮人都了解得很清楚。南诏国君嵯颠多次计谋大举侵扰西川，西川边境的州官屡次报告，杜元颖不相信有这回事；嵯颠的军队到达边城，边城一点防备抵御的设施都没有。蛮人用蜀卒为向导，攻下了巂州和戎州。十一月二十八日甲辰，杜元颖派军队在邛州南与蛮人打了一仗，蜀兵大败；蛮人占领了邛州。

武宁节度使王智兴入朝拜见天子。

下诏征发东川、兴元、荆南三节度使的军队以援救西川；十二月初一日丁未，又征发鄂岳、襄邓、陈许等镇兵继续去援助。

任命王智兴为忠武节度使。

十二月初三日己酉，任命东川节度使郭钊为西川节度使，暂时兼任东川节度使职事。

嵯颠从邛州领兵直接抵达成都，十二月初四日庚戌，攻下了外城。杜元颖带领兵众守卫牙城以抵抗蛮兵，多次想逃走。十二月初六日壬子，贬谪杜元颖为邵州刺史。

十二月十三日己未，任命右领军大将军董重质为神策、诸道、西川行营节度使，又征发太原、凤翔镇兵开赴西川。南诏侵扰东川，进到梓州城西，郭钊的军队人数既少力量又弱，无法迎战，于是写信责备嵯颠。嵯颠回信说："杜元颖侵扰我，所以才起兵报复他。"与郭钊和谈好就退兵了。

蛮人留在成都西城外十天，开始尚能爱护安抚蜀人，市场上安定平静，将要离开时，就大肆抢掠男女、百工数万人和珍贵财物等，席卷而去。蜀人恐惧，有的投江自杀，漂流的尸体满江都是，顺江而下。嵯颠亲自为军队的后卫，到大度水，嵯颠对俘掠来的蜀人说："这里南边就是我国国境，让你们哭着告别家乡和国家吧。"被掠蜀人都痛哭不止，投水而死的有数千人。从这以后，南诏的能工巧匠和蜀中的差不多了。

嵯颠派使者上奏表，说："我们近年一直进贡修好，哪里敢侵犯边界，只是因为杜元颖不爱惜军士，军士怨恨他，争着当向导，请求我去杀掉暴虐的统帅。没有把杜氏杀掉，不能安慰和满足蜀地军士的心愿，希望陛下杀掉他。"十二月二十一日丁卯，再次贬杜元颖为循州司马。诏令董重质和诸道兵都回本道去。郭钊到成都，与南诏订立和约，不互相侵扰。文宗指示派遣中使把作为两国友好凭证的文书赐给嵯颠。

（以上为第四段，写南诏侵扰西川。）

唐文宗太和四年（庚戌，公元 830 年）

春季，正月初六日辛巳，武昌节度使牛僧孺回到朝廷。

正月十三日戊子，立皇子李永为鲁王。

李宗闵推荐牛僧孺为相；正月十六日辛卯，任命牛僧孺为兵部尚书、同平章事。于是二人联合排斥李德裕的党羽，逐渐把他们赶走。

在南诏侵扰成都的时候，诏令山南西道发兵去救援，兴元镇兵员不多，节度使李绛招募了一千人前往，还未赶到，南诏人已退去，他们就回到兴元。

兴元的驻军有一定的数额，朝廷诏令新招募的兵员撤销了。二月初十日乙卯，李绛把新兵都召集在一起，把朝廷诏旨告诉他们并宣布遣散，仍然赐给他们麦子，他们很不高兴地退了下来。他们到监军那里去辞行，监军杨叔元向来就怀恨李绛不尊重自己，就用上次的东西太少为借口以激怒新兵。新兵被激怒，大声喧闹，抢兵器库的武器，奔向节度使府衙。李绛正在和同僚们宴饮，没有防备，慌忙跑向北边城根。有人劝李绛用绳子吊出城外，李绛说："我是元帅，怎么可以逃走！"挥手叫推官赵存约快离开。赵存约说："存约得到明公的知遇，怎么能苟且求免此祸！"牙将王景延奋力与叛兵作战而死，李绛、赵存约和观察判官薛齐都被乱兵杀害，乱兵还把李绛一家人都杀死了。

二月十三日戊午，杨叔元上奏说是李绛没收了招募新军的费用而引起新兵的叛乱。二月十五日庚申，任命尚书右丞温造为山南西道节度使。当时，三省的官员都上疏共同论说李绛是冤枉的；谏议大夫孔敏行具体呈说杨叔元如何激怒乱兵，文宗才了解这件事。

三月初一日乙亥，任命刑部尚书柳公绰为河东节度使。从前，回鹘来进贡和互市，他们经过的地方，朝廷都担心回鹘人作乱，常常是警卫森严地迎接和护送以防备他们。柳公绰到镇后，回鹘派了梅录李畅用一万匹马进行互市交易，柳公绰只派遣牙将一人单骑在边境上迎接慰劳，到达时大开牙门，接受他们的谒见。李畅被感动得流下了眼泪，告诫他的部下，不要在路上奔跑射猎，一点也不侵扰百姓。

居住在陉岭以北的沙陀部，向来骁勇善战，为九姓、六州胡所畏服。柳公绰保奏任他们的酋长朱邪执宜为阴山都督、代北行营招抚使，让他驻扎在云、朔地区的关塞之下，以捍御北方边境。朱邪执宜和各酋长来拜见，柳公绰设酒宴接待他们。朱邪执宜神情庄严整肃，举止进退合乎礼仪，柳公绰向僚佐们说："朱邪执宜外表严肃而内心宽和，说话从容而道理得当，是有福禄的人。”朱邪执宜的母亲和妻子进见时，柳公绰让夫人和他们一起饮酒，并且送他们很多礼物。朱邪执宜感激所受到的恩惠，愿意为柳公绰尽力。塞下过去有十一座废弃了的栅寨，朱邪执宜把它们修复了，派他的部落中的三千人分别驻守，从这以后别的部族再也不敢侵犯边寨了。

温造到褒城时，遇到兴元都将卫志忠征讨蛮人回来，温造就和卫志忠秘密商量诛杀叛乱新兵的事，把卫志忠部下八百士兵作为牙门的卫队，五百人为先头部队，进入节度使府，分别守卫各道门。三月初五日己卯，温造正式上任，在牙门设宴招待将士，温造说：“我想问一问新军去留的意向，应当把他们都叫到前面来。”慰劳询问之后，叫他们坐下，开始上酒。卫志忠暗地命令牙兵包围他们，包围好了，大声喊“杀！”新军八百多人都被杀死了。杨叔元站起来，抱着温造的脚乞求活命，温造命令把他关押起来。那个亲手杀死李绛的人，被碎尸百段，其余的都被杀头，尸体被抛到汉水中，用一百个人头祭李绛，用三十个人头祭死于乱兵中的人，然后把这件事报告了朝廷。三月十五日己丑，把杨叔元流放到康州。

三月二十九日癸卯，加给淮南节度使段文昌同平章事、荆南节度使。

（以上为第五段，写河东节度使柳公绰诚信依礼待胡人，得其效力，山南西道节度使温造巧计诛乱兵。）

奚人侵扰幽州，夏季，四月初三丁未，卢龙节度使李载义打败了他；四月十七日辛酉，奚王茹羯被抓获，献给朝廷。

裴度由于年老多病，恳切要求辞去宰相职务。六月初五日丁未，改任裴度为司徒、平章军国重事，等到病情减轻一些的时候，三五天到中书省一次就可以了。

文宗忧虑宦官的强势，弑杀宪宗、敬宗的叛逆党羽还有一些人留在左右；中尉王守澄尤其专横，招揽权势，收受贿赂，文宗也不能控制他。文宗曾把这件事秘密和翰林学士宋申锡讲过，宋申锡请求逐渐除掉他们的权势。文宗认为宋申锡沉静厚道，忠恪严谨，可以倚靠他办好事，提升他为尚书右丞；七月十一日癸未，任命宋申锡同平章事。

从前，裴度征讨淮南时，奏用李宗闵担任观察判官，从那时起，李宗闵逐渐得到重用。这时，李宗闵埋怨裴度推荐李德裕为宰相，借着裴度因病辞相位的机会，于九月十一日壬午，让文宗任命裴度兼侍中，充山南东道节度使。

西川节度使郭钊因病请求替代，冬季，十月初七日戊申，任命义成节度使李德裕为西川节度使。

蜀地从南诏侵扰后，整个地方残败衰敝，郭钊经常生病，没有力量把地方治理好。李德裕到该镇上任后，特修建一座筹边楼，把蜀地地形画出来，南边到南诏，西边到吐蕃。经常召集那些在军队中生活较久、熟悉边防事务的人，哪怕是走卒或蛮夷人也不例外，向他们询问山川、城邑、道路艰险平易、宽狭远近等情况，不超过一个月，都好像自己亲身到过那里一样。

文宗命令李德裕堵塞清溪关以切断南诏侵扰的道路，没有泥土的地方，就用石头垒砌起来。李德裕上奏说："通往蛮人的小路很多，那是堵塞不了的，只有派重兵防守，才能保证不出问题，但是从黎州、雅州一带到达成都，需要一万人左右才够用，成都需要两万人防守，加以严格训练，那么蛮人就不敢随意行动了。但是边地兵员又不宜太多，必须有能力驾驭他们。如崔旰杀死郭英乂，张朏驱逐张延赏，都是镇兵太多控制不了的缘故。"当时北方的军队都回到本道去了，只有河中、陈许二道的三千人留在成都，有诏令明年三月也要回去，蜀人感到很害怕。李德裕上奏请求留下郑滑道五百人、陈许道一千人用来镇守蜀地；并且说："蜀兵很脆弱，新近被蛮人打得大败，都被吓破了胆，不能担任征讨戍守的任务。假使北方的军队都走了，那么和杜元颖时一样，蜀地不一定能守得住。恐怕议论的人会说蜀地经过蛮人侵扰以后，已经自己增加了兵员，前时蛮寇已经逼近了，杜元颖才招募市肆中的人去当兵，征集了三千人，空有这个人数，其实不能打仗。郭钊征募当兵的北方人只得到一百多人，臣再次招募也只得到二百多人，除此以外都是杜元颖旧有的士兵。恐怕议论的人又会讲，听说'一夫当关，万夫莫开'的说法，认为清溪关可以堵塞就没事了。臣访问了蜀中的老将，得知清溪关的旁边，大路有三条，小路有无数条，都是东蛮因临时需要开通的，要是说可以堵塞，那就是欺骗朝廷。重要的是必须在大度水以北另外修筑一座城，曲折蜿蜒连接黎州，派重兵驻守才能保安全。况且听说南诏把他们所抢掠的两千名蜀人和金帛等物送给吐蕃，假使这两部夷人知道了蜀地空虚情况，联合来侵扰，实在使人万分担心。那些朝臣提出的建议，大概是祸害不在他们身上，希望他们每人留下一张文状，放在政事堂的档案中，将来事情失败了，不能叫为臣一个人承担法律责任。"朝廷答应了李德裕的一切请求。李德裕于是训练士卒，修葺城堡亭障，储备粮食，用来防御边患，蜀人大体上得到了安全的保障。

这一年，渤海宣王大仁秀去世，他的儿子大新德早已死了，由孙子大彝震继立，改年号为咸和。

（以上为第六段，写李德裕镇西川，西疆稳固。）

唐文宗太和五年（辛亥，公元 831 年）

春季，正月十八日丁巳，赐名沧、齐、德节度为义昌军。

正月二十一日庚申，卢龙监军奏报说李载义与敕使在毬场后院举行宴会，副兵马使杨志诚和他的党徒大喊大叫发动叛乱，李载义和他的儿子李正元逃去易州；杨志诚又杀了莫州刺史张庆初。文宗召集宰相商量这件事，牛僧孺说："范阳从安史之乱以来，就不是国家直接管辖的了，刘总短时间把这块地方献给国家，朝廷花了八十万串钱后一点收获也没有。今天杨志诚得到了它，如同前日李载义得到一样；顺着事势安抚他，使他去捍御北狄的入寇，不要去计较他对朝廷是逆还是顺。”文宗依从了牛僧孺的话。李载义从易州到京师，文宗看到李载义有平定沧景的功劳，并且事奉朝廷很恭顺，二月二十三日壬辰，任命李载义为太保，同平章事依旧。任命杨志诚为卢龙节度使留后。

臣司马光评论说：从前圣人顺从天理，观察人情，了解到一般群众是不能自己管理好自己的，所以就设置州县官来治理他们；了解到臣子们是不能互相役使的，所以就在他们的上面设置诸侯来驾驭他们；了解到各诸侯国彼此之间是不能臣服的，所以就设立天子来统领他们。天子对于众多的诸侯国来说，如果能够做到褒扬善人而贬黜恶人，抑制强暴而扶助弱小，安抚顺服的人而惩罚违戾的人，禁止暴虐者而诛杀叛乱者，然后发号施令而四海之内就没有不顺从的了。《诗经》中说：“勉勉我王，纲纪四方。”李载义是守卫边属的大臣，对国家建立过大功，没有什么过错而被杨志诚驱逐，这件事天子就应当做出公正的处理。假若对这事一点也不过问，反而把那里的土地官爵授给杨志诚，那么就是承认了将帅的废立或生死，都由士卒来决定，上面虽然有天子，有什么作用呢！国家设置方镇，难道只是为了收取财赋就完了吗！像牛僧孺那么说，只是姑息偷安的办法罢了，哪里是宰相辅佐天子治理好天下的正道啊！

（以上为第七段，写司马光批评唐文宗姑息卢龙副兵马使杨志诚犯上逐帅得留后，只责相而不责君，非中肯之论。）

新罗王金彦升死，他的儿子金景徽继位。

文宗和宋申锡谋划诛杀一批宦官，宋申锡引荐吏部侍郎王璠为京兆尹，把密旨告诉了他。王璠把这件密谋的事泄露出去，宦官郑注、王守澄知道了，暗地里做了防备。

文宗的弟弟漳王李凑比较贤明，有一定声望，郑注指使神策军都虞候豆卢著诬告宋申锡阴谋拥立漳王为皇帝。二月二十九日戊戌，王守澄把这件事报告了文宗，文宗以为是真的，非常愤怒。王守澄想立即派二百名骑兵去把宋申锡一家人杀了，飞龙使马存亮坚决诤谏说：“这样，京城就要大乱！应当召集其他的宰相参加讨论这件事。”王守澄才停止了行动。

当天，是旬休日，于是派中使把宰相都召集到中书省东门。中使说：“所召集的名单中没有宋公。”宋申锡知道自己被当成了替罪羊，望着延英殿，用笏板扣着脑袋就退回去了。宰相们到延英殿，文宗把王守澄的奏折给他们看，他们感到非常惊愕。

文宗命令王守澄捉豆卢著所告十六宅宫市品官晏敬则和宋申锡的亲事王师文等人，在宫禁中审问他们，王师文逃走了。三月初二日庚子，宋申锡被免去宰相职务，降为右庶子。宰相以下的大臣没有人敢明白地说宋申锡是受了冤枉，只有京兆尹崔琯、大理卿王正雅接连上疏请求把犯人从内狱交出来，让外廷审核落实，这样一来审讯稍稍放慢了一些。王正雅是王翃的儿子。晏敬则等人自我假认服罪，说宋申锡派王师文向漳王表达心意，交结为以后的知心人。

审讯完毕，三月初四日壬寅，文宗把太师太保以下及台、省、府、寺等的大臣都召集起来，当面询问他们的意见。到中午的时候，左常侍崔玄亮，给事中李固言，谏议大夫王质，补阙卢钧、舒元褒、蒋系、裴休、韦温等又请求在延英殿对话，请求把审讯的结果交给外廷复查。文宗说："我已经和大臣们讨论过了。"屡次催他们离开，他们不退下去。崔玄亮边叩头边流泪说："杀一个平民百姓尚且不能不慎重，何况是宰相呢！"于是又把宰相召集起来，牛僧孺说："人臣的职位最高不超过宰相，现在宋申锡已经是宰相了。假使像他所谋划的那样，还想得到什么呢！宋申锡大概不会干这种事！"郑注担心复查时把欺诈的事抖了出来，于是劝王守澄请求文宗只对宋申锡贬官而已。三月初五日癸卯，贬谪漳王李凑为巢县公，宋申锡为开州司马。马存亮当天就请求退休。崔玄亮是磁州人；王质是王通的第五代孙；蒋系是蒋乂的儿子；舒元褒是江州人。晏敬则等因受到株连被处死及流窜的有几十到上百人，宋申锡最后死在贬地。

（以上为第八段，写唐文宗欲诛宦官王守澄，宰相宋申锡办事不密，败下阵来。）

夏季，四月二十一日己丑，任命李载义为山南西道节度使，杨志诚为幽州节度使。

五月初四日辛丑，文宗由于太庙两间房子破损漏雨，经过一年都未修补，罚了将作监、度支判官宗正卿的薪俸；急忙命令中使带领工匠等人，拿禁中营造房屋的材料来修补太庙。左补阙韦温当即进谏，认为："国家设置百官，各有各的任务，假使这些人失职，应当罢免他们，另外选择有才能的人接替。现在荒旷了官职的人只是罚了薪俸，而深切忧虑的事却交给内臣去办，这是把宗庙看成是陛下私有的设置，而百官都当作无用的摆设了。"文宗认为他的话说得好，当即追回中使，命有关部门去把太庙修补好。

五月十九日丙辰，西川节度使李德裕奏报说，派使者到南诏去索取被抢去的百姓，要回来四千人。

秋季，八月十三日戊寅，改任陕虢观察使崔郾为鄂岳观察使。鄂岳地方有山有河，处在百越、巴、蜀、荆、汉交会地带，地方上群起为盗的很多，抢劫来往船只，不论老幼必定将其杀死后才罢手。崔郾到任后，训练士卒，修整武器，建造战船追捕讨伐，一年之中，群盗都被杀掉了。崔郾在陕州任职时，用宽大仁义的办法治理百姓，有时候一两个月连一个人也不鞭打，到鄂州以后，则用刑罚特别严峻。有人问他原因，崔郾说："陕州地方土地贫瘠，百姓生活困苦，我抚恤他们还来不及，还担心惊吓了他们；鄂州地方土地险要民众混杂，夷人的习性强悍奸猾，如果不用严厉的刑罚，便不能把地方治理好。为政者最重要的是要知道变通，就是讲的这种情况。"

西川节度使李德裕上奏："蜀兵中老弱病残的，从来也没精简过，臣命令树立一个五尺五寸的标杆，按这标准有四千四百多人落选，又选募了年轻力壮的一千人，以安慰他们的情绪。招募的北方兵已经有一千五百人，他们与当地兵居住在一起，互相训练学习，一天天精壮熟练。另外，蜀地工匠所制作的兵器，只注重外表好看但不切实用；臣现在从其他地方请来工匠制造兵器，件件都坚固锋利。"

九月，吐蕃维州副使悉怛谋请求投降，把部众全部带到成都；李德裕派行维州刺史虞藏俭带兵到那里入城据守。九月二十五日庚申，李德裕把整个情况奏报朝廷，并且说："打算派生羌三千人，烧十三桥，直捣西戎的中心地带，可以洗雪长久以来的耻辱，这是韦皋终身遗憾没有实现的事情！"朝廷把这件事交给尚书省，召集百官商议，都说请按照李德裕的策谋去办。牛僧孺说："吐蕃的国境，方圆万里，失去一个维州，不能减弱其势力。近来两国和好，商定撤去守边的军队，中原防御戎族，最好是讲求信任。他要是来责备说：'为什么不守信用？'然后在蔚茹川养马，登上平凉地方的山坡，千军万马连接地回中道上，怒气冲冲，据直而言，要不了三天，军队就会到达咸阳桥。这个时候西南数千里以外，就是得到一百个维州又有什么用呢！白白丢掉了诚信，有害无利。这是一般人都不做的事，何况是天子呢！"文宗认为牛僧孺的话有道理，诏令李德裕把所占据的城池归还吐蕃，把悉怛谋和他所带来的人都送回去。吐蕃在边境上把送回去的人全部杀死，手段极其残酷。李德裕由于这件事更加怨恨牛僧孺。

冬季，十月十四日戊寅，李德裕奏报南诏侵扰嶲州，攻陷了三个县。

（以上为第九段，写董郾善为政，宽严相济，所镇无不安定。牛僧孺沮败李德裕安边之策，致使吐蕃降人遭屠戮。）

唐文宗太和六年（壬子，公元 832 年）

春季，正月十八日壬子，下诏令因水旱灾的关系减轻囚犯的刑罚。群臣给文宗送上"太和文武至德皇帝"的尊号；右补阙韦温上疏，认为："现在既有水灾又有旱灾，恐怕不是送上美好名称的时候。"文宗认为对，推辞而不接受。

三月初八日辛丑，任命武宁节度使王智兴兼侍中，充任忠武节度使；改任邠宁节度使李听为武宁节度使。

回鹘昭礼可汗被他的部下所杀，侄子胡特勒继位为可汗。

李听在以前担任武宁节度使时，他的一个苍头作了牙将。到这时候，李听接到任命后，预先派遣亲信官员到徐州去慰劳将士，苍头不愿意李听再来徐州，劝说军士把李听的亲信官杀了，并切成肉酱吃掉。李听知道后很惧怕，借口有病坚决辞职。四月二十八日辛酉，任命前忠武节度使高瑀为武宁节度使。

夏季，五月十二日甲辰，李德裕上奏修邛崃关和迁移嶲州治所，从越嶲迁到台登城。

秋季，七月，原王李逵去世。

冬季，十月初五日甲子，立鲁王李永为皇太子。原先，文宗认为晋王李普是敬宗的长子，性情谦谨善良，想把他作继承人；结果他死了，文宗非常悲痛和惋惜，所以很久不提设立太子事，到现在才进行这件事。

十一月二十七日乙卯，任命荆南节度使段文昌为西川节度使。西川监军王践言回到朝廷担任枢密使，多次对文宗说："把悉怛谋捆起来送回吐蕃以取得吐蕃的欢心，使得以后再也没有人来投降了，这不是好计谋。"文宗也感到后悔，责怪中书侍郎、同平章事牛僧孺谋划不当，依附李德裕的人因而说："牛僧孺和李德裕有矛盾，所以阻碍他建立功业。"文宗由此更加疏远牛僧孺。牛僧孺在内心感到很不自在，遇到文宗到延英殿，对宰相们说："天下什么时候才会太平，你们对这个问题也留意了吗？"牛僧孺回答说："太平是没有固定表象的。现在四方夷人不至交替侵扰，百姓没有流离失所的，虽然不是最好的太平时期，也可说是小康局面了。陛下要是另外追求太平，不是臣子们能做到的。"退下以后，对同事们说："主上提出了这样的要求和希望，我们哪能长久地留在这个职位上呢！"因此多次上表请求辞职。十二月初七日乙丑，命牛僧孺带同平章事官衔，充任淮南节度使。

臣司马光评论说：君主贤明臣下忠心，上司命令下级服从，俊逸善良的任官职，奸佞邪恶的被排斥，礼乐都被重视，政治刑法清平，奸宄的事很少发生，战争也长时间平息，诸侯都归顺朝廷，四夷也臣服中央，人人都得到温饱，这就是天下太平的景象。在今天这个时候，宦官专权，在朝廷中胁迫君主，不能疏远他；藩镇拥兵自守，在地方上傲慢无礼，不能控制他，士卒杀戮和驱逐主帅，抗拒朝命自立为帅，不能责问他；年年都有战争，征收赋税日益紧迫，原野中到处是尸骨，平民家里空空如也，这种情况却被牛僧孺称作天下太平，不是太骗人了吗！当文宗皇帝要求治理好国家的时候，牛僧孺处在宰相的职位上，进取时就苟且偷安以求得君主的含容保住官位，退守时就欺骗君主蒙骗世人以盗取名声，罪过是多么大啊！

（以上为第十段，写牛僧孺遭文宗问责而辞仕，受到司马光的严厉批评，称牛僧孺“偷安取容以窃位，欺君诬世以盗名”，是一罪臣。）

珍王李诚去世。

十二月十七日乙亥，昭义节度使刘从谏到京师朝见文宗。

丁未（十二月无此日），任命前西川节度使李德裕为兵部尚书。

从前，李宗闵与李德裕之间有隔阂，等到李德裕从西川回到京城，文宗对待他很亲近，即将任他为宰相，李宗闵千方百计也不能阻止。京兆尹杜悰是李宗闵的同党，曾到李宗闵处，看见他有忧愁的面容，说：“是不是由于李德裕的关系？”李宗闵说：“是。但又有什么办法能阻止他呢？”杜悰说：“我有一个办法，可以平息过去的仇怨，只怕你不能采用。”李宗闵说：“什么办法？”杜悰说：“李德裕文学很好但不是科第出身，常常因为这一点而感到遗憾，要是叫他去主持科举考试，他一定会很高兴。”李宗闵沉默了一会，说：“再想其他办法。”杜悰说：“不然就让他担任御史大夫。”李宗闵说：“这个办法可行。”杜悰与李宗闵反复商量好几次，就到李德裕那里去。李德裕迎接他说：“公为什么访问我这闲散之人？”杜悰说：“靖安相公李宗闵要我转达他的意思。”把即将任命为御史大夫的事告诉他。李德裕惊喜得流泪，说：“这样的大门官，小子哪里担当得起！”一再托他感谢李宗闵。李宗闵又和给事中杨虞卿谋划这件事，后来又不了了之。杨虞卿是杨汝士的堂弟。

（以上为第十一段，写牛僧孺被贬出朝，李德裕还朝任兵部尚书。）

唐文宗太和七年（癸丑，公元 833 年）

春季，正月初六日甲午，加给昭义节度使刘从谏同平章事官衔，仍回镇行职。原先，刘从谏自认为对国家是忠义的，到朝廷后，想请求调到其他镇去；到了京城以后，看到朝廷任事和掌权的人很不一致，士大夫又多通过请托求官，内心于是看不起朝廷的作为，所以回镇后就更加骄横。

徐州在王智兴之后，承袭了一套坏作风，士卒骄横悖逆，节度使高瑀制驭不了，文宗对此很担心。正月二十六日甲寅，改任岭南节度使崔珙为武宁节度使。崔珙到镇后，做到宽大与严厉适当的结合，徐州人安定下来了。崔珙是崔琯的弟弟。

二月初五日癸亥，加给卢龙节度使、检校工部尚书杨志诚检校吏部尚书。进奏官徐迪到宰相那里说：“军队中的人不懂得朝廷的制度，只知道尚书改为仆射是升官，不知道工部尚书改为吏部尚书是换了美职，敕使到那里去，恐怕会被扣留。”其讲话口气很傲慢，宰相不把这种情况当作一件重要事件看待。

二月二十八日丙戌，任命兵部尚书李德裕同平章事。李德裕到宫中谢恩，文宗和他讨论朋党的事，他回答说：“现在朝廷中的士大夫三分之一的人都有朋党关系。”

当时给事中杨虞卿与从兄中书舍人杨汝士、弟弟户部郎中杨汉公、中书舍人张元夫、给事中萧澣等亲密地结合在一起，依附有权势的人，对上面干涉宰相，对下面为难有关部司，为士人谋求官职和取得科举登第，没有不达到目的的，文宗听到很厌恶，所以和李德裕谈话时首先就提这个问题；李德裕就借这个机会来排斥他所不喜欢的人。原先，左散骑常侍张仲方曾驳斥过李吉甫的谥号，等到李德裕做了宰相，张仲方说有病不出视事。三月初五日壬辰，改任张仲方为太子宾客分司东都。

杨志诚没有得到仆射官很气愤，把官告使魏宝义和春衣使焦奉鸾，送奚、契丹使尹士恭都扣留起来；三月初七日，派遣牙将王文颖到朝廷谢恩并辞所加的官。三月初九日，朝廷又把告身和批示不准辞官的文书赐给他，王文颖没有接受就走了。

和王李绮去世。

三月二十三日庚戌，改任杨虞卿为常州刺史，张元夫为汝州刺史。后来，文宗又讲到朋党的事，李宗闵说："臣向来就了解他们，所以不给杨虞卿等人好官职。"李德裕接着说："给事中、中书舍人不是好官职又是什么呢！"李宗闵听了之后脸上颜色都变了。三月三十日丁巳，改任萧澣为郑州刺史。

夏季，四月二十九日丙戌，册命回鹘新可汗为爱登里啰汨没密施合句禄毗伽彰信可汗。

六月初九日乙丑，任命山南西道节度使李载义为河东节度使。从前，回鹘每次来朝廷进贡，所经过的地方都遭到横暴掳掠，州县地方官不敢过问，只是派重兵防卫罢了。李载义到镇以后，回鹘使者李畅又来进贡，李载义对他说："可汗派将军来进贡是为了巩固舅甥之间的友好关系，不是派将军来欺凌上国的。将军不约束所带的军队，让他们去为非作歹，李载义也能杀掉他们，不要认为中原的法纪是可以忽视的。"于是把防卫的军队都撤了，只要两个守门的士兵留着。李畅既敬畏又叹服，不敢再违犯法令。

六月十六日壬申，任命工部尚书郑覃为御史大夫。先前，李宗闵怨恨郑覃在禁中多次向文宗议论政事，于是奏请罢免了郑覃的侍讲学士官职。文宗从容对宰相们说："殷侑的经术很像郑覃。"李宗闵回答说："郑覃、殷侑的经术虽然值得推崇，然而议论却不值得听取。"李德裕说："郑覃、殷侑的议论，其他的人不想听，只是陛下想听到它。"隔了十来天，文宗的诏命宣布了，任命郑覃为御史大夫。李宗闵向枢密使崔潭峻说："一切政事都由皇上自己决定宣布，还设中书省干什么！"崔潭峻说："皇上做了八年的天子了，让他自己决定一些大事也是可以的！"李宗闵显出忧愁的样子不说话了。

六月十九日乙亥，改中书侍郎、同平章事李宗闵为同平章事，充山南西道节度使。

秋季，七月十七日壬寅，任命右仆射王涯同平章事，兼度支、盐铁转运使。

宣武节度使杨元卿患病，朝廷讨论接替的人，李德裕请求把刘从谏调到宣武去，这样就把上党地区架空了，不使它和山东联结在一起；文宗认为不能那么做。七月二十八日癸丑，任命左仆射李程为宣武节度使。

（以上为第十二段，写李德裕入相，斥逐牛党，李宗闵被罢相出朝。此牛李党争第三回合。）

文宗忧虑近世文士不懂得经术，李德裕请求依照杨绾的建议，进士考试时考论议，不考诗赋。李德裕又说："从前玄宗以临淄王的身份平定内难，从这以后对宗室有所猜疑，不让他们离开朝廷；天下人议论都认为这是幽闭骨肉，损伤人伦关系。要是天宝末年、建中初年宗室分散居住在各个州县，虽然不能保护王室的安定，但还可以各自保全生命；他们都被安禄山、朱泚所屠杀的原因，就是由于聚居在一个地方。陛下如果趁着册立太子的机会，下令听凭宗室中年纪大、籍属疏远的人离开王宫，并且授予州府上等官职，让他们带着子女在外地完婚嫁娶，这等于是把上百年来的不好制度，一下子除去了，海内没有谁会不高兴的！"文宗说："这件事朕很久就知道不能那么办，现在各王室中难道没有贤才，只是没有地方施展发挥而已！"八月初七日，册立太子，因而下诏令：诸王从今以后依次第可以离开京城，并授予紧州、望州刺史或州刺史的高级佐官；十六宅的县主，到年龄可以出嫁；进士考试时停止考诗赋。诸王出阁的事，最终由于不能决定授予的官职而没有实行。

（以上为第十三段，写李德裕建言唐文宗，革除圈禁皇室子孙的制度，未能彻底施行。）

七月十九日壬寅，加给幽州节度使杨志诚检校右仆射的官衔；仍然另外派使者去慰问他。

杜牧愤恨河北三镇的凶暴乖戾，而朝廷议政的大臣只知道姑息宽容，于是写了一篇题为《罪言》的文章，大概内容是说："国家自从天宝末年发生叛乱以来，河北地区一百多个城池都丢掉了，人们把它同回鹘、吐蕃一样看待，没有人敢去收回它们。齐、梁、蔡各地受到他们的影响，因此也反叛朝廷。没有超过五年不打仗的日子，焦急危苦有七十多年了。现在的上策没有比先自治图强更好的了，中策没有比收复魏博更好的了，最下策是轻率地开战，不考虑地理形势，不研究攻守的不同。"

杜牧又叹息府兵制度的被破坏，写了《原十六卫》，认为："国家开始承袭隋朝的制度，设立十六卫，从现在情况看起来，设置的官职无意义的，恐怕就是十六卫了！追本溯源来看，其实是国家最根本的命脉所系。贞观年间，朝廷中用十六卫来蓄养武臣，地方上设立折冲、果毅府五百七十四处用来储备兵员，发生了战事，武臣领兵在外作战，平时就解散军队居住在卫府之内。他们居住在朝廷时，富贵恩泽养着身家，所带领的军队，分散在各折冲府。上府不超过一千二百人，春夏秋三季从事农耕劳动，冬季练习武艺，名册收藏在将府中，队伍散居在田园各处，力量被分散，人人自爱，哪怕是蚩尤来做统帅，也不能使他们起来作乱。等到他们领兵在外时，所统领的士兵是被命令召来的，军纪立在前面，爵赏悬在后面，赏罚交相约束着每个人，哪有空闲时间考虑其他事！哪怕是蚩尤做统帅，也没有能力起来反叛朝廷。从贞观到开元一百三十年之间，从武将到士卒没有发生叛逆篡弑之事，这就是由于制定府兵政策的大圣人能够驾驭国家大小军事权力，制定朝内外事权的安排，运用妙策良谋的缘故。至于开元末年，那些愚昧的儒生在奏章中说：'天下文治很好了，请废除府兵制度。'那些武夫的奏章说：'国家武力很强大了，请对四夷发动进攻。'于是府兵在内部被削弱，边兵在外地作战，武臣和士兵，急忙奔赴，朝内空无一人了。外强中干，导致燕地方势力特别大，而天下发生大变动，各种旧势力都起来了，从那以后七位皇帝宵衣旰食，想把他们平定但是没有能力做到。这样看来，武将士卒哪里能够在一天之中就交出权力接受管束啊！然而统治国家不能没有军队，可是有了军队，在地方上难免不发生叛乱，在朝廷中难免不发生篡弑这样的事。要使军队在外不叛，在内不篡，从古代到今天，最好的办法就是置府立卫了！从近代的情况看，对那些将领来说，弊病又是很多的，他们大多是市井小人，带着许多金银财宝，依靠贿赂宦官得到的官职；这些人决然没有受过父兄关于礼义的教育，又没有慷慨仗义的气魄。一旦得到统辖千里的土地，上百座城池，那些强悍刚愎的人就会不遵守法制，不让法制束缚自己，杀害那些忠良正直的人，不让他们违抗自己，只要有了势力，没有不成为叛乱的人的；那些柔弱奸巧的人，也会对各家各户搜刮钱财，然后买通宦官，由列卿得到三公，由州郡得到都城，把他统治的地方，看作是自己的私人别墅；如果有那么一个人幸而长寿，那么就要残害宰割平民百姓，劫掠整个国家了。所以天下兵乱不能平息，老百姓财力消耗干净，都是由于这个原因。唉！太宗皇帝建立十六卫府的宗旨，谁又懂得它原来的好处而把它恢复呢！"

（以上为第十四段，写杜牧论时政，在《罪言》与《原十六卫》两篇政论中讨论藩镇割据之祸形成的原因，一是朝廷姑息，二是府兵制败坏。）

杜牧又写了《战论》，认为："河北对于全国，犹如珠玑宝玉；全国对于河北，犹如身体四肢。河北地方风俗民情浑朴纯厚，善于耕战，加上出产健马，便于冲锋陷阵，所以打仗就能取胜，居住的地方就很富有，不靠全国其他地方的产物，自己就可以聚敛很多财物；就好比一家大农户，没有珠宝也很富有一样。国家没有河北地方，那么就没有精甲、锐卒、利刀、良弓、健马，这是一肢，国家丢失了一半兵力。河东、盟津、滑台、大梁、彭城、东平，都驻扎重兵以防备敌人的进攻，不能派作他用，这是第二肢，国家又丢失了一半兵力。河东等六镇的军队，耗费的资财多达三亿，只是埋着头靠朝廷供给粮饷，他们横肱拱手什么事也不做，那么沿淮河以北，黄河以南，东到海边，西达洛阳，把这一大片土地上的财物拿来，才能应付他们所需的费用，这是第三肢，财物去掉一大批。咸阳以西以北各地，是为防戎夷驻扎了大量军队的地方，尽量搜刮吴、越、荆、楚等地的财富用来供应戍守的军队，是第四肢，又需要用去大批财物。国家的四肢没有了，只留下光秃的头和身子，能长久下去吗！现在假若能够革除五种弊病，那么只需一战就可使国家安定，四肢也可以再次生长。天下太平无事的时候，身负国家重托的守土大臣只知偷安和为个人打算，战士流落离散，兵甲破损，这是不训练检阅的过错，这是第一种弊病。只有一百人当兵持戈，到国家领粮饷，就报一千人的名额，大小将领贪占虚报的粮饷，他们以敌人强壮为好事，以长期在外领兵为快乐，拿武器的人常少，耗费粮饷的恶人常多，这是不核实统计实在当兵人数的过错，这是第二种弊病。打了小胜仗就夸大战功，奔走上报以求得到多的奖赏，有的一天得到两次赏赐，有的一个月得到几次封爵，胜利的凯歌还没有唱，高的官品已到手，封爵很大，田地房屋很宽广，金银绸帛很多，子孙都做官了，这样谁又愿意搜想奇策，出生入死为国家出力呢！这是优厚奖赏的过错，这是第三种弊病。死了很多士兵，把大都城邑丢失了，就逃到京城来，仅贬为州刺史，回头看到刑具，神气很安闲，还不到一年，又站在坛墀被授予大将的职务了，这是处罚太轻的过错，这是第四种弊病。大将的兵权不能全部掌握，恩臣、敕使交相来指挥，将要摆出严整的军阵的时候，将要敲响殷殷的战鼓的时候，一个说一定要摆偃月阵，一个说一定要摆鱼丽阵，三军上万人，在回旋徘徊疑骇的时候，敌人的骑兵乘机杀来，于是我军被打败而失去军旗战鼓，这就是不专任责成的过错，这是第五种弊病。现在要想整顿武装力量，洗雪过去的耻辱，而又照着过去的错误办法去做，是不可能有作为的。”

（以上为第十五段，摘要杜牧《战论》，指出朝廷用兵有五弊，以致河朔不守，加之征讨河朔耗费双倍国家的兵源与财富，形成恶性循环而争战无宁日。）

杜牧又写了《守论》，认为：“现在议政的人都说：对于专横跋扈的人，就用良将劲兵来约束他，用高官厚禄满足他的欲望，让他安逸而不受到阻挠，让他在外地而不受到拘束，就好像驯养虎狼一样而不要使他不顺心，那么他就不会发怒；这就是大历、贞元年间守卫国家的政策，又何必要进行战争，使老百姓受煎熬之苦，然后才觉得快慰呢！臣愚昧地认为：大历、贞元的时候，正是由于采取了这种政策才带来祸乱。在那个时候，只要占有几十座城池，控制成百成千的士卒，朝廷就会特别对待他，在法度方面就对他很宽容。于是他们就目中无人，狂妄自大，自成为一股势力，破坏国家法制，争着与他人比尊贵和奢侈，天子惧怕有损威严而不去责问，有司为了保守恬淡而不去呵斥。把王侯的爵位任意地赏赐给他们。不到京城来朝见天子，就赐给几杖来安慰他们；本为逆虏者的儿子，却把公主嫁给他们；装饰的华彩，没有比他们更好的了。因此，他们的土地越大，兵力越强，想超越本分和天子相比拟的思想就更发展，奢侈的愿望更大。于是土地和官爵分划完了，而贪心的叛贼并未得到满足，以致就有超越的名号出现，有的称帝，有的称王，通过盟誓宣布自立，心安理得无所畏惧，派兵四处掳掠来满足自己的愿望。这样，赵、魏、燕、齐首先起来倡导，梁、蔡、吴、蜀继而附和，其余混杂在一起想效仿的人，到处都有。国运到了宪宗皇帝，宵衣旰食，不忘治国，前后又出现了一些英雄豪杰，从早到晚商量筹划，所以能够把大的叛逆者平定，小的反叛者自然就来归顺了。不然的话，京城及其附近几乎要成为敌人的打猎场地了！大概一般人都是容易发生欲念的，欲念达不到就发怒，发怒就要发生争斗和战乱，所以在家庭用教导和打板子，在国家就用刑罚，在天下就用征伐的手段，来制裁贪欲，堵塞争斗。大历、贞元年间，完全不用这种办法，拿着一点点朝廷的土地爵命等想去堵塞无边无际的争夺，所以头尾四肢，差一点都不能互相运动了。现在不但不批评这种做法，反而要把它作为经验来推行。我认为这样下去，盗寇作乱就不仅在河北一个地区了。唉！大历、贞元保卫国家的办法，永远作为警戒而不要再用了吧！”

杜牧又注释《孙子》，并为其作序，认为：“甲兵，就是刑罚；刑罚，就是政事；以孔夫子的学生来说，就是仲由、冉有擅长的事。不知从什么时代什么人开始，分为文、武两门，分离而又并行，因而使得一般士大夫不敢议论打仗的事，或者以议兵为羞耻之事，假如有人谈论兵事，时人就认为他是粗暴而不同于平常人，就不把他看成是同一类的人。唉！丢了根本，这就是最厉害的。《礼记》中说：‘四郊如有很多敌人的营垒，这就是卿大夫的耻辱。’观察自古以来，建立一个国家，灭亡一个国家，没有不是靠军队的。负责军事的人一定要聪明贤能、有才干、多闻博识才能取得成功，他们在朝廷中经过讨论，拟订好了军事计划，然后交给将领去执行。汉高祖说：‘指示踪迹的是人，追获兔子的是狗’，就是这个道理。那些做宰相的说：‘打仗不是我的职事，我不应当知道。’依照君子的说法：‘那就不要占着茅坑好了！’”

（以上为第十六段，摘要杜牧《守论》与《孙子》注序论，指出朝廷姑息使藩镇坐大成尾大不掉之势，消除之法唯有坚决打击，不知兵者不应为宰相。）

从前担任过邠宁行军司马的郑注，依靠王守澄，权势显赫，文宗很讨厌他。九月十三日丙寅，侍御史李款在阁内上奏弹劾郑注说：“郑注在宫内串通敕使，在外面勾结朝士，往来于南牙北司之间，获取财物，白天潜伏，夜晚出动，以窃取权势，人们都不敢说话，在道路上怒目以待，请求将他交付执法部门查办。”十天当中，跟着弹劾的奏章有数十件。王守澄把郑注藏匿在神策军右军中。神策军左军中尉韦元素，枢密使杨承和、王践言都讨厌郑注。左军将军李弘楚劝说韦元素道：“郑注奸猾无比，在他势力还小的时候不除掉他，让他羽翼丰满了，一定会成为国家的祸患。现在他因被御史弹劾躲藏在神策军中，我请求用中尉的名义，假称有病，叫他来医治，来了以后中尉接待他坐下，我在旁边侍候，等到中尉举目示意，即抓住他用棍子打死。中尉随后拜见文宗叩头谢罪，把他的奸诈行为都说出来，王践言、杨承和一定会帮助中尉说话。况且中尉还有拥护皇室的功劳，难道会因为除去奸人而得罪吗？”韦元素觉得对，就召见郑注。郑注来后，卑躬屈膝，谄媚奉承的话不断，韦元素在不知不觉中与郑注执手亲密地攀谈起来，用心听他说话而忘记了疲倦。李弘楚几次窥探情况，韦元素并未看他，送了很多金银绸帛给郑注之后，打发他走了。李弘楚怒气冲冲地说：“中尉今天没有采取果断手段，将来一定要遭到灾祸的！”随即辞去了军职就离开了；不久，由于背上长恶疮而病死。王涯能做宰相，郑注是出了很大力的，王涯惧怕王守澄，就把李款弹劾郑注的奏章压下来了。王守澄在文宗面前为郑注说好话，文宗就赦免了郑注。不久，王守澄又保奏他担任侍御史，充当右神策军判官，朝廷内外都感到惊骇和叹息。

九月初一日甲寅，改任前忠武节度使王智兴为河中节度使。

群臣觉得文宗即位八年了，还未接受尊号。冬季，十二月十二日甲午，敬上尊号称“太和文武仁圣皇帝”。遇上五坊中使薛季稜从同州、华州归来，讲到民间破败凋敝的情况。文宗感叹地说：“关中有小的收成，百姓还那样苦，何况江淮连年大水，那里的百姓将是如何可怜！我没有办法拯救他们，岂敢崇尚虚名！”随即把通天宝带赏赐给薛季稜。群臣共上了四次奏表，文宗最终还是没有接受尊号。

十二月十八日庚子，文宗得了中风病，不能说话。于是王守澄介绍昭义行军司马郑注善医术；文宗把郑注征召到京师，服了他的药，很有效验，郑注于是为文宗所宠信。

（以上为第十七段，写王守澄牢牢控制唐文宗，把同党奸佞小人郑注以治病为由安插在唐文宗身边为耳目。）

【点评】

本卷点评宋申锡冤案、司马光论牛僧孺致仕、杜牧政论三事。

宋申锡冤案。大宦官王守澄拥立唐文宗，因护驾之功，被拜为骠骑大将军，并由枢密转为神策军中尉，权势更盛，骄横跋扈，不可一世。朝廷内外对王守澄是重足而立，侧目而视。唐文宗目睹宪宗、敬宗两帝所遭宦官之祸，王守澄都是背后的罪魁祸首。现在王守澄走到了前台，唐文宗感到自身不安全，他想除掉王守澄，太和二年（公元 828 年），举贤良方正求言，试探朝士态度，得到回应。太和三年（公元 829 年），浙西观察使李德裕被召入朝，任兵部尚书，裴度推荐李德裕做宰相，不到二十天就被李宗闵排挤出朝，做义成节度使。李宗闵又引牛僧孺为相，二人合力斥逐朝中拥护李德裕的朝官，再迁转李德裕为西川节度使，使他离开朝廷更远一些。太和四年（公元830年），裴度也被排挤出朝。牛僧孺、李宗闵这一朋党与宦官合势，唐文宗身感孤立，启用内廷的侍讲学士宋申锡为相，谋诛宦官。宋申锡联络京兆尹王璠，御史中丞宇文鼎，密谋策划。王璠受命捕拿郑注，王璠欲附宦官，反而向王守澄泄密。于是郑注策划先下手为强，由王守澄指使神策军小吏状告宋申锡谋反。罪证是宋申锡与文宗之弟、穆宗第六子漳王李凑友善，而李凑一向名声很好，遭到文宗的猜忌；王守澄借此诬告宋申锡谋反。唐文宗心知肚明这是一桩冤案，他恼恨宋申锡办事不密露了馅，为了向王守澄表白，又为了除掉漳王李凑，竟下令处死宋申锡、李凑，以谋反罪抄斩满门。宰相们钳口无言。只有飞龙使马存亮、京兆尹崔琯、大理卿王正雅、左常侍崔玄亮、给事中李固言、谏议大夫王质，补缺卢钧、舒元褒、蒋系、裴休、韦温等，冒死相争，要求立案由朝官审察。这时宰相牛僧孺也说了一句公道话。牛僧孺说："宰相是人臣的最高官职，宋申锡已做了宰相，他造反还想得到什么呢，宋申锡决不会谋反。"义正理顺，唐文宗没有话可说。郑注害怕追究下去，奸谋败露，就劝王守澄奏请改宋申锡、李凑的死刑为贬逐。宋申锡被贬为开州司马，李凑被贬为巢县公。唐文宗的第一次反宦官行动就这样以失败收场。

俗话说"伴君如伴虎"。宋申锡奉文宗之命谋诛宦官，事情败露，唐文宗为了推卸责任，又因一己猜忌之心，排除臆想的政敌，就要杀害同父之弟，竟以莫须有的罪名，兴大狱，昏庸无能的皇帝，比老虎还要凶恶。马存亮、崔琯、王正雅、崔玄亮、李固言等，也包括牛僧孺，他们良心未泯，冒犯龙颜，不顾自身的安危，制止了一场大冤狱，才使得宋申锡、李凑满门男女老少，合家数百口从刀下脱险。这些人是值得敬仰的英雄，他们的品德和高风亮节与那些落井下石的人，有天壤之别，是应该发扬光大的。

司马光论牛僧孺致仕。唐文宗太和元年（公元832年），文宗在延英殿召见大臣，责问何时可致太平。牛僧孺回答："治理达到太平的条件还不成熟，也不是臣等的能力，现今边境安宁，百姓没有四处漂流，可以算小康。"退朝后，牛僧孺多次请求辞位，唐文宗允准，出牛僧孺为淮南节度使，召西川节度使李德裕入朝为相。其背景是李德裕被牛僧孺、李宗闵排斥出朝，李德裕为义成节度使，再斥逐为西川节度使。李德裕镇西川，打败吐蕃侵扰，西疆稳固。文宗后悔，想召李德裕入朝，故以太平责问牛僧孺。牛僧孺也识时务，回答臣的才能只能治理达到小康，没能力达到太平，主动请辞，避免文宗做出罢相的激烈处理，君臣之间相处和谐，牛僧孺进退得当，不应受批评。可是司马光却在牛僧孺的辞仕上大做文章，指责牛僧孺上进入相是苟且偷安，窃取官位，辞职是蒙蔽百姓，博取美名，是罪大恶极。司马光如此激烈，是说牛僧孺无能力治国，还自称达"太平"。恰恰是牛僧孺说，臣无能力达到太平才提出辞职的，牛僧孺只说他的能力达到了小康。司马光捏造证据来批评牛僧孺，另有隐情，他把自己卷入的与王安石之间的党争，借牛李党争来指桑骂槐。大概是以牛僧孺比喻王安石无能力治国到太平，却搞什么改革，最后下台，罪大恶极。如果不是这样，以司马光之才德为何要给受批评的对象捏造证据呢！可见，正人君子一陷入党争，眼睛就蒙了。党同伐异，如一叶障目，不见泰山，应当引为借鉴。

杜牧政论。杜牧，字牧之，晚唐著名文学家。京兆万年（今陕西西安）人。杜佑之孙。太和进士，授宏文馆校书郎。曾任江西、宣歙观察使、淮南节度使幕府。历任监察御史、湖州刺史，后入朝为司勋员外郎，官终中书舍人。杜牧生活在唐帝国走下坡路的晚唐时期，内忧外患使杜牧忧心如焚。他以济世之才自负，认真研究了“治乱兴亡之迹，财富甲兵之事，地形之险夷远近，古人之长短得失”（《上李中丞书》）。杜牧喜欢论政谈兵，主张削藩御敌，革除弊政，针砭朝廷腐败。《罪言》、《原十六卫》、《战论》、《守论》等，就是杜牧留下的论治乱守战的政论。又注曹操所定《孙子兵法》十三篇，该书序言也是一篇政论。司马光极为重视，摘引入《资治通鉴》。

《罪言》批评朝廷对河北三镇用兵采取了最下策，不研究地形与攻守形势，盲目用兵，给国家和社会带来深重灾难。上策是朝廷革新自强，中策是集中力量攻取河北南部的魏博一镇。从地理上魏博镇靠近朝廷，得魏博，外御卢龙、成德两镇，内屏河南诸镇，加强朝廷势力。

《原十六卫》，慨叹府兵制被破坏，代之以招募的雇佣兵而祸害无穷。杜牧认为府兵制，朝廷中央禁军十六卫用来储备武臣，即领兵将领，全国折冲与果毅府五百七十四处，用来储备兵员，有了战事，武臣领兵作战，战争结束，兵员散归卫府。农闲训练，农忙耕作。国家负担轻，指挥灵便。募兵制雇佣兵成为常备兵，国家负担沉重。武臣邀功，轻启边衅，重兵屯于边境，朝内空虚，河北三镇势力庞大，尾大不掉，形成藩镇割据。杜牧认为战乱是府兵制被破坏造成的，要使天下安宁，就应恢复府兵制。

《战论》、《守论》批评朝廷丢失河朔三镇，好比一个人丢了四肢。杜牧把兵员和财赋比喻为支撑国家的四肢。丢失河北三镇，不仅河北的兵员、财赋没有了，朝廷动员全国的兵力讨伐，财赋支持，又等全国的兵员、财赋没有了，国家没有了四肢。杜牧批评朝廷姑息养奸，承认藩镇割据的防守政策，又批评盲目用兵有五弊。杜牧认为，朝廷整治官军的五弊，一战便可成功，重整朝纲了。

杜牧在《孙子注》的序言中，明确提出国家要重视武备，不懂军事的人，不能做宰相。

统观杜牧的政论，充满忧国忧民的爱国热情。杜牧对于时弊的批评、政治腐败、用兵方略都切中要害。但是得不到执行。因为杜牧没有揭示根本。最大的祸根是皇帝专制体制，个人意志大于法制。唐代的最大政治积弊是宦官专权，奸邪小人成了皇帝的代言人。宦官掌枢密，掌禁军，监军安插在各个方镇，这一特殊体制造成了宦官专权。宪宗、武宗对宦官稍加抑制，让贤明宰相发挥作用，政治军事均见功效。皇权专制当时除不了，希望寄托在贤明君王上，宦官掌控皇帝废立，就产生不了圣明君主，晚唐皇帝一代不如一代，只是在等待灭亡。我们不能苛求杜牧提出废皇权，但我们今天要体悟杜牧建言为何不能施行的根本原因，专制独裁是万恶之源。此外，任何一种好制度，一旦被废坏，不可能恢复。唐初的府兵制被破坏，并不是如杜牧所说，不懂军事的文官一纸错误的奏言就破坏了府兵制。时过境迁，形势变化，改变原有制度，再走回头路是不可能的。所以杜牧主张恢复府兵制，也只能是一番空言。

唐纪六十一

唐文宗太和八年至开成二年（公元834—公元837）

【起阏逢摄提格（甲寅，公元834年），尽强圉大荒落（丁巳，公元837年），凡四年】

【大事提要】

本卷记事起公元834年，讫公元837年，凡四年。当唐文宗太和八年至开成二年。这是唐文宗当政的中期，朝政的昏暗达到新高，宫中宦官主宰，外朝小人当道，郑注、李训两个奸诈小人垄断朝政，清流直臣尽数被驱出朝。宋申锡谋诛宦官失败，宦官王守澄安插郑注、李训两个奸佞监视唐文宗，郑注为医官诊治，李训为文宗讲《易经》。两小人探知文宗欲诛除宦官，二人认为有大利可图，转过身来以诛宦官为己任。文宗猜忌朝官，厌恶朋党，二人投文宗之好，内得皇帝之宠，外得宦官之助，以朋党之名斥逐清正朝官，凡不利于己者，皆以牛李之朋党斥逐。李宗闵、李德裕、路隋三相皆被二人斥逐，又用暗杀手段诛宦官陈弘志、王守澄，二人炙手可热，威震朝廷。重要朝官都是二人的党徒，宰相王遂、贾悚，阿附取容。太和九年（公元835年），李训为相，郑注出任凤翔节度使，欲内外合势尽诛宦官，李训中途制造甘露之变，想独占功劳，并顺带除掉郑注，两小人同床异梦，势分而失败。宦官仇士良大杀朝官，朝廷半空。唐文宗成了宦官俘虏，朝廷大权尽归北司，宰相以下朝官都被宦官仇视。开成元年（公元836年），昭义节度使刘从谏上奏声讨仇士良等罪恶，声言入朝清君侧，宦官才有所收敛，南衙才有了稍许权力。从此，唐文宗被宦官监视，只能借酒浇愁，自谓受制于家奴，比周赧王、汉献帝两个亡国之君还不如，整天郁闷忧愁直到死，再没有什么作为了。

文宗元圣昭献孝皇帝中

唐文宗太和八年（甲寅，公元834年）

春季，正月，文宗的病稍好一点。正月初五日丁巳，在太和殿接见近臣，神情衰耗很多，没有恢复到以前的样子。

二月初一日壬午，发生日食。

夏季，六月初七日丙戌，莒王李纾去世。

文宗看到长期干旱，下诏征求能够降雨的办法。司门员外郎李中敏上奏表，认为："连年大旱，并不是皇上的德行不好，只是由于宋申锡的冤案太严重，郑注的奸邪太嚣张。现在要使天公下雨，只有杀了郑注给宋申锡昭雪。"奏表被扣留在禁中，李中敏借口有病辞去官职，回到东都去了。

郯王李经去世。

从前，李仲言流放到象州，碰上大赦，回到东都。正好留守东都的李逢吉想再度做宰相，李仲言自我夸耀说和郑注很友好，李逢吉就叫李仲言用重金贿赂郑注。郑注带李仲言去谒见王守澄，王守澄把李仲言推荐给文宗，说李仲言精于《易经》。文宗召见了李仲言。当时李仲言在为母亲服丧，不便到禁中去，于是叫他穿着平民的服装，号称王山人，以便出入。李仲言仪表状貌魁伟秀丽，倜傥不羁充满豪气，颇长于写文章，又有口才，权术谋略也多。文宗见到他，很高兴，认为是难得的奇才，对待他一天比一天优厚。

到了秋天，李仲言服丧期满去掉丧服，八月十三日辛卯，文宗想任命李仲言担任谏官，放在翰林班子中。李德裕说："李仲言过去的所作所为，想必陛下都了解，哪里能够摆在近侍之中？"文宗说："难道不允许他改过自新？"李德裕回答说："臣听说只有颜回能够做到不再犯同样的错误。那些圣贤所犯的过错，只是由于考虑不全面，或者是偶尔有所偏颇而已。至于李仲言的奸恶，是由他的本心产生的，哪里能够改变啊！"文宗说："他是李逢吉推荐的，朕不想食言。"李德裕回答说："李逢吉身为宰相，而推荐奸邪之人来危害国家，他也是罪人。"文宗说："那么另外给他一个官职。"李德裕回答说："也不能那样。"文宗回头看着王涯，王涯回话说："可以。"李德裕挥手示意叫王涯不要说话，被文宗回头看见了，脸色很不好看，结束了谈话。开始时，王涯听说文宗要任用李仲言，就起草上谏的奏疏，非常愤慨；既而看到文宗的意见很坚决，并且畏惧李仲言那派人的势力大，就中途改变了主意。

不久，任命李仲言为四门助教，给事中郑肃、韩佽把敕书封好退回，表示不同意。李德裕将要离开中书省时，对王涯说："给事中把敕书封好退回，太让人高兴了！"王涯随即召集郑肃、韩佽说："李公刚才留下了话，叫二位阁老不必把敕书封退。"二人当即把敕书发下去了。第二天，告诉了李德裕，李德裕惊愕地说："德裕如果不想封驳退回，就会当面交代，何必要叫别人转告！并且有关部门的封驳，难道还要遵从宰相的意见吗！"郑、韩二人悔恨遗憾地离开了。

（以上为第一段，写唐文宗信用奸佞，宰相王涯见风使舵。）

九月初三日辛亥，征召昭义节度副使郑注到京师。王守澄、李仲言、郑注都不喜欢李德裕，由于山南西道节度使李宗闵和李德裕有矛盾，他们就用李宗闵来对付李德裕。九月十四日壬戌，下诏令把兴元的李宗闵征调回朝廷。

冬季，十月初四日辛巳，幽州发生军事叛乱，节度使杨志诚和监军李怀仵被赶走，他们推举兵马使史元忠主持留后事务。

十月十三日庚寅，任命李宗闵为中书侍郎、同平章事。十月十七日甲午，改任中书侍郎、同平章事李德裕同平章事，充山南西道节度使。同一天，任命李仲言为翰林侍讲学士。给事中高铢、郑肃、韩佽，谏议大夫郭承嘏，中书舍人权璩等争谏，认为不行，文宗没有接受他们的意见。郭承嘏是郭晞之孙；权璩是权德舆的儿子。

十月二十八日乙巳，贡院奏请进士恢复考诗赋，文宗同意了。

李德裕见到文宗时自我陈述，请求留在京师。十月二十九日丙午，任命李德裕为兵部尚书。

杨志诚经过太原时，李载义亲手殴打他，并且想把他杀掉，由于幕僚的进谏和援救，杨志诚方免于一死，于是把杨志诚的妻子和随行将卒都杀了；朝廷由于看到李载义过去立有大功，未责问他。此前，李载义母死，葬于幽州，杨志诚发掘其墓以掠取财物。李载义上奏乞求取杨志诚的心脏用来祭祀母亲，文宗不允许。

十一月，成德节度使王庭凑去世，军中奉立他的儿子都知兵马使王元逵为留后。王元逵一改他父亲以前的所作所为，事奉朝廷的礼仪很严谨。

史元忠献上杨志诚所制造的衮衣和其他各种僭越物品。十一月二十一日丁卯，把杨志诚流放岭南，在路上把他杀了。

李宗闵说任命李德裕的命令已经发出了，不应当听凭他自己的意思随意改变。十一月二十九日乙亥，又改任李德裕为镇海节度使，不再兼平章事衔。当时李德裕、李宗闵各有朋党，互相排挤或声援。文宗为此而担忧，常常叹息说："去掉河北叛贼容易，去掉朝廷朋党艰难！"

臣司马光评论说：君子和小人不能相容，就好比冰块和炭火不能同放在一个容器里。所以君子得到官位时就排斥小人，小人得到权势时就排斥君子，这是自然的道理。然而君子引进贤能的人，贬退不肖的人，他的用心是公正的，他办事也是实事求是的；小人对他喜欢的人就称誉，不喜欢的人就毁谤，他的用心是自私的，他办事也是奸猾虚浮的。公正而又实在的就叫作正直，自私而又虚伪的就叫作朋党，对于人主来说就是要善于分辨清楚而已。所以处在上位的英明君主：衡量品德而给予爵位，凭着才能而授给官职；有功劳的人给以奖赏，犯罪的人给以刑罚；不为奸猾者所迷惑，不为巧佞者所动摇。如果这样做了，那么朋党从哪里产生啊！那些昏庸的君主就不这样。说到他贤明却什么也看不清楚，说到他坚强却什么也不能判断；坏人和好人一同进用，毁谤的话和称誉的话交相到来；取舍不由自己做主，威福暗地里由他人操纵。于是那些谗佞邪恶之人得志而朋党的争论就兴起来了。

大凡木头腐朽蛀虫就会产生，醋变质了蚊虫就聚集起来。所以朝廷中有朋党，那么君主应当追究自己的责任而不应当归咎于群臣。文宗假若为群臣结成朋党而担忧，何不考察他们所毁誉的人是实在的还是虚伪的，他们所推荐的人士贤能的，还是不肖的，他们的心思是为了国家，还是为了自己，其人是君子，还是小人！假若所据是实，进用者为贤，其心为公，其人为君子，朝廷不但只信他的话，而且还要提拔他；假若所据是虚伪，推荐的是不肖之人，其心为私，其人为小人，不但不用他的主张，还应当治他的罪。这样，就是让他去参加朋党，谁敢啊！抛开这一点不去办，而埋怨群臣们难于治理，就好比不下种除草而埋怨田地荒芜一样。朝廷中的朋党尚且不能清除，何况河北的叛贼啊！

（以上为第二段，写李宗闵入朝为相，李德裕罢相出朝，此牛李党争第四回合。司马光抨击朋党之起，缘于人君昏庸，忠奸不分。）

十一月三十日丙子，李仲言请求改名为李训。

幽州奏报说莫州发生军事叛乱，刺史张元泛不知跑到什么地方去了。

十二月初三日己卯，任命昭义节度副使郑注为太仆卿。郭承嘏多次上奏疏说这事不应当，文宗不听从。于是郑注假意上奏表坚决辞让，文宗派遣中使再次把告身赐给他，但他仍不接受。

十二月初七日癸未，任命史元忠为卢龙节度使留后。

从前，宋申锡与御史中丞宇文鼎接受文宗的密诏诛杀郑注，使京兆尹王璠去捕捉郑注。王璠秘密地把杀郑注的公文给王守澄看，郑注这才免于一死，深深感激王璠。王璠又和李训友好，于是李训、郑注共同推荐王璠，使他从浙西观察使征为尚书左丞。

（以上为第三段，写王璠出卖机密与宦竖相结。）

唐文宗太和九年（乙卯，公元835年）

春季，正月初九日乙卯，任命王元逵为成德节度使。

巢公李凑去世，追赠为齐王。

郑注上奏说秦地有灾难，应当大兴土木来禳除灾难。二月十六日辛卯，调发左、右神策一千五百人疏浚曲江和昆明池。

三月，冀王李绒去世。

三月十一日丙辰，任命史元忠为卢龙节度使。

从前，李德裕为浙西观察使时，漳王的养母杜仲阳因宋申锡事被牵连放回金陵，有诏令叫李德裕安置他。恰好碰上李德裕已经调离浙西，就行文给留后李蟾，叫他按诏令去办。到现在，左丞王璠、户部侍郎李汉上奏说李德裕用钱贿赂杜仲阳，暗地勾结漳王，想干不轨之事。文宗听到之后愤怒极了，随即召集宰相以及王璠、李汉、郑注等当面质问这件事。王璠、李汉等用尽口舌来诬陷李德裕，路隋说："李德裕不会做这种事。如果真像他们所说的那样，臣也应当有罪！"诬陷的言语才稍稍平息。夏季，四月，改任李德裕为太子宾客分司东都。

三月十八日癸巳，任命郑注暂代太仆卿，兼御史大夫，郑注开始接受了，后又推举仓部员外郎李款代任自己的职务，并说："李款原来弹劾我，虽然从法理上说是不能成立的；但他是尽节事君的。"当时的人听了都讥笑郑注奸猾。

三月二十一日丙申，改任门下侍郎、同平章事路隋为同平章事、充镇海节度使，并催促他赴镇上任，不得当面向皇上辞行，这是由于他救李德裕的缘故。

原先，京兆尹河南人贾餗，性情急躁而轻率，和李德裕有嫌隙，然而和李宗闵、郑注却很友好。上巳节那天，文宗在曲江池赐宴百官。按照过去的规矩，京兆尹在外门下马，向御史行揖礼。贾餗依仗着他尊宠的地位和权势，乘马直接闯进去，殿中侍御史杨俭、苏特和他争论，贾餗骂着说："黄面儿胆敢如此！"因此被罚薪俸。贾餗为此事受了耻辱，要求调出朝廷，诏令任命他为浙西观察使；还没有赴任，三月二十三日戊戌，改任贾餗为中书侍郎、同平章事。

三月二十五日庚子，诏令说由于过去皇上开始得病的时候，王涯叫李德裕去慰问起居，李德裕竟然没有去；又在西蜀曾征收拖欠的税钱三十万缗，百姓因而愁苦困乏；再贬李德裕为袁州长史。

（以上为第四段，写郑注等群小诬陷李德裕，必欲置之死地，赖宰相路隋相救，李德裕得免于祸，再次遭贬。）

从前，宋申锡获罪，宦官更加骄横；文宗在外表上虽然包容下来，而在内心上却不能忍受。李训、郑注既被信用，揣测到了皇上的意愿，李训借着进讲的机会，多次用暗示性的话来打动文宗。文宗看到李训有才能，认为可以和他谋划大事；并且由于李训、郑注都是王守澄引进的，希望宦官不怀疑他们，于是就秘密地把真正的心思告诉了他们。李训、郑注就以诛杀宦官作为自己的主要职责。两人结合在一起，早晚都在密谋策划，他们向文宗说的话文宗没有不听从的，声威权势很大。郑注多数时间都在禁中，有时休假在家，宾客盈门，送来的贿赂财物堆积如山。外面的人只知道李训、郑注倚仗宦官擅自作威作福，而不知道他们与皇上有密谋的事。

文宗的即位，右领军将军兴宁人仇士良立了功；王守澄压制他，因而产生嫌隙。李训、郑注为文宗谋划，用提升仇士良来分出王守澄的一部分权力。五月二十一日乙丑，任命仇士良为左神策军中尉，王守澄很不高兴。

五月二十四日戊辰，任命尚书左丞王璠为户部尚书、兼管度支。

（以上为第五段，写唐文宗宠信奸佞小人郑注、李训，二度谋诛宦官王守澄。）

京城有谣言说郑注为皇上配制金丹，要用小孩的心肝，民间惊惧不安，文宗听到后很讨厌。郑注向来不喜欢京兆尹杨虞卿，于是和李训共同构陷他，说谣言是从杨虞卿家人中传出来的。文宗听了大怒，六月，把杨虞卿投到御史监狱。郑注想做属于两省的官职，中书侍郎、同平章事李宗闵不答应，郑注就在文宗面前诋毁李宗闵。适逢李宗闵援救杨虞卿，文宗大怒，把他叱逐出去；六月二十八日壬寅，贬杨虞卿为明州刺史。

左神策军中尉韦元素，枢密使杨承和、王践言在禁中掌握大权，与王守澄争夺势力不能协调，李训、郑注因此借这个机会把杨承和调去西川，韦元素派往淮南，王践言调去河东，都是担任监军职务。

秋季，七月初一日甲辰，贬谪杨虞卿为虔州司马。

七月初七日庚戌，在曲江池修建紫云楼。

七月初八日辛亥，任命御史大夫李固言为门下侍郎、同平章事。

李训、郑注为文宗筹划太平谋策，认为应当首先铲除专横的宦官，其次是收复河、湟失地，再次就是扫清河北叛乱势力，陈述的方略，了如指掌。文宗认为是很正确的，对他们一天比一天宠信。

从前，李宗闵任吏部侍郎的时候，凭借驸马都尉沈㦂交结女学士宋若宪、知枢密杨承和得到了宰相的官职。等到他被贬去明州，郑注揭发了这件事，七月初九日壬子，再贬李宗闵为处州长史。

著作郎、分司舒元舆与李训友好，李训掌权后，召他到京任右司郎中兼侍御史知杂，审理杨虞卿的案子；七月初十日癸丑，升他为御史中丞。舒元舆是舒元褒的哥哥。

贬谪吏部侍郎李汉为汾州刺史，刑部侍郎萧澣为遂州刺史，他们都因为是李宗闵的同党而受到牵连。

当时，李训、郑注接连驱逐三位宰相，威震天下，于是他们对平生的恩怨没有不回报的。

（以上为第六段，写郑注、李训连逐李德裕、路隋、李宗闵三相，威震天下。）

李训上奏说和尚尼姑太多太杂，耗费了大量公私财物。七月十四日丁巳，诏令各地测试和尚、尼姑诵经，不合格的人，都勒令还俗；又禁止设置新的寺庙和私自剃度平民为和尚。

当时的人都说郑注早晚要当宰相，侍御史李甘在朝堂中扬言说："任命宰相的白麻诏书一出现，我一定要在大庭广众中撕坏它！"七月二十日癸亥，李甘被贬为封州司马。然而李训也猜忌郑注，不想让他当宰相，这件事就被搁置起来了。

七月二十一日甲子，任命国子博士李训为兵部郎中知制诰，仍然担任侍讲学士。

贬左金吾将军沈𡗗为邵州刺史。八月初三日丙子，又贬李宗闵为潮州司户。宋若宪被赐死。

八月初四日丁丑，任命太仆卿郑注为工部尚书，充任翰林侍讲学士。郑注喜欢穿鹿皮毛衣，以隐士自居，文宗用对待师友的礼节对待他。郑注刚得到宠幸，文宗曾经问翰林学士、户部侍郎李珏说："卿知道郑注这个人吗？曾经和他谈过话吗？"李珏回答说："臣岂止是知道他的姓名，并且深深了解他的为人。这个人奸巧邪恶，陛下宠信他，恐怕对您的德业没有好处。臣忝列在皇上近侍密迩之中，哪里敢和这种人来往！"初五，李珏被贬为江州刺史。再贬沈𡗗为柳州司户。

八月二十三日丙申，诏令因杨承和庇护宋申锡，韦元素、王践言与李宗闵、李德裕中外勾结，收受贿赂，将杨承和安置在驩州，韦元素安置在象州，王践言安置在恩州，命令将他们从现在住地戴上枷锁送往安置的地方。杨虞卿、李汉、萧澣是朋党的头目，贬谪杨虞卿为虔州司户，李汉为汾州司马，萧澣为遂州司马。不久，又派遣使者追赐杨承和、韦元素、王践言自杀。当时崔潭峻已经死了，仍打开棺材鞭尸。

八月二十六日己亥，任命前庐州刺史罗立言为司农寺少卿。罗立言是一个贪官，因为用贿赂交结郑注而得到了这个官。

郑注担任翰林的官职，是中书舍人高元裕起草的任职命令，里面说是靠医药侍奉君亲，郑注因此仇恨高元裕，上奏说：高元裕曾经到郊外送李宗闵。八月二十九日壬寅，高元裕被贬为阆州刺史。高元裕是高士廉的第六代子孙。

当时郑注和李训所不喜欢的朝廷士大夫，都被指责为李德裕、李宗闵的党羽，贬谪放逐一天也没有停止过，朝班序列中的人都快走光了，朝廷中人心惶惶，文宗也知道这一情况。李训和郑注担心别人动摇其地位，九月初一日癸卯，劝说文宗下诏令："凡是李德裕、李宗闵的亲戚旧友和门生故吏，今日以前贬黜的就算了，其余的都不过问了。"这样一来人们的情绪才稍稍安定下来。

（以上为第七段，写郑注、李训两小人得志，大肆排斥异己，凡贬逐朝士，则指目为李德裕、李宗闵之党。）

盐铁使王涯上奏主张改革江淮、岭南茶法，增加茶税。

九月十八日庚申，任命凤翔节度使李听为忠武节度使，以代替杜悰。

宪宗的死，民众都说是宦官陈弘志杀害的。当时陈弘志担任山南东道监军，李训为文宗谋划召他回来，走到青泥驿，九月二十一日癸亥，被密令用刑杖打死了他。

郑注要求担任凤翔节度使，门下侍郎、同平章事李固言不同意。九月二十五日丁卯，改任李固言为山南西道节度使，郑注为凤翔节度使。李训虽然是靠郑注的引荐才得进用的，等到两人的权势和地位都很高以后，李训内心很忌妒郑注。表面上是谋求朝廷内外协力以诛宦官，所以派郑注到凤翔去担任节度使；其实是等到宦官被诛灭以后，也好把郑注一起除掉。

郑注想引用出身名家才学又好的人为助手，就请礼部员外郎韦温为节度副使，韦温不同意。有人对韦温说："拒绝他一定会带来祸患。"韦温回答说："选择轻的灾祸比较好。拒绝他顶多是被贬去边远的地方，服从他就会有预想不到的灾祸。"最后还是辞掉了副使的官职。

九月二十六日戊辰，任命右神策中尉、行右卫上将军、知内侍省事王守澄为左、右神策观军容使，兼十二卫统军。李训、郑注为文宗定计谋，用虚名来表示尊重王守澄，其实是剥夺他的实权。

九月二十七日己巳，任命御史中丞兼刑部侍郎舒元舆为刑部侍郎，兵部郎中知制诰、充翰林侍讲学士李训为礼部侍郎，二人并同平章事。仍然命令李训三两天就去翰林院一次给文宗讲《易》。舒元舆担任御史中丞的时候，凡是李训、郑注所不喜欢的人，就帮助他们弹劾打击，由于这样就做了宰相。另外文宗鉴于李宗闵、李德裕多朋党，认为贾悚和舒元舆都是出身贫寒的新中进士，所以提拔他们为宰相，因为他们没有结成朋党。

李训从流放回来以后起家，一年时间就得到宰相的职位，文宗全心全意信任他。李训有时在中书省，有时在翰林院，国家的重大事情都由他最后决定。王涯他们那一班人只是顺承他的意旨办事，还担心做得不好；从中尉、枢密使到禁卫军各将领，看到李训都害怕得不得了，忙着作揖磕头。

九月三十日壬申，任命刑部郎中兼御史知杂李孝本暂时代理知御史中丞。李孝本是宗室的子孙，依靠李训、郑注才得到进用的。

李听自仗是有功的旧臣，对郑注不以礼相待。郑注接替李听为凤翔节度使，预先派遣牙将丹骏到军队中去慰劳将士，诬奏李听在镇贪财暴虐。冬季，十月初三日乙亥，改任李听为太子太保，分司东都，又再命杜悰为忠武节度使。

郑注常常自认为有经世济民的才干，文宗询问他使民众富庶的办法，郑注无话可答，于是就请求增收茶税。随即以王涯兼任榷茶使，王涯知道不能这么办但又不敢违抗，百姓都为增加茶税而感到痛苦。

郑注想获得和尚尼姑的称赞，坚决请求停止淘汰和尚尼姑的做法，文宗同意了。

李训、郑注秘密向文宗说，请求除掉王守澄。十月初九日辛巳，派遣中使李好古去王守澄家，赐给他一杯毒酒，把他毒死了。追赠王守澄扬州大都督的官衔。李训、郑注原来都是通过王守澄才得到进用的，最后反而用计谋杀了他，民众都以王守澄引进奸佞之人最终受报应而高兴，但又痛恨李训、郑注的阴险狡猾，至此，元和年间以来的叛逆宦官已所剩无几了。

（以上为第八段，写郑注、李训用卑劣手段助唐文宗诛杀元和逆党宦官陈弘志、王守澄及其党羽。）

十月十三日乙酉，郑注赴凤翔上任。

十月二十八日庚子，任命东都留守、司徒兼侍中裴度兼中书令，其余的官职不动。李训所奖励提拔的人，大多是狂妄险恶的士子，然而也不时选取几个在全国名声很大的人以满足人们的心意，例如裴度、令狐楚、郑覃都是几朝的耆老俊彦，长久为当权的宰相所压抑，李训都把他们引荐到很高的官位上。这样，士大夫中间也有希望他真正能使国家达到太平的，不只是天子受到他的迷惑。然而有见识的人看到李训骄横已甚，知道其不久将要败亡。

十一月初五日丙午，任命大理卿郭行余为邠宁节度使。十一月十二日癸丑，任命河东节度使、同平章事李载义兼侍中。十一月十六日丁巳，任命户部侍郎、判度支王璠为河东节度使。十七日戊午，任命京兆尹李石为户部侍郎、判度支；以京兆少尹罗立言暂代府尹之职。李石是李神符的第五代孙。十一月十八日己未，任命太仆卿韩约为左金吾卫大将军。

当初，郑注和李训商量，郑注到凤翔镇后，选择壮士数百人，都拿白木棒，身藏斧子，作为亲兵。在当月二十七日王守澄下葬于浐水的时候，由郑注奏明文宗请求参加护卫丧事，因而带着亲兵一道去。并奏请命令内臣中尉以下的宦官都一起到浐水送葬，届时郑注乘机关上大门，命令亲兵用斧子砍杀宦官，一个也不要放过。约定以后，李训和他的党羽商议："如果这样把事办成功了，那么郑注就会独占头功，不如让郭行余、王璠用赴镇的名义大量招募壮士为部下，加上金吾卫和御史台的官吏士卒，先于预定的日期把宦官杀掉，随后把郑注也一起除掉。"郭行余、王璠、罗立言、韩约和中丞李孝本，都是李训一向所厚待的人，所以把他们安置在重要职位上，只与他们及舒元舆等谋划杀宦官事，其他人都不知道这回事。

十一月二十一日壬戌，文宗到紫宸殿。百官按朝班排定以后，韩约不按平时规矩先报平安，而是上奏说："左金吾政事厅堂后面的石榴树上晚上降有甘露，臣已隔着宫门奏报完毕。”于是，手舞足蹈一再拜贺，宰相也带领百官向文宗道贺。李训、舒元舆劝说文宗亲自去看一看，以表示承受上天的赐予，文宗答应了。百官退朝，又在含元殿排列恭候。过了一个时辰，文宗坐着软轿从紫宸门出来，登上含元殿。首先命宰相和两省的官员到左仗去看甘露的情况，隔了好一会才回来。李训上奏说：“臣和大家检验了，大概不是真正的甘露，不要马上对外宣布，以免天下之人都来道贺。”文宗说：“怎么会这样！”回头示意叫左、右中尉仇士良、鱼志弘带领那些宦官前去察看。宦官走了以后，李训立即召唤郭行余和王璠说：“快来领受皇上的命令！”王璠两腿发抖不敢向前，只有郭行余拜倒在殿下。当时二人有部下数百人，都拿着武器站立在丹凤门外面，李训已经派人召唤他们，命令进宫来接受皇上的命令。只有河东镇兵进来了，邠宁镇兵竟然没有来。

仇士良等到左仗察看甘露，韩约脸色也变了，还流着汗，仇士良感到奇怪，问他说：“将军为什么这个样子？”一会儿幕布被风吹开，看到拿武器的人很多，又听到兵器的碰撞声音。仇士良等惊骇着往外跑，守门的人想关上门，仇士良责骂他们，门闩没有闩上。仇士良等人跑到文宗面前报告事变。李训看到了，急忙呼叫金吾卫士兵说：“到殿上来保护皇上的人，每人赏钱一百串！”宦官们说：“事势危急了，请陛下回宫去！”随即抬上软轿，迎接文宗坐上轿，把殿后的丝网撕剪开，很快向北跑去。李训攀着软轿大声说：“臣奏事还没有完，陛下不能回宫去！”金吾卫的士兵已到了殿上；罗立言带领京兆尹的巡逻士卒三百多人从东边到来，李孝本带领御史台随从人员二百多人从西边到来，都跑到殿上大肆砍杀，宦官身上满是血，大呼冤枉，死伤了十多人。文宗的轿子一路向北进入宣政门，李训攀着轿子叫得更厉害，文宗责骂了他，宦官郗志荣用拳头打击他的胸部，李训仰面倒在地上。文宗进到宫中，大门随即关上了，宦官们都高呼万岁，百官在惊骇中分散出宫。李训知道事变没有成功，脱了随从吏员的绿色衣衫穿上，骑着马跑出来，在路上扬言说：“我有什么罪而要被贬谪流放！”没有人怀疑他。王涯、贾餗、舒元舆回到中书省，互相说：“皇上将要在延英殿开会，召集我们商议这件事。”两省的官员到宰相那里询问是怎么一回事，都说：“不知道是什么事，各位各自去行动吧！”仇士良等人知道文宗参与了杀宦官的阴谋，埋怨、愤慨，说出不客气的话，文宗感到既惭愧又恐惧，就不再说话。

仇士良等命令左、右神策副使刘泰伦、魏仲卿等各自带领禁兵五百人，亮出刀锋出阁门讨伐叛贼。王涯等人将要会餐，有吏员报告：“有士兵从皇宫内出来，遇到人就杀死！”王涯等人狼狈地徒步向外跑，两省和金吾卫吏卒一千多人堵在宫门外争着外逃；大门不久就被关闭，六百多没有逃出的人，都被杀死。仇士良等分兵关闭宫门，搜索各个司，捕捉贼党。诸司吏卒和平民做买卖的小贩在禁中的都被杀了，死去的又有一千余人，横尸流血，满地都是，各司印章和图书典籍、窗帘帷帐、器具用品等都毁坏殆尽。派遣骑兵一千多人出京城追捕逃跑的人，又派兵在城内大肆搜索。舒元舆换了衣服一个人骑马出安化门，被禁兵追上捉住了。王涯步行到永昌里茶馆中，禁兵抓住他送到左神策军中。王涯当时已经七十多岁了，被戴上刑械，拷打得受不住了，就自诬招供认罪，说是与李训阴谋进行大逆不道的事，尊主郑注为皇帝。王璠回到长兴里私宅，关上门，派手下的士兵自我防卫。神策军的将领来到门口，喊道："王涯等谋反，想起用尚书为宰相，鱼护军让我们来传达他的意思！"王璠听了很高兴，开门出来。将领再三向他表示祝贺，王璠才知道被骗了，流着泪跟随军将走；到神策军营中，看到王涯说："二十兄自己谋反，为什么把我也牵连进去？"王涯说："五弟过去为京兆尹时，不把消息泄露给王守澄，怎么会有今日的遭遇呢！"王璠低着头不说话了。又在太平里收捕了罗立言，和王涯等人的亲属、奴婢，都关押在两军内。户部员外郎李元皋，是李训的远房弟弟，李训实在对他没有什么恩义，也被抓来杀死了。过去担任过岭南节度使的胡证，家里非常富有，禁兵贪图他的家财，借口搜捕贾悚进到他的家里，抓住他的儿子胡溵杀了。又进入左散骑常侍罗让、詹事浑鐬、翰林学士黎埴等人家里，把他们的财物抢掠一空。浑鐬是浑瑊的儿子。街坊市上一些凶恶的少年借着混乱之机报私仇，杀人，抢掠百货，互相攻劫，尘埃蔽天。

（以上为第九段，写唐文宗谋诛宦官的甘露之变失败，宦官仇士良、鱼弘志大杀朝官，功臣半空。）

十一月二十二日癸亥，百官入宫朝见天子，太阳已经出来了，才打开建福门，只准许带一个随从人员，禁兵亮出刀锋站在道两旁。到宣政门，还未开门。当时没有宰相御史带领朝班，百官也没有按朝班序列行事。文宗坐在紫宸殿上，问："宰相为什么不来？"仇士良说："王涯等人因谋反被关在监狱里。"接着就把王涯亲手写的罪状呈上，召左仆射令狐楚、右仆射郑覃等人上殿展示给文宗看。文宗悲愤得不得了，向令狐楚等人说："是不是王涯亲手写的？"回答说："是的。"文宗又说："果真如此，罪恶大到诛杀也不能抵偿！"因而命令令狐楚和郑覃留在中书省过夜，参加决定国家机要大事。要令狐楚草拟制诏宣告中外。令狐楚叙述王涯、贾悚谋反的事情比较空洞浮泛，仇士良等人不高兴，因此没有让他当宰相。

当时街坊市上抢掠的人还未停止，命令左、右神策将杨镇、靳遂良等各自带领五百人分别屯驻在通衢大道，用击鼓来警告那些坏人，杀了十几个人，然后才安定下来。

贾悚换了衣服暗藏在民间过了一晚，知道没有地方逃，于是穿着素色衣服乘着驴子到兴安门，说：“我是宰相贾悚，被奸人所诬害，可把我送到两军中去！”守门的人抓着他送到右神策军那里。李孝本改装穿绿色衣服，还佩戴着金带，用帽子遮着脸，一个人骑着马奔往凤翔，到达咸阳西面，被追赶的人抓住了。

十一月二十三日甲子，任命右仆射郑覃为同平章事。

李训一向和终南山的和尚宗密要好，就去投奔他。宗密想剃去李训的头发把他藏起来，他的徒弟不答应。李训走出终南山，将投奔凤翔，被盩厔镇遏使宋楚所擒获，戴上刑械送往京师。到达昆明池，李训担心到军中会受到更残酷的凌辱，于是对押送的人说：“捉到我的人可得到富贵！听说禁兵到处都在搜捕我，一定会把我从你们手中夺走，不如拿我的头去送给他们！”押送的人听从了，斩了他的头送来京师。

十一月二十四日乙丑，任命户部侍郎、判度支李石同平章事，仍兼判度支。前河东节度使李载义恢复原来的职务。

左神策军出兵三百人，用李训的头为引导，王涯、王璠、罗立言、郭行余等人随后，右神策军出兵三百人，拥着贾悚、舒元舆、李孝本到太庙和太社献礼，又在东西两市上游行，命令百官都到场观看，在独柳树下将他们腰斩，并把头割下来挂在兴安门外。他们的亲属不论亲疏都被杀死，连小孩也不留下，妻女没有被杀的就没收为官府的奴婢。老百姓观看的人怨恨王涯加重茶税，有的咒骂他，有的用瓦片石头投击他。

臣司马光评论说：评论的人都说王涯、贾悚有文学名声，原先不知李训、郑注的阴谋，意外遭受灭族的大祸。臣认为不是这样。国家有颠覆的危险而不知扶持，你这个相又有何用！王涯、贾悚安于高位，领取重禄；李训、郑注这种小人，奸险极了，尽力窃取了将相的职位。王涯、贾悚和他们比肩事主，不认为是羞耻；国家发生了危险，不为之担忧。苟且偷安，过了一天又一天，自认为是保身的好办法，别人比不上我。假若每个人都这样做而不带来灾祸，那么谁不愿意作奸臣呢！一旦发生意料不到的灾祸，鼎足断了，大臣被杀了，这是上天对他的惩罚，仇士良哪里能族灭他呢！

（以上为第十段，写宦官仇士良怨愤唐文宗而滥杀宰相王涯、贾悚等朝官，司马光评论认为王涯、贾悚尸位素步，与郑注、李训等奸佞小人为伍，偷合苟容，罪有应得。）

王涯有个远房弟弟王沐，在江南居住，既年老又贫穷。听说王涯当了宰相，骑着驴子到那里去，想得到一个主簿或县尉的小官职。在长安停留了两年多才见到王涯一面，王涯待他非常冷淡。过了很久，王沐通过王涯亲近的家奴把请求告诉了王涯，王涯答应给他一个小官职，从这以后，王沐早晚都到王涯的家里去等候消息；当王涯的家里被查抄时，王沐正好在他家里，和王涯一同被腰斩。

舒元舆有个族人叫舒守谦，谨慎而又聪敏，舒元舆很喜欢他，跟随舒元舆有十年之久。有一天，舒守谦忽然得罪舒元舆，每天都遭到舒元舆的责骂，连奴婢们都看不起他。舒守谦很不自在，要求回到江南去，舒元舆也不挽留，舒守谦带着悲伤感叹的心情离开了舒元舆家。晚上，到达昭应，听说舒元舆被逮捕并族灭，只有舒守谦免受牵连。

当天，任命令狐楚为盐铁转运使，左散骑长侍张仲方暂时代理京兆尹。在当时那几天时间里，杀人和任命官吏的事，都由神策军两中尉决定，文宗不知道这些事。

原先，王守澄讨厌宦官田全操、刘行深、周元稹、薛士幹、似先义逸、刘英誗等，李训、郑注因而就把他们分派到盐州、灵武、泾原、夏州、振武、凤翔等地去巡视边防，又命令翰林学士顾师邕起草诏书发往六道，要他们杀死派去的宦官。遇上李训起事失败，六道虽得到杀宦官的诏书，都废弃而没有执行。十一月二十五日丙寅，认为顾师邕是伪造诏书，把他关押在御史监狱。

此前，郑注带领亲兵五百人，从凤翔出发，到达扶风。扶风县令韩辽知道郑注的阴谋，不提供给养，郑注带着官印和吏卒奔往武功。郑注得知李训已经失败，又回到凤翔。仇士良等叫人带着密令，交给凤翔监军张仲清，命令他捕捉郑注，张仲清惶恐不安，不知怎么办。押牙李叔和告诉张仲清说："我为你用好友的名义把郑注请来，把他的随从士兵支使开，在座位上杀了他，大事马上就能办成！"张仲清听从了，埋伏了甲士以等待郑注到来。郑注依靠着他的卫士，就到张仲清那里去。李叔和逐渐把郑注的随从士兵引到外面去喝酒，只有几个人跟随郑注进到里面。在喝茶的时候，李叔和抽刀把郑注杀了，接着把大门关上，把郑注的亲兵都杀了。于是把朝廷的密令拿出来，向将士们宣布，随后把郑注全家都杀了，并杀了副使钱可复、节度判官卢简能、观察判官萧杰、掌书记卢弘茂等郑注的党羽，被杀的有一千多人。钱可复是钱徽的儿子；卢简能是卢纶的儿子；萧杰是萧俛的弟弟。朝廷不知道郑注已经死了，十一月二十六日丁卯，诏令削去郑注的官爵，命令相邻各道按兵不动，等待变化。任命左神策大将军陈君弈为凤翔节度使。十一月二十七日戊辰晚上，张仲清派遣李叔和等把郑注的头献给朝廷，悬挂在兴安门城楼上，这时人情稍安，京师各处的军队各自回营。

下诏对讨贼有功劳和队伍整齐的将士，都按功劳大小赐给官爵和赏赐。右神策军在崇义坊捉到了韩约，十一月二十八日己巳，把他杀了。仇士良等人各都按功劳进品级升官位。从这时起国家大事都由北司决定，宰相只是在文书上签名罢了。宦官权势越来越大，迫胁天子，看不起宰相，对待朝廷士大夫如草芥一般任意欺压和凌辱。每每在延英殿讨论国事，仇士良等人动不动就拿李训、郑注来折辱宰相。郑覃、李石说："李训、郑注诚然是祸乱的头头，但是不知道李训、郑注开始是由什么人引进的？"宦官稍微被抑制，士大夫才有了依靠。

（以上为第十一段，写郑注、李训以谋杀宦官受宠，以被宦官所杀而终，两人共谋大敌而同床异梦，其败也固宜。）

当时中书省只剩下空墙破屋，什么物品都欠缺。江西、湖南奉献衣粮一百二十份，让宰相招募随从人员。十一月三十日辛未，李石上奏说："宰相要是忠正而不邪恶，神灵一定会保护他，即使遇到盗贼，也不能伤害他。倘若内心怀着奸邪欺诈，虽然设置很多兵卫，鬼怪也能够杀死他。臣愿竭尽一颗红心以报效国家，只按过去的惯例，用金吾卫的士卒为引导和随从就足够了；那两道所奉献的衣粮，请求停止送来。"朝廷同意了。

十二月初一日壬申，顾师邕被流放儋州，走到商山，被赐死。

榷茶使令狐楚上奏请求停止征收茶税，文宗答应了。

度支上奏没收郑注家产情况，获得绢一百多万匹，其他财物也大致如此。

十二月初九日庚辰，文宗问宰相："坊市安定没有？"李石回答说："逐渐安定下来了。然而近日寒冷得特别厉害，大概是杀人太多所造成的。"郑覃说："罪人的至亲前时已经都处死了，其余的人恐怕不必过问了。"当时宦官深深地仇恨李训等人，凡是与他们有一点点瓜葛的亲戚，或是暂时得到奖拔的人，不断地被诛杀和贬谪，所以两位宰相提出来应加以制止。

李训、郑注被杀后，就召回六道巡边使。其中的田全操记恨李训、郑注的阴谋，在路上扬言说："我进入京城后，凡是穿儒生衣服的人，不分贵贱都要把他们杀掉！"十二月十二日癸未，田全操等人乘着驿站供给的车马从金光门飞奔而来，京城有谣言说有强盗进来了，官民惊慌喧闹，纷纷逃走，到处扬起了尘埃。两省各衙门的官员听到这件事，都跑散了，有的人衣带也不束，鞋袜也来不及穿就乘马逃走。

郑覃、李石在中书省，看到官吏和士卒都纷纷逃跑了。郑覃对李石说："我看情况很不寻常，应当暂且出去躲一躲吧！"李石说："宰相的地位威望很重要，人心都归向于他，不可轻举妄动！现在事变是真是假还弄不清楚，坚定坐镇在此，或许可以安定下来。倘若宰相也逃走，那么朝廷内外就大乱了。如果真的发生了祸乱，躲也躲不了！"郑覃认为是对的。李石坐着看文件，装作闲暇而又若无其事的样子。

敕使一个接一个传话呼喊："快关闭皇城各衙门的大门！"左金吾大将军陈君赏

带领部下站在望仙门下，向敕使说："贼寇到了，再关门也不晚，让我们慢慢观察形势的变化，不应当表示软弱！"到傍晚时分才安定下来。这一天，坊市作恶的少年都穿着红黑色的衣服，拿着弓箭和刀枪向北张望，如果看见皇城门关闭了，就想进行抢掠，要不是李石和陈君赏镇定下来，京城几乎要大乱了。当时两省的官员应当去值班的人，走的时候都与家里人辞行诀别，做了再也回不来的思想准备。

十二月十三日甲申，下令停止修建曲江池的亭台馆舍。

十二月十六日丁亥，诏令："叛逆人的亲属党羽，不是前已被杀和指名收捕的人，其余一切人都不再过问。各衙门官吏被胁迫跟从而犯了错误的，都赦免他们的罪过。不得对他们进行控告和恐吓。现在逃亡的人，不要再追捕他们，在三天之内让他们各自回到本衙门去。"

当时禁军暴虐专横，京兆尹张仲方不敢过问，宰相觉得他不称职，调他去担任华州刺史，任命司农卿薛元赏接替张仲方的职务。薛元赏由此到李石家去，听到李石正坐在厅堂上与一个人大声争论，薛元赏叫人察看一下，说是神策军将领诉说事情。薛元赏急忙进去，责备李石说："相公辅佐天子，统领四海。现在连一个军将也不能驾驭，使他这样没有礼貌，又怎么能够去镇服四夷！"随即快步出来骑上马，命令左右随从捉住军将，在下马桥等候，薛元赏到下马桥，军将已被脱了衣跪在那里了。军将的同党报告了仇士良，仇士良派宦官召薛元赏说："中尉有请大尹。"薛元赏回话说："正有公事在身，等一会就去。"于是就把军将打死了。薛元赏穿白色衣服去拜见仇士良，仇士良说："痴书生怎么敢用杖打死禁卫大将！"薛元赏说："中尉是大臣，宰相也是大臣，宰相的手下人倘若对中尉不讲礼节，怎么办？中尉手下人对宰相不讲礼节，难道可以原谅吗！中尉和国家是一体的，应当为国家尊重法制，元赏已经穿了囚服来了，是生是死听候中尉处置！"仇士良知道军将已经死了，没有挽救办法，于是叫人取来酒食和薛元赏欢饮后告别而去。

当初，武元衡被暗杀后，诏令将内库的弓箭和长刀拿给金吾卫使用，以保卫宰相，将宰相送到建福门才退回，到现在，都免除了。

（以上为第十二段，写宰相李石、京兆尹薛元赏以正气裁抑宦官，遏制滥杀，维护了京师秩序。）

唐文宗开成元年（丙辰，公元 836 年）

春季，正月初一日辛丑，文宗登上宣政殿，大赦天下，改年号为开成。仇士良请求用神策兵仗守卫殿门，谏议大夫冯定说不能那样，制止了。冯定是冯宿的弟弟。

二月十三日癸未，文宗和宰相谈话，为四方上奏的章表华而不实而担忧，李石回答说："古人为了记叙事情而写文章，今人为了文章写得好而妨害了叙事的真实性。”

昭义节度使刘从谏上奏表质问王涯等人的罪名，并且说：“王涯等是儒生，得到国家的荣誉和信任，都想保全身家性命，怎么肯去谋反！李训等人其实是想讨诛宦官中的两个中尉，自己为了安全而采取的计谋，以致互相残杀；诬告他们谋反，恐怕不是他们的罪过。假设宰相真正有异图，应当交给有关衙门，按法律判刑，哪里有内臣擅自带领军队，随意进行抢劫，连士大夫和百姓等也被连累，意外地被杀死杀伤的！宫门内外到处流血，尸体成千上万，搜捕有牵连的人，使得朝廷内外惊恐不安。臣想亲自到朝廷来，在皇上面前陈述好人和坏人，又担心也遭杀身灭族之祸，而对国家政事也无助益。我会把管辖的地方治理好，把兵卒训练好，对内为陛下心腹之臣，对外为陛下坚守边藩。如有奸臣难以制服，誓死做到清君侧！”二月二十六日丙申，加给刘从谏检校司徒官衔。

天德军奏报称吐谷浑三千帐士卒到丰州投降。

三月初三日壬寅，改任袁州长史李德裕为滁州刺史。

左仆射令狐楚从容上奏说：“王涯等人既然伏罪，他的家庭也被消灭了，遗骨被抛弃。请求官府把尸骨收集埋葬，以承顺阳和的时气。”文宗悲伤的神情持续了很久，命令京兆尹在城西收葬王涯等十一人，各赐衣服一套。仇士良暗地叫人把坟墓挖开，把尸骨抛到渭水中。

三月初八日丁未，皇城留守郭皎上奏说：“各衙门仪仗武器中有刀锋的，请送到军器库使那里去，遇上需要用仪仗时另外发给仪刀。”文宗答应了。

刘从谏又派牙将焦楚长送上奏表推辞加给他的官职，表中说：“臣所陈述的是关系到国家的大事。能采纳的话，那么王涯等人就应当得到洗雪罪名，不采纳的话，那么赏赐的恩典不应当随便加给！哪里有死者的冤案没有得到申雪而活着的人却得到增加禄位的事！”随着揭露了仇士良等人的罪恶。三月二十二日辛酉，文宗召见了焦楚长，好言相慰后打发他回去了。当时仇士良等人十分放纵横暴，朝臣每天都担心家破人亡。等到刘从谏的奏表到了以后，仇士良等才有所畏惧。由于这样，郑覃、李石大体能够掌握朝政，天子依靠他们也勉强维持自立。

夏季，四月初十日己卯，改任潮州司户李宗闵为衡州司马。凡是李训指斥为李德裕、李宗闵同党的人，逐渐从贬地回来。

淄王李协去世。

四月二十五日甲午，任命山南西道节度使李固言为门下侍郎、同平章事；以左仆射令狐楚接替李固言为山南西道节度使。

四月二十九日戊戌，文宗和宰相从容讨论诗的好坏，郑覃说：“诗的工巧，没有比《诗经》三百篇更好的了，都是国人写出来用以讽刺或赞美时政的，国君把它收集起来以观察风俗民情，没有听说国君自己也去写诗。后代词人写的诗，华而不实，对国家无所补益。陈后主、隋炀帝都会写诗，不免亡国，陛下又能取法什么呢！”郑覃对经学研究很深，文宗很敬重他。

五月十一日己酉，文宗登临紫宸殿，宰相因奏事完毕拜谢而退，外面借此造谣说：“天子想要宰相掌握禁兵，宰相已拜谢皇上的恩遇了。”因此，朝廷内官与朝官互相猜疑和阻隔，人情惶恐不安，有的官民数天晚上不敢脱衣服睡觉。五月二十七日乙丑，李石上奏请求召集仇士良等人当面解释彼此的疑虑。文宗把仇士良等人召唤出来，文宗和李石等共同解释，使得大家都没有猜疑了，这件事才了结。

（以上为第十三段，写昭义节度使刘从谏上表请王涯罪名，暴扬仇士良的罪行，声言清君侧，宦官气焰稍稍收敛。）

闰五月十七日乙酉，任命太子太保、分司李听为河中节度使。文宗曾经感叹地说：“交付兵权给他不会被猜疑，放置在闲散的职位上不会埋怨，只有李听可以做到这个样子。”

闰五月二十七日乙未，李固言推荐崔球为起居舍人，郑覃再三反对。文宗说：“公事不要互相违背！”郑覃说：“倘若宰相的意见都一样，那么在职事中一定有欺骗陛下的了！”

李孝本的两个女儿籍没后发配到右神策军，文宗把他们收入宫中。秋季，七月，右拾遗魏謩上疏，认为：“陛下不近声色，多次把宫女放出来配给没有妻子的人，我私下听说近几个月以来，教坊使选取了成百名女子，庄宅使收买的还在进行之中；又把李孝本的女儿召入宫中，同宗同姓也不回避，使得外面议论纷纷，臣私下为此事而叹息。从前汉光武帝只一次回头看画了列女的屏风，宋弘还严肃地进谏，汉光武帝马上撤去了屏风。陛下难道不想想宋弘的话，想做一个比不上汉光武帝的人吗！”文宗随即放出了李孝本的女儿，提拔魏謩为补阙官，并说：“朕选取的女子，只是为了赏赐给各王子而已。由于可怜李孝本的女儿幼小孤单，所以把他们收养在宫中。魏謩在怀疑中能把意见提出来，是对我的爱护，不会愧对他的祖先了！”命令中书省官写制书褒奖魏謩。魏謩是魏徵的第五代孙。

鄜坊节度使萧洪假称是太后的弟弟，骗局被揭露；八月初七日日甲辰，被流放鄜州，在路上被赐死。赵缜、吕璋等人都被流放到岭南。

起初，李训知道萧洪的诈骗，萧洪感到恐惧，于是聘请李训的哥哥李仲京为幕府属员。原先，从神策军出去担任节度使的人，军中都资助他办好行李物品，到达方镇以后，用三倍的钱来偿付行装费用。有个从左神策军去鄜坊任节度使的人没有偿还行装费就死去了，军中就向萧洪索取行装钱，萧洪仗着李训的权势，不给钱；

神策军又向死者的儿子索取钱款，萧洪教死者的儿子拦着宰相告状，李训判决不必给钱。这样，仇士良恨死了萧洪。

太后有异母弟在闽中，懦弱而无能，没有把自己的情况向朝廷报告。有个闽人叫萧本的，从他那里了解到内外亲族的姓名，通过仇士良报告给文宗，并且揭发了萧洪的欺诈，萧洪就这样犯了罪。文宗认为萧本是太后的真弟弟，八月十一日戊申，提拔他为右赞善大夫。

九月十一日丁丑，李石向文宗讲到宋申锡的忠贞正直，被奸谗人所诬陷，流放并死在边远之地，冤案没有得到昭雪，文宗低头沉默好一会，接着流泪说："这件事朕很早就知道办错了，奸人逼迫着我，为了社稷大事，我兄弟漳王也差一点得不到保全，何况宋申锡，仅仅保住了不被杀头而已。当时不只是内臣为奸，朝廷中也有人帮助他们干了坏事。这些都怪我不能明察，过去的事要是遇上汉昭帝，一定不会有这种冤枉发生了！"郑覃、李固言也都说宋申锡冤枉，文宗面有愧色。九月十四日庚辰，下诏完全恢复宋申锡的官爵，任命他的儿子宋慎微为成固县尉。

李石任用金部员外郎韩益管理度支的文案，韩益因贪赃三千多串钱而被关进牢狱，李石说："臣原先只知韩益通晓钱谷之事，所以任用他，不知道他贪污到这个样子！"文宗说："宰相只需知人就任用，有过错就惩罚，这样人才就容易得到。你对自己所任用的人不掩盖过错，可以说是很公正的。从前宰相任用人喜欢回护掩盖他的过错，不想让别人弹劾他，这是一个很大的弊病！"冬季，十一月十二日［丁丑］，贬韩益为梧州司户。

文宗从甘露之变以后，心中总是不愉快，两军踢球的场次也十分减去六七分，虽然宴会音乐伎艺交相充满殿庭，也未能使他高兴；他闲暇时或徘徊眺望，或自言自语唉声叹气。十一月十七日壬午，文宗在延英殿对宰相们说："朕每次与你们讨论国家大事，总是免不了要忧愁。"宰相回答说："治理天下是不能急于求成的。"文宗说："朕每次读书时，都感到做一个平凡的君主是可耻的事。"李石说："现在朝廷内外的臣子，其中有些小人还有很多猜疑，希望陛下用宽容的态度对待他们。有公正清廉守法如刘弘逸、薛季稜那样的人，陛下也应当表扬奖赏以勉励他们。"十一月十九日甲申，文宗又对宰相们说："我与你们讨论天下大事，有些在目前形势下不能实行的，退朝后只有用酒消愁而已！"宰相回答说："这些都是臣子们的罪过。"

有关部门认为左藏库存在的弊病很久了，请求进行检验查勘，并且说管理官员的罪过在大赦以前的，请免了他们的罪，文宗答应了。经清查果然有将好缯帛假说是渍污了而乘机贪污的，敕令赦免他们的罪，给事中狄兼謩把敕书封好退还说："管理的官员犯贪赃罪，按理是不能赦免的！"文宗对他说："有关部门请求检查之前，朕已经答应在大赦前的事不治罪。与其失信，宁愿漏网罪人。你能尽忠职守，朕很喜欢你这种行为！”

十二月十五日庚戌，任命华州刺史卢钧为岭南节度使。李石对文宗说：“卢钧被任命为岭南节度使，朝中官员都互相道贺。他们认为岭南是个富饶的地方，近年来都是向北司送大量贿赂才能得到这个肥缺；现在北司不阻挠朝廷行使任人的权力，陛下也应当对他们有所褒奖，以便使朝廷内外的官吏都遵守法纪，这就是治理好国家的根本大事。”文宗依从了。卢钧到任后，由于政绩清廉宽惠而著名。

十二月二十四日己未，溆王李纵去世。

（以上为第十四段，写甘露之变后唐文宗纳谏思治，对受制于宦官与奸佞有所醒悟而又无可奈何。）

唐文宗开成二年（丁巳，公元 837 年）

春季，二月二十五日己未，文宗对宰相说：“推荐人不要问亲疏。我听窦易直为宰相时，从未任用过亲戚故旧。要是亲戚故旧果真有才干，为了避免嫌疑而不任用，这也不是很公平的。”

均王李纬去世。

三月，有彗星在张宿旁出现，有八丈多长。三月初九日壬申，下诏令撤去音乐，减少供应的膳食，把一天的膳食分作十天享用。

夏季，四月十一日甲辰，文宗在便殿看到中书舍人、翰林学士兼侍书柳公权，文宗举起衣衫的袖子展示给柳公权看，并说：“这件衣已经洗了三次了。”众人都赞美文宗节俭的美德，只有柳公权没有说话，文宗问他为什么不说话，柳公权回答说：“陛下贵为天子，富有四海，应当选拔贤能的人，斥退不贤能的人，采纳进谏的正确言论，对功过赏罚分明，这样才能把国家治理好。穿洗过的衣服，这是细枝末节的事，不值得称道。”文宗说：“朕知道中书舍人不应当再为谏议大夫，但你有敢于进谏的诤臣风采，必须委屈你去担任。”四月十二日乙巳，任命柳公权为谏议大夫，其余官职不变。

五月初五日戊戌，任命翰林学士、工部侍郎陈夷行同平章事。

六月，河阳军发生叛乱，节度使李泳逃往怀州；军士烧了节度使衙门，杀死李泳的两个儿子，大掠数日才停止。李泳是长安坊市中人，在禁军中登记了名籍，用贿赂得到节度使的职位，走到哪里都是依靠结交朋友、贪污残暴，干些犯法的事，他的部下不能忍受他所干的一切，所以发动叛乱。六月十五日丁未，贬李泳为澧州长史。六月十六日戊申，任命左金吾将军李执方为河阳节度使。

秋季，七月初二日癸亥，振武节度使奏报党项有三百多个军帐大肆进行抢劫之后逃走了。

给事中韦温为太子侍读官，早晨到东宫去，到中午才见到太子，韦温进谏说："作为太子应当鸡鸣时就起床，去向皇上请安，察看皇上的饮食情况，不应当只从事游宴享乐！"太子不听他的话，韦温就提出辞去侍读的职务；七月初十日辛未，被免去了侍读，只任本官给事中。

振武军所属突厥一百五十个军帐发生叛乱，抢掠营田；七月十七日戊寅，节度使刘沔把他们打败了。

八月十九日庚戌，提升昭仪王氏为德妃，昭容杨氏为贤妃。立敬宗的儿子李休复为梁王，李执中为襄王，李言杨为杞王，李成美为成王。八月二十二日癸丑，立皇子李宗俭为蒋王。

河阳镇军士已经把李泳赶走了，天天暗中鼓动，企图作乱。九月，李执方打听并捕捉到带头谋乱的七十多人，把他们都杀了，其余的党徒分别送到其他的镇安置，然后才安定下来。

冬季，十月，国子监雕刻的《石经》完成。

福建上奏说晋江百姓萧弘自称是萧太后的同族人，下诏要御史台调查清楚。

十月十八日戊申，改任门下侍郎、同平章事李固言同平章事，充西川节度使。

十月二十四日甲寅，御史台上奏说萧弘是假骗的，诏令传送萧弘回乡里去，不办他的罪，希望以后能找到太后的真正亲人。

（以上为第十五段，写唐文宗节俭，河阳军乱，太子李永贪睡不成器，为太子暴毙张本。）

【点评】

本卷点评牛李党争与甘露之变两件大事。

牛李党争。唐中央官僚主要由两种人组成，一是门荫出身，二是进士及第出身。门荫靠祖上的功德，是士族和累世官宦之后。门荫官僚用人主要倾向于没落的门阀士族。进士出身，是科举入仕，多出身庶族。科举同榜进士称同年，进士对主考官称座主，主考官称被录取的进士为门生。同科进士与主考官，以及推荐的公卿，很容易结成亲密关系，互相援引，形成一个小圈子，共同排斥圈外的人，被称为朋党。门荫出身与进士出身两种官员之间明争暗斗，由来已久。宦官专权，宦官代表工商杂类人入仕，奸佞小人依附宦官入仕，挤占朝官位子，因此在唐代形成了很复杂的朋党斗争与南北司斗争。其中历时最长、斗争最为激烈的就是牛李党争。牛党领袖为牛僧孺、李宗闵，李党领袖为李德裕、郑覃。双方领军人物都历仕宪宗、穆宗、敬宗、文宗、武宗五朝，多次轮番入主相位，牛党得势，排斥李党，李党得势，排斥牛党。

牛党领军牛僧孺，系牛仙客之后，牛仙客出身胥吏，目不知书，玄宗朝贵为宰相，仍受人冷眼，故牛僧孺冒称隋吏部尚书牛弘之后。牛僧孺、李宗闵、杨嗣复三人都是德宗贞元二十一年进士，权德舆的门生，因此三人“情义相得，进退取舍，多与之同”（《旧唐书·杨嗣复传》）。牛党核心人物是李宗闵，牛僧孺居其次，因其最为寒庶，故举为牛党代表。李德裕系赵郡士族之后，祖李栖筠，御史大夫，父李吉甫，元和初宰相。李德裕年轻时，“耻与诸生从乡赋，不喜科试”（《旧唐书》本传），以门荫入仕。

牛李两党的分歧主要表现在两个方面。一是用人。牛党重词彩文章，主张科举入仕，代表庶族利益。李党主张门荫用公卿子弟，郑覃多次向文宗建议废科举，代表门阀士族利益。在用人上，李党是倒退的。二是对待藩镇，牛党主张姑息，李党主张平叛。武宗朝强力平叛，是李党最得势的时期。

牛李结怨始于唐宪宗元和三年（公元 808 年），宪宗诏举贤良方正科，牛僧孺、李宗闵同登榜首，两人在对策中讥评时政，宰相李吉甫恨之，泣诉于宪宗说主考不公，李宗闵、牛僧孺遭贬官，被冷落七年之久，直到李吉甫死后才被启用。杨嗣复之父杨於陵，第一主考，由户部侍郎贬为岭南节度。李德裕，李吉甫之子。两党结怨，互斗，直到武宗会昌六年（公元 846 年）结束，前后四十年，历经了六个回合。穆宗长庆元年，右补阙杨汝士与礼部侍郎钱徽掌贡举，李宗闵之婿苏巢、杨汝士之弟杨殷士被录取，翰林学士李德裕联合元稹、李绅上奏考官受请托，李宗闵、杨汝士、钱徽遭贬逐，这是第一回合。李德裕排斥李宗闵出朝。当时李宗闵任中书舍人。二李结怨。长庆三年（公元 823 年），李德裕与牛僧孺二人皆有入相之望，穆宗自择牛僧孺为相，李德裕认为是宰相李逢吉援引牛僧孺排斥自己，由是，牛李之怨加深。文宗太和三年（公元 829 年），李德裕、李宗闵同时入相，李宗闵依附宦官，二十天后就把李德裕排挤出朝。第二年，李宗闵引牛僧孺再入相，共同清洗李党，这是第二回合。文宗太和六年（公元 832 年），牛僧孺罢相，李德裕还京任兵部尚书，李宗闵与杨汝士从弟杨虞卿共同阻挡李德裕入相失败，太和七年（公元 833 年），李德裕入相，李宗闵被罢出朝，这是第三回合。太和八年（公元 834 年），唐文宗信用郑注，又引李宗闵入相，李德裕被罢出朝，这是第四回合。牛李两党在朝互相排挤，争斗不断升级，唐文宗时时长叹：“去河北贼易，去朝廷朋党难。”司马光评论说：“朋党之起，缘于君主昏庸，忠奸不分。”有一定道理。唐文宗不分忠奸，用李宗闵朋党斥逐李德裕朋党就是一个错误。李宗闵依附宦官，李德裕与宦官有距离，又有贤才，李党得势对朝廷有利。郑注、李训，这两个凶狡之徒，依附宦官入朝，最后唐文宗重用这两个人，既谋诛宦官，又统统排斥牛李两党，文宗想的是一箭双雕，既杀宦官，又逐朋党，如此昏聩，怎能不偾事。唐文宗把自己玩完，成了宦官的傀偪，抱憾离世。武宗即位，用兵藩镇，启用李德裕为相，李党得势，大力排斥牛党。从会昌元年（公元841年）到会昌四年（公元844年），牛党五位宰相李宗闵、牛僧孺、崔珙、杨嗣复、李珏不断遭贬逐，这是第五回合。会昌六年（公元846年），武宗死，宣宗立，李德裕立即遭贬逐，武宗所逐牛党五相，同日量移，这是第六回合。不久，两党领袖李德裕、牛僧孺、李宗闵均死于贬所。至此，牛李党争结束。前后历四十年。但朝廷的朋党之争并没有结束，而是日益加剧，直至唐亡。

牛李党争，从总体上看，是君子与君子之争，朝士庶族官僚与士族官僚之间争官位，尤其是争宰辅执政大臣之位。李宗闵依附宦官较深，牛党多奸邪之士，而牛僧孺本人还较为清正。李德裕不依附宦官，以才能赢得皇帝信任，但李德裕在文宗朝入相仍得力于枢密杨钦义。李德裕在方镇任上用秉正品德与权谋交好监军，也是他入相的资本。在宦官专权的唐代，任何贤士大夫完全脱离宦官的影响是不可能的。会昌年间，李德裕处理藩镇和边境事件都收到功效，南司威望提高，北司相对退缩。这时，唐朝声威有再展之势，由于武宗在位短暂，再展之势夭折，李德裕以悲剧告终，一贬再贬，死于崖州（今海南三亚）。

甘露之变。所谓甘露之变，是唐文宗第二次谋诛宦官引发的政治事件。文宗所用非人，郑注、李训两个凶狡人谋事，两人同床异梦，以失败告终。

郑注，绛州翼城人，以医术游长安权贵之门。本姓鱼，冒姓郑氏士族，故时人称之为鱼郑，隆贵时，人们目之为“水族”，水为阴，以郑注为阴险人。郑注依附宦官王守澄，谋害宋申锡，挫败唐文宗第一次诛宦官的就是这个郑注。李训，字子垂，初名仲言，陇西成纪（在今甘肃秦安县）士族。肃宗时宰相李揆之族孙，敬宗朝宰相李逢吉之侄。进士及第入仕，阴险善谋，曾因事被流放，回京后通过贿赂郑注投靠王守澄，得以东山再起。郑注精通医术，李训精通《易经》，王守澄将两人荐之于唐文宗，目的是安插两人在文宗身边为自己的耳目。两人都是野心家，认为投靠宦官，不如投靠皇帝。文宗拜郑注为太仆卿，兼御史大夫，时时入宫侍疾。李训被拜为四门助教，迁国子《周易》博士，充翰林侍讲学士。两人倒戈，反被唐文宗任用来反击宦官。两人为唐文宗策划太平盛世的方略，先除宦官，次复河湟，再次清河北，说得头头是道，唐文宗深信不疑，对两人宠遇日隆。两人先拿牛李的两党人物开刀，既扫清宦官在朝中的势力，又培植自己的朋党。郑注引李宗闵入相逐走李德裕、路隋，随后逐走李宗闵，连逐三相，威震天下。郑、李两人对不合心意的人都指目为牛党李党的人，尽行驱逐，而安插自己的同伙。同时引荐谋诛宦官的舒元舆、郭行余、王璠、罗立言、韩约、贾餗、裴度等人，博取声誉，赢得人心，所以当时“天下之人，有冀训以致太平者”的赞誉。（《旧唐书·李训传》）

接着两人又利用宦官内部争权的矛盾，把反对王守澄的韦元素、杨承和、王践言三人外出到方镇为监军，不久处死。追究宪宗之死，把当年毒杀宪宗的宦官陈宏志处死。再利用仇士良与王守澄争权的矛盾，郑李二人劝文宗升任王守澄为左右神策军观军容使，明升暗降解除王守澄神策军中尉的职务，剥夺了王守澄的军权，而任用仇士良为中尉抗衡王守澄。太和九年（公元835年）十月，免去王守澄观军容使之职，赐死王守澄，秘不发丧。郑注和李训的这一系列行动，表现出十分干练的政治才能，“自中尉、枢密、禁卫诸将都十分敬畏李训”。

郑注、李训谋诛全部宦官。其时李训为相，出郑注任凤翔节度使，原计划内外合谋诛宦官。郑注到凤翔选凤翔兵数百人，作为亲兵，等下葬王守澄时，唐文宗令全部宦官去会葬，郑注纵亲兵全诛宦官。李训靠郑注引荐得势，这时他的野心要独占大功，诛了宦官，再除郑注。李训不让郑注抢功，他上奏文宗，称左金吾大厅后石榴树上有甘露。十一月二十一日，唐文宗在紫宸殿接见百官，文宗令李训率众官去察看。李训回来说不像是真甘露，文宗故作惊讶，令左右中尉仇士良、鱼弘志率领众官再去察看。仇士良到了左金吾大厅，发现李训事先埋伏的甲士，立即逃回殿上，劫夺唐文宗入宫，派出神策军血洗朝官。宰相贾悚、王涯以及中书、门下两省和各部官吏被杀的有一千多人，朝廷为之一空。李训出逃被捕杀，郑注也在军中被杀。这一场反宦官的宫廷血案，史称“甘露之变”。

唐文宗有灭宦官之志，却无灭宦官的能力。他忠奸不分，是非不明，既恨宦官，又猜忌功臣宿将，放着裴度、李德裕不用，却任用出尔反尔反的凶狡人李训、郑注。唐文宗又意气用事，诛杀王守澄以后，如果外出仇士良去做监军，一个一个地诛杀元恶，不宠信宦官，此事也就了结了。文宗要全灭宦官，而宦官掌握军权，监军布满方镇，成了一个体系，代表一种政治势力，看不到宦官与神策的关系，全灭宦官是愚笨的行为。郑注、李训合谋，中途变卦，同床异梦，文宗急于求成，出尔反尔，赞同李训的阴谋，采用冒险行为，也是失败的原因。甘露之变以后，朝廷大权全归北司，唐文宗被宦官看管。文宗临终前，感叹自己受制于家奴，还不如周赧王、汉献帝两个亡国之君，算是他悲苦的自省。

唐纪六十二

唐文宗开成三年至唐武宗会昌二年（公元838—公元842）

【起著雍敦牂（戊午，公元838年），尽玄黓阉茂（壬戌，公元842年），凡五年】

【大事提要】

本卷记事起公元838年，讫公元842年，凡五年。当唐文宗开成三年至唐武宗会昌二年。五年间史事，前三年载唐文宗晚年执政，后二年载唐武宗即位初带来政治的新气象。唐文宗在甘露之变以后，受宦官监视，形同于被软禁，但文宗并不甘心做家奴的羔羊，他还想有一番作为，念念不忘诛除宦官，这是文宗强于穆宗、敬宗两代皇帝的地方。故文宗晚年思贤治国，任用李石、薛延赏为相，稳定了局面。此时文宗还能纳谏改过，罢祥瑞，放郭旼二女出宫。但文宗过分切齿朋党，刚愎而愚，往往忠奸不分，是非不明，为惩治朋党站在了奸人一边。宰相不睦，杨嗣复与李珏为一党，他们与宦官勾结，是真朋党，郑覃与陈夷行二人清正廉直，不似杨嗣复阿谀柔顺，结果唐文宗贬抑了郑覃、陈夷行，助长了奸人气焰，最终在宦官压抑下遗恨辞世。武宗即位，任用李德裕为相，信任专一，颇有成效。武宗能纳谏收回成命。仇士良敌视枢密刘弘逸、薛季稜，进谗言于武宗下令赐死二人，李德裕等宰臣强谏，武宗收回成命，并下诏诛杀大臣应由御史台按问。此时西域黠戛斯兴起，打败回鹘，唐边将欲趁机打击回鹘邀功，唐武宗支持李德裕安抚的主张，分化回鹘，打击乌介可汗，一战成功。武宗倚重外朝，削弱宦官权力，政治出现了新气象。

文宗元圣昭献孝皇帝下

唐文宗开成三年（戊午，公元838年）

春季，正月初五日甲子，李石去上朝，路上有强盗向他射箭，受了点小伤，左右侍从都逃跑了，李石的马受到惊吓，跑回家去。在里坊门口又遇到强盗拦击，把他的马尾巴割断了，李石幸免于一死。文宗听了大为惊骇，命令神策等六军派兵防卫，敕令中外有关部门紧急搜捕强盗，竟然没有抓到一个强盗。正月初六日乙丑，百官进宫上朝的只有九个人而已。京城经过数天才安定下来。

正月初八日丁卯，追赠已故的齐王李凑为怀懿太子。

二月二十日戊申，任命盐铁转运使、户部尚书杨嗣复，户部侍郎、判户部李珏共为同平章事，原职判户部和盐铁使不变。杨嗣复是杨於陵的儿子。

中书侍郎、同平章事李石，在甘露之乱以后，人情危惧、宦官恣横之时，不计较个人安危，一心为国家尽力，所以国纪朝纲才大体建立起来了。仇士良深深痛恨李石，暗地派强盗去刺杀他，没有成功。李石感到惧怕，多次上奏表说身体有病请求辞去职位；唐文宗深知李石辞职的原因，但也没有办法挽留他。正月十七日丙子，改任李石同平章事，实任荆南节度使。

成夷行性情直爽，讨厌杨嗣复的为人，每次讨论国家政事，多半互相争论排斥。二月初四日壬辰，成夷行借口脚有病要求辞去相位，文宗不答应。

文宗命令起居舍人魏謩献出祖先文贞公魏徵用过的笏。郑覃说："值得学习的是那个人而不是他用过的笏。"文宗说："只不过是想如甘棠的故事一样见物思人而已。"

杨嗣复想引进李宗闵，担心郑覃从中阻挠，于是先要宦官向皇上示意，文宗坐朝时，对宰相说："李宗闵在外多年，应当给他一个官职。"郑覃说："陛下倘若怜惜李宗闵流放太远，只可向北方移近数百里，不应当再重用；如果重用他，臣请求先让出位子来。"陈夷行说："李宗闵过去由于结成朋党干扰朝政而被流放，陛下为什么要可怜这种小人！"杨嗣复说："处理事情的可贵之处是要适中，不应当只凭爱憎办事。"文宗说："可给李宗闵一个州刺史。"郑覃说："给州刺史太优待他了，只可给他一个洪州司马。"因而和杨嗣复互相论辩争吵，攻击对方是朋党。文宗说："给李宗闵一个州刺史没有什么害处。"郑覃等走了以后，文宗对起居郎周敬复、舍人魏謩说："宰相这样争论喧闹可以吗？"他们回答说："实在不可以，然而郑覃等人由于尽忠而有所愤激，自己不知不觉就那样了。"二月初九日丁酉，任命衡州司马李宗闵为杭州刺史。李固言和杨嗣复、李珏很友好，所以推举他们为宰相，用以排斥郑覃和陈夷行，每每在讨论国家大政方针的时候，是非之争就非常激烈，文宗往往不能分清是非并加以裁决。

（以上为第一段，写唐文宗思贤治国，却又忠奸不明，是非不辨。）

三月，牂柯人侵扰涪州清溪镇，被镇兵打退了。

原先，在太和末年，杜悰为凤翔节度使，有诏令要淘汰一部分和尚尼姑。当时在岐山出现了五色云，那里靠近法门寺，民间传说这是由于和尚尼姑不安宁而导致的佛骨显现祥瑞。监军想向文宗报告，杜悰说："云雾改变颜色，有什么祥瑞可言！佛若是果然爱护和尚尼姑，应当在京师出现征兆。"隔了没多久，捕获了白兔，监军又想报告，并且说："这是西方出现的祥瑞。"杜悰说："野兽还没有驯养好，暂且畜养一些时候。"十天后兔子死了，监军不高兴，认为这是掩蔽了皇上的圣德，单独画成图像献给文宗。等到郑注接替杜悰为凤翔节度使，上奏说他那里出现紫色的云，又献上白色的雉鸡。这一年八月，在紫宸殿前樱桃树上又发现落有甘露，文宗亲自去采来尝了，百官都向他道贺。同年的十一月，就发生了在金吾仗的甘露之变。

等到杜悰担任工部尚书、判度支时，河中道又奏报说有驺虞在当地出现，百官都向皇上道贺。文宗对杜悰说："李训、郑注都是借口祥瑞来制造变乱，这才知道所谓祥瑞的事物不是对国家的吉庆。你以前在凤翔时，不报告发现白兔的事，真是有先见之明。"杜悰回答说："古代黄河出图，伏羲用它画成八卦；洛水出书，大禹用它制定九类大法，都是对人们有好处，所以值得称道。至于讲到禽兽草木的瑞征，什么时候又会没有！刘聪那么凶暴悖逆，黄龙还三次出现；石季龙那么残暴酷虐，还得到十六只苍麟、七只白鹿，用来驾帝王的车子。从这些例子看来，祥瑞哪里能反映出有德之君！玄宗曾为潞州别驾，等到即帝位，潞州奏上十九种瑞应，玄宗说：'朕在潞州，只知道辛勤从事本职之事，此等瑞物，都不知道。'希望陛下专心把百姓的富足安定作为国家富足的象征，其他都是不值得听取的。"文宗很欣赏他的话。有一天，文宗对宰相说："《春秋》中记载灾异之事是为了儆戒人君的，而不记载祥瑞之事，就是这个缘故吧！"

夏季，五月十九日乙亥，诏令说："各道出现瑞征，都不要向朝廷奏闻，也不要向有关衙门报告。有关腊日祭祀太庙和太清宫，元旦在朝会上奏祥瑞事，都停止进行。"

（以上为第二段，写唐文宗纳谏罢祥瑞。）

原先，灵武节度使王晏平自盗赃款七千多串，文宗由于考虑到他父亲王智兴建立过功勋，免了王晏平的死罪，长期流放康州。王晏平秘密向魏博、镇州、幽州三节度使请求，要他们向朝廷上奏表为自己昭雪。文宗不得已，于六月十六日壬寅，将他改任为永州司户。

八月十四日己亥，嘉王李运去世。

太子李永的母亲王德妃失宠，被杨贤妃谮毁而死。太子很喜欢游乐饮宴，和小人很亲近，杨贤妃日夜毁谤他。九月初七日壬戌，文宗在延英殿召开会议，要宰相和两省官员、御史、郎官等，陈述太子的罪行，讨论废掉他，并说："这种人合适为天子吗？"群臣都说："太子年纪还轻，要容许他改过自新。国家的根本非常重要，怎么可以轻易变动！"御史中丞狄兼謩的言论尤其恳切，以至于流下了眼泪。给事中韦温说："陛下只有一个儿子，没有好好对他进行教育，使他变成这个样子，这难道只是太子一人的过错吗！"九月初八日癸亥，翰林学士六人、神策军等六军军使十六人又上表谏阻这件事，文宗要废太子的心意才稍稍缓和了一些。当天晚上，太子才得以回到少阳院；如京使王少华等和宦官、宫人因受牵连而遭流放或处死的有数十人。

义武节度使张璠在该镇任职达十五年之久，是幽、镇二镇所畏惧的人。等到他生了病，请求回到朝廷中去，朝廷尚未安排好他的职务，病势已经很重了，告诫儿子张元益要把全家人都带回朝廷中去，不要学河北诸镇旧例父死子继。张璠死了以后，军队中想拥立张元益，观察留后李士季不同意，众人把他杀了，又杀大将十多人。九月十七日壬申，任命易州刺史李仲迁为义武节度使。义武马军都虞候何清朝独自从军中跑出来回到朝廷，九月十八日癸酉，任命他为仪州刺史。

朝廷觉得义昌节度使李彦佐在镇太久了，九月十九日甲戌，任命德州刺史刘约为节度副使，想让他接替李彦佐。

开成初年以来，神策军将吏提升官职，多半不报告文宗知道，直接申报文牒到中书省上奏备案就执行，升官改职的事大概一天也没有间断过。九月二十八日癸未，才诏令神策军将吏提升官职都要先报告皇上，将他的行状送到中书省，然后经过检查核定才付诸执行。

冬季，十月，易定监军奏报说军队中不接受李仲迁为节度使，请求任命张元益为留后。

太子李永还是不悔改，十月十六日庚子，突然死去，谥号庄恪。

十月二十一日乙巳，任命左金吾大将军郭旼为邠宁节度使。

宰相商议发兵征讨易定叛军之事。文宗说："易定地域狭窄，百姓贫穷，军费大半要靠朝廷度支供给。逼迫急了什么事都做得出来，放松一点他们内部就会发生变化。只要在它的四周严加防范以等待变化就可以了。"于是任命张元益为代州刺史。不久，军队中果然有不同的意见，于是上奏说李仲迁不适宜任此职，朝廷为此免去了李仲迁的节度使。十一月［初八日壬戌］，诏令等待张元益离开定州后，义武军将士中那些谋划拥立张元益的人，都赦免他们的罪而不追查。

改任义昌节度使李彦佐为天平节度使，以刘约为义昌节度使。

十一月十三日丁卯，张元益离开定州。

（以上为第三段，写唐文宗太子李永游宴不悛而暴薨。义武节度换帅不听朝命。）

十一月十六日庚午，文宗询问翰林学士柳公权外面有些什么议论，柳公权回答说："任命郭旼为邠宁节度使，外边的人都感到不理解。"文宗说："郭旼是尚父郭子仪的侄子，郭太后的叔父，任官期间又没有过错，从金吾大将军去任小镇的节度使，外边的人又有什么可指责的呢？"柳公权回答说："不是说郭旼不应当担任节度使。听说陛下最近把郭旼的两个女儿召进皇宫，有这回事吗？"文宗说："是的，进来是为了参拜太皇太后而已。"柳公权说："外边的人不了解，都说郭旼把女儿进献于后宫，所以就得了到方镇的官职。"文宗低着头沉思很久之后说："那该怎么办呢？"

柳公权回答说：“只有从太后南宫打发她们回家去，那么外边猜疑的议论自然就会平息！”当天，太皇太后派遣中使送二女回到郭旼家里。

文宗喜欢诗，曾经想设置诗学士。李珏说：“现在的诗人轻浮浅薄，对于治理好国家没有帮助。”于是作罢。

十一月二十日甲戌，任命蔡州刺史韩威为义武节度使。

河东节度使、司徒、中书令裴度因病要求回东都，十二月十七日辛丑，诏令裴度回朝廷参知政事，并派遣中使敦促他快些启程。

郑覃多次上表辞官位，十二月二十二日丙午，下诏：三五天到中书省去一次就可以了。

这一年，吐蕃彝泰赞普死，他的弟弟达磨继立。彝泰多病，把政事交付给大臣处理，吐蕃仅能自我防守，很久没有侵扰唐朝的边疆。达磨荒淫残虐，国人不归附于他，灾害变异不断，吐蕃更加衰弱了。

（以上为第四段，写唐文宗自省，闻过则改。）

唐文宗开成四年（己未，公元839年）

春季，闰正月十六日己亥，裴度回到京师，由于害病就回到家里，不能上朝拜见皇上。文宗派出的慰劳询问赏赐的使者，在路上往来不断。三月初四日丙戌，裴度去世，谥号文忠。文宗对裴度没有留下遗表感到奇怪，问他的家人，得到写了一半的遗表草稿，里面讲到的是担忧皇上还没有确定继承人，至于个人家庭的事一点也未提及。裴度的身材面貌不过中等人，但是威望却远达四夷，四夷见到了唐使，总要问裴度年纪多大了，受重用没有。如郭子仪一样，他的任用与否关系到国家的安危达二十多年之久。

夏季，四月十七日戊辰，文宗称赞判度支杜悰的才能，杨嗣复、李珏因而请求任命杜悰为户部尚书，陈夷行说：“恩旨应当由皇上发出，从古以来丢掉国家的人没有不是由于大权落在臣下手中的。”李珏说：“陛下曾经对臣说过，人主应当选择宰相，不应当怀疑宰相。”五月初七日丁亥，文宗与宰相讨论政事，陈夷行又说不应当让臣下威福自用，李珏说：“陈夷行的意思是怀疑在宰相中有人窃弄陛下的威权。臣多次请求退位，假若得到一个王傅的职位，臣的希望就达到了。”郑覃说：“陛下在开成元年、二年时政事办理得很好，到三年、四年时就逐渐不如以前了。”杨嗣复说：“元年、二年是郑覃、陈夷行主持政事，三年、四年是臣与李珏共同主持政事了，罪过都在臣的身上！”接着叩头说：“臣不敢再到中书省去了！”于是很快退了出去。文宗派人把他叫回来，安慰他说：“郑覃讲错了话，你为什么反应这样强烈呢！”郑覃站起来谢罪说：“臣愚昧笨拙，刚才的话也不是针对嗣复说的；他反应这么强烈，是他不能容忍下臣了。”杨嗣复说：“郑覃说政事一年不如一年，不仅仅臣应得罪，也会连累皇上圣德的。”退朝后，三次上奏表辞官位，文宗派中使召他出来，五月十三日癸巳，才上朝。五月十六日丙申，门下侍郎、同平章事郑覃被降职为右仆射，陈夷行被降职为吏部侍郎。郑覃个性清俭，陈夷行个性耿直，所以杨嗣复等人深深地忌恨他们。

文宗认为盐铁推官、检校礼部员外郎姚勖能把疑难案件审问清楚，任命他暂时为职方员外郎，右丞韦温不听从，上奏说：“郎官是朝廷中重要的职位，不应当用它来赏赐给能干的吏员。”文宗于是任命姚勖为检校礼部郎中，盐铁推官一职不变。六月二十七日丁丑，文宗就这件事问宰相杨嗣复，杨嗣复回答说：“韦温的意思是要把官员的流品分别得很清楚。要是有能力的官吏都得不到清高的品位，那么国家的政事谁来为陛下办理呢！恐怕会形成像晋朝一样的衰弱风气。”然而文宗向来看重韦温，终究没有推翻他坚持的意见。

（以上为第五段，写宰相不睦，唐文宗分不清贤愚，总是倒向奸诈的一方。）

秋季，七月初四日癸未，任命张元益为左骁卫将军，以他的母亲侯莫陈氏为赵国太夫人，赏赐绢二百匹。在易定军事叛乱中，侯莫陈氏劝说晓谕将士，并且告诫张元益要顺从朝廷的命令，所以奖赏她。

七月二十五日甲辰，任命太常卿崔郸为同中书门下平章事。崔郸是崔郾的弟弟。

八月初二日辛亥，鄜王李憬去世。

八月二十四日癸酉，昭义节度使刘从谏上奏说：“萧本假称是太后的弟弟，上下的人都说萧弘是真的，由于萧本是左神策引入的，所以萧弘被御史台压下去了。现在萧弘跑到臣这里，请求臣奏报皇上。我请求把萧弘追回朝廷，与萧本面对面质询，以分出真假来。”下诏由三司审问这个案子。

冬季，十月初七日乙卯，文宗向起居舍人魏謩索取起居注观看，魏謩不给，并说：“起居注善事恶事都要记载，是为了儆戒人君的，陛下只要努力做善事，不一定要看史官的记载！”文宗说：“朕过去曾经看过。”魏謩回答说：“这是过去史官的过错。倘若陛下自己要看史官的记载，那么史官一定会有所避讳，那凭什么让后人相信记载是正确的呢！”文宗就没有要求看了。

杨妃请求立皇弟安王李溶为继承人，文宗和宰相商量，李珏不赞成。十月十八日丙寅，立敬宗少子陈王李成美为皇太子。

十月十九日丁卯，文宗到会宁殿游乐，有一个童子表演爬木杆，有一个男子在下面来回跑动，像发疯一样地保护童子。文宗感到奇怪，左右说：“那是童子的父亲。”文宗流着眼泪说：“朕贵为天子，竟不能保全自己的太子！”召集教坊刘楚材等四人，宫人张十十等十人，责备他们说：“教唆构害太子的，都是你们这些人，现在又立了太子，还想像过去那样做吗？”把他们抓起来交给狱吏，十月二十一日己已，把他们都杀了。文宗因为这件事很伤感，旧病加剧了。

十一月，三司审查萧本、萧弘都不是太后的真弟弟。萧本被撤销官职，被流放到爱州，萧弘被流放到儋州。然而太后真正的弟弟仍在闽中，终究不能自己来到京城。

十二月二十七日乙亥，文宗的病稍好一点，坐在思政殿，召来值班的学士周墀，赐给酒食，接着问他说："朕可以和前朝的什么君主相比？"周墀回答说："陛下是尧、舜一类的君主。"文宗说："朕怎么敢和尧、舜相比！所以问你的原因，就是说比周赧王和汉献帝怎么样？"周墀吃惊地说："那是亡国的君主，哪里能够拿来和皇上相比！"文宗说："周赧王、汉献帝被强大的诸侯所控制，现在朕被家奴所控制，从这点看起来，朕大概还不如他们！"因而眼泪落个不停，沾满了衣襟，周墀拜伏在地上流泪不止。从这以后文宗不再上朝了。

这一年，全国户口是四百九十九万六千七百五十二户。

回鹘相安允合、特勒柴革谋作乱，彰信可汗把他们杀了。宰相掘罗勿带兵在外地，用三百匹马贿赂沙陀领袖朱邪赤心，借他的军队共同进攻彰信可汗。彰信可汗被打败了，自杀，回鹘人立㕎驳特勒为可汗。遇上这年发生瘟疫，又下大雪，羊和马死去很多，回鹘就衰落了。朱邪赤心是朱邪执宜的儿子。

（以上为第六段，写唐文宗在宦官压抑下带着遗恨辞世。）

唐文宗开成五年（庚申，公元 840 年）

春季，正月初二日己卯，诏令立颍王李瀍为皇太弟，一切军国大事暂时交给他办理。并且说太子李成美年纪还小，没有受到多少教育，仍封为陈王。当时文宗病危，命令知枢密刘弘逸、薛季稜带领杨嗣复、李珏到禁中，想要他们拥戴扶助太子管理国事。中尉仇士良、鱼弘志认为立太子的事，不是自己的功劳，就说太子年纪小，并且有病，商议另外选人。李珏说："太子的地位已定下来了，哪里能中途改变！"仇士良、鱼弘志于是假称是诏命立李瀍为皇太弟。当天，仇士良、鱼弘志带着军队到十六宅，迎接颍王到少阳院，百官在思贤殿拜见他。颍王沉着刚毅而有决断，喜怒不形于色。他与安王李溶向来为文宗所厚待，不同于其他诸王。

正月初四日辛巳，文宗在太和殿去世。任命杨嗣复代行冢宰之职。

正月初六日癸未，仇士良劝说皇太弟处死杨贤妃、安王李溶、陈王李成美。敕令十四日为死去的文宗殡殓，臣属按规定穿上丧服。谏议大夫裴夷直上奏说规定成服的日期太远了未被接受。当时仇士良等人追怨文宗，凡是乐工和内侍得到文宗宠信的人，一个接一个被诛杀或贬谪。裴夷直又上奏说："陛下从藩王继承国家大统之位，应当如在忧病之中一样，表现出哀伤和仰慕的样子，赶快举行丧礼，早日商议大政，用来安慰天下民心。然而不到几天，多次诛杀先帝近侍臣子，使得天下百姓都为之惊恐，对于先帝的神灵也是一种伤害。何以安慰民情民心！国家的体统是最重要的，倘若这些人没有罪过，本不可以刑杀；倘若真是有罪过，他们已经处在国家法网之中，是没有地方可以躲藏的，缓一段时间以后再处置他们也不晚！”皇太弟不听从他的意见。

正月十四日辛卯，文宗才入殓。皇太弟正式即皇帝位，是为武宗。正月十七日甲午，追封尊崇武宗的母亲韦妃为皇太后。

二月初八日乙卯，大赦天下。

二月十九日丙寅，给韦太后的谥号叫宣懿。

夏季，五月初四日己卯，门下侍郎、同平章事杨嗣复降职为吏部尚书，任命刑部尚书崔珙同平章事兼盐铁转运使。

秋季，八月十九日壬戌，将元圣昭献孝皇帝葬于章陵，庙号文宗。

（以上为第七段，写宦官仇士良易置皇储，唐文宗崩，武宗立，杀文宗所立皇储及亲近者。）

八月二十七日庚午，门下侍郎、同平章事李珏担任山陵使，因装载灵柩的龙輴下陷而坐罪，被降职为太常卿。贬谪京兆尹敬昕为郴州司马。

义武军发生叛乱，把节度使陈君赏赶跑了。陈君赏招募勇士数百人，又回到军城，把叛乱的人杀掉了。

开始时，武宗的继位不是宰相的主意，所以宰相杨嗣复、李珏先后被罢免，召淮南节度使李德裕回到朝廷；九月初一日甲戌，李德裕抵达京师，九月初四日丁丑，任命李德裕为门下侍郎、同平章事。

九月初七日庚辰，李德裕入朝谢恩，对武宗说：“治理好国家的最重要一点，在于能分清楚群臣中的好人和坏人。大凡好人与坏人，事势中是不能互相容纳的，好人指坏人为坏人，坏人也指好人为坏人，人主区分清楚是很难的。臣认为好人像松柏一样，独自挺立而不倚靠他物；坏人像藤萝一样，不依附其他物体就不能自己树立起来。所以好人一心侍奉君主，而坏人争着结成朋党。先帝深知朋党的害处，然而所任用的终归都是朋党奸邪之人，实在是由于在心中没有定见，所以坏人就乘机钻进来了。至于宰相不能说人人都是忠良无瑕的，有的做了欺骗朝廷的事，使君主心中产生怀疑，于是向旁边的小臣打听情况以考察宰相的好坏。例如在德宗末年，皇上所信任的只有裴延龄那样一批人，宰相只有在敕令上署名罢了，这就是政事一天比一天败坏的原因。陛下要是真正能够谨慎地选择贤才以为宰相，奸诈欺罔的人随时加以罢免，经常使政事都经过中书省讨论后发出，推心置腹地信任人，做到坚定不移，那么国家就用不着担心治理不好了！”又说：“先帝对于大臣喜欢照顾他们的面子，有小过错都包涵着而不指出来，日积月累，以致酿成大祸而身败名裂。这种做法是很错误的，希望陛下引以为戒！臣等有罪，陛下应当当面质问他。事情若是不真实，就要分辩清楚；要是真正有那么回事，自然会无辞以对。小的过错就让他悔改，大的罪过就给他以谴责或诛戮，这样，君臣之间就没有猜疑和嫌隙了。”武宗嘉奖并采纳了李德裕的意见。

当初，李德裕在淮南时，有敕命征召监军杨钦义，人们都说一定是让他回朝去任枢密使。李德裕对待他没有什么特别礼遇，于是杨钦义怀恨李德裕。有一天，李德裕单独邀请杨钦义，在中堂摆上酒席，情义和礼节都极深厚而隆重，陈列出来好几盘珍玩，酒宴结束后，全部赠送给了杨钦义，杨钦义大喜过望。走到汴州时，敕命他再回到淮南去，杨钦义把全部礼品都退还给李德裕。李德裕说：“这些东西值几个钱！”没有接受杨钦义的退还。后来杨钦义终究还是当上了枢密使；李德裕掌权和被重用，杨钦义是出了很大力气的。

（以上为第八段，写李德裕论奸邪之分及识别之法，以及权谋。）

过去，在伊吾的西边，焉耆的北边，有一个黠戛斯部落，就是古代叫坚昆的地方，唐初叫结骨，后改名叫黠戛斯，乾元年间被回鹘打败，从此以后被隔绝而没有和唐朝来往。他的君长名阿热，在青山地方建立衙门，那个地方距离回鹘的衙门很远，骑骆驼要走四十天才能到。黠戛斯人强悍勇敢，吐蕃、回鹘常常送些礼物给他们，并给他们官号。回鹘衰落以后，阿热开始自称为可汗。回鹘派遣相国带兵攻打他，战争前后打了二十多年，回鹘多次被黠戛斯所打败，黠戛斯诟骂回鹘说：“你们的国运要完蛋了，我们一定要夺取你们的金帐。”金帐，就是指回鹘可汗所居的帐幕。

等到掘罗勿杀彰信可汗，立廅馺特勒为可汗，回鹘别将句录莫贺带领黠戛斯的十万骑兵进攻回鹘，大破回鹘兵，杀掉廅馺和掘罗勿，把回鹘的牙门帐幕等都烧光了，回鹘各部四散逃走。它的国相馺职、特勒厖等十五部向西奔往葛逻禄，一支跑向吐蕃，一支跑向安西。可汗的兄弟嗢没斯等和他们的国相赤心、仆固、特勒那颉啜各自带领自己的兵众抵达天德军的关塞下，依靠与杂居在此地的各族部落贸易而生活。并且请求归附唐朝。冬季，十月十四日丙辰，天德军使温德彝上奏：“回鹘溃败下来的士兵侵扰边境，已逼近西受降城，连绵六十里，还看不到尽头。边境百姓由于回鹘的大量到来，恐惧不安。”诏令振武节度使刘沔驻守云迦关以防备回鹘的侵扰。

魏博节度使何进滔去世，军队中推举他的儿子都知兵马使何重顺知留后。

萧太后徙居兴庆宫的积庆殿，号称积庆太后。

十一月初一日癸酉，武宗到云阳去狩猎。

依照旧例，新天子即位，两省官同签名。武宗即位的时候，谏议大夫裴夷直漏了签名，由于这个原因被贬为杭州刺史。

开府仪同三司、左卫上将军兼内谒者监仇士良请求以开府官衔的名义封荫他的儿子为千牛备身，给事中李中敏批语说："开府的官阶确实应当封荫儿子，但是作为谒者监的宦官哪里会有儿子呢？"仇士良既羞惭又愤恨。李德裕也由于李中敏是杨嗣复的同党，很讨厌他，于是调李中敏出去担任婺州刺史。

十二月十八日庚申，任命何重顺主持魏博留后职事。

立皇子李峻为杞王。

（以上为第九段，写北方黠戛斯兴起，回鹘衰败。）

武宗至道昭肃孝皇帝上

唐武宗会昌元年（辛酉，公元 841 年）

春季，正月初九日辛巳，武宗到圜丘举行祭天仪式，大赦天下，改年号为会昌。

刘沔奏报说回鹘已退，诏令他回到驻地。

二月，回鹘靠近牙帐的十三个部落立乌希特勒为乌介可汗，在其南面的错子山设置保卫的力量。

三月初三日甲戌，任命御史大夫陈夷行为门下侍郎、同平章事。

原先，知枢密刘弘逸、薛季稜为文宗所宠信，仇士良很怨恨他们。武宗的继位，不是他们二人和宰相的主意，所以杨嗣复被贬出为湖南观察使，李珏被贬出为桂管观察使。仇士良多次在武宗面前谮害刘弘逸等人，劝说武宗把他们杀掉，三月二十四日乙未，处死了刘弘逸、薛季稜，又派遣中使到潭州、桂州去诛杀杨嗣复和李珏。户部尚书杜悰骑马跑去见李德裕说："天子年少，新即位，对于这件事不应当随便处置！"三月二十五日丙申，李德裕和崔珙、崔郸、陈夷行三次上奏本，又邀请枢密使到中书省，要他上奏武宗。奏疏中说："德宗怀疑刘晏要更动太子、把他杀了，朝廷内外都认为是冤枉，两河地区那些不驯服的臣子由于这件事感到恐惧，就用它来作借口对抗中央；德宗后悔，便录用刘晏子孙来作为补偿。文宗怀疑宋申锡和藩王暗地交往，把他流放到外地以至死亡，不久也感到后悔，为这件事的失误而流泪。杨嗣复、李珏等人如有罪恶，请求贬谪；一定不能宽容的话，也应当先进行审问，等到罪状很清楚明白了，再杀也不迟。现在不和臣等商量，匆忙中派人去杀了他们，人们没有不感到震惊恐惧的。希望在延英殿召集臣等商讨此事！"到傍晚时，在延英殿，召李德裕等人去议事。

李德裕等人流着眼泪急切地说："陛下应当特别慎重地对待这件事，不要以后再来后悔！"武宗说："朕不后悔。"三次命令他们坐下，李德裕等说："臣等希望陛下赦免二人的死罪，不要将人处死了以后众人又认为是冤枉的。现在未得到圣旨赦免，臣等不敢坐。"隔了好一会，武宗才说："为了照顾你们的面子，就赦免他们的死罪。”李德裕等人听了以后，非常高兴，跳下台阶手舞足蹈。武宗召唤他们入座，感叹地说：“朕刚刚继承帝位的时候，宰相们何尝把我放在眼里！李珏、薛季稜的意愿是要立陈王；杨嗣复、刘弘逸的意愿是要立安王。立陈王还可以说是文宗本来的意愿，立安王就是为了一心阿附杨妃。杨嗣复还在给杨妃的信中说：‘您为什么不仿效武则天临朝称制呢！’假若安王的志愿实现，朕哪里还有今天！”李德裕等人说：“这件事暧昧不清，是真是假还难以了解。”武宗说：“杨妃曾生病，文宗让她的弟弟玄思入宫侍候一个多月，这样杨嗣复和杨妃联系上了。朕详细询问过内侍诸人，情状明明白白，不是虚假的事。”于是把派出的两位中使追回来，改贬杨嗣复为潮州刺史，李珏为昭州刺史，裴夷直为驩州司户。

夏季，六月初六日乙巳，下诏说：“从今以后臣下判定人的罪恶，都应当交付御史台审问，不得请求留在禁中，以防止坏人从中作祟。”

（以上为第十段，写唐武宗能纳谏更改诏命，下诏诛杀大臣应由御史台按问。）

任命魏博镇留后何重顺为节度使。

武宗命令道士赵归真等人在三殿进行九天道教的法事，武宗亲自接受法箓。右拾遗王哲上疏恳切谏止，因而被贬为河南府士曹参军。

秋季，八月，加给仇士良观军容使官衔。

天德军使田牟、监军韦仲平想通过攻打回鹘以取得功名，上奏说：“回鹘叛将嗢没斯等人侵扰逼近塞下，吐谷浑、沙陀、党项等族都与他们世代是仇敌，请求让所部出兵赶走回鹘兵。”武宗要朝臣讨论这件事，议论的人都认为嗢没斯背叛可汗到边境来，不可以接受他们，应当如田牟等所请求的那样，击退他们较妥当。武宗就询问宰相的意见，李德裕认为：“困窘的鸟雀撞入怀中，还应当救活它，何况回鹘是屡次为国家立了大功的部族，现在被邻国所打败，部落离散，穷困没有归宿之处，从很远的地方跑来投靠天子，没有一点点侵犯边塞的举动，为什么要乘着他们困窘的时候进攻呢！应当派遣使者守护安抚他们，运粮食给他们，这就是汉宣帝征服匈奴呼韩邪单于的办法。”陈夷行说：“这叫作把武器借给敌寇，把粮食送给强盗，不如进攻他们为好。”李德裕又说：“那吐谷浑等部各有自己的部落，看到有利可图时就会迅速凶猛地进攻，在不利的时候就会如惊鸟一样飞走，如鱼一样游散，各自逃回自己的巢穴，哪里会拼命为国家出力！现在天德城只有一千多名军队，倘若战争失败，城池一定会被攻占了。不如采用恩义的办法去安抚他们，一定不会有祸患。即使他们侵扰抢掠边境，也必须征集各道的大军去讨伐他们，怎么可以单独叫天德军去进攻他们呢！”

当时诏令派鸿胪卿张贾为巡边使，让他去察看回鹘的真实情况，还没有回来。武宗问李德裕道：“嗢没斯等人请求投降，可以保证信守诺言吗？”李德裕回答说：

“朝廷中的人，臣都不敢担保，何况对数千里外的戎狄的心思，又怎敢担保呢！然而称嗢没斯为叛将，恐怕不可以。倘若可汗还在国君的位子上，嗢没斯等带领兵众而来，那么对于礼节来说固然不可接受。现在听说回鹘国家败乱，已没有了君主，将和相都各自逃散了，有的投奔吐蕃，有的投奔葛逻禄，只有这一支从很远的地方来依附我们这个大国。看嗢没斯上的奏表中的言辞，是很恳切的，怎么可以称他为叛将呢！况且嗢没斯等人在去年九月就到了天德，今年二月才拥立乌介，他们自然没有君臣的名分。希望暂且诏令河东、振武两镇严密戒备保护边境，等他们来侵犯城镇时，然后用武力把他们驱逐出去。在吐谷浑等部落中稍稍有抢掠行为的，让他自己去互相报复，也不要派官军去帮助某一方。仍诏令田牟、韦仲平不得为获取战功而引起事端，要不丧失国家的信用，安抚得适宜，他们虽是戎狄之人，也一定知道对朝廷感恩戴德的。”八月二十四日辛酉，诏令田牟好好约束将士和其他少数民族，不准首先去侵犯回鹘人。九月初一日戊辰，诏令河东、振武两镇严密戒备回鹘的侵犯。田牟是田布的弟弟。

九月二十六日癸巳，卢龙军队中发生叛乱，节度使史元忠被杀害，军中推举牙将陈行泰主持留后事务。

李德裕请求派遣特使去抚慰回鹘，并且运粮三万斛赐给他们，武宗对这件事还有疑虑；闰九月初三日己亥，在延英殿开会，召集宰相商议这件事。陈夷行在等待进延英殿的地方，反复说给强盗以粮食不可行。李德裕说：“现在征调的军队尚未到达，天德军孤立在危险之中。倘若不能将这些粮食给饥饿的回鹘人吃，暂时使他们安静下来，万一天德城被攻占，谁来担当这个罪责！”陈夷行到武宗面前，就不敢说话了。武宗于是答应拿出二万斛谷来赈济回鹘。

（以上为第十一段，写李德裕安抚回鹘。）

任命前山南东道节度使、同平章事牛僧孺为太子太师。在这之前，汉水发大水，毁坏了襄州居民的一些房屋，所以李德裕认为是牛僧孺的罪过而将他改任闲散之官。

卢龙军又发生变乱，杀了陈行泰，立牙将张绛。

起初，陈行泰杀死史元忠，派遣监军的侍从用军中大将的名义上奏表要求节钺。李德裕说：“河朔地方事势，臣是很了解的。近年朝廷派使者赐诏令常常是太快了，所以军事形势很快就固定下来了。倘若摆在那里几个月不过问，一定会在内部发生变化。现在请把监军的侍从留下，不派遣使者，观察一段时间再说。”接着军队中果然又发生变乱，杀陈行泰，拥立张绛，又向朝廷请求节钺，朝廷也不理会。这时，雄武军使张仲武起兵讨伐张绛，并且派遣军吏吴仲舒到京师向朝廷上奏表，说是张绛很残暴，请求统领军队讨伐张绛。

冬季，十月，吴仲舒到达京师。诏令宰相去问清情况，吴仲舒说：“陈行泰、张绛都是外来户，所以人心不归附他们。张仲武是幽州的老将领，本性忠义，通晓书文，熟习武事，人心都归向于他。前时张绛杀了陈行泰，召唤张仲武，想把留后一职让给张仲武，牙门中有一二百人不同意；张仲武已经到了昌平，张绛又叫他退回去。现在张仲武估计才从雄武军驻地出发，卢龙军中已经把张绛驱逐出去了。”李德裕问：“雄武军有多少兵员？”吴仲舒回答说：“军士八百人，另外有土团五百人。”李德裕又问：“士兵少，怎样去建立功业？”回答说：“在于获得人心。假如人心不归附，哪怕有三万士兵又有什么用！”李德裕又道：“万一不能打败张绛，又怎么办？”吴仲舒回答说：“幽州的粮食都储放在妫州和北边七个镇上，万一不能进入幽州城，就占领居庸关，断绝他的粮道，幽州就没有办法了！”

李德裕上奏说：“陈行泰、张绛都用大将的名义上奏表，胁迫朝廷，强要节钺，所以不能给。现在张仲武先是奏请发兵为朝廷讨伐叛乱者，给他节钺在名义上似乎是说得过去的。”于是就任命张仲武代理卢龙留后。张仲武不久就攻下了幽州。

（以上为第十二段，写李德裕借水灾罢牛僧孺山南东道节度使，夺其兵权。李德裕善处置，讨平卢龙军乱。）

武宗到咸阳狩猎。

十一月，李德裕上奏说：“现在回鹘破败逃散，太和公主不知流落到了什么地方。要是不派遣使者去访问，那么戎狄之人一定会说国家把公主下嫁到虏庭去，本来就是不爱惜公主，这样既对不起公主，又伤害了外虏的情感。请派遣通事舍人苗缜带着诏书到嗢没斯那里去，叫他转达公主，同时也可测试一下嗢没斯是真归顺还是假归顺。”武宗答应了。

武宗很喜欢狩猎和武戏，五坊小儿因此常来往于禁中，得到很丰厚的赏赐。有一次武宗拜谒郭太后时，从容问及做天子的事，太后劝他要很好的纳谏。武宗回来后，把进谏的奏疏都拿来好好看了一遍，其中多半是谏止游猎之事的。从这以后武宗出去打猎的次数就很少了，五坊小儿也得不到意外的赏赐了。

十一月二十七日癸亥，改任中书侍郎、同平章事崔郸同平章事，充任西川节度使。

原先，黠戛斯既把回鹘打败了，俘虏了太和公主；黠戛斯人自称是汉朝李陵的后代，和唐朝皇帝是同姓，于是派遣达干十人奉送太和公主回唐朝来。回鹘乌介可汗带兵拦路袭击达干，把他们杀了，把公主作为人质，向南渡过碛口，屯驻在天德军边境上。公主派人呈上奏表，说是可汗已经继位，请求册封。乌介又派宰相颉干伽迦等上奏表，要求借振武城来让公主、可汗居住。十二月十四日庚辰，朝廷派右金吾大将军王会等人去慰问回鹘，还赈济他们二万斛米。又赏赐乌介可汗敕书，告谕他：“应当带领他们部下逐渐收复旧有的疆域，漂流寄居在边塞地方，不是好办法。”又说：“想借振武的一座城，前代没有这个先例。或者另外迁到好的地方去，要求大国援助，也必须在漠南找地方才行。朕会允许公主入朝拜见，亲自询问有关诸事。倘若需要迎接等事，一定不会吝惜的。”

（以上为第十三段，写李德裕羁縻回鹘。）

唐武宗会昌二年（壬戌，公元 842 年）

春季，正月，任命张仲武为卢龙节度使。

朝廷由于看到回鹘屯驻在天德、振武军的北边境界上，任命兵部郎中李拭为巡边使，去考察将帅的军事才能。李拭是李鄘的儿子。

二月，淮南节度使李绅被调回朝廷。二月十二日丁丑，任命李绅为中书侍郎、同平章事、判度支。

河东节度使苻澈修筑杷头烽旧戍用来防备回鹘侵扰。李德裕奏请增加兵员防守和修固东、中二受降城，用来壮大天德军形势，朝廷同意了。

右散骑常侍柳公权向来和李德裕交好，崔珙推荐柳公权为集贤学士、判院事。李德裕觉得提拔之恩不是出于自己，因而借故把柳公权降职为太子詹事。

回鹘再次上奏乞求粮米，以及追寻吐谷浑、党项所抢走的东西，又要求借振武城；诏令派内侍杨观赐可汗国书，告诉他振武城是不能借的，其余的要求答应安排处理。

三月［十三日戊申］，李拭巡边回来了，称赞说振武节度使刘沔有勇有谋，可以担当大事。当时，河东节度使苻澈病得很厉害，三月二十五日庚申，调刘沔接替苻澈的职务；另外任命金吾上将军李忠顺为振武节度使。派遣将作少监苗缜去册封乌介可汗，但叫他不急于前去，先在河东镇驻下来，等可汗的君位安定了，然后再去。后来可汗多次侵扰边境，苗缜最终没有成行。

回鹘嗢没斯觉得赤心这个人狡猾强悍难以控制，预先告诉田牟说，赤心阴谋侵犯边塞，于是诱杀了赤心和仆固，那颉啜收下赤心的部众七千帐向东边逃去。河东镇上奏说：“回鹘兵到达横水，杀掠兵民，现在退后屯驻在释迦泊的东边。”李德裕上奏说：“释迦泊西距可汗驻地有三百里路远，不知道这一部分军队是那颉啜所统领的，还是可汗派来的。应当暂时认为这支军队不受可汗指挥，擅自在边界抢掠。秘密诏令刘沔、张仲武先对这一支军队进行处置，假如可以驱逐他们出去，在名义上也说得过去。摧垮这一支军队，可汗一定会感到惧怕的。”

夏季，四月十六日庚辰，天德都防御使田牟上奏说：“回鹘不停地侵扰，我没有等待朝廷的旨意，已派出三千军士抗拒回鹘。”四月十八日壬午，李德裕上奏说：“田牟太不懂得用兵了！戎狄擅长野战，而攻城是它的短处。田牟只应坚守城池以等待其他各道援军的到来，现在全军出去打仗，万一被打败，城中空虚，拿什么来固守！希望马上派遣中使去阻止田牟那么做。如果已经打起来了，要即刻诏令云州、朔州、天德军等处的族和吐谷浑人出兵奋力进攻回鹘，凡是俘获的东西，都归自己所有。回鹘在外游击两年了，粮食很缺乏，人心容易动摇。应当诏令田牟招诱来投降的人，供给他们粮食，把他们送到太原去，不能够让他们留在天德地方。嗢没斯的投降是真是假虽然还不完全了解，然而要早一点给他们官爵和赏赐。即使他们不是诚心投降，也足以离间回鹘各部之间的关系。并且通过奖赏嗢没斯的忠义，作为日后讨伐的名义，使远近各少数民族了解这样做只是为了谴责可汗不服从朝廷，不是想要把回鹘族全部消灭。石雄善战无敌，请求任命他为天德军都团练副使，协助田牟用兵。”武宗全部采纳了李德裕的意见。

过去，在太和年间，河西党项侵扰边境，文宗从白州把石雄召回来，在振武军中担任裨将之职，多次立有战功，由于王智兴的原因，没有提拔石雄什么官职，到现在，李德裕才推举重用他。

四月二十日甲申，嗢没斯率领他们国家的特勤、宰相等两千二百余人前来投降。

武宗信任李德裕，观军容使仇士良却忌恨李德裕。适逢武宗将要接受尊号，到丹凤楼宣布大赦。有人告诉仇士良说，宰相和度支商量为皇上起草命令，要减少供给禁军的衣粮和马的草料，于是仇士良在人群中扬言说：“这么做的话，到那一天，军士一定会在楼前喧闹！”李德裕听到了，四月二十一日乙酉，请求在延英殿开会自我申诉。武宗大怒，即刻派遣中使告谕两军说：“赦书本来没有这回事。并且赦书的内容都是朕的主意，不是由宰相提出来的，你哪里能够说这种话！”仇士良于是惶恐地向武宗谢罪。四月二十三日丁亥，群臣奉上尊号称仁圣文武至神大孝皇帝，大赦天下。

五月十四日戊申，派遣鸿胪卿张贾去安抚嗢没斯等人，任命嗢没斯为左金吾大将军、怀化郡王；他部下的酋长和官吏等也有不同的赏赐；赏给他部下兵众米五千斛，绢三千匹。

那颉啜带领部下从振武、大同一带出发，向东沿着室韦、黑沙领辖的地区，向南往雄武军管辖的地区进军，窥伺幽州。卢龙节度使张仲武派遣弟弟张仲至带领三万人迎击，大败他们，杀死和俘虏的敌人，数也数不清，将投降的七千帐兵员，都分配到各道去。那颉啜逃跑后，被乌介可汗捉住杀掉了。

（以上为第十四段，写唐军破灭回鹘那颉啜部。）

当时，乌介可汗统帅的人众虽然减少，仍号称有十万人，牙帐驻扎在大同军北面的闾门山。杨观从回鹘回来，带着可汗的奏表，请求给予粮食、牛羊，并且要求执送嗢没斯等。武宗下诏回答说：“粮食允许他们用自己卖马的钱在振武军地方买三千石；牛是耕田的牲畜，中原是禁止屠杀的；羊在中原畜养不多，为北边杂虏出产的东西，国家没有向他们征调。嗢没斯从他的国家破败开始，最先投奔来塞下，不跟随可汗已有两年，考虑到可汗可能猜忌他，在穷迫之中归服于我。前任可汗正是因为猜忌暴虐而失去亲信，以致内部分崩离析，外部多有背叛。现今可汗丢了地方，远客他乡，尤其应该深刻纠正以前的错误。假若骨肉之间又自相残杀，那么可汗左右亲信的臣子谁又敢相信自己没有危险！朕一心从兼爱出发，已经接受了嗢没斯的归降。这对于可汗来说不会丧失恩慈，对于朝廷来说也不丧失信义，这难道不是两全其美的事，最好的一种前程吗！”

嗢没斯来到朝廷。六月二十一日甲申，把嗢没斯所统率的部队命名为归义军，任命嗢没斯为左金吾大将军，充军使。

门下侍郎、同平章事陈夷行降职为左仆射。秋季，七月，任命尚书右丞李让夷为中书侍郎、同平章事。岚州人田满川占领州城作乱，刘沔讨伐并杀了他。

嗢没斯请求把家安置在太原，和他的弟弟们竭力保卫边境；诏令刘沔安抚他的家庭。

乌介可汗又派遣他的宰相上奏表，请求借兵帮助他恢复国家，又提出借天德城，诏令不同意。

原先，乌介可汗往来于天德、振武之间，抢掠羌族和吐谷浑，又屯驻杷头烽北面。朝廷多次派遣使者告谕他，叫他回到漠南去，乌介可汗不按照诏令去办。李德裕认为：“那颉啜屯驻在山北，乌介担心他与奚和契丹连接在一起拦路遮击，所以不敢离开塞下太远。希望敕令张仲武告谕奚和契丹与回鹘共同消灭那颉啜，使得乌介能回到北边去。”等到那颉啜死了以后，可汗还是不离开塞下。议论的人又以为回鹘是在等待卖马的钱；武宗诏令把买马的钱全部给了他，还是不离开。八月，可汗带领部众越过杷头烽南，突入大同川，驱赶抢掠河东道境内杂虏的牛马数万只，辗转战斗到云州城门。刺史张献节关上城门防守，吐谷浑、党项都带着家小到山里去躲避回鹘。八月初九日庚午，诏命征发陈许、徐州、汝州、襄阳等道兵屯太原及振武、天德军，等到来年春天驱逐回鹘。

八月十六日丁丑，赐嗢没斯和他的弟弟阿历支、习勿啜、乌罗思都姓李氏，名思忠、思贞、思义、思礼。国相爱邪勿姓爱，名叫弘顺。仍然让弘顺担任归义军副使。

武宗打发回鹘石戒直回他本国去，赐可汗诏书，告谕说：“自从你的国家被黠戛斯攻破以后，来到我的边境地区，安抚接纳我没有不照办的。现在可汗还驻扎在边塞近处，没有提出回到本土去，有时侵掠云、朔等州，有时抢劫羌、浑诸部。远远地推测你的心意，好像留恋着姻亲友好的情意，但仔细观察你的行动，其实是心怀伺机侵掠的阴谋，朝廷内外的将相都请求进行诛讨翦伐，朕由于顾及感情尽量抑制自己，不忍看到你遭受灾祸。可汗应当赶快做出顺应时势的抉择，不要做出让自己后悔的蠢事！”

武宗又命李德裕代刘沔起草回复回鹘宰相颉干迦斯的信，认为：“回鹘从很远来投靠朝廷，应当仿效呼韩邪送儿子到朝廷来，亲自朝见天子。并令太和公主入朝拜见太皇太后，求哀乞怜，那么我们就不会感到救助抚恤不应该了。而你们却窥伺我边城，和过去一样凶暴乖戾，提出一些过分的要求，好像仍在你们的本土一样，又深入我边境地区，侵扰抢掠没有停止的时候，要求援助以维持友好关系，难道应当这么办吗！来信又说胡人容易骚动难于安定下去，假若引起愤怒之后，就不能控制了。回鹘被黠戛斯攻破以后，全国将相的遗骨被抛弃在草野之中，历代可汗的坟墓，相隔在很远的地方，回鹘愤怒的心情，不去向那里发泄，却不重视仁义之道，在我中华大地逞其威风，天地神祇难道会容许这样做吗！从前匈奴郅支单于不侍奉大汉，最终被消灭，往事的鉴戒，怎能不记在心中！”

八月二十七日戊子，李德裕等上奏说：“要是按照上次诏令，河东等三道严密派兵防守，等到来年春天再驱逐回鹘，趁他人困马乏的时候，另外官军也可免去寒冻的折磨，那么幽州兵应当命令他们驻屯在本道内以等待诏命。假若考虑到黄河上结了冰，回鹘又会驰骋侵扰，必须及早驱逐的话，就应当趁天气还未冷的时候，在数天内决定计策。调河朔兵来增强河东兵，争取在两个月之内就见功效。现在听到外边纷纷议论，各有各的说法，倘若不征求一下大家的意见，终究会被那些夸夸之谈破坏大事。希望令公卿大臣集体讨论一番！”诏令依从这么办。当时参加讨论的人多半认为应当到来春为妥。

九月，任命刘沔兼招抚回鹘使，如果需要作战，那么诸道行营的军队暂时由他来指挥。任命张仲武为东面招抚回鹘使，所领本道行营兵和奚、契丹、室韦等并由他指挥。任命李思忠为河西党项都将回鹘西南面招讨使。都在太原会合军事力量。命令刘沔屯驻雁门关。

（以上为第十五段，写李德裕运筹帷幄，谋划围歼回鹘乌介可汗。）

起初，奚和契丹属于回鹘，各部都有派驻回鹘的监使，每年督促他们交纳贡赋，并且刺探唐朝的情况。张仲武派遣牙将石公绪统领二部，把回鹘派来的监使八百多人都杀光了。张仲武攻破那颉啜的时候，俘获了室韦酋长的妻子。室韦用金帛羊马来赎取，张仲武不接受，说：“只要杀掉回鹘监使就让他回去！”

九月十二日癸卯，李德裕上奏：“河东奏事官孙俦刚刚来到，他说回鹘把军营向南移近了四十里。刘沔认为这必定是契丹不和回鹘同心，回鹘担心被契丹袭击的缘故。根据这种形势，正是驱逐回鹘的好时候。臣等询问孙俦，要是和幽州联合行动，把回鹘赶走，要再增加多少兵力？孙俦说不需要增加多少兵，只是大同兵力少了一点，能得到易定军一千人的帮助就足够了。”武宗都听从了他们的意见。于是诏令河东、幽州、振武、天德各派出大军，把军营向前移动一点，以逼近回鹘。

武宗听到太子少傅白居易的名声，想任命他为宰相，于是征求李德裕的意见。李德裕向来不喜欢白居易，就说白居易衰老多病，连上朝拜谒也无力承受。说他的堂弟左司员外郎白敏中，辞章学问不比白居易差，而且器度识见也很好。九月十三日甲辰，任命白敏中为翰林学士。

李思忠请求和契苾、沙陀、吐谷浑等带领六千骑兵合力进攻回鹘。九月十四日乙巳，命令银州刺史何清朝、蔚州刺史契苾通分别率领河东蕃兵到振武去，接受李思忠的指挥。契苾通是契苾何力的第五代孙。

冬季，十月初七日丁卯，立皇太子李岘为益王，李岐为兖王。

黠戛斯遣将军踏布合祖等至天德军，说："先前派遣都吕施合等奉送公主回大唐，至今没有一点消息，不知到达了没有，是不是被奸人阻隔了。现在出兵来寻找，即使是上天入地，也希望能找到公主。"又说："将迁到合罗川来，居住在回鹘原来的国土上。同时已获得安西、北庭鞑靼等五部落。"

十一月初一日辛卯，昭义节度使刘从谏上奏说，请求带领部下五千士卒去讨伐回鹘，诏令不允许。

武宗派遣使者赐太和公主冬衣，命李德裕起草赐公主的信，大略的内容是："先朝割爱下嫁，是为了国家的安宁，以为回鹘必定能抵御外侮，使边塞得到安宁。现在回鹘的所作所为，很是不讲道理，每次向南侵扰的时候，姑姑能不畏惧高祖、太宗的威灵吗！想侵扰边疆时，难道不想一想太皇太后的慈爱吗！作为回鹘的国母，是应当指挥他们的行动的；倘若回鹘不能听从你的命令，那就是断绝姻亲关系，从今以后，就不得借口姑姑的关系说话了！"

武宗到泾阳狩猎。十一月二十五日乙卯，谏议大夫高少逸、郑朗在阁中进谏说："陛下近来游猎稍微频繁，出城太远了，星夜才回来，政事都荒废了。"武宗脸色惭愧，向他们道谢。高少逸等退出来以后，武宗对宰相说："本来设置谏官，就是要他们议论国事的，朕想经常听到他们的言论。"宰相都向武宗道贺。十一月二十九日己未，任命高少逸为给事中，郑朗为左谏议大夫。

刘沔、张仲武坚持说盛寒不能出兵作战，请求等到年初，只有李忠顺请求和李思忠一同前进。十二月初七日丙寅，李德裕奏请派遣李思忠进驻保大栅，武宗同意了。

（以上为第十六段，写李德裕受命赐书回鹘太和公主，责以大义。）

十二月初八日丁卯，吐蕃派遣他的大臣论普热来报告达磨赞普的丧事，朝廷命令将作少监李璟为吊祭使。

刘沔奏报说移军于云州。

李忠顺奏报说进攻回鹘，打败了他。

十二月二十七日丙戌，立皇子李峄为德王，李嵯为昌王。

原先，吐蕃达磨赞普有佞幸大臣，被任命为宰相；达磨死后，没有儿子，这位佞幸宰相立达磨妃綝氏的哥哥尚延力的儿子乞离胡为赞普，时年三岁，佞相和达磨妃共同掌管国事，吐蕃国的老臣数十人，都不能参与政事。首相结都那见乞离胡不下拜，说："赞普宗族人员很多，而拥綝氏的儿子为国君，国人哪个愿意服从他的命令！鬼神哪个愿意接受他的祭祀！国家必定会灭亡了；近年以来发生很多灾异，就是这个原因。老夫我没有掌握权力，不能够纠正国家的动乱以报答先赞普的恩德，只有一死罢了！"于是拔出刀来划自己的脸，痛哭着出去了。佞相把他杀了，还把他的家族也灭了，国人很愤怒。又不派遣使者到唐朝来请求册命封立。

洛门川讨击使论恐热性情强悍残忍，脑子里计谋很多，于是召集他的徒属告诉他们说："奸贼抛弃国族而立綝氏为国君，专门残害忠良用来威胁广大的臣子，并且又没有大唐的诏册封命，怎么能称他为赞普呢！我要和你们一道大举义兵，到朝中去杀了綝妃和掌国事的人，以纠正国家的过失。天道是会帮助顺应天理的人的，我们一定会大功告成的。"于是说服三个部落与他一起行事，并得到一万兵马。这一年，他和青海节度使结成同盟一起发兵，自称国相。

到达渭州，遇上国相尚思罗屯驻在薄寒山，论恐热进攻他，尚思罗抛弃辎重向西逃向松州。论恐热就大量屠杀渭州群众。尚思罗征发苏毗、吐谷浑、羊同等部兵众，共有八万人，在洮水进行防卫，把大桥烧了以抵抗论恐热。论恐热赶到，隔着洮水向苏毗等部的人说："贼臣在国内作乱，上天派我来诛灭贼臣，你们这些人为什么要帮助叛逆者！我现在已经是宰相了，国内的军队都听从我的指挥，你们不服从的话，我就要消灭你们的部落！"苏毗等部犹豫不战，论恐热带领骁骑渡过洮水，苏毗等部落都投降了。尚思罗向西逃跑，论恐热追击捕获了尚思罗，把他杀了。论恐热把尚思罗的部下都兼并过来，共有十多万人。从渭州到松州，军队所经之处，百姓被残杀，尸体成堆。

（以上为第十七段，写吐蕃内乱。）

【点评】

本卷点评李石辞仕、太子李永之死、仇士良杀二王一妃四宰相、李德裕入相等史事，从细微侧面点评晚唐宦官专皇权的政治特点。

李石辞仕。李石，字中玉，陇西人，元和十三年进士及第。甘露之变时，李石任户部侍郎，判度支事。甘露之变，仇士良大杀朝官，朝廷半空。李石与郑覃于危难之际，受命为相收拾乱局。此时仇士良目空一切，把文宗都不放在眼里。每逢君臣在延英殿议事，仇士良趾高气扬地训斥朝官，动辄以李训、郑注事来讥讽宰臣。

李石、郑覃毫不示弱，反唇相讥说："李训、郑注确实是乱贼之首，但不知这两个奸人是依靠何人进用的。"仇士良理亏，气焰有所收敛。李训、郑注被诛灭后，六道巡边使奉召回朝，巡边使之一田全操在回京路上扬言，说："我回到京城，把穿儒服的人，无论贵贱，全都杀光。"田全操等入城之日，京城谣传强盗来了，百姓奔跑，中书、门下两省的官员也跑光了。郑覃、李石在中书省办公，部属卫士都跑光了。郑覃招呼李石快躲避。李石说："宰相位尊望重，人心所系，不可轻动。宰相一走，全城可真要大乱了。再说，祸乱真的来了，躲避也没有用。"李石、郑覃端坐办公，十分镇定。宫中传出文宗皇帝敕令，关闭宫门。左金吾大将军陈君赏也沉着地站在皇宫望仙门，对敕使说："强盗来了再关门也不晚，不能示弱。"午后晡时，全城安静下来。当天，城中坊市无赖之徒，手拿武器，只要宫城门关闭就动手抢劫。由于李石、陈君赏的镇定，使京城避免了一场大混乱。李石之勇，胜于两军。

李石在仇士良气焰熏灼时，能做到不同宦官同流合污，面临乱局如磐石坚稳安定民心，稳定了局势，是一位难得的宰相。仇士良对他恨之入骨，派刺客暗杀他，刺客的箭射偏了，刀砍断了马尾，李石侥幸死里逃生。李石被迫辞相，出朝为荆南节度使。李石在京师生命不保的情况下，回避仇士良，是明智之举。这只能说明当时宦官的专横，不能苛责李石胆怯。司马光说：李石"忘身殉国，故纪纲粗立"。王夫之评论说，武宗定祸乱，是李石、郑覃奠定的基础，称赞李石是"静正诚笃之大臣"(《读通鉴论》卷二十八)，无疑是中肯的。

太子李永之死。唐文宗有两个儿子，太子李永和蒋王李宗俭。李永，王德妃所生，文宗太和四年（公元 830 年）被立为鲁王，太和六年（公元 832 年）被立为太子。这时杨贤妃得宠，排斥太子，说太子坏话，文宗一度引见大臣要废太子。大臣固争，保住了太子。没多久，太子突然死了，连文宗也不清楚是怎么回事。时在开成三年（公元 838 年）。有一天，文宗在会宁殿观看杂技表演，看到一个小演员表演爬木杆，一个男子围着木杆团团转，像发疯一样。文宗感到奇怪，左右的人解释说，木杆下转圈的那个人，是在保护表演的小演员，他是小演员的父亲。文宗大受感动，悲楚地说："朕贵为天子，却不能保护儿子。"文宗把说太子坏话的十几个宫人全召集起来训话说："你们陷害太子，朕的另一个太子，你们还敢陷害吗！"文宗杀了这些宫人。仇士良仇视文宗，更担心太子即位后算自己的账，必欲置之死地而安心。文宗太子李永之死，一方面是文宗的昏庸糊涂，不能辨是非，一方面是宦官完全掌控了皇权，暗杀施加到了皇太子头上，皇帝破不了案。由此可见宦官的横行暴虐与唐王朝政治的腐败昏暗。唐文宗晚年能纳谏改过，与杜悰问对罢祥瑞，听柳公权之说让郭旼二女出宫回家。此时文宗思贤治国，后悔没有汉昭帝之明，让宋申锡蒙冤。文宗是一个有进取心的皇帝，可惜觉悟为时太晚，他已经成了家奴宦官的囚犯，被软禁在皇宫动弹不得。太子死后一年多，文宗也郁郁而终。

仇士良杀二王一妃四宰相。仇士良，字匡美，循州兴宁（今广东新宁）人。永贞元年（公元805年）入宫，历仕顺宗、宪宗、穆宗、敬宗、文宗、武宗六代皇帝，死于会昌三年（公元843年），前后四十年。历官平卢、凤翔监军、内外五坊使、左神策军中尉、左街功德使、右骁卫大将军、骠骑大将军、楚国公、观军容使兼统左右神策军，知内侍省，死赠扬州大都督。仇士良是唐代最凶恶的大宦官，他挟帝杀王废相，恶贯满盈，却得善终。史称仇士良"杀二王一妃四宰相，贪酷二十余年，亦有术自将，恩礼不衰"。

仇士良借甘露之变，肆意杀戮朝官，杀宰相四人：王涯、贾竦、舒元舆、李孝本。大臣有罪，一般是皇帝赐死，四宰相并没有参与甘露之变，仇士良却在闹市腰斩他们，悬首兴安门示众，前史所未有。仇士良把唐文宗视为囚虏，出言不逊，文宗被囚于深宫，不得自由。一天深夜，仇士良派小宦官宣召值班的翰林学士崔慎由进宫，逼使崔慎由草诏废掉文宗。崔慎由誓死不从，仇士良不能勉强。仇士良打开后门，带崔慎由进入一座小殿，文宗正坐在里面，惊恐万状。仇士良恶狠狠地数落文宗的"过失"，对文宗说："今天要不是崔学士，你就不能坐在这儿了。"文宗垂着脑袋，不敢说一句话。仇士良送出崔慎由，告诉说："你要泄露出去，小心你全家的性命。"崔慎由回到家，还惊魂不定，立刻把刚才发生的事记录下来，藏于箱底，临终才告诉儿子崔胤。所以崔胤最恨宦官，最后将宦官一网打尽，这是后话，不题。

开成五年（公元840年）正月初二，文宗病重，命枢密使刘弘逸、薛季稜引宰相杨嗣复、李珏至皇宫，商议欲奉太子李成美监国。李成美是敬宗的少子，文宗之侄。文宗太子李永死后，杨贵妃请立文宗之弟安王李溶，宰相李珏反对，才改立陈王李成美。仇士良认为太子之立不是自己的功劳，得知文宗要太子监国，以太子李成美年幼为借口，改封陈王，另立太子。仇士良不听宰相李珏的意见，擅自假传圣旨，立穆宗子颖王李瀍为皇太弟，带领神策军从十六宅迎请李瀍到少阳院与百官见面，监管军国事务。正月初四文宗去世，正月初六仇士良处死杨贤妃、安王李溶、陈王李成美。仇士良还大杀亲近文宗的内侍和供奉文宗的乐工，用以泄愤。仇士良还以枢密使和宰相反对立武宗为由，劝武宗诛杀。由于李德裕的力谏泣请，宰相杨嗣复、李珏免死，两枢密使刘弘逸、薛季稜仍被处死。

武宗即位，改名李炎。仇士良自以为立武宗有功，还想继续为所欲为。这一次仇士良的算盘打错了。武宗聪明睿智，他想振兴唐室，在位期间注意抑制藩镇、削弱宦官，立即启用西川节度使李德裕入朝为相。仇士良感到恐惧，但他并不死心，想找一个机会给这一对君臣出难题，进行火力侦察。仇士良得知李德裕草诏削减禁军衣粮及马刍粟的事，于是趁武宗在丹凤楼接受尊号的机会，企图煽动禁军闹事，他对禁军说："宰相要削减你们的钱粮，赶快到丹凤楼前向皇上请愿。"李德裕把消息报告了武宗。武宗立即派中使宣谕神策军："削减钱粮是谣言，不要听信。如果是诏书下达，也是皇上的旨意，与宰相不相干。”禁军知道了真相，安定下来，纷纷散去。仇士良又羞又愧，拜谢而去。这一事件给仇士良敲了警钟，皇帝英明，宰相贤能，不好玩弄。老奸巨猾的仇士良还算识时务，以老病为由致仕，武宗批准。仇士良临别，向送行的宦官传授掌控皇帝的方法，就是引诱皇帝游宴好色，只知玩乐不知读书，不上朝，不见大臣，最后就只能依靠宦官了。

仇士良的一席话道出了历史上宦官专权的秘密。宦官的地位是皇帝家奴，是朝士大夫看不上眼的人。但宦官可以假皇权以肆虐。仇士良贪酷有术。穆宗、敬宗，包括文宗，被仇士良的奉迎游乐击倒，迷了心智，成了昏庸皇帝，宦官就得势了。仇士良假皇权杀二王一妃四宰相，不可一世。武宗正襟危坐，耳聪目明，不听信谗言，皇权不旁落，宦官的家奴本色就露出了。仇士良的沉浮，揭示了宦官制度是封建社会的一个毒瘤，宦官毒瘤依附于皇权，是专制制度的产物。专制不除，杀灭了宦官，还会产生新宦官。皇帝开明，宦官制度是良性肿瘤；皇帝昏聩，宦官必然是恶性肿瘤。完全切除恶性肿瘤，这个人的生命就结束。东汉末，袁绍杀灭宦官，东汉亡。唐末，崔胤杀灭宦官，唐亡。

仇士良死后第二年，会昌四年（公元 844 年），其丑行被一一揭发出来，在他家里找出了数千件兵器和万贯家财。武宗下令削去仇士良官爵，籍没家资。仇士良这个名字被钉在历史的耻辱柱上。

李德裕入相。南衙与北司对立，朝官与宦官争斗，两者都是唐政权的基础，不可断然决裂。宰相依附宦官，不得士人心，宰相触犯宦官，势必丢相位。在宦官专权的情况下，入相的人要洁身自好是不可能的。如何与宦官打交道是复杂的政治难题，既有品德的问题，又有策略技术问题。李德裕制约宦官，显示了高超的才能。李德裕任淮南节度使，监军杨钦义奉召还京，风传杨钦义回朝做枢密使，李德裕和平时一样，并不加礼，杨钦义很不满意。等到临行时，李德裕送别，赠送重礼，杨钦义喜出望外。杨钦义回到汴州，得到朝廷新敕令，杨钦义仍返淮南做监军。杨钦义把重礼退还给李德裕，李德裕不接受。不久，杨钦义果然被任用为枢密使。李德裕不因杨钦义将作枢密使而特意巴结，也不因杨钦义没做枢密使就收回礼物。临行送礼表示同僚的情谊。李德裕表现的坦荡胸怀使杨钦义感动，其实这也是李德裕的一种权术。归根结底，是李德裕的才干与人格魅力使杨钦义心服，不敢用炎凉态度来对待李德裕。李德裕做西川节度使，他的人格魅力也征服了崔潭峻、王践言两位监军，崔与王都能支持李德裕的用兵，并向皇上报告李德裕的忠心正直。李德裕能够入相，杨钦义出了力，但不是李德裕的请托，与依附宦官的朝官有很大的区别。李德裕入相后，敢于上奏武宗请求政事要出于中书，逼使仇士良称病致仕。李德裕也没提出要杀尽宦官，做冒险的事，而是以正义临之，利用形势对与宦官之间的矛盾加以适当的抑制，不激化矛盾，和衷共事，这是高明的办法。范文澜指出：“这样对待宦官，在唐后期，应该说是较为适当的态度。”（《中国通史简编》）当然，李德裕也免不了被政敌以朋党为口实攻击。正如王夫之所说：李德裕“虽欲辞托身宦竖之丑而不可得”了。但“唐自肃宗以来，宦竖之不得专政者，仅见于会昌”，极力称赞李德裕的能力。李德裕为了发挥自己的才能为国尽力，在宦官炙手可热的形势下，搞好与宦官的关系，也就不能免俗了。用王夫之的话说是由于“唐之积弊，已成积重难返之势”（《读通鉴论》卷二十六）。皇帝都要向宦官低头，又怎能苛责李德裕呢！有人说，李德裕为君子而不纯，这话是中肯的。

资治通鉴（白话本）　卷第二百四十七

唐纪六十三

唐武宗会昌三年至四年（公元843—公元844）

【起昭阳大渊献（癸亥，公元843年），尽阏逢困敦（甲子，公元844年），七月，凡一年有奇】

【大事提要】

本卷记事起公元843年，讫公元844年七月，凡一年又七个月。当唐武宗会昌三年至会昌四年七月。这一年多的短暂时间，却是晚唐政治振兴最有成绩的一个时期。显著成绩有三个方面。第一，武宗信任李德裕，让其放手作为，于是得以倚重外朝，相对削弱了宦官权力。会昌三年，武宗不与枢密使商量，直接任命崔铉为宰相，破坏了老规矩。不久又逼令大宦官仇士良致仕，第二年籍没了他的家资。第二，武宗御边，大败回鹘，羁縻黠戛斯，安抚党项，削弱吐蕃，做得有声有色，大展国威。第三，强力裁制藩镇，坚决用兵泽潞，不接受刘稹归降，取得全面胜利，杜绝了内地军镇自立节度的行为。会昌年间的这一短暂振兴，给衰败的唐王朝打了一剂强心针，延续了唐王朝国祚。李德裕富有政治军事才能，他又善于听取有识之士的建言，深得武宗信任，故能取得成功，李德裕用兵泽潞，杜牧上书献平强藩之策，李德裕多用其策。李德裕既不依附宦官，又能与宦官和谐相处，缓和了上层统治集团的斗争，显示了李德裕高超的政治才能。

武宗至道昭肃孝皇帝中

唐武宗会昌三年（癸亥，公元843年）

春季，正月，回鹘乌介可汗带领部众侵犯进逼振武，刘沔派遣麟州刺史石雄、都知兵马使王逢率领沙陀朱邪赤心三部及契苾、拓跋三千骑袭击可汗的牙帐，刘沔自己带领大军紧随其后。石雄到振武后，登上城头望见回鹘的兵众不多，看到数十辆毡车，随从人员都穿着红绿色的服装，类似华人。打发侦查人员去问他们，回答说：“是公主的帐幕。”石雄让侦查人员告诉公主说：“公主到这里，就到家了，应当寻求回朝的办法！现在将要出兵攻打可汗，请公主暗地与侍从互相保护，驻扎下来，不要乱动！”石雄于是把城墙凿开十多个洞，带领军队在夜里出城，直接进攻可汗的牙帐，直到到达可汗的帐下，才被回鹘人发觉。可汗大惊，不知道怎么办，抛弃辎重物品逃走，石雄乘胜追击他们；正月十一日庚子，在杀胡山大败回鹘部队，可汗被杀伤，与数百骑逃走。石雄迎接太和公主回来了。战斗中斩敌首一万，敌人部落投降的有两万余人。正月十七日，刘沔报捷的奏章送到朝廷。

李思忠入朝的时候，觉得自己既然是回鹘降将，惧怕边将不相信自己，请求自己和弟弟李思贞等及爱弘顺都回到朝廷来，武宗答应了。

正月二十一日庚戌，任命石雄为丰州都防御使。

乌介可汗逃去黑车子族寻求保护，他部下溃散的士兵多到幽州投降。

二月初一日庚申，发生日食。

诏令停止设置归义军，把该军的士卒分别隶属其他各道为骑兵，多赏赐一些粮饷给他们。

（以上为第一段，写官军大破回鹘乌介可汗。）

二月十二日辛未，黠戛斯派遣使者注吾合索献上名马两匹；诏令太仆卿赵蕃设饮宴慰劳他。二月十五日甲戌，武宗接见他时，把他班列在渤海使者的上首。

武宗想叫赵蕃从黠戛斯索取安西、北庭二地，李德裕等上奏说：“安西离京师七千余里远，北庭五千余里，即使得到那两个地方，还要设置都护府，用唐兵一万人戍守这两地，不知道从哪里去征发这些兵，粮饷从什么道路运过去？这实在是耗费钱财换来虚名，不是好计策。”武宗便放弃了这个打算。

中书侍郎、同平章事崔珙降职为右仆射。

黠戛斯请求册命，李德裕上奏说，应当和黠戛斯结交友好，要他自己带兵追究杀使者的罪魁祸首并讨伐黑车子族。武宗担心给黠戛斯可汗的名号以后他就不遵守臣子的礼节，反沿用回鹘的旧规，每年要朝廷的赏赐和卖马给朝廷等，因此犹豫不决。李德裕奏称：“黠戛斯已经自己号称可汗，现在想借助他的兵力，恐怕不能吝惜给他可汗的名号。回鹘有协助平定安史之乱的功劳，所以每年赏赐绢二万匹，并且与他进行马匹的交易。黠戛斯对中原没有建立过功劳，哪里敢立刻要求赠送财物呢！要是担心他不遵守臣节，应当和他订下誓约，一定要像回鹘一样称臣，才进行册命；还应当讲述同姓关系使他更亲近朝廷，执行同姓子孙一样的礼节。”武宗听从了。

三月初一日庚寅，太和公主到达京师，改封她为安定大长公主；诏命宰相带领百官在章敬寺迎接谒见。公主到光顺门，脱掉盛装，取下簪珥，说是由于回鹘背负国恩、自己和亲没有成功而谢罪。武宗派遣中使慰劳抚谕，然后公主才进宫。阳安等七位公主没有来慰问安定公主，各人都被罚俸和封绢。

赐魏博节度使何重顺名弘敬。

三月，任命太仆卿赵蕃为安抚黠戛斯使。武宗命令李德裕起草《赐黠戛斯可汗书》，谕以："贞观二十一年，黠戛斯先君亲自入朝，授予他左屯卫将军、坚昆都督的职务，一直到天宝年间，朝贡从不间断。近年来被回鹘所阻隔，回鹘欺压虐待诸蕃，可汗能够复仇雪恨，丰功伟绩近古以来无人可比。现在回鹘残留下来的兵员不到一千人，分散在各山谷之中，可汗既然和他们是仇家，一定要全部消灭他们，倘若留下余孽，必定会产生后患。又听说可汗得到姓氏的根源，和我朝是同一姓族，大唐是北平太守李广的后代，可汗是都尉李陵的子孙，这样合在一个族内，尊卑也就很清楚了。如今准备册命可汗，想特别加上美号，但不了解可汗的心意，因而派人转达朝廷旨意以征求你的意见。等到赵蕃返京，即另派使者宣示册命之礼。"自从回鹘到塞上驻扎和黠戛斯来朝廷进贡，每次要发诏书敕命，武宗都命李德裕起草。李德裕请求交给翰林学士去做，武宗说："学士起草的文字不能尽如人意，需要请你亲自来办这件事。"

（以上为第二段，写唐武宗纳李德裕之策，羁縻黠戛斯。）

刘沔上奏说："归义军回鹘三千余人和酋长四十三人按照诏令分配诸道，他们大声呼叫，连接各营据守滹沱河，不肯服从命令，已经把他们都杀了。回鹘前后投降幽州的三万余人，都分散到各道去了。"

李德裕追论维州悉怛谋一事说："维州城建造在高山绝顶上面，三面临江，对戎虏来说是进入平原大川的要冲之地，对汉人来说是进兵少数民族地区的必经之路，过去，河西、陇右都失陷了以后，只留下这个地方还归朝廷管辖。吐蕃暗地将一妇人嫁给此州守城门的人，过了二十年，她的两个儿子长大了，偷偷打开城垒大门，引导吐蕃兵在夜里进入，城就被攻下了，称无忧城。从这以后，吐蕃就能全力在西边发展，对于南面就不用担心了。这样吐蕃侵扰到了京畿附近，使得几朝都因此不得安宁。贞元年间，韦皋想把河、湟一带失地收回来，就从攻打此城开始行动。带领上万名精锐部队，紧急攻打数年，虽然捉拿了吐蕃大将论莽热回来，但州城坚固，还是未能攻下。

"臣初到西蜀的时候，对外宣扬国威，对内修缮边防守备。维州守将知道臣讲信用，放弃壁垒前来投降。臣刚刚接受他们投降时，南蛮感到很震惊，山西的八个小国，都愿归朝廷统属。而被吐蕃占领的合水、栖鸡等城，既然失去了险要的屏障，自然要抽调驻军回去，而我方既可减少八处镇兵，又可安然收回千余里旧地。况且维州未降前一年，吐蕃还包围了鲁州，他们哪里顾虑到盟约之事！臣接受维州将领投降的时候，指着天发誓，当面答应报告朝廷，每人都将得到奖赏。当时不和臣站在同一立场的人，看到有关臣的一点名声就嫉恨臣，诏令臣把悉怛谋等人抓起来送回吐蕃，让他们被杀掉，臣怎能忍受置三百多人的性命不顾，抛弃信用，苟且偷安！因而多次上奏表陈述论说，乞求怜悯宽宥，回答的诏命很严厉，终竟还是把他们抓起来送回去了。他们的身体被戴上刑具，用竹筐抬着，将要上路时，呼冤的叫声呜呜不绝，将吏们对着臣，没有一个不落泪的。那些押送的人更被蕃帅讥笑，说是既然投降你们了，就用不着送回来！最后在汉边境上把投降的人杀死了，手段很残忍。用来恐吓对吐蕃怀着二心的部落，甚至有把婴孩抛起，让他落在枪矛上扎死的。断绝了献忠诚的人再来，使凶狠者感到快意。从古以来，没有发生过这种事。虽然时间过了十二年，请求追奖忠魂，对每人都加以褒赠！”诏令追赠悉怛谋为右卫将军。

臣司马光评论说：议论的人多争论维州的取舍问题，不能断定牛僧孺、李德裕谁是谁非。臣以为从前荀吴围攻鼓国时，鼓人中有愿意叛国献城的，荀吴不答应，说："有人把我们的城池献出，背叛的话，我是憎恨他的，别人把城献出来投降我，我为什么会独独喜欢这样呢！我不可以因为想要得到城池而接近奸人。"让鼓国人杀掉背叛的人而把守备修缮好。那个时候唐朝新近与吐蕃修好而接纳维州投降，从利的方面说，维州利小，守信利大；从害的方面说，维州危害来得慢，关中危急来得快。然而为唐朝的利害打算的话，应当以何者为先呢？悉怛谋对唐朝来说是归向王化，对吐蕃来说就是叛臣，他的被杀又有什么值得怜惜的呢！并且李德裕所讲的是利的问题，牛僧孺所讲的是义的问题，一般民众以只追求财利而忘掉义理为可耻，何况天子呢！譬如邻人有牛，跑到自己家里来了，有人劝他哥哥归还邻人，有人劝他弟弟占为己有。劝归还的人说："占为己有是不义的，并且会引起争讼。"劝占为己有的人说："邻人曾经夺取过我家的羊，讲什么义不义的！牛是大牲畜，卖掉它可以增加家中的财富。"这样看起来，牛、李两家的是非，可以看出头绪来了。

（以上为第三段，写李德裕为悉怛谋伸冤求取褒赠。司马光用义利观评论引渡悉怛谋事件。）

夏季，四月十三日辛未，李德裕请求担任闲散的职务，武宗说："你每次辞退宰相职位，使我十天都安不下心来。现在国家大事都未办好，你怎么能请求离开！"

原先，昭义节度使刘从谏多次上表讲仇士良的犯罪作恶之事，仇士良也讲刘从谏有窥伺朝廷的野心。等武宗即位，刘从谏把一匹九尺高的马献给武宗，武宗没有接受。刘从谏以为是仇士良从中作梗，就愤怒地把马杀掉，这样一来与朝廷互相猜忌。于是刘从谏开始招收一些亡命之徒，又修缮兵器枪械，邻境暗地里做了防范他的准备。

刘从谏向养马者和商贾收税，每年可收入五万缗，卖铁和盐也可收入数万缗。

对于大商人，就给他们牙将的职务，让他们去各道联络感情，贩卖货物。商人们倚仗着刘从谏的权势，所到之处多欺压将吏，诸道都不喜欢这些商人。

刘从谏病重，对妻子裴氏说："我忠诚正直侍奉朝廷，而朝廷却不了解我的心意，各道都不和我交朋友。我死了以后，由别人来担任节度使，那么我们家将要断香火了！"于是和幕僚门客张谷、陈扬庭谋划，仿效河北诸镇的做法，任命他弟弟右骁卫将军刘从素的儿子刘稹为牙内都知兵马使，侄子刘匡周为中军兵马使，孔目官王协为押牙亲事兵马使，以奴仆李士贵为使宅十将兵马使，刘守义、刘守忠、董可武、崔玄度分别领导牙兵。张谷是郓州人，陈扬庭是洪州人。

刘从谏不久之后去世，刘稹秘不发丧。王协帮助刘稹谋划说："只要照宝历年间那样去做，不到一百天，任命节度使的旌节就会到来。但是要严谨地对待监军，送给敕使优厚财物，四境不要出兵，城中暗地里做好战斗准备就可以了。"派押牙姜崟上奏章请求派国医来治病，武宗派遣中使解朝政去医病和探视疾病情况。刘稹又逼迫监军崔士康上奏说是刘从谏的病很重，请求任命他的儿子刘稹为留后。武宗派遣供奉官薛士幹前往宣布谕旨说："担心刘从谏的疾病没有康复，应当暂去东都治疗；等到病情稍有好转以后，另外安排职务。还是要刘稹到朝廷来，一定给他好的官爵。"

武宗将泽潞镇之事和宰相们一起商量，多数宰相认为："回鹘的残余势力尚未消灭，边境上需要警戒防备，又去讨伐泽潞，国家力量支持不了，请让刘稹暂时主持军事职务。"谏官和群臣等向朝廷进言的人也这样认为。只有李德裕一个人说："泽潞事体与河朔三镇情况不同。河朔不听朝廷命令已是长久的习惯了，人心不易改变过来，所以几朝以来，朝廷都置之度外，不做计较。泽潞镇处在心腹地位，这支军队向来是忠于朝廷的，曾经打败了朱滔，擒获了卢从史，近年多任用儒将为统帅，例如李抱真成立了这支军队，德宗尚且不允许他的儿子继承世袭，李抱真死后，叫李缄护丧回到东都洛阳。敬宗不忧虑国家政事，宰相又没有长远打算，刘悟死后，因循旧制把军权交给他儿子刘从谏。刘从谏跋扈专横、难以控制，多次上奏表胁迫朝廷，现在快死了，又擅自把兵权交给他的侄子。朝廷要是就此承认他侄子的权位，那么四方各镇谁不想仿效他的做法，天子的权威诏令再不能得到遵行了！"武宗说："卿用什么办法去制服他？能够成功吗？"李德裕回答说："刘稹所依靠的是河朔三镇。只要镇州与魏博镇不和他勾结，那么刘稹就无所作为。要是派遣重要大臣去告谕镇州主帅王元逵、魏博主帅何弘敬，说明河朔地方自从国家大难以来，各朝皇帝允许他们传位世袭，已经成为惯例，和泽潞镇情况不同。现在朝廷将要对泽潞用兵，不想再派禁军到山东去。此外，山东属昭义军的三个州，委派你们两镇去攻打他；同时广泛告谕将士，把叛贼讨平之后给以优厚的赏赐和官位的。假若两镇服从朝廷命令，不从旁阻挠朝廷的话，那么刘稹一定会被擒获。"武宗高兴地说："我和德裕同一条心，保证不会后悔。”于是决心讨伐刘稹，群臣有上言的，武宗也听不进去了。

（以上为第四段，写唐武宗采纳李德裕谋略，用兵泽潞，杜绝内地军镇自为节度。）

武宗命令李德裕起草诏书赐给成德节度使王元逵、魏博节度使何弘敬，大意是说：“泽潞这个镇，与你们镇情况不同，不要专为子孙打算，想保存辅车相依的形势。只要能够建立功劳，福泽自然就能传到后代。”四月十九日丁丑，武宗临朝，称赞李德裕所草诏书语意简要恳切，说：“应当这样率直地告谕他们为好！”又赐给张仲武诏书说：“回鹘的残余势力尚未消灭，塞上还有不少需要担忧的事，专门委派你抵御外侮。”王元逵、何弘敬得到诏书后，肃然恐惧，乖乖表示听从朝廷命令。

解朝政到达上党以后，刘稹会见解朝政时说：“相公病危困顿，不能跪拜接诏。”解朝政想冲到府内去，兵马使刘武德、董可武站在门帘旁边，解朝政担心发生事变，急忙跑了出来。刘稹赠给他价值几千缗的告别礼物，又派遣牙将梁叔文去向他道谢。薛士幹进入潞州境内，并不探问刘从谏的病情，直接表示已知道刘从谏死了的意思。都押牙郭谊出动大批军队，到龙泉驿迎接奉敕的使者，请求沿用河朔镇惯例；又会见监军说了这件事，崔士康懦弱怕事，不敢违抗。于是将吏扶拥着刘稹出来接见士众，发布刘从谏死讯。薛士幹连牙门也未能进去，刘稹也不接受敕命。郭谊是兖州人。解朝政回朝复命，武宗大怒。解朝政遭杖刑后，被发配到恭陵去服劳役；同时把姜崟、梁叔文关押了起来。

四月二十三日辛巳，武宗因为刘从谏的死而停止一次朝会，追赠他太傅官阶，诏令刘稹护丧回到东都洛阳来。又召见刘从素，命令他写信教训刘稹，刘稹不听从刘从素的话。四月二十九日丁亥，任命忠武节度使王茂元为河阳节度使，邠宁节度使王宰为忠武节度使。王茂元是王栖曜的儿子；王宰是王智兴的儿子。

（以上为第五段，写唐武宗严旨责令刘稹入朝。）

黄州刺史杜牧向李德裕写信，自言道：“曾经询问过淮西大将董重质用三州的兵众四年时间还没有攻破蔡州的原因，董重质认为是朝廷征调的军队太杂乱，外地调来军队数量少，既然不能自己组成一支军队，就必须依靠当地军队为主力。势单力薄，心志又不统一，故导致很多伤亡。所以开战头两年，淮西军每次都打胜仗，被杀的多半是客军。两年之后，客军已经很少了，只是和陈许、河阳两支军队战斗，即使唐州兵不能趁空虚而夺取蔡州城，蔡州的军事力量也支持不住了。当时朝廷要是使鄂州、寿州、唐州的军队只保守边境，不用进攻，只用陈许、郑滑两道的全部军队，加上宣、润二州的弓弩手，命令他们守住关隘，不到一年时间，蔡州就保不住了。现在上党叛乱又与淮西不同。淮西作为敌对势力将近五十年之久，那里的将士尝到了叛乱的好处，看到了叛乱所得的利益，叛乱的习惯更加顽固，嚣张的气焰已经形成，自认为天下的军队没有谁能与其匹敌的，要攻下它固然困难。上党的情况就不一样了。自安史叛军南下进攻时，上党就不大依附贼寇；建中年间以来，每每奋发表现出对朝廷的忠义；由是有郧公李抱真使田悦陷于困境，把朱滔打得大败而逃，常用孤寒穷苦的军队，打败河朔强悍的兵众。从这些事例证明，上党的人心是忠诚的，习尚是专一的，大家都看得到。刘悟死后，刘从谏要求继职，真正支持他的人，只有郓州跟随来的中军两千而已。正赶宝历年间国家多事，因而就授予刘从谏旌节。到现在才二十余年，风俗未改变，故老还健在，即使想劫持他们，他们也一定不会服从命令的。现在成德、魏博虽然能守臣节为朝廷效力，也不过围一城，攻一堡，捉拿一些老弱之人而已。假若使河阳出一万人为堡垒，堵住天井关这个隘口，高壁深堑，不与敌人作战，只用忠武、武宁两支军队，加上青州的五千精甲，宣、润的两千弓弩手，直接进攻上党，要不了几个月，就可以攻下他们的巢穴！”当时李德裕主管对泽潞的处置大权，采纳了不少杜牧的主张。

（以上为第六段，写杜牧上书李德裕献平定强藩的策略。）

武宗虽然在外表上尊宠仇士良，实际上内心里忌恨厌恶他。仇士良有所觉察，就托辞年老多病请求担任闲散官职。诏令仇士良由左卫上将军兼内侍监，主持内侍省事。

李德裕对武宗说：“议论的人都说刘悟有功，刘稹不应当急忙诛杀，以保全对他家的恩惠。请把这事交百官评议，以满足人们的愿望。”武宗说：“刘悟有什么大功，当时只是迫于挽救自己的性命而已，并不是一向就有报国之心。即使是有功劳，父子为将相二十多年，国家对他们的恩惠也足够了，刘稹又怎么能够自立为节度使！朕认为凡是有功的人应当重赏，有罪的人也不能随便免他的罪。”李德裕说：“陛下的话，实在是治理国家最重要的原则。”

五月，李德裕说太子宾客、分司李宗闵与刘从谏交往密切，不应当安置在东都。五月初十日戊戌，改任李宗闵为湖州刺史。

河阳节度使王茂元调步骑三千人驻守万善；河东节度使刘沔调步骑二千人守芒车关，步兵一千五百人驻扎在榆社县；成德节度使王元逵调步骑三千人驻守临洺县，掠扰尧山；河中节度使陈夷行调步骑一千人驻守翼城，步兵五百人掠扰冀氏地方。五月十三日辛丑，制令削去刘从谏和他儿子刘稹的官爵，任命王元逵为泽潞北面招讨使，何弘敬为南面招讨使，与陈夷行、刘沔、王茂元合作，一起讨伐刘稹。

这之前，河朔诸镇节度使死了，他们的子孙自立，朝廷一定先派去吊祭使，然后又派去册赠使，还有宣慰使再去商量军事形势。已经决定不赐给旌节的，就另外给一个官职，等到军队也不让自立者离开，然后才用兵讨伐。所以往返常常要拖上半年时间，军队已经修缮好防守设备。到刘稹这件事，宰相也想暂时派使者开导告谕他，而武宗却随即下诏令讨伐他。王元逵接到诏令的时候，就带领军队屯驻赵州。

（以上为第七段，写刘稹不听命入朝，唐武宗即行征讨。）

五月十四日壬寅，任命翰林学士承旨崔铉为中书侍郎、同平章事。崔铉是崔元略的儿子。武宗在晚上召见学士韦琮，把崔铉的名字交给他，命令他起草任职诏书，宰相和枢密使都不知道这件事。当时担任枢密使的刘行深、杨钦义都是老实人，不敢预事，老宦者责怪他俩说："这是由于刘行深、杨钦义软弱胆小，败坏了原有的惯例。"韦琮是韦乾度的儿子。

任命武宁节度使李彦佐为晋绛行营诸军节度招讨使。

刘沔从代州回到太原。

在禁中建筑望仙台。

六月，王茂元遣兵马使马继等带领步骑两千人驻扎在天井关南面的科斗店，刘稹派遣衙内将薛茂卿带领亲军两千人抵抗马继的军队。

黠戛斯可汗派遣将军温仵合来朝廷进贡。武宗赐给他书信，告谕他要赶快平定回鹘和黑车子，朝廷派使者正式册命他为可汗。

六月十六日癸酉，仇士良在左卫上将军、内侍监的职位上辞官。他的党徒送他回到私宅去，仇士良教给他们巩固权宠的办法说："对天子来说，不要让他闲着，应当常常用奢华靡丽的事使他高兴，要不断变换不同的花样，使他没有闲暇管理其他的正事，然后我们才能为所欲为。千万不要让天子读书、接近儒生，他要是看到前朝国家兴亡的经验教训，心里知道担忧恐惧，那么我们就会被疏远了。"党徒们拜谢赐教后离开了。

六月十九日丙子，诏令王元逵、李彦佐、刘沔、王茂元、何弘敬在七月中旬分五路齐头并进，不准接受刘稹的投降。又诏令刘沔亲自带兵夺取仰车关这条路以兵临叛贼的边境。

（以上为第八段，写大宦官仇士良致仕，教唆宦官控制人君之术。朝廷发兵五路征讨泽潞刘稹。）

吐蕃鄯州节度使尚婢婢，世代担任吐蕃宰相。尚婢婢喜欢读书，不大乐意做官，国人很敬重他。他年纪四十多岁时，国君彝泰赞普强行把他请出来，要他担任鄯州镇节度使。尚婢婢为人宽厚大度，有谋略，训练的士卒多精悍勇敢。

论恐热虽然在名义上是为复国起兵，实际上是阴谋夺取国君之位。猜忌尚婢婢，担心他从后面进攻自己，想预先把他消灭掉。这个月，论恐热大举出兵进攻尚婢婢，旌旗牲畜等绵延千里之远。到达镇西时，遇上大风雷电，雷电击死裨将十多人，牲畜几百头，论恐热对这起灾祸有所畏惧，于是停留不前。尚婢婢对部下说："论恐热前来进攻，把我们当蝼蚁看待，认为不花大力气就可以把我们消灭掉。现在遇上天灾，犹豫不前，我们不如用谦逊的态度迎接他，以便使他退走，这样他就会更骄傲而不做防备，然后我们就可以谋划消灭他了。"于是派人送金银绸帛和牛酒犒赏论恐热的军队，并且写信说："相公举义兵以拯救国难，整个国境之内，谁不服从你！只要派一个甲士送来一封简短的信，谁敢不接受命令！何必千里迢迢带着士兵，亲自到我这个地方来！我天资很愚钝，只喜欢读书，先赞普授予我守边藩的官职，实在是不恰当，早晚都感到惭愧和不安，只想退下来安居林下。相公要是让我不做官了，回到田野去，那是很合乎我平生的意愿的。"论恐热收到书信以后很高兴，把它给各将领看，并说："婢婢只知道读书，哪里知道用兵打仗的事！等到我夺取了国家之后，应当给他一个宰相的职位，让他坐在家里，也没有什么大用处。"于是复了信，殷勤厚道地答应了尚婢婢，带兵回去了。尚婢婢听说后，拍着大腿笑道："我国没有君主，就应归于大唐，哪里能够侍奉这种犬鼠一类的人呢！"

（以上为第九段，写吐蕃鄯州节度使尚婢婢智拒论恐热。）

秋季，七月，改任山南东道节度使卢钧为昭义节度招抚使。朝廷认为卢钧在襄阳任职时宽厚有惠政，能得到民众的拥护，所以派他担任昭义节度使以安抚人心。

武宗派刑部侍郎兼御史大丞李回出使宣慰河北三镇，命令幽州镇乘秋天及早把回鹘平定，镇州镇和魏博镇及早把泽潞平定。李回是太祖李虎的第八代孙。

七月十七日甲辰，李德裕对武宗说："臣见到从前河朔地方打仗，各道最利于以出境后由度支发给粮饷。有的暗地里和叛贼沟通，借一个县或一个栅寨据为己有后，自称建立了功劳，坐享度支运来的军粮，拖延时间。现在请求赐给诸军诏令，命王元逵夺取邢州，何弘敬夺取洺州，王茂元夺取泽州，李彦佐、刘沔夺取潞州，不准夺取县城。"武宗答应了。

晋绛行营节度使李彦佐从徐州出发后，行军很缓慢，又请求在绛州让士兵休息，再请求增加兵员。李德裕对武宗说："李彦佐逗留观望，一点没有去讨伐叛贼的意思，他的请求都不能答应，应当下诏切实责备他，命令他向翼城进军。"武宗同意了。李德裕接着请求让天德防御使石雄为李彦佐的副手，等到石雄到达以后，令他取代李彦佐的职务。七月十八日乙巳，任命石雄为晋绛行营节度副使，仍诏令李彦佐进驻翼城。

刘稹上奏表自我陈述说："伯父从谏为李训昭雪冤案，揭发了仇士良的罪恶，由此被宦官所仇恨，说臣父暗地里对朝廷怀有异心，使得臣不敢带领全家回到朝廷来。乞求陛下了解这一情况，使臣有一条活路！"何弘敬也帮刘稹上奏请求洗雪冤枉，朝廷都置之不理。李回到河朔各地，何弘敬、王元逵、张仲武都准备好车马到郊区迎接，站立在路边，不敢让人控制住李回的车马，以便让制使先行，自从发生安史之乱以来，没有这样恭顺过。李回既有辩才又有胆略，三镇没有不奉行诏旨的。

王元逵奏报说攻下了宣务栅，正进攻尧山；刘稹派兵援救尧山，王元逵打败了他。诏令切责李彦佐、刘沔、王茂元，要他们赶快向贼境进兵，并且称赞王元逵的战功用以激励其他将领。加给王元逵同平章事的官衔。

八月初九日乙丑，昭义军大将李丕前来投降。有人议论说是叛贼故意派李丕来投降，想用这个办法疑惑官军。李德裕对武宗说："自从打仗的半年以来，没有投降的人，现在不用怀疑是忠诚来降还是欺诈！都要以厚重的奖赏以鼓励将来投降的人，只要不把这种人安置在重要的地方就可以了。"

武宗从容地说："文宗喜欢听取朝廷外面的议论，谏官提出意见时多半不署名，如同匿名信一样。"李德裕说："臣从前在中书省任职时，文宗还不是这个样子。这大概是李训、郑注教给文宗用这种办法驾驭臣下，就形成此种风气。作人主的定要推诚用人，有欺诈的，就用刑罚处理他，这样谁敢再欺骗啊！"武宗称赞李德裕说得好。

王元逵的前锋部队进入邢州境内已超过一个月了，何弘敬还没有领兵出发，王元逵多次秘密上奏表，说何弘敬怀有异心，不忠于朝廷。八月十一日丁卯，李德裕上奏说："忠武军多次作战都有功劳，军队的士气很高。王宰正值年轻力壮，谋略也好。请求给何弘敬下诏，说明'河阳、河东和泽潞都有关山阻隔，不便进军，叛贼多次出兵焚烧抢掠晋、绛等地。现在派遣王宰带领整个忠武军部队经过魏博，直抵磁州，用以分散叛贼的力量'。这样一来，何弘敬一定会感到恐惧，这是攻心伐谋的好办法。"武宗依从了。诏令王宰精心挑选步兵和骑兵从相州、魏州开赴磁州。

八月十八日甲戌，薛茂卿攻下科斗寨，抓获河阳军大将马继等人，焚掠小堡寨十七个，到达了离怀州十余里的地方。薛茂卿由于没有刘稹的命令，所以不敢攻入怀州。当时议论的人很多，简直像开了锅一样，都认为刘悟对国家有功，不应断绝了他的后嗣。还说刘从谏训练了十万精兵，储备的粮食可吃十年，怎么能攻下他来！武宗对这事也产生了疑虑，于是就询问李德裕的看法，李德裕回答说："小小的胜败，这是兵家常有的事。希望陛下不要听信外面的议论，那么就一定能够成功！"武宗于是对宰相说："代表我去向朝廷的士大夫们宣布：凡是向朝廷上疏阻挠战事的人，我一定要将他在叛贼边境上斩首！"持异议的人于是闭上了嘴。

何弘敬听说王宰要来了，担心忠武兵到了魏地以后，发生兵变，在匆忙中领兵出发了。八月二十日丙子，何弘敬奏报，他已经亲自率领全军渡过了漳水，直赴磁州。

（以上为第十段，写官军受挫，李德裕劝唐武宗坚定征讨，又用计迫使魏博节度使何弘敬进兵征讨。）

八月二十四日庚辰，李德裕上奏说："河阳守军的人数太少，力量太弱，自从科斗寨失败以后，叛贼的势力更大了。加上王茂元又有病，人们感到危险、恐惧，想退下来保卫怀州。臣看到元和时期以来的各次反贼，常常是看到官军弱小的地方，就集中兵力进攻，打败了一支官军后，然后再转攻其他地方。现在魏博军还未与叛贼作战，泽潞西面的官军被关山险隘阻隔了，进军困难，所以叛贼能集中兵力向南进攻。假若河阳退缩不前，不仅影响军队士气，同时担心洛阳也会受到惊骇。诏令王宰改变进军路线不往磁州去了，赶快带领全军去支援河阳；不仅可以保卫东都，同时又可控制魏博的动向。若是考虑全军供应粮饷有困难，暂时要他调发先锋五千人奔赴河阳，也足以助长声势。"八月二十八日甲申，又上奏请武宗敕令王宰带领全军继续前进，仍然要赶快将器械丝帛等援助河阳，用以解决他们的窘乏。武宗依从了。

王茂元驻扎在万善，刘稹派遣牙将张巨、刘公直等配合薛茂卿共同进攻他，约定九月初一围攻万善。八月二十九日乙酉，刘公直等暗地带军队先越过万善南五里，烧了雍店。张巨带军队继刘公直之后，绕过万善，侦察后了解城里的守备力量很单薄，想独自抢到攻城的功劳，就向城中发动进攻。到下午太阳偏西时，快要把城攻下来了，才派人告诉刘公直等人。当时义成军刚刚开到，王茂元正处在危急的时候，想带领军队放弃万善城逃走。都虞候孟章拦着马制止说："叛贼的军队有前有后，一半在雍店，一半在这里，只是乱兵而已。现在义成军刚刚到，还没有吃饭，听说仆射你逃走了，那么也将自我溃散了。希望暂且勉为其难地留下来！"王茂元于是没有逃走。到了傍晚，刘公直等没有来，张巨只好带兵退走。开始登山时，下着小雨，天已漆黑，士兵自相惊扰说："追兵到来了！"都纷纷逃跑，人马互相践踏，坠崖跌死的人很多。

武宗觉得王茂元、王宰两个节度使都待在河阳不妥，九月初四日庚寅，李德裕等人上奏说："王茂元熟习文职，却不是将才，请任命王宰为河阳行营攻讨使。王茂元病好以后，只派他镇守河阳，这样就是病没好也没有关系。"九月初五日辛卯，武宗正式任命王宰兼任河阳行营攻讨使。

何弘敬奏报攻下了肥乡、平恩两县，杀伤了很多敌人。得到刘稹张贴的文告，称官军为贼，说是碰到了就应狠狠地痛杀。九月初七日癸巳，武宗对宰相说："何弘敬已经攻下两座县城，以前的怀疑可以消除了。既然有杀伤，虽想保持两面讨好的观望态度，已经不可能了。"于是加给何弘敬检校左仆射的官衔。

九月二十日丙午，河阳奏报说王茂元去世。李德裕上奏说："王宰只能叫他以忠武节度使的名义统领万善的军队，不能使他兼任河阳节度使，恐怕他不爱护河阳各州县的民众，任意侵扰他们。另外，河阳节度使原先兼领怀州刺史，常常是派判官去处理政事，分割河南五县的租税隶属河阳。这样的话，不如将这五县设置为孟州，怀州也另外再设刺史。等到昭义平定以后，还是分割泽州隶属河阳节度使，那么太行山的关险不在昭义境内，而河阳就成了重要方镇，东都也不必担心有危险了！”武宗采纳这个意见。九月二十二日戊申，任命河南尹敬昕为河阳节度、怀孟观察使，王宰率领行营兵马以打击敌人，敬昕只是负责供给粮饷等事而已。

九月二十四日庚戌，任命石雄替代李彦佐为晋绛行营节度使，命令他从冀氏攻打潞州，但是仍然要分出一支兵力屯驻翼城，用来防备敌人的侵扰。

这个月，吐蕃论恐热屯驻大夏川，尚婢婢派遣大将厖结心和莽罗薛吕带领精兵五万人进攻论恐热。到河州的南面，莽罗薛吕在险要的地方埋伏了四万人马，厖结心在柳林中埋伏了一万兵马，派了一千骑兵登上山顶，用飞箭系着书信辱骂论恐热。论恐热大怒，带领几万人追赶他们，厖结心假装败走，不时装出马疲乏了不能前进的样子。论恐热追赶他们更急切了，不知不觉走了数十里路，埋伏的军队突然跑了出来，切断了论恐热的回营道路，前后夹击。又遇上大风飞沙，河流山谷都塞满了，论恐热被打得大败，死尸横陈五十里路，被淹死的不计其数，论恐热单骑逃回去了。

石雄接替李彦佐为节度使的第二天，就带兵越过乌岭，攻下五个寨子，杀伤和俘虏的敌军有上千人。当时王宰驻扎在万善、刘沔驻扎在石会，都徘徊观望没有进军。武宗收到石雄的报捷书信，非常高兴。冬季，十月初五日庚申，上朝时，武宗对宰相说：“石雄真是良将！”李德裕接着说：“几年前潞州街市上有一个男子深深弯着腰唱道：‘石雄七千人到了！’刘从谏认为是妖言惑众，把他杀了。攻下潞州的人一定是石雄。”诏令赏赐石雄丝帛作为优厚待遇，石雄把丝帛都摆在军门前，自己按照士卒的样子先取一匹，其余的都分配给将士，所以士卒都愿意为石雄出死力打仗。

（以上为第十一段，写官军王宰，石雄两路取胜。）

原先，刘沔打败回鹘时，得到太和公主，张仲武嫉妒他，这样两人之间产生了隔阂。武宗派李回到幽州去调解他们之间的关系，张仲武心中仍然愤愤不平。朝廷担心他们由于私人之间的仇恨而败坏国家大事，十月十六日辛未，调刘沔为义成节度使，以前的荆南节度使李石为河东节度使。

党项侵扰盐州，任命前武宁节度使李彦佐为朔方灵盐节度使。十一月，邠宁又奏报说党项入境侵扰。李德裕上奏说：“党项为害愈来愈烈，不能不处置这件事。听说由于党项是分属各镇管辖，在这里抢掠以后，就逃到那里去。节度使为了得到他们的骆驼和马匹，不把他们捉拿归案，这样一来就约束不了他们。臣多次上奏，不如把他们归一个镇统管起来，陛下认为让一个镇专领党项权位太重。臣现在请求由皇子总统有党项的那几个道，选择朝廷中廉洁能干的大臣为副手，居住在夏州，处理诉讼等事，比较适宜。”于是任命兖王李岐为灵、夏等六道元帅兼安抚党项大使，又调御史中丞李回为安抚党项副使，史馆修撰郑亚为元帅判官，令他们带着诏书前往安抚党项和六镇的百姓。

（以上为第十二段，写李德裕安抚党项。）

安南经略使武浑差遣将士修筑城池，将士发动叛乱，焚烧城楼，抢劫府库。武浑逃到广州，监军段士则安抚作乱的士众，使他们安定了下来。

忠武军向来号称精勇，王宰治军严整，昭义人很惧怕他们。薛茂卿由于打科斗寨立了功，希望得到赏赐和提拔。有人对刘稹说：“留后所追求的只是旌节而已。薛茂卿太深入到对方阵地了，杀死了很多官兵，因而激怒了朝廷，这就是节度使旌节迟迟没有送来的原因。”由于这样，刘稹就没有奖赏薛茂卿。薛茂卿因此很气愤，就秘密与王宰策划。十二月初三日丁巳，王宰带兵攻打天井关，薛茂卿只略做抵抗，就匆忙带兵跑掉了。王宰就攻下天井关并驻守在那里。关东关西的兵寨听说薛茂卿失守，全都退走，王宰于是把大小箕村都烧了。薛茂卿回到泽州，秘密打发间谍叫王宰进攻泽州，他愿为内应；王宰有怀疑，不敢进攻，过了约定时间还没有进攻，薛茂卿捶胸顿足悲愤不已。刘稹知道这回事，把薛茂卿诱骗到潞州杀了，并杀了他的全家，命兵马使刘公直接替薛茂卿的职务，派安全庆守卫乌岭，李佐尧守卫雕黄岭，郭僚守卫石会，康良佺守卫武乡。郭僚是郭谊的侄子。

十二月十四日戊辰，王宰进攻泽州，与刘公直作战，被打败了，刘公直乘胜收复天井关。十二月二十日甲戌，王宰再次进攻刘公直，把他打得大败而逃，于是包围陵川，攻下了该城。河东镇奏报说攻下了石会关。

（以上为第十三段，写王宰进兵迟缓，错失一举下泽州的良机。）

洺州刺史李恬是李石的堂兄。李石到太原任节度使，刘稹派军将贾群到李石那里去，将李恬的书信交给李石，并说：“我刘稹愿意带领全家向您投降，奉送刘从谏灵柩归葬东都。”李石把贾群囚禁起来，把刘稹的书信报告朝廷。李德裕上奏说：“现在官军从四面合围着刘稹，报捷的消息每天不断，叛贼的势力日渐萎缩，所以假装老实想归降，希望延缓官军的进攻，争取时间加强抵抗，待准备好以后，又来侵犯。希望诏令李石回答李恬的书信说：‘前次来信未敢向朝廷报告。要是郎君真正能够悔过自新，就全家反捆着双手在边境等待治罪，那么李石当亲自前去接受投降，把你们护送到京城去。要是虚伪地表示投降，先要求不进攻，再希望洗雪罪恶，那么李石一定不敢拿全家百口来为别人作担保。’还希望诏令各参战的节度使，乘刘稹上下离心的时候，赶快进兵讨伐，不过一个月，他们内部一定会发生变乱。”武宗听从了。右拾遗崔碣上奏疏，请求接受刘稹投降，武宗大怒，把崔碣贬为邓城令。

原先，刘沔打败回鹘的时候，留下三千军队戍守横水栅；河东行营都知兵马使王逢上奏请求增加防守榆社的兵员，诏令河东派两千人到榆社去。当时河东镇没有兵员，把守仓库的人和工匠都派去当兵。于是李石抽调横水栅的戍卒一千五百人，使都将杨弁带领助援王逢。十二月二十八日壬午，抽调的戍卒来到太原。按照过去的规定，军士出去作战，每人给绢二匹。刘沔离开太原时，把府库中的财物全部带走了，李石刚上任，军用物资非常困乏，把自己私人的绢帛拿出来，军士们每人才分得一匹。当时已接近年关，军士们要求过了正月初一后出发，监军吕义忠连续下文牒催促他们启程。杨弁利用军士们心中的恼怒，又知道城中兵力空虚，就发动了叛乱。

（以上为第十四段，写朝廷不接受刘稹归降。太原府发生河东兵变。）

唐武宗会昌四年（甲子，公元844年）

春季，正月初一日乙酉，杨弁带领他的部众抢劫太原，杀死都头梁季叶，李石逃奔汾州，杨弁占据节度使府，把被囚禁的贾群释放了，叫侄儿陪同贾群一起到刘稹那里，和刘稹结为兄弟。刘稹很高兴。石会关守将杨珍听说太原发生叛乱，又献上石会关投降了刘稹。

正月初四日戊子，吕义忠派遣使者向武宗报告情况，朝廷中议论纷纷。有的人说太原、泽潞两地都应当罢兵。王宰又上奏说："游弈将得到刘稹的文书，臣近日派人到了泽潞镇，叛贼有意愿归附朝廷，要是允许接受，请求下达诏命！"李德裕上奏说："王宰擅自接受刘稹的文书，又派人到叛贼中去，事先却不曾报告朝廷，观察王宰的用意，大概是想独占招抚叛贼的功劳。从前韩信大破齐王田广，李靖擒获颉利可汗，都是趁他们请降的时候，暗地派大兵乘其不备而取得胜利的。这样做只能使王宰失信于刘稹，怎么能减损朝廷的威严！建立奇功的机遇可能就在今天，一定不要因为太原的小动乱，错过了这个好机会。希望立即派供奉官到王宰行营去，催促王宰进兵，乘刘稹无备突然袭击，必须让刘稹和他的将领们带领全族人一起反绑着手前来投降，方能接受他们。同时派遣供奉官到晋绛行营去，秘密告谕石雄，王宰如果接受刘稹投降，那么石雄就没有功劳可言了。石雄将要立大功的时候，需要自己加倍努力，不要错过这个好机会。"李德裕又用宰相府的名义给王宰写信，说："从前王承宗虽违抗朝廷诏命，还派遣他的弟弟王承恭奉表到张相那里祈求得到怜悯，又派他的儿子王知感、王知信到朝廷作为人质。这样宪宗还没有答应不讨伐他。现在刘稹不反绑着手去见尚书，又不派血缘亲属到朝廷祈求怜悯，只把表示愿意归附的文书摆在大路上，游弈没有立即销毁这些东西，实在是错误的。何况杨稹与杨弁互相勾结，这样背逆朝廷，而将相大臣还容忍他这种欺诈，这样是臣下得到施恩惠的好处，而朝廷却蒙受了不赦的不好名声，用事理来衡量，恐怕不应当这么做。

从今以后再见到文书的话，就应当立即在当地烧掉。只有面缚前来，才能接受投降。”李德裕又上奏说：“太原的人心从来是忠顺朝廷的，只是因为贫困、空虚、犒赏不够才引起变乱。况且一千五百人，能惹出什么大祸事来！一定不要姑息放纵他们。目前正是用兵打仗的时候，很担心各地人心浮动。不久前张延赏被张朏所驱逐，逃到了汉州，最后还是回到了成都。希望诏令李石、吕义忠还是要回到太原行营去，召集附近的军队讨平作乱的人。”武宗都听从了。

当时，李石已到了晋州，诏令他再回到太原去。正月初七日辛卯，诏令王逢把太原的部队都留下来守卫榆社，由易定调出的一千骑兵和宣武、兖海调出的三千步兵共同讨伐杨弁。又诏令王元逵调步骑五千人从土门关进入河东，声援王逢的军队。忻州刺史李丕上奏说：“杨弁派人来进行游说，臣已把来使杀了，同时切断了杨弁向北方逃窜的通路，已发兵讨伐他。”

正月十七日辛丑，武宗与宰相商议太原叛乱一事，李德裕说：“现在太原的军队都在外地，作乱的只有一千多人，其他的州镇一定不会有响应的人。估计不用很久就可以平定，只需诏令王逢赶快进军，部队抵达潞州城下时，刘稹内部必定会发生变乱。”武宗说：“张仲武看到镇州、魏博讨伐泽潞立了大功，一定十分羡慕，派遣他讨伐太原行不行？”李德裕回答说：“镇州到太原去的路线最近最方便。张仲武去年讨伐回鹘时，与太原争功劳，担心他不严格约束士卒，使太原的平民受到伤害。”于是调遣张仲武的事就放弃了。

武宗派遣中使马元实出使太原去，晓谕乱兵，并且察看乱兵的强弱。杨弁和马元实畅饮了三天酒，并且送了很多财物给他。正月二十四日戊申，马元实从太原回到朝廷，武宗派他到宰相那里商议太原事件，马元实在众人中大声说：“你应当快一点给杨弁送符节去！”李德裕说：“为什么？”马元实说：“从节度使衙门到柳子列这十五里路上，都是穿着光明甲的士兵，有什么办法可以打败他？”李德裕说：“李石宰相正是由于太原无兵，所以抽调横水栅兵往榆社。兵库中的盔甲都在行营中，杨弁有何能耐得到这样多的甲士？”马元实说：“太原人强劲剽悍，人人都能当兵，是杨弁招募得来的吧。”李德裕说：“招募兵员须要有钱财，李石宰相只是因为欠军士一匹绢，没有办法取得，才引发这场乱子，杨弁从什么地方得到这大批财物？”马元实无话可说了。李德裕说：“从他拥有十五里光明甲这一点，也必须杀掉这个叛贼！”接着上奏说：“杨弁这个微贱出身的叛贼，决不可宽恕。如果国家军力不够用，宁可暂时放弃征讨刘稹。”河东镇士兵戍守榆社的人听说朝廷命令其他地方镇兵去夺取太原，担心妻室儿女被他们所屠杀，于是拥戴监军吕义忠去夺回太原。正月二十八日壬子，攻下太原，活捉了杨弁，把叛乱的士卒都杀了。

（以上为第十五段，写朝廷平定太原兵变。）

二月初一日甲寅，发生日食。

二月初二日乙卯，吕义忠奏报攻下太原。二月初三日丙辰，李德裕对武宗说：“王宰早就应该攻取泽州，现在已经拖延两个月了。大概是由于王宰与石雄向来关系就不好，现在取得泽州，距离上党还有二百里远，而石雄所驻扎的地方距离上党才一百五十里远。王宰担心攻打泽州时昭义大军被牵制，而石雄却乘潞州兵力空虚攻入上党，独享战功。另外王宰的儿子王晏实，因王智兴喜爱其聪明而把他当儿子看，王晏实现任磁州刺史，被刘稹扣为人质。王宰观望而不敢进军，或许这也是原因之一。”武宗命李德裕起草诏书给王宰，催促他进兵。并且说：“对刘稹这个小贼寇，朕不想宽恕他。也知道王晏实是你的爱子，但应当从伸张国家大义考虑，把个人的私心暂置一边。”

二月初四日丁巳，改任李石为太子少傅、分司东都，以河中节度使崔元式为河东节度使，石雄为河中节度使。崔元式是崔元略的弟弟。

二月初六日己未，石雄攻占良马寨等三个寨子，一个城堡。

二月初八日辛酉，太原献上杨弁和他的同党五十四人，都在东市狗脊岭斩首。

二月十九日壬申，李德裕对武宗说：“有些事情常常是由于某些刺激引发而获得成功的：陛下命令王宰开赴磁州，而逼得何弘敬出兵对敌；当要派遣客军讨伐太原时，而河东戍兵先擒获了杨弁。现在王宰久不进军，请求调刘沔担任河阳节度使，并让他带义成军的精兵两千直接开赴万善，处于王宰的肘腋之下。如果王宰意识到了朝廷这样做的用意，一定不敢再停留不前了。如果王宰进军的话，刘沔有重兵驻扎在南面，声势也更壮大。”武宗说：“很好！”二月二十五日戊寅，正式任命义成军节度使刘沔为河阳节度使。

王逢进攻昭义军将领康良佺，打败了他。康良佺放弃了石会关，退守鼓腰岭。

黠戛斯派遣将军谛德伊斯难珠等向朝廷进贡，说是想迁居到回鹘国可汗的牙帐去，请求约定出兵的日期，会集的地点。武宗赐给黠戛斯诏书，告诉他：“今年秋天可汗进攻回鹘、黑车子的时候，朝廷命令幽州、太原、振武、天德四镇出兵驻守在交通要道上，拦击逃亡的回鹘人，同时按照过去册命回鹘的旧例，正式举行册命可汗的典礼。”

朝廷由于看到回鹘已经衰败了，吐蕃又发生了内乱，于是商议收复河湟地区四镇十八州。任命给事中刘濛为巡边使，叫他预先准备器械粮草和侦察吐蕃守兵数量等事。又命令天德、振武、河东等镇训练士卒，磨砺兵器，以等待秋天黠戛斯进攻回鹘时，拦击他们溃败下来向南逃窜的人员。这些事都委派刘濛和节度团练使详细讨论后报告给朝廷。刘濛是刘晏的孙子。

任命道士赵归真为右街道门教授先生。

吐蕃论恐热的将领岌藏丰赞憎恨论恐热残忍，向尚婢婢投降。论恐热发兵进攻在鄯州的尚婢婢。尚婢婢分兵为五路来抵抗论恐热。论恐热退到东谷驻守，尚婢婢用木栅包围了他，切断了水源。论恐热带领一百多名骑兵突围逃走，驻守薄寒山，其余的部众都投降尚婢婢。

夏季，四月，王宰进攻泽州。

（以上为第十六段，写在朝廷敦促下，王宰、石雄两军进逼刘稹。吐蕃论恐热全军败没。）

武宗喜好神仙方术之事，道士赵归真得到宠信，谏官多次向武宗进言。四月二十三日丙子，李德裕也进谏说："赵归真在敬宗朝是犯了罪的人，不应当亲近他！"武宗说："朕在宫中闲暇的时候，和他谈论道术以消除烦闷而已。至于有关政事，朕必定询问你们这些人和次对官，哪怕是有一百个赵归真，也不能迷惑我。"李德裕说："小人们看到有权有势的地方，就会去投奔它，好像夜晚飞蛾扑火一样。听说这十多天以来，赵归真的家中，车马盈门。希望陛下深深警惕！"

四月二十五日戊寅，任命左仆射王起同平章事，充山南西道节度使，王起认为自己是文职官员未曾担任过宰相，直接被任命为使相，以前也没有这种例子，一再推辞。武宗说："宰相不分内外，朕如果有过失，你迅即上表奏闻！"

李德裕感到州县僚佐官员冗多，奏请令吏部郎中柳仲郢裁减。六月，柳仲郢奏报减去一千二百一十四员。柳仲郢是柳公绰的儿子。

宦官中有人揭发仇士良过去的罪恶，朝廷派人去仇士良家中检查，在他的家里发现兵器数千件。诏令削去他的官爵，没收他的家财。

秋季，七月初十日辛卯，武宗和李德裕商议派王逢领兵屯驻翼城这件事，武宗说："听说王逢执行法令太严厉，有这回事吗？"李德裕回答说："臣也曾把这个问题当面询问过王逢，王逢说：'前面有寒光闪闪的刀刃，法令不严厉，谁愿意向前冲锋！'"武宗说："话说得也有道理，你在召见他时劝诫一下就行了！"李德裕因而讲到刘稹不能赦免的事。武宗说："是这样的。"李德裕说："从前李怀光没有平定的时候，京师又发生蝗灾和旱灾，一斗米涨到一千钱，太仓的米粮连供应天子和六宫几十天的储备都没有。德宗召集百官，派遣中使马钦绪询问他们讨伐李怀光的意见。左散骑常侍李泌拿来一片桐叶把它撕破，交给马钦绪叫他献给皇上。德宗不解其意，召李泌来询问个清楚，李泌回答说：'陛下与李怀光之间的君臣名分，就像这片叶子一样，不能再合拢在一起了！'从此时起，德宗讨伐李怀光的主意才坚定下来。平定李怀光以后，就任命李泌为宰相，让他主持朝政达数年之久。"武宗说："也真是奇才！"

武宗听说扬州地方的歌舞女擅长酒令，就敕淮南监军挑选十七个人送到宫中来。监军请节度使杜悰一道去选，并且想另外选择良家美女，教会她酒令以后献给武宗。

杜悰说："监军自己接受了这项命令，杜悰不敢参与此事！"监军再三请求他，杜悰坚决不答应。监军大怒，把这件事报告朝廷，武宗看到奏表沉默不说话。左右的人请求武宗敕令节度使也一同参加挑选，武宗说："敕令藩镇大臣挑选歌舞女入宫，难道是圣明天子应当做的吗！杜悰不照着监军的意见办，符合大臣的身份，真正是具有做宰相的才能。朕非常惭愧！"随即命令监军不要再挑选歌舞女了。七月二十三日甲戌，任命杜悰为同平章事，兼度支、盐铁转运使。到杜悰入朝谢恩的时候，武宗慰劳他说："你没有听从监军的话，朕知道你有尽忠于君主的心意。现在任命你为宰相，朕犹如得到一个魏徵了！"

（以上为第十七段，写唐武宗好神仙，敕淮南监军选美，但能听谏而节制。仇士良被削夺官职，家资被籍没。）

【点评】

本卷点评李德裕御边、悉怛谋事件的是非、朝廷用兵泽潞等三件史事。

李德裕御边。唐朝后期，国力衰竭，对内用兵藩镇，如果唐与周边民族不睦势将卷入两线作战，唐国力将不堪重负。当时周边民族衰弱，不愿与唐朝作战。李德裕为相，专力平藩镇，主张与周边少数民族结和，严厉制止边将兴事邀功。但是该出手时就出手，对侵犯唐疆的敌人，坚决打击、决不手软。李德裕的剿抚并用策略，收到了功效。边境安宁，为李德裕用兵泽潞奠定了基础。

北方回鹘，被西邻黠戛斯打败，诸部逃散。公元840年，回鹘一部分贵族嗢没斯等部到天德军请求内附。天德军驻节天德城，在中受降城西北三十里，在今内蒙古包头市西黄河北岸。天德军使田牟请求出击。当时武宗初立，李德裕为相，力排众议，坚请武宗约束田牟，不许邀功生事。会昌二年（公元842年），嗢没斯等入朝。回鹘乌介可汗率所部侵扰天德、振武两军边塞。第二年，会昌三年，唐军大破乌介可汗，乌介逃走。李德裕约束边将邀功，设计分化敌军，部署既定，对顽敌一战成功。

回鹘西边的黠戛斯，打败回鹘，在会昌三年，送太和公主还唐，求册封。太和公主，系宪宗第十七女，下嫁回鹘崇德可汗。回鹘乱，为黠戛斯所得，遣使将公主送回唐朝以示好。黠戛斯要求唐朝册封可汗，武宗初不同意，并想向黠戛斯讨回安西、北庭。李德裕上奏，指出当时唐朝国力，无力戍守安西、北庭两都护府，因求地引来纠纷，不是上策，黠戛斯已经自称可汗，求唐册封是借重唐朝以在西方求得尊贵的身价，不如顺水推舟以册封的名义，要求黠戛斯同回鹘一样，向唐称臣，守子孙之礼，借其力攻击回鹘。武宗采纳了，唐朝得利。太和公主回朝后，武宗改封其为安定大长公主，给予了隆重的礼遇。

击败回鹘乌介可汗，表现了李德裕善于用兵；结和黠戛斯，表现了李德裕精于政治。西北党项寇盐州，李德裕不用兵将安抚。李德裕御边，针对不同情况，采用不同的策略，收到功效，提高了唐朝的威望。

悉怛谋事件的是非。悉怛谋是吐蕃镇守维州（今四川理县）的边将。文宗太和五年（公元 831 年），悉怛谋向西川节度使请降。李德裕上靖边破吐蕃之策，欲乘胜出击吐蕃，受到牛僧孺的排斥。其时牛僧孺为相，不愿李德裕建功，说“两国之间不可失信，不要贪一州之地引发吐蕃大举攻唐”。牛僧孺还夸大吐蕃强大，说吐蕃攻唐，三天时间就达到长安，西川远离长安数千里，救不了驾。唐文宗认为牛僧孺说得对，诏令李德裕不受降，把维州及降人退还吐蕃。吐蕃杀一儆百，把悉怛谋等数百人残杀在边境之上。不受降，可退还土地，决不应送还降人，这也是失信，而且是贱视生命。其后吐蕃分裂内战，失败的一方，也不向唐朝请降，认为唐王朝无信义，靠不住。再说，吐蕃乘安史之乱，夺取唐朝河西大片土地，吐蕃守信，就应归还唐朝。两国相交，一方不守信，而要求另一方守信，没这道理。牛僧孺的守信之说是片面道理，不能成立。儒家传统的义利之辨，是将两者对立，其实最高境界的利与义，两者是统一的，两国相交，利与义应是双赢互信。司马光用抽象的义利之辨，说牛僧孺讲的是信，李德裕守的是利，信大利小，肯定牛僧孺，否定李德裕，貌似有理，其实不对。牛僧孺和司马光夸大了吐蕃力量，是不实之词，也是以利害立论。由此可见，利与义是不能断然分割的，胡三省对司马光的话，做了点睛的评论。胡三省说：“元祐之初，弃米脂等四寨以与西夏，盖当时国论大指如此。”（《资治通鉴》胡注）会昌三年，李德裕重提悉怛谋事件，要唐朝廷为之平反，封赠悉怛谋以慰忠魂。武宗追封悉怛谋为右卫将军，为这一事件的是非画上了明确的句号。

朝廷用兵泽潞。泽潞是昭义镇的代称。昭义镇共辖五州，泽潞两州为其核心，在今山西境内。泽州治所晋城，在今山西晋城。潞州治所上党，在今山西潞城。另有三州在河北，为邢、洺、磁三州。邢州治所龙冈，在今河北刑台县。洺州治所永年，在今河北永年县。磁州治所滏阳，在今河北磁县。节度使驻潞州。昭义节度使刘从谏参与郑注谋诛宦官，郑注失败，刘从谏上书朝廷斥责仇士良。武宗为仇士良所立，于是刘从谏暗中策划割据。会昌三年（公元 843 年），刘从谏死，使侄儿刘稹继位，效河北三镇自立留后，请求朝廷授节。李德裕坚决主张用兵，不准许内地节度使世袭。武宗采纳，用兵泽潞。黄州刺史杜牧上书李德裕献平乱之策，吸取以往朝廷用多镇兵力平乱，互相观望，都不用力，官军虽多，心不齐，结果打败仗。用兵泽潞，只需河阳出兵一万为官军堡垒，堵住天井关隘口，坚壁不与贼战，再用忠武、武宁两镇军队，加上青州五千精甲，从宣、润提调两千弓弩手，集中兵力直取上党，要不了几个月就可攻下贼人的巢穴。李德裕采纳了这个意见。成德、魏博、平卢河北三镇，要引援同类，对朝廷阳奉阴违，他们的本心是支持泽潞割据。李德裕用兵泽潞的主力军采用杜牧的策略，主攻方向不用三镇之兵。平卢守境，专力防御北方，成德、魏博两镇，只限于攻取泽潞镇的河北三州，他们即使不用力，也能使泽潞孤立。对于宦官监军，以往每军监使选用精兵为护身的牙兵，比例为十分之一。两军交战，监军使有精兵卫队护身，逼近前线在阵后高处观望，一见不利，就掉头逃跑，自乱阵脚。李德裕与枢密使杨钦义协商，请监军使，第一，不得干预军政，第二，监军的卫队只抽取百分之一的士兵，有功一体受赏。监军使的卫队少了，不敢深入前沿阵地，只在后面，同样得到奖赏，有利无害。官军攻战的主体明确，少了监军使的捣乱，作战效率提高，取得了平叛的成功。会昌四年（公元 844 年），泽潞诸将杀刘稹请降，朝廷收复了昭义镇。

会昌年间，李德裕为相，御边打败回鹘，平乱收复昭义镇建立了卓越的功勋。朝廷的声望提高，南衙的地位提升，北司退缩，两者相对平衡，延伸至宣宗朝，稳定局面维持了二十余年。李德裕是当之无愧的晚唐中兴名臣。但李德裕有一个最大的弱点，保持朋党积习。会昌二年（公元 842 年），唐武宗想用白居易为相，白居易妻族杨氏属于李宗闵一党，白居易又与元稹交好，李德裕切齿，以白居易老病为由，引用白居易之弟白敏中为相，排斥白居易。实际上白居易本人并没有卷入朋党之争，他在唐文宗朝时为了避免朋党牵累，主动求做闲散官，无意争权。当时白居易已七十一岁，又患了中风病三四年，已无能力做相。武宗欲用白居易做相，只是一个荣誉性虚职，无碍李德裕办事。倒是白敏中是李宗闵之党，宣宗即位，李德裕吃尽了白敏中的苦头。李德裕心胸猛窄，咎由自取。

资治通鉴（白话本） 卷第二百四十八

唐纪六十四

唐武宗会昌四年至唐宣宗大中三年（公元 844—公元 849）

【起阏逢困敦（甲子，公元 844 年）闰月，尽屠维大荒落（己巳，公元 849 年），凡五年有奇】

【大事提要】

本卷记事起公元 844 年闰七月，讫公元 849 年，凡五年又六个月。当唐武宗会昌四年至唐宣宗大中三年。即本卷又是记载两朝皇帝交替之间的史事。前两年多的时段，是会昌初中兴政治的延续，政治上有两大成就。一是全面彻底地平定了泽潞的割据之乱，二是唐武宗灭佛。唐武宗与李德裕，可称为有唐一代的明君贤相，又鱼水相投，设若假以时间，有唐中兴有望。可惜武宗好神仙，服食金丹，年三十三中毒死亡。李德裕仇视牛党，加之有功骄恣而四面树敌，也断送了前程。会昌之治伴随武宗之死而终结，宣宗即位，立即斥逐李德裕。白敏中是李德裕提拔的宰相，他没有效法西汉曹参的萧规曹随，维护唐室难得一现的大好局面，而是投宣宗之好，对李德裕恩将仇报，一贬再贬置李德裕于死地。会昌之治也被全盘推翻，佞佛之风再炽，世风与政治迅速衰败，从此，唐王朝一蹶不振。

武宗至道昭肃孝皇帝下

唐武宗会昌四年（甲子，公元 844 年）

闰七月十一日壬戌，改任中书侍郎、同平章事李绅同平章事，充任淮南节度使。

李德裕上奏说：“镇州奏事官高迪秘密陈告两件事：第一件，是认为：‘叛贼喜欢采用暗中抽调兵员的办法，常常暗地把各地的兵员抽调到一个地方，这样以多胜少，把官军驱迫离开，以致官军失败；过一两个月，又暗中抽调兵员到另一个地方。官军应该掌握这个情况，如果不是来进攻城栅，就不要轻易与他交战。他们停留不过三天，就必须回到旧的驻地去，如果这样多次空手回去，自然士气就会大大低落下来。官军秘密派遣间谍侦察他抽调兵员的地方以后，乘虚进攻他，没有不打胜仗的。’第二件，‘镇、魏两州进驻的兵员虽然多，终究不能分散贼军的力量。是什么原因呢？这是因为官军扎营不能离开原来的老地方，每隔两三个月才深入叛贼境内一次，烧杀抢掠一番就回营了。叛贼只是固守城栅，城外的老百姓，他们也不顾惜。

应当命令把军队开到前面，进据叛贼的要害地方，用以逼近叛贼。要是总像现在这个样子，叛贼一点也不感到惧怕。’希望诏令诸将，使他们都了解这些情况！”

刘稹的心腹将领高文端前来投降，讲到叛贼粮食缺乏，叫妇人去搓谷穗，舂去壳，作为军粮。李德裕向高文端询问破贼的办法，高文端认为：“官军现在直接进攻泽州，恐怕会死伤很多士兵，城池还不一定攻得下来。泽州地方有兵员一万五千人，叛贼常常分出一大半兵员，暗地埋伏在山谷中，窥伺官军攻城疲敝了，就从四面八方来援救守城之人，这样官军一定要打败仗。现在希望命令陈许军渡过乾河建立营寨，从寨城起环绕泽州，连接筑成夹城，每天派遣大军在外面布下军阵，用来阻挡从山谷而来的叛贼救兵。叛贼看到围城的官军即将合围，一定会出城作战；等到他们被打败时，然后乘胜就可夺取该城了。”李德裕奏请下诏将这个策略告诉王宰。

高文端又说：“固镇寨四周是悬崖绝壁，从地形上看是不能进攻的。然而寨中没有水源，军士都要到山涧中取水饮用，山涧在寨子东南约一里远的地方。应当叫王逢进兵逼近山涧，断绝叛贼的水源，不过三天，叛贼一定会弃寨逃跑，官军即可追击他们。向前去十五里路就到青龙寨，也是四面悬崖绝壁，水源也在寨子外面，可以用上面的办法夺取那个寨子。它的东面十五里就是沁州城了。”李德裕上奏请把这个情况下诏告诉王逢。

高文端又说：“都头王钊带领一万军队戍守洺州，刘稹既把薛茂卿全家杀掉了，又杀了邢洺救援兵马使谈朝义兄弟三人，王钊从这时起就对刘稹感到疑虑忧惧。刘稹派使者召唤他，王钊不肯去见他，士卒们都喧闹起来，王钊必定不会为刘稹卖力作战。但是王钊和士卒们的家属都在潞州，另外士卒们担心投降后被官军杀害，想要招降他们一定难以做到。只有向王钊暗示，叫他带兵入潞州攻打刘稹，事情成功以后，答应任命他为别道节度使，并且还有优厚的赏赐，大概他会答应的。”李德裕奏请下诏给何弘敬，要他暗地派人把这个打算告知王钊。

（以上为第一段，写泽潞叛军战术被官军破解，大将投降，面临灭亡。）

刘稹年少懦弱，押牙王协、宅内兵马使李士贵当权掌事，专门聚积财货，府库装满了钱财，而将士虽立了功也得不到赏赐，由于这样人心离散，将士抱怨不已。刘从谏的妻子裴氏，是裴冕的旁支孙女，忧虑刘稹将要失败，她的弟弟裴问领兵在山东驻守，就想召弟弟回来执掌军政大权。李士贵担心裴问回来夺了自己的大权，并且暴露自己所做的坏事，于是说：“山东三州的军政大事全靠五舅支撑，要是把他召回来，那么山东三州就守不住了。”这样就作罢了。

王协推荐王钊为洺州都知兵马使；王钊很得军众的欢心，但是多半不遵守节度使府的有关法令，同王钊共事的高元武、安玉说王钊不是一心忠于刘稹。刘稹召他去潞州，王钊借口说：“到洺州来还没建立一点功劳，实在是有愧的很，请求留几个月，然后再到节度使府去。”刘稹答应了。

王协请求向商人征税，每州派一名军将管理这件事，名义上是向商人征税，实际上是登记平民的家产，以至于什物器具都在登记之列，都估价作为绢匹，十分中取其二分，一般估的价值都比原物价值高。平民把浮财和干粮全部拿出来纳税，还不够数，都恐惧不安。

军将刘溪更加贪婪残暴，刘从谏不任用他；刘溪用厚礼贿赂王协，王协认为邢州富商最多，就要刘溪担任邢州征税之事。裴问所带领的士兵号称“夜飞”，多半是富商的子弟，刘溪到来之后，把他们的父兄都抓起来了；军士向裴问诉说，裴问为他们向刘溪请求放人，刘溪不答应，还用不客气的话回答裴问。裴问大怒，秘密与部下谋划杀掉刘溪归附朝廷，并告诉刺史崔嘏，崔嘏也同意这么办。七月二十五日丙子，崔嘏、裴问关闭城门，斩城中大将四人，向王元逵请求投降。当时高元武在党山，听到了这个消息，也投降了。

先前节度使府赐洺州军士每人一端布，不久，有文帖说用这个当作冬季的赏赐。适逢征收商税的军将到洺州，王钊借着人心的动荡时机，对军士们说：“留后年纪轻，政令不是他本人做出的。现在仓库里财物很多，足足可用十年，难道不可以稍稍拿出一些来以慰劳辛苦的将士吗！节度使府发的文帖不能照办。”于是擅自打开仓库，分给士卒每人绢一匹，谷十二石，士卒大喜。王钊于是关闭城门向何弘敬投降。安玉在磁州，听说邢州、洺州都投降了，也向何弘敬投降。尧山都知兵马使魏元谈等投降王元逵，王元逵认为他们久攻不克，把他们都杀掉了。

八月十一日辛卯，镇、魏两节度使奏报说邢、洺、磁三州都投降了，宰相入宫向武宗道贺。李德裕说：“昭义的基本力量都在太行山以东，邢、洺、磁三州投降了，那么上党要不了多久定会发生变乱。”武宗说：“郭谊一定会杀了刘稹来为自己赎罪。”李德裕说：“确实会和圣上预料的一样。”武宗说：“现在应当首先处理的是什么事呢？”李德裕请求任命卢弘止为三州留后，并说：“万一镇、魏二镇请求占有三州，朝廷将处于两难之中。”武宗应允了。诏令山南东道兼昭义节度使卢钧乘驿站车马赴昭义镇上任。

（以上为第二段，写邢洺磁三州降，泽潞丧失东三州屏障，大门洞开。）

潞州人听到山东三州投降了，大为恐惧。郭谊和王协谋划杀掉刘稹来为自己赎罪；刘稹的堂兄中军使刘匡周兼任押牙，郭谊认为他不好对付，于是对刘稹说：“十三郎在牙院，诸将都不敢向你发表意见，担心被十三郎怀疑而获罪，由于这样丢掉了山东三州。现在要是使十三郎不在牙院，那么诸将就会敢于发表意见，一定会得到好的办法。”刘稹召刘匡周告谕他这一意见，要他借口有病不到牙院来。刘匡周大怒说：“我在牙院中，所以诸将才不敢有异图，我退出牙院以后，我们刘家一定要被消灭了！”刘稹坚持请他退出，刘匡周不得已，手指捻得作响，愤愤地离开了节度使府。

郭谊叫刘稹的亲信董可武对刘稹说：“山东三州的背叛，这事是由五舅引起的，城中每一个人谁敢担保他不是坏人！留后今后打算怎么办？”刘稹说：“现在城里还有五万人，暂且只有闭门坚守而已。”董可武说：“这不是好办法。留后不如约束自己归附朝廷，如张元益一样，不失去做节度使的机会。暂时让郭谊担任留后，等他得到了节度使旌节以后，再慢慢奉送太夫人和家室及金银财帛回到东都去，不是很好吗？”刘稹说：“郭谊怎么会愿意这样做呢？”董可武说：“我已经和他郑重立了誓言，他一定不会背负的。”于是把郭谊带了进来。刘稹与郭谊把密约商量确定以后，告诉他母亲，他母亲说：“归附朝廷诚然是一件好事，但是遗憾的是已经太晚了。我的弟弟都不能保证他无二心，哪里能够保证郭谊！你自己去想办法吧！”刘稹就穿着素色衣服出去，用母亲的名义任命郭谊为都知兵马使。王协已经告诉诸将排列在外厅，郭谊拜谢刘稹以后，出外会见诸将，刘稹在内厅准备行装。李士贵听到这件事，带领后院的数千士兵进攻郭谊。郭谊斥责他们说：“为什么不自己去夺取赏赐的财物，而想和李士贵一同去死吗！”军士于是退走，一起把李士贵杀了。郭谊调换了许多将吏的职位，重新部署了军士，一个晚上就安定了秩序。

第二天，郭谊派董可武入见刘稹时说：“请去商量公事。”刘稹说：“何不就在这里说？”董可武说：“担心惊吓了太夫人。”于是带领刘稹步行出牙门，到达北宅，设置酒宴和音乐。正当痛饮的时候，董可武说：“今天要做的事是保全太尉一家，须要留后自己去找一个安身的地方，那么朝廷一定会怜悯爱惜的。”刘稹说：“像你那么说，是合乎我的心愿的。”董可武就向前握住他的手，崔玄度从后面杀了他，随即收捕刘稹的宗族，从刘匡周以下到尚在襁褓中的幼儿都被杀死。又杀了和刘从谏父子友善的张谷、陈扬庭、李仲京、郭台、王羽、韩茂章、韩茂实、王渥、贾庠等共十二家，以及他们的子侄甥婿等一个也不遗漏。李仲京是李训的哥哥；郭台是郭行余的儿子；王羽是王涯的侄孙；韩茂章、韩茂实是韩约的儿子；王渥是王璠的儿子；贾庠是贾悚的儿子。甘露之变以后，李仲京等人逃到刘从谏那里，刘从谏抚慰收留了他们。凡是军队里稍有嫌疑的人，郭谊每天都要杀掉一些，流血像泥浆一样多。郭谊把刘稹的头装好，派使者拿着奏表和书信，向王宰投降了。刘稹首级经过泽州时，刘公直全军营的人都痛哭，也向王宰投降了。

（以上为第三段，写泽潞大将郭谊、王协卖主求荣，杀刘稹投降。）

八月十五日乙未，王宰奏报郭谊投降等事。八月十六日丙申，宰相入朝向武宗祝贺。李德裕上奏说：“现在不需要再设置邢、洺、磁留后官了，只派遣卢弘止宣慰三州和成德、魏博两个道。”武宗说：“郭谊应当如何处置？”李德裕说：“刘稹不过是一个痴小子而已，出兵抗拒朝命，都是郭谊充当主谋；等到刘稹势力孤单的时候，又出卖刘稹以求得到奖赏。对于这种人不杀掉的话，又如何惩戒恶人！应当趁各路军队还在潞州境内，把郭谊等一起杀掉！”武宗说：“朕也认为应该这么办。”于是诏令石雄带领七千人进入潞州，以应合谣传的话。杜悰认为粮饷运输跟不上，说是可以赦免郭谊等人的罪行，武宗只注视着他不作回答。李德裕说：“今年春泽潞尚未平定，太原又发生扰乱，如果不是圣上的决断坚定，两处寇乱怎么能平定呢！外面有议论说，要是发生在先朝，早就赦免他们了。”武宗说：“你不知道文宗的想法和你不一样，哪里能这样议论！”免去卢钧山南东道的职务，专门担任昭义节度使。

八月十八日戊戌，刘稹的首级被运到了京师。武宗下诏：“昭义所辖的五个州免除一年的赋税，军队所经过的州县今年只征收秋税。昭义地方从刘从谏以来额外增加的赋税，一概都免除。所有登记在册的当地团兵全部遣散回乡务农。各道参加讨伐的将士立了功的，按等级给予奖赏。”

郭谊杀了刘稹以后，每天都在盼望任命为节度使的旌节；却好久没有消息，郭谊就说：“一定是要调到其他镇去。”于是检视鞍马，准备行装；等到听说石雄到来，大惊失色。石雄到达，郭谊等参见拜贺完以后，敕使张仲清说：“郭都知的告身改日就会到；各位高班的告身就在这里，晚上牙门集会时来领回去。”于是派河中镇的军队环绕毬场，到傍晚集合时，郭谊等回来，喊着名字把人带进去，凡是桀骜狡黠抗拒官军的将领，都抓起来送去京师。加给何弘敬同平章事的官衔。八月二十七日丁未，下诏发掘出刘从谏的尸体，在潞州市场上摆了三天；石雄把尸体拿来放在毬场中剁碎了。

八月二十八日戊申，加封李德裕为太尉、赵国公官爵，李德裕坚决推辞。武宗说：“遗憾的是没有官职可以奖赏了！你要是不应该获得，朕决不会给你的。”

原先，李德裕认为：“自从德宗时韩全义讨伐吴少诚以来，将帅领兵出征时屡次失败，究其原因，有三个方面的弊病：第一，向军队下发诏令，一天有三四道，宰相多半不参与拟定。第二，监军各人根据自己的意见指挥军事，将帅执掌不了军队进退的权柄。第三，每军都设置由宦官担任的监使，他们在军队中挑选几百名骁勇的军士为牙队，而留在阵地上作战的人，多是胆小懦弱的士兵；每次开战，监使执着信旗，站在高处的马背上，由牙队保卫着自己，看到军队稍有后退，立即就打着信旗先跑了，军阵随之也就溃散了。”李德裕于是和枢密使杨钦义、刘行深商议，约束监军不得干预军事行动，在每一千个士兵中听任监使选取十人为卫士，有功劳时按规定给以奖赏。两位枢密使都认为应该这样办，于是报告武宗后就切实执行。从抵御回鹘开始到泽潞打仗结束，都执行了这个制度。如果不是中书省进呈的有关内容的诏旨，就没有其他诏书从宫中发出。号令简要，将帅就能够施展他们的谋略，所以指向哪里，都能取得成功。

自从用兵作战以来，河北三镇每次派使者到京师来，李德裕常常当面晓谕他们说：“河朔地方兵力虽强大，但不能独立自主，必须靠朝廷官爵威仪才能使军情安定。回去告诉你们的节度使：与其派遣大将请求宣慰敕使以求官爵，何不自己用忠义之心，建立功业，为明主所信任，使授官爵的恩惠由朝廷发出，这不是很光荣吗！就从所见所闻的事例来说，李载义任幽州节度使，为国家尽忠平定沧景之乱，等到被军队赶走时，仍旧担任节度使官职，后来镇守太原，官位达到了宰相。杨志诚派遣大将拦着敕使的马求官，等到被军队士兵赶走后，朝廷终究没有赦免他的罪行。从这两个人的祸福情况就足以得到启示了。”李德裕又将这些话向武宗说了，武宗说：“应当这样明白地告诉他们。”由于这样，河北三镇就不敢有异志了。

（以上为第四段，写李德裕调度有方，策略得当，军事政治双管齐下，为讨平泽潞立了首功。

九月，下诏把泽州划归河阳节度使管辖。

九月初七丁巳，卢钧到达潞州。卢钧向来宽厚爱护士众，刘稹还没有平定的时候，卢钧已经兼任昭义节度使。襄州带来的士卒在行营的人，与潞州兵打仗的时候，常常在阵地上宣扬卢钧的美德。等到去昭义镇上任，通过天井关，昭义军流散士卒归附卢钧的，卢钧都用优厚的待遇收留他们，人们的心情都很安定，昭义就安定下来了。

刘稹属下的将领郭谊、王协、刘公直、安全庆、李道德、刘佐尧、刘武德、董可武等被押到京师，都被斩首。

臣司马光评论说：董重质在淮西、郭谊在昭义叛乱的时候，吴元济、刘稹就像演戏人手中的木偶一样。他们两个人开始时劝说主人作乱，最后又出卖主人为自己寻求利益，他们的死固然是死有余辜。然而在宪宗时董重质被重用，在武宗时郭谊却被诛杀，臣的愚见认为这两者都做得不对。为什么呢？奖赏奸人是不义的，杀害降者是不讲信用。把信义都丢掉，怎么能治理好国家！从前汉光武帝对待王郎、刘盆子的投降，只是答应不杀他们，这是由于了解他们不是在势穷力尽的时候是不会投降的缘故。樊崇、徐宣、王元、牛邯那班人，难道不是帮助作乱的人吗？但是汉光武帝没有杀死他们，那是认为既然接受了他们投降，就不应当又杀了他们的缘故。要是已经赦免他们一死之后又逃亡叛乱，那么处死他们就没有话可说了！像郭谊等人，不杀他们而流放到边远的地方去，到老都不许回乡，就可以了；杀掉他们，是不对的！

（以上为第五段，写卖主求荣的泽潞叛将被斩，司马光评论认为朝廷处置失宜，赏奸、杀降丧失信义。）

王羽、贾庠等人已经被郭谊杀了，李德裕又通过武宗下诏说：“逆贼王涯、贾悚等人的子孙投靠在昭义的也已被诛杀。”宣告朝廷内外，有见识的人觉得李德裕这样做不对。刘从谏的妻子裴氏也被处死；又叫昭义降将李丕、高文端、王钊等人上疏把昭义将士中和刘稹一起干坏事的人列举出来，都杀掉，死亡的人很多。卢钧怀疑其中有过分或被冤枉的人，上奏请求宽大一些，武宗不同意。

昭义所属城市中曾有对王元逵无礼的，王元逵追查出有二十多人，把他们杀了；其他的人感到恐惧，又关闭城门自我保卫。九月十八日戊辰，李德裕等上奏说：“贼寇既然平定了，都是国家的城镇，怎么能让王元逵用兵力去攻讨它！希望派遣中使给城内将士一道敕令，招安他们，诏令王元逵带领军队回到本镇去，同时诏令卢钧派遣使者安抚人心。”武宗答应了。

九月二十五日乙亥，李德裕等请求给武宗上尊号，并且说：“从古以来的帝王，有大的功业时一定祭告天地；另外，宣懿太后神主入祖庙祭祀，陛下未曾亲自去拜谒。”武宗惊愕地说：“到祖庙去祭祀的典礼，实在应当赶快举行，至于加美称，不是我敢接受的！”共上了五次奏表，才答应接受尊号。

李德裕上奏说：“据幽州奏事官说：探听到回鹘上下离心，可汗想往安西跑，他的部落中有人说，亲戚都在唐朝，不如归附唐朝为好；同时他们与室韦不和，预料他们不久就会来投降，或者内部自相残杀以致消灭。希望派遣有见识的中使赐张仲武诏书，告诉他镇州、魏博两节度使已平定了昭义叛乱，现在只有回鹘尚未消灭，仲武还带着北面招讨使的官衔，应当早些谋划建立功业。”

李德裕怨恨太子太傅、东都留守牛僧孺，湖州刺史李宗闵，对武宗说：“刘从谏据有上党十年之久，太和年间回到了京城，当时是牛僧孺、李宗闵担任宰相，没有把刘从谏留下来，还加给他宰相官衔，放他回去了，以致造成今天这样的大祸乱，竭尽了国家的力量才取得了胜利，这都是牛、李二人的罪过。”李德裕又派人去潞州搜求牛僧孺、李宗闵和刘从谏交往的书信文稿，没有得到什么，就要孔目官郑庆说，刘从谏每次收到牛僧孺、李宗闵的书信文稿，都自己烧掉了。下诏把郑庆交给御史台审问，御史中丞李回、知杂郑亚认为真有那么回事。河南少尹吕述给李德裕写信，说是刘稹被攻破的消息传来时，牛僧孺发出哀叹的声音。李德裕把吕述的信也奏上武宗，武宗大怒，贬牛僧孺为太子少保、分司东都，李宗闵为漳州刺史；十月［十九日戊子］，再贬牛僧孺为汀州刺史，李宗闵为漳州长史。

武宗到鄠县狩猎。

十一月，又贬牛僧孺为边远地循州长史，流放李宗闵到封州。

十二月，改任忠武节度使王宰为河东节度使，河中节度使石雄为河阳节度使。

武宗到云阳狩猎。

（以上为第六段，写李德裕报复旧恨，一贬再贬牛僧孺、李宗闵。此牛李党争第五回合。）

唐武宗会昌五年（乙丑，公元 845 年）

春季，正月初一日己酉，群臣给武宗献上尊号，称仁圣文武章天成功神德明道大孝皇帝，尊号中原来没有“道”字，宫中有旨意加上“道”字。正月初二日庚戌，武宗到太庙拜谒；正月初三日辛亥，祭祀昊天上帝，大赦天下。

在京城南郊修筑望仙台。

正月十二日庚申，义安太后王氏去世。

任命秘书监卢弘宣为义武节度使。卢弘宣性情宽厚，不好冒犯，处理政事简便易行，他的下属感到很方便。河北地区有一条法规，军士中有聚众私语的就要被处死；卢弘宣到那里以后，在他的管辖范围内去掉了这条法规。朝廷诏令赐该道粟三十万斛，但粮食存放在飞狐以西的地方，计算起来运到本镇的费用比粟的价钱还高，卢弘宣就派官吏看守着。遇上这年发生春旱，卢弘宣命令军民随意自己去取用，粟米都运回本道了，规定秋天丰收以后归还官府。当时成德、魏博两镇都闹饥荒，只有易定镇没有受到损害。

淮南节度使李绅查到江都县令吴湘盗窃了专用于官吏出差补助的钱粮，又强迫迎娶他辖区内百姓颜悦的女儿为妻，估价他的资产和衣装是赃物，罪状该是死罪。吴湘是吴武陵哥哥的儿子，李德裕向来就仇恨吴武陵。议论的人多半说吴湘蒙受了冤枉，谏官请求复查，朝廷下诏派监察御史崔元藻、李稠二人来复查这个案子。他们回朝说：“吴湘盗用程粮钱是实有其事；关于强娶民女，颜悦本来是衢州人，曾担任过青州牙推官职，妻子也出身士族，这些与以前所讲的不同。”李德裕认为他们的复查没判别是非，二月，贬谪崔元藻为端州司户，李稠为汀州司户。对吴湘也不再调查，也不交给有关司法部门重新审理决断，就按照李绅上奏的意见，把吴湘处死。谏议大夫柳仲郢、敬晦都上奏疏抗争这个案子，未被采纳。李稠是晋江人；敬晦是敬昕的弟弟。

李德裕任命柳仲郢为京兆尹；柳仲郢向来和牛僧孺友善，他向李德裕感谢时说：“想不到太尉恩奖我到这个样子，为了报答你的大恩大德，怎敢不和在奇章公牛家门馆时一样侍奉你！”李德裕并不嫌忌他说这种话。

夏季，四月二十六日壬寅，任命陕虢观察使李拭为册封黠戛斯可汗使。

五月十六日壬戌，武宗在光陵柏城的外边安葬了唐穆宗恭僖皇后。

门下侍郎、同平章事杜悰被降职为右仆射，中书侍郎、同平章事崔铉被降职为户部尚书。五月十九日乙丑，任命户部侍郎李回为中书侍郎、同平章事，仍兼任户部职务。

祠部奏报说全国总计有寺四千六百个，佛寺四万个，僧尼二十六万零五百人。

诏令册封黠戛斯可汗为宗英雄武诚明可汗。

秋季，七月初一日丙午，发生日食。

武宗憎恨和尚尼姑如蠹虫一样耗费国家财物，想除掉他们，道士赵归真等人又劝说武宗这样做；于是先毁掉山野的招提、兰若一类寺院，至是，敕令上都、东都两街各留两所寺院，每寺留下三十名僧人；全国节度观察使治所以及同、华、商、汝等州各留一所寺院，寺又分三等：上等寺留僧二十人，中等寺留十人，下等寺留五人。其余的和尚和尼姑以及大秦传来袄教的穆护僧众等都勒令还俗。寺庙不应保留的，规定日期限令该地拆毁，还要派遣御史分别到各道去监督执行。财货田户都由官府没收，寺庙建筑材料用来修建公用房舍和驿站房屋，铜像钟磬等用来铸造钱币。

任命山南东道节度使郑肃为检校右仆射、同平章事。

朝廷下诏令征调昭义镇骑兵五百名、步兵一千五百名去戍守振武镇，节度使卢钧出城到裴村去为他们饯行。潞州士卒本来就很娇宠，对到边远地方去戍守感到畏难，乘着酒醉，打着旗子回到城内，关上城门喧闹起来，卢钧跑去潞城县暂时躲避。监军王惟直亲自出面告诫他们，遭到乱兵攻打，负了伤，十天就死了。李德裕上奏说："请诏令河东节度使王宰派步骑一千人守石会关，派三千人从仪州路出发去据守武安县，以截断邢、洺二州到潞州的道路；另外令河阳节度使石雄带兵驻守泽州，河中节度使韦恭甫调派步骑一千人戍守晋州。这样一来，叛贼一定不能有什么作为。"武宗都依从了。

八月，李德裕等上奏："东都九庙二十六尊神主，现在还存放在太微宫的小屋内，请求用废弃寺院的建筑材料重修太庙。"

八月初七日壬午，在诏令中陈述释教的各种弊端，宣告中外。在全国共拆毁寺庙四千六百多处，还俗的僧尼有二十六万零五百人，大秦穆护、袄僧两千多人，毁掉招提、兰若四万多处。国家没收良田数千万顷，奴婢十五万人。凡是允许留下的僧侣都隶属主客郎中管理，不再隶属祠部。百官都上表称贺。不久，又诏令东都只留僧侣二十人，各道原规定留二十人的减少一半，留十人的减少三人，留五人的全部不留了。

五台山的僧侣多数向幽州逃去。李德裕召来幽州进奏官，对他说："你赶快告诉你们的节度使，五台山和尚当将领一定不如幽州的将领，当兵卒一定比不上幽州的兵卒，为什么要一个收容他们的虚名，让人们作为口实！难道看不见不久前刘从谏招募不少闲杂人员，结果没什么好处！"张仲武于是封装了两把刀交给居庸关的守将说："如有游僧入境，就杀了他。"

主客郎中韦博认为毁佛的事不宜做得太过分，李德裕讨厌他，贬谪他为灵武节度副使。

（以上为第七段，写唐武宗灭佛。）

昭义军的乱兵推举都将李文矩为统帅；李文矩不答应，乱兵也不敢杀害他。李文矩于是用利害关系教导他们，乱兵慢慢听从命令了，就派人到潞城向卢钧谢罪。卢钧回到上党城，还是派遣那些人到振武去戍边；在他们走了一站路之后，就暗地选派一支军队追赶他们；第二天，在太平驿追上了，把他们全部杀掉。卢钧把详细情况报告朝廷，并且请求撤去在境上的河东、河阳驻军，武宗同意了。

九月，下诏修建东都的太庙。

李德裕请求设置边库，命令户部每年存入钱十二万缗，帛十二万匹，度支和盐铁两处每年存入钱十二万缗，帛十二万匹，第二年减少三分之一，凡是各道所进奉的助军财货都存放进去，划归度支郎中兼管。

王才人在后庭中最得宠幸，武宗想把她立为皇后；李德裕认为王才人出身贫寒人家，又未生儿子，担心不合天下人的希望，于是作罢。

武宗服食了方士的金丹，性情日益暴躁，喜怒无常。冬季，十月，武宗向李德裕询问外间有些什么议论，李德裕回答说："陛下裁决事务威严果断，高深莫测，外面的人们很是感到惊惧。过去寇盗叛逆之人横暴，固然应当用威力制裁他们；现在国家已经安定了，希望陛下用宽惠的办法来治理，只要使犯罪的人没有怨言，做善事的人不受惊吓，就是宽惠之政了。"

任命衡山道士刘玄静为银青光禄大夫、崇玄馆学士，赐号称广成先生，并为他修治崇玄馆，设置属吏，铸造印玺。刘玄静坚决辞官，请求回山，武宗答应了。

李德裕掌握政权的时间长了，喜欢凭爱憎办事，有很多人怨恨他。自从杜悰、崔铉被免去宰相以后，在武宗左右的宦官说李德裕太专权了，武宗也厌恶了李德裕。给事中韦弘质上奏疏，说宰相的权力过重，不应该兼管三司的钱谷之事。李德裕上奏称："制定或设置官职，是皇上的权力。韦弘质是受到他人的教唆和引导这么说的，所谓低贱的人企图损害掌权的大臣以扰乱国家，这不是他应该说的话。"十二月，韦弘质因而被贬官，这样一来，人们更加怨恨李德裕。

武宗从秋冬以来，感觉有病，而道士认为是换骨。武宗把这件事保密，外面的人只是看到武宗很少外出游猎而奇怪，宰相奏事时也不敢停留太久。诏令取消来年正月元旦的朝会。

吐蕃论恐热又纠合诸部进攻尚婢婢，尚婢婢派遣庞结藏带领五千兵抵抗他，论恐热被打得大败，和数十骑逃走了。尚婢婢在河、湟两地发檄文，文中历数论恐热残虐的罪行，并说："你们这些人本是唐朝人，现在吐蕃没有君主，就应当一起回到唐朝去，不要被论恐热所控制，如狐狸兔子一样！"于是各部落原来跟随论恐热的人渐渐离开了他。

这一年，全国有四百九十五万五千一百五十一户。

朝廷虽然为了招抚党项设置了使节，但是党项还是侵盗不止，攻陷了邠、宁、盐州边界的城堡，驻屯在叱利寨。宰相请求派遣使者宣抚慰问；武宗决定讨伐他们。

（以上为第八段，写李德裕骄恣树敌，唐武宗求仙服食金丹。）

唐武宗会昌六年（丙寅，公元 846 年）

春季，二月初九日庚辰，任命夏州节度使米暨为东北道招讨党项使。

武宗的病久未平复，以为汉朝是火德，不使水克火，就改“洛阳”为“雒阳”；唐朝是土德，不可让王气胜过君主的名字，三月下诏改名为“炎”。

武宗从正月初三日乙卯就不上朝视事了，宰相请求接见，也不答应。朝廷内外都为之担忧。

过去宪宗将李锜的妾郑氏收入宫中，生下光王李怡。李怡小的时候，宫中的人都认为他不聪慧，从太和年间以后，更加隐晦藏匿，和他人一起居住游玩时，没有讲过什么话。文宗到十六宅去参加宴会时，喜欢逗光王发言取乐，号称光叔。武宗性情豪迈，更是对光王不讲礼节。等到武宗病危时，十天都不能说话了。那些宦官慢慢在禁中定下计谋，正月二十日辛酉，有诏令说：“皇子年幼，须要选择贤德的人为继承者，光王李怡可立为皇太叔，改名李忱，一切国家的军政大事交给他暂时办理。”太叔接见百官时，满脸带着悲戚的样子；处理众多的政务，都合乎事理，人们才知道他过去是把自己的才德隐藏起来了。

正月二十三日甲子，武宗去世。由李德裕担任冢宰。正月二十六日丁卯，宣宗即皇帝位。宣宗向来讨厌李德裕的专权，即位的那天，由李德裕送上册命文书，礼仪完了以后，宣宗对左右的人说：“刚刚在我面前的人不是李太尉吗？他每次看我时，都使我毛发倒竖。”夏季，四月初一日辛未，宣宗开始处理政事。

宣宗尊崇生母郑氏为皇太后。

四月初二日壬申，改任门下侍郎、同平章事李德裕同平章事，充任荆南节度使。李德裕长期掌握政权，地位贵重而有功劳，大家料想不到他会突然被罢去宰相职位，听到这消息的人没有不感到惊异的。四月初四日甲戌，贬谪工部尚书、判盐铁转运使薛元赏为忠州刺史，他的弟弟京兆少尹、权知府事薛元龟为崖州司户，他们都是李德裕的同党。

用杖打死道士赵归真等数人，将罗浮山人轩辕集流放到岭南。五月初五日乙巳，大赦天下。上京两街除以前允许保留的两寺以外，再允许各街增置八寺；僧尼仍旧归功德使管辖，不隶属主客，凡是批准出家的僧尼仍令祠部发给度牒。

任命翰林学士、兵部侍郎白敏中同平章事。

五月二十一日辛酉，立皇子李温为郓王，李渼为雍王，李泾为雅王，李滋为夔王，李沂为庆王。

六月，礼仪使上奏说：“请求在太庙恢复安放代宗神主，由于敬宗、文宗、武宗同为一代，在太庙东边增加两间房屋，成为九代十一室。”宣宗答应了。

秋季，七月初三日壬寅，淮南节度使李绅去世。

回鹘乌介可汗统帅的部队渐渐减少，有的投降了，有的冻饿而死，所剩下来的不到三千人；国相逸隐啜在金山杀了乌介，立他的弟弟特勒遏捻为可汗。

八月初三日壬申，葬至道昭肃孝皇帝于端陵，庙号武宗。

原先，武宗病重时，看着王才人说：“我死了以后，你打算怎么办？”王才人回答说：“愿意跟随陛下到九泉去！”武宗把一条帛巾给了她。武宗死了以后，王才人随即也自缢而死。宣宗听到后很怜悯她，追赠为贵妃，将她葬在端陵柏城的里面。

将循州司马牛僧孺迁为衡州长史，流放到封州的李宗闵改为郴州司马，恩州司马崔珙改为安州长史，潮州刺史杨嗣复改为江州刺史，昭州刺史李珏改为郴州刺史。牛僧孺等五位宰相都是被武宗贬逐的，到这时，同在一天向北迁转。李宗闵还没有离开封州就死了。

九月，改任荆南节度使李德裕为东都留守，免去平章事官衔；任命中书侍郎、同平章事郑肃同平章事，充任荆南节度使。

任命兵部侍郎、判度支卢商为中书侍郎、同平章事。卢商是卢翰的族孙。

（以上为第九段，写唐武宗死，宣宗立，李德裕遭贬。李党失势，武宗所逐牛党互相同日量移。牛李党争至此结束，此为第六回合。自宪宗元和三年（808）至此武宗会昌六年（846），两党争斗，凡四十年。）

册封黠戛斯可汗的使者由于武宗去世的国丧而未动身，有人认为那是偏僻远的小国家，不值得和他平等相待；回鹘尚未平定，不应当马上就对他册封。下诏要百官讨论，这件事就暂时搁置下来了。

蛮人侵扰安南，经略使裴元裕率领邻道兵讨伐他们。

任命右常侍李景让为浙西观察使。

从前，李景让的母亲郑氏，性格严厉精明，很早就守寡，家境清贫，居住在东都。三个儿子年纪都小，由母亲亲自进行教育。住宅后面的古墙因为下雨而倒塌，藏在里面的钱可装满一船，奴婢们很高兴，跑去告诉李景让的母亲。她到发现钱的地方，烧起香祝告说：“我听说不劳而获，会为自己带来灾害。上天一定由于先君积下了功德，怜悯他后人的贫穷而赏赐他，那么希望几个孤儿将来学问取得成就，这就是他的志向，这些钱不敢受用！”急忙命令把钱掩盖，在上面筑上墙。她的三个儿子景让、景温、景庄都考上了进士。李景让的官位最高，即使头发已经斑白，哪怕犯了小错误，也免不了母亲的鞭打。

李景让任浙西观察使时，有左都押牙违背了李景让的旨意，李景让用棍杖把他打死了。军队中的将士对此很愤怒，要引起变乱。李景让的母亲听到了这件事，在李景让正在处理政事的时候，亲自坐在厅堂上面，叫李景让站在庭中责备他说："天子把一个地区交给你治理，国家的刑法，难道是供你喜怒的时候随便使用，乱杀无罪的人吗！万一引起一处地方不安宁，不仅对上辜负了朝廷，而且也会使年老的我带着羞惭死去，有什么脸面去见你的祖先啊！"命令左右的人脱去李景让的上衣坐在那里，将要鞭打他的脊背。将佐们都为李景让求情，一面拜一面哭，过了很久，才让李景让离开，由于这样，军队中才安定下来。

李景庄在考场中总是失败，每一次考试失败，母亲就鞭打李景让一回。然而李景让始终不肯去向主考官求情，并且说："朝廷取录进士自有他公正的标准，哪里敢仿效别人用疏通关节来取得呢！"过了很久，宰相对主考官说："今年不能不录取李景庄了，可怜他的哥哥每年都要受到鞭打！"这样一来李景庄就考取了进士。

冬季，十月，礼院上奏称，在禘祭的祝文中，对于穆、敬、文、武四个庙室，只称"嗣皇帝臣某昭告"，宣宗答应了。

十月十六日甲申，宣宗在衡山道士刘玄静那里接受了三洞法箓。

十二月初一日戊辰，发生日食。

（以上为第十段，写李景让母郑氏教子有方，临难不惊。）

宣宗元圣至明成武献文睿智章仁神聪懿道大孝皇帝上

唐宣宗大中元年（丁卯，公元847年）

春季，正月十七日甲寅，宣宗举行祭天仪式，大赦天下，改年号为大中。

二月初四日庚午，加给卢龙节度使张仲武同平章事官衔，奖赏他破回鹘的功劳。

二月十七日癸未，由于发生旱灾的缘故，宣宗减省膳食，撤去音乐，放出一部分宫女，释放一些豢养的大小鹰隼，停止修建工程，又命令中书侍郎、同平章事卢商与御史中丞封敖清理整顿京城关押的囚犯。大理卿马植上奏说："卢商等人尽量执行宽大的政策，凡是犯了死罪的，一概都免去死罪。那些监守自盗和故意杀人的犯人，平常大赦时都不能赦免，现在凭着清理刑事案件就原谅他们，这样使得贪赃的官吏也不怕惩罚了，那些被冤枉杀死的人也无处申告，这恐怕不是可以消除旱灾、达到祥和气氛的好办法。古代周朝闹饥荒，攻下殷朝后年成也好了；卫国大旱，讨平邢国后竟下了大雨。这么看来，诛戮了罪徒奸人，是合乎天意的，洗雪冤枉疏通阻滞，是符合圣上的心意了。请求再进行一次审慎的决定。"诏令中书、门下两省五品以上的官员再讨论一下这件事。

当初，李德裕任宰相，推荐白敏中为翰林学士。等到武宗去世，李德裕失去权势，白敏中借着朝廷上下对李德裕的恼怒，竭尽全力排斥打击他，让李德裕的同党李咸揭发李德裕的罪恶，由于这样，李德裕从东都留守降职为太子少保、分司东都。

左谏议大夫张鹭等上奏说："陛下由于旱灾清理关押的囚徒，担心其中有含冤未雪的人。现在所宽恕犯死罪的人，没有什么冤枉需要昭雪，恐怕那些凶险而意外得到好处的人，常常会盼望发生水旱灾害，应该照马植的奏请那样为好。"宣宗下诏依从，都按法律论处了罪犯。任命马植为刑部侍郎，充任盐铁转运使。

马植向来由于文学政事而著名，但是李德裕不重视他，等到白敏中当了宰相，凡是李德裕所不重视的人，都不按常规优先擢用他们。改任卢商为武昌节度使。任命刑部尚书，判度支崔元式为门下侍郎，翰林学士、户部侍郎韦琮为中书侍郎，两人都被授同平章事官衔。

闰三月，宣宗下敕令："凡是会昌五年所废弃的佛寺，有和尚自己能营建修葺的，听任他居住，有关部门不要禁止。"当时宣宗和宰相一心只想到要反对会昌年间所实行的政事，所以僧尼的弊病又都恢复到原来的老样子。

四月十五日己酉，积庆太后萧氏去世。

五月，幽州节度使张仲武大破诸奚。

吐蕃论恐热趁着武宗的去世，招诱党项和回鹘残余的部众侵扰河西地方，朝廷下诏派河东节度使王宰带领代北各部军队进击他们，王宰任命沙陀朱邪赤心为前锋，从麟州渡过黄河，与论恐热在盐州大战，论恐热战败之后逃走了。

六月，任命鸿胪卿李业为册封黠戛斯英武诚明可汗使。

宣宗对白敏中说："朕从前跟随宪宗的送丧行列，路上碰上大风雨，百官和六宫人员都四散躲避去了，只有山陵使高个子多胡子的那个人，攀附着灵驾没有离开，他是谁？"白敏中回答说："令狐楚。"宣宗说："他有儿子吗？"回答说："长子令狐绪，现在是随州刺史。"宣宗说："能任宰相吗？"回答说："令狐绪从小得了风痹病。次子令狐绹，以前任过湖州刺史，有才能和器识。"宣宗随即提拔令狐绹为考功郎中、知制诰。令狐绹入朝向宣宗谢恩，宣宗问他元和年间的旧事，令狐绹一条一条回答得很详细，宣宗很高兴，于是有重用他的意思。

秋季，八月初三日丙申，改任门下侍郎、同平章事李回同平章事，充任西川节度使。

将贞献皇后葬在光陵的旁边。

宣宗对兄弟们很友爱和睦，在十六宅建雍和殿，多次到那里去设宴、奏乐、击毬，极尽欢娱。诸王中谁要是得了病，常常亲自到卧室去慰问，表现出很担忧的样子。

突厥抢掠漕米和行商，振武节度使史宪忠把他们打败了。

九月初五日丁卯，任命金吾大将军郑光为平卢节度使。郑光是润州人，为郑太后的弟弟。

九月二十三日乙酉，前永宁尉吴汝纳，申诉他的弟弟吴湘所犯的不是死罪，“李绅和李德裕内外勾结，欺骗瞒过了武宗，冤枉杀了臣的弟弟，请求召集江州司户崔元藻等人当面辨明其冤”。九月二十五日丁亥，敕令御史台调查清楚报告朝廷。冬季，十二月十九日庚戌，御史台回奏，根据崔元藻所列举的吴湘冤状，同吴汝纳说的是一样的。十二月二十七日戊午，贬谪太子少保、分司李德裕为潮州司马。

吏部奏报，在会昌四年所减州县官的数目内，再增三百八十三员。

（以上为第十一段，写白敏中为相，恩将仇报，一再贬逐李德裕，尽翻会昌的善政，佞佛之风又炽。）

唐宣宗大中二年（戊辰，公元848年）

正月初三日甲子，群臣给宣宗献上尊号称“圣敬文思和武光孝皇帝”，大赦天下。

从前，李德裕任宰相时，有人向他推荐了丁柔立，说其人清廉正直，可以担任谏官，李德裕没有听从推荐人的话。宣宗即位后，丁柔立为右补阙；李德裕被贬去潮州，丁柔立上疏申诉李德裕是被冤屈了。正月初五日丙寅，丁柔立被加上阿附罪贬为南阳县尉。

西川节度使李回、桂管观察使郑亚因为曾不能正直地对待吴湘冤案，正月二十四日乙酉，李回被降职为湖南观察使，郑亚被贬为循州刺史，李绅被追夺三任告身。中书舍人崔嘏因起草关于李德裕的制书时没有完全列举其罪恶，正月二十八日己丑，被贬为端州刺史。

回鹘遏捻可汗依靠奚王石舍朗供给；当张仲武大破奚族部众以后，回鹘没有人供给衣食了，一天天死亡离散，到这时，残留的人从贵人以下还不到五百人，依附于室韦。回鹘使者来朝廷祝贺正旦，经过幽州时，张仲武叫使者回去把遏捻等人抓起来，遏捻听到这个消息，连夜与妻葛禄、子特勒毒斯等九人向西逃走，其余的人没有追上，互相大哭。室韦把回鹘余下的人分为七部分，分别由七姓管辖；停了三天，黠戛斯派遣他的宰相阿播带领诸胡兵号称七万来进攻回鹘，把室韦打得大败，把回鹘余众全部抓来送到碛石以北去了。还有几个帐的回鹘人悄悄逃到山林去了，他们专门抢掠胡人的东西；他们另一部分叫庞勒的，原先住在安西，也自称可汗，迁居甘州，总领碛西各城的回鹘人，但是各部落都很弱小，不时到朝廷来进贡谒见。

二月初十日庚子，任命知制诰令狐绹为翰林学士。宣宗曾把太宗所撰写的《金镜》一书，交给令狐绹，叫他诵读，当读到“至乱未尝不任不肖，至治未尝不任忠贤”一句时，宣宗叫他停住说：“凡是想达到天下太平，应当把这两句话当成重要信条。”又把《贞观政要》抄写在屏风上，每每正色拱手诵读它。宣宗想知道百官的姓名人数，令狐绹说：“六品以下的官职卑小，人数众多，都是由吏部记名任职的；五品以上，是由朝廷任命，各人都有簿籍，称之为具员。”宣宗于是叫宰相作《具员御览》五卷呈交上来，常常摆在书案上。

立皇子李泽为濮王。宣宗想在大明宫内修建五王宅院，用来作为年幼皇子的住处，召风水术士柴岳明来观察选择地址。柴岳明回答说：“平民百姓的家庭，常常迁移不定，所以有从朝南的宅子迁到朝北的宅子，朝北的宅子迁到朝南的宅子的。地支相刑、五行相克因而带来不同的祸福，先师是有这方面的传授的，现在陛下所处的深宫大院，有万神护卫着，在阴阳家的书籍中没有讲到帝王家的祸福的。”宣宗感到柴岳明的话讲得好，赏赐他五匹绸帛打发走了。

夏季，五月初一日己未，又发生了日食。

门下侍郎、同平章事崔元式降职为户部尚书。任命兵部侍郎、判度支、户部周墀，刑部侍郎、盐铁转运使马植并同平章事。

原先，周墀为义成节度使，聘请韦澳为判官，等到他担任宰相，对韦澳说：“我能力小责任重，你用什么来帮助我？”韦澳回答说：“希望相公不要弄权。”周墀听了感到很惊愕，不知道是什么意思。韦澳解释说：“奖赏与处罚，与全国民众意见一样该赏就赏，该罚就罚，不要凭着自己的爱憎喜怒而有所改变，天下自然就治好了，何必要玩弄权术呢！”周墀深深感到韦澳的话说得对。韦澳是韦贯之的儿子。

五月二十一日己卯，太皇太后郭氏在兴庆宫去世。

六月，礼院检讨官王皞被贬为句容县令。

原先，宪宗的死，宣宗怀疑郭太后参与了谋划；另外，郑太后本来是郭太后的侍儿，她们之间过去就有怨隙，所以宣宗即位以后，对待郭太后一点礼貌也没有。郭太后怏怏不乐，有一天，登上勤政楼，想跳楼自杀；宣宗听到这个消息，大发脾气，就在当晚，郭太后去世，外面的人对这件事议论纷纷，有人认为郭太后可能不是善终。

宣宗因为郑太后的缘故，不想使郭太后和宪宗合葬在一起，负责丧礼的人请求葬在景陵的外园；王皞上奏说应当合葬在景陵，神主安放在宪宗那间屋子里，奏疏交上以后，宣宗大怒。白敏中召王皞来责问他，王皞说：“太皇太后是汾阳王郭子仪的孙女，宪宗在东宫为太子时是正妃，作为媳妇侍奉过顺宗，宪宗去世的那个晚上，到底是如何死的也弄不清楚，太皇太后作为国母，经历了穆宗、敬宗、文宗、武宗和宣宗五朝，怎么能根据不明不白的史事就匆忙废除对待正嫡的礼仪呢！”白敏中听了王皞的话之后，气得不得了，而王皞说话的语气也更加严厉。宰相们将会食，周墀站在白敏中的门口等待他，白敏中叫人辞谢他说：“刚才被一个书生气得太厉害，您先走好了。”周墀进去后，到白敏中办公的地方询问是什么事，看见王皞正在急切地争辩着，周墀把手举到额头上表示敬意，深感王皞忠直可钦。第二天，王皞因此被贬官。

秋季，九月初八日甲子，再一次贬谪潮州司马李德裕为崖州司户，湖南观察使李回为贺州刺史。

前凤翔节度使石雄到宰相政事堂亲自陈述进攻刘稹时在黑山、乌岭的战功，要求做个节度使到老送终。宰相们认为石雄是李德裕推荐出来的，对石雄说：“过去建立的功劳，朝廷任命你担任了薄、孟、岐三镇的节度使，已足够酬答你了。”于是任命石雄为左龙武统军，从此，石雄愤懑而死。

（以上为第十二段，写唐宣宗思治，却又不分是非功过打击前朝功臣。）

十一月十四日庚午，万寿公主嫁给起居郎郑颢。郑颢是郑絪的孙子，进士及第，为校书郎、右拾遗内供奉，由于文雅而有名。公主是宣宗的爱女，所以选择了郑颢把公主嫁给他。有关部门按照旧规定请求用银装饰的车辆，宣宗说：“我想要使全国的民众都讲求俭约，当然要从我最亲近的人开始做起。”命令同外面有爵命的妇人一样用铜装饰的车子。又诏令公主执行妇人的礼仪时，都要按照一般臣民的法规，告诫她不得轻视丈夫家族中的人，不得干预国家政治大事。又用手诏申戒道：“假若你违犯了我的告诫，一定会遭受如太平公主、安乐公主那样的灾祸。”郑颢的弟弟郑颛曾得了重病，宣宗派人去看望他，使者回来后，宣宗问：“公主在哪里？”来人回答说：“到慈恩寺看戏去了。”宣宗听了大怒，叹息说：“我奇怪士大夫为什么不愿与我家结为姻亲，实在是有原因的啊！”急切命令召唤公主到皇宫中来，让她站在台阶下，半天不看她，公主感到害怕了，流着眼泪表示认罪。宣宗责备她说：“哪里有小郎病了不去看望，而去看戏的道理呢！”随即派人送公主回郑家。由于这样，在宣宗在世时，贵戚们都能兢兢业业遵守礼法，和山东衣冠士族一个样。

十一月二十六日壬午，将懿安皇后葬在景陵的旁边。

将中书侍郎、同平章事韦琮降职为太子宾客，分司东都。

十二月，凤翔节度使崔珙奏报说打败了吐蕃，收复了清水县。清水县原来属于秦州，诏令说由于秦州还未收复，清水县暂时归凤翔府管辖。

宣宗每每见到宪宗朝公卿的子孙，多半提拔重用他们。刑部员外郎杜胜是次对官，宣宗询问他的家世情况，杜胜回答说：“臣父杜黄裳，首先提出请宪宗管理国事。”随即任命他为给事中。翰林学士裴谂是裴度的儿子，宣宗到翰林院去。当面就授予裴谂为翰林学士承旨。

吐蕃论恐热派他的大将莽罗急藏带领两万兵马在西部攻城略地，尚婢婢派他的将领拓跋怀光在南谷地方迎击，把他们打得大败，莽罗急藏投降。

（以上为第十三段，写唐宣宗严教公主守礼。）

唐宣宗大中三年（己巳，公元 849 年）

春季，正月，宣宗和宰相讨论元和年间奉公守法的好官吏中谁是第一，周墀说："臣曾在江西做地方官，听说观察使韦丹在八州都积下了功德，他死后四十年，从大人到小孩都还在思念歌颂他，和他在世时一样。"正月二十日乙亥，诏令史馆修撰杜牧撰写的《丹遗爱碑》用来记录这件事，又提拔他的儿子、河阳观察判官韦宙为御史。

二月，吐蕃论恐热的军队驻扎在河州，尚婢婢的军队驻扎在河源军。尚婢婢手下的将领想进攻论恐热，尚婢婢说："不行。我军因为上次很快打了胜仗而有轻敌的情绪，而对方处于穷困之中一定会拼命抵抗，在这种情况下和他们作战一定不利。"那些将领不听尚婢婢的话。尚婢婢知道诸将一定会打败仗，据守黄河桥旁等待着，诸将果然被打败。尚婢婢收集败下阵来的士兵，把桥烧了，回到鄯州。

被吐蕃占有的秦、原、安乐三州和石门等七关塞前来投降朝廷；任命太仆卿陆耽为宣谕使，诏令泾原、灵武、凤翔、邠宁、振武各镇都出门接应来投降的人。

河东节度使王宰来到朝廷，用财物交结有权势的宠臣，想得到用宰相官衔担任宣武节度使；刑部尚书、同平章事周墀上疏责备他，王宰于是回河东去了。驸马都尉韦让想得到京兆尹官职；周墀说京兆尹不是有才能和声望的人不能担任，韦让任职的议论就未再提了。周墀又劝止宣宗经略河西，这样就违背了宣宗的旨意。夏季，四月，把周墀降职为东川节度使。另外任命御史大夫崔铉为中书侍郎、同平章事，兵部侍郎、判户部魏扶为同平章事。

四月初九日癸巳，卢龙奏报说节度使张仲武去世，军中拥立他的儿子、节度使押牙张直方主持政事。

翰林学士郑颢对宣宗说："周墀由于敢讲直话被任为宰相，也是因为敢讲直话被罢免了宰相。"宣宗深深感到这件事办得不好，四月九十日甲午，周墀入朝辞谢时，加上检校右仆射官衔。

四月十四日戊戌，任命张直方为卢龙留后。

五月，徐州的军队发生叛乱，赶走了节度使李廓。李廓是李程的儿子，他在镇治理不好军队，右补阙郑鲁曾向宣宗讲过那里的情况，并且说："臣担心新麦还未收获，徐州军队就会发生叛乱；赶快派一个好的统帅去，以挽救那个地方的危局。"宣宗没有理会这件事。后来徐州军队果然叛乱，宣宗想到了郑鲁的话，提拔他为起居舍人。

任命义成节度使卢弘止为武宁节度使。武宁节度使属下的士卒向来骄恣，有号"银刀都"的尤其厉害，多次赶走主帅。卢弘止到镇后，都虞候胡庆方又打算作乱，卢弘止把他杀了，安抚了他的余党，用忠义思想训导他们，这样武宁军府才得到安定。

六月二十六日戊申，任命张直方为卢龙节度使。

泾原节度使康季荣收复原州和石门、驿藏、木峡、制胜、六磐、石峡六关。秋季，七月初六日丁巳，灵武节度使朱叔明收复长乐州。七月十三日甲子，邠宁节度使张君绪收复萧关。七月二十三日甲戌，凤翔节度使李玭收复秦州。诏令邠宁节度使暂时把军队迁移到宁州，用来接应河西的战事。

八月初四日乙酉，改长乐州为威州。

河西、陇右的老幼一千余人到达京城长安，八月初八日己丑，宣宗到延喜门城楼接见他们，他们欢呼跳跃，脱去胡服，穿上有冠带的汉装，围观的群众都高呼万岁。宣宗下诏："招募百姓开垦三州、七关田土，五年不收租税；从现在起京城罪人应发配流放的都到这十个地方去；泾原等四道中的将吏能在所镇守的地方经营田地开发耕种的，官府供给耕牛和种粮。温池县卖盐的收入可以赡养边区军民，交给度支处理安排这一工作。这三州、七关镇守的士卒，都要加倍发给衣服粮草，仍旧两年换防一次。在交通要道上修建碉堡栅寨，如有商人往来做生意和戍卒子弟传递家信，关镇不要为难他们。在山南、剑南两道边境有被吐蕃占领的州县，也命令他们根据自身兵力情况收复失地。"

冬季，十月，改备边库为延资库。

西川节度使杜悰奏报说收复了维州。

闰十一月十七日丁酉，宰相们由于看到收复了河湟失地，请求给宣宗加上尊号，宣宗说："宪宗常常有志愿收复河湟，当时由于中原地区正在打仗，没有实现愿望就去世了，现在才算完成了先人的遗志而已。你们应当讨论给顺宗、宪宗二人追加谥号用来表示他们建立的功业。"

卢龙节度使张直方，粗暴残忍，喜欢游猎。军队中将要发动叛乱，张直方知道了，借口出去打猎，就带着全家人逃回京城；军队中推举牙将周綝为留后。张直方到达京师后，授予他金吾大将军职务。

十二月二十五日甲戌，追加顺宗谥号为至德弘道大圣大安孝皇帝，宪宗谥号为昭文章武大圣至神孝皇帝。还把神主上的字也改写了。

十二月初十日己未，崖州司户李德裕去世。

山南西道节度使郑涯奏报说收复了扶州。

（以上为第十四段，写唐室败吐蕃，收复河、湟部分地区。）

【点评】

本卷点评司马光论赏奸杀降、武宗灭佛、吴湘冤死案、宣宗即位四事。

司马光论赏奸杀降。宪宗朝李愬平淮西，淮西大将董重质受李愬招降，李愬保其不死，宪宗欲杀之，李愬谏止。董重质在李愬帐下效力，后被征入朝，授左神武军将军，兼御史中丞，官终夏绥银宥节度使，司马光认为是赏奸。昭义大将郭谊杀主刘稹投降，被械送京师正法，司马光认为是杀降。赏奸与杀降，均处置失当，司马光给予批评。抽象论事，都是降将，一受赏，一被杀，像是不公。就事论事，要看具体环境。董重质之降，是李愬招降，当时董重质手握重兵，为避免董重质垂死挣扎，增加双方伤亡，李愬谕以大义，董重质单骑请降，是弃暗投明，诚心归降，其后报效朝廷，立功边陲。司马光称为赏奸，完全是错误的定性。郭谊投降，是眼看大势已去，用欺诈手段残杀刘稹全族，请降还要求朝廷授予节镇，实属卖主求荣，李德裕主张正法，没有不妥。郭谊请降，前线主将王宰没有保其不死，只是转奏。朝廷将计就计，诏令王宰带重兵入潞，用计抓捕郭谊，如同郭谊诈杀刘稹一样，以其人之道，还治其人之身。朝廷杀郭谊，采用军事手段，可称为诈计杀贼，不应属于杀降。司马光对"杀降"的定性，也属不当。司马光认为，唐武宗应当效法汉光武帝，对于降人应当宽大，可以不杀，可以充军惩罚，既受其降而又杀之，与对待不降死拼的人就没有区别了。受降的最低限度应是许其不死，这个底线不保，谁还来投降。司马光这种处置降人的意见，还是可取的。

武宗灭佛。中国历史上有三次灭佛，灭佛的三个皇帝谥号都带"武"字。北魏太武帝公元446年灭佛，北周武帝公元574年灭佛，唐武宗公元845年灭佛。佛教是人类的一种信仰，自有他存在的社会原因。中国儒学兴盛，抵制了佛教的传播。佛教在中国的传播，除了宗教自有原因外，另有两个因素。其一，帝王信奉，希望他的野心得到佛祖保佑，许愿兴佛。如北周武帝灭佛，杨坚许愿，他日得登大位，再燃香火。杨坚篡位成功，不遗余力兴佛。唐太宗、武则天信佛，是利用佛教为我所用。佛徒称唐太宗为当世活佛。武则天从《大云经》中找到了女人当皇帝的依据，自然兴佛。其二，战乱或苛政时代，劳苦大众为逃避兵役、徭役，罪徒为逃避刑罚，也遁入空门。而佛教的泛滥，国家流失人力、财赋，佛教太盛，势必遭抑制。周武帝灭佛，仅在北朝半壁江山，就毁寺庙四万多所，使三百多万僧尼还俗。武宗灭佛，史称"上恶僧尼耗蠹天下"，其次是道士赵归真进言。道教是本土宗教，宣扬成仙长生。帝王都想长生不死，信奉道教，自宪宗以来，包括武宗，都因服食金丹中毒短命，但长生不死的欲望迷了心智，至死不悟。宗教斗争，此消彼长，灭佛的皇帝，都信奉道教。唐武宗灭佛，留有余地，只是限制，不是全灭。长安、洛阳两京，各留四寺，每寺限僧三十人。地方州级行政区，留一寺，分为三等，上等留僧二十人，中等十人，下等五人。全国朝廷令行所到的地方，共毁寺庙四千六百余所，还俗僧尼二十六万余人，收良田数千万顷，奴婢十五万人。李德裕尤憎佛教，命令幽州节度使张仲武在居庸关斩杀五台山逃僧，强令僧人还俗。

既然佛教有他自身存在的原因，又有野心家的助推，单靠政治手段是不可能禁佛的。唐武宗灭佛之时，身体已经大坏，其子年幼，武宗之叔光王李怡对皇位虎视眈眈，正在许愿兴佛。武宗灭佛后一年多内死去，光王李怡果然即帝位，改名李忱，是为宣宗。宣宗即位，不久就罢李德裕相位，立即兴佛。寺庙僧尼，又在全国泛滥起起来。

吴湘冤死案。这是由一桩小小的恩怨而引起的冤死案，牵涉众多人臣倾轧沉浮，由此可见晚唐时朋党斗争的严重程度。武宗会昌五年（公元845年），淮南节度使李绅审理江都县令吴湘贪污补助出差官吏的程粮钱，又强迫娶了自己管辖下的平民颜悦之女为妻，判其死罪。吴湘是澧州人，吴武陵的侄儿。吴武陵与李德裕两人有个人恩怨。吴武陵，进士登第，官至韶州刺史。李德裕为相时，吴武陵因贪污而遭贬官。吴湘兄吴汝纳，也进士及第，受吴武陵拖累长期没有得到升迁。吴湘案发时，吴汝纳任河南府永宁县尉。吴汝纳怀恨李德裕，就投靠李宗闵、杨嗣复朋党，造作谤言，攻击李德裕。牛党攻击李德裕勾结李绅罗织吴湘之罪，是冤案。谏官奏请复查，惊动朝廷。武宗派御史崔元藻、李稠为专使到江都复查吴湘案。二人回朝报告，吴湘贪污属实，强夺民女为妻不实，颜悦衢州人，曾任青州牙官，其妻出身士族。李德裕借口二人只报告案情，没判定罪行，不能辨是非，将二人贬官。吴湘也不交司法部门重新审理，依照李绅的判决，吴湘被处死，吴湘妻儿被遣送回澧州。宣宗即位，李德裕被贬。永宁县尉吴汝纳上奏为其弟吴湘申冤，经过刑部、御史台、大理寺三司会审，崔元藻调查认为贪污属实，吴湘有罪，但罪不至死。崔元藻说实话却受到不公正贬官。制造吴湘冤狱的高官，除李德裕、李绅外，还有西川节度使李回、桂管观察使郑正，以及前淮南节度使等一大批官员。这次三司复审的有三位宰相崔铉、白敏中、令狐绹卷入，他们是牛党的后继人。吴湘冤死案，是典型的朋党之争，暴露了专制社会的司法黑暗，以及人治大于法治的危害。个人私恨私欲膨胀，道德是非全都被冲毁。李德裕与吴武陵有私怨，凭着手中权力，波及其侄儿吴湘，没有道理。李绅因与李德裕同为翰林学士，结为同党就不问是非，轻罪重判，置人于死地。至于三司覆按，惊动皇帝，诏制宣判，是白敏中等人的小题大做，借此置李党于死地。《旧唐书·宣宗本纪》用大篇幅叙述吴湘案及其审判实属罕见。李德裕、李绅皆贤达之士，专制权欲也扭曲了他们的人性。朋党的实质是争权。在权力面前没有道德是非，这是一个生动的案例。

宣宗即位。宣宗李忱，宪宗第十三子，原名李怡，封光王，即位后改名李忱。宣宗即位时已三十七岁，完全在意料之外，但似乎又在意料之中，是冥冥中的必然。宣宗排行十三，前面诸多兄长，按宗法制，怎么也轮不上他。宪宗传位太子穆宗，穆宗传敬宗，此是父子相继。敬宗传文宗，文宗传武宗，此是兄终弟及。从穆宗到武宗，四任皇帝都在穆宗一系。武宗有五子，又有权势宰相李德裕相辅，按常理应由武宗之子来继承。按法理，按形势，李忱都不应做皇帝，结果却是花落李忱之手，实在是偶然又偶然。事后追思，李忱即位又在必然之中，是人谋与形势的必然结合。

人谋，是指李忱长期韬晦谋算。李忱做梦都在想当皇帝，能否实现这白日梦，他并没有把握。但李忱抱有一线希望，一种侥幸。他从小装痴装呆，做给皇帝和宦官看。文宗、武宗都看不上他，不以常礼相待，两位皇帝到十六宅与诸王宴集，总是逗李忱说话取乐，戏称他为“光叔”，李忱等待机会，让宦官利用他的痴和对文宗、武宗的不满，破例拥立他做皇帝。形势，是指宦官专权。李忱的成功，正是唐晚时期宦官废立皇帝的产物。《旧唐书·宣宗本纪》载，宣宗十余岁时曾经做梦乘龙上天，他对母后郑氏讲了梦境，母亲告诉他：“这事不能让别人知道，不要再说了。”从此，宣宗几十年韬晦装傻，很不容易，很难得，可以说宣宗创造了历史之最，也表现了他的城府、心计和坚毅。李忱监国之日就表现了本来就有的才能，办事果决、有主见、有条理，人们这才恍然大悟。

资治通鉴（白话本） 卷第二百四十九

唐纪六十五

唐宣宗大中四年至十三年（公元850—公元859）

【起上章敦牂（庚午，公元850年），尽屠维单阏（己卯，公元859年），凡十年】

【大事提要】

本卷记事起公元850年，讫公元859年，凡十年。当唐宣宗大中四年至大中十三年。唐宣宗在位十三年，本卷记事十年，基本上是宣宗一朝的政事。唐宣宗李忱，是唐宪宗的第十三子，按常例他不可能继承帝位。由于李忱是一个有心机的人，从小就装傻，唐文宗、武宗都看不起他，宦官正好利用李忱的痴呆和对文、武二宗的不满，破例立他为帝。唐宣宗即位以后，果断处事，政由己出，宦官和朝官才知道唐宣宗的傻是伪装的。唐宣宗的精明和唐武宗留下的大好局面，使得宣宗一朝保持了十三年的太平，周边也平静。党项归服，吐蕃内战势衰，吐蕃酋长论恐热一支被灭，尚婢婢一支附唐，沙州防御使张义潮乘机收复瓜、伊、西等十一州，率领十一州来归。宣宗本可有一番作为，可惜他刚愎自用，又是一个小心眼，为了报复唐文宗、唐武宗，就株连郭太后，说郭太后与宦官合谋害死唐宪宗，以此来表明自己是唐宪宗的合法继承人，而视唐穆宗为逆，穆宗诸子敬、文、武三宗自然也是逆，李德裕为武宗所信任，于是成了逆臣，所以宣宗施政，不问青红皂白，全部推翻会昌之政。李德裕废佛、淘汰冗官，宣宗也要翻过来，大肆兴佛、增置冗官。唐宣宗信任的两个宰相，前期为白敏中，后期为令狐绹，两人只看宣宗脸色办事，令狐绹更是李宗闵的朋党，又依附宦官，由此可想，宣宗一朝的政治是如何的败坏了。宣宗又走唐文宗、武宗的老路，不听劝谏，为求长生食金丹，结果中毒而亡。宦官拥立了唐懿宗，唐政权又回到了宦官手中。

宣宗元圣至明成武献文睿智章仁神聪懿道大孝皇帝下

唐宣宗大中四年（庚午，公元850年）

春季，正月初一日庚辰，大赦天下。

二月，将秦州划归凤翔领辖。

夏季，四月初二日庚戌，将中书侍郎、同平章事马植降为天平节度使。宣宗的即位，左神策军中尉马元贽是出了大力的，于是，宣宗对他的宠信优待为宦官中最高。马植便和马元贽攀宗族关系，宣宗赏赐马元贽一条宝带，马元贽把它转送给马植，马植系着上朝，宣宗看到后认出这是他送给马元贽的东西，马植吓得脸色都变了，不敢隐瞒其事。第二天，马植被罢相，马植的亲信官吏董侔被收捕，交给御史台审问，得到了马植与马元贽来往交结的全部情状，再一次贬谪马植为常州刺史。

六月初二日戊申，兵部侍郎、同平章事魏扶去世。任命户部侍郎、判度支崔龟从同平章事。

秋季，八月，任命白敏中判延资库。

卢龙节度使周綝去世，军中上表请求任命押牙兼马步都知兵马使张允伸为留后，九月二十三日丁酉，答应了军中的请求。

党项在边地为患，征发各道兵马征讨，连年都无功效，戍卒馈饷不停地运送；右补阙孔温裕上疏恳切谏止，宣宗大怒，贬他为柳州司马。孔温裕是孔戣哥哥的儿子。

吐蕃论恐热派遣僧人莽罗蔺真带领军队在鸡项关南造桥，用来攻击驻守在白土岭的尚婢婢的军队。尚婢婢派遣他的将领尚铎罗榻藏领兵据守临蕃军以抵御论恐热的进攻，战事失利，尚婢婢又派磨离罴子、烛卢巩力领兵据守氂牛峡来抵抗敌人。烛卢巩力请求："将军队据守在险要处，不和敌人作战，用奇兵断绝敌人的粮道，使他们既不能进攻也不能后退，不出一个月，他们的军队必定会溃败。"磨离罴子不听从烛卢巩力的主张。烛卢巩力说："我宁愿做不被任用的人，也不愿做打败仗的将领。"就借口有病，回到鄯州。磨离罴子迎战，失败而死。尚婢婢由于缺乏粮食，留下拓拔怀光守鄯州，自己带领部落三千余人到甘州以西有水草的地方驻扎。论恐热听说尚婢婢放弃了鄯州，亲自带领轻骑五千追赶他，到达瓜州，听到拓拔怀光仍据守鄯州，于是就大肆抢掠河西鄯、廓等八州，把壮年男子杀死，把衰弱的老人和妇女割去鼻子，砍掉双脚，以用枪刺穿婴儿为戏乐，把百姓房屋烧掉，方圆五千里，都变成一无所有的空旷荒凉之地。

冬季，十月二十七日辛未，任命翰林学士承旨、兵部侍郎令狐绹为同平章事。

十一月二十八日壬寅，任命翰林学士刘瑑为京西招讨党项行营宣慰使。

任命卢龙留后张允伸为节度使。

十二月，任命凤翔节度使李业、河东节度使李拭并兼招讨党项使。

吏部侍郎孔温业向宰相提出要求到外地去任职，白敏中对他的同事说："我们这些人要自我检点一些，孔吏部不肯在朝廷任职了。"孔温业是孔戣弟弟的儿子。

（以上为第一段，写党项犯边，吐蕃论恐热残虐鄯州。）

唐宣宗大中五年（辛未，公元 851 年）

春季，正月十九日壬戌，天德军奏报说代理沙州刺史张义潮派遣使者前来投降。张义潮是沙州人，当时吐蕃大乱，张义潮暗地里交结豪杰，打算摆脱吐蕃统治归附唐朝。一天早晨，率领兵众穿上盔甲在州府门前喧闹，唐人都响应他的号召，吐蕃守将受惊逃跑了，张义潮就代理了州刺史的职事，奉送奏表前来投降。随即任命张义潮为沙州防御使。

任命兵部侍郎裴休为盐铁转运使。裴休是裴肃的儿子。从太和年间以来，每年运输江淮的大米不过四十万斛，由于吏卒偷盗、河中沉没等原因，粮船抵达渭仓的十分之中不过三四分而已，严重破坏了刘晏设立的漕运制度。裴休详尽考察了其中的弊病，制定漕运法规十条，每年运送到渭仓的米达到一百二十万斛。

宣宗很清楚党项的反叛是由于边帅想得到他们的羊和马，多次欺压抢夺他们的羊马，有时随意诛杀他们，党项非常愤怒，就起来造反。于是朝廷任命右谏议大夫李福为夏绥节度使。从这以后继续选派儒臣以取代边帅中贪暴的人，出发的时候，又当面加以劝诫鼓励，党项在这种安排下才安定下来了。李福是李石的弟弟。

宣宗由于南山、平夏党项长期未被平定，很不愿再打仗了。崔铉提出建议说，应当派遣大臣前去镇守和安抚。三月，任命白敏中为司空、同平章事，充任招讨党项行营都统、制置等使，南北两路供军使兼邠宁节度使。白敏中请求沿用裴度的旧例，选择朝臣为将佐，宣宗答应了。夏季，四月，任命左谏议大夫孙景商为左庶子，充任邠宁行军司马；知制诰蒋伸为右庶子，充任节度副使。蒋伸是蒋系的弟弟。

以前，宣宗叫白敏中为万寿公主选择好夫婿，白敏中推荐郑颢；当时郑颢已与卢氏订了婚，走到郑州，被政事堂的帖子追回，由此郑颢非常怨恨白敏中，多次在宣宗面前诋毁白敏中。白敏中将要去邠宁镇上任，对宣宗说："郑颢不乐意娶公主为妻，怨恨臣达到刻骨的地步。臣在任宰相时，郑颢不能对我怎么样；现在臣出任外职，郑颢必定会中伤我，臣的死期不会很久了！"宣宗说："朕早知道这件事，你为什么这么晚才说出来呢！"随即叫左右在禁中拿来小红柳木盒子交给白敏中说："这里面都是郑颢诋毁你的书信。朕若是相信这些话，哪里会信任你到今天！"白敏中回到家里，把红柳盒子放在佛像前，焚香祀奉它。

白敏中驻扎在宁州，四月初十日壬子，定远城使史元在三交谷大破党项九千余帐，白敏中上奏说党项已被平定。四月二十九日辛未，诏令说："平夏党项已经安定服帖。听说南山党项从山中出来的人因为饥寒所迫还在进行抢掠，平夏不容留他们，穷困无所归宿，应当委派李福前去存问告谕，在银州、夏州境内把闲置的田土分给他们。如果他们能够重新做人，归向朝廷，那么就应如对待赤子一样安抚他们，从前所做的坏事，一概不予追究，或者有什么冤屈的事，让他们在本镇投牒自我申诉。假若再侵犯边界，或者再进入山林，不接受朝廷的教令，那么就会受到诛讨而不能赦罪。将吏建立了功劳的分别大小授奖，死伤的人优加抚恤，灵、夏、邠、鄜四道的百姓，给予免除三年赋税的优待，相邻的各道酌量免除租税。过去由于边将贪财行暴，使得党项怨恨而至叛乱，从今以后应当更择廉洁忠良的人去抚循他们。要是再发生侵扰叛乱之事，应当首先给边将治罪，然后才去讨伐寇虏。”

吐蕃论恐热为人残暴凶虐，部下多数背叛而离开他；拓拔怀光使人劝说引诱他们，那些部众有的散归部落，有的投降了拓拔怀光。论恐热势力孤弱，于是在众人中扬言说：“我现在到唐朝去朝贡，借兵五十万来诛讨不服从我的人，然后把渭州作为国家的都城，请求唐朝册封我为赞普，谁敢不服从我！”五月，论恐热到了京城，宣宗派遣左丞李景让到礼宾院询问他有什么要求。论恐热表现出骄傲自大的样子，谈话也很荒唐，要求担任河渭节度使；宣宗不答应，在三殿召见了他，如平常接见胡客一样，慰劳赏赐以后让他回去。论恐热很不高兴地离开了长安，又回到了落门川，聚集旧时的部众，想在边境叛乱，碰上连日下雨，缺乏粮食，部众逐渐散去，只留下了三百余人，逃奔去了廓州。

六月，立皇子李润为鄂王。

（以上为第二段，写沙州刺史张义潮归唐，唐宣宗外放宰相白敏中镇抚党项，吐蕃论恐热势衰。）

进士孙樵上奏说：“百姓男耕女织，还不能得到温饱，而成群的僧侣却安坐在华丽的屋子里，穿着好看的衣服，吃着精美的食品，大抵用十户人家的税收还不足供养一个僧人。武宗愤恨这种情形，命令十七万僧侣蓄发为民，这样就使得全国一百七十万户平民得以休养生息。陛下即位以来，下令修复废寺，全国斧砍锯伐的声音至今不绝于耳，领到度牒的僧侣差不多和从前一样多了。陛下既然不能如武宗一样清除积弊，为什么还要把已经废弃的东西兴盛起来呢！不久前陛下想整修国都的东门，有谏官上奏劝止，随即就停止工役。现在所要修复的寺庙，难道比修整东门更紧急吗？所花费的工役，难道会比东门更少吗？希望陛下早些颁下诏令，僧侣没有恢复的不再恢复，寺庙未修建的不再修建，以使百姓得到一个喘息的机会。”秋季，七月，中书门下上奏说：“陛下崇奉释氏，群臣下民没有不为了这件事而奔走效力的，只是恐怕财力应付不了，因而另外去困扰民众，希望交代各个地方的长官酌量加以节省。凡是允许给度牒的僧侣也由地方官选择有德行和有专业修养的人，要是让凶暴粗鲁的人去为僧，那就有违敬奉佛道之旨意了。乡村中的佛舍，请求等到停止用兵以后再去修缮。”宣宗答应了。

八月，白敏中上奏说南山党项也请求投降。当时长期用兵，国家财政很困难，下诏赦免南山党项，使他们安居本业。

冬季，十月十七日乙卯，中书门下上奏说：“现在边疆战事已经平息，而各州府的寺庙还未全部修好，希望下令完成这一工作。那些大县离州府很远的，听任他们设置一处寺庙，那些乡村就不准再建佛舍了。”宣宗同意了。

十月三十日戊辰，任命户部侍郎魏謩为同平章事，仍判户部。当时宣宗年岁已经很大，还未立太子，群臣都不敢提出这件事。魏謩进宫谢恩，因而向宣宗说：“现在国家安定，只是没有确立太子，使正直的大臣加以辅导，臣私下感到很忧虑。”并且流下了泪。当时人们十分推重魏謩的这一举动。

蓬州和果州的群盗依靠着鸡山的险阻，在三川等地抢掠；于是任命果州刺史王贽弘担任三川行营都知兵马使以讨伐他们。

宣宗在制书中认为党项既已平定，于是罢免了白敏中都统的官衔，只以司空、平章事充任邠宁节度使。

张义潮发兵攻取平定了周边的瓜、伊、西、甘、肃、兰、鄯、河、岷、廓十州，派遣他的哥哥张义泽带着十一州地图册籍入朝拜见天子，于是河湟一带地方全部回到唐朝的管辖之下。十一月，在沙州设置归义军，任命张义潮为节度使、十一州观察使；又任命张义潮的判官曹义金为归义军长史。

改任中书侍郎、同平章事崔龟从同平章事，充任宣武节度使。

右羽林统军张直方由于出外打猎多日没有回来宿卫，被贬为左骁卫将军。

（以上为第三段，写唐宣宗佞佛，僧尼泛滥。张义潮略定河西湟水十一州之地归唐为节度使。）

唐宣宗大中六年（壬申，公元852年）

春季，二月，王贽弘讨伐鸡山反叛者，将其平定。

当时，山南西道节度使封敖上奏说巴南妖贼出言不逊，宣宗看了非常恼怒。崔铉说：“这些人都是陛下的子民，为饥寒所迫，在溪谷间把玩从官府偷盗来的武器，没有必要派大军去征讨，只要派遣一名使者就可以平息叛乱。”于是派遣京兆少尹刘潼到果州去招抚晓谕他们。刘潼上奏说请不要发兵攻讨，并且说：“现在用如同日月一样的光明去照耀愚昧迷蒙的群众，使他们叩头归附朝廷，从形势方面看是很容易做到的。值得忧虑的是，武臣以不打仗而获得功劳为耻，议论的人却要求很快取得胜利。”刘潼到山中，盗贼张着弓搭上箭等待他，刘潼推开左右的随从，径直上前说：“我当面接受皇上的诏令赦免你们的罪，使你们又成为一般平民。听说你们的木弓可射二百步远，现在我离你们只有十步，你们真正想造反的话，就射我吧！”叛贼都丢下弓箭群列而拜，请求投降。刘潼回到客馆，而王贽弘与中使似先义逸带领军队已经到了山下，最后还是攻击消灭了投降的人。

三月，敕命先赐给右卫大将军郑光鄠县与云阳两处庄园并免除税役。中书门下上奏，认为：“纳税服役的规定，全国都是一样执行的。陛下屡次发表讲话，想使朝廷内外统一法令，现在只单独免除郑光的税役，似乎和以前说的话稍有违背。这件事情虽然很小，涉及的体制则是多方面的。”宣宗敕令说：“朕认为郑光是尊贵的元舅，想优待他免去征税，原先没有仔细考虑这个问题。况且他是朕的亲戚，人们不敢随便议论，你等要不是爱护我，哪里会向我说这样的好话！不论大小事如能都像这样，国家就不必担心治理不好！有始有终，大家都照这样办吧。都依照你们所奏的执行。”

夏季，四月初八日甲辰，改任邠宁节度使白敏中为西川节度使。

湖南上奏说，团练副使冯少端讨伐衡州贼帅邓裴，平定了他。

党项再次侵扰边境，宣宗想选择能够担任邠宁镇统帅的人，但未找到合适的人选，在一次平静地与翰林学士、中书舍人须昌人毕諴讨论边事时，毕諴援引古事，根据今情，具体陈述计策谋略。宣宗高兴地说：“我正在挑选将帅，想不到廉颇、李牧就在宫禁之中。你就替朕前去任职吧！”毕諴愉快地接受了诏命。宣宗想抬高他的资格和履历，六月初七日壬申，先任命毕諴为刑部侍郎，六月初八日癸酉，就任命他为邠宁节度使。

雍王李渼去世，追谥他为靖怀太子。

河东节度使李业放纵吏民侵害抢掠杂虏，又随意杀死投降的人，由于这样，北部边疆又扰乱起来。闰七月初六日庚子，任命太子少师卢钧为河东节度使。李业由于在朝廷内有靠山，人们不敢说他的不好，只有魏謩请求贬黜他；宣宗不答应，只是将李业迁为义成节度使。

卢钧上奏要度支郎中韦宙为副使。韦宙走遍了塞下各个地方，把杂虏酋长都召集起来，告诉他们如何做是祸，如何做是福，禁止唐朝的平民到杂虏住地进行抢掠，违犯的人要处以死刑。这样杂虏就安定下来了。

掌书记李璋杖责牙门中一个官员，第二天，牙将一百多人向卢钧告状，卢钧用杖责了领头的人，把他贬谪到外镇去守边，其余的人也都受到惩罚，卢钧说：“边镇一百多人，无缘无故地恣意进行诉讼，不能不抑制一下。”李璋是李绛的儿子。

八月初一日甲子，任命礼部尚书裴休为同平章事。

獠人侵扰昌、资二州地方。

冬季，十月，邠宁节度使毕諴上奏说，招谕党项都降顺了。

骁卫将军张直方多次由于小的过错杀害奴婢，贬谪他为恩州司户。

十一月，立宪宗的儿子李惴为棣王。

十二月，中书门下上奏说：“如果剃度的僧侣未经精选，那么戒法就要遭到破坏；修造寺庙没有节制，那么耗费的财物必然过多。请求从今日起各州除按照原来的敕命允许设置的寺庙以外，有名胜地方和出现过灵迹的地方准许修复，繁华都会的县准许设置一处寺院。严格禁止私人剃度僧、尼；要是官府剃度僧、尼尚有缺额，即选择合适的人补充，仍然要申报到祠部发给度牒，那些想要远游寻找师傅的和尚，必须持有本州发给的证明文件。”宣宗答应了。

（以上为第四段，写边将王贽弘杀良冒功，邠宁节度使毕诚抚定党项，河东节度使卢钧用纪律抑制骄兵悍将。）

唐宣宗大中七年（癸酉，公元 853 年）

春季，正月十七日戊申，宣宗到圜丘举行祭天仪式，大赦天下。

夏季，四月初六日丙寅，敕令：“从现在起执法机关处罚罪人，用通常的杖刑，杖打脊背一下，折合常行杖臀十下；杖打臀部一下，折合用鞭子打五下。使官吏行使法制有一定的标准。”

冬季，十二月，左补阙赵璘请求停止举行来年的元旦朝会，只在宣政殿会见大臣。宣宗就这件事向宰相征求意见，他们回答说：“元旦的朝会是国家的重大礼仪，不能停止。何况在天下太平的今天。”宣宗说：“近来华州上奏说有盗贼明火执仗抢劫下邽县，关中又很少下雪，这都是我所担忧的，怎么能说无事！就是宣政殿也不能去了。”

宣宗侍奉郑太后很恭谨，不让她住在其他宫殿，以便早晚都可以奉养。舅父郑光历任平卢、河中节度使。郑光入朝，宣宗和他谈论政事，郑光回答问题时识见鄙陋浅薄，宣宗很不高兴，于是把他留下来出任右羽林统军，使他为奉朝请。郑太后多次说郑光贫穷，宣宗即赏赐他很多金帛，始终不让他担任治民的官职。

度支上奏说：“从河湟平定后，每年全国上交的钱为九百二十五万余缗，其中五百五十多万缗是租税收入，八十二万多缗是酒税，二百七十八万多缗是盐税。”

（以上为第五段，写河湟入唐，赋税稍增。）

唐宣宗大中八年（甲戌，公元 854 年）

春季，正月初一日丙戌，发生日食。停止举行元旦的朝会。

宣宗自从即位以来，处治谋杀宪宗的党徒，包括宦官、外戚以及东宫官属，诛杀和流放的人很多。考虑到怕引起人心浮动，正月十一日丙申，下诏说：“长庆初年的乱臣贼子，近来搜捕收录余党，流放发配已完，其余涉及同族亲近疏远的人，一概不再追究。”

二月，中书门下上奏，拾遗、补阙官员又有缺额，请求再增补一些。宣宗说：“谏官重要的是尽忠职守，不一定要人员多，例如张道符、牛丛、赵璘等人，使朕每天能听到一些从别处听不到的话也就足够了。”牛丛是牛僧孺的儿子。

过了一段时间，牛丛从司勋员外郎调去担任睦州刺史，入朝谢恩时，宣宗赏赐给他一件紫衣。牛丛谢恩毕，上前对宣宗说：“臣所穿的绯衣，还是在任刺史时借用的。”宣宗马上说：“暂且赐你绯衣。”宣宗十分珍惜象征品级的服饰，有关部门常常准备绯衣和紫衣数件跟随在宣宗身边，用来供给宣宗赏赐时所需，有时半年也用不上一件，所以当时把得到绯衣和紫衣看作是很光荣的事。宣宗看重翰林学士，至于升迁官职，一定要计算任官的岁月，认为不应该把官爵私自给予亲近的臣子。

秋季，九月初四日丙戌，宣宗任命左散骑常侍高少逸为陕虢观察使。有敕使经过硖石县，因驿站供给的饼子黑了一点而大发脾气，把驿站吏役鞭打得流血；高少逸把黑饼子封装好进奏给宣宗。敕使回到朝廷，宣宗责备他说：“深山之中像这样的食物难道容易得到！”随后把他贬谪去恭陵服劳役。

立皇子李洽为怀王，李汭为昭王，李汶为康王。

宣宗到苑北去狩猎，碰上一位樵夫，询问是哪县人，樵夫回答说：“泾阳县人。”又问他：“县令是谁？”回答说：“李行言。”又问他：“政事办理得怎么样？”回答说：“性情固执。有强盗数人，北司诸军来索要，李行言终究不给，把几个强盗都杀了。”宣宗回朝，把李行言的名字贴在寝殿的柱子上。冬季，十月，李行言被任命为海州刺史，入朝向宣宗谢恩，宣宗赏赐他金鱼袋和紫衣。宣宗问他：“你知道你为什么能穿紫衣吗？”回答说：“不知道。”宣宗叫人取下寝殿柱子上的名帖给他看。

宣宗认为甘露之变，只有李训、郑注应当被定死罪，其余王涯、贾悚等人无罪，下诏洗雪他们所遭受的冤枉。

宣宗召见翰林学士韦澳，托辞品论诗章，叫左右侍从退下后对韦澳说：“近来外面对内侍的掌权情况有什么看法？”韦澳回答说：“陛下行使权力决定大事，不是前朝可比的。”宣宗闭着眼睛连连摇头说：“完全不是那么回事，完全不是那么回事！朕还畏惧着他们呢。你说说看有什么好计策？”韦澳回答说：“要是和外廷的大臣商议这件事，担心又发生如太和年间的变乱，不如就在宦官中选择有才识的人和他们谋划。”宣宗说：“这是下策，朕已经试过了，从穿黄衣、绿衣到穿绯衣的，都感激朝廷的恩义，只要穿上紫衣就结成一团成为独立的力量了！”宣宗又曾经与令狐绹谋划诛杀全部宦官，令狐绹担心范围太大了会使无罪的人也遭殃，秘密上奏说：“只要他们犯了罪不放过，宦官官职有缺额不补充，宦官自然而然逐渐减少，以达到消灭。”宦官暗地里看到令狐绹的奏章，由此更加与朝廷士大夫为仇，南衙北司水火不容。

（以上为第六段，写唐宣宗穷治弑宪宗之党，平反甘露之变的蒙冤者，意在谋诛宦官。）

唐宣宗大中九年（乙亥，公元 855 年）

春季，正月初四日甲申，成德军上奏说节度使王元逵去世，军队中拥立他的儿子节度副使王绍鼎，正月二十三日癸卯，任命王绍鼎为成德军留后。

二月，任命醴泉县县令李君奭为怀州刺史。前些时候，宣宗在渭水旁狩猎，遇到有数十位老年人在佛祠前聚集，宣宗问他们情况，回答说："我们都是醴泉县的老百姓。县令李君奭有优异的政绩，考课满期后就要离开，到京兆府请求留下他，所以在这里祈求菩萨保佑，希望能实现我们的愿望。"等到怀州刺史缺人，宣宗手诏任命李君奭，宰相也猜不出是什么缘故。李君奭入朝谢恩，宣宗把父老说的话告诉他，大家才知道是这么一回事。

三月，诏令邠宁节度使毕诚迁回邠州。原先，由于河湟地区刚刚收复，党项尚未完全平定，所以把邠宁军的驻地迁到了宁州，到现在，南山和平夏党项都平定了，威州、盐州和武州驻军粮食充足，所以叫他回到原来的治所去。

夏季，闰四月，诏令认为："州县差役不均，从现在起每县根据人的贫富情况和服役多少制成差科簿，送到州刺史那里审核签字以后，锁在县令的大厅内，凡是遇到需要征役时下达的差役令根据差科簿轮差。"

五月十九日丙寅，任命王绍鼎为成德节度使。

宣宗明察秋毫，记忆力很强，宫中洒水扫地的服役人等，都能记得他们的姓名，这些人的才能和能担任的工作，每次叫他们干什么事，没有派错了人的。全国奏报狱吏小卒的姓名，只要看一次就能记下来。度支奏说渍水污坏绸帛，误把"渍"字写成"清"字，枢密承旨孙隐中以为宣宗没有看出来，随即把缺笔添上了。等到奏章经过中书省回到宫中，宣宗看了改添处大怒，追究擅自涂改奏章的人并加以处罚。

宣宗秘密命令翰林学士韦澳编写各州境内的土地和风俗名物以及各种利害关系等为一本书，韦澳亲自写成后送了上去，哪怕是他的子弟也不让知道，名叫《处分语》。有一天，邓州刺史薛弘宗入朝谢恩，退出后，对韦澳说："皇上了解本州的情况以及处置安排使人吃惊。"韦澳询问他说了一些什么，方才知道都是《处分语》中所说的事。韦澳任翰林学士时，宣宗有时派遣中使叫他草拟诏书；如果有些事不应办的，韦澳就会说："这件事须要皇上亲自写下字据，才敢施行。"拖延到第二天早上，就上疏评论那件事，宣宗多半依从韦澳的意见。

秋季，七月，浙东发生军队叛乱，赶走了观察使李讷。李讷是李逊弟弟的儿子，性情急躁，对将士们不以礼相待，所以就发生了叛乱。

淮南地方发生饥荒，民众逃亡的人很多，节度使杜悰一心只用在游宴上面，没有把政事办理好。宣宗听到了这回事，八月十八日甲午，任命门下侍郎、同平章事崔铉同平章事，充任淮南节度使；八月二十一日丁酉，改任杜悰为太子太傅、分司东都。

九月二十九日乙亥，贬李讷为朗州刺史，监军王宗景被杖打四十，发配到恭陵服役。还下诏说："从现在起，武臣犯了罪，连同监军也要受处罚。"任命礼部侍郎沈询为浙东观察使。沈询是沈传师的儿子。

冬季，十一月，任命吏部侍郎柳仲郢为兵部侍郎，充任盐铁转运使。有一个民间医生刘集通过各种关系和禁中有来往，宣宗敕令盐铁转运使补他一个场官。柳仲郢上奏说："医生的技术如果高明，就应当补为医官；要是给他一个铜场盐场的小官，怎么来考核他的政绩好坏呢！况且场官品级低贱，不是特别敕命所应当涉及的，臣不敢奉诏办理此事。"宣宗见奏随即批示："刘集应当赏赐他绢一百匹，打发他走。"有一天，宣宗看到柳仲郢，奖励他说："卿论议刘集一事十分得当。"

宣宗曾经苦于不能进食，召来医工梁新诊脉，治疗了几天，病就痊愈了。梁新因而自己陈诉要求做官，宣宗不答应，只命令盐铁转运使每月给他三十串钱罢了。

右威卫大将军康季荣从前担任过泾原节度使，擅自动用官钱二百万缗，事件被发觉，康季荣请求用家财偿还挪用的官钱。宣宗认为康季荣有收复河、湟地区的功劳便答应了。给事中把敕书退回，表示不同意，谏官也上奏说不能那么办，十二月初五日庚辰，贬康季荣为夔州长史。

江西观察使郑祗德由于他的儿子郑颢娶了公主而通达贵显，坚持请求担任闲散官职，十二月十九日，改任郑祗德为太子宾客，分司东都。

（以上为第七段，写唐宣宗强记，识人过目不忘，时时留心访求贤才，破格录用。）

唐宣宗大中十年（丙子，公元 856 年）

春季，正月十三日丁巳，任命御史大夫郑朗为工部尚书、同平章事。

宣宗命裴休大胆对时事提意见，裴休请求早些确立太子，宣宗说："假若立了太子，那么朕不就成了闲人。"裴休听了以后，不敢再说话了。二月十三日丙戌，裴休托言有病，要求辞去宰相职位，宣宗不答应。

三月初八日辛亥，下诏说："回鹘为国家立过功劳，世世代代与我国有婚姻关系，他们称臣进贡，北边保持安定。会昌年间，虏廷发生变乱，可汗也逃奔在外，那时是奸臣掌握大权，因此急忙去消灭他们。近来有投降的人说，现在是已庞历为可汗，还居住在安西，等他回到牙帐以后，应当给他加以册封。"

宣宗看到京兆地区很久以来都未治理好，夏季，五月二十五日丁卯，任命翰林学士、工部侍郎韦澳为京兆尹。韦澳为人公正耿直，上任以后豪门贵戚暂时有所收敛。郑光庄园的官吏放纵横暴是民间的祸患，多年来都不向官府交纳租税，韦澳把他抓起来戴上刑具。宣宗在延英殿问韦澳，韦澳把具体情况向宣宗做了汇报，宣宗说："你打算如何处置他？"韦澳回答说："按照法律惩办他。"宣宗说："郑光很受朕宠信，怎么办？"韦澳回答说："陛下从内庭把臣调去担任京兆尹，想这样清除京城长期解决不了的弊端；假若郑光的庄吏多年为害，仍能够宽容他的大罪，这就是说陛下定的法律只是对待贫户的，臣不敢奉行诏令。"宣宗说："事情的确是这样。但是郑光纠缠我不罢休；你痛打他一顿，免他一死，可以吗？”韦澳回答说：“臣不敢不奉诏令，希望陛下让臣暂时关押庄吏，等到征收满租税然后释放他。”宣宗说：“显然，这样可行。朕为了郑光的关系阻扰了你执行法禁，很是感到惭愧。”韦澳回到府衙，随即把庄吏痛打了一顿；督促收缴租税数百斛足数后，才把庄吏交给了郑光。

（以上为第八段，写京兆尹韦澳严厉执法，敢惩治皇亲国舅郑光的庄吏。）

六月初七日戊寅，调中书侍郎、同平章事裴休为同平章事，充任宣武节度使。

司农卿韦廑想担任夏州节度使，有一个术士知道了这一情况，到韦廑家里说：“我善于祭祀星辰，乞求官位没有不如愿以偿的。”韦廑相信了他的话，晚上，在院子里设置了祭祀用品。术士说：“请你亲写官阶一纸。”术士得到以后，向着天大声呼叫说：“韦廑有反叛朝廷的意图，要我祭天。”韦廑全家人既拜且哭说：“希望山人不要断送我们百口之家的性命，家中的财物珍宝都送给你。”巡逻的人对术士穿着鲜丽的衣服觉得奇怪，以为是盗贼，就把他抓起来了；术士在情急之中，于是说：“韦廑叫我祭天，我想向官府报告，他们用家财来恳求我不说出去。”这件事朝廷知道了。秋季，九月，宣宗召韦廑当面诘问他，具体地了解到韦廑是冤枉的，于是宣宗对宰相说：“韦廑是城南的大族，被奸邪之人所诬害，不要让狱吏凌辱他。”立即把术士交给京兆府，用杖刑处死，把韦廑贬为永州司马。

户部侍郎、判户部、驸马都尉郑颢谋求担任宰相很殷切。他的父亲郑祗德知道这一情况后，给他写信说：“听说你已经兼任了户部长官，这是我必定要死的年岁；又听说你想求任宰相，这是我必定要死的日子了！”郑颢感到忧惧，多次上奏表要求辞去事务繁重的户部侍郎的官职。冬季，十月十五日乙酉，任命郑颢为秘书监。

宣宗派遣使者到安西去安抚回鹘，使者抵达灵武时，见到回鹘可汗入贡的使者，十一月十二日辛亥，册封回鹘首领为嗢禄登里罗汨没密施合俱录毗伽怀建可汗，任命卫尉少卿王端章担任册封使者。

吏部尚书李景让上奏说：“穆宗是陛下的哥哥，敬宗、文宗、武宗是陛下哥哥的儿子，陛下拜谒哥哥还可以，拜谒侄子可以吗！这样一来，使得陛下不能亲自侍奉七庙，所以应当把穆宗、敬宗、文宗、武宗四人的神主迁出太庙，迎还代宗以下各帝神主入庙。”诏令百官讨论这件事，但最终还是没有做出什么决定。当时的人由于这件事都看不起李景让的为人。

敕命：“在灵感和会善二寺设置戒坛，僧尼中应当填补缺额的，委托长老僧进行选择，发给公凭，到两坛去接受法戒，两京各选大德十人主持这件事。有不宜做僧尼的人就免去，能胜任的人发给度牒，打发回本州去。没有戒坛公牒的僧尼，不得私自收容。仍旧优先选择旧的僧尼，旧僧尼没有胜任的人时，就从其他的人中选取。”

十二月二十三日壬辰，任命户部侍郎、判户部崔慎由为工部尚书、同平章事。宣宗每次任命宰相，左右的人都不知道。在前一天，命令枢密使在学士院宣布旨意，任命兵部侍郎、判度支萧邺为同平章事。枢密使王归长、马公儒回奏说："萧邺所任判度支一职是罢免，还是保留？"宣宗以为王归长等人庇护萧邺，随即亲自写上崔慎由的名字和新的任命诏书交给学士院，还说"罢去判户部职事"。萧邺是梁朝萧渊明的第八代子孙。

内园使李敬寔在路上碰到郑朗没有回避，郑朗上奏了这件事，宣宗责备李敬寔，李敬寔回答说："供奉官照例是不须回避的。"宣宗说："你如果是带着敕命在身，横穿过道路是可以的；怎么能在私自外出时不回避宰相呢！"命令撤销他的本职工作，发配到南牙供役使。

（以上为第九段，写唐宣宗明察，惩治奸巧术士，用人由己，抑制宦官。）

唐宣宗大中十一年（丁丑，公元 857 年）

春季，正月初七日丙午，任命御史中丞兼尚书右丞夏侯孜为户部侍郎、判户部事。原来，判户部缺员，京兆尹韦澳向宣宗奏事，宣宗想让韦澳补任此职。韦澳托辞说："臣近年来心力衰退耗减，难以担当繁杂艰巨的职务，多次向陛下请求担任一个小镇的官职，圣恩没有允许。"宣宗听了不高兴。等到回家后，韦澳的外甥柳玭又批评他不该辞官，韦澳说："皇上不和宰相们共同商议，想私自任用我，人们一定会说我是走不正当的门路取得此官的，那事怎么说得明白！况且你知道现时政事渐渐不好了吗，这是由于我们这些人贪图名位所造成的啊。"正月十七日丙辰，调韦澳为河阳节度使。柳玭是柳仲郢的儿子。

宣宗想去华清宫，谏官固执地劝阻，宣宗为此取消了游幸华清宫。宣宗乐于听到规劝进谏的话，凡是谏官论事、门下封驳，只要是合乎道理，多数能委屈地依从；收到大臣的章表奏疏，一定要焚香洗手后再好好阅读。

二月十三日辛巳，改任门下侍郎、同平章事魏謩同平章事，允任西川节度使。魏謩担任宰相时，在宣宗面前议论政事，其他的宰相有时委婉地规劝讽谏，只有魏謩直爽地进言无所回避，宣宗每每感叹地说："魏謩隐约有他高祖魏徵的风范，我在内心很敬重他。"然而魏謩终究由于刚直被令狐绹所猜忌而出任外职。

岭南溪洞地方的蛮人多次侵扰叛乱。夏季，四月初五日壬申，任命右千牛大将军宋涯为安南、邕管宣慰使。五月初九日乙巳，改任宋涯为安南经略使。容州发生军事叛乱，把经略使王球赶走了。六月二十七日日癸巳，任命宋涯为容管经略使。

六月二十八日甲午，立皇子李灌为卫王，李滩为广王。

秋季，七月初五日庚子，任命兵部侍郎、判度支萧邺同平章事，仍判度支。

教坊中的祝汉贞，滑稽敏捷，宣宗有时指着某件物体叫他随口赞说一番，他摹拟颂咏好像早已写成了文章一样，由于这样，他在优人中很受宠信。有一天，祝汉贞在宣宗面前拍着手说笑话，内容涉及很多外面的政事，宣宗严肃地对他说："我供养着你们这些人，只是让你们提供戏笑而已，哪里能够随便干预朝廷政事呢！"从此就疏远了祝汉贞。正巧他的儿子因贪赃犯法，就用杖刑处死，祝汉贞也被流放到天德军。

乐工罗程善于弹琵琶，在武宗时候就已经得到宠信；宣宗一向通晓音律，尤其宠信罗程。罗程仗着宣宗的恩宠而强暴蛮横，由于个人恩怨而杀人，被关在京兆府的大牢里。那些乐工们想为他向宣宗请求免罪，借着宣宗到后苑听演奏音乐的机会，于是设一个无人坐的位子，放上琵琶，在庭院中围着跪拜，还抽泣着。宣宗问他们为什么要这么做，他们回答说："罗程辜负了陛下的恩情，罪该万死，然而臣等可惜他有天下奇绝的技艺，不能再在宴游中贡献技艺了！"宣宗说："你们所爱惜的是罗程的技艺，朕所爱惜的是高祖、太宗制定的国法。"最后还是把罗程用杖刑处死了。

（以上为第十段，写韦澳不接受隆恩升官，唐宣宗不狎昵群小。）

八月，成德节度使王绍鼎去世。王绍鼎沉湎在酒色里没有节制，喜欢在楼上用弹子射击人取乐，众人想赶走他，适逢他病死了，军队就拥立他的弟弟节度副使王绍懿。八月十四日戊寅，任命王绍懿为成德军留后。

九月二十七日辛酉，任命太子太师卢钧同平章事，充任山南西道节度使。

冬季，十月初五日己巳，任命秦成防御使李承勋为泾原节度使。李承勋是李光弼之孙。在这之前，吐蕃酋长尚延心带着河、渭二州所属的部落前来投降，朝廷授拜尚延心为武卫将军；李承勋贪图尚延心有很多羊马，就引诱他进入凤林关，居住在秦州的西面。李承勋和诸将策划把尚延心抓起来，诬告他阴谋反叛，侵吞他的全部财产，把他的部众迁到荒凉边远的地方去。尚延心知道了这个阴谋，在李承勋举行军宴的时候，就在坐席上向李承勋说："河、渭二州，地广人稀，又发生饥荒和瘟疫。唐朝的汉人多半向内迁到三川地方去了，吐蕃人都逃向很远的叠、宕二州西边了，两千里长的一段地域，荒凉而无人居住。延心想入朝拜见天子，请求带领全部人马迁到内地去，做唐朝的臣民，使西边永久不再发生战争，这种功劳和张义潮比起来也不会感到惭愧的。"李承勋想自己获得这一份功劳，在犹豫中没有答应尚延心的要求，尚延心又说："延心既然投归朝廷，部落又迁去内地，只可惜秦州再没有什么可依靠的了。"李承勋和其他的将领互相对视，一时无话可说。第二天，诸将对李承勋说："明公首先从事营田，设置防御使府衙，领有万名军众，粮饷有度支供给，将士没有打仗的劳苦，而有耕田互市的财利。假若依照尚延心的计划办，那么西部边疆就没有战争了，朝廷一定会撤销防御使府衙，减省戍守的士兵，还会将秦州划归凤翔管辖，我们这些人就再没有什么希望了。"李承勋认为他们说得对，随即申奏推举尚延心为河、渭都游弈使，让他带领他的部众居住在河、渭地区。

中书侍郎、同平章事郑朗因病辞相位；十月初八日壬申，任命郑朗为太子少师。

宣宗晚年很是喜欢神仙之术，派遣中使去罗浮山奉迎道士轩辕集。

王端章前去册封回鹘可汗，道路被黑车子阻塞了，没有到达回鹘驻地就返回来了。十月二十七日辛卯，贬谪王端章为贺州司马。

十一月初八日壬寅，任命成德军留后王绍懿为节度使。

十二月，罢免了萧邺判度支的官职。

（以上为第十一段，写吐蕃首长尚延心归顺唐朝，智计挫败贪残边将。）

唐宣宗大中十二年（戊寅，公元858年）

春季，正月，任命康王傅、分司王式为安南都户、经略使。王式很有才干和谋略，到达交趾后，用艻木修建栅栏，可以维持数十年不坏。把城外堑壕挖深，以便城内的水流宣泄方便，堑壕外面栽种刺竹，寇盗不能冲犯。选取训练的士卒都是很精锐的。没有多久，南蛮大批队伍到来，屯扎锦田步，离交趾只有半天路程了；王式表现出很安闲的样子，派遣翻译人员晓谕蛮人，说到了蛮人的要害处，蛮人在一个晚上就全部退走了，并派人辞谢说："我们来是为了抓反叛的獠人，不是进行侵扰的。"安南都校罗行恭，长久把持都户府的大权，部下有精兵两千人，都户府中军只有数百名老弱兵员；王式上任后，用杖刑处罚了罗行恭，并把他贬黜到边境地区去服役。

从前，户部侍郎、判度支刘瑑为翰林学士，宣宗很器重他。他任河东节度使时，宣宗下手令征他入朝，刘瑑上奏说已从河东出发了，外人才知道调任他的事。正月二十五日戊午，任命刘瑑为同平章事。刘瑑是刘仁轨的第五代孙。

刘瑑和崔慎由一同在宣宗面前讨论政事，崔慎由说："只有用心审定官员的品级和任职，才能报答一点点朝廷的大恩。"刘瑑说："从前晋代的王夷甫崇尚浮华，妄自划分流品，使得中原战乱不止，社会经济遭到严重破坏。现在是圣明的朝代，应当循名责实，使百官个个都称职；而急忙以区别品流为首要任务，臣不晓得哪一天才能把国家的政事办好！"崔慎由无话可说。

轩辕集来到长安，宣宗把他召入禁中，问他道："长生不死能学到吗？"他回答说："做帝王的人屏除嗜欲，崇尚德行，那么自然会得到上天赐给的长久福运，还要追求什么长生不死！"停留数月，坚决要求回罗浮山去，于是打发他走了。

二月初一日甲子，停止公卿大臣朝拜光陵以及忌辰的时候向穆宗上香，把光陵的宫人全部调到其他陵园。

二月初五日戊辰，调任中书侍郎、同平章事崔慎由为东川节度使。

宣宗打算登上城楼宣布大赦，令狐绹上奏说："登楼举行大赦仪式要花费很多的钱，这件事还要师出有名；况且大赦是不能多次进行的。”宣宗不高兴地说：“告诉我，用什么名义为好？”崔慎由说：“陛下还没有立太子，四海之内的人都在盼望着。要是举行立太子的礼仪，哪怕是祭天都可以，何况是登城楼宣布大赦！”当时宣宗服食了方士进献的丹药，已经感到心燥口渴，而旁人不知道他正在疑忌的时候，听到崔慎由的话，宣宗低下头不再说话了。过了大约十天，崔慎由就被罢免了宰相的职位。

渤海王彝震去世。二月二十日癸未，立他的弟弟虔晃为渤海王。

夏季，四月，任命右街使、驸马都尉刘异为邠宁节度使。刘异娶了安平公主，安平公主是宣宗的妹妹。

四月初九日庚子，岭南都将王令寰作乱，囚禁了节度使杨发。杨发是苏州人。

四月十七日戊申，任命兵部侍郎、盐铁转运使夏侯孜同平章事。

五月初六日丙寅，工部尚书、同平章事刘瑑去世。刘瑑在病危时，还在写奏疏议论国事，宣宗非常痛惜他的去世。

任命右金吾大将军李燧为岭南节度使，已经命令中使赐给他符节，给事中萧倣把任命制书退回给宣宗，表示不同意；宣宗当时正在奏乐，没有空闲召唤中使，于是就派了一名乐工去追回所赐之符节，符节快送到李燧的家门口时被追回来了。萧倣是萧俛的堂兄弟。五月二十一日辛巳，任命泾原节度使李承勋为岭南节度使，征发相邻各道的军队讨伐作乱的人，把叛乱平定了。

在同一天，湖南也发生军事叛乱，都将石载顺等人赶走了观察使韩悰，杀死了都押牙王桂直。韩悰不按礼节对待将士，所以遭受了灾难。

六月初六日丙申，江西发生军事叛乱，都将毛鹤赶走了观察使郑宪。

原先，安南都户李涿任职时贪鄙粗暴，强迫购买蛮人的牛马，一头牲畜只给一斗盐的价钱；又诛杀蛮人酋长杜存诚。群蛮既怨恨、又愤怒，于是引导南诏人侵扰边境。

峰州的林西原，原来驻有防冬兵六千人，在它旁边的七绾洞蛮人，酋长名李由独，经常帮助唐王朝戍守，并交纳租税。峰州地方官对李涿说，不要派戍兵到林西原去了，把防守任务全部交给李由独负责就可以了。这样一来，李由独的力量陷于孤单，不能自立，南诏拓东节度使就写信诱惑李由独，要把自己的外甥女嫁给李由独的儿子，并让他任拓东押牙官，李由独就带领他的部众归顺南诏。从这以后蛮人就开始侵扰安南；当月，蛮人侵扰安南。

秋季，七月初七日丙寅，宣州都将康全泰作乱，赶走观察使郑薰；郑薰逃亡扬州。

七月初八日丁卯，右补阙内供奉张潜上疏，认为：“藩镇使府在替代移交的时候，都报告仓库储蓄了多少财物，把盈余的财物作为考课的成绩，朝廷也凭着这点分别给予奖赏，我私下想，藩镇所征收的财赋，支出是有常数的，假若不是赋税收取过多，以及减少了将士的员额，或是克扣了将士的衣粮，那么盈余的部分又从何处得来呢！近来南方各镇多次发生叛乱，都是由这个原因引起的。一旦发生变乱，储蓄的财物都遭到抢劫；又发兵去征讨，费用超过盈余的上百倍，然而朝廷又得到什么好处呢！请求从今天起，藩府的长官不增加赋税，不减少士兵衣粮，只减少游宴，节省浮华开支，能够有所盈余的人，然后才给以奖赏。”宣宗嘉奖他，并且采纳了他的意见。

容管奏报说都虞候来正阴谋叛乱，经略使宋涯把他收捕斩首。

原先，忠武军的精锐部队都用黄色头巾，号称黄头军。李承勋用一百名黄头军平定了岭南叛乱，宋涯叫他的部下也效仿黄头军的服装，平定了容州叛乱。

安南地方有刁民，多次兴风作乱，听说容州有黄头军，大惊说：“黄头军要渡过海峡来袭击我们了！”他们互相聚集，在夜里包围了交趾城，鼓噪着说：“愿意护送都户回北方去，我们需要这座城池抵抗黄头军。”王式正在吃饭，有人劝王式出走躲避一下。王式说：“只要我的脚一动，那么本城就要溃散了。”王式不慌不忙吃完饭，穿上铠甲，带领左右随从登城楼，把大将旗竖立起来，坐着责备叛乱的人，叛乱的人都转身逃走了。第二天，把叛乱的人都抓来杀了。有个叫杜守澄的人，继承着从齐、梁以来的传统，率领一部分群众占据溪洞，无法制服他们。王式用离间的办法使他的亲族党羽脱离他，杜守澄只得逃走，最终死在外地。安南地方饥荒和战乱连接不断，六年没有向朝廷交租赋，军队中也没有钱发犒赏，王式上任后才又向朝廷交贡赋，犒赏将士。占城和真腊又都恢复了使者的往来。

（以上为第十二段，写王式抚定安南。罗浮山道士轩辕集谏宣宗求长生。）

淮南节度使崔铉上奏说已经出兵讨伐宣州的叛贼；八月初六日甲午，任命崔铉兼宣歙观察使。八月十一日己亥，任命宋州刺史温璋为宣州团练使。温璋是温造的儿子。

黄河南北和淮南均发生大水灾，徐州和泗州地区水深五丈，淹没了数万家民户。

冬季，十月，新任建州刺史于延陵入宫辞谢宣宗，宣宗说：“建州离京师有多远？”于延陵回答说：“八千里。”宣宗说：“你到那里去以后政事的好坏，朕都会知道，不要以为隔得远我就不了解！哪怕隔万里之远也像这阶前一样，你知道吗？”于延陵惊吓得乱了方寸，宣宗安抚他一番之后，打发他上任去了。于延陵到任之后，最终以不称职被贬为复州司马。

令狐绹打算任用李远为杭州刺史，宣宗说：“我听说李远有诗句云‘长日惟消一局棋’，这样的人怎么能治理老百姓！”令狐绹说：“诗人借托这种意境以表示情感而已，实际生活并不是那个样子。”宣宗说：“暂且派他去试试看。”

宣宗有诏令说任命刺史不能从外地直接上任，一定要到京师来，当面考察他是否能干，然后才决定是不是任命他。令狐绹曾经调他的老熟人为邻近州的刺史，未到京师就上任去了。宣宗看到了他向朝廷谢恩的奏表，因而询问令狐绹，令狐绹回答说："因为他离上任的地方很近，直接去了，省略了欢送迎接的仪式。"宣宗说："我感到任命的刺史多半都不称职，给老百姓带来灾难，所以想一一接见他们，询问他们到任后有什么打算，了解他们的好坏以决定是升迁还是降职。诏命已经颁布了，你竟然废弃而不执行，宰相的权力真是大得可怕！"当时正值寒冷，令狐绹吓得大汗湿透几层衣服。

宣宗上朝时，接待群臣好像对待宾客一样，哪怕是左右亲近的人，不曾看到过他有倦怠的面色。每当宰相奏事时，旁边一个站着的人也没有，那种威严的神态使人不敢抬头观看。奏事完了以后，宣宗会一下子和颜悦色地说："现在可以说说闲话了！"接着询问民间琐细事情，或者是谈宫廷中游宴的事，什么事情都可以说。大约过了一刻钟，又用严肃的面容说："你们这些人好好地去任职，朕常常担心你们辜负我，使以后我们不能再见面。"于是起身回宫。令狐绹对别人说："我担任宰相十年了，得到了皇上最大的恩典；然而每次到延英殿奏事，没有一次不是惊恐得汗流浃背的！"

原先，山南东道节度使徐商，由于管辖的地方险要而辽阔，向来多有盗贼出没，于是他挑选精兵数百人，另外安排为一个军营进行训练，号称捕盗将。等到湖南发生叛军赶走观察使的事情后，诏令徐商去讨伐叛军。徐商派遣捕盗将二百人前去镇压，很快就把叛乱镇压了。

崔铉奏报说攻下了宣州，把康全泰和他的党羽四百多人全部杀掉了。

宣宗由于光禄卿韦宙的父亲韦丹在江西任职时有惠政，于是任命韦宙为江西观察使，征调邻道兵以讨伐毛鹤。

崔铉由于宣州已经平定，辞去兼任的宣歙观察使官职。十一月二十一日戊寅，任命温璋为宣歙观察使。

兵部侍郎、判户部蒋伸从容地对宣宗说："近来官职很容易获得，人们都想侥幸得到官位。"宣宗惊讶地说："这样一来，就要引起动乱了！"蒋伸回答说："动乱还没有发生，但是想侥幸获得官位的人多了，动乱也就不难发生了。"宣宗再三对蒋伸的话称赞感叹。蒋伸三次起身告退，宣宗三次留住他，并说："他日不能再单独和你谈话了。"蒋伸当时不懂宣宗说这句话的意思。十二月二十七日甲寅，任命蒋伸为同平章事。

韦宙奏报说攻克了洪州，把毛鹤和他的同党五百多人都杀了。韦宙上任时经过襄州，徐商派都将韩季友率领捕盗将跟随他一道去。韦宙到达江州时，韩季友请求在夜里带领他的队伍从陆路暗地前往，等到第二天早上，到达洪州，洪州人还未发觉，当天就把叛乱平定了。韦宙奏请在江西留下捕盗将二百人，任用韩季友为都虞候。

（以上为第十三段，写唐宣宗威严风采，宰臣敬畏。唐境不宁，此起彼伏叛乱不断。）

唐宣宗大中十三年（己卯，公元 859 年）

春季，正月初一日戊午，大赦天下。

三月，将河东镇所属的云、蔚、朔三州划出来，隶属于大同军管辖。

夏季，四月初五日辛卯，任命校书郎于琮为左拾遗内供奉。原来，宣宗想让于琮娶永福公主为妻，不久放弃了这个想法，宰相询问宣宗为什么这样，宣宗说："朕近日和她一同进餐，在我眼前动不动就把汤匙筷子等扔掉。性情这样粗暴，哪里能够做士大夫的妻子呢！"于是改叫于琮娶广德公主。二位公主都是宣宗的女儿。于琮是于敖的儿子。

武宁节度使康季荣不体恤士卒，士卒鼓噪着把他赶走了。宣宗知道左金吾大将军田牟曾经担任过徐州节度使，表现很出色，所以再任命他为武宁节度使，那一带地方就安定下来了。贬谪康季荣到岭南地方。

六月初九日癸巳，封宪宗的儿子李惕为彭王。

起初，宣宗的长子郓王李温，不被宠爱，居住在十六宅，其他的儿子都居住在皇宫中。夔王李滋，是宣宗的第三个儿子，宣宗很喜爱他，想把他立为太子，但是按照立太子的次序轮不上他，所以宣宗就长久没有确立太子。

宣宗吃了医官李玄伯、道士虞紫芝、山人王乐的药，背上长了一个毒疮。八月，毒疮恶化了，宰相和朝官都不能见到宣宗。宣宗秘密把夔王托付给枢密使王归长、马公儒，宣徽南院使王居方，要他们立他为太子。王归长等三人和右军中尉王茂玄都是宣宗平日所信任的人。只有左军中尉王宗实向来不是一条心，王归长等三人互相谋划，把王宗实调出去做淮南监军。王宗实已经在宣化门外接到了敕命，将要从银台门离开，左军副使亓元实对王宗实说："皇上病了一个多月了，中尉只是隔着门询问起居情况；今天的改授官职，还分不清是谁的主意，为何不看过皇上以后再离开。"王宗实得到提醒后发觉是有问题，再想入宫，各处的宫门已经按照过去的旧例增派人守卫了。亓元实保护引导王宗实径直进入宣宗的寝殿，宣宗已经去世，宫人们都在抽泣了。王宗实斥责王归长等人，说他们用的是假诏命；王归长等人都抱着王宗实的脚乞求活命。王宗实于是派遣宣徽北院使齐元简去迎接郓王。八月初九日壬辰，下诏立郓王为皇太子，暂时掌管军国大事，并改名漼。收捕王归长、马公儒、王居方，把他们都杀了。初十日癸巳，宣布遗制，任命令狐绹摄冢宰。

宣宗为人，聪明细致，沉毅果断，用法无私，从谏如流，爱惜官赏，恭谨节俭，惠爱民物，所以大中年间的政绩，一直到唐朝灭亡为止，人们一直怀念它，称赞它，称宣宗是小太宗。

八月十七日丙申，懿宗即皇帝位。八月二十日癸卯，尊皇太后为太皇太后。任命王宗实为骠骑大将军。李玄伯、虞紫芝、王乐都被处死。

（以上为第十四段，写唐宣宗驾崩，左军中尉王宗实拥立唐懿宗即位。）

九月，追尊宣宗的生母晁昭容为元昭皇太后。

加给魏博节度使何弘敬兼中书令，幽州节度使张允伸同平章事官衔。

冬季，十月初九日辛卯，大赦天下。

十一月初七日戊午，调门下侍郎、同平章事萧邺同平章事，充任荆南节度使。

十二月初三日甲申，任命翰林学士承旨、兵部侍郎杜审权同平章事。杜审权是杜元颖弟弟的儿子。

浙东地方盗贼首领裘甫攻下了象山县，官军多次被裘甫打得大败，明州城的城门白天都不敢打开，裘甫军逼近了剡县，有部队百人，浙东地区都为之不安。观察使郑祗德派遣讨击副使刘勍、副将范居植带领三百名兵卒，联合台州军共同讨伐裘甫军。

司空、门下侍郎、同平章事令狐绹担任宰相的时间很长，对于比自己强的人非常忌妒，朝廷内外的人都对他很不满意，他的儿子令狐滈很是招揽权力，接受贿赂。宣宗死了以后，朝廷谏官争着上书揭发令狐绹的过错，十二月十六日丁酉，任命令狐绹同平章事，充任河中节度使。任命前荆南节度使、同平章事白敏中守司徒兼门下侍郎、同平章事。

从前，韦皋在西川任职时，开辟清溪道作为蛮人通往内地的交通要道，好使他们通过蜀地向朝廷进贡。又挑选蛮人子弟到成都来，教他们读书识字，想用这种办法取得他们的欢心而约束他们，学好了之后就让他们回去，又让其他人的子弟继续来学习。这样做了五十年，蛮人子弟在成都学习过的大概有数千人，西川军府对供给学生费用很是厌烦。另外，蛮人向朝廷进贡时，贪图得到赏赐，他们带领的侍从人员逐渐增加，杜悰担任西川节度使时，上奏请求减少蛮人的随从人员数，诏令依从了。南诏王丰祐大怒，他派出的贺冬使者把贺表在中途交给嶲州府就回去了。又索取在成都学习的子弟，送来的文牒中，言辞非常不谦逊，从这以后进贡也不按规定时间了，时有时无，还时常侵扰边境。

正值宣宗去世，派遣中使去告哀，南诏丰祐也刚刚死去，他的儿子酋龙继位，大怒说："我国也有丧事，朝廷为什么不派使者吊祭？另外，诏书还是赐给前王的。"于是将告哀使者安置在外馆，礼仪待遇非常轻薄。使者回到朝廷后，将具体情况报告了懿宗。懿宗认为酋龙既不派使者来告丧，另外所用名字又和玄宗的名字音近而犯讳，于是就不进行册封新王的礼仪。酋龙就自称皇帝，国号大礼，改年号为建极，派兵攻下播州。

（以上为第十五段，写浙东裘甫叛乱，南诏交恶唐室。）

【点评】

本卷点评张义潮归唐、唐宣宗大中之治、唐宣宗明察识奸。

张义潮归唐。唐安史之乱，河湟万里山河一夜之间沦陷于吐蕃。唐武宗时，吐蕃发生内乱，急剧衰落。宣宗大中二年（公元 848 年），沙州人张义潮乘机率汉民逐走吐蕃守将，夺取沙州。第二年，吐蕃所据秦、原、安乐三州七关守将降唐。三州七关千余人到京师阙下朝见唐宣宗，欢声雷动。士民当场脱去吐蕃胡服，换上唐朝衣冠，在场民众感动得高呼万岁。大中五年（公元 851 年），张义潮收复河西伊、西、瓜、沙、肃、甘、河、兰、廓、鄯、岷十一州，并献图于唐。至此河湟沦陷于吐蕃近一世纪后重回唐朝。吐蕃内乱的时势造就了英雄张义潮，他当初如割地自保，称王河西，唐王朝无可奈何。但他却在藩镇割据称雄，唐王朝焦头烂额之际，毅然归唐，并成为唐西疆屏障。人民文学出版社 1984 年出版《敦煌变文集》，其中《张义潮变文》记载，唐大中十一、十二年，张义潮率众打败吐谷浑和回鹘，使唐西北沿边地区免遭侵扰。乱世见真情，张义潮是爱国者的榜样。唐宣宗封张义潮为归义军节度使，用“归义”二字表彰他的爱国精神。加官为书仆射、太保等职。

唐宣宗大中之治。唐宣宗李忱是一个精明强干的人，几十年的韬晦忍辱，使他冷眼旁观了许多弊端。宣宗也极为憎恶宦官，他借追究宪宗之死和平反甘露之变被滥杀的大臣，杀了一批宦官。内园使李敬寔途遇宰相郑朗不下马，郑朗上奏，宣宗斥责李敬寔，李敬寔回答说：“依惯例。”宣宗说：“你受皇帝之命办公事可以不下马，办私事怎么可以不下马！”言外之意，办公事代表皇帝之命，办私事只是一个奴才，怎么胆敢轻视朝官。宣宗命令李敬寔脱去官服，发配到南衙做杂役。宣宗与宰相令狐绹谋诛全部宦官，令狐绹不敢承揽这差事，以甘露之变为警戒，密奏宣宗，让自然淘汰宦官，方法是有罪不赦，老死不补，让宦官一天天减少，自然耗尽。这个密奏被宦官看见，煽起了宦官敌视南衙的情绪，南衙北司的斗争又激烈起来。

唐宣宗明察识奸。司农卿韦厪遭无良方术士勒索诬陷，犯祭天灭族之罪，宣宗识破，杖杀方术士，避免了一桩血案冤狱。宣宗时时留心访求贤才，破格提拔。宣宗外出打猎，接近百姓，了解民情，得知泾阳县令李行言、醴泉县令李君奭深得老百姓拥戴，宣宗提拔李行言为海州刺史、李君奭为怀州刺史。宣宗严格执法。宣宗之舅郑光的庄吏仗势横恣，多年不交租税，京兆尹韦澳将其抓捕归案，宣宗亲自出面说情，韦澳说：“交足租税才放人。”宣宗说：“朕扰乱执法，很感惭愧。”韦澳回府，痛打了国舅郑光的庄吏一顿，并使庄吏交足了欠租以后，才放走庄吏。泾原节度使康季荣挪用官钱两百万缗，已调入京任右威卫大将军，事情败露，康季荣请求用家财来偿还赎罪。宣宗认为康季荣有开河湟之功，允许了，谏官上奏诤谏，康季荣被贬为夔州长史。宣宗不以私情滥赏官职。太医梁新曾治好了宣宗的病，要求封官，宣宗不答应，给了三千缗赏钱。宣宗一朝，没有兴大狱，政治保持平稳，河湟归唐，岭南乱平，保持了十余年的太平。《旧唐书·宣宗本纪》史臣评论说：宣宗“器识深远，久历艰难，备知人间疾苦”。称赞宣宗临驭，“一之日权豪敛迹，二之日奸臣畏法，三之日阍寺詟气。由是刑政不滥，贤能效用，百揆四岳，穆若清风，十余年间，颂声载路”。史臣的评论，未免过誉。但宣宗毕竟延续了会昌时期的新气象，维护唐朝十余年的和平，是值得称道的。

宣宗的缺失，是也沾染了朋党积习。他怀恨文宗、武宗，也为了表明自己是唐宪宗的直接继承人，诬陷唐穆宗母子与宦官同谋害死唐宪宗，则穆宗为逆，诸子敬宗、文宗、武宗自然为逆，那么李德裕就是逆臣，于是大反会昌之政，即使善政，也要推倒。武宗废佛，宣宗兴佛；武宗裁汰州县冗官一千多员，宣宗增设冗官。加之，宣宗所任宰相，前期白敏中、后期令狐绹，均是李宗闵朋党，才能平庸，只对宣宗唯命是从，没有什么建树，唐政治腐败的大环境没有多大改变，即藩镇割据、宦官专皇权、朋党交争，依然没有改变。大中之治，不过是唐亡之前的回光返照而已。

唐纪六十六

唐懿宗咸通元年至八年（公元 860—公元 867）

【起上章执徐（庚辰，公元 860 年），尽强圉大渊献（丁亥，公元 867 年），凡八年】

【大事提要】

本卷记事起公元 860 年，讫公元 867 年，凡八年。当唐懿宗咸通元年至咸通八年。懿宗在位十四年，本卷载懿宗前期八年政事。懿宗李漼为宣宗长子，无才无德，没有被宣宗立为太子，是靠宦官拥立为皇帝的。因此懿宗即位，宦官备受宠信，多次临幸诸寺，滥赏无节制。在宦官导使下，懿宗怠于政事，游宴无度，滥赐乐工为高官。懿宗又笃信佛法，求佛祖保佑，全国兴佛泛滥，僧尼剧增。懿宗还在宫中设讲坛，亲自手录梵夹，唱经开讲。此时唐朝政治已经大坏，宦官与朝官的矛盾急剧上升，宦官欲借拥立懿宗之功，大开杀戒，以朝官不拥立懿宗为由，诛杀宰臣。由于杜悰以利害开导枢密宦官，才避免了一场血腥屠杀。上层统治阶级矛盾尖锐，下层社会各种矛盾更加激化，唐代社会处在大震荡的前夜。浙东裘甫起义就是大震荡的信号。朝廷任用智勇皆备的王式镇压了裘甫起义，唐王朝获得了暂时的苟安。边患又起，安南叛乱，南诏乘机入侵。由于宦官当政，所用军镇将领无御敌之才，加之宦官监军掣肘，泱泱大唐竟屡遭败绩，西州、岭南受祸十余年。

懿宗昭圣恭惠孝皇帝上

唐懿宗咸通元年（庚辰，公元 860 年）

春季，正月初四日乙卯，浙东军和裘甫军在桐柏观前大战，范居植阵亡，刘勍只身逃了出来。正月十四日乙丑，裘甫带领部下千余人攻下剡县，打开府库，招募壮士参军，部众有数千人。越州听到这个消息，大为恐慌。

当时浙东浙西久未发生战事，军人都不演习战斗，盔甲腐朽，兵器不锋利，现有兵卒不到三百人；郑祗德再招募新兵来补充，军官受到贿赂，招来的大都是些孱弱不顶用的人。郑祗德派他的儿子带领沈君纵、副将张公署、望海镇将李珪统领新招募的五百名士卒去攻打裘甫。二月初十日辛卯，与裘甫在剡县以西会战，裘甫在三溪的南面设下埋伏，而在三溪的北面排列军阵，并把三溪上游堵塞住，使得下游可以步行渡过。战斗开始以后，裘甫假装败走，官军追赶他们，在溪中走了一半，裘甫扒开了上游堵塞的堤坝，大水猛冲下来，官军大败，沈君纵等三将都战死，官军几乎被全部消灭。

这样一来，山海之间各处的盗寇以及其他地方的亡命之徒，从四面八方云集到此，军众达到三万人，分为三十二队。在他们的小帅中有谋略的是刘晊，有勇力的是刘庆、刘从简。外地的群盗都从遥远的地方送来书信和礼物，要求裘甫收纳他们为部属。裘甫自称天下都知兵马使，改年号为罗平，铸的印称天平。大量囤聚钱物和粮草，请来能工巧匠，制造武器兵械，声威震动了全国。

二月十五日丙申，将圣武献文孝皇帝葬在贞陵，庙号宣宗。

二月二十五日丙午，白敏中前去上朝，在台阶上跌倒了，伤了腰，被人用肩舆抬了送回家。

郑祗德接连上表告急，并且向毗邻各道求救；浙西道派遣牙将凌茂贞带领四百人，宣歙道派遣牙将白琮带领三百人，前往越州。郑祗德开始时叫他们驻扎在城郭门和东小江，不久又召回到府衙中用来保卫自己。郑祗德发给他们馈饷，比度支按常规所发的馈饷多十三倍，然而宣润二道的将士还认为太少。宣、润二道将士请当地土军为向导，以便和叛贼作战；那些将领有的说有病，有的假装从马上掉下来负了伤，那些愿意领头的人又一定预先要求提升军职和勋级，结果一个人也派不出来。叛贼的游骑到了平水镇东的小江，城里的士民准备了船和粮食，在夜里坐着等待天亮，打算各自逃生。

朝廷知道郑祗德懦弱胆小，讨论挑选武将去代替他。夏侯孜说："浙东地方有山海之险，只可以用计谋取胜，用强力是难以达到目的的。在朝廷武官中还没有适当人选可用。从前担任安南都护的王式，虽然出身儒家，在安南时威信却很高，华人夷人都信服他，为远近所闻名，可以胜任郑祗德的职务。"其他宰相也是这样认为的。于是就任命王式为浙东观察使，征调郑祗德为太子宾客。

三月初一日辛亥，王式入朝接受询问，懿宗询问他讨贼的办法。王式回答说："只要有兵，叛贼一定会被平定。"在懿宗旁边侍奉的宦官说："调发军队，要花费很多钱财。"王式说："臣为国家爱惜费用却不是这么想的。军队多，能很快平定叛贼，所需费用是很节省的。假若军队少不能打败叛贼，时间拖延越长，叛贼的势力一天天扩大，那么江淮一带的群盗将会蜂起响应他们。国家的用度全靠江淮，要是江淮地方阻隔不通了，那么上从九庙，下至十军，都没有财物供给了，损失的财物难道可以计算得了吗！"懿宗回头对宦官说："应当调派军队给王式。"于是下诏调发忠武、义成、淮南等各道兵交给王式指挥。

裘甫分兵进掠衢州和婺州。婺州押牙房郅、散将楼曾、衢州十将方景深带领军队凭险据守，叛贼攻不进去。又分兵进掠明州，明州的民众互相谋划说："叛贼要是进了城，妻室儿女都要被剁成肉酱，何况财产货物，能保得住吗！”于是共同拿出钱来招募勇士，修治器械，树立栅栏，疏浚城沟，切断桥梁，做了一系列防守的准备工作。叛贼又派兵攻掠台州，攻下了唐兴县。三月十九日己巳，裘甫亲自带领一万多人进掠上虞县，把它烧掉了。三月二十三日癸酉，攻入余姚，杀了县丞和县尉；再向东攻下慈溪县，进入奉化县，抵达宁海县，杀了县令而占据其城；又分兵包围象山县。所经过的地方，俘虏那些年轻力壮的人，老弱的人都被蹂践杀死。

等到任命王式为浙东观察使的诏书颁发后，民众的情绪才稍稍安定下来。当时裘甫正在和他的部下饮酒，听到这个消息后很不高兴。刘暀叹息着说：“有这样多的部众而策划尚未定下来，真是可惜！现在朝廷派遣王式带兵前来，听说这个人智勇双全，很难对付，不出四十天一定会赶到。兵马使应当赶快带领军队攻取越州，凭借城郭，据有府库，派五千兵去防守西陵渡，沿浙江修筑堡垒来抗拒官兵，并征集大批船舰。乘有利时机，长驱直入攻取浙西，渡过长江，掠取扬州的货物来充实自己，然后回军，修筑石头城据守，这样宣歙和江西一带，一定会有响应我们的人。派遣刘从简带领一万军队沿海向南发展，攻占福建。这样一来，国家贡赋的地方都被我们据有了；只用担心子孙能不能保住它，我们自己则终身都不用忧虑了。”裘甫说：“喝醉了，明天再讨论罢！”刘暀看到裘甫不听从他的建议，大怒，假装酒醉就退出来了。有位叫王辂的进士在叛贼中，叛贼用客礼对待他。王辂对裘甫说：“像刘副使的那种谋划，就是三国时孙权所做的事。孙权乘天下大乱，所以能据有江东，现在中原安定，照孙权那样的做法不易成功。不如拥众据险自守，陆上种田，海上打渔，危急时就逃入海岛，这才是万全之策。”裘甫畏惧王式，犹豫不决。

（以上为第一段，写宰相夏侯孜荐王式讨裘甫。）

夏季，四月，王式行军到柿口，看到义成军纪律不好，王式就想斩了军中的将领，过了很久又释放了他，从这之后，军队经过的地方好像没有人经过一样。到达西陵时，裘甫派人向王式请求投降，王式说：“这一定不是真心请降，只是想试探一下我军的底牌，并且使我由此而骄傲懈怠而已。”于是对使者说：“裘甫绑着手来投降我，就可以免他一死。”

四月十五日乙未，王式进入越州，政事交接完毕后，为郑祗德设置酒宴，说：“我王式主持军政大事，不可以饮酒，监军只管与众位宾客尽情畅饮。”到夜晚，又点上蜡烛，并说：“有王式在这里，叛贼哪里能够妨碍大家欢乐饮酒！”四月十六日丙申，在远郊为郑祗德饯行，又欢乐地饮宴后才回来。于是开始制定军令，报告说馈饷不足的人没有了，称病的人起来了，先前请求调职的人也不说话了。

叛贼别部的统帅洪师简、许会能带领部队来投降，王式说：“你们投降是对的，应当立功以表示与他人不同。”派他们带领部下为前锋，和叛贼作战有功劳，于是上奏给他们授官职。

先前，叛贼的间谍进入越州，军官们把间谍隐藏起来，并供给他们饮食。文武官吏中往往有人暗地和叛贼交往，想求得在城池被攻下后自己和家人得到保全；有人假装引贼将来投降，实际上是他们想暗中观察城中的虚实；城里的秘密谋划和避开众人的谈话，叛贼都能知道。王式暗地察觉了这个情况，把有关的人都捕捉起来杀掉；把将吏中特别横暴狡猾的人处以重刑；加强门禁，无证件的人不能随便出入，对夜间防卫特别周密，这样一来，叛贼就完全不了解官军的行动情况了。

王式命令各县打开仓库赈济贫困百姓，有人提意见说：“叛贼还未平定，正急需军粮，不能散发粮食。”王式说：“其中原因不是你们所能了解的。”

官军缺少骑兵，王式说：“吐蕃人和回鹘人近来分发到江淮地方的，他们习惯于攀登险阻，善于骑马作战，可以重用他们。”把军府中的名册拿来清查，得到骁健的人一百多名。吐蕃、回鹘人被长久地留在这边，所在的部队对他们又很不友善，贫困饥饿到了极点；王式既赏赐了他们饮食，又周济了他们的父母妻子，他们都流着泪拜谢并欢呼，愿意拼命为官军效劳，王式把他们全部编为骑兵，使骑将石宗本率领他们。凡是在管辖内各地的吐蕃人、回鹘人，都照越州这样办。另外，又奏请得到龙陂监马二百匹，这样一来，骑兵就不缺了。

有人请求设置烽火台以察知叛贼的远近和人数多少，王式只是笑而不答。他挑选懦弱的士卒，让他们骑着健壮的马匹，又少给他们锐利的兵器，让他们担任侦察骑兵；众人感到奇怪，但又不敢询问。

（以上为第二段，写王式至浙东，用智计讨贼，开仓振贫，不置烽燧，用懦卒乘健马为候骑。）

于是检阅各营现有的士卒及地方乡丁，得到四千人，使他们为各军的先导，分路讨贼；府衙中不留守兵，改由新登记的乡丁一千人补充为守卫的队伍。于是命令宣歙将白琮、浙西将凌茂贞带领本军，北来将韩宗政等人带领乡丁，总共一千人，石宗本带领骑兵为前锋，从上虞奔赴奉化，以解象山之围，号称东路军。又命令义成将白宗建、忠武将游君楚、淮南将万璘带领本军和台州唐兴军汇合，号称南路军。命令他们说：“不要争夺艰险或是平易的任务，不要焚烧房屋，不要屠杀平民以增加报功首级！平民被迫从贼的，劝募他们来降。缴获叛贼的金钱绸帛，官府不过问。俘获的如果是越州人，立即释放他们。”

四月二十三日癸卯，南路军攻下沃州寨，四月二十四日甲辰，攻下新昌寨，打败贼将毛应天，进抵唐兴县城。

白敏中三次上奏表辞宰相职位，懿宗不答应。右补阙王谱上奏疏，认为：“陛下开始治理国家的时候，正需要宰相尽心尽力辅佐，是不能暂缺的。白敏中从正月起就卧病在床，到现在已经有四个月了，陛下虽然和他坐着谈话，也未曾超过三刻钟，天下国家的大事，陛下曾在闲暇中和他讨论过吗！希望让白敏中辞去宰相，寻访才德好的人，来辅佐陛下治理好国家。”四月二十九日己酉，贬谪王谱为阳翟县令。王谱是王珪的第六代孙。五月初一日庚戌，给事中郑公舆把贬谪王谱的敕书退还，表示不同意。懿宗叫宰相讨论这件事，宰相们认为王谱的话冒犯了白敏中，结果还是贬谪了王谱。

五月初二日辛亥，浙东东路军在宁海大败贼将孙马骑。五月初九日戊午，南路军在唐兴南谷大败贼将刘晊、毛应天，杀了毛应天。

先前，王式认为兵太少，奏请再调发忠武军、义成军和诏义军，懿宗答应了。三道的军队到越州后，王式命令忠武军将领张茵带领三百人驻扎在唐兴，截断叛贼向南出走的道路；义成军将领高罗锐带领三百人，加上台州的土军，径直往宁海，进攻叛贼的根据地；昭义军将领跌跌戣带领四百人增援东路军，截断叛贼往明州的道路。五月十一日庚申，南路军在海游镇大败叛贼，叛贼退入甬溪洞。五月十九日戊辰，官军驻扎在洞口，叛贼出洞作战，又被官军打败。五月二十日己巳，高罗锐偷袭叛贼别部头领刘平天的营寨，打败了刘平天。从这以后，各路军与叛贼打了十九仗，叛贼每战皆败。刘晊对裘甫说：“从前要是听从我的计谋先攻下越州，哪里会有今天这样的困境！”王辂等几个进士在叛贼中，都穿着绿衣，刘晊把他们都杀了，说：“扰乱我们计谋的，就是这些青虫！”

高罗锐攻下宁海，收集逃散的民众，得到七千多人。王式说：“叛贼既困窘，又饥饿，一定会向海中逃去，到了海中就不是几个月或一年可以擒获的。”命令高罗锐驻扎在海口防止他们入海。又命令望海镇将云思益、浙西将领王克容带领水军巡逻沿海一带地方。云思益等人在宁海东碰到贼将刘从简，叛贼没有预料到水军突然到来，都丢掉船只奔向山谷之中，获得十七条船，把它们都烧了。王式说：“叛贼没有地方可逃了，只有经过黄罕岭可以进入到剡县，遗憾的是没有兵去驻守那个地方。虽然这样，叛贼也是要被擒获的！”裘甫已经丢了宁海，于是带领他的部下屯驻南陈馆下，部众还有一万多人。五月二十二日辛未，东路军在上畽村大败贼将孙马骑，贼将王皋害怕了，请求投降。

五月二十三日壬申，右拾遗内供奉薛调上奏，以为：“从发兵讨贼以来，征收赋税没有限度，各地的群盗，半数是逃税的农户，固然必须讨平他们，但是他们也值得同情。希望敕令州县，赋税以外不得再有课征，再敕令地方长官严格纠察。”朝廷同意了。

袁王李绅去世。

五月二十九日戊寅，浙东东路军在南陈馆打败裘甫，斩首数千级，叛贼丢弃的绸帛满地都是，想借这种办法使追兵走得慢一些。跌跌戣对士卒命令道："谁敢去拿就杀谁！"没有一个人敢违犯命令。叛贼果然从黄罕岭逃走了。六月初五日甲申，又进入剡县。各部队中不见裘甫，不知他到哪里去了。义成军将领张茵在唐兴抓了俘虏，将要惩治他们，俘虏中有人说："叛贼到剡县去了。假若放了我，我愿意做军中的向导。"张茵答应了。张茵比裘甫晚一天到达剡县，在城东南方驻扎下来。使府中人听说裘甫到达剡县，又极大地恐慌起来，王式说："叛贼是来送死的！"下命令催促东、南两路大军会合于剡县，六月十二日辛卯，包围剡县。叛贼坚守着城池，虽然进攻，却不能攻下来；将领们建议截断溪水使城中断水，叛贼知道了这一情况，于是出城和官军作战。在三天中，打了八十三仗，叛贼虽然被打败了，官兵也被弄得很疲劳。叛贼请求投降，将领们报告王式，王式说："叛贼想稍稍休息一下而已，应当更加谨慎地防备他们，大功即将告成了。"叛贼果然出来了，又打了三仗。六月二十一日庚子晚上，裘甫、刘晅、刘庆带着一百多人出城投降，远远地和将领们讲话，离开城门数十步远，官军很快地跑过去，切断他们的后退之路，将他们擒获了。六月二十三日壬寅，裘甫等人被押送到越州，王式腰斩了刘晅、刘庆等二十多人，把裘甫戴上刑械送往京师。

剡城还没有攻下，诸将已抓住了裘甫，就放松了对剡城的防备。刘从简带领五百名壮士从城中突围逃跑；诸将追到大兰山，刘从简占据险要地方守卫。秋季，七月初九日丁巳，将领们共同攻下了大兰山。台州刺史李师望号召叛贼相互捕杀来立功赎罪，使数百人投降官兵，杀了刘从简，将首级献给了官府。

各军将领回到越州，王式大摆酒宴庆贺。将领们于是向王式请教说："我们这些人生长在军队中，多次参加战斗，今年跟随王公打败叛贼，然而私下还有一些不明了的事，请问：王公刚来的时候，军队正急需粮食，你却将粮食散发用来赈济穷人，这是为什么？"王式说："这件事容易说清楚。叛贼囤积粮食用来引诱饥饿的民众，我给他们粮食，那么他们就不会加入盗贼一伙了。况且各县没有守兵，叛贼到来，那么仓库中的粮食正好资助了叛贼。"他们又问："不设置烽火台，又是为什么呢？"王式说："烽火台是为了催促救兵而设置的，现在军队全部走了，城里已经没有兵可以继续调发了，有了烽火台，只是惊扰士民，使自己溃乱而已。"他们又问："叫懦弱的士卒担任巡逻的骑兵，又不发给足够的兵器，这又是为什么呢？"王式说："那些勇敢的士卒拿着锋利的兵器，遇到敌人将会不顾敌我力量而进行战斗，战死了，那么叛贼到来也就不知道了。"众将都说："你的智谋不是我们所赶得上的啊！"

封宪宗的儿子李愢为信王。

八月，裘甫被押到京城，在东市被斩首。加给王式检校右散骑常侍官衔，各位将领也按功劳大小给予奖赏。先前，懿宗每每为越州的盗贼担忧，夏侯孜说："王式的才能讨平叛贼还有多的，不要多久就会有捷报来了。"夏侯孜又给王式写信说："你一心一意以抓到裘甫为主要任务，有关军需供应等大小之事，我们一定尽力办到，不要你操心。"所以王式的请求没有不照办的，这样才能取得成功。

卫王李灌去世。

九月，白敏中五次上奏表辞宰相职位；初四日辛亥，改任白敏中为司徒、中书令。

右拾遗句容人刘邺上奏说："李德裕父子任宰相时，有声名和功劳，李德裕被流放以来，血亲家属将死完，生活也无法维持，应当怜悯他，赠给他一个官职。"冬季，十月十一日丁亥，敕命恢复李德裕太子少保、卫国公官爵，赠他左仆射官职。

十月二十三日己亥，调门下侍郎、同平章事夏侯孜同平章事，充任西川节度使。任命户部尚书、判度支毕諴为礼部尚书、同平章事。

安南都护李鄠又收复了播州。

十一月初二日丁丑，懿宗举行祭祀圜丘大典；同时发布大赦，改年号为咸通。

十二月初三日戊申，安南土蛮引来南诏兵共三万多人乘虚攻打交趾，把它攻下了。都护李鄠和监军奔向武州。

（以上为第三段，写王式平定浙东裘甫之乱。）

唐懿宗咸通二年（辛巳，公元 861 年）

春季，正月，下诏调发邕管和邻道军队救援安南，进击南蛮。

二月，任命中书令白敏中兼中书令，充凤翔节度使；任命左仆射、判度支杜悰兼门下侍郎、同平章事。

有一天，两位枢密使到中书省，宣徽使杨公庆接着又到来，只向杜悰拜揖并叫他听受宣命，其他三相站了起来，到西轩去回避。杨公庆拿出斜封文书交给杜悰，打开一看，才知道是宣宗病危时宦官请求郓王掌管国事的奏章。并且说："当时宰相没有在上面签名的，当用反叛罪名处罚他。"杜悰反复看了很久，说："圣主登上皇位，万方都欣喜拥戴。现在这份文书，不是臣子们应当看的。"又封好交给杨公庆，并且说："主上想将宰相治罪，应当在延英殿当面颁布圣旨，公开进行诛谴。"杨公庆走了以后，杜悰又和两位枢密使坐谈，对他们说："朝廷内外的大臣，在为国事效劳方面是一致的，宰相、枢密使共同参与国家大政。现在主上新即帝位，对万机之事还不熟悉，借助内外臣僚的辅佐，本当以仁爱为首要任务，刑杀是次要的事，怎能一下子就赞成杀戮宰相之事！倘若主上养成了随意杀大臣的习惯，那么中尉、枢密使在禁闱中是权柄最大的人，岂能不担心自己的处境呢！杜悰我受恩遇已有六朝了，所希望的是使君主如同尧、舜一样贤明，不愿看到朝廷凭爱憎滥用刑法。”两位枢密使互相看了一眼没有说话，然后慢慢地说：“一定详细地把你的话报告给皇帝，不是你的大德，没有人会想到这些情况。”他们惭愧畏惧地回去了。三位宰相再来会见杜悰，委婉地请求告诉懿宗的旨意，杜悰没有说话。三位宰相感到惶恐惊惧，乞求保存家族，杜悰说：“不要有其他的忧虑。”说完就不作声了，再没有其他宣布。等到开延英殿接见大臣时，懿宗显得很高兴。

当时，士大夫深深地憎恨宦官，事情只要与宦官小有牵连，就被众人所唾弃。建州进士叶京曾参加宣武军的宴会，认识了监军。后来他进士及第，在长安和同年外出游玩时，在路上碰见曾任监军的宦官，在马上相互拱手行礼。由于这件事使得大家对他纷纷批评指责，于是叶京一辈子也抬不起头来。那种不相容已到这种地步。

（以上为第四段，写杜悰以大义责枢密宦官，避免了宰相冤死之祸。）

福王李绾去世。

夏季，六月初十日癸丑，任命盐州防御使王宽为安南经略使。当时李鄠从武州召集土军，进攻群蛮，又收复了安南；朝廷责备他有失守土地之责，将他贬为儋州司户参军。李鄠初到安南时，杀了南蛮酋长杜守澄，杜氏的宗党就引导群蛮攻陷交趾。朝廷觉得杜氏强盛，于是尽量姑息他们，希望他们能为朝廷所用，于是赠杜守澄的父亲杜存诚为金吾将军，再次弹劾李鄠杀杜守澄的罪过，将李鄠长期流放去崖州。

秋季，七月，南蛮进攻邕州，攻陷了它。先前，广州、桂州、容州三道共同调派三千军队戍守邕州，三年一轮换。经略使段文楚请求用三道戍兵的衣粮，自己在当地招募土军来代替戍卒，朝廷答应了，经过招募只得到五百人左右。段文楚回到朝廷担任金吾将军后，接任的经略使李蒙贪图那些缺额衣粮以为已有，把三道的戍卒都打发走了，只将所招募的士兵驻守左江、右江，比原有的兵卒减少了十分之七八，所以蛮人乘虚前来进攻。当时李蒙已经死了，接任的经略使李弘源到镇才十天，没有士兵抵御蛮人，邕州被攻陷了，李弘源和监军逃脱出来奔向峦州，经过二十多天，蛮人退走了，李弘源才回到州城。李弘源因此被贬谪为建州司户。段文楚当时担任殿中监，便被任命为邕管经略使。段文楚到达邕州镇，看到城邑居民保存的不到十分之一。段文楚是段秀实的孙子。

杜悰上奏说：“南诏归向朝廷已经有七十年了，蜀中地区没有战争，群蛮都相率归服。现在西川兵食都不充足，不能轻易和他们断绝关系，并且应当派遣使者前去吊祭，告诉清平官等：由于新王名字犯了皇上的庙讳，所以没有进行册命，等到新王改了名字谢恩的时候，再派使者来举行册命，这样来保全彼此间的体统。”懿宗接受了杜悰的意见。任命左司郎中孟穆为吊祭使；还未出发，适逢南诏侵扰巂州，进攻邛崃关，孟穆于是没有启程。

冬季，十月，任命御史大夫郑涯为山南东道节度使；十一月，加同平章事。

（以上为第五段，写安南叛乱，南诏兴兵攻唐。）

唐懿宗咸通三年（壬午，公元 862 年）

春季，正月初一日庚寅，群臣给懿宗上尊号称睿文明圣孝德皇帝，大赦天下。

任命中书侍郎、同平章事蒋伸为同平章事，充任河中节度使。

二月，棣王李惴去世。

南诏又来侵扰安南，经略使王宽多次上表告急，朝廷任命前湖南观察使蔡袭代替他，又调发许、滑、徐、汴、荆、襄、潭、鄂等八道的军队共三万人，任命蔡袭统兵抵御南诏。蔡袭既拥有强大的兵力，蛮人就自动退走了。邕管经略使段文楚被加上变更旧制的罪名，降职为威卫将军，分司东都。

左庶子蔡京，性情贪婪暴虐，狡诈多端，当时的宰相认为他有办事之才，上奏派遣他担任制置使去岭南处理边境的军政大事。三月，蔡京回朝，报告处理政事情况切合朝廷旨意，又被任命暂时兼任太仆卿，充任荆襄以南宣慰安抚使。

夏季，四月初一日己亥，敕命在东西两街的四处寺院各设戒坛，在二十一天内可以剃度。懿宗信奉佛教有些过分，对政事反而荒怠了，曾经在咸泰殿修建坛场为内寺尼受戒，两街的和尚、尼姑都入宫参与戒典；又在宫禁内设置讲席，懿宗亲自诵唱经文，亲手抄录梵文经典；又多次到各个寺庙去，布施没有节制。吏部侍郎萧倣上奏疏，认为：“玄祖老子的道经，以慈悲俭约为首要内容，素王孔子的教导，以仁义为头等重要内容，是千秋万代的榜样，一定不能再增加其他东西。信佛的人，丢掉名位、抛弃家庭，割断人情爱欲中最难舍弃的亲情和富贵，选取死灭以后说是可以得到被尊奉的胜境，这不是帝王应慕的东西。希望陛下时常在延英殿召见大臣，和辅佐之人讨论政事，尽力了解民众疾苦，虔诚地奉祀祖宗。要认识到错误的奖赏和乱用刑罚，一定会带来灾祸；应了解教化残暴之人向善和善于导民而不用刑杀，这样得到的福祉会更多。取消讲经的设置，亲自勤劳地处理政事。”懿宗虽然嘉奖萧倣的言论，结果还是没有照办。

（以上为第六段，写宰相误荐奸人蔡京为荆襄以南安抚使，贻害无穷。唐懿宗佞佛。）

岭南地区过去分为五管，即广州、桂州、邕州、容州和安南，都隶属于岭南节度使，蔡京奏请分岭南为两道节度，朝廷答应了。五月，敕命以广州为东道，邕州为西道，又分割桂管的龚、象二州，容管的藤、岩二州隶属于邕管。不久，任命岭南节度使韦宙为东道节度使，蔡京为西道节度使。

蔡袭统领各道的军队在安南，蔡京很嫉妒他，怕他因功立业，于是上奏说："南蛮跑到很远的地方去了，边境地区不用担心了，武将想求得功劳，妄自扩充戍守的军队，白白耗费国家粮饷。大概是认为荒凉边远的地方，很难进行核对审查，所以能够放心大胆地搞欺诈勾当。请求朝廷撤销戍兵，让他们各自回到本道去。"朝廷采纳了蔡京的意见。蔡袭多次上奏说，群蛮窥伺等待机会已经很久了，不能没有防备，乞求留下五千名戍兵，朝廷不答应。蔡袭认为蛮人一定会来侵扰，交趾的军队、粮食都缺乏，谋略和实力都已穷尽，于是写了一份十种必死的申诉状文，呈报中书省；当时的宰相信蔡京的话，最终对蔡袭的状文不予理睬。

秋季，七月，徐州军中发生叛乱，驱逐了节度使温璋。

原先，王智兴担任徐州节度使，招募了勇敢强悍的士卒两千人，号为银刀、雕旗、门枪、挟马等七军，经常用三百多人自卫，让他们坐在两边走廊夹幕之下，露出刀锋，每月换一次班。在他以后担任节度使的多是儒学之士，那些士兵渐渐骄傲起来，只要稍不知意，有一个人带头号召，其余的士众就附和他，节度使随即从后门逃走了。温璋的前任节度使田牟以至和士兵们杂坐在一起饮酒，拉着手臂，拍着背肩，有时还为他们执板唱歌；犒赏的经费，一天要花上万钱，刮风下雨或寒冷暑热，还要另外加上慰劳的东西，即使如此，士兵们还不时进行喧闹，要求没有止境。田牟死后，温璋敞开胸怀慰抚他们，而骄兵始终对他有所猜疑，赏赐的酒食都不进口，一天，竟然聚众喧噪把温璋赶走了。朝廷知道温璋没有过错，七月初八日乙亥，任命温璋为邠宁节度使，调浙东观察使王式为武宁节度使。

任命前西川节度使、同平章事夏侯孜为左仆射、同平章事。

忠武、义成两军跟从王式讨伐裘甫的部队还在浙东，诏令王式带领他们赶往徐州，反叛的骄兵听到这一消息，很恐惧。八月，王式到达徐州城外的大彭馆，骄兵才出城迎接拜见。王式接任后的第三天，为两镇将士设宴，打发他们回本镇去，随即穿上铠甲，拿着武器，命令他们包围骄兵，把骄兵全部杀了，银刀都将邵泽等数千人都被杀死。八月二十八日甲子，敕命认为徐州原先隶属淄青道，李洧自动归附朝廷后，才设置徐州观察使这个职位。待到张建封由于威名被宠信重用，又将濠、泗两州划归徐州。当时这样做的本意是想依靠徐州来控制淄青、光蔡两道。自从两道的寇孽消除以后，徐州武宁军就成了祸乱的主要根源。现在改为徐州团练使，隶属于兖海节度使管辖；又将濠州归还淮南道，再在宿州设置宿泗都团练观察使；留下将士三千人守徐州，其余的人都分别归属兖海和宿泗二道。暂时仍命王式为武宁节度使，兼徐、泗、濠、宿州制置使。委派王式与监军杨玄质分遣将士回到各道，事毕后带领忠武、义成两道士兵到汴州和滑州，把他们打发回本道，然后亲自到京师来。银刀等军逃走躲藏起来的将士，让他们在一个月内向官府自首，一律不再追究。

（以上为第七段，写王式镇压徐州乱兵。）

岭南西道节度使蔡京为政苛刻残酷，设置炮烙的刑罚，整个管辖境内都怨恨他，于是被邕州军士赶走，逃奔藤州。蔡京又假造敕书和攻讨使印章，招募乡丁和旁近土军用来进攻邕州。他带领的是乌合之众，所以刚一作战就遭溃败，前往依靠桂州，桂州人怨恨蔡京割裂了桂州的辖境，不接纳他。蔡京没有地方可以安身，敕命贬谪他为崖州司户参军，他不肯赴任；北归，到达零陵，敕命他自杀。任命桂管观察使郑愚为岭南西道节度使。

冬季，十月初一日丙申，立皇子李佾为魏王，李侹为凉王，李佶为蜀王。

十一月，立顺宗儿子李缉为蕲王，宪宗儿子李愤为荣王。

南诏率领群蛮五万侵扰安南，都护蔡袭向朝廷告急，懿宗敕命调发荆南和湖南两道的军队两千人，桂管的义征子弟三千人，到邕州接受郑愚指挥。

岭南东道节度使韦宙上奏说："蛮人一定会进攻邕州，要是不预先进行保护，马上就想远征，恐怕蛮人随后乘虚断绝粮道。"于是朝廷敕命蔡袭退驻海门，郑愚分兵进行防御。十二月，蔡袭又请求增加援兵，敕命山南东道发派弓弩手一千人去救援。当时南诏已经包围了交趾城，蔡袭据城固守，救兵无法到达城里。

翼王李绰去世。

这一年，嗢末开始向朝廷进贡。嗢末是吐蕃中奴仆的名号。吐蕃每次发兵时，那些有钱人家多带着奴仆跟从，往往一家多达十多人，这样一来吐蕃军队人数就增多了。到论恐热作乱时，多数奴仆没有了主人，于是奴仆们就结合起来成为部落，散居在甘、肃、瓜、沙、河、渭、岷、廓、叠、宕等州之间，一些微弱的吐蕃奴隶主反而依附于他们。

（以上为第八段，写岭南变乱，南诏乘机入寇。）

唐懿宗咸通四年（癸未，公元 863 年）

春季，正月初七日庚午，懿宗到圜丘祭天，大赦天下。

正月初七这一天，南诏攻下了交趾，蔡袭左右随从都战死了，他自己仍奋力作战，身上被射中十箭，想赶上监军的船，但是船已离开了海岸，于是溺死在海里；

幕僚樊绰带着他的大印浮海渡江而归。荆南、江西、鄂岳、襄州四道将士四百余人，走到城东水边，荆南道虞候元惟德等对众人说："我们没有船，入水就要被淹死，不如回头到城下和蛮人战斗，每人用一条命换蛮人两条命，也是划得来的。"于是回头向城下跑，攻入东罗门；蛮人没有防备，元惟德等领兵杀死蛮兵两千余人，到夜晚，蛮将杨思缙才从子城出来救援蛮兵，元惟德等人都战死了。南诏两次攻下交趾，杀伤和俘虏将近十五万人，留下两万兵，命杨思缙守着交趾城，溪洞夷獠不论远近都投降了他。朝廷诏命各道兵赴安南的都召回来，分别保卫岭南东西两道。

懿宗游宴没有节制，左拾遗刘蜕上疏说："现在在西凉筑城的事，应接与否还没有决定下来；南蛮的侵扰进攻，所在各地的战争正在进行中。近月以来，不是没有发生大事。陛下不表现出忧虑的态度给远近看，那么用什么理由去责备将士们不拼命战斗！希望陛下对娱乐游玩节制一点，等到远方安定了，再游乐也不晚。"懿宗听不进去。

二月初一日甲午，懿宗一一拜谒了十六座祖陵。

在秦州设置天雄军，将成、河、渭三州隶属于它；任命前左金吾将军王晏实为天雄军观察使。

三月，归义节度使张义潮上奏说，他亲自带蕃、汉兵七千人收复了凉州。

南蛮侵扰左江、右江，渐渐逼近了邕州。郑愚害怕了，称自己是文臣，没有作战的本领，请求朝廷派武臣来接替自己。朝廷召义武节度使康承训到京师，想让他接替郑愚，还诏令他在镇选军校数人、士卒数百人跟随自己。

中书侍郎、同平章事毕諴看到同时在位的人多半只顾私利不守法度，说是有病要求辞去宰相职位；夏季，四月，被降职为兵部尚书。

三月十七日庚戌，群盗进入徐州，杀官吏；刺史曹庆平定了他们。

康承训到京师，任命他为岭南西道节度使，调发荆南、襄州、洪州、鄂岳四道兵共一万人和他一同前往。

五月初六日戊辰，懿宗任命翰林学士承旨、兵部侍郎杨收为同平章事。杨收是杨发的弟弟。杨收和左军中尉杨玄价因同宗关系相交结，所以得到宰相职位。

五月十三日乙亥，撤销容管，将其隶属岭南西道，又将龚、象二州仍划归桂管领辖。

五月二十六日戊子，改门下侍郎、同平章事杜审权为同平章事，充任镇海节度使。

六月，撤销安南都护府，在海门镇设置行交州；任命右监门将军宋戎为行交州刺史，由康承训兼领安南及诸军行营。

闰六月，改门下侍郎、同平章事杜悰为同平章事，充任凤翔节度使；任命兵部侍郎、判度支河南人曹确为同平章事。

（以上为第九段，写官军在岭南失利，朝廷重新调整岭南行政建制。唐懿宗游宴无节。）

秋季，七月初一日辛卯，发生日食。

朝廷重新在交州设置安南都护府，任命宋戎为经略使，调发山东各地兵一万人镇守。当时各道兵入援安南的人屯聚在岭南地区，江西、湖南运送粮饷的人沿着湘江逆流而上到达灵渠，再入漓水，既辛劳，又艰险，各路军队还得不到充分的粮食供应。润州人陈磻石上奏说，请制造可装载一千石粮的大船，从福建经海路运米，不要一个月就可抵达广州，朝廷照办了，军队的粮食需求得到满足。然而有关人员以雇用民船的名义，夺取商人的船只，将他们的货物抛弃在岸边，运粮船进入海中有时碰到风浪沉没，有关官吏就把押运人和船夫囚禁起来，要他们赔偿损失，人们对运粮差事感到十分痛苦。

八月，岭南东道节度使韦宙上奏说，蛮人一定会进攻邕州，请求分兵屯驻容州和藤州。

夔王李滋去世。

懿宗敕命阁门使吴德应等为馆驿使。台谏官上奏说，根据过去的惯例，是由御史担任巡驿使，不应当忽然由宦官代替这个职务。懿宗告谕说敕命已经发布，不能再改变了。左拾遗刘蜕上奏说："从前楚庄王将陈国据为县，得到申叔的劝谏后恢复了陈国；太宗调发士兵修乾元殿，听到张玄素的谏止之言后，当天就停止了修建工程。从古代以来，英明的君主所尊尚的是接受好的意见，就像流水一样顺畅，哪里有已经执行了而不改变的！况且敕令是陛下发出的，由陛下改变它，有什么不可以！"懿宗不接受。

黠戛斯派遣他的使臣合伊难支上表，求经籍和每年遣使者乘快马取赏赐的年历，又想讨伐回鹘，使安西以东的地方都归唐朝领有，朝廷没有答应。

冬季，十月十五日甲戌，任命长安尉、集贤校理令狐滈为左拾遗。十六日乙亥，左拾遗刘蜕上奏说："令狐滈主持家事对子弟没有法度，布衣小吏竟然行使公相的大权。"起居郎张云上奏说："令狐滈的父亲令狐绹重用李涿为安南都护，以致南蛮到今天仍然是个祸患，这是由于令狐滈收受了贿赂，使他父亲蒙受坏名声。"十一月初八日丁酉，张云又上奏说："令狐滈的父亲令狐绹任宰相时，人们称他是'白衣宰相'。"令狐滈也上奏表要求退避，于是改任令狐滈为太子詹事府司直。

辛巳，撤销宿泗观察使，又恢复徐州为观察府，把濠州和泗州划归徐州管辖。

十二月，南诏侵扰西川地方。

昭义节度使沈询的家奴归秦和沈询的侍婢通奸，沈询想杀掉他，还未杀成；十二月二十七日乙酉，归秦勾结牙将作乱，进攻节度使府，杀死了沈询。

（以上为第十段，写唐懿宗宠信宦官。令狐绹受讥弹。）

唐懿宗咸通五年（甲申，公元 864 年）

春季，正月，任命京兆尹李蟥为昭义节度使，取出归秦的心肝用来祭祀沈询。

淮南节度使令狐绹替他的儿子令狐滈申诉冤情。于是贬谪张云为兴元府少尹，刘蜕为华阴县令，敕命中说："虽然敢于进谏的正直忠贞值得称赞，但是轻率指斥人的责任也是应当承担的。"

正月十九日丙午，西川节度使上奏说，南诏侵扰巂州，刺史喻士珍把入侵者打败了，俘获一千多人。诏令调发右神策军五千和各道兵防守巂州。忠武军大将颜庆复请求修筑新安、遏戎两座城堡，朝廷同意了。

任命容管经略使张茵兼管交州的政事；增加海门镇的驻防军队达到二万五千人，命令张茵攻取安南。

二月十二日己巳，任命刑部尚书、盐铁转运使李福同平章事，充西川节度使。

二月二十七日甲申，前西川节度使萧邺降调山南西道观察使。

三月十一日丁酉，彗星在娄宿旁出现，长三尺。三月十三日己亥，司天监上奏说："根据《星经》上说的，这星名叫含誉，是祥瑞星象。"懿宗听了很高兴。司天监并请："请宣示中外，编写到史书上去。"懿宗答应了。

康承训到邕州，蛮人的侵扰更加频繁，朝廷下诏调发许、滑、青、汴、兖、郓、宣、润八道的军队交给他指挥。康承训不派侦察兵去了解敌情；南诏带领群蛮近六万人侵犯邕州，将要进入州境，康承训派六道兵共一万人抗击蛮人，用獠人为向导，被其所骗。敌人到了，仍不设置防御工事，以致五道兵八千人都被消灭，只有天平军因晚一天到达，才幸免于难。康承训听到这一消息，惊慌恐惧得毫无办法，手足无措。节度副使李行素带领众人修治城壕和栅栏，刚完工，蛮军就包围了州城。停留四天，准备攻城器具，将要完成，守城各将领请求在晚上分头袭击蛮营，康承训不同意；有一名天平小校再三力争，方才答应了。那小校带领勇士三百名，到晚上从城上缒吊而出，分散烧蛮人营帐，杀了五百多名蛮人。蛮人大惊，隔了一天，撤围而去。康承训于是派遣各路军队数千人追蛮兵，他们杀伤和俘虏的不到三百人，都是被胁迫跟从的那些溪洞獠人。康承训迅速上奏报告胜利消息，说是大破蛮兵，朝廷内外官员都向朝廷祝贺。

夏季，四月，任兵部侍郎、判户部萧寘为同平章事。萧寘是萧复的孙子。

加给康承训检校右仆射官衔，用以奖赏他打败蛮人的功劳。其余在奏文中报了功而受到奖赏的人，都是康承训的子弟或亲近他的人；烧蛮营的将校连一级官品也未升迁，因此军队中的士众都既怨又怒，到处在传播这种不满情绪。

五月，敕命说："徐州地方民习雄劲、甲士精强，近来因为撤销了节度使，很多士兵逃亡躲藏起来了，应当令徐泗团练使挑选招募军士三千人到邕州去担任防守任务，等到岭南地方战事平息之后，即取代他们回来。"

秋季，七月，西川节度使上奏说，两林部落的大鬼主邀截南诏，打败了他，杀戮和俘获了很多人；保塞城使杜守连不服从南诏指使，带领徒众到黎州投降官军。

岭南东道节度使韦宙详细了解康承训的所作所为，写信告诉了宰相；康承训也自我疑虑和恐惧，于是多次上表借口有病请求辞职，朝廷就改任康承训为右武卫大将军，分司东都，任命容管经略使张茵为岭南西道节度使，又把容管四个州另设经略使。

当时南诏知道邕州地方已经贫穷空乏，就不再去侵扰，张茵很久也不敢指挥军队去夺取安南；夏侯孜荐举骁卫将军高骈取代张茵，于是任命高骈为安南都护、本管经略招讨使，张茵所带领的军队全部交给高骈。高骈是高崇文的孙子，世代在禁军中服役。高骈很喜欢读书，喜好谈古论今，左右神策军的宦官多半赞赏他，累迁右神策军都虞候；党项叛乱时，高骈带领禁军一万人守长武，屡次立功，升迁为秦州防御使，又立了功劳，被委任为安南都护。

冬季，十一月，任命门下侍郎、同平章事夏侯孜同平章事，充任河东节度使。

十一月十九日壬寅，任命翰林学士承旨、兵部侍郎路岩同平章事；当时他只有三十六岁。

（以上为第十一段，写康承训御南诏，谎报军情，朝廷庆功。）

唐懿宗咸通六年（乙酉，公元 865 年）

春季，正月丁巳，才将懿安皇后配置在宪宗的庙室。当时王皞又当了礼院检讨官，再次提出从前的建议，即将懿安皇后配飨宪宗，朝廷最终还是同意了王皞的意见。

各道进献被阉割的男童中，福建地方最多，所以宦官多为福建人。福建观察使杜宣猷在每年寒食节派官吏分头祭祀宦官祖先的坟墓，宦官很感激他，二月初九日庚申，调杜宣猷为宣歙观察使，当时称他为"敕使墓户"。

三月，中书侍郎、同平章事萧寘去世。

夏季，四月，任命前东川节度使高璩为兵部侍郎、同平章事。高璩是高元裕的儿子。

杨收建议，认为："蛮人多年未平定，两河兵戍守岭南遭受瘴气，十人中就有六七人死亡，请求在江西囤积粮食，招募弓弩手三万人，以支援岭南，道路既近又方便，还可设置节度使以加重江西的权力。”朝廷同意了。五月二十一日辛丑，决定在洪州设置镇南军。

嶲州刺史喻士珍贪婪狡诈，抢掠两林部落的蛮人来换取金钱；南诏再次侵扰嶲州，两林蛮人打开城门迎纳，南诏兵把戍卒都杀死了，喻士珍投降了南诏。

五月二十二日壬寅，任命桂管观察使严譔为镇南节度使。严譔是严震的侄孙。

六月，高璩去世。

任命御史大夫徐商为兵部侍郎、同平章事。

秋季，七月，册立皇子李侃为郢王，李俨为普王。

高骈在海门镇训练军队，没有进攻安南；监军李维周不喜欢高骈，想把他赶走，多次催促高骈向安南府进军。高骈带领五千人先渡江，约定李维周随后发兵接应支援；高骈出发以后，李维周拥有其余部众，连一个士兵也没派出去支援高骈。九月，高骈到达南定县，看到峰州蛮人将近五万人，正在收割庄稼，高骈乘他们无防备进行袭击，大败蛮人，夺取了他们的粮食以供军用。

冬季，十二月初五日壬子，太皇太后郑氏去世。

（以上为第十二段，写岭南战事，朝廷所用非人，宦官监军制肘，官军无功。）

唐懿宗咸通七年（丙戌，公元 866 年）

春季，二月，归义节度使张义潮上奏说，北庭回鹘固俊攻下西州、北庭、轮台、清镇等城。

论恐热寄居在廓州，企图纠合旁边各个部落，危害边地，其他各部落都不听从他；他所联络的各部如仇敌一样对待他，使他无处容身。论恐热的仇人把这种情况告诉了鄯州的拓拔怀光，怀光带领军队打败了论恐热。

三月初二日戊寅，任命河东节度使刘潼为西川节度使。原先，南诏围嶲州，东蛮浪稽部竭力帮助刘潼，于是嶲州城被攻下并遭到大屠杀，卑笼部怨恨南诏杀了他们的父兄，就引导忠武军的戍兵袭击浪稽部，族灭了他们。这样一来，南诏因此仇恨唐朝。

南诏派遣清平官董成等人到成都，节度使李福设盛大的仪卫接见他。按照旧例，南诏的使者拜见节度使，要在中庭行拜伏礼，董成等人说：“我们的国君已应天顺人登位了，我见节度使应当用平等的礼仪。”彼此来回传话，从早上到中午还确定不下来；将士们感到很愤怒，李福于是命令把董成等人抓起来打了一顿，随后戴上刑具关进监狱。刘潼到达西川后，释放了他们，上奏打发他们回国。朝廷诏令召董成等人到京师，在别殿接见了他们，又厚赏了财物，慰劳之后遣送他们回国。

成德节度使王绍懿，在镇任职十年，主持政事宽大简约，军民都感到很便利。他病危的时候，召见哥哥王绍鼎的儿子都知兵马使王景崇说：“我兄长由于看到你年纪小，把军政大权交给了我。你现在长大了，我再将军政大权归还给你。好好地干吧，对上要忠于朝廷，对下要与邻藩和睦，不要丢掉我哥哥的大业，这就是你的功劳。”说完后就去世了。

闰三月，吐蕃侵扰邠宁地区，节度使薛弘宗把他们打退了。

夏季，四月初七日辛巳，贬谪前西川节度使李福为蕲王傅。

五月，将孝明皇后葬在景陵的旁边，神主安置在另外的庙堂中。

六月，魏博节度使何弘敬去世，军中拥立他的儿子左司马何全皞为留后。

任命王景崇为成德留后。

南诏酋龙派遣善阐府节度使扬缉思帮助安南节度使段酋迁据守交趾，任命范昵些为安南都统，赵诺眉为扶邪都统。监阵敕使韦仲宰带领七千人到峰州，使高骈的军队得到增援，于是进攻南诏，多次打败南诏军。报捷的奏表送到海门，李维周把奏报都压下来不转呈朝廷，朝廷几个月都未得到战事消息。懿宗感到很奇怪，就询问李维周，李维周上奏说高骈的军队驻扎在峰州，轻慢敌人而不进军。懿宗大怒，任命右武卫将军王晏权代替高骈镇守安南，召高骈到京城去，打算重重贬谪他。王晏权是王智兴的侄子。这个月，高骈在交趾大败南诏兵，杀戮、俘获了很多人，于是包围了交趾城。

（以上为第十三段，写岭南监军李维周瞒上欺下，几败大事。）

秋季，七月，任命何全皞为魏博镇留后。

冬季，十月十三日甲申，改任门下侍郎、同平章事杨收为宣歙观察使。杨收喜好奢侈，门下的属吏和奴仆多仗着他的势力贪财做坏事。宦官杨玄价兄弟接受方镇的贿赂，屡次请托杨收办事，杨收无法一一办到；杨玄价大怒，认为杨收背叛了自己，就把他调出了朝廷。

拓拔怀光派五百名骑兵攻入廓州，活捉了论恐热，先斩断他的脚，历数其罪后将他杀了，把首级传送到京师。论恐热的部众向东奔赴秦州，尚延心拦击，把他们打败了，报告朝廷后把这些部众全部迁移到岭南地区。吐蕃从这之后衰败灭绝，乞离胡君臣也不知道下落。

高骈包围了交趾十多天，蛮人困蹙到了极点，眼看城池就要攻下了，收到王晏权的文牒，说是已与李维周带领大军从海门启程了，高骈随即把军中之事交给韦仲宰，自己和部下百余人向北回朝。在此之前，韦仲宰派小使王惠赞，高骈派小校曾衮到朝廷去报告交趾的胜利消息，到海上，看见竖有旌旗的大船从东边开来，询问游船上的人，说是新任经略使和监军的船。二人商量着说："李维周一定会夺取报捷表并扣留我们。"于是在海岛中隐藏起来，等李维周过去了，随即飞快赶往京师。懿宗得到报捷奏表，很高兴，当即加给高骈检校工部尚书的官衔，仍然让他镇守安南。高骈走到海门又回转到交趾。

王晏权昏庸懦弱，什么事都要禀告李维周然后执行；而李维周为人凶暴贪鄙，诸将都不愿为他出力，于是解除了对交趾的重重包围，蛮人逃走了一大半。高骈到了以后，又督促勉励将士攻城，把交趾攻下了，杀段酋迁以及为南诏当向导的土蛮朱道古，杀了蛮人三万多人，南诏军逃走了。高骈攻下土蛮依附南诏的两洞，把酋长杀了，土蛮率领部众归附的有一万七千人。

十一月十一日壬子，大赦天下。朝廷诏令安南、邕州、西川各部军队各保疆域，不要再进攻南诏；委派刘潼告谕南诏，假如能够再修旧好，一切就不再追究。

在安南设置静海军，任命高骈为节度使。自从李涿侵扰群蛮以来，造成安南的祸患大概达十年之久，到现在才平定。高骈随后修筑了安南城，周围长三千步，建造房屋四十多万间。

十二月，黠戛斯派遣将军乙支连几向朝廷进贡，奏称派遣马匹迎接册立使和请颁亥年的日历。

任命成德镇留后王景崇为节度使。

懿宗爱好音乐宴游，殿前供奉的乐工常常接近五百人，每个月在宫设置酒宴不少于十次，山珍海味都要准备，听音乐，看演戏，不晓得厌倦，赏赐动辄达到一千缗。曲江池、昆明池、灞浐、南宫、北苑、昭应的华清宫、咸阳的望贤楼，要是想去游玩，随即启行，不等到准备和设置完成，有关官吏要经常准备好音乐、饮食、帷帐，诸王站在马旁随时准备陪同。每次到一个地方去，内外各有关部门跟从的有十多万人，所花费的钱财无法计算清楚。

（以上为第十四段，写高骈败南诏，安南十年之患得以平定。）

唐懿宗咸通八年（丁亥，公元 867 年）

春季，正月，任命魏博留后何全皞为节度使。

二月，归义节度使张义潮来到朝廷，任命他为右神武统军，命令他的族子张淮深据守归义军。

从安南到邕州、广州等地，海路中多暗礁撞翻船只，静海节度使高骈招募工匠凿去暗礁，运粮的海船才畅通无阻。

西川边境地区的六姓蛮人，常常抱着两种态度，没有边寇的时候就效顺朝廷，有边寇进犯时就为他们打先锋；只有卑笼部对朝廷尽心竭力归顺，因此他和群蛮成为仇敌，朝廷赐给他的部落李姓，任命他们的首领为刺史。西川节度使刘潼派遣将领带兵帮助他们讨伐六姓蛮，焚烧了六姓蛮的部落，杀了五千多人。

乐工李可及善于创制新的歌曲，三月，懿宗任命李可及为左威卫将军，曹确上谏说："太宗制定文武官六百多个员额，对房玄龄说：'朕等待把这些官位给予天下的贤士，工商杂流之人，不应给他们这些职位。'大和年间，文宗想让乐工尉迟璋为王府率，拾遗窦洵正直进谏，随即改为光州长史。请求按照两朝的旧例，另外任命李可及的官职。"懿宗不答应。

夏季，四月，懿宗生了病，群臣难得见到他。

五月十八日丙辰，清理全国被关押的囚徒，不是犯了大罪不能赦免的人，都依次减轻一级刑罚。

秋季，七月初五日壬寅，蕲王李缉去世。

怀州民众申诉遭了旱灾，刺史刘仁规贴出布告禁止民众申诉。民众被激怒了，发起变乱，赶走了刘仁规，刘仁规逃到乡村中躲藏起来。民众冲进州刺史的府宅，把刘仁规的家财抢走，又登上鼓楼击鼓，闹了很久才平定下来。

七月二十七日甲子，任命兵部侍郎、充诸道盐铁转运等使、驸马都尉于琮同平章事。

宣歙观察使杨收经过华岳庙时，布施衣物，让巫祝进行祈祷仪式；华阴县令诬陷说这是杨收的罪过。右拾遗韦保衡又上奏说，杨收在任宰相时，任命严譔为江西节度使，得到贿赂的钱一百万，在设置造船事务中，又有人揭发他侵占隐瞒了钱财。八月二十四日庚寅，贬谪杨收为端州司马。

九月，懿宗的病痊愈了。

冬季，十二月，信王李憢去世。

加给岭南东道节度使韦宙同平章事官衔。

（以上为第十五段，写唐懿宗荒淫，滥授乐工高官。）

【点评】

本卷点评裘甫起义、王式用兵、杜悰不奉诏枉诛宰相三事。

裘甫起义。政治昏暗、赋税繁苛、战乱不断，造成百姓处于水深火热之中，这些就是促成唐末农民大起义的社会条件。唐宣宗大中十三年（公元 859 年），浙东裘甫起义，虽规模不大、时间短，但它吹响农民大起义的号角，虽然失败了，意义却十分重大。唐王朝的总崩溃就是从这一年开始。

唐朝自甘露事变之后，"天下事皆决于北司"。宦官掌控权柄，皇帝终日游宴，不理朝政。唐懿宗更是一个以佞佛而出名的皇帝，他为了迎佛骨，下令"广造浮图、宝账、香輂、蟠花、幢盖以迎之，皆饰以金玉、锦绣、珠翠。自京城至寺三百里间，道路车马，昼夜不绝”。唐末官僚贪污，土地高度集中，据《三水小牍》记载，河南许州长葛县令严郜，罢官之后，在当地兼并“良田万顷”，大置庄园。小小县令如此，可见官吏贪赃之一斑。两税法实行不久，由于钱重物轻，老百姓的负担加重一倍。藩镇割据，朝廷用兵，苛税繁重，两税之外，有盐、酒、茶、漆、竹、木、金、银、蔬菜、水果、木炭、食粮、布绢、牲畜等，几乎无物不税。唐政府还以“和籴”、“和市”的名目，用低于市价的价格强买百姓的食粮和布绢、炭等物，有时就是公然抢掠，白居易写的《卖炭翁》一诗生动地反映了宫市宦官贱价强买物品的情形。地方官僚、地主、豪绅凭借权势，还把他们应交的赋税摊派到农民头上，有的十分田地，才税二三，有的豪富“全免科差”。唐文宗太和二年（公元828年），贤良方正刘蕡在科举对策中就指出说：黎民百姓“处处流散，饥者不得食，寒者不得衣”，“官乱人贫，盗贼并起，土崩之势，忧在旦夕”。懿宗时，翰林学士刘允章在《直谏书》中更具体指陈时弊，说当时国有九破，民有八苦。九破是：终年聚兵、蛮夷炽兴、权豪奢僭、大将不朝、广造佛寺、贿赂公行、长吏残暴、赋役不等、食粮人多而赋税人少。八苦是：官吏苛刻、私债征夺、赋税繁多、所由乞敛、替逃人科差、冤屈不得申理、冻无衣无食、病不得医死不得葬。国有九破，说明统治秩序无法维持；民有八苦，说明黎民无法生存，爆发农民大起义的条件成熟了，王仙芝、黄巢应运而生。

安史之乱，破坏了黄河流域的经济；藩镇割据，朝廷在北方广大的地区无法征收赋税，江淮地区成了唐王朝的生命线，民众不堪重负，加之这一地区军事薄弱，所以农民起义首先在浙东爆发。裘甫起义时，不过一百多人，第二年即咸通元年（公元860年），有众一千多人，起义军攻破剡县，浙东道以及别道的饥民，纷纷来归附，众骤增至三万人，还有不少小股起义的民帅来联络，请求作部属。起义军推裘甫为天下都知兵马使，刘暀为副使，自建年号为罗平，铸印曰天平，表示建立公平社会。裘甫分兵攻越、衢、婺、明、台等州，夺得许多县城，多次打败浙东的官军。起义军没有乘胜扩大战果，裘甫不听副使刘暀建议，没夺取越州为根据地，分兵北上渡江攻扬州、取石头城，扰乱唐王朝的生命线，而是固守攻下的几个县城，等待官军来攻。这一消极战法，使裘甫起义只经历八个月就失败了。

王式用兵。王式文吏而善用兵，是一位足智多谋的不可多得的儒将。裘甫起义，浙东观察使郑祇德无能，官军接连败北，不断上奏朝廷告急。宰相夏侯孜推荐王式为浙东观察使，王式带兵入浙平叛。王式冷静地估计形势，认为官军取胜，必须要集中优势兵力，后勤要有保障。王式对懿宗说：“军队多，能很快平定叛乱，所需费用才节省。如果军队少，拖的时间长，不仅花钱多，还会带来很大风险。万一官军失败，叛军控制了江淮，国家就危险了。”懿宗和宰相们都赞同。朝廷抽调出忠武、义成、淮南等各道官军交给王式统领。夏侯孜向王式担保充足供应。王式信心百倍地率众出征。

王式领兵进入攻战区域，严明纪律，秋毫不犯，肃清间谍，开仓赈济贫民。王式部将说：“现在军粮很紧张，不能散发粮食。”王式说：“你们不懂。”王式很重视当地的民团，称之为土团。王式把所有的精兵都集中起来参战，只用民团驻守县城。不设置烽火，让胆小的人骑着马充当侦探，不给他们配备齐全武器。众人十分不解。裘甫有骑兵。王式招募当地的吐蕃和回鹘人组成骑兵。一切准备停当，王式分路向起义军发起进攻。起义军前后十九战均遭失败，最后收缩剡县死守。三天之中，双方战斗八十三次，城中妇女也都起来参战，用瓦片石块打击官军。起义军尽管作战英勇，终因寡不敌众而遭失败。王式严令诸将，不准杀俘，不准屠杀平民，不以缴获敌人战利品报功，如果不去追击敌人而去抢夺敌人丢弃的物资，不但无功，还要杀头。裘甫在一次战斗中失利，就丢弃军资诱使王式的军队去争抢，自己好逃窜，结果没有达到目的。

诸将在庆功会上向王式请教打胜仗的原因。将领们说：“我们打过多年的仗，这次追随王公，私下不明白王公许多布置，刚来时，军粮严紧，王公却开仓赈济穷人，出战不置烽火台，用胆小鬼侦察敌情，最后却打了胜仗，我们真是搞不懂。”王式说：“这道理很简单。贼人多是因为穷才没饭吃。官军粮食紧张，军力也不够，守城的部队很弱小，要是守不住，贼人占领了县城，开仓赈贫，这样一来，反叛的人就更多。官军开仓赈贫，就得了人心。设置烽火台，是为了催促救兵。如今守城兵少，没救兵可调，燃烽火，不但无益，反而惊扰士民。用胆小的人乘着快马侦察，他们发现敌人就会逃跑，不会误了情报。”诸将佩服地说：“你的智谋，我们赶不上。”

王式是晚唐不可多得的优秀将领。从官方立场看，王式镇压裘甫起义是讨伐叛贼。用兵用将，要的是优秀人才。咸通三年（公元 862 年），王式为徐州节度使，残酷地镇压银刀兵的叛乱，尽诛乱兵两千多人，尽管血腥，却表现出了一个优秀军人的刚毅。此后，再没有见王式建功。两唐书本传只有一句交代。《旧唐书》本传载：“徐方平定，天子嘉之。后累历方任，卒。”《新唐书》本传说：“终左金吾大将军。”其后王仙芝、黄巢之起，为何不见王式身影，是懿宗刻忌功臣，还是朋党排斥，史籍缺载，不可妄测。国家用人之际，良将不能建功，是政治极端腐败的必然。王式未尽其才，使人叹惋！

杜悰不奉诏枉诛宰相。杜悰，字永裕，德宗朝宰相杜佑次子。杜悰以门荫入仕，任太子司议郎，尚宪宗岐阳公主，加银青光禄大夫、殿中监、驸马都尉。历仕宪、穆、敬、文、武、宣六代皇帝，官至宰相。唐宣宗长子郓王李温，无宠，居十六宅。第三子夔王李滋，宣宗爱之，居大明宫内院，欲立此为嗣，因非嫡子，所以不立太子。宣宗临终，遗诏枢密使王归长、马公儒立夔王李滋。左军中尉王宗实发动宫廷政变，拥立郓王李温为帝，是为懿宗，改名李漼，杀两枢密及夔王李滋。当时南北司矛盾很深，水火不容。北司宦官想借皇帝废立事件诛杀宰相。咸通二年（公元 861 年）二月某一天，宫中两枢密与宣徽使杨公庆突然造访中书省，要宰相杜悰单独接诏，内容是懿宗责令杜悰上奏，因其他宰相大臣没有联名立懿宗为帝，以反叛罪论处，如果罪名成立，其他三相将遭到灭族。其他三相为毕諴、杜审权、蒋伸。懿宗之立，本来就是宦官一手操纵，宰相并未预事，如何署名。这是一桩政治大冤案。杜悰机智应对。首先他义正辞严抗旨，封还懿宗手诏，让杨公庆退回懿宗，接制度，皇帝要在延英殿召见大臣讨论，明正典刑。杨公庆走后，杜悰耐心地做两枢密的工作，如果引导皇帝随便开杀戒，今日诛宰相，明日就可能诛枢密。两枢密醒悟，回宫禀报懿宗，懿宗很高兴。皇帝也不愿意轻开杀戒，懿宗是受制于宦官的。两唐书杜悰本传都记载杜悰为人厚道，但无多大能力，不进贤才，没干什么大事。但从不奉诏枉诛宰相一事来看，杜悰是一个很有原则性，也很有智慧的贤人，他冒着杀头风险，几句话化解了一场政治大屠杀，可以说是有勇有谋。他之所以没做出多少大事，因是处在危乱之世，明哲保身也是大雅风范。孔子就说过："邦有道，危言危行；邦无道，危行言逊。"（《论语·宪问》）《诗·大雅·烝民》曰："既明且哲，以保其身。"杜悰的行为举止，是符合这些标准的。

唐纪六十七

唐懿宗咸通九年至十年（公元 868—公元 869）

【起著雍困敦（戊子，公元 868 年），尽屠维赤奋若（己丑，公元 869 年），凡二年】

【大事提要】

本卷记事起公元 868 年，讫公元 869 年，凡二年，当唐懿宗咸通九年、十年。这两年最大的政治事件是徐州骄兵作乱，祸害淮河两岸，唐王朝遭受沉重打击。起因是徐州兵戍守桂州，朝廷失信更代，戍兵擅自北还。戍兵推举庞勋为帅，庞勋至徐州倡乱，徐州守军囚主帅，迎庞勋，贼势大盛。庞勋求节钺，朝廷不许，发兵征讨，由于诸镇兵作战不力，贼势猖狂。辛谠助杜慆守泗州，成为东南屏障，并成为牵制叛军的重要力量。经过一年多的征战，官军讨平了庞勋之乱，而唐王朝力量受损，更加虚弱。庞勋之乱为王仙芝、黄巢大起义准备了成熟的条件。中原战乱，南诏进一步祸乱西南疆。在内忧外患之际，唐懿宗依然荒淫游宴，实在是一个无可救药的误国昏君。

懿宗昭圣恭惠孝皇帝中

唐懿宗咸通九年（戊子，公元 868 年）

夏季，六月，凤翔府少尹李师望上奏说："嶲州控制南诏，是南诏进入内地必经之地，成都距离边地遥远，难得随时管束处置，请求设置定边军，在嶲州驻扎重兵，把邛州作为定边军的治所。"朝廷认为说得有道理，于是任命李师望为嶲州刺史，充任定边军节度使，兼眉、蜀、邛、雅、嘉、黎等州观察使，统押诸蛮并统领诸道行营、制置等使。李师望贪图掌握一个地区的专制大权，所以提出这样一个建议；其实邛州距离成都才一百六十里路，而嶲州距离邛州却有千里之遥，他就是这样欺骗朝廷的。

原先，南诏攻下安南的时候，敕命徐泗招募两千名士兵前去支援，从中分出八百人另外戍守桂州，开始时约定三年轮换一次。徐泗观察使崔彦曾是崔慎由的侄子，个性严厉苛刻；朝廷觉得徐州的士兵很骄横，所以任命崔彦曾来统领他们。都押牙尹戡、教练使杜璋、兵马使徐行俭在府掌权管事，军队中的将士都怨恨他们。

戍守桂州的士兵已经戍守有六年了，多次请求替换回来，尹戡对崔彦曾说，由于军府仓库中没有储备钱财，调发兵员去替代要花费很多财物，请求让他们再留下来多戍守一年，崔彦曾接受了尹戡的意见。桂州戍守的士卒听到这个消息，非常愤怒。

都虞候许佶，军校赵可立、姚周、张行实都是原来徐州地方盗贼，州县官不能剿灭，就招募他们出来，给他们一个牙将的官职，让他们到外地去戍守。刚好碰上桂管观察使李丛调往湖南，新任的观察使还未到任，秋季，七月，许佶等人发动叛乱，把都将王仲甫杀掉，推举粮料判官庞勋为首领，抢夺了武器库中兵器，往北回老家，在所经之地抢劫财物，州县阻止不了他们的行动。朝廷听到这一消息，八月，派遣高品宦官张敬思去赦免他们的罪过，全部送回徐州，戍卒才停止了抢劫行为。

任命前静海节度使高骈为右金吾大将军。高骈请求任命他的侄孙高浔接替他镇守交趾，朝廷答应了。

九月初八日戊戌，任命山南东道节度使卢耽为西川节度使；由于有了定边军的关系，西川节度使就不再兼领统押诸蛮安抚等使的职务了。

庞勋等到了湖南，监军用计诱骗他们，迫使他们把盔甲兵器都上交了。山南东道节度使崔铉派军队驻守在要害地方，徐州戍卒不敢进入山南东道辖境，乘船沿长江东下。许佶等人共同谋划说：“我们的罪责比银刀军大，朝廷赦免我们罪责的原因，只担心我们沿路抢劫，或是溃散以后成为祸患而已，到徐州后，一定会被剁成肉酱的！”于是各人把私钱拿出来，购置武器和旗帜。经过浙西道，进入淮南道，淮南节度使令狐绹慰劳他们，并送给他们牛羊肉和米粮。

都押牙李湘对令狐绹说：“徐州戍守桂州士卒擅自回来，势必会发展成叛乱；虽然朝廷没敕命诛讨他们，但作为藩镇大臣遇事应当随机而变，因时制宜。高邮河岸险峻而水深地狭，请让我带领一支奇兵在其侧埋伏，焚烧装满苇草的船用来堵塞前进的道路，再派劲兵在后面追杀，这样就能全部捉住他们。不然的话，放走他们使他们渡过淮河，到徐州和怨愤的群众结合起来，造成的祸患一定是很大的。”令狐绹一向懦弱胆小，又认为没有朝廷的敕命，于是说：“他们在淮南地方没有做坏事，让他们经过就是了，其他问题不是我应当考虑的。”

（以上为第一段，写徐州兵戍守桂州，朝廷失信更代，戍兵擅自北还，推粮料判官庞勋为主，庞勋遂煽动戍兵叛乱。）

庞勋召集银刀军等逃窜在外的人和那些亡命之徒在船中藏匿起来，部众达到一千。九月二十七日丁巳，到达泗州。刺史杜慆在毬场设宴欢迎他们，演戏的头人发表讲话；徐州戍卒以为是在玩弄自己，把演讲的人抓了起来，想杀掉他，在座的人惊慌地离开了。杜慆早就有了防备，徐州戍卒不敢作乱就走了。杜慆是杜悰的弟弟。

原先，朝廷多次敕令崔彦曾要对擅自回来的兵卒进行慰抚，不要使他们担忧和疑虑。崔彦曾派遣使者把朝廷的敕意告诉他们，使者在路上一批接一批，络绎不绝。庞勋也不断地写申诉状，言辞十分恭谨。九月二十八日戊午，到达徐城县，庞勋与许佶等人对群众说："我们擅自回来，只是想会见妻室儿女而已。现在听说已有秘密的敕令下达徐州军，只要我们到达就会被一家一家处死！大丈夫与其自投罗网，被天下人耻笑，何不同心协力，赴汤蹈火大干一场，不仅能够摆脱灾祸，还可以求得富贵！况且城中将士都是我们的父兄子弟，我们在城外一号召，他们一定会在城内响应。然后遵照王智兴过去的旧例，五十万赏钱，就能马上得到了！"兵众都欢呼跳跃着说好。将士赵武等十二人独独感到忧愁害怕，想逃走，庞勋把他们全部杀了，派遣使者把这些人的头颅送给崔彦曾，并且写一申诉状，说："庞勋等在远地戍守了六年，的确很想念家乡；而赵武等人凭借着兵众不安的心情，就产生了干坏事的阴谋。将士们实在是知道犯了错误，怎敢逃避严刑重罚！现在既然承蒙皇恩全部宽大免罪，即共同杀了带头干坏事的人以补救过去的罪过。"冬季，十月初四日甲子，庞勋的使者到彭城，崔彦曾把使者抓起来进行审讯，把情况都了解清楚了，就把使者囚禁起来。十月初七日丁卯，庞勋又在申诉状中说："将士们各自承担着罪责，心里都感到忧愁和疑虑，现在将要到达苻离县了，还不敢脱下甲胄。这是由于军将尹戡、杜璋、徐行俭等人狡诈多疑，一定会发生隔阂和矛盾，请求暂时把这三人调离现职，以便使众人安下心来，还请求为戍守回来的将士另外设置一军营，派一位将领去领导他们。"

（以上为第二段，写庞勋诡诈，设计偷袭徐州。）

当时戍卒离彭城只有一百二十里路了，全城人都感到很害怕。崔彦曾召集诸将商量对策，大家都流着泪说："近来由于银刀军的凶恶强悍，使全军都蒙受了坏名声，有的被杀，有的被流放，不能说没有被冤枉和被牵连人的。现在呼叫冤痛的声音还没有停止，而桂州戍卒又如此猖狂，假如让他们进到城里来，一定会发生叛乱，这样一来，那么全城的老百姓都要肝脑涂地了！不如乘他们远来疲敝，出兵攻打他们，在我逸彼劳的情况下，没有不打胜仗的。"崔彦曾听了大家的意见之后，还在犹豫不决之中。团练判官温廷皓又对崔彦曾说："安危已经摆在眼前，是得是失，就看现在如何决定了。如今进攻他们有三方面的困难，而放过他们有五大危害：朝廷有诏令赦免他们的罪行而我们又擅自诛杀他们，是第一个困难。率领他们的父兄去讨伐他们的子弟，是第二个困难。党羽之间互相牵连，要惩办杀戮的人一定很多，是第三个困难。然而本道的戍卒擅自回来而不惩罚，那么其他道戍守边地的士卒都仿效他们，就没有办法控制，这是第一个危害。将领是一军的首长而敢于随便杀害他，那么那些担任将领的人怎样去指挥他们的士卒呢！这是第二个危害。他们经过的地方都被抢劫，自己置办武器盔甲，招收亡命之徒为伍，像这种情况还不征讨，怎么去惩戒恶人！这是第三个危害。我们军队中的将士，都是他们的亲属，银刀军的余党，潜藏在山泽之中，一旦内外一齐起事，怎么应付得了！这是第四个危害。逼迫军府诛杀他们忌恨的三名将领，又想自己单独建立军营，听从他们的要求就同银刀军的祸患一样又兴起来了，不听从他们的意见就会以此为借口挑起祸乱，这是第五个危害。希望明公克服三方面的困难，去掉五个危害，早些决定大计，以满足大家的期望。”

当时彭城城中有兵员四千三百人，崔彦曾于是命都虞候元密等带领三千人去讨伐庞勋，历数庞勋的罪行用来激励士众，并且说：“不仅使平民受到涂炭之苦，其实也使将士受到牵连的危害。倘若国家调发大军诛讨，那么就要玉石俱焚了！”又说：“凡是戍卒的家属，不要担忧害怕，犯罪的只限于本人，一定不会牵连其他人。”仍然命令宿州从苻离出兵，泗州从虹县出兵，邀击庞勋的部队，并且将情况报告朝廷。崔彦曾告诫元密不要使敕使张敬思受到伤害。

十月初八日戊辰，元密带领大军从彭城出发，军队阵容很强大。诸将到达任山以北不远的地方，停止了进军，共同商量用什么办法去夺取敕使的问题，想等到叛贼进入驿馆后，就派兵攻打他们，并派人穿着便服担着柴禾去侦察贼情。傍晚时，叛贼到任山，驿馆中一个人也没有，又没有供应食物，他们产生了怀疑，看到一个担着柴禾的人，于是把他抓起来进行拷问，果然得到了官兵的情况。叛贼就制作一些假人执着旗帜排列在山下，而自己却暗地跑掉了。等到夜晚，官军才发觉叛贼不见了，但又担心他们潜伏在山谷中和从小路上来偷袭，只好退回城南暂宿，第二天早上，才去追赶庞勋的部队。

（以上为第三段，写徐州官军出兵讨贼。）

当时叛贼已经到了苻离县，宿州戍卒五百人在濉水上和庞勋部队作战，听到风声就溃散了，叛贼于是抵达宿州城。当时宿州刺史还未到任，由观察副使焦璐代理州中政事，城中已经没有军队了，十月初十日庚午，叛贼攻下了宿州城，焦璐逃走了，免于一死。叛贼把城中的财物宝货都集中起来，叫老百姓来领取，在一天之内，四处的人云集于此，然后挑选一些人编入军队，有不愿意的当即杀掉，从早到晚，征集了数千人。于是带领军队登城进行防守，庞勋自称兵马留后。

住了两晚，官军才赶到，叛贼守备已经很严整巩固了，不可能攻下来。在这之前，焦璐听说在苻离打了败仗，就把汴水堤挖开用来切断由北边进入宿州的道路，叛贼到达时，水还不深可以从水中走过，不久官军抵达，水已经深到不能走过了。十月十二日壬申，元密带领军队渡过深水区，将要围城，碰上刮大风，叛贼用火箭射向城外茅草屋，大火烧到官军营，士卒向前攻城就要遭到矢石的射击，向后退又被水火所限制，叛贼乘势急攻，官军有将近三百人被杀死。元密等人以为叛贼必定会固守此城，只考虑如何攻取城池的办法。

叛贼晚上叫妇人在城里打更巡逻，抢夺城里三百艘大船，装载着资财粮食，顺汴水而下，想到江湖中去当强盗；又拿出一千匹绸缎送给张敬思，派骑兵送他到汴州的东边地界，放他西回长安。

第二天早上，官军知道叛贼已经离开，才狼狈地去追击他们，士卒们饭也没吃，等到追上了，已经是又饥饿，又疲乏。叛贼把船停靠在堤下，并在堤外摆好了阵式，在船中埋伏了上千人，官军快要到达时，军阵中的人都走入堤坡中。元密以为是叛贼惧怕自己，便让官兵去追击他们，叛贼从船中跑出来，和岸上的叛贼夹攻官兵，从午时战斗到申时，官军大败。元密带领官兵逃走，困陷在荷涫地方，被叛贼追上了，元密等将领和监阵敕使都战死了，士卒被杀的大约有一千人，其余的人都投降了叛贼，没有一个人回到徐州去。叛贼询问降卒有关彭城的人情和设防情况，得知那里毫无防守准备，才有了进攻彭城的打算。

十月十五日乙亥，庞勋带领叛贼向北渡过濉水，翻山赶往彭城。当天晚上，崔彦曾才知道元密已经惨败，于是向邻道发文求救；第二天，崔彦曾关上城门，挑选城中壮丁担任守城者，这时内外的人们都感到震惊和恐惧，已经没有固守的打算了。有人劝崔彦曾逃奔到兖州去，崔彦曾大怒说：“我担任一军元帅，城被攻下而战死，是我的职责！”马上把进言的人杀了。

十月十七日丁丑，叛贼到达城下，兵众有六七千人，鼓噪起来震得地面发抖，在城外居住的民众，叛贼对他们都进行抚慰，一点也不侵扰他们，这样一来，民众争相归附他们，不到一个时辰，就攻克了外城。崔彦曾退保内城，民众帮助叛贼攻城，推着装满茅草的车子堵塞城门后再点火焚烧，内城被攻下来了。叛贼把崔彦曾囚禁在大彭馆，抓到了尹戡、杜璋和徐行俭，剖开了肚子后剁成几块，把他们家族的人都杀掉了。庞勋坐在厅堂上，两旁有很多卫兵排列着，文武将吏伏地拜见，都不敢抬头看他。就在当天，城中愿意归附他的有一万多人。

十月十八日戊寅，庞勋召来温廷皓，叫他草拟奏表向朝廷要求担任节度使，温廷皓说：“这是一件大事，不是一下子可以写成的，请求让我回家慢慢起草。”庞勋答应了。第二天早晨，庞勋派人去催促他快写，温廷皓前来谒见庞勋说：“昨天没有当即拒绝草拟奏表的原因，只是想和妻子见最后一面而已。现在已经与妻子诀别了，特地来让你处死。”庞勋注视了他一会，笑着说：“书生竟敢这么做，不怕死吗！我庞勋能拿下徐州，还怕没有人草拟奏表！”就释放了温廷皓。

（以上为第四段，写叛军庞勋攻占徐州。）

有个叫周重的人，常常认为自己很有才略，庞勋把他作为上宾接来，周重为庞勋草拟奏表，说：“臣的这支军队，是处在汉朝兴起为王的地方。近来因节度使在军府大肆剥削，刑赏不公平，因此被将士驱逐。陛下因此夺去节度使的设置，要把这一支军队完全消灭，有的人被处死，有的人被流放，遭冤枉横祸的人数也数不清。现在听说又要诛杀本军，将士们感到非常痛愤，因此推举臣暂时担任兵马留后，统领十万大军，据有四州之地。臣听说能看到利益就要抓住时机，是做帝王的根本。臣看到有利可图就不错过，碰上时机就毫不犹疑；希望圣上再赐给徐州节度使旌节，不然的话，臣率领的大军，不久就会抵达京师了！”十月二十日庚辰，派遣押牙张琯送奏表到京师去。

庞勋任命许佶为都虞候，赵可立为都游奕使，其余党徒个个都补了牙门中的各种官职，分别去率领各支军队。又派遣旧将刘行及带领一千五百人屯驻在濠州，李圆带领二千人屯驻泗州，梁丕带领一千人屯驻宿州，其余要害的县镇，都修缮了工事，派兵戍守。徐州人以为任命节度使的诏令不要一个月就会到来，愿意为庞勋效力献策的人，无论远近纷纷从四面八方到来，以致光、蔡、淮、浙、兖、郓、沂、密等州的群盗，都加倍地赶路来归附庞勋，外城都住满了人，十来天中，一斗米涨到了二百钱。庞勋制作一份崔彦曾请求翦灭徐州的假奏表，内容大略说：“全军的暴卒都应当杀掉；徐州所属五个县的老百姓都应当发配充军。”又伪造诏书，说是答应了崔彦曾的请求，并将假诏书在徐州境内流传。徐州人相信了这些话，都对朝廷十分怨恨，并且说：“要是没有桂州将士返回来，我们这些人都会同鱼肉一样任人宰割了！”

刘行及带领军队到涡口，沿途前来投奔部队的人成倍地增加，濠州守兵才几百人，刺史卢望回向来就不设防备之事，面对刘行及的大军，不知道怎么办为好。于是大开城门具备牛酒来迎接大军。刘行及进城后，把卢望回囚禁起来，自己行使州刺史的职务。泗州刺史杜慆听到庞勋作乱的消息后，立即完缮守城设备以等待敌人的进攻，并且向江南、淮南等请求救兵。叛将李圆派精卒百人先进入泗州，查封府库，杜慆派人去迎接慰劳，引诱他们入城后，把他们全部杀掉。第二天，李圆到达，随即带兵包围州城，城上的箭和石头像下雨一样落下，叛贼被打死几百人，于是收兵屯驻在城西。庞勋认为泗州是进入江淮的要冲之地，就增加援兵帮助李圆攻城，军队达到一万多人，但最终还是没有攻下来。

原先，朝廷听说庞勋从任山退回宿州，就派遣高品康道伟带着敕书去安抚庞勋。十一月，康道伟到达彭城。庞勋亲自到城郊迎接，从任山到子城的三十里长的路上，大批全副武装的士兵列队，发号施令的金鼓之声把山谷也震动了，城中的壮丁全部赶到城头上去守城。庞勋在毬场设宴欢迎康道伟，使人诈称是群盗前来投降的有数千人，假称是各寨报告胜利消息的有数十批人；又写了求节钺的奏章，交给康道伟带给懿宗。

（以上为第五段，写庞勋一面四出略地，一面要挟朝廷求节钺。）

起初，辛云京的孙子辛谠，寄居在广陵县，喜欢干些侠义之事，已经五十岁了还未做官；他与杜慆是旧友，听说庞勋作乱，跑到泗州去，劝说杜慆带领家属早些躲开，杜慆说：“安定平静的时候享受国家的禄位，到了危险艰难的时候又抛弃国家的城池，我不干那种事！并且各人都有各人的家，哪个又不爱自己的家？我独自一人去寻求生路，怎么来安抚群众！我决心和将士们共同死守这座城池而已！”辛谠说：“您能这样干，我愿和您共同尽死力！”于是他回到广陵，和家人诀别，十一月初三日壬辰，又去泗州。当时民众为躲避战乱，扶老携幼，堵塞了道路，南下不止，看见辛谠，都劝阻他说：“别人都向南逃跑，你却向北去，为什么要去送死！”辛谠不作声。到泗州，叛贼已经到达城下，辛谠急忙划着一只小船才得以进城，杜慆随即任命辛谠为团练判官。城中的人都感到危险而害怕，都押牙李雅有勇有谋，为杜慆安排防守事宜，带领兵众鼓噪，四出击贼，叛贼退到徐城驻扎，众人情绪才稍稍安定下来。

庞勋招募民众来当兵，民众看到当兵后进行抢掠有利可图，争相应募，以致有父亲打发儿子、妻子劝勉丈夫，都把锄头折断而将头部磨锐利，当作武器，争相应募。

相邻的各道听说庞勋占据了徐州，各自派遣军队据守要害地方，然而官军人数不多，叛贼的军队一天天壮大，官军多次被打败。叛贼于是攻下鱼台附近的十座县城。宋州东边有座磨山，民众逃去藏匿在山上，庞勋派将领张玄稔包围那座山，遇上天旱，山泉枯竭，数万人都干渴而死。

有人劝庞勋说：“留后只想取得节度使官职，就应当恭顺尽礼来侍奉天子，对外约束士卒，对内安抚百姓，这样大概就可以得到官职。”庞勋虽然未听从那人的话，但是逢国忌日还是去寺观设斋焚香，宴飨士卒时一定先向西边朝廷所在的方向进行拜谢。十一月十四日癸卯，庞勋听说朝廷敕使来到徐州地界，以为一定是赐给他旌节的使者，众人都向他贺喜。第二天，敕使到了，只是责备崔彦曾和监军张道谨，贬谪他们的官职。庞勋大失所望，于是把敕使囚禁起来，不让他回京师去。

朝廷下诏任命右金吾大将军康承训为义成节度使、徐州行营都招讨使，神武大将军王晏权为徐州北面行营招讨使，羽林将军戴可师为徐州南面行营招讨使，大规模调遣各道的军队以归三帅指挥。康承训奏请沙陀三部落使朱邪赤心和吐谷浑、鞑靼、契苾酋长各自带领他们的部众跟随自己作战；诏令同意照办。

（以上为第六段，写辛谠助杜慆守泗州。朝廷大发兵三路讨贼。）

庞勋看到李圆攻打泗州很久了还未攻下来，就派遣将领吴迥取代他。十一月十七日丙午，再次进攻泗州，日夜不停地攻打。当时敕使郭厚本带领淮南兵一千五百人救援泗州，到达洪泽镇后，畏惧贼军势力强大，不敢前进。辛谠请求前去求救，杜慆答应了。十一月十八日丁未晚上，辛谠乘小船暗地里渡过淮河，到达洪泽镇，劝说郭厚本，郭厚本不听从，到天亮时，辛谠又回到泗州。十一月二十日己酉，叛贼攻打州城更加紧急了，想烧掉水门，城中几乎不能抵挡了；辛谠请求再去求救。杜慆说："前次去白跑了一趟，现在再去又有什么用？"辛谠说："这次去请得救兵就活着回来，得不到救兵就死在那里。"杜慆和他流着泪告别。辛谠再乘小船背着门扇突围出来，见到郭厚本，陈述利害关系。郭厚本将要听从辛谠的请求，淮南都将袁公弁说："叛贼势力这样大，自保还担心力量不够，哪里有能力援助别人！"辛谠拔剑怒目对袁公弁说："叛贼用多种办法攻打州城，早晚就将攻下了；您受诏命救援而停留在这里不前进，何止是对上背负了国恩！假若泗州失陷，那么淮南地区就成了敌人活动的场所，你难道还能单独存在！我要杀掉你然后去死！"于是站起来，想击杀袁公弁，郭厚本随即站起来，抱住了辛谠，袁公弁才得以脱离危险。辛谠于是回头望着泗州，整天痛哭不已，士卒们都被他这种行为感动得流出了眼泪。郭厚本于是答应分出五百人给辛谠，又征求将士们的意见，将士都愿意去支援。辛谠将身体伏地叩头感谢将士们的好心，就带领他们抵达淮河南岸，望见叛贼正在攻城，有个军官说："叛贼的势力好像已经进城了，我们还是退回去为好。"辛谠追上他，抓住他的头发，举剑砍他，士卒们一起上来救他，说："他是一千五百人的判官，不能杀掉他。"辛谠说："在军阵前乱说话扰乱军心，一定不能放过他！"众人的请求得不到应允，就一起来抢人。辛谠一向力气很大，众人不能把军官抢回去。辛谠说："将士们只要上船，我就放了这个人。"众将士争着上船，辛谠就把那军官放了。士卒们有回头看的人，辛谠就用剑砍他们。辛谠率士卒赶到淮河北岸，立即向叛贼发起攻击。杜慆在城上安排兵力和辛谠相接应，叛贼被打败逃去，鸣鼓呼噪追赶他们，直到傍晚才回城。

庞勋派大将刘佶带领精兵数千人协助吴迥攻打泗州，刘行及从濠州派遣他的将领王弘立带兵与之会合。十一月二十九日戊午，镇海节度使杜审权派遣都头翟行约带领四千人救援泗州，十一月三十日己未，翟行约带兵来到泗州，叛贼在淮河南岸迎击，并包围了翟行约，泗州城里面兵力少，不能出来救援，翟行约和士卒都被杀死。在此之前，令狐绹派遣李湘带领数千军队到泗州，和郭厚本、袁公弁合兵屯扎都梁城，和泗州隔着淮河彼此可见。叛贼在消灭了翟行约以后，乘着胜利的声势，包围了李湘等人的军队。十二月初五日甲子，李湘等人带军队出来应战，被打得大败，叛贼于是攻下了都梁城，抓了李湘和郭厚本，送到徐州；叛贼占领了淮口，朝廷的漕运驿路被断绝了。

康承训的军队驻扎在新兴镇，叛将姚周屯驻在柳子镇，出兵抗拒康承训。当时各道兵集结的才万人，康承训感到寡不敌众，于是退到宋州屯驻。庞勋认为官军不足畏惧，于是分别派遣他的将领丁从实等人各带领数千人向南侵扰舒州、庐州，向北侵扰沂州、海州，攻破了沭阳、下蔡、乌江、巢县等地，又攻下了滁州，杀死了刺史高锡望。又攻打和州，刺史崔雍派人用牛酒犒赏他们，并带领叛贼上楼共同饮酒，命令军士都脱下盔甲，指出他所喜爱的两个人说是自己的子弟，乞求保全他们的性命，其余的人听由叛贼处置。叛贼于是在城里大肆抢掠，杀死士卒八百余人。

泗州已经断绝了援兵，粮食又快吃完了，每人只能用稀粥来充饥。闰十二月初十日己亥，辛谠告诉杜慆，请求出城到淮南、浙西等地求救兵，当夜，带领敢死队士兵十个人，拿着长柄斧头坐着小船，暗地里斫开叛贼的水寨冲了出来。第二天早晨，被叛贼发觉，他们派五只船挡在前面，又派五千人夹着河岸追赶而来。叛贼的船大走得慢，辛谠的船小走得快，奋力搏斗三十多里路，才逃脱叛贼的追赶。闰十二月十四日癸卯，到扬州，谒见令狐绹；闰十二月十五日甲辰，到润州，谒见杜审权。当时泗州很久没有消息了，有传闻说州城已经陷落，辛谠既然到来，杜审权就派押牙赵翼带领甲士二千人，和淮南道一起共运送大米五千斛、盐五百斛以救援泗州。

（以上为第七段，写杜慆坚守泗州，成为东南屏障。）

戴可师领兵三万渡过淮河，在战斗中前进，叛贼全部放弃了据守的淮南各地。戴可师想先夺取淮口，然后去救援泗州。十二月十三日壬申，围都梁城；城里叛贼守兵不多，在城上拜揖说："正在和都头商量出城投降的事情。"戴可师听了后，于是向后退了五里路等待受降。叛贼在夜里全部逃跑了，第二天早晨，只剩下一座空城。戴可师仗着打了胜仗，不设置警戒，当天是大雾天，濠州贼将王弘立带领数万人马迅即从小路赶来，猛烈进攻官军，官军来不及列成阵式，于是大败，将士或被杀或在淮河中淹死，幸免于死的才数百人，丢失器械、资粮、车马成千上万，叛贼将戴可师和监军、将校的头颅送到彭城。

庞勋自认天下无敌，就发布告示，散发到各山寨和乡村，于是淮南地方的士绅和平民都感到震惊和恐惧，纷纷到江南去躲避。令狐绹畏惧他侵扰，派遣使者到庞勋那里去劝说告谕，答应为他上奏请求发给节度使节钺，庞勋于是按兵不动，等待诏命。这样一来，淮南地方能够稍稍收集散卒，修治守备。

当时往汴州的道路既然被切断，江淮往来都从寿州出发，叛贼打败戴可师以后，乘胜包围了寿州，抢掠各道给朝廷贡献的财物和商人的货物，通往北方的道路又断绝了。庞勋更加骄傲自满，每天只知道从事游宴，周重进谏说："自古以来，由于骄傲自满奢侈逸乐，使得到的权力又丢失，成功的事业又失败，这样的例子是很多的，何况未得到成功就骄满奢逸啊！"

各道军队在宋州大量集中，徐州方面开始感到畏惧，响应招募的人越来越少，而要求增加兵员的兵寨一个接一个。庞勋于是将他的党徒分散到乡村中去，驱赶人们出来当兵。又看到士兵已经达到数万人，物资和粮食供应一天天匮乏，就向有钱人家和商人征收财物，十成提取七八成，因为隐匿财产被杀的宗族就有数百家。另外，和庞勋在桂州同时举兵的人尤其骄傲粗暴，他们夺人的财产，抢掠妇女，庞勋无法制止，这样一来，庞勋统治境内的民众都感到很痛苦，生活没有依靠！

王晏权带领的军队多次退败，朝廷于是命令泰宁节度使曹翔接替王晏权为徐州北面招讨使。前任天雄节度使何全皞派他的将领薛尤带领一万三千兵马讨伐庞勋，曹翔驻扎在滕县和沛县，薛尤驻扎在丰县和萧县。

这一年，江淮一带发生旱灾和蝗灾。

（以上为第八段，写官兵戴可师渡淮，兵败都梁城。）

唐懿宗咸通十年（乙丑，公元 869 年）

春季，正月，康承训率领各道调来的军队共七万多人驻扎在柳子镇西边，从新兴镇到鹿塘的三十里路上，军营连接不断。徐州所领的军队分别戍守四周边境，在城里驻扎的不到数千人，庞勋开始感到有些害怕了。民众中很多人挖地洞藏在里面，庞勋派人把他们搜掘出来充当兵员，每天不过得到二三十人而已。

庞勋的属将孟敬文驻守在丰县，为人狡猾强悍，拥兵最多，阴谋背叛庞勋，自己制作符谶等事以惑众。庞勋听到这个消息后，当魏博镇的军队攻打丰县时，庞勋就派遣心腹将领三千名士兵去帮助孟敬文防守丰县；孟敬文和庞勋派去的将领约定共同进击魏博军，并且称赞他们作战勇敢，叫他们担任前锋部队。当这支部队和魏博军开战后，孟敬文却带着自己的军队退走了，这样使得这支军队全军覆没。庞勋知道后，派遣使者骗孟敬文说："王弘立已经攻下了淮南镇，留后想亲自去那里镇守；现在把各处将领都召集起来，想从中挑选一个可以担任驻守徐州的人。"孟敬文听了这件事很高兴，随即奔往彭城。走到离城还有数里路的地方，被庞勋埋伏在那里的军队捉住了，正月初三日辛酉，庞勋把孟敬文杀掉了。

正月初九日丁卯，同昌公主嫁给右拾遗韦保衡，任命韦保衡为起居郎、驸马都尉。公主是郭淑妃的女儿，懿宗特别宠爱她，把皇宫中的珍宝古玩都拿来送给她做嫁妆，在广化里赏赐她一座住宅，窗户都装饰着各种宝石，井栏、药臼、槽匮也是用金银制作的，连箕筐也是用金丝制作的，还赐给她钱五百万缗，其他的财物和这些东西一样多。

徐州叛贼侵扰海州。当时各道兵戍守海州的已有数千人，他们将叛贼必须经过的桥梁柱锯到快要断的地方，又在要害地方埋伏军队以等待叛贼的到来。叛贼经过桥上时，桥垮塌了，在匆忙混乱中，伏兵突然出现，把叛贼都歼灭了。叛贼进攻寿州时，又为南边各道兵所打败，被杀死和俘虏的共有数千人。

辛谠领着浙西道的军队到达楚州，敕使张存诚用船协助他。徐州叛贼在水上和陆地上都安排了兵力，又用锁链把淮水拦断了，浙西军队畏惧叛贼强大，不敢前进。辛谠说：“我请求担任先锋，如果战胜了你们就接着上来，失败了你们就退走。”即使这样士兵仍然不肯前进。辛谠于是募选军中敢死士兵数十人，用文牒载上他们应补的官职，先用三艘装米的船、一艘装盐的船，乘风向上水径直开去，叛贼在两岸夹攻，箭头如急雨一样射在船板上，到达设置锁链的地方，辛谠带领兵众拼死战斗，用斧头砍断锁链，于是通过封锁线。泗州城上的人喧嚷欢呼声震动了大地，杜慆和将佐们都流着泪迎接他们。正月二十七日乙酉，城上的人看到船队扬帆从东边开来，认识船上的旗号是浙西军；离城还有十多里路，叛贼排列火船阻止船队，张帆的船停止了前进。杜慆命令辛谠带领敢死之士出城去迎接他们，辛谠等乘着战舰冲过叛贼的兵阵，见到了张存诚率领的九艘装米的船，张存诚说：“将士们在路上前进时要后退，存诚多次想自杀，才赶到了这里，现在又不愿前进了。”辛谠扬言说：“叛贼不多，很容易对付他们。”于是率领大家扬旗击鼓地向前冲去，叛贼看到他们来势凶猛锐利，就避开了，这样他们就进入了泗州城。

二月，端州司马杨收被长期流放驩州，不久赐他自杀，他的同僚和属吏党友等因牵连被长期流放岭南的有十多人。

原先，尚书右丞裴坦的儿子娶杨收女儿为妻，陪嫁的资财很丰盛，用品器物都装饰着犀牛角和玉石；裴坦看到后，愤怒地说：“这是让我家破人亡啊！”立刻命令毁掉那些东西。不久之后，杨收终于由于收受贿赂而破败。

康承训使朱邪赤心带领沙陀三千骑兵为前锋，冲锋陷阵，打退敌人，十镇的将士都佩服他们的勇敢善战。康承训曾经带领部下的一千人渡过涣水，被叛贼埋伏的军队包围了，朱邪赤心带领五百名骑兵奋勇用粗杖横扫敌人突围，救出了康承训，叛贼势力溃散，因而合兵围击，把他们打败了。康承训多次和叛贼作战，叛贼多次被打败。

叛将王弘立由于在淮口打了胜仗，非常骄傲自满，又请求单独带领他的部队三万人去破康承训，庞勋答应了。二月十一日己亥，王弘立带兵渡过濉水，当夜，袭击鹿塘寨，黎明时，包围了鹿塘寨。王弘立和其他将领们去察看情况，认为在很短时间内就可以建立大功。沙陀兵从左右两方面突围，出入如飞，叛贼纷乱地避开沙陀兵，沙陀于是放纵骑兵践踏叛贼，兵寨中的军队也争相奋勇出击，叛贼大败。官军把叛贼逼到了濉水边上，溺死的叛贼不计其数，从鹿塘到襄城寨，五十里长的路上都躺着叛贼的尸体，杀了两万多人。王弘立单骑逃出来了，被叛贼驱赶的平民都逃散在山谷中，不再回到军营去，他们丢掉的钱粮、器械堆积如山。当时朝廷有命令，诸军破贼时，俘虏了农民都一律释放，从这以后，叛贼每次和官军相遇时，他们抢掠来的平民预先就溃散了。庞勋和许佶认为王弘立由于骄傲怠惰而打了败仗，想杀了他，周重为王弘立对庞勋说："王弘立两次打胜仗没有奖赏他，打了一次败仗就诛杀他，抛开功劳不管只记录过错，等于是为敌人报了仇，其他将领都要为此而感到不满和恐惧了；不如赦免他的罪，督责他以后立功。"庞勋于是释放了王弘立。王弘立收集散卒才数百人，请求夺取泗州来补偿过失，庞勋分给他一部分军队后派他去打泗州。

（以上为第九段，写辛谠引浙西兵求援泗州，贼将王弘立亦引兵增泗州之敌。）

三月十三日辛未，任命起居郎韦保衡为左谏议大夫，充任翰林学士。

迁郢王李侃为威王。

康承训打败王弘立之后，进军逼近柳子镇，在一个月的时间中和姚周交战数十次。三月二十九日丁亥，姚周带领军队渡过涣水，官军急忙迎击他们，姚周退去，官军追赶他们，就乘势包围了柳子镇。碰上刮大风，官军四面纵火。叛贼放弃寨子逃跑了，沙陀军用精锐的骑兵拦击他们，差不多将叛贼屠杀光了，从柳子镇到芳城，死尸一个挨一个，又杀了敌将刘丰。姚周带领部下数十人逃往宿州，宿州守将梁丕一向和姚周有矛盾，就打开城门让姚周进去，随即把他抓起来杀了。

庞勋听说柳子镇失陷，大为恐惧，于是和许佶商议自己带兵去打仗。周重流着泪对庞勋说："柳子镇地方险要，士兵精锐，姚周勇敢而有计谋，现在一旦被消灭，我们整个形势危急万分，不如在此时建立国家名号，把军队都调出去作战，尽力拼斗一番。"又劝庞勋杀掉崔彦曾以断绝人们对朝廷的企望。术士曹君长也说："徐州地方不能容许同时存在两个元帅，现在观察使崔彦曾尚活着，所以留后你没有兴旺起来。"贼党都认为是这样的。夏季，四月初五日壬辰，庞勋杀了崔彦曾和监军张道谨、宣慰使仇大夫，僚佐焦璐、温庭皓，并他们的亲属、宾客、仆妾；把淮南监军郭厚本和都押衙李湘的手脚砍断，用来向康承训军示众。庞勋于是召集众人扬言说："我庞勋开始希望国家赐给恩典，以保全臣子的忠节；现在的局势与以前的志愿是违背的。从现在起，我庞勋和大家是真正的造反者了，将要带领境内的全部人马，同心协力，扭转败局以建立大功。"众人都说好。于是命令城中的男子全部集中在毬场，又分头派遣将领一家一家去搜索，有敢于藏匿一个男子的将他全家杀死。挑选精壮，得到三万人，用精良的武器装备起来，又制造旗帜。许佶等共同推举庞勋为天册将军、大会明王。庞勋辞去王爵。

先前，辛谠从泗州带领骁勇的士兵四百人到扬州、润州去迎运粮食，叛贼夹岸攻击他们，转战百里，方才逃脱敌人的追击。到达广陵后，住在公家客馆中，不敢回家去。用船装载盐和米共二万石，钱一万三千缗，四月初八日乙未，回到斗山。贼将王弘立带领一万多军队，在盱眙县阻击，密布战舰一百五十艘用来堵住淮河的航道，又用火船来迎面烧官船。辛谠命令用长叉托过敌船，从卯时战斗到未时，由于寡不敌众，官军未能得胜。叛贼在战舰上捆上木条，从两旁伸出四五尺远作为战棚，辛谠叫勇士乘着小船进到战棚的下面，箭矢和刀刃够不到他们，然后用枪举着火把烧敌人的船，战舰被烧着以后，敌人都溃败逃跑了，官军才得以通过，进入泗州城。

庞勋任命他的父亲庞举直为大司马，和许佶等人留守徐州。有人对庞勋说："将军正在显示兵力，不应当因为父子的亲属关系，而丢掉上下级之间礼节。"于是命令庞举直在门庭前向庞勋拜谢，庞勋靠几案接受了庞举直的拜见。当时魏博镇的军队多次围攻丰县，庞勋想先进击他，四月初九日丙申，带兵从徐州出发了。

四月十一日戊戌，任命前淮南节度使、同平章事令狐绹为太保、分司东都。

庞勋在夜晚到达丰县，暗地进入城内，魏博军一点也没有觉察到。魏博军分为五个寨子屯驻，近城的一个寨子屯驻数千人，庞勋派军队包围了它，其他寨子来救援，庞勋在要道上埋伏了军队，杀死官兵两千人，其余的官兵都退走了。叛贼没有攻下寨子，到晚上，解除了包围离开了。官军畏惧叛贼众多，又听说庞勋亲自带兵到了这里，各兵寨都在晚上溃退了。曹翔正包围着滕县，听说魏博军打了败仗，于是带领军队退回兖州以自保。叛贼把城栅都毁掉了，运走了官军丢下的钱粮，把胜利消息报告了徐州，自己大大夸耀了一番，把官军称为国贼。

（以上为第十段，写贼首庞勋杀俘，自立为天册将军示与唐决裂，亲自领兵出战，做困兽犹斗。）

马举带领三万精兵救援泗州，四月十八日乙巳，把军队分成三路渡淮河，到中流时，大声喧闹，声音在数里外都能听到。叛贼听了大惊，不知道来了多少官军，收拢散兵屯驻在城西的寨子中。马举将他们包围起来，放火焚烧寨栅，贼众大败，被杀的有数千人。王弘立战死，吴迥退到徐城以自保，泗州长期被围困，到现在才解除。泗州被围困了七个月，守城的人不能够睡觉，脸上都长了毒疮。

庞勋在丰县住了数天后，想带领军队向西攻打康承训，有人进言说："天气渐渐暑热，养蚕收麦正紧急，不如暂且休兵囤聚粮食，然后再商量行动。"又有人对他说："将军带兵出来只有几天，就打垮了七万敌军，西边康承训的军队都感到震恐，乘着这种声势，他们被打败是一定的了，机不可失。"庞举直又写信劝庞勋乘胜进军，庞勋就决心进攻康承训。四月二十日丁未，从丰县出发，四月二十三日庚戌，到达萧县，约定要襄城、留武、小睢各寨兵共五六万人，在二十九日黎明时进攻柳子镇。在叛贼中的淮南败卒，逃到康承训那里，报告了庞勋进攻的日期，康承训于是预先做好了防御准备，喂饱了马，整肃了军队，设下埋伏以等庞勋来进攻。四月二十九日丙辰，襄城等寨的兵先到了柳子镇，碰上伏兵，失败后逃跑了。庞勋自己未按时赶到，便匆忙带兵从三十里外急行军赶来，刚刚到达，各寨的军队已被打败。

庞勋所带领的军队都是市井中没有受过军事训练的平民，看到官军势力强盛，还没有作战就都溃败了。康承训命令诸将赶紧追击，用骑兵拦在敌人前面，用步兵在后面追逼，叛贼在狼狈之中不知往哪里跑，部队之间互相践踏，死尸僵伏在数十里长的路上，死去的有数万人。庞勋脱去铠甲，穿着短布衣逃走了，收集散卒，才有三千人，回到彭城，派将领张实从各寨分出一部分军队来屯驻在第城驿。

（以上为第十一段，写官军解围泗州，大败庞勋。）

庞勋开始在下邳起兵时，有土豪郑镒纠集了三千人，自己备齐了钱粮、器械来响应他，庞勋任他为将军，称他的部队为义军。五月，沂州派遣军队包围下邳，庞勋命令郑镒去救援，郑镒带领部众向官军投降。

六月，陕民作乱，逐观察使崔荛。崔荛自认为有器度和风韵而骄矜，不亲自去过问政事，民众诉说遭旱灾，崔荛指着庭前的大树说："这棵树上还长着叶子，有什么旱情呢！"下令用棍杖驱散民众，民众被激怒，把他赶走了。崔荛逃到一个平民家里，口渴了要水喝，那平民拿来尿给他喝。后来他被贬谪为昭州司马。

任命中书侍郎、同平章事徐商为同平章事，充任荆南节度使。六月十七日癸卯，任命翰林学士承旨、户部侍郎刘瞻同平章事。刘瞻是桂州人。

马举从泗州带领军队进攻濠州，先攻下了招义、钟离、定远三县。刘行及在城外设置兵寨用来防守，马举先派轻骑挑战，叛贼见他的军队人少，争着出寨在西边攻击官军，马举带领大军数万人从另外一条路攻击叛贼的东南边，于是把兵寨烧掉了。叛贼入城固守，马举在城的三面挖壕沟包围它，北面就是淮河，叛贼还能和徐州取得联系。庞勋派遣吴迥帮助刘行及守濠州，驻兵在淮河北岸的渡口接应刘行及，马举派遣别将渡过淮河进击吴迥，斩首和俘虏了数千人，把吴迥的兵寨扫平了。

曹翔退守兖州的时候，留下沧州卒四千人戍守鲁桥镇，戍卒擅自退回去了，曹翔说："由于庞勋作乱，所以去讨伐他。现在沧州卒不服从命令，这是也发生乱子了！"于是带兵迎接，把他们包围在兖州城外，挑出违抗命令的两千人，全部杀了。朝廷听说魏博军被打败，于是任命将军宋威为徐州西北面招讨使，带领三万兵马驻扎在丰县和萧县之间，曹翔又带领军队和他们会合。

秋季，七月，康承训攻下临涣，杀死和俘虏一万敌人，于是夺取了襄城、留武、小睢等兵寨。曹翔攻下了滕县，接着向丰县和沛县一带进攻。叛贼中的各个寨子的戍兵多互相勾结逃跑，在山林中盘踞自保，叛贼抢掠的人经过那里，每每被他们杀掉，在五八村尤其厉害。有个叫陈全裕的人是他们的头领，凡是反叛庞勋的人都归附与他，部众达到数千人之多，作战的用具都准备充分了，在他周围数十里地的范围内，叛贼不敢接近。康承训派人去招抚陈全裕，于是陈全裕带着全部兵众来投降，叛贼的党羽更加分崩离析。蕲县土豪李衮杀死叛贼的守将，全城投降了康承训。沛县守将李直到彭城商量大事，裨将朱玫带领士众向曹翔投降。李直从彭城回来，朱玫迎头攻击，把李直赶走了，曹翔就调军队戍守沛县。朱玫是邠州人。庞勋派遣他的将领孙章、许佶各自带领数千人进攻陈全裕和朱玫，都没有取得胜利就退回去了。康承训乘胜长驱而入，攻下了第城驿，进到宿州的西面，筑城据守起来。庞勋忧愁烦闷不知如何是好，只知道祈祷神灵布施僧侣而已。

原先，庞勋对于梁丕擅自杀害姚周非常生气，就将梁丕州将的职务罢免了，叫徐州旧将张玄稔接替梁丕管理州事，又任命同党张儒、张实等带领城中数万军队抵抗官军。张儒等人在城外设置多重兵寨，四周环绕水流用以巩固防卫；康承训包围了他们。张实派人在夜里跑出去，用书信告诉庞勋："现在朝廷的军队都集中在宿州城下，徐州西面必然空虚，将军应当带领军队，出其不意攻掠宋州和亳州的城郊，他们为了救宋州、亳州，必定会放弃包围宿州而引兵西去，将军在要害地方设下埋伏，在他的前面迎击，张实等带领城里的军队在后面追击他们，就一定可以打败他们！"当时曹翔派朱玫进攻丰县，攻下了，于是乘胜进攻徐城、下邳，都攻下了，杀死和俘虏的叛贼上万人。庞勋正在忧惧之中，打算逃跑，收到张实的信，就听从他的计策，叫庞举直和许佶守徐州，自己带军队向西面进发。

八月二十七日壬子，康承训焚烧外寨，张儒等人就进城防守外城，官军发动进攻，死了几千人，还是攻不下来，康承训感到很为难，就派遣能言善辩的人在城下招降叛贼。张玄稔曾经戍守边疆建立功劳，虽然被胁迫和叛贼站在一起，心里常常感到忧愁不乐，当时他带领的部队据守内城，在夜里，他召集平时的亲信数十人商量回到官军中，叫他们暗地告诉其他人，愿意跟他一同行动的人很多，于是派遣他的心腹张皋夜里出城，把情况告诉康承训，约定日期杀掉贼将，全城投降，到时候请求树立青色大旗以为接应，使贼众心里不存疑虑。康承训大喜，接受了这个安排。九月初三日丁巳，张儒等人在柳溪亭饮酒，张玄稔使部将董厚等带军队守在亭子两边，张玄稔跃马上前大声呼唤说："庞勋已经在康仆射兵寨被杀了，这班人哪能保留下来！"士卒争着上前，杀了张儒等数十人。城中一时大乱，张玄稔告诉大家回到朝廷的打算，到傍晚就安定下来了。九月初四日戊午，开城门出来投降。张玄稔拜见康承训，袒露着上身屈膝而行，流着泪请罪。康承训慰劳了他，随即宣布朝廷的敕命，拜张玄稔为御史中丞，并赏赐了很多财物。

（以上为第十二段，写官军节节胜利，合围叛贼庞勋。贼将张玄稔请降，叛贼分崩离析。）

张玄稔又对康承训说："现在宿州全城回到朝廷了，四境远一些的地方还不知道，请让我假装是州城被攻下了，带领部队逃往苻离和徐州，贼党不怀疑我们，可以全部擒获他们！"康承训同意了他的这个计谋。宿州原有三万名军士，康承训又增加数百名骑兵，都是先进行了奖赏慰劳后再派遣他们。张玄稔又进到城中，傍晚燃烧平安火和平时一样。九月初五日己未那天早晨，张玄稔把堆积的数千捆薪柴放火烧起来，好像州城被攻下军队已溃败的样子，自己径直奔往苻离，苻离守军接纳了他，入城以后，他把守将杀了，在城中发布号令，士兵都听从他的命令，收集城里的军队，又得到一万人，向北赶往徐州。庞举直、许佶听说张玄稔打来了，就据城进行防守。

九月初七日辛酉，张玄稔到达彭城，带兵包围了它，按兵不动，先告谕城上的人说："朝廷只诛杀叛逆的党徒，不会伤害良民百姓，你们为什么要为贼来守城？倘若还犹疑不定，一会儿之后，就要和叛贼一道如同鱼肉一样被宰割了！"于是守城的士兵陆续有人脱去甲胄，放下兵器投降了。崔彦曾时的旧官吏路审中打开城门接纳官兵，庞举直、许佶带领他们的党徒保守内城，太阳偏西时，叛贼从北门出来，张玄稔派兵追赶他们，杀了庞举直和许佶，其余的叛贼多半投水而死，把戍守桂州士卒的亲族全部抓起来杀掉，死去的有数千人之多，徐州就这样平定了。

庞勋带领两万兵马从石山向西边进发，所经之地焚烧抢掠殆尽。到九月初六日庚申，康承训才知道庞勋的动向，于是带领步兵和骑兵共八万人向西追击庞勋，派朱邪赤心带领数千骑兵为前锋部队。庞勋袭击宋州，攻下了南城，刺史郑处冲据守于北城，叛贼知道对方有了防备，放弃了攻打，渡过汴水，向南进袭亳州，沙陀兵追上了他们。庞勋带领部队沿着涣水向东走，向彭城方向进发，被沙陀兵逼迫着，连吃饭也来不及，到达蕲县，想渡过涣水，李衮毁坏了桥梁，带兵防守着。叛贼在惶惧困惑之中不知道向哪里走为好，到蕲县西边，官军的大部队追上了，大肆进攻，杀死叛贼近万人，其余的都被淹死了，投降的才千余人，庞勋也战死了，但没有人认识他，隔了好几天才找到他的尸体。叛贼据守的宿迁等兵寨都杀死守将后向官军投降。宋威也攻下了萧县，只有吴迥独自据守着濠州未被攻下。

冬季，十月，任命张玄稔为右骁卫大将军、御史大夫。

马举进攻濠州，从夏天一直到冬天也未攻下来，城里粮食吃完了，就杀人来当粮食，官军深挖壕沟用几重军队围困着。十月十七日辛丑夜里，吴迥冲出重围逃走，马举带军队追赶他，杀死和俘虏了绝大部分叛贼，吴迥在招义死去。

朝廷任命康承训为河东节度使、同平章事，任命杜慆为义成节度使。懿宗嘉奖了朱邪赤心的功劳，在云州设置大同军，任命朱邪赤心为节度使，在召见他时，留为左金吾上将军，赐姓名为李国昌，赏赐很优厚。任命辛谠为亳州刺史。辛谠在泗州时，冲出包围迎接援兵和粮食，往返共有十二次，等到任命为亳州刺史时，上表向朝廷说："臣子的功劳，没有杜慆是不能取得的！"和州刺史崔雍被赐自杀，家属被流放到康州，兄弟都被贬谪去边远地方。

（以上为第十三段，写官军讨灭庞勋之乱，朝廷重赏有功将士。）

懿宗沉溺于游宴，不亲自处理政事，一切委托路岩去办；路岩奢华侈靡，大肆接受贿赂，让左右把持政事。至德县令陈蟠叟因为给懿宗上书，被召见回话说：“请没收边咸一家的财产，就可以供给两年的军事开支。”懿宗问他：“边咸是什么人？”陈蟠叟回答说：“是路岩的亲信。”懿宗听了大怒，把陈蟠叟流放到爱州，从此以后，大家都不敢说话了。

原先，南诏派遣使者杨酋庆来答谢释放被囚禁的董成，定边节度使李师望想激怒南诏，然后建立功业，于是把杨酋庆杀掉了。西川大将怨恨李师望分裂西川属地，暗地派人告诉南诏，叫他前来侵扰。李师望是一个贪婪残暴的人，聚敛私财数百万，戍卒们既怨恨，又愤怒，想要活生生地把他吃掉，李师望用计谋避免了戍卒的惩治。朝廷把他征调回去，任命太府少卿窦滂代替他的职务。窦滂的贪婪残暴比李师望更厉害，所以蛮寇未到前，定边这个地方就已经很不稳定了。

当月，南诏骠信酋龙带领全国所有兵马前来侵扰，先引数万人进击董春乌部，把他打败了。十一月，蛮军进入嶲州，定边军都头安再荣据守清溪关，蛮人进攻他，安再容退屯大渡河北岸，和蛮军隔着河互相射击，相持了九天八夜。蛮人秘密地分出一部分军队伐木开路，通过雪坡，大部队赶到了沐源川，窦滂派滚海军的将领黄卓带领五百人去抵抗，结果全军覆没。十二月十四日丁酉，蛮军穿着滚海军士兵的衣服，假称是败卒，到江边叫渡船，已经渡江后，官兵才发觉。于是蛮人攻下了犍为县，让他们的军队烧抢陵州和荣州的一些地方。几天后，蛮军在凌云寺大量汇集，和嘉州只隔着一条江，嘉州刺史杨忞和定边监军张允琼带兵抵抗蛮人的进攻。蛮人暗地派出一支奇兵从东边渡口过河，两面夹攻官军，杀死忠武军都将颜庆师，其余的兵众都溃败了，只有杨忞和张允琼脱身逃走。十二月二十九日壬子，蛮军攻下嘉州。颜庆师是颜庆复的弟弟。

窦滂亲自带兵在大渡河抵抗蛮军，骠信假称派清平官数人到窦滂这里来谈判媾和事，窦滂和来人话还未讲完，蛮军已经乘着船和木筏争相渡河，忠武军和徐宿军的将士共同摆出阵式抵抗蛮兵。窦滂很恐惧，在帐中准备上吊自杀，徐州将苗全绪解下窦滂，说：“都统为什么要这么做呢！”苗全绪和安再荣及忠武军将领率军出战，窦滂于是单独骑着马在夜晚逃走了。苗全绪等三位将领商量说：“现在敌众我寡难以抵挡，明天再作战，我们都要被消灭；不如乘夜进攻蛮人，使他们惊慌忙乱，然后我们趁机撤退。”于是在夜里攻入蛮人军中，弓弩乱发，蛮军大惊，三位将领趁机带领全军撤退。蛮军攻下了黎州和雅州，百姓都逃窜藏匿在山谷之中，败军所到之处都被焚烧和抢掠。窦滂奔往导江县。邛州的军资储备都在乱兵的手中耗散了，蛮人到达后，城中已经空无兵马，可以通行无阻了。

朝廷诏令左神武将军颜庆复带领军队前去援助。

（以上为第十四段，写唐懿宗荒宴无节，南诏为祸西疆。）

【点评】

本卷点评庞勋叛乱，辛谠、杜慆忠义，肉食之官令狐绹等三事。

庞勋叛乱。本卷主要史事是记载庞勋叛乱以及被剿灭的过程，这是腐朽的政府与野心家之间的互相残杀，无辜戍兵与饥民被利用，惨遭涂炭，其情可悯。庞勋发动的是一场叛乱，不是农民起义。许多历史学者称庞勋领导了徐泗农民起义，是一个错误的定性，应予纠正。

庞勋叛乱由兵变引起。咸通四年（公元863年），南诏攻下安南，朝廷抽调两千徐州兵去支援，分八百人别戍桂林，约定三年轮换。到了咸通九年（公元868年），徐州兵已戍守六年，戍兵多次提出代换，但徐州观察使崔彦曾为了节省一点军费，不顾戍兵要求，提出再戍守一年，也不做劝谕工作和发放奖赏。戍兵愤怒，都虞候许佶，军校赵可立、姚周、张行实等，原本是盗匪出身，趁机煽动戍兵叛乱，杀戍将王仲甫，推举粮料判官庞勋为首领，抢了武库中的兵器，北还徐州，一路烧杀抢劫，地方州县无力禁止。

兵变发生在七月。八月朝廷派出高品级的宦官张敬思带着唐懿宗赦令向戍兵宣布，护送戍兵回徐州。沿途由政府接待，同时敕令徐泗观察使崔彦曾做好迎接工作，不许追究戍兵擅自回归的罪过。朝廷失信，但已做出了纠正，叛乱本可和平解决。可惜朝廷没有派出强有力的朝官去做戍兵的劝谕工作，也没派新的将领去统率，于是庞勋一路煽动戍兵反叛，又假传情报说朝廷有密令，只等戍兵回到徐州后全部杀戮。戍兵群情激动，过淮西，入淮南，招纳亡命，到达泗州时已有千人。庞勋到达宿州，正式反叛，自称兵马留后。先前逃避朝廷镇压而亡命山泽的徐州银刀兵纷纷加入叛乱队伍。庞勋攻破徐州，招募兵员，那些饥民“父遣其子，妻勉其夫”，争相加入。很快叛军达到二十多万人，攻下淮南、淮北多座城镇，切断了江淮通往长安的漕运线，朝廷震动。

庞勋攻破徐州，并没有杀害观察使崔彦曾，也没有杀监军张道谨。庞勋将他们扣为人质，与朝廷讨价还价求节钺，朝廷不允。朝廷征讨大军四面云集，淮南节度使令狐绹答应为庞勋求节钺，庞勋理应请罪改过，或许可得。庞勋不自量力，反而要挟朝廷，说什么“臣立于汉王朝兴起之地，统领十万大军，据有四州之地，圣上若不赐给徐州节度旌节，臣率领的大军，要不了多久就要抵达京师”，一派野心家的语言，并没有一丝解救苍生之情。庞勋已临近败亡，垂死挣扎之际才杀了崔彦曾、监军张道谨等人，集众誓师，其父庞兴直任叛军大司马，晋见庞勋竟然快步走，跪拜于庭，充分暴露出庞勋梦想做皇帝的心理，哪有一点农民起义领袖的气概。因而众叛亲离，叛军将领郑镒、张玄稔投降官军，庞勋在宿县南全军覆没，被官军俘获杀死。一场惊天动地的反叛被讨平。

辛谠、杜慆忠义。辛谠，故太原尹辛云京之孙，学《诗》、《书》，能击剑，文武双全。曾仕大同防御使李峰幕僚，因事罢职，寓居扬州，目睹政治黑暗，年已五十，不再追求仕进，但仍然心系国事，寻找机会报效国家。泗州刺史杜慆，杜佑之子，杜悰之弟。杜佑、杜悰父子皆致位三公，入朝为相。庞勋叛乱，杜慆时为泗州刺史。泗州，治所临淮，在今江苏盱眙县，是徐州东南淮水南岸的市镇，是东南财赋运往京师运输线上的一个枢纽，影响着军事、政治、经济，是极为重大的地理要冲。杜慆及时做好迎击叛寇的准备，合门百余口留在泗州与城共存亡，坚定地鼓舞士气。辛谠闻之，特地从扬州赶来，进入围城帮助杜慆守城。逃避战乱的人纷纷向东跑，唯独辛谠向西走进入危城。杜慆以寡击众，死守泗州，辛谠多次突围请救兵，筹粮饷，抵挡叛贼重兵攻城达十个月之久，有力地支援了官军困围徐州之乱，更重要的是阻敌于泗州，成为江淮大地东南的屏障。辛谠、杜慆两位忠义之士，在平乱之战中应列首功。他们在困难当头表现出的忠勇与爱国情怀，永垂不朽。

肉食之官令狐绹。令狐绹，字子直，令狐楚之子。父子两代官至宰相。令狐绹在文宗朝辅政十年，大中十三年（公元 872 年）罢相，又历官河中尹、河中晋绛节度使、汴州刺史、宣武军节度使，咸通三年转淮南节度使。庞勋叛军过境，都押衙李湘主张设伏截击。令狐绹说："彼在淮南不为累，听其自过，余非吾事也。"令狐绹认为只要把祸水引向邻郡就没事了。他说"余非吾事"，作为国家重臣，国家之事，就是自己的事，怎么能说与自己无关呢！庞勋反叛后，令狐绹受命为徐州南面招讨使，身兼讨贼重任，泗州告急，李湘带兵救援，令狐绹又受庞勋蒙骗，庞勋声称降朝，令狐绹替庞勋上奏请赐节钺，通告李湘不要进军，不准攻贼，不救泗州，等在淮口受降，结果使李湘放松戒备，遭到叛军偷袭，全军覆没。庞勋俘虏了数千官军，蒸而食之，李湘被切断手脚，向攻战的官军示众。令狐绹丧师被罢官，徐州乱平，令狐绹又被启用，历官凤翔尹、凤翔陇节度使，封赵国公，食邑三千户。令狐绹败军误国，纵贼为祸，应当正法。因为他是大官，又依附宦官，依然飞黄腾达。正如春秋时曹刿所说，肉食者鄙。晚唐政治，肉食者当道于朝，宦官掌控皇帝于内，唐朝除了灭亡，无路可走。

唐纪六十八

唐懿宗咸通十一年至唐僖宗乾符三年（公元870—公元876）

【起上章摄提格（庚寅，公元870年），尽柔兆涒滩（丙申，公元876年），凡七年】

【大事提要】

本卷记事公元870年，讫公元876年，凡七年。当唐懿宗咸通十一年至唐僖宗乾符三年。七年史事为唐懿宗、僖宗两代皇帝各三年半。懿宗卒于咸通十四年七月，僖宗继立，到第二年，即懿宗咸通十五年十一月才改元乾符。懿宗晚年游宴、佞佛、滥赏，依然故我，毫无节制。咸通十一年，懿宗长女同昌公主薨，懿宗痛惜不已，厚葬公主，极度挥霍。其时，宰臣互相倾轧，节镇不听朝命，晚唐政治已败坏到极点。南诏寇西川，一度逼近成都。懿宗死，僖宗立，翰林学士卢携上奏，借新君之立，极言民众生活困苦，希望僖宗改善政治。僖宗年少登基，虚岁十三，在宦官操纵下，只知逸乐，不知治国。悍将高骈入西川，朝廷倚重高骈抗御南诏，高骈却排斥异己，滥杀保卫成都、击退南诏的功臣、西川突将数千人，制造了骇人的冤狱，国家纲纪遭破坏。黎民百姓忍无可忍，王仙芝、黄巢领导的农民大起义，在僖宗初即位的乾符元年（公元874年）、二年（公元875年）终于爆发了。

懿宗昭圣恭惠孝皇帝下

唐懿宗咸通十一年（庚寅，公元870年）

春季，正月初一日甲寅，群臣奉上尊号称睿文英武明德至仁大圣广孝皇帝，大赦天下。

西川地方的民众听说蛮寇就要到来，争相逃往成都。当时成都只有内城，也没有护城河，每人所占据的地方不过一张席子那么大，下雨时就戴箕盘或大盎遮雨；又缺乏用水，就提取摩诃池的泥汁，澄清后当作饮用水。

将士们不熟悉打仗的事，节度使卢耽召来彭州刺史吴行鲁暂时担任参谋的职务，和前任泸州刺史杨庆复共同修治防守设备，选择将校，分配各人担任的职责事务，准备作战设施、炮石和檑木，制造器用等物，严密警戒巡逻之事。原先，西川将士多数有名无实，也不发粮饷供应。到这时，贴出榜文招募骁勇之人当兵，给他们补上实际职务，发给优厚粮饷和赏赐，应募的人从四面八方纷纷到来。杨庆复教谕他们说：“你们都是军队将士的子弟，年少有才，又勇敢，平时没有机会求得进取，现在蛮寇前来侵扰，正是你们取得富贵的时候，能不努力去干吗！”大家都欢呼雀跃，显得十分高兴。于是在庭前摆列着武器兵械，叫他们各人把自己技艺显示出来，又两人一组进行角斗，决出胜负，从中察看他们的勇怯情况，然后决定取舍，最后选出了三千名士兵，号称“突将”。吴行鲁是彭州人。

正月初五日戊午，蛮兵到达眉州，卢耽派遣同节度副使王偃等人带着书信去谒见蛮人掌权的大臣杜元忠，和他议和。蛮人回答说：“我们的行动，一定会使你们满意。”

路岩、韦保衡上奏说：“康承训在讨伐庞勋的时候，逗留拖延不及时进军，又没有做到把庞勋的余党消灭光，又贪图抓获俘虏，不断上报请功。”正月初八日辛酉，贬谪他为蜀王傅，分司东都；不久，再次贬他为恩州司马。

南诏进军到达新津，这里是定边军的北部境界。卢耽派遣同节度副使谭奉祀送信给杜元忠，询问他们带领大军前来的用意；蛮人把谭奉祀扣押起来不让他回去。卢耽派遣使者向朝廷告急，并且请求派遣使者与南诏议和，以便缓和一下当前的祸患。朝廷任命知四方馆事、太仆卿支详为宣谕通和使。蛮人看到卢耽对待他们很恭谨，也就放慢了对成都的进攻，这样成都的防守准备就大致完成了。

（以上为第一段，写南诏侵犯西川，直逼成都。）

正月十一日甲子，蛮兵长驱直入向北进发，攻下了双流县。正月十七日庚午，卢耽派遣节度副使柳槃前往谒见蛮人，杜元忠交给柳槃一卷书，并说：“这是在议和成功之后，骠信与军府相见时的礼仪规定。”在该仪制中，骠信是以一个国王的身份自居的，言辞极其傲慢。又派人背着五彩的帷幕到达成都南面，说是要陈列在蜀王府的厅堂中，以便让骠信居住。

正月二十日癸酉，撤销定边军，将这七州归西川节度使管辖。

这一天，蛮军抵达成都城下。在这之前一天，卢耽派遣先锋游弈使王昼到汉州去探问援军的情况，并且催促他们快些前来。当时兴元府的六千人、凤翔府的四千人已经到达汉州，遇上窦滂也带领忠武、义成、徐宿的四千人从导江投奔汉州，依靠援军以保存自己。正月二十四日丁丑，王昼带领兴元和资州、简州的三千多人的军队驻扎在毗桥，碰上蛮军的前锋部队，打了一仗，失败了，于是他们退回汉州自保。当时成都每天都在盼望援军的到来，而窦滂由于自己丢失了土地，希望西川接着也失陷以减轻自己的罪责，每当援军从北方到来时，就向他们说：“蛮人的军队比官军要多数十倍，官军从远方赶来已经很疲劳了，不宜匆忙前进。”那些将领相信了他的话，都徘徊不进。成都十将李自孝暗地和蛮人勾结，打算火烧城东仓库作为内应，城里人把他抓起来杀掉了。隔了几天，蛮兵果然攻城，攻打了很久，看到城中没有人响应就停止了攻城。

二月初一日癸未，蛮军配备了云梯、冲车从四面攻打成都城，城上的官军用钩子绳套把敌人云梯、冲车拉近城墙，抛下火炬浇上油烧掉它，攻城的人也都被杀死。卢耽派杨庆复、摄左都押牙李骧各自带领突将出城作战，杀伤蛮兵两千多人，到傍晚时，又烧掉了蛮兵的攻城器具三千多件，回到城内。蜀人一向怯懦，这支突将新近受到杨庆复奖励提拔，又贪图厚赏，所以勇气百倍，不能出去作战的，都愤愤不平要求出战。隔了几天，蛮贼夺取民众的篱笆，重叠起来浸湿再让它弯曲，用作篷子，使人躲在下面，举起来抵达城下后掘城，箭矢和石头都打不进去，用火也烧不起来，杨庆复用熔化的铁汁来灌它，攻城的人又被烧死。

二月初三日乙酉，支详派使者与蛮人讲和。二月初五日丁亥，蛮人守兵请求和谈。二月初六日戊子，蛮人派使者迎接支详。当时颜庆复带领的援军即将到来，支详对蛮人使者说："我受朝廷诏令到定边军谈判议和的事，现在云南的南诏军队包围了成都，那么和过去的诏令旨意完全不同了。况且朝廷答应议和的原因，是希望你们不进犯成都。现在弓矢炮石日夜相交锋，怎么能说是讲和！"蛮人看到议和的使者未来，二月初八日庚寅又攻城。二月初九辛卯，城中派兵出来反击，蛮人才退去。

从前，韦皋招来南诏人用他们打败吐蕃，接着南诏蛮人诉苦说缺乏甲胄和弓弩，韦皋叫工匠教会他们制作，几年以后，蛮人的甲胄弓弩都精良坚利。另外，东蛮苴那时、勿邓、梦冲三部帮助韦皋打败吐蕃有功劳，以后边境地方官对待他们很不友善，东蛮因此深深地怨恨唐人，自动去依附南诏，每次跟从南诏前来侵扰，尽力为他们作战，对于抓获的俘虏，都暴虐地将他们杀害。

朝廷贬窦滂为康州司户，任命颜庆复为东川节度使，所有援蜀的军队，都归颜庆复调度指挥。二月十一日癸巳，颜庆复到达新都，蛮人分兵前去抵抗。二月十二日甲午，和颜庆复的军队碰上了，颜庆复大败蛮军，杀死两千余人。蜀地的民众数千人争相拿着镰刀、棒棍来帮助官军，呼号声震动了原野。二月十三日乙未，蛮人调集步骑数万人又赶来了，遇上右武卫上将军宋威带着忠武军两千人到达，随即和各路军一同与蛮人作战，蛮军大败，死了五千多人，于是退保星宿山。宋威的军队进驻沱江驿，离成都只有三十里路了。蛮人派他们的臣子杨定保到支详那里请求议和，支详说："应当先解围退军。"杨定保回去后，蛮军依然包围着成都城。城里面不知道援军到来了，只看到蛮人多次来请求议和，猜知援军一定是打了胜仗。二月十六日戊戌，蛮人又来请和，使者往返十次，城里面只好模棱两可地回答他。蛮人看到官军援军到了附近，更急切地发动攻城，骠信以下的将吏亲自到战场上督战。二月十八日庚子，官军到城下和蛮兵作战，夺回被蛮兵占领的升迁桥，当天晚上，蛮军自己烧掉攻城器具逃走了，等到天亮时，官军才发现。

当初，朝廷使颜庆复救援成都，命令宋威作为后续部队屯驻绵州、汉州等地。宋威乘胜先期到达成都城下，打败蛮军的功劳大一些，颜庆复于是嫉妒他。宋威叫将士吃饭，想乘胜追击蛮军，城里的战士也想和北军联合俱进，颜庆复下文牒给宋威，把他的军队夺过来，勒令他返回汉州。蛮军到双流时，为新穿水所阻隔，桥还未造成，狼狈不堪，过了三天，桥修好了，才得通过，然后又把桥破坏才离开。铠甲兵器衣服等物都抛弃在路上，蜀地人非常痛恨他们。黎州刺史严师本收集流散兵卒数千人保护邛州，蛮军包围了它，过了两天，没有攻下州城，也就放弃该城离开了。

颜庆复开始教蜀人修筑壅门城，开沟引水灌满池中，树立鹿角，分设营房和瞭望室，蛮人知道成都有了防守设备，从这以后不再进攻成都了。

原先，西川牙将只有职务没有官品，等到把南诏打退以后，有四人由于立了功被授给监察御史官职，照堂帖规定，得官的人每人要交堂例钱三百缗，贫穷的人以此为苦。

（以上为第二段，写官军击退南诏。）

三月，任命左仆射、同平章事曹确为同平章事，充任镇海节度使。

夏季，四月二十四日丙午，任命翰林学士承旨、兵部侍郎韦保衡为同平章事。

徐州叛贼的余众还聚集在民众中间为盗贼，分散在兖、郓、青、齐各州之间，朝廷诏令徐州观察使夏侯瞳告谕招抚他们改邪归正。

五月二十六日丁丑，任命邛州刺史吴行鲁为西川留后。

光州民众赶走了刺史李弱翁，李弱翁逃奔新息县。左补阙杨堪等人上奏说："刺史残暴无道，老百姓遭受了冤枉，应当向朝廷上诉，按照刑法来处置他，怎么能让百姓聚党结群，擅自赶走上司，扰乱了上下级之间的名分！这种风气恐怕是不应助长的，应当严厉给以诛伐，作为对后人的一种警诫。"

懿宗叫百官讨论最妥当的徐州善后办法。六月二十五日丙午，太子少傅李胶等人进呈奏状，认为："徐州地方虽然多次发生祸乱，未必家家都是顽恶凶险的人，大概是由于没有好的长官，才使奸邪者乘机起事。现在它的职名虽然降低了，统帅的兵员还是一样多，把它作为支郡，那么粮饷的供给就会缺乏，如果分属其他藩镇，那么人们在思想上又不会帖服；设或使原来的坏人互相结合，就会更加猖狂不可收拾。只有泗州因为前些时长时间处在敌我攻守之中，结下了深重的仇隙，应当改变隶属关系，使两方面都满意。"懿宗下诏接受李胶等人的意见，徐州依旧设置观察使，统辖徐、濠、宿三个州，泗州只设团练使，划归淮南道管辖。

加给幽州节度使张允伸兼任侍中的官衔。

（以上为第三段，写西川遭南诏侵扰，徐州历庞勋之乱，朝廷调整人事与行政建制，以为善后。）

秋季，八月十五日乙未，同昌公主去世。懿宗痛惜哀悼不已，杀了翰林医官韩宗劭等二十多人，又将他们的亲族三百多人全部抓起来，囚禁在京兆府的监狱中。中书侍郎、同平章事刘瞻召集谏官，叫他们向皇上进谏，谏官中没有一个人敢说话，于是刘瞻就亲自向懿宗进谏，认为："寿命的长短，每人都有一定期限。日前公主得了病，为圣慈深深怀念着。韩宗劭等人在治疗的时候，只希望把病治好，用尽了各种药方，并不是没有尽心竭力，而是灾祸难以避免，终竟导致了治疗的失败。察看他们的情状，也是让人怜悯的。然而用刑具囚禁了老幼三百余人，社会上议论纷纷，行人都为之叹息。为什么让一个达理知命的君主，却受到粗暴和不明事理这样的诽谤！大概是由于在安定中没有考虑到还存在危险，在愤怒中没有想到以后的艰难的缘故吧。希望稍稍转变圣上的设想，对被囚系的给予宽容。"懿宗看了刘瞻的奏疏以后，很不高兴。同时刘瞻又和京兆尹温璋在懿宗面前极力进谏，懿宗大怒，把他们斥责出皇宫。

魏博节度使何全皞年少，骄傲横暴，又好杀人，又克扣将士衣粮。将士因而作乱，何全皞单独骑马逃跑，被将士追上杀死，将士推举大将韩君雄为留后。成德节度使王景崇替韩君雄向朝廷请求正式任命的旌节；九月初一日庚戌，朝廷任命韩君雄为魏博留后。

九月初七日丙辰，调任刘瞻为同平章事，充荆南节度使，贬温璋为振州司马。温璋叹息着说："生不逢时，生命不值得珍惜！"当晚，服毒自杀了。九月十一日庚申，敕命说："假如自己没有做坏事，为什么要去死呢！实在是恶贯满盈，死有余辜。应当在三天内暂时掩埋在城外，等到施恩宽宥后，才允许送回乡安葬，使中外之人高兴，奸邪之人知道畏惧。"九月二十日己巳，贬谪右谏议大夫高湘、比部郎中知制诰杨知至、礼部侍郎魏筜等到岭南，都是因为他们和刘瞻亲善的关系，被韦保衡所赶走的。杨知至是杨汝士的儿子；魏筜是魏扶的儿子。韦保衡又和路岩共同弹奏刘瞻，说他与医官串通谋划，误投毒药；九月二十七日丙子，贬刘瞻为康州刺史。翰林学士承旨郑畋起草罢免刘瞻宰相的制辞中说："安心住在数亩大的宅院中，但不是自己的财产；拒收四方送来的贿赂，只是怕别人得知。"路岩对郑畋说："侍郎这是表扬推荐刘相吧！"因此郑畋被贬为梧州刺史。御史中丞孙瑝由于是刘瞻荐引任用的，也被贬为汀州刺史。路岩向来和刘瞻讨论政事观点不同，刘瞻已经被贬去康州，路岩还不满意，阅看《十道图》时，看到驩州距离长安有一万余里远，就再次贬刘瞻为驩州司户。

冬季，十月二十五日癸卯，任命西川留后吴行鲁为节度使。

十一月初三日辛亥，任命兵部尚书、盐铁转运使王铎为礼部尚书、同平章事。

王铎是王起哥哥的儿子。

十九日丁卯，又将徐州置为感化军节度。

十二月，加给成德节度使王景崇同平章事官衔。任命左金吾上将军李国昌为振武节度使。

（以上为第四段，写唐懿宗凭好恶用刑，宰臣进谏遭排斥，节镇不断发生兵变，政治腐败到极点。）

唐懿宗咸通十二年（辛卯，公元 871 年）

春季，正月十四日辛酉，将文懿公主下葬。韦家的人争着收取在庭祭时烧祭物的灰烬，从中淘取金银。所有服饰珍玩，每一件物品都有一百二十车，用锦绣、珠玉装饰的仪卫队和陪葬器物，在长达三十多里的路上闪着光；赏赐给役夫的有酒一百斛，饼品四十驼。懿宗和郭淑妃非常思念公主，乐工李可及作《叹百年曲》，声调凄凉哀婉，有数百人配舞，从内库取出各种宝物作为他们的首饰，又用粗绸子八百匹为地毯，舞蹈停下时，地上洒满了一层珍珠。

任命魏博留后韩君雄为节度使。

门下侍郎、同平章事路岩和韦保衡向来在内外互相勾结，权势超过其他任何人。不久之后彼此争夺权力，渐渐地两人在争夺之间产生了仇隙，韦保衡于是在懿宗面前揭路岩的短。夏季，四月二十七日癸卯，调任路岩带同平章事衔，充西川节度使。路岩出城时，路上的行人用瓦片石子向他投掷。权任京兆尹的薛能，本是路岩提拔上来的，路岩对薛能说："我临走的时候，担心会有人用瓦片石子送行！"薛能慢慢举起笏回答说："宰相出外，京兆府有关部门向来没有派人防卫的先例。"路岩听了之后，自觉惭愧。薛能是汾州人。

五月，懿宗到安国寺，赏赐给僧人重谦和僧澈两个用沉香檀木做的讲座，各高二丈。又设下供万人的斋饭。

秋季，七月，任命兵部尚书卢耽为同平章事，充任山南东道节度使。

冬季，十月，任命兵部侍郎、盐铁转运使刘邺为礼部尚书、同平章事。

（以上为第五段，写唐懿宗厚葬同昌公主，恣意挥霍。同恶相济的宰臣互相倾轧。）

唐懿宗咸通十三年（壬辰，公元 872 年）

春季，正月，幽州节度使张允伸得了风病，请求把军政大权暂时交出来治病；朝廷同意了，任命张允伸的儿子张简会主持留后职务。等到病已严重时，就派遣使者上表交纳节度使旌节。正月二十五日丙申，张允伸去世。张允伸镇守幽州二十三年之久，为人勤俭恭谨，边境很安定，军民上下相安无事。

二月十七日丁巳，调任兵部侍郎、同平章事于琮为山南东道节度使，任命刑部侍郎、判户部、奉天人赵隐为户部侍郎、同平章事。

平州刺史张公素，向来享有威望，为幽州人所信服。张允伸去世后，张公素带领本州的兵马前来吊丧。张简会见后很恐惧，三月，张简会跑到京师，朝廷任命他为诸卫将军。

夏季，四月，册立皇子李保为吉王，李杰为寿王，李倚为睦王。

任命张公素为卢龙留后。

五月，国子司业韦殷裕到閤门投状控告郭淑妃的弟弟内作坊使郭敬述阴秘的事情；懿宗知道后大怒，用刑杖打死了韦殷裕，还把他的家产也没收了。五月初六日乙亥，閤门使田献铦被夺去紫服，改任桥陵使，这是由于他接收韦殷裕状纸的缘故。韦殷裕的岳父太仆少卿崔元应、妻从兄中书舍人崔沆、叔父韦君卿都被贬到岭南地方去任小官；给事中杜裔休因与韦殷裕友善，也被贬为端州司户。崔沆是崔铉的儿子。杜裔休是杜悰的儿子。

五月初七日丙子，贬谪山南东道节度使于琮为普王傅、分司东都，这是因为韦保衡从中进谗言所致。五月十二日辛巳，贬尚书左丞李当、吏部侍郎王沨、左散骑常侍李都、翰林学士承旨兵部侍郎张裼、前中书舍人封彦卿、左谏议大夫杨塾。五月十四日癸未，贬工部尚书严祁、给事中李贶、给事中张铎、左金吾大将军李敬仲，起居舍人萧遘、李渎、郑彦特、李藻，把他们都安置在湖南和岭南的南边，因为他和于琮友善的缘故。李贶是李汉的儿子；萧遘是萧寘的儿子。五月十五日甲申，贬前平路节度使于瑨为凉王府长史，分司东都，前湖南观察使于瓌为袁州刺史。于瑨和于瓌都是于琮的哥哥。不久再次贬于琮为韶州刺史。

于琮的妻子广德公主，是懿宗的妹妹，和于琮一道去韶州，上路时就让肩舆的门互相对望着，坐下来时公主就执着于琮的衣带，由于这样，于琮的性命算是保住了。当时的公主们多半都很骄横放纵，只有广德公主的行为奉法守度，侍奉于家的亲属，不论尊卑大小，都按规定的礼节进行，因而得到朝廷内外的称赞。

六月，任命卢龙留后张公素为节度使。

韦保衡想让同党裴条担任郎官，畏惧正直严肃的尚书左丞李璋，担心李璋不让通过，于是先派人把意见告诉李璋，李璋说："朝廷选拔人才，不应当被外人探问。"秋季，七月二十七日乙未，调李璋为宣歙观察使。

八月，归义节度使张义潮去世，沙州长史曹义金代领军府的职务，于是朝廷任命曹义金为归义节度使。从这以后中原内地接连发生变故，朝廷的命令已达不到边远地区，回鹘攻占了甘州，其他各州隶属归义军的多半被羌、胡等部族所据有。

冬季，十二月，追上宣宗的谥号称元圣至明成武献文睿智章仁神聪懿道大孝皇帝。

振武节度使李国昌，自恃有功，恣横不法，擅自杀害长吏。朝廷不能置之不问，于是调李国昌为大同军防御使，李国昌借口有病不去上任。

（以上为第六段，写唐懿宗护短，宰相韦保衡专权，朝廷黜陟不公，地方藩镇横恣，不听朝命。）

唐懿宗咸通十四年（癸巳，公元 873 年）

春季，三月二十九日癸巳，懿宗派敕使到法门寺迎接佛骨，群臣中有不少人谏止劝阻，甚至有的人说宪宗迎佛骨后不久就死去的话。懿宗说："朕在有生之年能看到它，死了也不会感到遗憾。"大造佛塔、宝帐、香车、幡花、幢盖用来迎佛骨，都用金玉、锦绣、珠翠装饰起来。从京城到法门寺的三百里长的路上，往来车马，日夜不断。夏季，四月初八日壬寅，佛骨到京师，用禁军兵仗、公私乐队为先导，乐声震天，烛光照地，绵延数十里路；仪仗护卫的盛况，比祭天的仪式还隆重，元和年间的情况是远远比不上的了。有钱的人家在道路两边搭盖彩楼并举办无遮会，互相比赛谁家最奢华。懿宗到安福门，下楼向佛牙行礼，激动得眼泪都流到胸前了，赏赐金帛给僧众和京城中那些曾看见过元和年间迎佛骨的老人。把佛骨迎接到宫禁之中，过了三天，送出安置在安国崇化寺。宰相以下的百官争着施舍金帛，数目无法统计。接着懿宗颁下德音，减轻中外囚徒的刑罚。

（以上为第七段，写唐懿宗佞佛，极度铺张，近乎痴迷。）

五月二十四日丁亥，任命西川节度使路岩兼中书令。

南诏侵扰西川，又进犯黔南，黔中经略使秦匡谋由于军队少抵挡不了敌人，弃城逃往荆南；荆南节度使杜悰把秦匡谋囚禁起来并报告朝廷。六月初二日乙未，懿宗敕命杀掉秦匡谋，没收他的家产，亲族应牵涉定罪的，命令有关衙门捕捉起来并报告朝廷。秦匡谋是凤翔人。

调中书侍郎、同平章事王铎为同平章事，充任宣武节度使。当时韦保衡借着懿宗的恩宠任意行使权力，由于刘瞻、于琮先在相位，对自己有不礼貌的地方，就暗中进谗言把他们赶出了朝廷。王铎是韦保衡考进士时的主考官，萧遘是和韦保衡同年的进士，这两个人向来看不起韦保衡的为人，韦保衡就把他们两人都排斥掉了。

秋季，七月十六日戊寅，懿宗病危，左军中尉刘行深、右军中尉韩文约共同拥立懿宗少子普王李俨。七月十八日庚辰，制命说："立李俨为皇太子，暂时处理军国政事。"七月十九日辛巳，懿宗在咸宁殿去世。遗诏要韦保衡担任冢宰。僖宗即皇帝位。八月十五日丁未，追尊僖宗的生母王贵妃为皇太后，刘行深、韩文约都被封为国公。

关东、河南地方发生大水。

九月，有司奉上先太后的谥号称惠安。

司徒、门下侍郎、同平章事韦保衡的仇家，告发他做了许多见不得人的坏事，于是将他贬为贺州刺史。

乐工李可及被流放到岭南。懿宗很宠信李可及，李可及为儿子娶妇，懿宗赏赐他两银壶酒，揭开壶盖看里面没有酒而是银子。右军中尉西门季玄屡次劝懿宗不要宠信李可及，懿宗不听。李可及有次曾大受赐物，用官车装载出去，西门季玄对李可及说："你有一天家庭破败，这些东西又当用官车运回来，你不是在接受赏赐，只是白白地使牛多跑路而已！"等到李可及流放岭南时，家产被没收，果然像西门季玄说的一样。

任命西川节度使路岩兼任侍中，加给成德节度使王景崇中书令，魏博节度使韩君雄、卢龙节度使张公素、天平节度使高骈为同平章事的官衔。韩君雄仍赐名韩允中。

冬季，十月初四日乙未，任命左仆射萧倣为门下侍郎、同平章事。

韦保衡再次被贬为崖州澄迈县令，不久，又赐他自杀。又贬谪他的弟弟翰林学士、兵部侍郎韦保乂为宾州司户，他所亲近的翰林学士、户部侍郎刘承雍为涪州司马。刘承雍是刘禹锡的儿子。

十月十二日癸卯，大赦天下。

西川节度使路岩，喜欢声色游宴，把军府中的政事交给亲信府吏边咸和郭筹去办理，他们都是先斩后奏，上下的人都很惧怕这两个人。曾经有一次举行大的军事检阅，二人在商量政事，默默地交换写了字的纸条，看完后随即烧了，军队中认为他俩可能有什么不可告人的阴谋，都惊惧不安。朝廷知道了这件事，十一月初七日戊辰，调路岩为荆南节度使。边咸和郭筹暗中知道路岩调职的原因，就逃走了。

任命右仆射萧邺为同平章事，充任河东节度使。

十二月初八日己亥，诏令把佛骨送回法门寺。

再次贬路岩为新州刺史。

（以上为第八段，写唐懿宗崩，宦官拥立僖宗，年少即位，斥逐韦保衡等权奸。）

僖宗惠圣恭定孝皇帝上之上

唐僖宗乾符元年（甲午，公元 874 年）

春季，正月二十七日丁亥，翰林学士卢携呈上奏表，认为："陛下刚刚登上帝位，应当深切关心黎民百姓。国家有老百姓，就像草木有根柢一样，只要秋冬加以培土灌溉，那么春夏就会茂盛繁荣。臣看到关东地区去年遭受旱灾，从虢州一直到海边，麦子才收获五成，秋天的庄稼几乎全部旱死，冬天的瓜菜也很少，贫穷的人把蓬蒿的种子舂碎来当面粉，把槐树叶子收集起来碾碎当粮食；有些衰老羸弱的人，连采集这些东西也很困难。平常年份没有收成，就到邻近地方去谋生；现在到处都在闹饥荒，没有地方再投靠了，只好坐守在乡间，等死于沟壑。那些蠲免的税收，其实是没有可以征收的东西；然而州县由于要上供和交三司的税钱，督促催迫非常紧急，动不动就用鞭子抽打，即使拆房屋、砍树木，卖妻鬻子，筹得的一点钱也只能应付税吏的酒饭费用，不能使国家的仓库里增加收入。有时在租税之外，还有其他徭役；朝廷倘若不爱惜，百姓实在是一点生路也没有。希望敕令各州县，所有拖欠的残税，一切停止征收，等到蚕麦收成以后再说；还应打开各地的义仓，立即加以赈济。等到深春以后，有了菜叶木芽，接着又有了桑葚，逐渐有了可吃的东西；只有在现在这几个月时间，尤其困窘急迫，采取的措施不能停留缓慢。”朝廷敕令照卢携的意见去办，但是有关部门并没有照着执行，敕令白白地成了一纸空文罢了。

（以上为第九段，写卢携上奏，极言当时民众生活之惨状。）

路岩走到江陵，敕命削去官爵，长期流放儋州。路岩的仪表姿态很美，囚禁在江陵监狱有两个晚上，胡须头发全部变白了。不久，赐他自杀，没收全部家产。在路岩任宰相的时候，曾秘密上奏说：“三品以上的官员赐死，都要派使者剥取犯人三寸长的喉管进呈朝廷，检验该人是不是死了。”到这个时候，自己也要遭受割取喉管的灾祸，他所死的地方和杨收被赐死的是在同一张床。边咸和郭筹被捕以后，都被诛杀。

原先，路岩在淮南辅佐崔铉，任支使的职务，崔铉知道路岩将来一定会富贵，说：“路十这个人将来一定会当宰相的。”后来路岩到朝廷去任监察御史，没有离开长安城，十年升到宰相职位。当路岩从监察御史升任翰林学士时，崔铉仍在淮南节度使任上，听到路岩升了翰林学士，就说：“路十现在已经担任翰林学士了，如何能够活到老啊！”结果和崔铉说的一样，路岩没有好下场。

调太子少傅于琮同平章事，充任山南东道节度使。

二月初五日甲午，将昭圣恭惠孝皇帝葬于简陵，庙号懿宗。

调任中书侍郎、同平章事赵隐为同平章事，充镇海节度使；任命华州刺史裴坦为中书侍郎、同平章事。

任命虢州刺史刘瞻为刑部尚书。刘瞻被贬官的时候，不论贤者还是不肖者，没有不痛惜的。等到他又要回到朝廷时，长安东西两市人民出钱请来戏曲人员演出节目来欢迎他。刘瞻听到这个消息后，就改变回京城日期，从另外一条路进入长安。

夏季，五月初八日乙未，裴坦去世。任命刘瞻为中书侍郎、同平章事。

原先，刘瞻被贬去南方，刘邺依附着韦保衡和路岩，共同说刘瞻的坏话。等到刘瞻又回京任宰相，刘邺的内心感到恐惧。秋季，八月初一日丁巳，刘邺宴请刘瞻，在盐铁转运使大院设酒宴招待，刘瞻回去后就得了病，八月十五日辛未，去世。当时人们都认为刘瞻是被刘邺下了毒而死的。

任命兵部侍郎、判度支崔彦昭为中书侍郎、同平章事。崔彦昭是崔群的侄子。兵部侍郎王凝是王正雅的侄孙，王凝的母亲是崔彦昭的姨母。王凝和崔彦昭同时考进士，王凝先考取了，曾经穿着便衣去会见崔彦昭，并且开玩笑似的对他说："君不如去考明经科。"崔彦昭听了大怒，从此结怨很深。等到崔彦昭做了宰相，崔彦昭的母亲对侍婢们说："帮我多做一些袜子和鞋子，王侍郎母子一定会被流放，我应当和妹妹一同去。"崔彦昭听了他母亲的话后，一面下拜一面哭泣，谢着说："一定不会报复王凝。"王凝由此才免遭打击。

（以上为第十段，写奸相路岩害人害己得恶报，正人刘瞻遭小人暗算，王凝侥幸免遭报复。由此可见当时官场险恶。）

冬季，十月，调门下侍郎、同平章事刘邺为同平章事，充任淮南节度使。任命吏部侍郎郑畋为兵部侍郎，翰林学士承旨、户部侍郎卢携仍任同平章事。

十一月初五日庚寅，冬至，群臣给僖宗加尊号称圣神聪睿仁哲孝皇帝，改年号为乾符。

魏博节度使韩允中去世，军中拥立他的儿子节度副使韩简为留后。

南诏侵扰西川，建造浮桥，打算渡过大渡河。防河都知兵马使、黎州刺史黄景复等蛮军渡了一半人马时，就进攻他们，蛮军失败逃跑，把他们架设的浮桥也破坏掉。蛮人又在中军中打出很多旗帜走在前面，而暗地分调军队从上游和下游各相距二十里的地方，在夜里建造浮桥，到清早时，都渡过了大渡河，偷袭攻下了各个护城寨，夹攻黄景复。拼力战斗了三天，黄景复假装失败而逃，蛮兵把他们的精锐部队都调去追赶黄景复，黄景复设下三处埋伏的军队等待着蛮军，等到蛮军过了三分之二，就命伏兵起来进攻蛮军，蛮军大败，杀了蛮军两千余人，追到大渡河南边才返回，又将城下寨栅修好据守着。蛮军回去时，在之罗谷碰上国内派来的援兵，新旧两支军队汇合在一起，钲鼓的声音数十里外都能听到。蛮人又来进攻大渡河，和唐朝的军队隔着大渡河驻扎着，假称向官军求和，又从上下游暗中渡河，与黄景复战斗了好几天。西川节度使的援军迟迟不到来，而蛮军却不断增加，黄景复支持不下去，最终被打败了。

十二月，党项和回鹘侵扰天德军。

感化军奏报说群盗侵扰抢掠，州县制止不了；朝廷敕命兖州和郓州等道派军队讨伐他们。

南诏蛮军乘胜攻下了黎州，进入邛崃关，进攻雅州。大渡河溃败下来的官兵逃到了邛州，成都得知这个情况后，惊扰不安，民众争相进城，有的向北逃到其他州去了。城中大大加强了防守设备，堑壕兵垒比前时严密巩固多了。骠信派遣他的坦绰给西川节度使牛丛写信说："并不是我们敢于作乱，而是想到朝廷去谒见天子，当面诉说数十年来被进谗的人离间而受冤屈之事。倘若得到皇上圣恩衿恤免罪，在回来的时候当与尚书结成永远友好的邻邦。现在要从贵府借一条路通过，还想借蜀王府的厅堂住上几天，然后就东上长安。”牛丛为人向来懦弱胆小，想答应蛮人的要求，杨庆复认为不能答应；于是把他们的使者杀了，只留下两个人，交给他们一封信，打发回去，信中尽量诉说蛮人的罪恶，并辱骂了他们一顿，这样，蛮兵到达新津以后就退回去了。牛丛担心蛮军到来，就预先把城外的民房烧了，民众的房子没有了，蜀人认为是牛丛的罪过。朝廷下诏调发河东、山南西道、东川的军队去支援西川，还任命天平节度使高骈到西川去处置与蛮人的事宜。

任命韩简为魏博留后。

商州刺史王枢由于看到军州府库空乏而无积存，于是减少以税物折钱的比例，使民众输米粟量增加，民众承受不了，便相互集结起来用白木棒殴打王枢，又打死官吏二人。朝廷改任李诰为商州刺史，逮捕了李叔汶等三十余人，把他们都杀了。

原先，回鹘多次请求册命，于是诏令派册立使郗宗莒到回鹘去。恰好遇上回鹘被吐谷浑、嗢末打败，逃跑以后不知道到哪里去了，于是诏令郗宗莒把玉册、国信交给灵盐节度使唐弘夫保存，自己返回京师。

僖宗年纪轻，政权掌握在臣下手中，南衙和北司之间矛盾很大。自从僖宗即位以来，奢侈浪费一天比一天厉害，又连年打仗，征收赋税非常紧急。关东地区连年发生水灾或旱灾，州县又不如实报告朝廷灾情，上下互相蒙混，老百姓到处漂流以致饿死，无处诉苦，相聚在一起反叛官府，盗贼在各地纷纷出现。州县兵力不足，加上长期的社会稳定，人们都不熟悉战斗，每次和盗贼遭遇，官军多半都被打败。这一年，濮州人王仙芝开始纠集数千人，在长垣县造反。

（以上为第十一段，写南诏再度侵扰西川。朝廷内外不协，南司北衙，势同水火。）

唐僖宗乾符二年（乙未，公元 875 年）

春季，正月初二日丙戌，任命高骈为西川节度使。

正月初七日辛巳，僖宗在圜丘祭祀天，大赦天下。

高骈到剑州后，先派使者骑马去成都命令打开成都各城门。有人进言说：“蛮寇逼近成都，相公离成都还很远，万一敌人冲了过来攻城，那将如何办理？”高骈回答说：“我在交趾打败了二十万蛮军，蛮人听说我来了，逃跑还来不及，哪里敢随便进犯成都！现在春天来了气候转暖，数十万人聚集在城里面，生人和死者处在一起，污秽的环境笼罩着大家，疫疾将要流行，不能不采取拯救措施了！”使者到了成都，打开城门让老百姓自由出入，各人恢复自己的职业，在城上驻守的人，都下城来脱去铠甲，民众很高兴。蛮军正在进攻雅州，听到成都的消息，派使者来请求讲和，并把军队带走了。高骈又上奏说："南蛮小丑，容易对付。现在西川新旧兵已经很多了，朝廷调发的长武、鄜坊、河东三镇的军队，只会增加辛劳和费用，请求命令他们回本地去。"敕命只停止调发河东镇的军队。

僖宗为普王时，小马坊使田令孜受到宠信，等到登上皇位，任命他为枢密使，又提升他为神策军中尉。僖宗当时十四岁，只知道一味游戏取乐，把政事全部交给田令孜处理，并称他为"阿父"。田令孜读了不少书，多计巧和谋略，招揽权势，收受贿赂，任用官吏和赐官封爵都不向僖宗打招呼就直接办了。每次晋见僖宗，常常自己准备果食两盘，和僖宗相对食用，从容相处很久以后才退出来。僖宗和内园小儿很亲近，赏赐给乐工、伎儿的钱，经常数以万计，府库中的钱财都被用空了。田令孜给僖宗出主意，没收长安东西两市商家的宝物财货，全部送交内库，如有陈诉的人，就交给京兆府用刑杖打杀；从宰相以下的百官，都闭嘴不敢说话。

高骈到成都，第二天就调派步兵和骑兵共五千人追赶南诏兵，到大渡河，杀死和俘虏了很多敌人，抓到他们的酋长数十人，押到成都，都斩首。在修复邛崃关和大渡河各城栅之后，又在戎州马湖镇修筑城池，称为平夷军，又在沐源川筑城，这些地方都是蛮人进入蜀地的重要通道，各处派兵数千人据守。从这以后，蛮人不再进犯了。高骈召来黄景复，责备他没有守住大渡河，把他腰斩了。高骈又奏请由他带领本部人马和天平、昭义、义成等军共六万人进攻南诏，朝廷下诏不许进军。

先前，南诏的督爽官多次送文牒给中书省，言语中多怨恨的话，中书省没有做出回应。卢携上奏说："像这样下去，那些蛮人会更加骄傲，以为我唐朝不敢回话，应当历数他们十代受到唐朝的恩遇来责备他们今天的背叛。然而如果由中书省发去文牒，那么对于朝廷与南诏的地位很不相称，有成为对等关系的嫌疑，请求赐高骈和岭南西道节度使辛谠诏书，让他们抄下诏文，然后用文牒的形式送给南诏。"僖宗答应了。

（以上为第十二段，写高骈入西川，震慑南诏。宦官田令孜得势，专擅朝政。）

三月，任命魏博留后韩简为节度使。

去年，感化军调军队到灵武去参加防秋，恰遇南诏侵扰西川，于是朝廷命令他们前去救援。还未到达成都，蛮兵退走了，就调遣他们回戍地；到达凤翔时，他们不肯到灵武去，想擅自回到徐州，内养王裕本和都将刘逢搜捕擒获首先带头的胡雄等八人，把他们杀了，兵众才安定下来。

当初，南诏包围成都，杨庆复用高官厚禄招募突将来防守，这样成都才得以保全。等高骈来了以后，让突将把任职的文牒都上交。又借口蜀地多次被蛮人侵扰，人们未恢复生产，把发给突将的衣粮也停止了，突将们都很愤恨。高骈爱好妖术，每次调派军队去追击蛮军，都要在夜里树立旗帜，排列军队，对着将士们焚烧纸画的人马抛撒小豆，并说："蜀兵懦弱胆小，现在派玄女神兵在前面开路。"军中的壮士都感到这是一种耻辱。又检查全境内的官员，如发现有人是小吏出身的，都不让他们再任职。又命令民间都用足陌钱，凡是使用铜钱陌数不足的人都抓起来，以贿赂罪加罪他们，使用的双方都处以死刑。执行刑罚很严酷，这样一来，蜀人都不喜欢高骈这个人。

夏季，四月，突将作乱，大声呼喊冲入节度使府。高骈逃到厕所里躲起来，突将到处搜索他，没有找到。天平军都将张杰带领他的部下数百人穿上铠甲到府中攻击突将，突将就夺取牙门前的仪仗作为武器进行战斗，没有武器的人就用木棒、拳头迎击，乘着愤怒的情绪尽力拼搏，天平军打不过他们，逃回营去了。突将追赶他们，营门关上了，不能进去。监军派人招抚告谕他们，答应恢复他们的职位和粮饷，相持了很久，才肯回营。天平军又开门出来，做出追赶突将的样子。到城北，当时正在修建毬场，有数百人在劳动，天平军把他们全部杀掉，回到军府说："已把作乱的人都杀了。"高骈出来接见他们，奖赏了很多金帛给他们。第二天，贴出文告向突将道歉，全部归还他们的职名和衣粮。从这以后，高骈从各道将士中选择同自己一道来成都的人，轮流到军府中值班，采取了严密的自卫措施。

加给成德节度使王景崇兼侍中的官衔。

浙西狼山镇谒使王郢等六十九人有战功，节度使赵隐只赏给他们职名而不发给相应的衣粮，王郢等人经过论争和申诉还得不到解决，于是抢了国家兵器库里的武器发动暴乱，在战斗行进中招纳入伙的人近一万之众，攻下了苏州和常州，他们乘船往来，从江上到海上，辗转抢掠两浙地方，南边达到了福建，大为民患。

五月，任命太傅、分司令狐绹为同平章事，充任凤翔节度使。

司空、同平章事萧倣去世。

六月，任命御史大夫李蔚为中书侍郎、同平章事。

六月二十日辛未，高骈暗地调查登记突将的姓名，派人在夜里去捕捉他们，先包围他们的家，然后越墙破门而入，不论男女老幼、孕妇病人，全部杀死，婴儿有的被扑杀在石阶上，有的被撞死在柱子下，血流成渠，号哭之声震动天地，共杀了数千人，在夜晚用车子装着尸体抛到江里去。有一个妇人，在被处死时，举手大骂说："高骈！你无故剥夺有功将士的职名和衣粮，激起大家的愤怒；你侥幸免于一死，不去反省自己的过错，反而用欺诈的手段，杀死无辜的将士和家属近一万人，天地鬼神，难道会容许你这样干吗！我一定要在佛祖面前控诉你，使你将来如同我现在一样全家被杀，如同我现在一样遭受冤屈和污辱，如同我现在一样惊恐忧惧！"说完话后，向天跪拜，愤怒地接受刑戮。过了一些时候，有突将从外地戍守回成都来，高骈又想把他们全家都杀掉，有一个长期跟随高骈的亲信官吏王殷劝谏说："相公信奉道术，应当爱好生灵，少开杀戒，这些突将在外地，原先就没有参加作乱阴谋，倘若又把他们杀掉，那么感到自危的人就会很多了！”高骈听后，就没有再去诛杀突将。

（以上为第十三段，写高骈滥杀有功突将，国家纲纪荡然无存。）

王仙芝和他的同党尚君长攻下了濮州和曹州，军众达到数万人；天平节度使薛崇出兵进攻他们，被王仙芝打败了。

冤句人黄巢也聚众数千人响应王仙芝。黄巢少年时和王仙芝都是以贩卖私盐为职业，黄巢善于骑马射箭，喜欢做侠义之事，粗略地读了一些诗书，多次投考进士没有被录取，所以就做了强盗，和王仙芝攻打抢掠州县，横行于山东一带，被繁重的赋税压得喘不过气来的百姓争相归附他们，在几个月之内，叛众达到数万人。

卢龙节度使张公素，性情暴戾，军士都不喜欢他。大将李茂勋，本来是回鹘阿布思部人，回鹘被打败时，向张仲武投降；张仲武派他去戍边，多次立功，赐姓名叫李茂勋。纳降军使陈贡言是幽州地方的老将，得到军士们的信任，李茂勋暗地杀了陈贡言，又用陈贡言的名义，带军队向蓟州出发；张公素出兵应战被打败，跑去京师。李茂勋进城后，军士们才知道他不是陈贡言，不得已只好推举他为首领，朝廷就任命李茂勋为卢龙留后。

秋季，七月，蝗虫从东方向西飞行，遮天蔽日，所过之处一片精光。京兆尹杨知至上奏说：“蝗虫进入京畿地区，不吃庄稼，都抱着荆棘死去。”宰相们都向僖宗道贺。

八月，任命李茂勋为卢龙节度使。

九月，右补阙董禹劝谏僖宗游玩打猎、乘驴击毬；僖宗赏赐金帛来表扬他。邠宁节度使李侃上奏为他的义父华清宫使道雅求赠官，董禹上疏弹劾他，在言词上涉及对宦官的指斥。枢密使杨复恭等人向僖宗控诉董禹，冬季，十月，董禹因此被贬为郴州司马。杨复恭是宦官杨钦义的养孙。

昭义军中发生叛乱，大将刘广赶走了节度使高湜，自称为留后。朝廷任命左金吾大将军曹翔为昭义节度使。

回鹘回到罗川县，十一月，派使者同罗榆禄向朝廷进贡；朝廷赏赐他拯接绢一万匹。

群盗发展壮大，抢掠十多个州，到达了淮南地方，多的一伙有一千多人，少的数百人；诏令淮南、忠武、宣武、义成、天平五军节度使和监军极力加以讨伐收捕和招安。十二月，王仙芝侵犯沂州，平卢节度使宋威上表奏请带领步骑五千人以另外一个使节称号讨贼，同时带领本道兵在各处讨伐盗贼。朝廷于是任命宋威为诸道行营招讨草贼使，还拨给他禁兵三千名、甲骑五百名。接着诏令河南地区方镇所派出的讨贼都头都要接受宋威的领导和指挥。

（以上为第十四段，写王仙芝、黄巢起义。）

唐僖宗乾符三年（丙申，公元 876 年）

春季，正月，天平军奏报派遣将士张晏等人去援救沂州，回来时走到义桥，又听说北边盗贼再次发生，要留下他们去抵御；张晏等不愿意，喧闹着往郓州去。都将张思泰、李承祐骑马跑出城去，撕下衣袖和张晏等立下盟约，用自己的俸钱准备酒食慰劳他们，这样才使他们安定下来。朝廷诏令天平军好好告谕安慰他们，不要追究他们的过错。

［二月，］敕命福建、江西、湖南各道观察使、刺史，都要训练士卒；又命令天下所有乡村都要设置弓箭、刀枪、鼓板等用来防备群盗。

赐兖海节度名为泰宁军。

三月，卢龙节度使李茂勋请求任命他的儿子幽州左司马李可举为留后，自己退休。朝廷下诏李茂勋由左仆射的官位退休，任命李可举为卢龙留后。

门下侍郎、同平章事崔彦昭被降职为太子太傅；任命左仆射王铎兼门下侍郎、同平章事。

南诏一方面派遣使者到高骈那里求和，一方面又不停地侵扰边界，高骈将使者杀了。蛮兵攻下交趾的时候，曾俘虏了安南经略判官杜骧的妻子李瑶。李瑶是唐宗室的远族。蛮人派人把李瑶送回来，同时递上用木夹夹着的文牒给高骈，上面写着“督爽牒西川节度使”字样，言词很是傲慢。高骈将李瑶送回京师。三月二十六日甲辰，又送文牒去南诏，列举他们背负朝廷恩德、暴虐地侵犯边境、残害欺诈等罪行，在安南、大渡河覆灭惨败的行状，以羞辱他们。

（以上为第十五段，写南诏与唐相互敌对冷战。）

原州刺史史怀操贪婪暴虐；夏季，四月，军队发生叛乱，把他赶走了。

给宣武、感化两节度使和泗州防御使发下密诏，要他们选精兵数百人在所管辖的范围内巡行游弈，保卫运输钱粮的船队，五天就要向朝廷详细报告一次关于上供钱米的运送情况。

五月，昭王李汭去世。

任命卢龙留后李可举为节度使。

六月，抚王李纮去世。

雄州发生地震、地裂、水涌，州城和公私房屋全部被毁坏。

秋季，七月，任命前岩州刺史高杰为左骁卫将军，充任沿海水军都知兵马使，以便讨伐王郢。

鄂王李润去世。

加给魏博节度使韩简为同平章事官衔。

宋威在沂州城下进攻王仙芝，把他打得大败，王仙芝逃走了。宋威上奏说王仙芝已经战死，于是把各道援兵都打发走了，自己也回到了青州；百官都入朝向僖宗道贺。只过了三天，州县又奏报说王仙芝还活着，攻掠抢劫和过去一样。当时军队刚休息，朝廷又下诏要调发他们，士卒都愤怒而想发动叛乱。八月，王仙芝攻下阳翟和郏城，朝廷诏令忠武节度使崔安潜调军队进攻王仙芝。崔安潜是崔慎由的弟弟。又命昭义节度使曹翔带领步骑五千人和义成军一道保卫东都官，任命左散骑常侍曾元裕为招讨副使，守卫东都，又诏令山南东道节度使李福选步骑两千人守卫汝州和邓州两个交通要道。王仙芝的军队逼近汝州，诏令邠宁节度使李侃、凤翔节度使令狐绹选步兵一千人，骑兵五百人防守陕州和潼关。

加给成德节度使王景崇兼中书令官衔。

九月初一日乙亥，发生日食。

九月初二日丙子，王仙芝攻下汝州，捉了刺史王镣。王镣是王铎的叔伯兄弟。东都大为震恐，士民带着家小纷纷逃出城去。十一日乙酉，朝廷敕令赦免王仙芝、尚君长的罪过，并授予官职，用这种待遇招抚他们。王仙芝在攻下阳武县后，又进攻郑州，昭义监军判官雷殷符屯驻在中牟县，进攻王仙芝，把他打败了。冬季，十月，王仙芝南下进攻唐州和邓州。

（以上为第十六段，写地方官吏贪暴，激起兵变，王仙芝战败随即势力更盛。）

西川节度使高骈修筑成都外城，叫僧人景仙进行规划，周围长二十五里，并把成都府所属各县全都召集起来，命令他们准备工匠并分配任务，在征集民工时有接受了一百钱以上的官吏都要被处以死刑。蜀地土质疏恶，就先用砖砌筑，在围绕城区十里以内取土，都是把土丘削平，不准挖成土坑而妨碍耕种。服役的人干十天就轮换，民众都为分派赋役平均而高兴，不用鞭打他们就能把事情办好。从八月初九癸丑开工，到十一月十五日戊子就完成了。

在开始筑城的时候，高骈担心南诏扬言前来侵犯，虽然不敢说他们一定会来，但是服役的民工必定会受到惊扰，于是他就报告朝廷建议派景仙借口出游进入南诏，劝说骠信要他归附中原，还答应把公主嫁给他为妻，接着就商议两国间的礼仪，很久决定不下来。高骈又扬言说要巡视边地，早晚用烽火沟通信息，一直到大渡河，其实他并未出发，而使得蛮人惴恐不安。这样到外城修好为止，边境上的守候部队没有发出战争的警报。以前，西川将吏去南诏，骠信都是坐着接受朝拜，高骈认为他们习俗既然是信奉佛教，所以就派僧人景仙前去，骠信果然带领他的大臣们迎拜景仙，并且相信景仙说的话。

（以上为第十七段，写高骈施巧计加固成都城防。）

王仙芝进攻郢州和复州，二州均被攻下。

王郢通过温州刺史鲁寔请求投降，鲁寔多次为王郢上奏论说，朝廷敕令王郢到京师去。王郢拥兵拖延半年之久还没有走，坚持要求担任望海镇使；朝廷不答应，任命他为右率府率，还要左神策军补他一个重要职位，他先前所抢掠的财物，也一并给予他。

十二月，王仙芝进攻申、光、庐、寿、舒、蕲等州。淮南节度使刘邺上奏请求增加援兵，朝廷敕令感化节度使薛能选精兵数千人援助淮南。

郑畋由于自己说的话没有人听，借口有病要辞去相位，僖宗不答应；于是上奏说："自从沂州报告打了胜仗以后，王仙芝更加猖狂，攻下了五六个州，数千里的地方遭到破坏。宋威这个人衰老多病，自从虚妄地奏报军情以后，各道的兵马都更加不听从他的指挥，现在停留在亳州，一点征讨盗贼的打算也没有。曾元裕拥兵驻扎在蕲州和黄州，一心观望形势退缩不前。倘若叛贼攻下了扬州，那么整个江南地区国家就管不了了。崔安潜威望超过他人，张自勉是一名骁勇的良将，宫苑使李琢是西平王李晟之孙，既威严又勇敢。请求任命崔安潜为行营都统，李琢为招讨使取代宋威，张自勉为副使取代曾元裕。"僖宗采纳了郑畋的意见。

戍守安南的青州和沧州的军士在返回时，到桂州赶走了桂州观察使李瓒。李瓒是李宗闵的儿子。朝廷任命右谏议大夫张禹谟为桂州观察使。

桂管监军李维周骄傲横暴，李瓒曲意奉承他，逐渐失去控制。桂管有军队八百人，防御使只掌握一百人，其余的人都归监军掌握；李维周又参与了赶走观察使的谋划，强力夺取了观察使和防御使的印信，并擅自增补知州官，夺取昭州送交给观察使的税钱。诏令张禹谟一并审理李维周的案件。张禹谟是张彻的儿子。

招讨副使、都监杨复光奏报说尚君长的弟弟尚让据守在查牙山，官军退保邓州。杨复光是杨玄价的养子。

王仙芝进攻蕲州。蕲州刺史裴偓是王铎主持考试时录取的进士。王镣在叛贼里面，帮助王仙芝写信向裴偓游说。于是裴偓和工仙芝商定，收兵停战，裴偓答应为王仙芝奏请官职；王镣也劝说王仙芝答应裴偓的条件。裴偓于是打开城门邀请王仙芝和黄巢等三十余人进城，设置酒宴，大陈财货赠送他们，还上表陈述王仙芝等接受安抚的情形。宰相中多数都说："先帝不赦免庞勋，一年后终于平定了他。现在的王仙芝只是一个小小的盗贼，是不能和庞勋相比的，赦了他的罪，还任命他做官，只会助长坏人的气焰。"由于王铎坚决请求，僖宗同意了，于是任命王仙芝为左神策押牙兼监察御史，并派中使把告身送到蕲州授给王仙芝。

王仙芝得到任官的告身后很高兴，王镣和裴偓都向他道贺。还没有退出城，黄巢看到自己没有得到官职，大怒说："开始起事的时候共同立下誓言，横行天下，现在你独自得到官职去左神策军上任，丢下这五千多士众到何处去呢！"接着就殴打王仙芝，把他的头打伤了，他的部下也喧闹不已。王仙芝惧怕众人的怒火，就没有接受朝廷的任命，在蕲州大肆进行抢掠，城里面的人，一半被赶走，一半被屠杀，房屋被焚烧。裴偓逃往鄂州，敕使跑往襄州，王镣被叛贼拘留下来。叛贼将他们的军队三千多人分给王仙芝和尚君长，两千多人分给黄巢，各自分道离开蕲州。

（以上为第十八段，写朝廷招抚王仙芝失败，赔了夫人又折兵。）

【点评】

唐懿宗、僖宗交替之际，正是黄巢大起义的前夜。此时唐王朝君不君，臣不臣，朋党交争，丧失人性，政治腐败到极点，人民生活在水深火热之中。本卷点评几件细事，以见当时人心世态之一斑。

文人相轻。唐代科举有进士与明经两个途径。考进士用诗赋、对策，重文采，每年一科只取二三十人。明经考经学，明经进士每年每科一百人，容易考取。在仕途上进士与明经待遇不同，入翰林做学士，入阁为相，多取进士出身。王凝和崔彦昭两人是姨表兄弟。两人母亲郑氏，崔彦昭之母为姐，王凝之母是妹。王凝年十五就明经及第，再登进士甲科，崔彦昭进士落第。王凝给崔彦昭开了一个玩笑说："你去考明经吧。"崔彦昭大怒。崔彦昭比王凝升迁快，懿宗晚年，两人同任兵部侍郎。僖宗即位，乾符元年（公元 874 年）。崔彦昭升任宰相。崔彦昭的母亲立即对侍婢们说："赶快给我多做一些鞋袜，王侍郎的母子即将有难，要流配外地，我要去陪伴妹妹。"崔彦昭明白母亲话中所指，哭着下跪对母亲发誓，"决不报复王凝"。由于崔彦昭母亲的智慧和亲情，才化解了崔彦昭与王凝两人的矛盾，王凝这才免遭报复打击。当时朋党结派，文人相轻发展到深仇大恨。有许多人没有王凝那样幸运，不知哪一天，天外横祸就要飞来，自己还不知道是怎么一回事。

官场险恶。王铎、刘瞻、于悰、路岩、韦保衡五人，在懿宗朝后期同朝为相。路岩、韦保衡两人品格低下，韦保衡更次。懿宗却最宠这两人。两人狼狈为奸，权倾天下，把王铎、刘瞻、于悰都排斥出朝。王铎是韦保衡进士及第的主考官，起居舍人萧遘是韦保衡的同年，亦在韦保衡的排斥之列。萧遘才能优异，为韦保衡所忌。萧遘又与于悰交好。一大批朝官，凡与于悰交好者都被贬官。有尚书左丞李当、吏部侍郎王沨、左散骑常侍李都、兵部侍郎张裼、前中书舍人封彦卿、左谏议大夫杨塾同日遭贬。又贬工部尚书严祁、给事中李贶、张铎、左金吾大将军李敬仲、起居舍人李渎、郑彦特、李藻等。后路岩与韦保衡两人交恶，韦保衡打小报告给懿宗，路岩被贬出京。路岩名声太臭，出京之日，长安市人围观，向他投掷瓦片。京兆尹薛能是路岩提拔的人，路岩提出要薛能保护他，薛能翻脸不认人，说："宰相出京，京兆府没有派人保护的先例。"刘瞻被排斥出京，刘邺说了坏话。韦保衡倒台，刘瞻回京，刘邺内心不安，请刘瞻做客，在酒中暗中放毒，刘瞻就死了。路岩、韦保衡多行不义，犯了众怒，失势后连续遭贬逐，最后被赐死。路岩任宰相时曾密奏，说："三品以上官赐死，要使者割取三寸长的喉管进呈朝廷，用以验证该人确实已死。"路岩被贬儋州，走到江陵被囚禁在狱中，有诏赐死。这时路岩自己也要被割取三寸喉管，而且所死的狱室，恰是当年路岩害死杨收的地方，路岩也死在杨收死的那一张床上，得了现世报。

唐朝后期的朋党斗争，彼此寻找借口，互相排斥，崩溃是不可避免的了。

无行朝官的拍马术。僖宗乾符二年（公元875年），秋七月，蝗虫由东向西铺天盖地飞来，蝗虫所过之地，寸草不留，禾稼吃光，一片赤地。京兆尹杨知至上奏朝廷说："蝗虫侵入京郊，不吃禾稼，成群的闯向荆棘而死。"宰相百官都向僖宗庆贺。胡三省评论说："杨国忠上奏连日大雨不伤害禾稼，韩晃上奏连日大雨没损害盐场。现今杨知至上奏蝗虫不吃禾稼自抱荆棘而死。唐室的朝官欺骗皇上的积习由来已久。"如此这般疯狂地拍马术，已丧失了人性。秦朝赵高指鹿为马，朝官在高压下说谎，还有几分人性，晚唐君臣自欺说谎，丧尽人性。唐之朝官，还不如秦末之朝官。"指鹿为马"与"蝗不食禾"都是亡国之音。没有了真假是非，国不亡何待！

无德武人便是屠夫。懿宗咸通十一年（公元870年），南诏侵犯西川，成都兵力不足，杨庆复出赏金招募勇敢之士三千人，号为"突将"，即冲锋陷阵之将，今谓之"敢死队"。杨庆复依靠这支乡土主力军打退了南诏，立下赫赫战功，保卫了成都。"突将"经过战争洗礼后被正式编入了官军。僖宗乾符二年（公元875年），南诏再次大举入侵西川，朝廷调天平节度使高骈为西川节度使进驻成都。高骈曾在安南打败南诏，朝廷很是依赖他，高骈也自以为能，骄横不可一世。南诏退兵以后，高骈裁减突将，引起突将不满。四月，部分突将要驱逐高骈，监军出面平息骚乱。高骈表面答应不裁减突将，却暗中布置军力，屠杀突将。过了两个月，在六月二十日辛未那一天夜里，高骈采取行动，不但包围突击将军营，而且包围突将的家属，军士越墙破门而入，不分男女老幼、孕妇病人，全部抓去杀死，连婴儿也不能幸免，有的被扑杀在石阶上，有的被摔死在柱子下，血流成河，号哭之声震天动地，一共杀了数千人。有一个妇女愤怒地大骂高骈不得好死。作为一镇节度使的高骈，完全是一个屠夫。朝廷后来任命高骈为扬州大都督府长史、淮南节度使，与黄巢作战，高骈却欲行割据，失去朝廷信任，为其部将所杀，遭灭族。

卢携上奏称百姓深陷涂炭。卢携，字子升，范阳人。大中九年进士及第，授集贤校理。咸通中为右拾遗、殿中侍御史，历官长安县令、郑州刺史、谏议大夫，乾符初任翰林学士，拜中书舍人。乾符四年入相。卢携内倚宦官田令孜，外结高骈为援，掌控朝政，随心所欲，是一个权奸。黄巢入长安，卢携罢相，当夜服毒自杀。即使是这样一个权奸，他目睹当时战乱中黎民深重灾难，为了维护唐皇室的统治，也上书言事。乾符元年正月，卢携上奏僖宗，深以国事为忧。卢携上奏说："陛下刚登上帝位，要关心百姓。去年关东地区大旱，秋天庄稼没有收成。贫穷的人把蓬蒿的种子舂碎当面粉，把槐树叶子采来当粮食。现在到外都在闹饥荒，讨饭都没地方，饥民只好坐守在乡间，等死在沟壑。可是州县官府要上供和交三司的税钱，他们就用鞭子去抽打饥民，拆房砍树，逼交税钱。租税之外，还有徭役。朝廷不爱惜百姓，百姓一点谋生的办法也没有。希望皇上敕令各州县立即停收拖欠的残税，还要打开各地的义仓赈济饥民。”朝廷虽然发下照办的敕令，但是各部门并不执行，赈济成了一纸空文。朝命失去了权威，统治不能照旧进行下去，人民没法生活，大起义的条件完全成熟。卢携上奏的当年，即公元874年，淮州人王仙芝在长垣起义。次年，即公元875年，冤句人黄巢也聚众起义，响应王仙芝。黄巢攻击唐州县，数月间众至数万。唐末黄巢大起义，就这样爆发了。

唐纪六十九

唐僖宗乾符四年至广明元年（公元 877—公元 880）

【起强圉作噩（丁酉，公元 877 年），尽上章困敦（庚子，公元 880 年）十月，凡三年有奇】

【大事提要】

本卷记事起公元 877 年，讫公元 880 年十月，凡三年又十个月。当唐僖宗乾符四年至广明元年十月。这一时期最重大的事件是朝廷围剿王仙芝、黄巢农民军，王仙芝和黄巢在大江南北、东南浙闽乃至岭南，流动作战。公元 878 年，王仙芝犯江陵，先胜后败，官军追剿，在今湖北黄梅县大破王仙芝军，杀了王仙芝。第二年，公元 878 年，黄巢退出唐朝重兵设防的河南，转战东南，打击唐朝财赋所出的生命线。黄巢率领农民军走遍长江、闽江、珠江，在大范围内流动作战。公元 880 年，黄巢从广州北上，又回到河南，众数十万，唐军望风溃逃。在黄巢纵横江南之时，北方沙陀人李国昌、李克用父子又反于代地，打击唐王朝，使唐王朝雪上加霜。唐王朝已处在风雨飘摇之中，而唐僖宗仍游宴无度，好走马击毬，甚至以击毬胜负选节度，任用大将如同儿戏。宦官田令孜专权，宰臣不以国事民生为忧。唐室危如累卵。

僖宗惠圣恭定孝皇帝上之下

唐僖宗乾符四年（丁酉，公元 877 年）

春季，正月，王郢将鲁寔引诱到船上后，就把他抓了起来，跟随鲁寔的将士都逃散了。朝廷听到这个消息后，任命右龙武大将军宋皓为江南诸道招讨使，除征发各道兵以外，再调发忠武、宣武、感化三道和宣、泗两州的军队，新旧共一万五千多人，都交给宋皓统一指挥。二月，王郢攻下望海镇，抢掠明州，又攻陷台州，台州刺史王葆退到唐兴县据守。朝廷诏令两浙和福建各调派舟师进讨王郢。

王仙芝攻下鄂州。

黄巢攻下郓州，杀死了节度使薛崇。

南诏自酋龙继位以来，在边疆为祸害将近二十年，国家为了抵御南诏耗费了大量的钱财，而南诏国内也因此疲敝不堪。酋龙死后，谥号称景庄皇帝；他的儿子法继立，改年号为贞明承智大同，国号鹤拓，也称大封人。

南诏王法喜欢打猎饮酒，把国事交给大臣去办。闰二月，岭南西道节度使辛谠奏报说南诏派陀西段瑳宝等人来请和，并且说："各道调来戍守邕州的军队时间太长了，需要大量的粮饷，弄得国家很疲敝，请求答应和他们媾和，以使贫穷病弱的民众得到喘息之机。"朝廷下诏答应了。辛谠派遣大将杜弘等人带着书信和礼物，送段瑳宝回南诏，只留下荆南和宣歙几支军队戍守邕州，其余各道派来的军队十成中减了七成。

王郢横行于浙西地区，镇海节度使裴璩严兵防守，不和他交战，秘密招降他的同党朱实，拆散了他的徒众六七千人，交来器械二十多万件，舟船、粮食、绸帛等同样很多。朝廷敕令任命朱实为金吾将军，这样王郢的党羽就逐渐离散了。王郢收集余下的一部分人，向东到了明州，甬桥镇谒使刘巨容用筒箭把王郢射死了，其余的同党被全部平定。裴璩是裴谞的侄曾孙。

（以上为第一段，写官军剿灭叛贼王郢。）

三月，黄巢攻下沂州。

夏季，四月初一日壬申，发生日食。

贼帅柳彦璋劫掠江西地区。

陕州军队发生叛乱，把观察使崔碣赶走了；朝廷贬崔碣为怀州司马。

黄巢和尚让合兵守卫查牙山。

五月二十四日甲子，任命给事中杨损为陕虢观察使。杨损上任以后，诛杀发动叛乱的首恶者。杨损是杨嗣复的儿子。

原先，桂管观察使李瓒不治理政事，支使薛坚石多次规劝纠正李瓒，李瓒不能听从。等到李瓒被赶走，薛坚石代理留下来的职务，送文牒到相邻各道，要他们制止乱兵横行，使桂州一带平安无事。朝廷诏令提拔薛坚石为国子博士。

六月，柳彦璋攻下了江州，把刺史陶祥抓起来，叫陶祥向朝廷上奏，柳彦璋把自己投降的状文附在后面。敕命柳彦璋为右监门将军，命令他解散部众后到京师去；任命左武卫将军刘秉仁为江州刺史。柳彦璋不服从朝廷命令，将战舰一百多艘固守在溢江为水寨，仍旧进行劫掠。

忠武都将李可封戍边回来，到邠州时，逼迫邠州主帅，索取旧日拖欠的粮盐，留下来闹了四天，全境震动。秋季，七月，他们回到许州，节度使崔安潜经过审问后将他们全部杀掉。

七月二十一日庚申，王仙芝、黄巢进攻宋州，平卢、宣武、忠武三道的军队和他们作战，没有取胜，叛贼便把宋威包围在宋州城。七月十五日甲寅，左威卫上将军张自勉带领忠武道的军队七千人救援宋州，杀死贼军两千余人，叛贼撤除包围逃走了。

王铎和卢携想使张自勉把他所带领的军队归宋威指挥，郑畋认为宋威和张自勉之间已经有了猜疑，若是把张自勉分在宋威手下，一定会被宋威杀掉，因此不肯在奏疏上签名。八月初三日辛未，王铎和卢携在僖宗面前申诉，要求免官；八月十二日庚辰，郑畋请求让他回浐川去养病，僖宗都没有答应。

王仙芝攻下了安州。

盐州军队中发生叛乱，把刺史王承颜赶走了，朝廷诏令高品牛从珪前去安抚告谕他们；贬王承颜为象州司户。王承颜和崔碣向来政绩很好，由于办事严格被骄横的士卒赶走，朝廷把他们同那些因为贪暴而引起叛乱的人同样贬谪，当时的人都同情他们而感到可惜。牛从珪从盐州回来时，军队中请求由大将王宗诚为刺史。朝廷诏令王宗诚入朝到京师，赦免将士的罪过，还给他们优裕的赏赐。

九月十七日乙卯，王仙芝攻下随州，把刺史崔休徵抓起来了。山南东道节度使李福派他的儿子带兵去救援随州，在战斗中阵亡。李福上奏求援兵，朝廷派左武卫大将军李昌言带领凤翔的五百名骑兵前往支援，王仙芝就转攻复州和郢州地区。忠武军的大将张贯等四千人和宣武镇的军队同去支援襄州，他们从申州和蔡州的小路上逃回本州去；朝廷诏令忠武节度使崔安潜和宣武节度使穆仁裕派人去约束将士，仍旧去救援襄州。

冬季，十月，邠宁节度使李侃上奏说已派兵去讨伐王宗诚，把他杀了，其余党徒都被平定。

郑畋和王铎、卢携在僖宗面前争论用兵的计划，郑畋没有争赢，退了出来，不久又上奏，认为："自从王仙芝倡乱开始，崔安潜最先提出派军队共同讨伐叛乱者，接着调发士卒，尽量拿出钱粮来支持；贼军往来上千里路，使不少州县遭到破坏，唯独不敢进犯崔安潜所统辖的忠武军境内。崔安潜又把本道兵交张自勉带领，解救了宋州的围困，使得江、淮之间的漕运得以畅通，不致落入敌人手中。现在蒙恩要将张自勉带领的七千名将士全部交给张贯带领，隶属于宋威。张自勉一个人回到许州去，宋威又上奏加以诬陷和诋毁。因为立了功反而受侮辱，臣私下为这件事感到很痛心。崔安潜出兵作战以来，前后打了不少胜仗，一旦把精锐部队都交给了别人，良将空手回来，倘若强敌突然到来，又用什么去抵御敌人！臣请求只将忠武军中的四千人分给宋威，其余三千人仍由张自勉带领，守卫他所统辖的州境，这样既不侵占宋威的功劳，又避免了使崔安潜感到耻辱。"当时卢携不赞成这样办，僖宗也决定不下来。郑畋又上奏说："宋威欺骗了朝廷，败军之将的名声远扬。又听说王仙芝七次写降表请求投诚，宋威不为王仙芝上奏，朝野之人都痛恨宋威，认为应当用军法处置他。宋威这个样子的行为表现，不应该再让他掌握兵权。希望和内大臣参议商酌，尽早把他罢官。"僖宗不答应。

河中镇军队发生叛乱，把节度使刘侔赶走了，放纵士卒去焚烧抢掠。朝廷任命京兆尹窦璟为河中宣慰制置使。

黄巢侵扰蕲州和黄州，被曾元裕打败了，被斩杀四千人。黄巢率军退走。

十一月十二日己酉，任命窦璟为河中节度使。

招讨副使、都监杨复光派人游说王仙芝，王仙芝派尚君长等向杨复光请降，宋威派军队在路上拦劫了尚君长等人。十二月，宋威上奏说和尚君长等在颍州西南作战，活捉了尚君长等人献给朝廷，杨复光上奏说尚君长等人其实是投降，不是宋威擒获的。诏令侍御史归仁绍等人审问这件事，结果还是未弄明白；于是把尚君长等人在狗脊岭斩首示众。

黄巢攻下匡城县，接着攻下了濮州。朝廷诏令颍州刺史张自勉带领各道人马进击黄巢。

江州刺史刘秉仁乘驿站车船去上任，单独乘船进入柳彦璋的水寨，叛贼没有预料到他突然到来，即时迎拜，刘秉仁杀了柳彦璋，解散了他的部众。

王仙芝进犯荆南。节度使杨知温是杨知至的哥哥，由于文学优异被提拔，不知用兵打仗之事，有人告诉他叛贼将要打来，杨知温以为是瞎说的，不做防御的准备。当时汉水水浅河狭，叛贼从贾堑渡过了汉水。

（以上为第二段，写宰相不和，唐僖宗无识断，诏令是非颠倒，功臣受屈，奸人得势，贼乱难平，兵变不断。）

唐僖宗乾符五年（戊戌，公元 878 年）

春季，正月初一日丁酉，大雪，杨知温正在接受僚属的拜贺，叛贼已到达城下，攻下了外城。将佐们共同修治内城据守着，到傍晚时，杨知温还没有出来巡视。将佐请求杨知温出来安抚士卒，杨知温戴着乌纱帽，穿着黑皮袍来了，将佐请他穿上铠甲，以防备流矢。杨知温看到戍卒们抗击敌人，还吟诗给幕僚们欣赏，同时派使者向山南东道节度使李福告急，李福亲自带着他的全部人马前来救援。当时有沙陀兵五百人在襄阳，李福和他们一道去荆南，到荆门时，碰上了贼军，沙陀骑兵勇猛进击，把贼军打败了。王仙芝听到被打败的消息后，在江陵城外焚烧抢掠一番之后就离开了。江陵城下原来有三十万户人家，在这次战争中被杀的十成中有三四成。

正月初六日壬寅，招讨副使曾元裕在申州东大败王仙芝军，杀死了一万人，招降遣散的也有一万人。朝廷敕命说，由于宋威长久患病，免去了他的招讨使职务，让他回青州去；任命曾元裕为招讨使，颍州刺史张自勉为副招讨使。

正月十四日庚戌，调西川节度使高骈为荆南节度使兼盐铁转运使。

振武节度使李国昌的儿子李克用为沙陀副兵马使，戍守蔚州。当时在黄河以南各个地方，盗贼纷纷出现，云州沙陀兵马使李尽忠和牙将康君立、薛志勤、程怀信、李存璋等人谋划说："现今天下大乱，朝廷号令已不能达到四境各个地方，这就是英雄们建功立业得富贵的大好时机。我们虽各自拥兵众，而振武节度使李国昌功劳大，官位高，天下知名，他儿子的勇敢在各军中名列前茅，假如辅助他们起来独立，代北地方就很容易平定下来。"众人都认为是这样。康君立是蔚州兴唐县人；李存璋是云州人；薛志勤是奉诚都督府人。

适逢大同防御使段文楚兼水陆发运使，代北地方连年饥荒，漕运一时供应不上，段文楚就减少了一些应发给军士的衣服和粮食；另外执行法令又非常严峻，军士对他既怨恨又恼怒。李尽忠派康君立暗地到蔚州劝说李克用起兵，除掉段文楚并取代他的职务。李克用说："我父亲在振武，等我禀告他一声。"康君立说："现在机密之事已泄露出来了，迟迟不动手就会发生变故，哪里有时间向千里之外的父亲请示呢！"于是李尽忠就在夜晚带领牙兵进攻云州防御使府的牙城，把段文楚和判官柳汉璋抓起来关进监狱，自己主持大同军云州的政事，派人叫李克用来云州。李克用带领他的军队赶往云州，一路上又发展部队，二月初四日庚午，到达云州城下，军队将近一万人，屯驻在斗鸡台下。二月初六日壬申，李尽忠派使者将符节印信送给李克用，请他担任大同防御使留后。二月初七癸酉，李尽忠将段文楚等五人戴上刑械送到斗鸡台下，李克用命令军士剐了他们的肉吃掉，让骑兵践踏他们的尸骨。二月初八日甲戌，李克用进入州刺史处理政事。叫骑士向朝廷上奏表请求任职的敕命，朝廷没有答应。

李国昌上奏说："请求朝廷赶快任命大同防御使；要是李克用不服从命令，臣请求带领本道兵去讨伐他，我最终不会为了爱护一个儿子而背负国家的。"朝廷正准备让李国昌转告李克用，恰好收到他的奏文，就任命司农卿支详为大同军宣慰使，诏令把李国昌的话告诉李克用，让他用常规礼仪迎接宣慰使，并保证任命李克用的官职会让他满意。又任命太仆卿卢简方为大同防御使。

贬杨知温为郴州司马。

曾元裕奏报说在黄梅县大破王仙芝，杀了五万多人，追斩了王仙芝，传首于京师，余党逃散而去。

（以上为第三段，写贼寇祸乱江陵。官军调整部署，破斩王仙芝。）

黄巢正在进攻亳州，尚未攻下来，尚让带领王仙芝的余众归附于他，推举黄巢为首领，号冲天大将军，黄巢改年号为王霸，任命官属。黄巢攻下了沂州和濮州。在这以后，黄巢多次被官军打败，于是就给天平节度使张裼一封信，请他转奏朝廷，表示愿意投降。朝廷诏令任命黄巢为右卫将军，命令他就在郓州解散军队，去朝廷任职，黄巢终究没有去。

加给山南东道节度使李福同平章事官衔，以奖赏他救援荆南的功劳。

三月，群盗攻下朗州和岳州。招讨使曾元裕屯驻在荆州和襄州一带，黄巢从滑州侵扰宋州和汴州一带，朝廷于是任命招讨副使张自勉为东南面行营招讨使。黄巢进攻卫南县，接着转攻叶县和阳翟县。诏令调发河阳镇军队一千人去东都，和宣武、昭义的军队两千人共同保卫东都的宫殿楼阙；又任命左神武大将军刘景仁为东都应援防遏使，并指挥三镇的援军，还让他在东都招募两千人的兵员。刘景仁是刘昌的孙子。又诏令曾元裕带领部队直接回东都，调义成军三千人分别驻守轘辕、伊阙、河阴、虎牢四个关隘要地。

王仙芝的余党王重隐攻下洪州，江西观察使高湘跑往湖口镇。叛贼转掠湖南，别将曹师雄攻打宣州和润州地区。朝廷诏令曾元裕和杨复光救援宣州和润州。

湖南的官军中发生叛乱，都将高杰把观察使崔瑾赶走了。崔瑾是崔郾的儿子。

黄巢带领部队渡过长江，攻下虔、吉、饶、信等四州。

（以上为第四段，写黄巢为起义军首领，在河南流窜作战。）

朝廷看到李克用据有云中，夏季，四月，任命前大同军防御使卢简方为振武节度使，任命振武节度使李国昌为大同节度使，认为这样做李克用一定没有理由拒绝。

朝廷诏令说，由于东都军队所需的储备不够用，向商人和富有之家借贷钱谷以供数月的消费，又准备空白殿中侍御史任命书五份，监察御史任命书十份，以便赏给那些能拿出较多家财帮助国家的人。当时连年发生旱灾和蝗灾，地方上寇盗很多，从事农耕和桑蚕的人减少了一半，租赋收不上来，国家仓库里空虚了，没有财物可供开支。兵部侍郎、判度支杨严三次上奏表自我陈述才力不够，不能保证国家的财政开支，请求解除他的判度支职务，言辞非常恳切，诏令不允许。

曹师雄侵扰湖州，镇海节度使裴璩派军队打败了他。王重隐去世，他的将领徐唐莒据守洪州。

饶州将领彭幼璋联合义营兵收复了饶州。

南诏派遣酋望赵宗政向唐朝请求和亲，没有奏表，只是叫督爽向中书省写了文牒，自请为弟弟而不称臣下。诏令百官们商议这件事，礼部侍郎崔澹等人认为：“南诏骄傲越上而无礼貌，高骈又不识大体，反而由一个和尚通过卑躬屈膝说好话使南诏派来使者，要是答应了他们的请求，担心给后代留下笑柄。”高骈听到了这种议论，上奏表和崔澹争辩，僖宗下诏令告谕调解了他们的争论。崔澹是崔玙的儿子。

五月初一日丙申，郑畋和卢携讨论关于南诏的问题，卢携主张答应和亲，郑畋坚决认为不能那么办。卢携大怒，拂衣站起身来，衣袖把砚台挂到地上打破了。僖宗听说了这件事，说：“大臣彼此之间互相诟骂，怎么能作为全国的榜样！”五月初二日丁酉，把郑畋和卢携都降职为太子宾客、分司东都。任命翰林学士承旨、户部侍郎豆卢瑑为兵部侍郎，吏部侍郎崔沆为户部侍郎，二人同时都担任同平章事。

当时宰相中有喜欢施舍的人，常常叫人用布袋子装些钱跟随自己，施舍给乞丐们，每次外出，穿着破衣服的乞丐挤满了道路。有朝士写信规劝他们说：“现在老百姓很贫穷，强盗很多，相公们应当推举贤能之人出来做官，把国家各项工作抓起来，减少不急需的费用，堵塞徇私舞弊的门路，使各种事务处置恰当，各得其所，那么人人有饭吃，就没有贫穷之人了，又何必这样施舍一点小恩小惠呢！”宰相们听了很不高兴。

邕州大将杜弘送段瑳宝到南诏后，过了一年才回来。五月初九日甲辰，辛谠又派摄巡官贾宏，大将左瑜、曹朗出使到南诏去。

（以上为第五段，写朝廷羁縻南诏。宰臣好施舍，务虚誉，不以国事民生为忧。）

李国昌想父子同时据有两个方镇，受到委任为大同节度使的诏书后，把它撕毁了，又把监军杀死，不接受替代，和李克用合兵攻下遮虏军，再进攻宁武军和岢岚军。卢简方在往振武军途中，到岚州时去世。

五月二十二日丁巳，河东节度使窦瀚调发民夫挖掘晋阳城护城河。五月二十四日己未，任命都押牙康传圭为代州刺史，又调发土团一千人去代州防卫。土团到达晋阳城北时，整顿好队伍，却不行进，要求给予优厚的赏赐。当时府库空竭，窦瀚派遣马步都虞候邓虔前去安慰晓谕他们，土团把邓虔凌迟处死了，并用床抬着邓虔的尸体进入节度使府。窦瀚和监军亲自出来安慰晓谕，每人发三百文钱，一端布，土团部众才安定下来。押牙田公锷经手给乱军发钱和布，兵众就劫持他为都将，开赴代州。窦瀚向商人借了五万串钱用来作为军费开支。朝廷认为窦瀚没有才干，六月，任命前昭义节度使曹翔为河东节度使。

王仙芝余党在浙西一带侵扰，朝廷认为荆南节度使高骈原先在天平军任职时有威名，而王仙芝的党羽多半是郓州地方人，于是就调高骈为镇海节度使。

沙陀军焚烧了唐林和崞县，进入忻州境内。

秋季，七月，曹翔到达晋阳；七月初五日己亥，把土团中杀邓虔的十三人抓起来杀掉了。义武军的士兵到达晋阳后，不脱下铠甲，喧闹着要求优厚的赏赐，曹翔杀了一名十将，才使军队安定下来。朝廷调发义成、忠武、昭义、河阳各镇的军队都来到晋阳，以便抵御沙陀兵。八月十五日戊寅，曹翔带领军队去援救忻州。沙陀进攻岢岚军，攻下了外城，在洪谷打败了官军，晋阳因此关闭城门进行防守。

黄巢侵扰宣州，宣歙观察使王凝进行抵抗，在南陵打败了黄巢。黄巢没有攻下宣州，就带领部队向浙东进攻，开辟山路七百里，攻掠福建各州地方。

九月，平卢军奏报说节度使宋威去世。

九月初九日辛丑，任命诸道行营招讨使曾元裕兼任平卢节度使。

九月初十日壬寅，曹翔突然去世。十四日丙午，昭义兵大掠晋阳，街坊市民自动组织起来攻击他们，杀死一千多人，乱兵溃散而去。

中书侍郎、同平章事李蔚被降职为东都留守。任命吏部尚书郑从谠为中书侍郎、同平章事。郑从谠是郑余庆的孙子。

任命户部尚书、判户部事李都为同平章事兼河中节度使。

冬季，十月，诏令昭义节度使李钧、幽州节度使李可举和吐谷浑酋长赫连铎、白义诚，沙陀酋长安庆，萨葛酋长米海万，合兵于蔚州讨伐李国昌父子。十一月初三日甲午，岢岚军翻出城接应沙陀军。十一月十六日丁未，任命河东宣慰使崔季康为河东节度使、代北行营诏讨使。沙陀军进攻石州，十一月十九日庚戌，崔季康派兵前去救援。

十二月十三日甲戌，黄巢攻下福州，观察使韦岫丢下州城逃走了。

南诏使者赵宗政回南诏了。中书省没有给督爽回文牒，只是令西川节度使崔安潜用写信的方式，回文南诏。

崔季康和昭义节度使李钧与李克用在洪谷展开大战，河东、昭义两镇兵被打败，李钧阵亡。昭义兵回到代州，士卒们进行抢掠，代州民众把他们绝大部分都杀掉了，残余士兵从鸦鸣谷跑回上党。

在王郢叛乱的时候，临安人董昌领导土团讨贼立了功，补授董昌为石镜镇的镇将。这一年，曹师雄侵扰两浙，杭州招募各县乡兵各一千人来讨伐他，董昌和钱塘人刘孟安、阮结，富阳人闻人宇，盐官人徐及，新城人杜稜，余杭人凌文举，临平人曹信等担任各部乡兵的都将，号称杭州八都，董昌为八都的首领。不久以后，闻人宇死了，由钱塘人成及接替他。临安人钱镠由于骁勇成为董昌部下，因为立了功升任为石镜都知兵马使。

（以上为第六段，写贼乱未平，沙陀部李克昌、李克用父子又反于代北。）

唐僖宗乾符六年（己亥，公元 879 年）

春季，正月，魏王李佾去世。

镇海节度使高骈派遣他的属将张璘和梁缵分路进攻黄巢，多次打败了黄巢，并接受了黄巢部下的将领秦彦、毕师铎、李罕之、许勍等数十人的投降，黄巢跑到广南。秦彦是徐州人；毕师铎是冤句人；李罕之是项城人。

贾宏等人还未到达南诏，相继在路上死去，跟随的人也多半死了。当时辛谠已经得了风痹病，召来摄巡官徐云虔，拉着他的手说："我辛谠已经上奏朝廷派遣使者去南诏，然而使者在路上接连死去，怎么办呢？先生既然做了官，那么就要想到为国出力，能不能担任出使南诏的任务？我辛谠只恨得了风痹病不能向你下拜了。"接着低声哭泣而流涕。徐云虔说："士为知己死！我既得到明公的重用，常常感到惭愧，不知如何报答你的恩德，一定接受你的托付！"辛谠很高兴，备了丰厚的钱物和行装打发他启程了。

二月初六日丙寅，徐云虔到达南诏的善阐城，骠信接见使者时采用平等的礼仪，并接受副使以下的人行拜见礼。二月初九日己巳，骠信使慈双羽、杨宗到客馆对徐云虔说："贵府牒文中的意思是想使骠信称臣下，送上奏表并进贡地方特产；骠信已派人从西川去唐朝，与唐朝商定为兄弟关系，不然就称舅甥关系。兄弟或舅甥关系，来往中只要有书信、礼物就可以了，为什么还要奏表贡物呢？"徐云虔回答说："骠信既然想为弟或为甥，骠信是景庄帝的儿子，景庄帝难道没有兄弟吗，他们对于骠信来说，就是伯父或叔父，骠信做了国君，那么伯父或叔父都要称臣，何况是弟弟或外甥呢！况且骠信的祖先，由大唐进行册命，使六诏统一为一个国家，恩德是很深厚的，中间发生过小的纠纷，只是由于边界地区的官吏有过错。现在骠信想恢复旧日的友好关系，怎么可以违犯祖宗的旧例不称臣呢！顺应祖考的旧规是孝的表现，侍奉大国是义的行为，息止战争是有仁爱之心，审定名分是讲究礼节。这四个方面的表现都是美德，能不努力去做吗！"骠信接待徐云虔很优厚，徐云虔在善阐停留了十七天就回国了。骠信交给徐云虔两个装文件的木夹，其中一个是给朝廷中书门下省的，一个是给岭南西道的；然而还是没有答应奉表称臣纳贡。

（以上为第七段，写南诏拒绝称臣纳贡。）

二月十一日辛未，河东军到静乐，士卒们发动叛乱，杀死孔目官石裕等人。二月十二日壬申，崔季康逃回晋阳。二月十四日甲戌，都头张锴、郭昢带领行营兵进攻晋阳东阳门，进入节度使府，杀了崔季康。二月二十一日辛巳，朝廷任命陕虢观察使高浔为昭义节度使，任命邠宁节度使李侃为河东节度使。

三月，天平军节度使张裼去世，牙将崔君裕自己主持州中政事，淄州刺史曹全晸讨伐并杀了崔君裕。

夏季，四月初一日庚申，发生日食。

西川节度使崔安潜上任后没有查究盗贼，蜀人感到很奇怪。崔安潜说："强盗如果没有地方官吏包容就不能有所作为。现在如果严格查究，那么被牵连的人就会很多，进行搜捕的话，就要烦扰地方。"四月初五日甲子，从官库取出一千五百串钱，分别摆在三个市场上，在上面挂出告示，说："有能够告捕一名强盗的，赏钱五百串。强盗不能一个人干，一定有同伙，同伙的人检举揭发，免掉他本人的罪，赏钱同平常人一样。"没有多久，有捕盗的人来了，被捕的强盗不服气，说："你和我一同做强盗有十七年之久，抢到的赃物都是平均分给，你怎么能捉我！我和你都应该处死。"崔安潜说："你既然知道我贴出了告示，为什么不把他捕捉送来！如果那样，他应当被处死，你就要得到赏钱了。你既然被他先走了一步，要被处死还有什么可说的！"立即命令给捕盗的人赏钱，使强盗看着，然后把强盗在市场凌迟处死，并且把他的全家人都杀掉了。于是那些强盗和同伙们互相猜疑，没有地方可以立足了，等不到天亮，就分散逃出本地，自此境内一个强盗也没有了。

崔安潜觉得蜀兵胆小软弱，奏报朝廷后派大将带着文牒到陈州、许州一带招募壮士，然后和蜀人混杂在一起，经过训练后调用，共有三千人，分为三个军营，也和忠武军一样带黄帽，号黄头军。又奏请洪州的弓弩手，教蜀人用弩箭射移动靶子，选出了一千人，号称神机弩营。经过这样训练安排，蜀兵逐渐强大起来。

（以上为第八段，写西川节度使崔安潜智计除盗，强化蜀兵。）

凉王李侹去世。

僖宗疑虑着群盗的事，王铎上奏说："臣为宰相的首脑，在朝廷不能够分担陛下的忧虑，请求亲自去督导诸将讨伐群盗。"于是任命王铎守司徒兼侍中，充任荆南节度使、南面行营招讨都统。

五月初二日辛卯，敕令赏赐河东军士银两。牙将贺公雅的部下士卒发动叛乱，焚烧抢掠晋阳三城，把孔目官王敬抓起来送到马步司。节度使李侃和监军亲自出来慰问告谕，又应他们的要求在牙门前把王敬杀了，才使乱兵们安定下来。

泰宁军节度使李系，是李晟的曾孙，口才很好实际上却没有什么谋略，王铎认为他家世代都是良将，上奏推举他担任行营副都统兼湖南观察使，要他带领精兵五万人和土团驻扎在潭州，用以堵塞岭北的通道，抵御黄巢北犯。

河东都虞候每夜秘密捕捉贺公雅的部卒，将他们全家杀掉，五月二十八日丁巳，余党近百人号称报冤将，大肆在晋阳三城中劫掠，放火烧了马步都虞候张锴和府城都虞候郭昢的家。节度使李侃下令说，由于军府不安，需要委曲顺从军情，于是收捕张锴和郭昢，在牙门前处斩，并把他们的家属流放到外地去，任命贺公雅为马步都虞候。张锴、郭昢在临刑时哭泣着对大家说："我们所杀戮的人都是根据捕盗司的秘密命令干的，现在被冤屈而死，难道就没有正直勇敢的人相救吗！"于是军士们又大闹起来，抢出张锴和郭昢回到都虞候司。不久，李侃又下令，恢复张锴和郭昢原来的官职，并把他们的家属又召回来；随即把捕盗司元义宗等三十多家的人都抓起来，把他们全部杀掉。五月三十日己未，任命马步都教练使朱玫等为三城斩斫使，带领士兵分头捕捉报冤将，把他们全部杀了，军城才安定下来。

黄巢写信给浙东观察使崔璆和岭南东道节度使李迢，要求担任天平节度使，二人为黄巢奏报了朝廷；朝廷不答应。黄巢又上奏表要求担任广州节度使，僖宗命令大臣讨论这件事。左仆射于琮认为："广州是海外商船来往、财宝聚积之地，怎么能让叛贼得到它！"也没有答应，于是讨论另外给黄巢一个官职。六月，宰相请求任命黄巢为率府率，僖宗答应了。

河东节度使李侃由于军府多次发生叛乱，借口有病，请求让他去就医。朝廷敕命用代州刺史康传圭为河东行军司马，征调李侃回到京师去。秋季，八月初七日甲子，李侃从晋阳启程。不久，任命东都留守李蔚为同平章事，充任河东节度使。

（以上为第九段，写河东节度使李侃无威略，多次发生兵变。）

镇海节度使高骈上奏说："请求任命暂任的舒州刺史郎幼复担任镇海留后，据守浙西，派遣都知兵马使张璘带领五千军队在郴州守卫险要地方，兵马使留后王重任带领八千军队在循州和潮州一带邀击遮拦敌人，臣自己带领一万军队从大庾岭赶往广州进击黄巢。黄巢听说臣前去攻打他，一定会逃跑，请求朝廷命令王铎从他的部队中调三万人去梧州、桂州、昭州和永州据守险要关隘。"僖宗不答应。

九月，黄巢收到朝廷任命他为率府率的凭证，大怒，辱骂宰相，猛攻广州，当天就攻下了，抓住了节度使李迢，转而劫掠岭南各州县。黄巢叫李迢草拟奏表表述他的抱负，李迢说："我家族世世代代受到国家的恩惠，亲戚中很多人都在朝廷任职，哪怕砍断我的手腕，奏表也是不能写的。"黄巢就把他杀了。

冬季，十月，任命镇海节度使高骈为淮南节度使，并充任盐铁转运使，调泾原节度使周宝为镇海节度使，提升山南东道行军司马刘巨容为节度使。周宝是平州人。

黄巢在岭南，士卒中得瘴疫病死的十人中就有三四人，他的手下人劝他回到北方去以便建立大的功业，黄巢采纳了他们的意见。他们在桂州编扎大木排数十个，乘着涨大水，沿湘江而下，经过永州和衡州地区，十月二十七日癸未，抵达潭州城下。湖南观察使李系环城据守着不敢出战，黄巢紧急进攻，经过一天，就攻下了潭州，李系逃奔朗州。黄巢把守城的士卒都杀了，向下游漂流的尸体满江都是。尚让乘胜进逼江陵，号称有五十万人马。当时各道援军尚未赶来，江陵驻扎的军队还不到一万人，王铎留下他的部将刘汉宏守江陵，自己带领一部分军队跑去襄阳，说是想和刘巨容会师。王铎离开了以后，刘汉宏在江陵大肆抢掠，把房屋都焚烧光了，士民逃窜到山谷中避祸。适逢下大雪，冻死的尸体漫山遍野。隔了十多天，叛贼才到达。刘汉宏是兖州人，他带领部下回到北方做了强盗。

闰十月初一日丁亥，河东节度使李蔚得了病，任命供军副使李邵暂为观察留后，监军李奉皋暂为兵马留后。闰十月初三日己丑，李蔚去世。都虞候张锴和郭昢联名上奏状要求罢免李邵，任命少尹丁球知观察留后。

十一月初三日戊午，任命定州已来制置使万年人王处存为义武节度使，河东行军司马、雁门关已来制置使康传圭为河东节度使。

黄巢的部队向北面的襄阳进发，刘巨容和江西招讨使、淄州刺史曹全晸的军队汇合驻扎在荆门抵御黄巢。叛贼到达时，刘巨容在丛林中设下埋伏，曹全晸派轻骑迎战，假装被打败逃走，叛贼追赶他们，伏兵突然出现，大破贼众，乘胜追赶他们，等到江陵时，俘虏和歼灭了黄巢部队的十分之七八。黄巢和尚让收集余众渡过长江，向东而去。有人劝刘巨容尽力追赶黄巢，说这样可以把叛贼全部消灭。刘巨容说："国家喜欢做对不起别人的事，有了紧急情况就对将士安抚存问，不吝惜官爵和赏赐，事情安定以后就抛弃了他们，有的还被治罪；不如让叛贼留下来作为我们取得富贵的一种凭借。"众人就停止了追赶贼军。曹全晸渡江追击叛贼，遇上朝廷任命泰宁都将段彦谟接替他为招讨使，曹全晸也停止了追击黄巢。这样一来，叛贼的势力又振兴起来，进攻鄂州，攻下了外城，随后转掠饶、信、池、宣、歙、杭等十五州，军队发展到了二十万人。

康传圭从代州赶往晋阳，十一月二十五日庚辰，到达乌城驿；张锴和郭昢前去迎接，被乱刀砍死，康传圭到军府后，又把他们全家杀了。

十二月，调王铎为太子宾客，分司东都。

原先，兵部尚书卢携曾推荐高骈，说他可担任都统之职，到这时，高骈手下的将领张璘等人多次打败黄巢，于是又任命卢携为门下侍郎、平章事，关东各地的节度使，凡是王铎、郑畋所任命的，多半都换了另外的人担任。

这一年，桂阳叛贼陈彦谦攻下郴州，把刺史董岳杀掉了。

（以上为第十段，写黄巢下广州，北上中原，一路势如破竹。官军大胜于江陵，纵寇东走，留贼以为自存之资。）

唐僖宗广明元年（庚子，公元 880 年）

春季，正月初一日乙卯，改年号为广明。

沙陀军队进入雁门关，侵扰忻、代二州。二月二十六日庚戌，沙陀兵两万余人逼近晋阳，二月二十七日辛亥，攻占太谷县。朝廷派遣汝州防御使博昌人诸葛爽带领东都防御兵救援河东镇。

河东节度使康传圭，只晓得使用严刑峻法，复仇报怨，用强暴手段夺取富人的财物。康传圭派遣遮虏军使苏弘轸去进攻太谷的沙陀军队，到秦城时，遇上了沙陀兵，被打败后退回来，康传圭大怒，把苏弘轸杀了。当时沙陀兵已经退回到代北，康传圭派遣都教练使张彦球带领三千人马去追击他们。三月初九日壬戌，到百井，军队中发生变乱，转回晋阳。康传圭关闭城门抵御乱兵，乱兵从西明门攻入城，杀死了康传圭；监军周从寓亲自出来慰问晓谕他们，才安定下来，任命张彦球为府城都虞候。朝廷听到这个消息后，派遣使者宣慰说："杀节度使一事出于一时的激愤，各人应当安定下来，不要再忧愁恐惧了。"

左拾遗侯昌业看到盗贼遍布关东各地，而僖宗又不亲自处理政事，只知道一味游玩，赏赐没有限制，田令孜专权而不把僖宗放在眼里，天象也发生异常的现象，国家处在危险之中，于是上疏直言进谏。僖宗看了奏疏大怒，把侯昌业召到内侍省，将他处死。

僖宗喜欢骑马射箭，玩剑弄槊，算数计度，至于音律和博戏，没有不精通到极点的；又爱好击毬、斗鸡，与诸王赌鹅，鹅一头达到五十缗钱。尤其精于打马毬，他曾经对优人石野猪说："我要是参加打马毬进士的考试，一定是状元。"石野猪回答说："要是遇上尧舜担任礼部侍郎，恐怕陛下难免要被放黜。"僖宗听了之后一笑了之。

度支由于用度不足，上奏要求借富户和胡商的货财；敕命向他们借一半。盐铁转运使高骈上奏说："天下盗贼纷纷发生，都是由于饥寒的缘故，只有富户和胡商没有因饥寒而动乱。"于是停止向他们借钱。

高骈上奏改杨子院为发运使。

（以上为第十一段，写沙陀扰边、节镇兵变、关东流寇猖獗，唐僖宗仍游宴无度，杀戮谏官，田令孜专权，唐王室已在风雨飘摇中。）

三月十七日庚午，任命左金吾大将军陈敬瑄为西川节度使。陈敬瑄是许州人，为田令孜的哥哥。

原先，崔安潜镇守许昌，田令孜为陈敬瑄请求担任兵马使，崔安潜不答应。陈敬瑄通过田令孜得到左神策军的职务，经过数年，累迁到大将军。田令孜看到关东群盗一天比一天多起来，暗地里打算将来到蜀地避乱，上奏请求任命陈敬瑄和他的心腹左神策大将军杨师立、牛勖、罗元杲镇守三川，僖宗命令四人通过打马毬比赛以得三川的职位，陈敬瑄得到第一场胜利，就任命他为西川节度使，以取代崔安潜。

三月十八日辛未，调门下侍郎、同平章事郑从谠为同平章事，充任河东节度使。康传圭死了以后，河东兵更加骄横，所以派宰相去镇守那个地方，让他自己选择属官。郑从谠奏请任命长安令王调为节度副使，前兵部员外郎、史馆修撰刘崇龟为节度判官，前司勋员外郎、史馆修撰赵崇为观察判官，前进士刘崇鲁为推官。当时人称这套班子为小朝廷，是说其中名士很多。刘崇龟和刘崇鲁，都是刘政会的第七代孙。当时是在晋阳新乱之后，每天都有杀掠，郑从谠表面待人温和而个性却很强劲，为人多谋而善断，将士中想做坏事的人，郑从谠每每能在事先发觉，把他们杀掉，这样坏人都感到震惊恐惧。郑从谠对于善良的人安抚接待，从不猜疑，他知道张彦球有谋略，百井的兵变不是张彦球本来的意愿，于是只查出首先倡乱的人并处以死刑，召张彦球来对他进行安慰和晓谕，又把兵权都交给了他，由于这样，军队中就安定了。张彦球为郑从谠尽死力效劳，最终发挥了很大的作用。

（以上为第十二段，写权奸专政，唐僖宗以击毬胜负选节度，如同儿戏。）

淮南节度使高骈派遣他的将领张璘等进攻黄巢，多次打胜仗，卢携上奏任命高骈为诸道行营兵马都统。高骈于是传檄征集天下兵马，又广为招募兵员，获得士兵和客兵共七万人，威望大大提高，朝廷深深地倚靠他。

安南军队中发生叛乱，节度使曾衮出城躲避，各道派去戍守邕管地方的军队往往自动回本道去了。

夏季，四月十四日丁酉，任命太仆卿李琢为蔚、朔等州招讨都统、行营节度使。李琢是李听的儿子。

张璘渡过长江进攻贼帅王重霸，迫使他投降。由于黄巢的军队屡次被打败，黄巢退到饶州以自保，别将常宏带领部下数万人向官军投降。张璘进攻饶州，攻下来了，黄巢逃走。当时江、淮各路军队屡次奏报说打败了贼军，大多不是事实，宰相以下的官员上奏表道贺，朝廷稍觉安稳一些。

任命李琢为蔚朔节度使，仍然担任都统职务。

任命杨师立为东川节度使，牛勖为山南西道节度使。

任命诸葛爽为北面行营副招讨。

原先，刘巨容回襄阳去了，荆南监军杨复光派忠武军都将宋浩暂时主持节度使府的政事，泰宁军都将段彦謩派兵守护江陵城；朝廷诏令宋浩为荆南安抚使，段彦謩以位在宋浩之下为耻。宋浩禁止军士砍伐街道中的槐树和柳树，段彦謩的部卒犯了禁令，宋浩用刑杖击他的背，段彦謩大怒，带着刀子跑到宋浩家，把宋浩及其两个儿子都杀了。杨复光上奏说宋浩残忍，被兵众诛杀；诏令任命段彦謩为朗州刺史，任命工部侍郎郑绍业为荆南节度使。

五月初四日丁巳，任命汝州防御使诸葛爽为振武节度使。

刘汉宏的党徒逐渐强盛，侵扰宋州和兖州；五月十一日甲子，征调东方各道的军队去讨伐刘汉宏。

黄巢屯驻信州，遇上了传染病，士卒中死了不少人。张璘加紧进攻他，黄巢用金钱收买张璘，并且写信请求向高骈投降，并要求高骈转奏朝廷保举他；高骈想用引诱的办法抓住黄巢，答应为他请求节度使官职。当时昭义、感化、义武等军都到了淮南，高骈担心他们分享了他的功劳，于是上奏说叛贼不多久就要被扫平，不需烦扰各道的军队，请求全部遣调回本道。朝廷答应了。叛贼探听到各道的军队已经北去并渡过淮河，就和高骈断绝关系，并且向他挑战。高骈大怒，命令张璘进击黄巢，官军被打败，张璘战死，黄巢的势力又振兴起来了。

（以上为第十三段，写高骈贪功纵贼，贻害无穷。）

五月二十二日乙亥，任命枢密使西门思恭为凤翔镇监军。五月二十三日丙子，任命宣徽使李顺融为枢密使。都是用白麻纸书写诏命，由閤门发出，和任命将相时的规格一样。

西川节度使陈敬瑄出身微贱，当任职公报传到蜀地时，蜀人都感到吃惊，不知道陈敬瑄是一个什么样的人。有一个青城县妖人利用陈敬瑄的声势，带领他的党徒假称是陈仆射，住在客馆中，叫巡虞候取白马来，神情很紧急，马步使瞿大夫察觉他们是假装的，就把他们抓了起来，用狗血淋他们的头，这些人承认了罪过，随即杀了他们。六月初八日庚寅，陈敬瑄到达成都。

黄巢的将领攻下睦州和婺州。

卢携因为得了风痛病不能行走，请假在家养病，六月十七日己亥，才入朝见僖宗，敕令不要下拜，派了两个黄门官扶着他。卢携在朝廷内仗着田令孜的势力，在朝廷外倚靠高骈的军队，僖宗对他给以优厚的待遇，这样一来他专掌朝廷大权，随心所欲地行使权力。卢携得了病以后，精神不好，政事完全由他的亲信杨温和李修做最后裁决，使得行贿赂的事公开进行。豆卢瑑没有其他才干，只会附会卢携。崔沆不时有所陈奏，常常被豆卢瑑从中阻隔破坏。

六月十八日庚子，李琢上奏说沙陀有两千人前来投降。李琢当时带领军队一万人驻扎在代州，与卢龙节度使李可举、吐谷浑都督赫连铎共同讨伐沙陀。李克用派遣大将高文集据守朔州，亲自带领部下在雄武军抵御李可举。赫连铎派人去劝说高文集回到唐朝来，高文集于是把李克用的将领傅文达抓起来，和沙陀酋长李友金、萨葛都督米海万、安庆都督史敬存一起向李琢投降，打开城门迎接官军。李友金是李克用的族父。

六月二十八日庚戌，黄巢进攻宣州，把它攻下来了。

刘汉宏向南攻掠申州和光州。

赵宗政回南诏以后，西川节度使崔安潜上表认为崔澹的主张是正确的，并且说："南诏小蛮，本来只处在云南一个郡的地方；现在派使者去与他议和，他们会以为中原很软弱，如果接下来又要求娶公主，我们怎么拒绝他呢！"僖宗命令宰相们讨论这个问题。卢携和豆卢瑑上奏说："大中末年，府库很充实。从咸通年间以来，蛮人两次攻下安南和邕管，一次侵入黔中，四次进犯西川，国家征兵运粮，使得全国人民很疲敝，在十五年多的时间里，国家的租赋大半不能送到京师去，掌管财赋的三使和内库因而空虚枯竭，战士们在西南地区患瘴疠之病而死去，老百姓因贫困而成为盗贼，广大的中原地区榛杞丛生，一片荒凉，这都是和蛮人作战带来的恶果。前年冬天，蛮人没有侵扰边地，是由于赵宗政尚未回去。去年冬天，蛮人没有侵扰边地，是由于徐云虔回来复命，蛮人还抱有一线希望。现在安南的内城被叛卒所据有，节度使虽然进攻也尚未攻下，其余的戍卒，多半都自动回本道去了，邕管的客军，又减少了一半。冬天即将到来，倘若蛮人发动进攻，怎样来抵御他们呢！在这种情况下，不如暂且派遣使臣去答复，即使未能使他称臣奉贡，也不致使他怀怨更深而坚决犯边，这样也就可以了。"于是拟出诏书给陈敬瑄，答应南诏的和亲要求，可以不称臣，叫陈敬瑄把诏书抄出来，连同书信送给南诏，还增加赏赐他们的金帛。并任命嗣曹王李龟年为宗正少卿担任使者，命徐云虔为副使，另外还派遣了内使，共同带着书信财物去南诏。

（以上为第十四段，写官军打败李克用父子，代北暂安。唐与南诏以平等礼构和。）

秋季，七月，黄巢从采石戍渡过长江，包围了天长和六合两县，兵势甚为强盛，淮南将毕师铎对高骈说：“朝廷倚靠你来决定国家的安危，现在叛贼的数十万军队乘胜长驱直入，毫无阻拦，如果不据守在险要的地方来打击他们，让他们渡过了长江和淮河，就无法控制他们了，一定会成为中原地区极大祸患。”高骈看到各道的军队都回去了，张璘又已战死，考虑到自己没有力量制止黄巢的发展，畏缩着不敢出兵作战，只是命令手下的将领严加防备，自我保存力量罢了，并且上奏表向朝廷告急，说：“贼军六十多万屯驻天长县，离臣所在的城不到五十里。”原先，卢携称：“高骈有文武大才，要是把兵权都交给他，黄巢是很容易平定的。”朝廷内外虽然有人认为高骈是不值得依靠的，然而还是希望他有所作为。等到高骈的奏表送到朝廷，上上下下的人，大失所望，人们大受惊骇。诏书责备高骈遣散各道的军队，致使叛贼乘官方无防备而渡过长江。高骈上奏表说：“臣奏闻朝廷以后才遣归各道的军队，又不是我擅自这样做的。现在臣尽力保卫一个地区，一定能办得到；只是担心叛贼辗转渡过淮河，应当赶紧命令关东各道将士妥善地进行防御。”此后高骈说得了风痹病，不再出兵作战。

朝廷诏令河南各道发兵屯驻溵水，泰宁节度使齐克让屯驻汝州，用以防御黄巢。

七月初九日辛酉，任命淄州刺史曹全晸为天平节度使兼东面副都统。

刘汉宏请求投降；七月十六日戊辰，任命他为宿州刺史。

李克用从雄武军带军队回来在朔州进击高文集，李可举派遣行军司马韩玄绍在药儿岭拦击他，打败李克用，杀死七千余人，李尽忠、程怀信都战死；又在雄武军境内打败李克用，杀死一万人。李琢和赫连铎进攻蔚州，李国昌被打败，部众都溃散了，他和李克用以及宗族向北进入鞑靼境内。朝廷下诏任命赫连铎为云州刺史、大同军防御使，吐谷浑白义成为蔚州刺史，萨葛米海万为朔州刺史，加给李可举兼侍中的官衔。

鞑靼本来是靺鞨的别部，居住在阴山一带。隔了几个月，赫连铎暗地贿赂鞑靼，叫他们捉拿李国昌父子，李克用知道了这件事，当时他和鞑靼部的豪帅游猎，放置马鞭、木叶或者悬针作射靶，没有不射中的，豪帅很佩服他。又设置酒宴和豪帅对饮，饮到半醉时，李克用说：“我得罪了天子，愿为国家效忠也不可能了。现在听说黄巢向北打来，一定会给中原地区带来祸患，有一天天子要是赦免了我的罪过，能够和你们一道到南方去共立大功，不是很快意的事吗！人生在世有多少时间，哪个愿意在砂碛这地方过一辈子啊！”鞑靼了解到李国昌父子不会长期留在那里，就没有捕杀他们。

八月十三日甲午，调任前西川节度使崔安潜为太子宾客，分司东都。

九月，东都奏称：“汝州所招募的军队李光庭等五百人从代州回来，经过东都，焚烧了洛阳安喜门，烧抢店铺，然后由长夏门离去了。”

黄巢的军队号称十五万人，曹全晸指挥部下六千人和黄巢作战，取得了不少战绩，由于寡不敌众，撤退后屯驻在泗州，以等待其他各支援军的到来，以便合力进攻黄巢；但是高骈竟然不去救援他，贼军继续攻击曹全晸，把他打败了。

徐州派遣军队三千人到溵水去，经过许昌。徐州的士卒向来以凶狠出名，许州节度使薛能，自己认为从前镇守过彭城，对于徐州人有恩信，将徐州士卒安置在毬场。到傍晚时，徐州士卒大声喧闹，薛能登上子城楼询问发生了什么事，回答说是供应太差了，薛能慰劳了很久，才安定下来；许州人看到这种情况非常害怕。当时忠武军也派遣了大将周岌到溵水去设防，离开许州不远，听到徐卒闹事的消息，当夜带军队回来，黎明时分进入城中，袭击徐卒，把他们都杀掉了；并且埋怨薛能对待徐卒的优厚待遇，就把薛能赶走了。薛能将要跑到襄阳去，乱兵追上去把薛能杀了，连家属也不放过。周岌自称忠武军留后。汝、郑把截制置使齐克让担心被周岌所袭击，带领军队回到兖州去了，于是各道驻防溵水的军队都散走了。黄巢于是命令全部人马都渡过淮河，所经过地方不掳掠，只选取壮年男子来扩充军队。

先前，征调振武节度使吴师泰为左金吾大将军，由诸葛爽接替他为振武节度使。吴师泰看到朝廷变故太多，指使军民上奏表挽留自己。冬季，十月，朝廷又任命吴师泰为振武节度使，另以诸葛爽为夏绥节度使。

黄巢攻下申州，于是进入颍、宋、徐、兖各州的境内，所到之处，官吏士民都逃散了。

群盗攻下澧州，杀死刺史李询和判官皇甫镇。皇甫镇到礼部考进士二十三次之多，还是没有考取，李询聘请他为判官。叛贼攻下澧州，皇甫镇逃时，询问别人说：“刺史逃走了吗？”别人告诉他道：“被叛贼捉住了。”皇甫镇说：“我受到刺史的知遇之恩，离开他又到什么地方去呢！”于是回转来到叛贼那里，最终与李询一同被叛贼杀死。

（以上为第十五段，写黄巢渡长江，过淮河，纵横河南。）

【点评】

本卷点评王仙芝之死、黄巢流动作战、刘巨容纵寇以为资、僖宗游宴等四事。

王仙芝之死。王仙芝是唐末大起义的发难者。僖宗乾符元年（公元874年）底，王仙芝在长垣（今河南长垣东北）起义，有众数千。王仙芝自称天补平均大将军兼海内诸豪都统，传檄诸道，指陈吏贪赋重，赏罚不平，切中当时弊病，各地民众纷纷响应。第二年，即公元875年六月，王仙芝与其党尚君长攻破濮、曹二州，又打败天平节度使薛崇。这时冤句人黄巢起义响应，声势大振。当时淮南、忠武、宣武、义成、天平五镇民众同时起义，攻击州县，拖住各镇的官军。乾符三年（公元876年），唐朝廷下令天下乡村各备弓刀器械，组织地方土团配合官军围剿叛贼。官军诸道行营招讨草贼使宋威在沂州打败王仙芝，起义军转入河南，攻破汝州，东都大震。随后南下攻唐州、邓州，关东各州县守城自保，起义军各个击破，攻下郢州、复州，又攻申、光、卢、寿、舒等州，淮南告急。

起义军形势高涨，朝廷害怕失去扬州，贡赋断决，惶恐失措之时，蕲州刺史裴偓开门请王仙芝、黄巢进城，游说王仙芝归唐，裴偓向朝廷上奏请求官位。朝廷派中使授给王仙芝左神策军押牙监察御史，黄巢不从，责骂王仙芝，王仙芝不敢接受官职，但两人关系破裂，起义军分为两部，王仙芝、黄巢各率领一部，分头转战。

乾符四年（公元877年），王仙芝攻破鄂州，又破安州、随州。王仙芝虽然取得胜利，但已无斗志，七次向官军提出投降，招讨使宋威都不向朝廷转奏。宋威看不起王仙芝，决心打败王仙芝立功。招讨副使宦官杨复光暗中联络王仙芝，王仙芝派尚君长直接向朝廷投降。宋威派兵截击俘获尚君长，虚报战胜擒获贼首。王仙芝请降，遭到了官军的愚弄。起义军分裂，势力削弱，王仙芝向官军摇尾，士气低落。朝廷将尚君长正法。乾符五年（公元878年），官军在申州大破王仙芝，追击到黄梅斩杀了王仙芝。一个起义军首领，变节利用起义军的鲜血来染红一顶官帽，结果可耻地失败了。王仙芝轰轰烈烈闹了五年，给了唐政权以沉重的打击，却又因为他自己的背叛行为，葬送了这一支起义军，大大削弱了对唐朝的义军力量，使起义转入低潮。

黄巢流动作战。黄巢和王仙芝都是贩私盐出身。盐铁专卖，是封建专制政权的一大经济支柱。盐是生活必需品，盐利是朝廷的重要收入。唐玄宗时，盐价每斗十钱，唐肃宗时加到一百钱，涨了十倍。唐德宗时涨到每斗三百七十钱。盐税从每岁四十万缗开始，到唐代宗时已增到每岁达六百万缗，占朝廷赋税之半，宫廷费用、军队粮饷、百官俸禄都靠盐税支撑。在重利之下，贩私盐行为猖獗。从唐德宗时起，课以重罚，朝廷派大批官吏查禁私盐，凡卖私盐一石以上，处以死刑；一斗以上，处以杖刑；卖盐一升，也要处罚。于是，贩私盐的人结伙成群与官府斗争，必须有计谋和勇力，长期的斗争，产生了领袖。王仙芝和黄巢都是私盐犯，在与官府斗争中积累了经验，尤其是黄巢，善骑射，喜任侠，有勇有谋，是一位杰出的首领。黄巢能文能武。他涉猎经传，却屡次进士不第，于是聚众响应王仙芝。私盐贩与起义群众相结合，成了一支有组织的队伍，因此官军屡讨不胜。

唐中期以后，府兵制破坏，雇佣兵成为唐政权的支柱。各地的雇佣兵分为三种情况。河北、河南军事重镇是骄兵悍将，特别是节度使的亲兵卫队，更是一群亡命之徒，往往一个人倡乱，群起附和。各节度时常发生的兵变，就是由这群骄兵悍将发起的。骄兵悍将纪律差，但战斗力强。庞勋的骨干就是这样一群武装。再一类是弱兵，军事上次要的镇，如淮南各道，有兵有将，战斗力不强，但听从朝廷指挥。第三类是虚兵，军事上不重要的地方，兵不足额，少训练，根本没有战斗力，江南东道、西道各镇就多虚兵，尤以江南东道为最。例如浙江东道设都团练观察使，治越州，辖有越、台、明等八州，各州兵都不满三百。黄巢针对这种情况，他出击避实就虚，采取大范围流动作战与官军周旋，力量壮大向中原进攻，作战不利向江淮以南转移，不守城池，流动就食。历代农民起义，总是以流动形式蓄聚力量，被称为流寇。但是黄巢流动作战，在中国农民战争史上空前绝后。他从山东转战河南，王仙芝战死，起义军转入低潮。黄巢渡过长江，转战江南东西两道，纵横今江浙闽地区，然后进入岭南，下广州，待力量壮大，北上中原，再入河南，最后破两京，在长安建立政权。黄巢流动作战，在大半个中国横冲直撞，行程数万里，创造了农民起义运动战的奇迹。

刘巨容纵寇以为资。刘巨容，徐州人，行伍出身为州大将。庞勋叛乱，刘巨容逃出投归官军，授埇桥镇遏使，以讨浙西王郢功，徙楚州团练使。黄巢乱江淮，朝廷任命刘巨容为襄州行军司马，不久升任山南东道节度使。乾符元年（公元879年），黄巢由广州北上，刘巨容阻击黄巢于荆门关，大破黄巢，起义军几乎全军覆没。刘巨容生俘起义军将领十三人，黄巢乘船顺江东走，诸将乘胜追击，要擒斩黄巢。刘巨容制止追击，对诸将说："朝廷经常忘恩负义，有事时就加官厚赏，国家无事就忘了功臣，不如留下黄巢，作为发财的资本。"诸将认为说得对，放跑了黄巢。王夫之认为，武人骄悍而愚笨，不懂得国家没有了，个人身家性命也保不住，痛斥刘巨容的行为是奸巧人的借口，懿宗、僖宗虽然无道，但也没有滥杀功臣，而刘巨容负国，将遭天诛地灭。后来黄巢入长安，僖宗逃奔四川，刘巨容兵败入蜀，被田令孜所杀。王夫之所云，刘巨容将遭"天宪"即指此。（《读通鉴论》卷二十七）

僖宗游宴。僖宗李儇，唐懿宗第五子。李儇，原名李俨，被封普王，即位后改名李儇。李儇即位时只有十二岁，还是一个嬉游无节制的少年，在宦官引导下，整天地纵乐游宴击毬，不知治国为何物。朝政被宦官左军中尉刘行深、右军中尉韩文约，随后是田令孜掌控，小人当道，是非颠倒。当时中外大臣，只有宰相郑畋一人忧心国事，与王铎、卢携两相政见不合，常常在僖宗面前激烈争论。招讨使宋威无能，征讨失败，被黄巢围困于宋州，忠武大将张自勉率领忠武兵救援，解了宋州之围，宋威反而嫉妒，要兼统张自勉的忠武兵。王铎、卢携支持宋威，郑畋坚决反对，如果让张自勉隶属宋威，功臣将要受害。僖宗不辨是非，支持王铎、卢携，站在了奸佞一边。王铎、卢携、宋威等，均依附宦官，常常颠倒是非，使英雄夺气。刘巨容纵寇以为资，不无原因。僖宗爱好骑射，舞枪弄棒、算术、音律，样样精通，尤长于击毬，常与诸王斗鸡斗鹅，整天嬉游无度，就是不关心国事。僖宗对身边的人说："国家开展击毬考试，朕一定是状元。"身边的人开玩笑回答说："要是尧舜在世当主考，陛下一定要落榜。"僖宗听了，哈哈大笑。

由于僖宗只是一个爱玩耍的顽童，被宦官看中，懿宗病危，宦官杀了太子及年长的诸王，立了僖宗。自幼与僖宗"同卧起"的宦官田令孜，青云直上，僖宗呼之为"父"，把"政事一委之"，田令孜为中尉，掌控了朝政。田令孜，蜀郡人，本姓陈，字仲则，随义父改为田姓入宫为宦官。田令孜替其兄陈敬瑄谋求西川节度使职位，怂恿僖宗击毬定胜负。左神策大将杨师立、牛勖、罗元杲三人都是田令孜的心腹，由他们三人与陈敬瑄四人一起击毬，三人故意输给了陈敬瑄，就这样陈敬瑄得了西川节度使职位。田令孜已经在安排逃蜀计划，唐朝处于风雨飘摇之中。

唐纪七十

唐僖宗广明元年至中和二年（公元880—公元882）

【起上章困敦（庚子，公元880年）十一月，尽玄黓摄提格（壬寅，公元882章）四月，凡一年有奇】

【大事提要】

本卷记事起公元880年十一月，讫公元882年四月，凡一年又六月。当唐僖宗广明元年十一月至中和二年四月。此时期，黄巢高奏凯歌，破东都，入长安，称帝建国号大齐，农民起义军势力达于巅峰。宦官田令孜劫持僖宗效唐玄宗入蜀。西川节度使陈瑄为田令孜死党。故田令孜入蜀，作威作福，祸害西川，陈敬瑄为虎作伥，驱良为盗。流亡的唐皇室，走到哪里，把腐败带到哪里。凤翔节度使郑畋，阻击黄巢，传檄诸镇兵连手讨贼，诸镇响应，一度攻入长安。但官军纪律败坏，入京师大肆抢劫，黄巢乘机杀回马枪，再入长安。黄巢初入长安纪律严明，受到京师民众欢迎。黄巢大杀百官，灭唐宗室，煽起了部属流寇习气，失去了民心。黄巢再入长安，于是大杀士民，注定了他的失败。唐朝气数将尽，黄巢又非真龙天子，各地拥有强兵的藩镇，野心日炽，军阀割据称雄的局面正在到来。

僖宗惠圣恭定孝皇帝中之上

唐僖宗广明元年（庚子，公元880年）

十一月，河中都虞候王重荣作乱，把坊市都抢掠光了。

宿州刺史刘汉宏埋怨朝廷赏赐太微薄，十一月初四日甲寅，任命刘汉宏为浙东观察使。

朝廷诏令河东节度使郑从谠把本道的军队交给诸葛爽和代州刺史朱玫，让他们带领军队向南去讨伐黄巢。十一月初五日乙卯，任命代北都统李琢为河阳节度使。

原先，黄巢将要渡过淮河，豆卢瑑请求把天平节度使的节钺授给黄巢，等到黄巢上任以后再讨伐他。卢携说："盗贼的贪心是不会满足的，即使给他官职，也不能制止他们抢掠，不如赶紧调发各道的军队扼守泗州，任命汴州节度使为都统，贼军既然不能前进入关，一定会回师剽掠淮南、两浙等地，聊以在沿海一带偷生而已！"僖宗听从了卢携的意见。接着淮北各地相继告急，卢携借口有病不再出面，京师大为恐惧。十一月初十日庚申，东都奏报说黄巢已经进入汝州境内。

十一月十一日辛酉，任命王重荣暂时担任河中留后，调河中节度使、同平章事李都为太子少傅。

汝郑把截制置都指挥使齐克让奏报：黄巢自称天补大将军，转发文牒给各路军队说："各部应当守卫自己的营垒，不得进犯我部的军队，我部将要进入东都，随即到京城去，向朝廷问罪，与你们大家无关。"僖宗召集宰相商量对策。豆卢瑑、崔沆请求调派关内各镇和左右神策军防守潼关。十一月十二日壬戌，冬至，僖宗在延英殿召开会议，对着宰相们流下了眼泪。观军容使田令孜上奏说："请选左右神策军弓弩手守卫潼关，臣亲自担任都指挥制置把截使。"僖宗说："长期担任侍卫的将士，不熟悉征讨打仗之事，恐怕承担不了这个重任。"田令孜说："从前安禄山反叛时，玄宗到蜀地去躲避战乱。"崔沆说："安禄山的军队才五万人，与黄巢是不能相提并论的。"豆卢瑑说："哥舒翰带领十五万人马还没有守住潼关，现在黄巢有六十万人马，而潼关又没有哥舒翰那样的军队。要是田令孜为国家着想，三川地方的帅臣都是田令孜的心腹之人，和玄宗那时相比，到蜀地去就更有准备了。"僖宗听了很不高兴，对田令孜说："你且为我调军队守卫潼关。"当天，僖宗到左神策军去，亲自检阅将士。田令孜向僖宗推荐左军骑兵将军张承范、右军步兵将军王师会、左军兵马使赵珂。僖宗召见了这三个人，任命张承范为兵马先锋使兼把截潼关制置使，王师会为制置关塞粮料使，赵珂为句当寨栅使，田令孜为左右神策军内外八镇和诸道兵马都指挥制置招讨等使，飞龙使杨复恭为副使。

（以上为第一段，写黄巢进逼东都，田令孜动议僖宗效唐玄宗入蜀，注定了两京不守。）

十一月十三日癸亥，齐克让上奏说："黄巢已经进入东都境内，臣收军退保潼关，在关外安营扎寨。将士经过多次战斗，早就没有什么储备的资粮了，州县残破，地方上人烟都快要断绝，向东西南北环视，看不见官府的吏员，士兵们又冻又饿，兵器破败，士兵都想念着家乡，非常担心他们一时溃败离散，请求及早送资粮和派援军来。"僖宗命令选取两神策军的弓弩手，得到二千八百人，由张承范带领前去支援。

十一月十七日丁卯，黄巢攻下东都，留守刘允章带领百官迎接晋谒；黄巢进城，只是劳问一下就完了，闾里非常安定。刘允章是刘迺的曾孙。田令孜奏闻后招募了坊市中数千人用来补充左、右神策军。

十一月二十一日辛未，陕州奏报说东都已被黄巢攻下。十一月二十二日壬申，任命田令孜为汝、洛、晋、绛、同、华六州都统，带领左、右神策军向东去讨伐黄巢。当天，贼军攻下了虢州。

任命神策军将军罗元杲为河阳节度使。

任命周岌为忠武节度使。以前，薛能派遣牙将上蔡人秦宗权到蔡州去调派军队，秦宗权听说许州发生动乱，借口要去拯救灾难，在蔡州招募军队，把刺史赶走了，占据了蔡州城。等到周岌当了节度使，就任命秦宗权为蔡州刺史。

十一月二十五日乙亥，张承范等带领神策军弓弩手从京师出发。神策军士卒都是长安城中富人家的子弟，是通过贿赂宦官才得以列名军籍的，从而得到优厚的饷给和赏赐，他们只知道穿着华丽的军装，骑着怒奔的大马，凭借权势任意横行，从未经历过作战之事；听到说要出去打仗，父子们聚集在一起痛哭，多用金帛雇请病坊中的穷人代替他们去当兵，那些人往往连兵器都不知如何用。当天，僖宗到章信门城楼给他们送行。张承范向僖宗进言说："听说黄巢拥有数十万人马，鼓噪向西而来，齐克让带着一万名饥饿的士卒驻扎在关外，又派臣带领两千余人屯驻在关上，没有听说如何安排供应粮饷，就这样抵御贼军，臣私下感到很寒心。希望陛下催促各道精兵早些来支援我们。"僖宗说："你们只管前去，援军不久就会到达！"十一月二十七日丁丑，张承范等到达华州。适遇刺史裴虔余迁为宣歙观察使，军民都逃到华山中去了，城中空荡荡的，州中库房只有灰尘和鼠迹，幸好粮仓中还有米一千余斛，军士可以带着三天的粮食向潼关前进。

十二月初一日庚辰，张承范等到达潼关，在草丛中搜集到村民一百人左右，叫他们搬运石头储存用水，为守御关塞做准备。张承范和齐克让的军队都断了粮，士卒没有斗志。当天，黄巢的前锋部队抵达关下，白色的旗帜布满原野，看不到边际，齐克让和他们接战，叛贼稍稍退后了一点，不久黄巢带领的大军到了，全军大声欢呼，声音震动了黄河和华山。齐克让拼力战斗，从午时战斗到酉时才离开战场，士卒们饿坏了，于是就喧闹起来，烧掉营房后溃散了，齐克让逃走入关。关的左边有一条山谷，平日禁止人们从谷中通过，以便征收关税，这条谷被称为"禁阬"。贼军突然到来，官军无法防守，溃散的官兵从谷中进入，谷中的灌木藤萝本来茂密如织物一样，经过一个夜晚就被践踏成平坦的道路了。张承范把辎重和私财全部分给了士卒，并派遣使者上表告急，说："臣离开京师已有六天，甲卒没有增加一个人，馈饷连影子也未看到。到达潼关时，巨寇已经到达关下，用两千余人抵御六十万人，关外的官军由于饥饿而溃散，踏开了禁阬。臣的失守，受鼎镬的酷刑也心甘情愿；只是朝廷的谋臣，把羞愧的颜面又向何处放！有人说陛下已经在议论向西迁移，假若皇上的銮舆一动，那么朝廷上下就会土崩瓦解。臣以暂且活着的身躯奋勇冒死说几句话，希望陛下和亲近的侍臣及宰相仔细商议，决不能轻举妄动，赶紧征调军队以援救关防，那么高祖、太宗的基业或许还能够维持下来，使黄巢继安禄山之后灭亡，小臣也胜过哥舒翰的失败而死！"

十二月初二日辛巳，贼军急攻潼关，张承范尽力抵御，从凌晨一直战斗到下午，关上的箭射完了，就用石头来投击敌人。关外有一条天然壕沟，叛贼将一千多名百姓赶到那里，掘土填沟，不大一会，就把沟填平了，带军队渡过壕沟。到夜晚，叛贼放火烧城楼，关楼被全部烧坏。张承范分出八百名士兵，叫王师会带领去防守禁阬，等到他们赶到时，贼军已经进入禁阬了。十二月初三日壬午早晨，贼军夹攻潼关，关上的官兵都溃败了，王师会自杀，张承范换上便服带领残余士兵逃走了。到野狐泉，碰上奉天援兵两千人到来，张承范说："你们来得太晚了！"博野、凤翔军回转来到渭桥时，看到所招募的新军衣裘既保暖又鲜艳，愤怒地说："这些人有什么功劳而享受如此待遇，我们反而挨饿受冻！"于是就进行抢掠，进而为贼军做向导，前往长安城。

贼军攻潼关的时候，朝廷任命前京兆尹萧廪为东道转运粮料使；萧廪借口有病，请求辞去官职，因而被贬为贺州司户。

黄巢进入华州，留下将领乔钤据守。河中留后王重荣请求向叛贼投降。十二月初四日癸未，朝廷任命黄巢为天平节度使。

十二月初五日甲申，任命翰林学士承旨、尚书左丞王徽为户部侍郎，翰林学士、户部侍郎裴澈为工部侍郎，二人都为同平章事。贬卢携为太子宾客，分司东都。田令孜听说黄巢已经进入关中，担心天子责备自己，于是把罪责都推到卢携身上而贬了他的官职，又荐举王徽、裴澈为宰相。当晚，卢携服毒自杀。裴澈是裴休的侄子。

百官退朝时，听说乱兵已入城，于是分道逃窜躲藏起来。田令孜带领神策军的五百名士兵簇拥着僖宗从金光门逃出，只有福、穆、泽、寿四王和妃嫔数人跟随而行，百官们都不知道这回事。僖宗日夜奔逃都未停息，许多跟随的官员都赶不上。当僖宗离开京城后，军士和街坊民众争着到府库中去偷盗金银绸缎等物。

（以上为第二段，写黄巢陷东都，破潼关，唐僖宗与宦官仓皇出逃，百官皆莫知之。）

下午，黄巢的前锋将领柴存进入长安，金吾大将军张直方带领文武百官数十人到灞桥迎接黄巢。黄巢乘坐着金装肩舆，他的随从人员都披着长头发，并用红绸子捆扎着，穿着锦绣衣服，拿着武器跟随，甲士和骑兵如流水一般涌入长安，辎重车辆堵塞了道路，人马在千里长的路上连接不断。民众夹道聚观，尚让在他经过的地方告诉老百姓说："黄王起兵，本为百姓，不像李氏那样不爱护你们，大家好好安居，不用惧怕。"黄巢住在田令孜的府宅中，他的徒属为盗时间长，很是富有，看到贫穷的人，往往施舍钱物；居住了数天以后，又各自出去抢掠，烧坊市店铺，在街上杀了很多人，黄巢也禁止不了；尤其憎恨官吏，只要抓到了都杀死。

僖宗赶往骆谷途中，凤翔节度使郑畋在旅途中拜见了僖宗，请求僖宗留在凤翔。僖宗说："朕不想住在离巨寇很近的地方，暂时到兴元去，征调各道人马以图收复京师。你东边要抵御叛贼的兵锋，西边要安抚各少数民族，希望联合邻近各道，努力建立大功业。”郑畋说：“道路不通畅，奏报不易达到，请求让我能够乘便见机行事。”僖宗答应了。十二月初九日戊子，僖宗到达墒水镇，下诏告诉牛勖、杨师立和陈敬瑄，通告京城失守，皇上暂时先到兴元，倘若叛贼势力还强大的话，将去成都，你们要预先安排一下。

十二月十一日庚寅，黄巢屠杀留在长安的唐宗室，一个也不留。十二月十二日辛卯，黄巢进入皇宫。十二月十三日壬辰，黄巢在含元殿登上皇帝的宝座，穿上临时画着卷龙的龙袍，击战鼓数百通以代替金石乐器。登上丹凤门城楼，颁下敕书；国号大齐，改年号为金统。说唐的广明年号，是去掉“唐”字的下半部分，然后加上黄家日月，认为这是对自己有利的好兆头。唐朝的官吏三品以上的全部停止任职，四品以下的仍旧担任原来的职位。封妻子曹氏为皇后。任命尚让为太尉兼中书令，赵璋兼侍中，崔璆、杨希古并同平章事，孟楷、盖洪为左右仆射、知左右军事，费传古为枢密使。任命太常博士皮日休为翰林学士。崔璆是崔邠的儿子，当时被罢免了浙东观察使，留在长安，所以黄巢任命他为宰相。

诸葛爽带领代北行营的军队屯驻在栎阳，黄巢手下的将领砀山人朱温屯驻在东渭桥，黄巢叫朱温去劝说诸葛爽归顺，诸葛爽于是投降了黄巢。朱温年少时父亲去世了，家境贫穷，和哥哥朱昱、朱存跟随母亲王氏依靠萧县刘崇家生活，刘崇多次鞭打羞辱朱温，只有刘崇的母亲怜惜朱温，并告诫家人说：“朱三不是一般的人，你们要好好对待他。”黄巢任命诸葛爽为河阳节度使，诸葛爽去上任，原任节度使罗元杲派军队抗拒他，士卒们都抛掉甲胄迎接诸葛爽，于是罗元杲逃往僖宗的驻地。

郑畋回到凤翔，召集将佐商量抵御叛贼之事，将佐们都说：“叛贼的势力正强大，应当从容等待各方军队聚集后，再图谋收复京师之事。”郑畋说：“你们劝我向叛贼称臣吗！”接着昏倒在地，脸上也被地砖碰伤了，从午间到第二天早晨，还不能说话。适遇黄巢的使者带着敕书到来，监军袁敬柔和将佐们依次站立接受敕令，并代表郑畋写奏表签名以答谢黄巢。监军和黄巢的使者一起宴饮，奏起了音乐，将佐以下的官吏都悲伤哭泣。使者感到奇怪，幕客孙储说：“由于相公得了中风病不能前来与宴，所以感到悲伤而已。”民间听到这事没有不流泪的。郑畋听到这个消息后说：“我本来就知道人心尚未厌弃唐朝，叛贼不用很久就会被消灭了！”于是刺手指的血写成奏表，派遣亲信从小路送到僖宗那里，又召集将佐晓谕他们应当忠于朝廷，将佐都听从郑畋的命令，郑畋又刺血和他们立下盟誓，然后把城墙和护城河修好，将兵器军械修缮好，对士卒进行训练，暗地邀约邻道合兵讨贼，邻道都答应发兵，在凤翔会合。当时分镇关中的禁卫兵还有数万人，听说天子到蜀地去了，不知道依靠谁，郑畋派人招呼他们，他们都到郑畋这边来了，郑畋分一部财物给他们，用以团结他们，军队的势力大大振兴起来。

十二月十八日丁酉，僖宗到达兴元，下诏各道要出动全军去收复京师。

十二月二十日己亥，黄巢下令，百官到赵璋的住宅来交名帖的，就恢复他们的官职。豆卢瑑、崔沆和左仆射于琮、右仆射刘邺、太子少师裴谂、御史中丞赵濛、刑部侍郎李溥、京兆尹李汤没有赶上跟随僖宗逃走，躲在民间，被黄巢搜了出来，全部杀死。广德公主说："我是唐朝皇室之女，发誓要和于仆射一道死！"拿着叛贼的刀不放下，叛贼把她也杀了。又把卢携的尸体挖出来，在闹市上进行示众。将作监郑綦和库部郎中郑系守义不作叛贼的臣子，全家都自杀了。左金吾大将军张直方虽然向黄巢称臣，但是接纳了很多逃亡的士大夫，又把公卿们藏在夹壁中，黄巢发现后，把张直方杀了。

原先，枢密使杨复恭推荐处士河间张濬，授予其太常博士官，后升为度支员外郎。黄巢逼近潼关时，张濬跑到商山避乱去了。僖宗到兴元去时，路上没有食品供应和住处，汉阴县令李康用骡子运了数百驮食品献给僖宗，跟随僖宗的军士才得到饭食。僖宗问李康："你担任县令，怎么会这样做？"李康回答说："臣想不到这一点，是张濬员外郎教臣这样做的。"僖宗召张濬回住地，授给他兵部郎中官职。

义武节度使王处存听说长安失守，大哭了好几天，不等到朝廷的诏命，派出全军前去援救，又派两千人从小路到兴元去保卫僖宗。

黄巢派遣使者到河中镇调运财物，前后去了数百人，吏民受不了这种征调之苦。王重荣对众人说："开始时我不计名节是为缓解军府的灾患，现在征调财物没完没了，又要征兵，我不用多久就会被消灭了！不如派军队抗拒他们。"众人都认为应当这样，于是把黄巢派去的使者全部杀掉了。黄巢派遣将领朱温从同州，他的弟弟黄邺从华州，合兵进攻河中镇，王重荣和他们展开战斗，大败了黄巢的队伍，缴获粮食兵仗四十多船，派遣使者和王处存结成同盟，带领军队在渭北安营扎寨。

陈敬瑄听说僖宗出逃在外，就派步兵和骑兵三千人前去迎接，上奏表希望僖宗到成都去。当时随从的军队渐渐多了，兴元地方储备的物资不甚丰富，田令孜也劝僖宗去成都；僖宗听从了。

（以上为第三段，写黄巢破长安，称帝建国号大齐，大杀百官和唐宗室。唐僖宗蒙尘至兴元。）

唐僖宗中和元年（辛丑，公元 881 年）

春季，正月，僖宗从兴元出发前往成都。加给牛勖同平章事官衔。陈敬瑄感到跟随僖宗的侍从人员很骄横难以控制，有内园小儿先来到成都，在行宫中游玩，笑着说："人们说西川是蛮人居住的地方，现在看起来，也不太坏！"陈敬瑄把小儿抓起来用刑杖打死，这样一来随从的人都不敢胡闹了。陈敬瑄在鹿头关迎接僖宗。正月二十二日辛未，僖宗到达绵州，东川节度使杨师立拜见了僖宗。正月二十三日壬申，任命工部侍郎、判度支萧遘为同平章事。

郑畋邀约前朔方节度使田弘夫、泾原节度使程宗楚同讨黄巢。黄巢派遣将领王晖带着诏书去召抚郑畋，郑畋把王晖杀了，并派儿子郑凝绩到僖宗那里去，郑凝绩在汉州追上了僖宗。

正月二十八日丁丑，僖宗抵达成都，住在西川节度使府。

僖宗派遣中使催促高骈讨伐黄巢，去了一批又一批，络绎不绝，高骈始终不出兵。僖宗到西川以后，还希望高骈立功，诏令高骈在他管辖范围内的刺史和各将领有建立了功劳的人，从监察到常侍官，听任他用墨敕任命后奏闻朝廷就可以了。

裴澈从贼军中逃往僖宗住地。当时百官还没有集中，缺乏起草诏书的人，右拾遗乐朋龟谒见田令孜并下拜，于是被提升为翰林学士。张濬原先也拜见过田令孜。田令孜曾经召集宰相和朝贵饮酒，张濬觉得在众人中向田令孜下拜是一种耻辱，于是预先就拜谒田令孜谢酒。等到宾客都到齐了，田令孜开言道："我田令孜和张郎中清浊不同流品，曾经承蒙不弃与我建立了交情，既然担心受到玷辱，怕什么呢，改了就是，今天在隐蔽的地方敬酒，那样做要不得。"张濬羞惭恐惧到无地自容。

二月初一日乙卯，任命太子少师王铎守司徒兼门下侍郎、同平章事。

二月十八日丙申，加给郑畋为同平章事官衔。

加授淮南节度使高骈为东面都统，加授河东节度使郑从谠兼侍中，仍任行营招讨使。代北监军陈景思率领沙陀酋长李友金和萨葛、安庆、吐谷浑各部去支援京师。到绛州将要渡河，绛州刺史翟稹也是沙陀人，对陈景思说："叛贼势力正强大，不能轻率前去，不如暂时回到代北招募兵员为好。"于是就和陈景思一同回到雁门。

任命枢密使杨复光为京西南面行营都监。

黄巢任命朱温为东南面行营都虞候，带兵攻邓州；三月初三日辛亥，攻下了邓州，活捉了刺史赵戎，于是驻守在邓州，用来扼住荆州和襄州。

三月初四日壬子，加授陈敬瑄为同平章事。三月初六日甲寅，陈敬瑄奏请委派左黄头军使李铤带兵攻击黄巢。

三月十三日辛酉，任命郑畋为京城四面诸军行营都统。赐郑畋的诏书中说："凡是藩、汉将士赴难有功的人，都让你用墨敕任命他们官职。"郑畋奏明任命泾原节度使程宗楚为副都统，前朔方节度使田弘夫为行军司马。黄巢派遣将领尚让、王播带领五万军队进攻凤翔，郑畋派田弘夫带兵埋伏在要害地方，自己则带领数千军队，张挂着很多旗帜，稀疏地在山冈上摆下阵势。叛贼认为郑畋是书生，很轻视他，击鼓向前推进，也不注意行军的行阵队伍，伏兵突然冲出，在龙尾陂把贼军打得大败，杀死了两万多人，在数十里长路上都躺着贼军的尸体。

有人在尚书省的门上写诗来嘲讽叛贼，尚让发现了大为愤怒，把在尚书省的官吏和守门的兵卒，都挖掉眼珠倒挂着；大肆搜索城中能写诗的人，把他们都杀了，强迫认识字的人去服贱役，共杀了三千多人。

翟稹和李友金到了代州，募兵进行了十多天，得到三万人，都是北方的杂胡，屯驻崞县西边，所招募的士兵剽悍横暴，翟稹和李友金都不能驾驭他们。李友金于是对陈景思说："现在虽然拥有数万军队，假如没有有威信的将领来统领他们，最终还是不能取得成功。我的族兄李国昌司徒父子，智勇和谋略超过常人，为士众所信服；骠骑将军要是能够奏明天子，赦免他们的罪过，召他们回来担任统帅，那么代北地方的群众都会响应他的号召，狂贼是不难平定的！"陈景思认为对，于是派使者到僖宗驻地去说明这件事，僖宗答应陈景思等人的请求。李友金带领五百名骑兵和僖宗诏书到鞑靼部去迎接李氏父子，李克用率领鞑靼各部一万人前来应诏。

群臣追随僖宗的人逐渐集中到成都，南衙北司在朝的接近二百人，各道和四夷进贡的连续不断，蜀中府库也很充实，和京师没有不同，赏赐也不缺乏，士卒们都很高兴。

黄巢找到了王徽，逼迫他出来做官，王徽假装得了喑哑病，不听从；过了一个多月，逃奔到河中镇，派人从小路送去绢表给僖宗。僖宗下诏任命王徽为兵部尚书。

（以上为第四段，写凤翔节度使郑畋阻击黄巢，传檄诸镇，合兵讨贼，防止了崩溃局势。）

前夏绥节度使诸葛爽又从河阳送上奏表称要回到朝廷来，随即任命他为河阳节度使。

宥州刺史拓拔思恭，本来是党项羌族中的一支，纠合夷、夏兵和鄜延节度使李孝昌在鄜州汇合，共同盟誓讨伐黄巢。

奉天镇使齐克俭派遣使者到郑畋那里要求为国家效力。三月十六日甲子，郑畋向全国各藩镇送去檄文，要求联合起来讨伐黄巢。当时天子逃去蜀地，诏令也达不到各地，全国各地以为朝廷再也振兴不起来了，等到收到郑畋的檄文后，争相发兵响应他的号召。叛贼感到恐惧了，不敢再向京城西边进攻了。

夏季，四月初一日戊寅，加授王铎兼任侍中。

任命拓拔思恭暂时代理夏绥节度使。

黄巢任命将领王玫为邠宁节度使，邠州通塞镇将朱玫发兵杀了王玫，让别将李重古为邠宁节度使，自己带领军队去讨伐黄巢。

当时，田弘夫屯驻在渭北，王重荣屯驻在沙苑，王处存屯驻在渭桥，拓拔思恭屯驻在武功，郑畋屯驻在周厔。田弘夫乘着龙尾陂的胜利气势，前进逼近长安。

四月初五日壬午，黄巢带领军队向东而去，程宗楚先从延秋门进入长安，田弘夫接着也到来了，王处存带领锐卒五千人也在夜里进入长安城。街坊中的市民很高兴，争相欢呼着出来迎接官军，有的人用瓦片砖头打击叛贼，有的人捡箭叫官军使用。程宗楚等担心其他将领分去了他们入城的功劳，就没有把入城的事报告凤翔和鄜夏镇，军士们放下了武器，到有钱人的家里，抢夺金帛和妓妾。王处存命令军士系上白头巾为标志，街坊中的少年有的人也利用这种标志去从事抢劫。叛军露宿在霸上，探知官军纪律很坏，并且各路军也未继续开来，就带领军队回头偷袭官军，他们分头从各门进入，在长安城中大战，程宗楚和田弘夫都战死了，官军士兵背着抢来的东西不能奔跑，因而被打得大败，十分之八九都被杀死。王处存收集残部回到军营。

四月初十日丁亥，黄巢又回到长安，对民众帮助官军大为愤怒，放纵士兵去屠杀民众，血流成河，称之为洗城。于是各路官军都退后了，贼军势力更加强大。

叛贼所任命的同州刺史王溥、华州刺史乔谦和商州刺史宋岩听说黄巢放弃了长安，都带领部众奔向邓州，朱温杀了王溥和乔谦，释放了宋岩，叫他回商州去。

四月十三日庚寅，拓拔思恭、李孝昌与贼军在王城大战，不利而退。

朝廷下诏任命河中留后王重荣为节度使。

（以上为第五段，写官军克长安，军纪败坏而败。黄巢再入长安，大杀士民。）

贼众给黄巢上尊号称“承天应运启圣睿文宣武皇帝”。

有一对雉鸡飞到广陵府的房子上停在那里，占卜的人认为野鸟飞到这里来，是预示城邑将要变成空地的不祥之兆。高骈讨厌这件事，于是发檄文到各地，说是将要去讨伐黄巢，将管辖之内的八万军队全部调来，有船两千艘，旌旗武器等非常之多。五月十二日乙未，屯驻在东塘。将领们多次问高骈什么时候出发，高骈借口有风浪险阻，或者说时日不利，终究没有出发。

李克用送文牒到河东镇，说是奉诏命带领五万军队去讨伐黄巢，叫河东节度使为他们沿途准备吃住等事，郑从谠关闭了城门防备他们作乱。李克用在汾水东岸驻扎下来，郑从谠犒劳了他们，供给了钱物粮食等，但他们驻了几天也不开走。李克用亲自到城下大声呼唤，要求会见郑从谠，郑从谠在城头上回答了他的问话。五月十六日癸亥，李克用又要求发给军队赏赐，郑从谠给了他们一千缗钱，一千斛米。五月十七日甲子，李克用放纵沙陀兵抢劫居民，城中居民大为惊骇。郑从谠向振武节度使契苾璋求救，契苾璋带领突厥、吐谷浑部前来营救，攻下沙陀兵的两个营寨，李克用追击到晋阳城南面，契苾璋带军队进入城内，沙陀兵抢掠了阳曲和榆次两县之后才回去。

当黄巢攻下长安的时候，忠武节度使周岌投降了黄巢。周岌曾经举行夜宴，急切召唤监军杨复光，杨复光的左右说：“周岌是叛贼的臣子，会给你带来危险，不能去赴宴。”杨复光说：“事情已经这样了，为了国家我已顾不了那些了。”随即去赴会。饮酒到半醉，周岌讲到本朝的事。杨复光流着泪，停了很大一会，说：“大丈夫所要感激的只是恩义而已！公从匹夫到位列公侯，为什么要抛开唐朝十八代天子而去做叛贼的臣子呢！”周岌也流着眼泪说：“我不能单独抵抗贼军，所以表面上侍奉贼军，内心中却在图谋打败他们。今天召唤你来，正是为了商量这件事。”于是滴酒结下盟约。当天晚上，杨复光派遣养子杨守亮在馆驿中杀了叛贼派来的使者。

当时秦宗权据守蔡州，不服从周岌的命令，杨复光带领忠武军的三千人到蔡州，劝说秦宗权共同发兵讨伐黄巢。秦宗权派将领王淑带领三千军队跟随杨复光进攻邓州，王淑逗留不进，杨复光杀了王淑，收编了他的部队，分忠武军的八千人为八都，派牙将鹿宴弘、晋晖、王建、韩建、张造、李师泰、庞从等八人率领他们。王建是舞阳人，韩建是长社人，鹿宴弘、晋晖、张造、李师泰都是许州人。杨复光带领八都军队和朱温作战，打败了朱温，攻下了邓州，追击败军到蓝桥才转回来。

昭义节度使高浔联合王重荣进攻华州，攻了下来。

六月二十二日戊戌，任命郑畋为司空兼门下侍郎、同平章事，仍担任都统。

李克用遇上大雨，六月二十三日己亥，带领军队北去，困在忻、代二州地方，因而就在代州留下来了。郑从谠派遣教练使论安等驻扎在百井用以防备李克用。

邠宁节度副使朱玫驻扎在兴平，黄巢手下的将领王播包围了兴平，朱玫退到奉天县和龙尾陂驻扎。

西川黄头军使李铤带领一万士兵，巩咸带领五千士兵屯驻兴平，建立了两个营寨，与黄巢的军队作战，打了多次胜仗；陈敬瑄派遣神机营使高仁厚带领两千人去增援他们。

秋季，七月十一日丁巳，改年号为中和，大赦天下。

七月十四日庚申，任命翰林学士承旨、兵部侍郎韦昭度为同平章事。

论安从百井擅自回来，郑从谠连靴子和外衣也来不及脱去，就把论安杀了，并且族灭他全家。另外派都头温汉臣带兵屯驻百井。契苾璋带军队回振武去了。

（以上为第六段，写讨贼藩镇，强力者野心勃发，高骈据扬州按兵不出，图谋割据；沙陀李克用奉诏勤王，趁火打劫，抢掠太原近郊而退还。）

当初，僖宗到成都时，赏赐给蜀军每人三缗钱。田令孜担任行在都指挥处置使，每次四方贡献来的金帛，随即颁赐从驾的各路军队，没有间断的时候，没有再给蜀军一点，蜀军对此很有怨恨。七月二十日丙寅，田令孜宴请土军和客军的都头，用金杯盛酒，饮后就把杯子赏赐给众人，都头们都拜谢后接受了。只有西川黄头军使郭琪不接受，站起来说：“将领们每月都要俸禄和料钱，给养家口还有多余，常常想到难以报答恩惠，怎么敢再不满足！看到蜀军和其他军队共同担任保卫天子的任务，而赏赐却相差很大，所以蜀军很有些埋怨情绪，我担心万一发生变乱。希望观军容使减少一些对诸将的赏赐，用这些财物分赐给蜀军，使土军和客军得到的赏赐一个样子，那么上上下下的人都会感到非常高兴！”田令孜沉默了好一会，说：“你曾经有过什么功劳？”郭琪回答说：“郭琪生长在山东，到边疆地区来征战戍守，曾经和党项打过十七次仗，和契丹打过十多次仗，满身都是箭伤和刀枪的疤痕；又曾经征讨吐谷浑，胁部负伤肠子都流了出来，用线缝合伤口后又去作战。”田令孜于是亲自用另外一个酒杯斟满酒赏赐郭琪。郭琪知道是毒酒，不得已，拜了两拜后把毒酒喝下去了；回到家，杀一女婢，吸吮她的血用来解毒，吐出黑汁数升，于是带领部下作乱。七月二十一日丁卯，焚烧抢劫街坊市场。田令孜护着天子保卫东城，闭了城门登上城楼，命令各路军进攻郭琪。郭琪带领军队回到营房，陈敬瑄命令都押牙安金山带军队去进攻郭琪，郭琪在夜里突围逃走，奔向广都，跟随的士兵都溃散了，只有厅吏一个人跟着他在江边休息。郭琪对厅吏说：“陈公知道我没有犯罪，然而军府受到惊扰，不可能不使它安定下来。你侍奉我能够有始有终，现在我有办法报答你。你带着我的印信和宝剑到陈公那里说：‘郭琪逃跑渡江时，我用剑击杀了他，尸体落入水中，随急流漂走了；获得他的印信和宝剑献给你！’陈公一定会根据你说的话，在坊市贴出告示、悬挂出印剑以安定军士们的情绪。你必当得到优厚的赏赐，我家里也能保证不遭灾祸。从此我就往广陵去，投靠高骈，过几天以后，你可以秘密地告诉我家里人知道。”于是就把印信和宝剑解下来交给厅吏，然后逃走了。厅吏把印剑献给了陈敬瑄，果然免除了郭琪家里人的罪责。

僖宗一天到晚专和宦官在一起商讨国家大事，对待外廷诸臣很疏远淡薄。七月二十四日庚午，左拾遗孟昭图呈上奏疏认为：“在太平年代，远近还应当同心协力；多灾多难的时期，朝廷内外尤其应当团结一致。去年冬天皇上到西蜀来，没有告诉南司，于是使得宰相、仆射以下的百官全部都被叛贼屠杀了，只有北司官员平安无事。何况现在朝臣到这里来的，都是冒着生命的危险，经过崎岖道路的辛苦，从很远的地方来侍奉君亲，更应当从此以后同休戚共患难。看到前晚黄头军作乱，陛下只和田令孜、陈敬瑄以及那些内侍诸臣闭城登上城楼，并不招呼王铎以下及其他朝臣入城；第二天，又未召集宰相进行奏对，又不宣谕抚慰朝臣。臣担任谏官的职务，至今也不了解圣上是否安泰，何况那些疏远冗散的官吏呢！倘若群臣不顾及君上，他的罪过是应当被杀的；要是陛下不爱护群臣，从道义上来说讲得通吗！至于现在的天下，是高祖、太宗的天下，不是北司的天下；天子，是四海九州的天子，不是北司的天子。北司未必尽可信，南司未必尽无用。难道天子和宰相毫无关系，朝臣都和路人一样陌生！如果这样下去，臣担心收复京师，还要陛下操劳很长时间，那些尸位素餐之人，可以长享安乐之福。臣受到陛下的宠信被任为谏臣，职责就是要对朝廷有所帮助，虽然过去了的事已无可挽回了，但对于未来的事还是可以借鉴的。”奏疏送上去以后，田令孜把它放在一边，不交给僖宗看。七月二十五日辛未，田令孜假传诏令贬孟昭图为嘉州司户，田令孜又派人在蟇颐津将孟昭图沉入江中，闻知此事的朝臣皆敢怒不敢言。

（以上为第七段，写宦官田令孜祸害西川。）

鄜延节度使李孝昌、暂任夏州节度使拓拔思恭驻扎在东渭桥，黄巢派朱温抵御他们。

任命义武节度使王处存为东南面行营招讨使，升邠宁节度副使朱玫为节度使。

八月十三日己丑夜晚，群星交流如织，有的大如杯子和碗，到八月二十一日丁酉才停止。

武宁节度使支详派遣牙将时溥、陈璠带领军队五千人到关中去讨伐黄巢，他们二人都是支详提拔起来的。时溥到东都，假称支详的命令，带军队转回去并与陈璠合并在一起，在河阴县大肆杀掠，又抢劫了郑州后向东而去。到达彭城时，支详迎接慰劳他们，给了他们优厚的赏赐。时溥派遣亲信对支详说："迫于众人的心意，请您把大印还是解下来交给时溥。"支详不能制止时溥的强横，退到大彭馆住下，时溥自己担任留后。陈璠对时溥说："支仆射对徐州有恩惠，不杀掉他，你一定会后悔的。"时溥不答应，就送支详回到朝廷中去。陈璠在七里亭设下埋伏，将支详和他的家属一起杀掉了。朝廷诏令时溥为武宁留后。时溥奏请任命陈璠为宿州刺史，陈璠上任后贪赃暴虐，时溥派都将张友去把陈璠换回来，并把陈璠杀了。

杨复光奏请升蔡州为奉国军，任命秦宗权为防御使。寿州屠夫王绪和妹夫刘行全聚集了五百人占领本州，一个多月后，又攻下光州，自称将军，拥有徒众一万多人。秦宗权上表推举王绪为光州刺史。固始县佐王潮和他的弟弟王审邽、王审知都以才气而闻名，王绪任用王潮为军正，叫王潮主管钱粮、巡视士卒，非常信任王潮。

高浔和黄巢的将领李详在石桥大战，高浔被打败，跑去河中，李详乘胜再夺取了华州。黄巢任命李详为华州刺史。

朝廷任命暂时代理夏绥节度使的拓拔思恭为节度使。

宗正少卿嗣曹王李龟年从南诏回来，骠信奉上奏表归附朝廷，请求一切都按诏旨遵行。

九月，李孝昌、拓拔思恭和尚让、朱温在东渭桥大战，官军不利，退走。

起初，高骈和镇海节度使周宝都是从神策军调出来的，高骈把周宝当作兄长侍奉。等到高骈由于有功而先于周宝升任高官，逐渐看不起周宝；以后两人所管辖的地区相邻近，多次为一些小事争吵，于是彼此就产生了矛盾。高骈发檄文给周宝叫他发兵去援救京师，周宝准备了船只和军队等待出发，对高骈久不出发感到奇怪，于是向幕客探求原因，有人说："高公希望朝廷多发生一些变故，让他好吞并江东一带地方，声称说要去援救京师，其实未必不是阴谋兼并我们浙西地区！应当要防备他。"周宝开始还不相信，派人察看高骈的情况，看到高骈一点北上入援的意思都没有。这时高骈又派人约周宝在瓜洲会面，商量军事问题，周宝才觉得幕客说的话是对的，借口有病不能去瓜洲，并且对使者说："我不是李康那样的人，高公还想在家门口建立功业来欺骗朝廷吗！"高骈大怒，又派遣使者去责备周宝："你怎么敢轻视侮辱大臣！"周宝诟骂高骈说："我们彼此隔着长江都担任节度使，你是大臣，难道我就是坊市的看门小卒吗！"这样一来，两人就结下了深仇。

高骈留在东塘一百多天，朝廷多次下诏催促他出兵，高骈上奏表，借口有周宝和浙东观察使刘汉宏将为后患。九月初六日辛亥，又收兵回到扬州军府，其实高骈并没有奔赴国难的打算，只是想祈祷消除雉鸡飞集府舍的灾异而已。

高骈召石镜镇将董昌到广陵，说是想和董昌一起去进攻黄巢。董昌的将领钱镠对董昌说："看高公没有讨贼的心意，不如用捍卫乡里为托辞而离开他。"董昌依从了钱镠的意见，高骈就让董昌回到石镜镇。适逢杭州刺史路审中将要去杭州上任，走到嘉兴时，董昌从石镜带兵进入杭州，路审中感到恐惧就退回去了。董昌自称杭州都押牙，主持州中政事，派遣将吏向周宝请示。周宝不能控制董昌，就上表推荐他为杭州刺史。

临海贼杜雄攻下了台州。

九月十六日辛酉，册立皇子李震为建王。

昭义镇的十将成麟杀高浔，带兵回去据有潞州；天井关戍将孟方立起兵攻打成麟，把成麟杀了。孟方立是洺州人。

忠武军监军杨复光屯驻武功。

永嘉叛贼朱褒攻下温州。

凤翔行军司马李昌言带领本军屯驻在兴平县。当时凤翔府仓库空虚，犒赏减少了一些，粮馈也供应不上，李昌言知道节度使府兵员很少，因而故意激怒部下将士，冬季，十月，带军队回头偷袭凤翔府城。郑畋登城和士卒说话，李昌言的士众都下马围着向郑畋下拜说："相公实在是没有做对不起我们的事。"郑畋说："行军司马假若真正能够带好军队，爱护人民，为国灭贼，也是可以担任节度使的。"于是把留后的职务交给李昌言。当天就往西赶去成都。

天平节度使、南面招讨使曹全晸在和叛贼战斗中阵亡，军中立他哥哥的儿子曹存实为留后。

十一月初一日乙巳，孟楷、朱温在富平袭击鄜、夏二军，二军被打败，各自奔回鄜州和夏州本道。

郑畋到凤州，连续上表要求辞去职位；朝廷诏命他为太子少傅，分司东都。任命李昌言为凤翔节度行营招讨使。

调任门下侍郎、同平章事裴澈为鄂岳观察使。

加授镇海节度使周宝为同平章事。

遂昌县叛贼卢约攻下处州。

十二月，江西将领闵勖戍守湖南，在回本道经过潭州时，将湖南观察使李裕赶走了，自己担任留后。

任命感化军留后时溥为节度使。

赐夏州称为定难军。

起初，高骈镇守荆南时，补授武陵蛮雷满为牙将，带领蛮军，跟随高骈来到淮南道，雷满逃了回去，聚集了兵众一千人，袭击朗州，杀掉了刺史崔翥，朝廷诏令雷满为朗州留后。在一年中，雷满大约总有三四次带兵侵扰荆南，并进入荆南外城，焚烧抢掠后才离开，成为荆州地区很大的祸患。

陬溪人周岳曾经和雷满一起打猎，因争肉而发生角斗，周岳想杀雷满未成功。听说雷满据有朗州，周岳也聚集士众袭击衡州，赶走了刺史徐颢，朝廷诏令周岳为衡州刺史。石门洞蛮向瓌也聚集夷獠数千人攻下澧州，杀死了刺史吕自牧，自称刺史。

王铎看到高骈为诸道都统无心讨贼，自己觉得身为首相，发愤请求亲自前去讨贼，诚恳真切地流下了眼泪，再三提出要求，僖宗答应了。

（以上为第八段，写官军诸镇讨贼，不尽心国是，却是野心日增，养成骄兵悍将，祸国殃民。）

唐僖宗中和二年（壬寅，公元882年）

春季，正月初八日辛亥，任命王铎兼中书令，充任诸道行营都都统，暂时代理义成节度使，等罢兵以后再回来任宰相。高骈只兼领盐铁转运使，被免去都统和其他诸使职务。听任王铎自己聘请将佐人员，任命太子少师崔安潜为副都统。正月二十八日辛未，任命周岌和王重荣为都都统左右司马，诸葛爽和宣武节度使康实为左右先锋使，时溥为催遣纲运租赋防遏使。任命右神策观军容使西门思恭为诸道行营都都监。又任命王处存、李孝昌、拓拔思恭为京城东北西面都统，任命杨复光为南面行营都监使。又任命中书舍人郑昌图为义成节度行军司马，给事中郑畯为判官，直弘文馆王抟为推官，司勋员外郎裴贽为掌书记。郑昌图是郑从谠的从祖兄弟，郑畯是郑畋的弟弟，王抟是王玙的曾孙，裴贽是裴坦的儿子。又任命陕虢观察使王重盈为东面都供军使。王重盈是王重荣的弟弟。

黄巢任命朱温为同州刺史，叫朱温自己去夺取那个地方。二月，同州刺史米诚逃奔河中，朱温占领同州。

二月初六日己卯，任命太子少傅、分司郑畋为司空兼门下侍郎、同平章事，召他到僖宗行宫去，关于军事方面的事都要征询他的意见。任命王铎判户部事。

朱温侵扰河中府，王重荣把他打败了。

任命李昌言为京城西面都统，朱玫为河南都统。

泾原节度使胡公素去世，军中向都统王铎请示，秉承上命任命大将张钧为留后。

李克用侵扰蔚州，三月，振武节度使契苾璋奏请与天德、大同共同讨伐李克用。朝廷诏令郑从谠和他们联络接应。

陈敬瑄派遣不少人到各县、镇去探听阴事，称这些人为“寻事人”，他们所到各地，多半要索取财物。有二人经过资阳镇，独独没有索要东西。镇将谢弘让邀请他们，也不来；镇将自疑恐有得罪，晚上，逃到群盗中去了。第二天早晨，二人走了，谢弘让实际上没有什么罪。捕盗使杨迁诱骗谢弘让出来自首时，把谢弘让抓起来送交节度使府，说是在征讨中捉到的，想通过这件事立功。陈敬瑄不审问清楚，就用刑杖打了谢弘让二十下，钉在西城十四天，用烧热的油浇泼他，又用胶麻抽扯他的疮口，刑法极其残酷，看到的人都认为谢弘让是冤枉受刑。又有邛州牙官阡能，因为办公事超过了预定日期，为了躲避杖刑，逃亡做了强盗，杨迁又去诱骗他。阡能正要出来自首，听到了谢弘让被冤枉的事，大骂杨迁，发愤去当强盗，驱赶掠取良民，不服从的人就把他全家都杀掉，经过一个多月，贼众发展到一万人，于是建立军事组织，设置各级官吏，横行于邛、雅二州之间，攻下了一些城镇和乡邑，他们经过的地方，常常血流成河。原先，蜀中盗贼很少，从这以后竞相为盗，州县无力制止。陈敬瑄派遣牙将杨行迁带领三千人，胡洪略、莫匡时各带领两千人前去讨伐他们。

（以上为第九段，写西川节度使陈敬瑄驱良为盗。）

任命右神策将军齐克俭为左右神策、内外八镇兼博野、奉天节度使。

赐鄜坊军号称保大军。

夏季，四月二十二日甲午，加授陈敬瑄兼侍中官衔。

赫连铎、李可举与李克用作战，被李克用打败。

原先，高骈爱好神仙之术，有方士吕用之因为妖党事的牵连，逃到高骈这里，高骈用优厚的礼遇接待了他，又补授给吕用之军队官职。吕用之原是鄱阳茶商家的儿子，长久客居在广陵，熟悉广陵地方的人情世故，在炼丹制药的暇隙中，谈了不少关于官场和私家的利弊得失，所以高骈感到他是一个奇才，逐渐信任他。高骈的旧将梁缵、陈珙、冯绶、董瑾、俞公楚、姚归礼向来得到高骈的厚待，吕用之想专权，逐渐用计谋把他们搞掉，高骈夺了梁缵的兵权，族灭了陈珙一家人，冯绶、董瑾、俞公楚和姚归礼都被高骈疏远了。

吕用之又引荐同党张守一和诸葛殷共同迷惑高骈。张守一本来是沧州和景州之间的一个普通村民，曾用方术向高骈求进取，没有被接待，穷困到了极点，吕用之对张守一说：“只要与我同心，不要担心不会富贵。”于是向高骈推荐张守一，高骈宠爱张守一如同对待吕用之一样。诸葛殷开始从鄱阳县来的时候，吕用之预先对高骈说：“玉皇大帝觉得你的职务太繁重了，派左右尊神一人前来辅助你办理政事，你要好好地对待他；如果想要他长久留下来的话，也可以用一个人间的重要职务来系住他。”第二天，诸葛殷进见高骈，诡辩快捷，谈笑风生，高骈把他当神仙看待，补授他为盐铁方面的重要官职。高骈特别爱清洁，外甥侄儿等人没有一个人和他同席坐过。诸葛殷得风疽病，抓抠不停手，手指沾满了脓血，高骈独独和他在一张席子上靠近坐着，互相传递着杯盘进行饮宴。左右侍从向高骈报告这个情况，高骈说：“这是神仙用这种样子来考验我们罢了！”高骈养了一条狗，闻到诸葛殷身上的腥臭常常来接近诸葛殷。高骈见了感到奇怪，诸葛殷笑着说：“我曾经在玉皇大帝座前见过这只狗，分别以来已经有数百年了，还互相认识。”高骈和郑畋有仇隙，吕用之对高骈说：“有人派遣剑客来刺杀你，今夜就要到！”高骈大为恐惧，问吕用之怎么办，吕用之说：“张先生曾经学过这种本领，可以抵御刺客。”高骈就去请张守一，张守一答应了。于是叫高骈穿上妇人的衣服，在另外一间房子中躲起来，而张守一替换他居住在高骈的床榻中，夜里把铜器抛掷在台阶上，使它发出铿铿的声音，又暗地里用袋子盛着猪血，洒在门庭屋宇中间，做出好像进行过格斗的样子。第二天早晨，笑着对高骈说：“差一点败在奴才手里！”高骈流着泪感谢说：“先生对于我来说，真是再生的大恩人了！”用金银财宝重重地酬谢张守一。有个叫萧胜的人，贿赂吕用之，请求担任盐城监，高骈表示出为难的样子，吕用之说：“我吕用之不是为了萧胜说话，近来得上仙的书信说，有一柄宝剑在盐城井中，需要一位灵官去取出来。由于萧胜是上仙左右的人，想叫他去取剑。”高骈于是答应了萧胜的要求。萧胜到盐城监几个月以后，用盒子装着一把铜匕首献给高骈，吕用之看到了，磕着头说：“这是北帝所佩带的剑，得到了它，那么在一百里以内五种兵器都不能侵犯你。”高骈于是用珠玉来装饰它，常常摆在座位旁边。吕用之自称为磻溪真君，称张守一为赤松子，诸葛殷为葛将军，萧胜是秦穆公的女婿。

吕用之又在青石上刻着奇难字说：“玉皇授白云先生高骈。”秘密叫左右的人把它放在道院香案前。高骈得到这块刻字石碑，又惊又喜。吕用之说：“玉皇大帝认为你焚香修炼功绩显著，将要补授真正的仙官，预计鸾鹤不久就会下降到这里来。我吕用之等人下谪的期限也快到了，一定能够陪同你的仪仗队，一同回到上清仙境去！”从这以后，高骈在道院庭中刻木为鹤，有时穿着羽毛装饰的衣服骑坐在木鹤上，早晚都进行斋戒醮拜，烧炼金丹，花费的钱财不知多少万。

吕用之在微贱的时候，依靠借住在江阳县的后土庙，一举一动先要进行祈祷。等到得志以后，告诉高骈把这个庙扩建，把江南最好的工匠和最好的材料用来修庙，每逢军队有什么大事，就用羊来祭祀它，吕用之又对高骈说神仙喜欢居住在楼上，劝高骈建造迎仙楼，花费了十五万缗钱，又建造延和阁，高八丈。

吕用之常常在高骈面前呼风唤雨，抬头向空中作揖，说是有神仙在云中经过。高骈随即跟着揖拜天空。吕用之常常用很多钱买通高骈左右的人，叫他们伺察高骈的动静，共同进行欺诈活动，高骈一点也未发觉。左右稍有一点不同的意见，随即就会被吕用之陷害而死，其他的人只能暗地捶胸弹指以表示不满，不敢说出来，高骈依靠吕用之如左右手一样，公私大小事情都用吕用之裁决，屏退贤能的人，提升不肖之徒，过分使用刑罚，随意奖赏，高骈掌管的政务从此极大地败坏了！

吕用之知道上上下下的人都怨恨他，担心有人暗中揭发他的罪行，于是请求设置巡察使，高骈即派吕用之担任这项职务，招募了一百多个阴险狡猾的人，在闾巷之间来往巡探，称他们为"察子"，民间呵妻骂子的小事，没有一件不知道。吕用之想夺取别人的货财，抢掠妇女，就诬陷他们犯了叛逆罪，严刑拷打到他们屈服，然后杀死当事人而夺取所要的东西，被吕用之破灭的人家有数百家之多，道路上行人相见只是用眼睛示意，不敢说话，将吏士民虽待在家里，都是并足站立不敢移动，连大气也不敢出。

吕用之又想用兵力来胁制诸将，请求在各处军队中挑选招募骁勇的士兵两万人，名为左、右莫邪都。高骈就派张守一和吕用之为左、右莫邪军使，设置任命的将吏和节度使府一样，他们配备的武器军械精良锋利，衣服装备华丽整洁，每次出入时，前呼后拥的人接近一千名。

吕用之的侍从姬妾有一百多人，生活奢侈华靡，用费不够时，即扣留三司运往京师的钱物并送到自己家里。

吕用之还忧虑别人泄露他的奸谋，于是对高骈说："要神仙到来并不难，只是使人感到遗憾的是学神仙的人不能断绝世俗的拖累，所以神仙不肯降临！"于是高骈就叫姬妾全部离开，谢绝人事，宾客和将吏都不接见；在不得已要接见的时候，都叫他们先洗澡更衣斋戒除去秽恶，然后才接见，拜揖刚完，便被送出。因此吕用之得以专作威福，肆无忌惮，辖境之内不再知道有高骈的存在。

王铎带两川和兴元的军队屯驻在灵感寺，泾原军屯驻在京西，易定军和河中军屯驻在渭北，邠宁军和凤翔军屯驻在兴平，保大军和定难军屯驻在渭桥，忠武军屯驻在武功，官军从四面八方集中京畿。黄巢的势力已大大缩小，号令所达到的地方，不出同州和华州。民众为了躲避兵乱都逃入深山，筑起栅寨自卫，农事都完全丢开了，在长安城中一斗米价值要三十缗钱。叛贼向官军买人口当作粮食，官军中有的人抓来山寨中的老百姓卖给他们，一个人价值数百缗钱，根据各人的肥瘦决定价格。

（以上为第十段，写高骈好神仙，受奸邪巫师控制。）

【点评】

本卷点评僖宗入蜀前后的政治事件，着重讨论三题：黄巢入长安、郑畋阻击黄巢、田令孜为害西川。

黄巢入长安。僖宗广明元年（公元880年）十二月，黄巢入长安。十二月五日，田令孜率神策军五百拥僖宗奔成都，军士抢劫府库。同日，黄巢先锋将柴存入长安，唐金吾大将军张直方率文武数十人迎黄巢于霸上。黄巢乘金装肩舆入城，长安居民夹道聚观。尚让告谕市民说：“黄王起兵，本为百姓，不像李氏不爱百姓，众百姓安居不要害怕。”黄巢军士，看见贫苦市民，往往施舍，而抓到当官的，捉一个杀一个，捉两个杀一双。皇帝李氏子孙，留在长安的全部被杀。十二月十三日，黄巢称帝，国号大齐，改元金统，以妻曹氏为皇后。以尚让、赵璋、崔璆、杨希古为宰相，孟楷、盖洪为左右军中尉，朱温、张言、李逵等为诸卫大将军、四面游奕使，皮日休为翰林学士，王播为京兆尹。唐朝官吏四品以上停职，四品以下留任。这是起义军发展最盛的时期。

郑畋阻击黄巢。唐僖宗西逃入蜀，敕令凤翔节度使郑畋阻击黄巢，可便宜从事。凤翔监军袁敬柔接受黄巢的招降，设宴款待黄巢的使者，凤翔的将官都悲伤哭泣。郑畋当时得了中风病，没有参加宴会。郑畋听到将佐哭泣的消息，感慨地说：“人心尚未厌弃唐朝，贼人要不了多久就会被消灭。”于是刺破手指写血表上奏朝廷，召集将佐晓谕忠义，又刺血立誓，激励将士，然后修守备、训士卒，军势大振。朝廷任用郑畋为京城四面诸军行营都统，授予郑畋用墨敕任用将官的特殊职权。驻守关中各地的神策军都接受郑畋的指挥。黄巢派尚让、王播领兵五万来攻凤翔，尚让认为郑畋是书生不懂军事，骄傲轻敌，被郑畋打得大败。郑畋阻止了黄巢向西发展，并传檄诸道，各镇响应，合兵围困长安。黄巢流动作战，有效打击唐官兵，但没有建立根据地，一味流寇作战，犯了致命错误。正如王夫之所说：“黄巢之易使坐毙也，非禄山、朱泚之比也。”安禄山根植于幽燕，收地两千余里，有后勤补给。朱泚为逆，有朱滔在卢龙为外援，李纳、王武俊与之为唇齿，尚且相继败亡。而黄巢攻陷广州随后丢弃，践踏湖、湘随后丢弃，渡江淮随后丢弃，甚至攻破东都也不留兵防守，数十万大军全部进入长安，实际上全部钻入了唐官军的口袋。郑畋据盩厔、泾原镇兵据渭北，河中镇兵据沙苑，易定镇兵据渭桥，鄜延、中武二镇兵据武功，邠宁镇兵据兴平。黄巢称帝后，很快腐化，醉生梦死，几十万起义士兵本是朴素的农民，为了推翻腐败的唐朝，他们义无反顾地追随黄巢，希望摆脱苦难，结果被黄巢带入了不是饿死、就是战死的绝境。黄巢没有长远眼光，没有治国方略，不能吸收人才，只是报仇血战，滥杀唐官，成了一个强盗，也只是一个草头王。因此黄巢入长安是他事业的顶点，也是他失败的起点。郑畋阻击黄巢取得成功，就是这一胜败的转折点。

田令孜为害西川。黄巢入长安，田令孜挟帝西逃西川，效唐玄宗入蜀。僖宗怕田令孜在路途中把自己甩掉，沿路给他加官晋爵，先封他为十军十二卫观军容制置左右神策护驾使，又封他为左金吾卫上将军，兼判四卫事，爵晋国公。田令孜权力越来越大，僖宗在蜀不得召见宰相，不能与群臣相谋，群臣求见不许，一切听令田令孜。僖宗在蜀如同囚徒，心情十分郁闷，于是田令孜导引僖宗日夜吃酒行乐，嫔妃围绕，万岁之声不绝于耳，同时谎报军情，安慰僖宗。

田令孜歧视蜀军，赏赐不均，激起了“黄头军”兵变。“黄头军”原是成都为“防蛮”招募的一支军队，因戴黄帽而称黄头军。田令孜犒赏从驾诸军无虚日，尽赐田宅，而不及黄头军，黄头军怨声四起。田令孜又宴请诸将，用黄金杯行酒，喝完即赏赐。黄头军将领郭琪不肯饮酒，起身说：“希望军容使一碗水端平，也给蜀军一些赏赐。”田令孜听了很不高兴说：“你有什么功劳吗？”郭琪回答说：“战党项，逼契丹，数十战，这就是我郭琪的功劳。”田令孜冷笑着说：“知道了。”然后密令以鸩毒注酒中，端杯庆贺郭琪。郭琪明知有毒，勉强饮毕，驰马回营，杀一奴婢，喝了她的鲜血，方得解毒不死。于是郭琪发动兵变，徙营房，四处抢掠，成都大乱。田令孜急忙挟僖宗躲到东城自守。陈敬瑄打败了黄头军，成都才平静下来。左拾遗孟昭图激于义愤，上奏弹劾田令孜，说：“且天下者，高祖、太宗之天下，非北司之天下；陛下固九州天子，非北司天子，北司岂悉忠于南司？如是，君臣何以同安危？”疏入，田令孜扣下不上奏，还假传诏令贬孟昭图为嘉州司户参军。孟昭图赴任，田令孜派人在半道把孟昭图投入水中活活淹死。田令孜兄，西川节度使陈敬瑄仗势横行，逼迫蜀中良民纷纷为盗。京师的腐败积习，伴随流亡朝廷带到了蜀地，宦官专权的政治，也被田令孜带进了西川流亡的小朝廷中来。

资治通鉴（白话本） 卷第二百五十五

唐纪七十一

唐僖宗中和二年至四年（公元882—公元884）

【起玄黓摄提格（壬寅，公元882年）五月，尽阏逢执徐（甲辰，公元884年）五月，凡二年有奇】

【大事提要】

本卷记事起公元882年五月，讫公元884年五月，载述史事凡二年又一个月。当唐僖宗中和二年五月至中和四年五月。此时期，唐王朝进剿黄巢。西川、淮南、岭南、河北是天子鞭长莫及的地区，藩镇互相攻伐，大大小小的军阀林立，一片混战。环黄巢所据关中节镇，依然奉唐朝僖宗号令，勤王之师四集，沙陀李克用为诸军之冠，是讨灭黄巢的主力军。当李克用进军关中，黄巢部众已有离异之心。黄巢部将，独当一面的同州防御使朱温降唐，赐名全忠，授宣义节度使，此为黄巢衰败的标志。僖宗不明重用降将，为后梁代唐张本。李克用光复长安，黄巢东窜，围困陈州近一年。又是李克用进讨，解陈州之围，再败黄巢于汴州，黄巢全军覆没，逃窜兖州。朱全忠忌功，欲暗杀李克用，未果，从此朱李交恶。宦官田令孜挟持僖宗幸蜀之功，得宠专权，外结四川陈敬瑄，唐皇室旧祸未已，新祸又兴，国无宁日矣。

僖宗惠圣恭定孝皇帝中之下

唐僖宗中和二年（壬寅，公元882年）

五月，任命湖南观察使闵勖暂时代理镇南节度使。闵勖多次要求在湖南建立军镇的旌节，朝廷担心各道观察使都仿效他，没有允许。先前，王仙芝抢掠江西，高安人锺传聚集蛮人、獠人，依傍山势构筑城堡，部众有上万人。王仙芝攻陷了抚州而不能守住，锺传占领了这个地方。唐僖宗下诏书任命锺传为刺史。这时，锺传又逐走了江西观察使高茂卿，进驻洪州。朝廷由于闵勖本来是江西的牙将，因此又设置镇南军，任命他管辖。假如锺传不愿接受管理，就下令闵勖讨伐锺传。闵勖知道朝廷的用意是使他们互相残杀，所以推辞不愿前往。

加封淮南节度使高骈兼任侍中，免掉他盐铁转运使的官职。高骈已经失去了兵权，又被解除了经济大权，卷起袖子，破口大骂。高骈让幕僚顾云起草表文为自己申诉，措辞傲慢，大意说："这是陛下您不用我这个小臣，并不是我辜负您。"又说：

"奸佞的臣子没有醒悟，您仍处在迷糊之中，不想想先祖的宗庙被焚烧，不痛心先王的坟墓被挖掘。"又说："王铎是败军将领，崔安潜在蜀地贪污腐败，这样的两个儒生怎么能平息强大的叛军呢？"又说："今天您所用的人，上至将帅，下到副将，依臣看来，都可以很容易地捉住他们。"又说："不要使百代留有抱恨终生的臣子，千古留下像淮阳王刘玄俯首爬席的笑柄。我只担心寇盗在东方横行，刘邦这样的人又要出现，那么像秦王子婴在轵道投降的灾变，哪里只发生在过去呢？"又说："现在贤明的人才闲居在荒野，奸佞的小人充斥着朝廷，致使您成为亡国之君，他们这些人又能有什么主意呢！"唐僖宗下令郑畋起草诏书切实地责备高骈，大意说："谈到统管利益，你掌握着制盐大权；说到执掌军队，你身居着都统要职。一直到京北、京西神策军各镇，都在你的指挥之下，这就可以知道你已是大权在握了。而且你又担任显贵的司徒，荣耀的太尉，如果这样还认为是不重用，那么如何才算是重用呢？"又说："我交给你军事大权已经很久了，你并不能消灭敌人的首领。先前黄巢在天长镇漏网渡过淮水，你不派一兵一卒去追击，致使国都被攻破，前后长达三年。你在广陵的军队没有离开过所封的疆界半步，忠心的臣子满腹怨望，英勇的士兵讥笑讽刺，所以我要提拔选用元老重臣，来消灭强大的敌人。"又说："我向来依赖仰仗你，一旦没有地方可以诉说，凝望着战乱的东南方，只有增加无限的凄楚悲痛罢了。"又说："东晋谢玄在淝水之战中大破前秦苻坚，宪宗时裴度在淮西平定了吴元济，这些都可以看出儒臣未必就不如武将。"又说："先祖的宗庙被焚烧，先王的坟墓被挖掘，龟甲、宝玉装在木匣中被毁坏，这是谁的过错呢？"又说："'奸臣还没有醒悟'这句话，什么人肯承认呢？'皇上仍处在迷糊之中'这个说法，朕是不敢担当的。"又说："你尚且不能在天长镇擒住黄巢，又如何能轻易地抓获各位将领呢？"又说："你说刘邦这样的人又要出现，不知道谁是罪魁祸首呢？把朕比作淮阳王刘玄、秦王子婴，这不是太诬蔑欺人了吗？"又说："何况国运还没有倾塌，国家的大纲还很完整，日、月、星三灵还未昏暗，各种规章制度都还存在，君臣之间的礼节、上下之间的名分，都应该遵守，不可以毁坏僭越。朕虽然年纪幼小，怎么可以轻易侮辱呢！"高骈已经亏损了做臣子的节操，自此以后纳贡和上交赋税就都断绝了。

（以上为第一段，写闵勖、高骈跋扈不臣。）

任命天平留后曹存实为节度使。

黄巢进攻兴平，在兴平的各路军队退回屯驻奉天。

加官河阳节度使诸葛爽为同平章事。

六月，任命泾原留后张钧为节度使。

荆南节度使段彦谟和监军朱敬玫互相憎恨，朱敬玫另外选了壮士三千人，号称忠勇军，亲自率领他们。段彦谟谋划杀死朱敬玫。六月二十八日己亥，朱敬玫抢先带领部众攻打段彦谟，杀死了他，让少尹李燧任留后。

蜀人罗浑擎、句胡僧、罗夫子各自聚集部众数千人来响应阡能，杨行迁等人与他们作战，多次都占不到便宜，要求增派士兵。官府中的士兵都用尽了，陈敬瑄就调集看管仓库门庭的士兵来支援杨行迁。这一月，在乾溪与叛贼进行了大战，官军大败。杨行迁等人害怕因没有功劳而获罪，就抓了许多村中的老百姓作为俘虏送至官府，每天有数十至一百人；陈敬瑄不问青红皂白，把他们统统都杀了。其中也有年纪大的以及老弱妇女，旁观者有的问他们情况，都回答说："我们正在耕田、绩麻，官军忽然进入村中，把我们捆绑俘虏了，送到这里来，我们完全不知道是犯了什么罪！"

秋季，七月二十九日己巳，任命锺传为江西观察使，这是依照高骈的请求而任命的。锺传离开抚州以后，南城人危全讽便又占据了这个地方，并且派遣他的弟弟危仔倡占领了信州。

尚让攻打宜君寨，正巧遇上大雪天，雪下了一尺多厚，士兵冻死的占十分之二三。

蜀人韩求聚集部众数千人以响应叛贼阡能。

镇海节度使周宝上书唐僖宗，说高骈打着秉承皇上旨意旗号任用贼帅孙端为宣歙观察使。唐僖宗下令周宝与宣歙观察使裴虔馀发兵抗御孙端。

南诏国呈上国书请求唐僖宗早日下嫁公主，唐僖宗回报说正在商议有关的礼节仪式。

任命保大留后东方逵为节度使，充当京城东面行营招讨使。

闰七月，加官魏博节度使韩简兼任侍中。

八月，任命兵部侍郎、判度支郑绍业同平章事，兼任荆南节度使。

浙东观察使刘汉宏派遣他的弟弟刘汉宥以及马步都虞候辛约率领士兵二万人在西陵扎营，谋划兼并浙西。杭州刺史董昌派遣都知兵马使钱镠率兵抵挡他们。八月十三日壬子，钱镠乘着夜里大雾渡江，偷袭浙东兵军营，大破浙东兵，浙东兵几乎全部被杀尽。刘汉宥和辛约都逃走了。

魏博节度使韩简也有兼并的意图，亲自率领士兵三万人进攻河阳，在修武打败了诸葛爽；诸葛爽弃城逃走。韩简留下士兵防守，沿途抢掠邢州、洺州后才回去。

李国昌率领他的部族从鞑靼迁移至代州。

（以上为第二段，写黄巢祸乱关中，全国各地大小军阀林立，互相攻战，不听朝命。）

黄巢任命的同州防御使朱温屡次请求增派士兵以保卫河中，掌理右军事的孟楷压下不报。朱温看到黄巢的兵力一天不如一天，知道他将要灭亡了，他的亲信将领胡真、谢瞳劝他归顺唐朝。九月十七日丙戌，朱温杀了监军严实，以同州全城投降唐将王重荣。朱温侍奉王重荣就像侍奉舅舅一样。王铎以皇上名义任朱温为同华节度使，派遣谢瞳送上表文到唐僖宗行在所。谢瞳是福州人。

李详因为王重荣待朱温很好，也想归顺王重荣，被监军告发。黄巢杀了李详，任命他的弟弟黄思邺为华州刺史。

桂邕的军队发生叛乱，驱逐节度使张从训，任命前容管经略使崔焯为岭南西道节度使。

平卢军大将王敬武赶走节度使安师儒，自己担任留后。

当初，朝廷任命庞勋的降将汤群为岚州刺史，汤群暗中勾结沙陀。朝廷怀疑汤群，调任汤群为怀州刺史，郑从谠派遣使者带着委任状去交授汤群。冬季，十月初一日庚子，汤群杀掉使者，占据岚州叛变，投靠沙陀。十月初三日壬寅，郑从谠派遣马步都虞候张彦球率领军队去讨伐汤群。

贼军首领韩秀昇、屈行从起兵截断峡江路。十月十四日癸丑，陈敬瑄派遣押牙庄梦蝶率领两千人去讨伐叛贼，又派遣押牙胡弘略率领一千人前往接应。

韩简再次率领军队攻击郓州，节度使曹存实抵抗，战败身死。天平军都将下邑人朱瑄收聚剩下的将士，据城固守，韩简没能攻下。唐僖宗下诏书任命朱瑄临时代理天平军留后。

任命朱温为右金吾大将军、河中行营招讨副使，赐名叫全忠。

李克用虽然多次上表请求投降，然而却占据着忻州、代州，屡次侵入掠夺并州、汾州，争夺楼烦监。义武节度使王处存和李克用世代有婚姻关系，唐僖宗下诏命王处存告知李克用："假如诚心诚意归附唐朝，应该回到朔州去等待朝廷的命令；如果还是强暴横行像过去一样，朝廷将要派河东、大同的军队一起进行讨伐。"

任命平卢军大将王敬武为留后。这时各道的军队都会集关中讨伐黄巢，独有平卢的军队没有到，王铎派遣都统判官、谏议大夫张濬前往说服王敬武。王敬武已接受了黄巢封的官爵，不出来迎接。张濬见到王敬武，责备他说："你身为皇上属下的大臣，却轻视怠慢皇上派来传达诏令的使者；你不能侍奉上级，如何能使唤下属？"王敬武愣住了，表示谢罪。张濬宣读了诏命后，将士们都没有反应，张濬从容不迫地劝告大家说："一个人活着应该首先知道什么是逆，什么是顺，其次要知道什么是利，什么是害。黄巢以前只是一个卖盐的小贩罢了，你们舍弃了皇上而去臣服于他，结果能有什么利益呢？现在天下保卫皇上的军队都在京城附近集合，只有淄州、青州的军队不去勤王。一旦平定了叛贼，皇上回到国都，你们这些人还有什么脸面去见天下的百姓呢？不赶紧去分取一些功名，得到一些富贵，后悔就来不及了！"将士们听了都改变了态度，承认错误，看着王敬武说："张濬说的话是对的啊！"王敬武立即调发军队跟随张濬向西进发。

刘汉宏又派遣登高镇守将王镇率领士兵七万人进驻西陵。钱镠再次渡江袭击，大破王镇的军队，斩首、俘获的人数以万计，缴获刘汉宏任命各将官的敕令二百多件。王镇逃奔至诸暨。

黄巢的兵力仍很强盛，王重荣非常担心这件事，他对行营都监杨复光说："如果向贼寇称臣，就有负于国家；如果讨伐贼寇，力量又不够，该怎么办呢？"杨复光回答说："雁门李克用勇猛善战，有强大的军队，他的父亲与我的先祖曾经共过事，相处得很好，李克用也有为国家尽力的志向；这一次他之所以没有来讨伐黄巢，是因为和郑从谠在河东结下仇隙的缘故。假如能用朝廷圣旨告知郑从谠去召李克用来，李克用一定会来的。只要李克用来了，讨平贼寇就不成问题了。"东面宣慰使王徽也认为有道理。这时王铎正在河中，于是用墨笔书写诏令召李克用来，并把这事告知郑从谠。十一月，李克用率领沙陀士兵一万七千人从岚州、石州赶往河中，不敢进入太原境内，独自与几百名骑兵经过晋阳城下和郑从谠辞别。郑从谠把名贵的马匹、器物、钱币赠送给李克用。

李详原先的部属共同驱逐黄思邺，推举华阴镇使王遇为主帅，以华州城向王重荣投降，王铎以皇帝名义任命王遇为刺史。

（以上为第三段，写唐朝勤王之师会集关中，黄巢部众已有异心，朱温降唐，赐名全忠，为后梁代唐张本。）

阡能的部众越来越多，逐渐侵入、蔓延到蜀州境内。陈敬瑄因杨行迁等人很久没有战功，改派押牙高仁厚担任都招讨指挥使，率领士兵五百人前去替代他。出发的前一天，有一个卖面的人，从早上到中午，在军营中进出三四次。巡逻的人怀疑他，把他抓住进行讯问，果然是阡能派来的间谍。高仁厚下令解开捆绑他的绳子，温和地询问他，那间谍回答说："我是村中的老百姓，阡能把我的父母妻子囚禁在监狱中，说：'你去刺探情况回来，得到实情就释放你的全家；不然的话，将你全家都杀死。'我不是愿意这样做的。"高仁厚说："既然知道你是这样，我怎么忍心杀你呢！今天放你回去，解救你的父母妻子，只要告诉阡能说：'高仁厚明天出发，所率领的士兵只有五百人，没有更多的人了。'但我既救活你一家人，你应当替我暗中告诉寨子里的人，说：'陈敬瑄怜悯你们都是善良的老百姓，因为被阡能所控制，不得已才如此。高仁厚想要洗刷你们的过失挽救你们，他来这里，你们要放下兵器投降，高仁厚将派人在你们的背上书写"归顺"两字，送你们回去做原来的事情。他要杀的，只有阡能、罗浑擎、句胡僧、罗夫子、韩求五个人，一定不会牵连老百姓。'"

间谍说："这都是老百姓心里想的事，您全都知道了而且赦免大家，还有谁不欢欣鼓舞听从您的命令啊！一人传百，百人传千，就像河流奔腾、海水滚沸一样，不可阻止的。等您到达时，老百姓必定全部奔跑过来，好像婴儿见到慈母一般，阡能孤立独处，马上就会被活捉。"

第二天，高仁厚带领士兵出发了，到达双流，把截使白文现出迎；高仁厚察看堑栅等防御工事，大怒道："阡能这个人，他的部众都是种地的老百姓，你用尽一府的士兵，一年多还不能抓住阡能。今天看到这些防御工事，重重叠叠，牢固细密成这个样子，怪不得你可以吃饱饭安安稳稳地睡觉，养着敌人来求得功劳了！"下令把白文现推出去斩首；监军竭力相救很久，方得到赦免。高仁厚命令填平沟堑，毁去木栅，只留下五百个士兵防守，其余的士兵都随身带领，又召集各寨的士兵，让他们陆续集合到这里来。

阡能听说高仁厚即将来到，派遣罗浑擎在双流的西边建了五个寨子，又在野桥箐埋伏一千名士兵用来拦击官军。高仁厚侦察知道了，带领士兵包围了他们，下令不要杀人，派遣士兵脱下军衣进营中告诉他们，如同昨天告诉间谍的话那样。阡能的部众大为高兴，欢呼鼓噪，争着抛弃战甲，扔掉兵器，要求投降，下地跪拜，其声势好像山崩一样。高仁厚全部安抚告谕他们，在他们的背上写上"归顺"两字，让他们回去告诉寨子里还没有投降的人，寨子里余下的人都争着出来投降。罗浑擎狼狈不堪地翻过寨子逃走，他的部下把他抓住送到高仁厚那里，高仁厚说："罗浑擎是一个愚蠢的人，不值得和他说话。"把他捆绑起来送至官府。又下令把五个寨子和所有的战甲、兵器都烧掉，只留下旗帜。投降的总共有四千人。

第二天早上，高仁厚对投降的人说："我本来准备马上遣送你们回去，然而前面各个寨子的老百姓还不知道我的心意，有的人还有忧虑怀疑，所以想借你们为我引导开路，经过穿口、新津寨时，就给他们看背上的字样说明情况，等到了延贡，你们就可以回家了。"于是取下罗浑擎的旗帜倒挂着，每五十人编为一队，挥动旗帜大声呼叫："罗浑擎已被活捉，送到官府去了，大军就要到来。你们住在寨子里的，快快出来投降，像我们这样，马上可以成为良民，不会处罚你们的。"到了穿口，句胡僧设置的十一个寨子里的人争着出来投降；句胡僧大惊，拔出剑想来阻止，大家丢瓦块、石头攻击句胡僧，把他捉住献给了高仁厚，句胡僧的部下五千多人都投降了。

第三天早上，高仁厚下令把寨子都烧了，派遣投降的人拿着旗帜在前面引导开路，像从双流出发那样。到了新津，韩求设置的十三个寨子都出来投降。韩求跳到深沟中自杀，他的部众把韩求钩出来，他已经死了，便斩下他的头献上。将士们想要烧掉寨子，高仁厚阻止说："投降的人还没有吃饭。"派人先运出资财粮食，然后烧掉寨子。新投降的人争着烧火做饭，与先投降来传告的人一起吃饭，笑语欢歌一个晚上都没有停止。

第四天，高仁厚让双流、穿口投降的人先回家，派遣新津投降的人拿着旗帜在前面引导开路，并且说："进入邛州地界，你们就可以解散回家了。"罗夫子在延贡设置了九个寨子，他的部下前一天夜里望见新津的火光，已经睡不着觉了。等到新津投降的人来到，罗夫子抛弃寨子逃到阡能那里，他的部下都投降了。

第五天，罗夫子到阡能的寨子里，与阡能谋划尽全力与官军决一死战；计谋还没有议定，太阳已经西下，延贡投降的人到了。阡能、罗夫子骑马巡视寨子，想要出兵，部下都不响应。高仁厚率兵连夜进逼，第六天早上，各个寨子知道官军已经逼近，呼喊着出来投降，捉拿阡能。阡能走投无路，想投井自杀，被部众擒获，没有死成。又捉拿罗夫子，罗夫子拔剑自刎。大家拿了罗夫子的头，捆绑了阡能，押着阡能迎接官军，见到高仁厚，抱住马头大声呼喊哭泣，跪拜说："老百姓含冤已经很久了，没有地方可以控告诉说。自从那个间谍回来告诉我们您的话以后，我们都伸长颈子盼望您的到来，度日如年。今天见到您，就好像从九泉下出来重见青天白日一样，死而复生了。"欢呼喧哗无法制止。在其他地方的寨子，高仁厚分别派遣各将领前往招降他们。高仁厚出兵前后共六天，把五个贼寇都讨平了。每攻下一个县镇，都补上镇遏使，派他们安抚聚集老百姓。

于是陈敬瑄在市中将韩求、罗夫子枭首示众，把阡能、罗浑擎钉在城西，七天后再将他们凌迟处死。阡能的孔目官张荣，本来是安仁地方的士子，多次应举都没有及第，投靠阡能，为阡能出谋划策，替他起草檄文，阡能失败后，张荣写信作诗哀求高仁厚，高仁厚将他送至官府，钉在马市上示众，此外，不再杀任何一人。

十二月，任命高仁厚为眉州防御使。

陈敬瑄在邛州贴出布告，说凡是阡能等人的亲戚、党羽都不再追究。不久，邛州刺史报告捕获了阡能的叔父行全一家三十五人关在监狱中，请求依照连坐法处死。陈敬瑄为这件事询问孔目官唐溪，唐溪回答说："您已经贴出了布告，下令不再追究，然而刺史又缉捕他们，这里一定有缘故。今天如果杀掉他们，难道仅仅是只使明公您失去信用吗，我担心阡能的余党都要纷纷起来作乱了！"陈敬瑄听从了唐溪的意见，派押牙牛晕前往，在州门聚集众人，当众打开刑具，释放了行全一家人，顺便询问他们是什么原因造成这样。原来行全家有良田，刺史想要买下，行全不同意，所以刺史怀恨在心。陈敬瑄召来刺史，将要查核他的罪行，刺史因此忧愁而死。后来，行全听说他们全家是由于唐溪才免除罪过的，就偷偷地送给唐溪蚀箔金一百两。唐溪发怒说："这是太师陈敬瑄仁爱神明，与我有什么关系。你送东西给我，是心怀祸端吗？"就把金子还给他，训斥、逐走了送金子的人。

（以上为第四段，写高仁厚用只诛首恶的安抚政策攻心，六日平定了蜀中之乱。）

河东节度使郑从谠上奏称攻克了岚州，抓住了汤群，把他杀了。

任命忻州、代州的留后李克用为雁门节度使。

起初，朝廷任命郑绍业为荆南节度使，这时段彦谟正占据着荆南，郑绍业害怕段彦谟，过了半年，才到镇上任。唐僖宗驾临蜀地，召回郑绍业，任命段彦谟为节度使。段彦谟被朱敬玫杀后，再派郑绍业任节度使。郑绍业畏惧朱敬玫，逗留不敢前进，军中很久没有主帅。到这时，朱敬玫委派押牙陈儒主持官府中的事情。陈儒是江陵人。

加官奉天节度使齐克俭、河中节度使王重荣为同平章事。

李克用率领士兵四万人到河中，派遣堂弟李克脩先带士兵五百人渡河试探进攻贼寇。起初，李克用的弟弟李克让被南山的寺僧杀害，李克让的仆人浑进通投奔黄巢。自从高浔战败以后，各路军队都畏惧贼寇，不敢前进。等到李克用的军队来了，贼寇害怕他，说："乌鸦军到了，应该躲避他的锋芒。"李克用的军队都穿黑衣服，所以称为乌鸦军。黄巢于是捕捉了十多个南山寺僧，派遣使者带着诏书和贵重的财物，利用浑进通的关系到李克用那里求和。李克用杀掉僧人，哀哭弟弟李克让，接受他的财物分给各位将领，烧掉黄巢的诏书，送还他的使者，带领军队从夏阳渡过黄河，驻扎在同州。

孟方立杀了成麟以后，率领军队回到邢州，潞州人请求监军吴全勖担任留后职务。这一年，王铎用墨笔书写唐僖宗的命令，派孟方立管理邢州的事务。孟方立不愿接受，囚禁了吴全勖；写信给王铎，希望任用儒臣来镇守潞州，王铎派遣郑昌图管理昭义军的事务。后来朝廷任命右仆射、租庸使王徽为同平章事，充当昭义节度使。王徽认为唐僖宗流亡迁移，中原大地正在动荡不安，孟方立占据了潞州东边的邢、洺、磁三个州，考虑到朝廷没有力量能够制住他，因而推辞而不肯前往，请求还是委派郑昌图。唐僖宗下诏任命王徽为大明宫留守、京畿安抚制置修奉园陵使。郑昌图到达潞州，不到三个月就离开了。孟方立于是把昭义军迁移到邢州，自称为留后，上表要求派他的部将李殷锐担任潞州刺史。

和州刺史秦彦派遣他的儿子率领士兵几千人去袭击宣州，赶走了观察使窦潏，取代了他的职位。

（以上为第五段，写李克用勤王，进军攻黄巢。孟方立不遵朝命，自为昭义节度使。）

唐僖宗中和三年（癸卯，公元 883 年）

春季，正月，李克用的部将李存贞在沙苑打败了黄揆。正月初二日己巳，李克用进兵驻扎在沙苑。黄揆是黄巢的弟弟。王铎以唐僖宗的命令任命李克用为东北面行营都统，任命杨复光为东面都统监军使，陈景思为北面都统监军使。

正月初八日乙亥，唐僖宗任命中书令、充当诸道行营都统的王铎为义成节度使，下令要王铎赶赴镇所。田令孜想要抬高北司地位，称说王铎讨伐黄巢很久没有立功，最终采用杨复光的计策，召来沙陀军队才攻破黄巢，所以罢免王铎的兵权来取悦杨复光；又任命副都统崔安潜为东都留守，任命都监西门思恭为右神策中尉，充当诸道租庸兼催促诸道进军等使。田令孜自以为建议唐僖宗去蜀地、收聚传国宝物和列代圣贤图像、散发家财来犒劳军队是他的功劳，要求宰相和藩镇共同请求唐僖宗赏赐他。唐僖宗任命田令孜担任十军兼十二卫的观军容使。

成德节度使常山忠穆王王景崇去世，军中拥立王景崇的儿子节度副使王镕来掌管留后的职务，这时王镕才十岁。

任命天平留后朱瑄为节度使。

二月十五日壬子，李克用进军乾阬，与河中、易定、忠武军的部队会合。尚让等人率领十五万众驻扎在梁田陂。第二天，大战，从中午一直到黄昏，贼兵大败，被俘虏斩杀的有几万人，尸体绵延了三十里长。黄巢部将王璠、黄揆袭击华州，并占领了华州，王遇逃走了。

起初，光州刺史李罕之受到秦宗权的攻击，放弃光州逃奔到项城，率领余下的部众投靠诸葛爽，诸葛爽任命李罕之为怀州刺史。韩简攻打郓州，打了半年，还不能攻下；诸葛爽又袭击并攻取了河阳。朱瑄请求讲和，韩简于是放弃攻打郓州，带领军队进击河阳。诸葛爽派遣李罕之在武陟迎战，韩简的军队大败退了回去。大将澶州刺史乐行达先回，占据了魏州，军中共同推举乐行达担任留后的职务，韩简被他的部下杀死。二月二十二日己未，任命乐行达为魏博留后。

二月二十七日甲子，李克用进兵包围华州，黄思邺、黄揆据城固守。李克用分出骑兵驻扎在渭北。

任命王镕为成德留后。

任命郑绍业为太子宾客、分司，任命陈儒为荆南留后。

峡路招讨指挥使庄梦蝶被韩秀昇、屈行从打败以后，退兵守卫忠州，应援使胡弘略作战也不利。江、淮的贡品和赋税都被贼寇阻拦，百官得不到俸禄。云安、涪井的道路不通，民间没有盐供应。陈敬瑄上奏请派眉州防御使高仁厚担任西川行军司马，率领三千名士兵去讨伐贼寇。

加官凤翔节度使李昌言为同平章事。

黄巢的军队多次战败，粮食也快完了，暗中做逃跑的打算，派士兵三万人把守蓝田道。三月初六日壬申，派遣尚让率领军队去救援华州。李克用、王重荣带领士兵在零口迎战，大破尚让的军队。李克用进军渭桥，骑兵在渭北，李克用每天晚上命令他的部将薛志勤、康君立偷偷进入长安，烧毁城中积聚的财物，斩获贼人后才返回，贼寇大惊。

（以上为第六段，写李克用节节胜利，兵围黄巢于长安。）

任命淮南押牙合肥人杨行愍为庐州刺史。杨行愍本来是庐州的牙将，很勇敢，有多次战功。都将妒忌他，告诉刺史郎幼复派杨行愍出外去戍守。杨行愍到都将处辞行，都将用甜言蜜语来取悦他，问他需要什么，杨行愍说："我要你的人头！"于是起身杀了都将，统一率领各营的军队，自称为八营都知兵马使。郎幼复不能管束杨行愍，把他推荐给高骈，请求用杨行愍来代替自己的官职。高骈用杨行愍作淮南的押牙，管理庐州的事务，朝廷于是正式任命了杨行愍。杨行愍听说州人王勖很贤能，于是把王勖召来，想要重用他，王勖一再推辞。问王勖子弟中有没有可用的人，王勖回答说："我的儿子王潜爱好学习，做事谨慎仔细，可以委任他职务；我的侄儿王稔，有气节，可以担任将领。"杨行愍把王潜召来安置在门下，任命王稔和定远人季章为骑将。

起初，吕用之由于左骁雄军使俞公楚的推荐才得以见到高骈。吕用之蛮横无理，有人因此怪罪俞公楚。俞公楚多次劝告吕用之要稍为收敛一些，不要拖累自己；吕用之因此怀恨俞公楚。右骁雄军使姚归礼，脾气豪爽，敢于直言，特别痛恨吕用之的所作所为，常常当面列举吕用之的罪过，多次想要亲手杀死他。三月十七日癸未的晚上，吕用之和他的一伙人在娼妓家聚会，姚归礼暗中派人烧了娼妓家的房子，杀了相貌和吕用之相似的几个人，吕用之换了衣服逃走才免于一死。第二天早上，吕用之全力追查这件事，抓住了放火的人，都是骁雄军的士兵。吕用之于是一天到晚向高骈诬陷中伤俞公楚、姚归礼两人。不久，高骈派俞公楚、姚归礼两人率领骁雄军的士兵三千人到慎县去袭击贼寇，吕用之秘密告诉杨行愍说："俞公楚、姚归礼想要偷袭庐州。"杨行愍派兵包围偷袭，俞公楚、姚归礼两人没有预防，全军都被杀死了。吕用之对高骈谎称俞公楚、姚归礼两人阴谋作乱，高骈不知这是吕用之的计谋，还用丰厚的礼品赏赐杨行愍。

（以上为第七段，写李克用兵围黄巢于长安，杨行密兴起于淮南。）

三月二十三日己丑，任命河中行营招讨副使朱全忠为宣武节度使，命令他在收复长安以后，赶赴镇守。

三月二十七日癸巳，李克用等人攻下了华州，黄揆弃城而逃。

刘汉宏分派士兵驻扎在黄岭、岩下、贞女三镇。钱镠率领八都军队从富春渡江去攻击刘汉宏，攻破了黄岭，捉住了岩下镇的守将史弁、贞女镇的守将杨元宗。刘汉宏派遣精兵驻扎在诸暨，钱镠又击破了诸暨的军队，刘汉宏逃走了。

庄梦蝶和韩秀昇、屈行从作战，又失败。庄梦蝶的败兵纷纷往回逃跑，庄梦蝶一路上安慰开导大家，但无法遏止；在路上遇到高仁厚，高仁厚呵斥，士兵这才停止逃跑。高仁厚杀了一个都虞候，下令整顿队伍。高仁厚请来当地的老人，向他们询问这里的山川道路和贼寇的据点，被询问的老人们高兴地说："贼寇的精兵全部在船中，只派遣一些老弱的士兵来守寨子，所有的资财、粮食都在寨子里，这就是所谓的重视作战轻视防守，贼寇的失败是注定了！"高仁厚于是就在江上张扬兵力，摆出想要渡江的样子。贼寇白天黑夜防御准备，还派出士兵前来挑战。高仁厚不与他们交锋，暗中调发一千名勇敢的士兵拿着兵器背着柴草，在夜里走小路去进攻贼寇的寨子，并且用火烧了它。贼寇远远望见，分兵前去救援，已经来不及了，资财、粮食全部被烧光，贼众丧失了斗志。高仁厚又招募善于游水的人去凿穿贼寇的船只，使这些船只相继沉没。贼寇慌乱地跑来跑去，不能互相援救。高仁厚派遣士兵在要道上进行拦击，并且招降他们，贼众全都投降。韩秀昇、屈行从看到部下溃乱，便挥剑乱砍，想要阻止他们，大家更加愤怒，一起抓住他们两人去见高仁厚。高仁厚责问韩秀昇、屈行从，说："你们为什么要造反呢？"韩秀昇说："自从宣宗皇帝死后，天下不再有公理了，国家法令松弛、纲纪断绝。今天造反的人，哪里只是我韩秀昇一个呢？成功了就是对的，失败了就是错的。我如今已是桌子上的肉，要烹要剁随你们便了。"高仁厚听了，心情很沉重，下令好好供给他酒食，加上刑具关押起来。夏季，四月初四日庚子，押送韩秀昇到唐僖宗的行在，在那里斩杀了韩秀昇。

李克用和忠武军的将领庞从、河中的将领白志迁等人带领军队率先进攻，与黄巢的军队在渭南交战，一天打了三仗，都获胜了。义成、义武等各路军队继续进攻，贼寇被打败，奔走逃亡。四月初八日甲辰，李克用等从光泰门进入京师，黄巢力战不能取胜，烧毁宫室逃跑了。贼寇战死的、投降的很多。官军大肆掠夺，与贼寇没有什么两样，长安的宫室、房屋和老百姓所剩无几。黄巢从蓝田逃入商山，在道路上丢下许多珍珠宝物，官军争着去捡财物，没有紧急追赶贼寇，黄巢等才得以逃走。

杨复光派遣使者向唐僖宗报告打胜仗的消息，百官都入朝贺喜。唐僖宗下诏留下忠武等军队二万人，委派大明宫留守王徽和京畿制置使田从异部署安排，以守卫长安。五月，加官朱玫、李克用、东方逵为同平章事。把陕州升格为节度，任命王重盈为节度使。又在延州建立保塞军，任命保大行军司马延州刺史李孝恭为节度使。李克用当时只有二十八岁，在各个将领中年龄最小，而击破黄巢，收复长安，功劳列为第一，他的兵力也最强，各个将领都畏惧他。李克用有一只眼睛稍微小一些，当时人称他为"独眼龙"。

唐僖宗下诏说，崔璆出身富贵，位居显要，当黄巢的宰相前后有三年之久，既不逃走，又不躲藏起来，于是就在当地把崔璆斩了。

黄巢派遣他的勇将孟楷率领一万人做前锋，去攻打蔡州。节度使秦宗权迎战，被打败。孟楷进攻蔡州城，秦宗权于是向黄巢称臣，与黄巢联兵成一体。

起初，黄巢还在长安时，陈州刺史宛丘人赵犨就对部下将领说：“黄巢如果不死在长安，一定会向东逃走，陈州便首当其冲。而且黄巢一向与忠武军为敌，不可不及早做准备。”于是把城墙、沟堑修筑完备，修缮补充盔甲、兵器，囤积粮草；把六十里以内有财物、粮食的老百姓，全部迁入城中；招募了很多勇敢的士兵，派遣他的弟弟赵昶珝、儿子赵麓林分别率领。孟楷攻下蔡州后，带领军队来攻打陈州，驻扎在项城；赵犨先表现出很衰弱的样子，等侦察到敌军没有防备后，便去偷袭他们，差不多把他们全部都斩杀、俘获了，孟楷也被活捉杀掉。黄巢听到孟楷已死，非常惊慌害怕，下令部众都驻扎在溵水。六月，黄巢与秦宗权合兵围攻陈州，挖了五重的沟堑，兵分百路来攻打。

陈州百姓大为恐慌，赵犨告诉大家说：“忠武军一向以义勇著称，陈州的军队又有劲兵的称号，何况我家吃陈州的俸禄很久了，我发誓与陈州共存亡。男子汉应当在死中求生，况且为国家而牺牲自己的性命，不是比投降贼寇忍辱偷生更好吗？有不同意见的人斩首勿论！”赵犨多次带领精锐的部队打开城门出来攻击，大破贼兵。黄巢更加愤怒，在陈州的北边扎营，建立宫室设置百官，做持久的打算。当时老百姓没有存粮，贼寇就抢人做粮食，把活人扔到碓磨中去粉碎，连骨头一起吃，把供给这样“粮食”的地方叫作“舂磨寨”。还放纵军队四处去掠夺，从河南府起，许、汝、唐、邓、孟、郑、汴、曹、濮、徐、兖等几十个州，都遭受他们的荼毒。

（以上为第八段，写李克用复长安，黄巢东窜，为祸河南数十州，重兵围陈州。）

起初，上蔡人刘谦做岭南小校，节度使韦宙赏识他的才能，把侄女嫁给刘谦。刘谦多次破贼立功。六月初七日辛丑，朝廷任命刘谦为封州刺史。

加官东川节度使杨师立为同平章事。

宣武节度使朱全忠率领他的部属几百人赶去上任。秋季，七月初三日丁卯，到达汴州。当时汴、宋等州连年饥荒，官府、民间的财力都已穷尽，内部骄纵的军队难以控制，外面受到强敌的攻击，没有一天不打仗，大家都感到危险恐惧，而朱全忠的勇气却更加振奋。唐僖宗下诏称由于黄巢还没有平定，加封朱全忠担任东北面都诏讨使。

南诏派最高行政官杨奇肱来迎娶公主。诏命陈敬瑄写信给杨斤肱，推辞说：“目前唐僖宗正在外地巡幸，仪礼、财物都未完备，等回到京城以后，再下嫁公主吧！”杨奇肱不肯听从，一直往前到达成都。

李克用从长安带兵回到雁门，不久就收到诏命，任命李克用为河东节度使，召郑从谠回朝。李克用于是从东面经过榆次，到雁门去看望他的父亲。李克用不久在河东贴出布告，安定、慰问河东的军民说：“不要再想过去与我交战的事情了，各人安心过日子，操持旧业吧。”

左骁卫上将军杨复光病死在河中。杨复光为人慷慨，喜欢交结忠义的人，善于安抚士兵，军队中为杨复光的死大哭了好几天，八都将鹿晏弘等各自带领自己的部下离去。田令孜一向畏忌杨复光，听说杨复光死了，很高兴，便乘机排斥杨复光的哥哥枢密使杨复恭为飞龙使。田令孜专擅朝廷大权，大家都不能与他抗衡，独有杨复恭多次和田令孜争论得失，所以田令孜憎恨他。杨复恭推说身体不好，辞官回到蓝田。

任命成德留后王镕、魏博留后乐行达、天平留后朱瑄担任他们本道的节度使。

司徒、门下侍郎、同平章事郑畋，虽然遇到国家动乱，唐僖宗流亡在外，仍然严守国家的法令制度。田令孜想给判官吴圆求得郎中的官职，郑畋不同意；陈敬瑄想让自己位列宰相之前，郑畋按朝中原有的规矩，使相的官位品秩虽然很高，但都处在真相的下面，就一再争辩。田令孜和陈敬瑄于是要凤翔节度使李昌言向唐僖宗报告：“军中将士猜疑妒忌，不能让郑畋追随唐僖宗的车驾经过这里。”郑畋也多次上表要求辞职，于是唐僖宗免掉郑畋的相位，任命他为太子太保，又任命他的儿子兵部侍郎郑凝绩为彭州刺史，使他能就近奉养。任命兵部尚书判度支裴澈为中书侍郎、同平章事。

八月十一日甲辰，李克用到晋阳。唐僖宗下诏任命前振武节度使李国昌为代北节度使，镇守代州。

升格湖南节度为钦化军，任命观察使闵勖为节度使。

九月，加官陈敬瑄兼中书令，升爵为颍川郡王。

感化节度使时溥在溵水扎营，加官时溥任东面兵马都统。

任命荆南留后陈儒为节度使。

昭义节度使孟方立由于潞州地势险要，民风强悍，多次篡夺主帅权力，想要逐渐削弱他们的力量，于是把治所迁到邢州，把大族及富豪都迁至山东，潞州的人很不高兴。监军祁审诲因为人心不安，派遣武乡镇使安居受暗中用蜡丸封好书信向李克用求救，请在潞州恢复军府。冬季，十月，李克用派遣他的部将贺公雅等人前往，被孟方立打败了；又派遣李克脩去攻打，十月十八日辛亥，占领了潞州，杀了潞州刺史李殷锐。这以后李克用每年出兵去争夺山东，山东邢、洺、磁三州的人有一半被杀被俘，原野上再没有庄稼了。

册封宗室女为安化长公主，嫁到南诏。

刘汉宏率领十多万人从西陵出发，将去攻打董昌。十月二十五日戊午，钱镠渡江迎战，大破刘汉宏的军队，刘汉宏打扮成厨师逃脱。十月二十六日己未，刘汉宏收集余下的部众四万人，再次作战，钱镠又打败了他，杀了他的弟弟刘汉容和部将辛约。

十一月初一日甲子，秦宗权包围了许州。

忠武军大将鹿晏弘率领他的部队从河中向南掠夺襄、邓、金、洋等州，所过之处都斩尽杀绝，扬言说要西去唐僖宗那儿。十二月，到达兴元，赶走节度使牛勖，牛勖逃往龙州的西山。鹿晏弘占领了兴元，自称为留后。

感化节度使时溥由于食物中毒，怀疑判官李凝古下毒而把他杀了。李凝古的父亲李损任右散骑常侍，在成都。时溥上奏唐僖宗说李凝古与李损同谋下毒。田令孜收了时溥的贿赂，命令御史台审讯这件事。侍御史王华替李损叫冤，田令孜伪造诏书要将李损移至神策狱审理，王华拒绝接受命令而不遣送。萧遘上奏唐僖宗说："李凝古下毒这件事，并不是很明白。现在李凝古已经被时溥杀死，他的父亲李损与他分开已有了几年，彼此没有音讯往来，怎么能诬称他们父子同谋呢！当时溥自恃有功，扰乱法纪，欺侮蔑视朝廷，想要杀害侍奉皇帝的大臣。假如依从他的欲望，将来加害到臣子们身上，朝廷何以能够自立呢！"因为这样，李损才得以免于一死，回到了乡里。当时田令孜专权，大臣们没有一个胆敢违背他的，只有萧遘多次与他争辩，朝廷完全依靠萧遘了。

升格浙东节度为义胜军，任命刘汉宏为节度使。

赵犨派人走小路向邻近地区求救，于是周岌、时溥、朱全忠都带领军队来救援赵犨。朱全忠和黄巢的部众在鹿邑作战，打败了他们，杀了两千多人，于是就带领军队进入亳州，占据了这个地方。

（以上为第九段，写唐僖宗调整部署，以宣武节度使朱全忠为东北面都招讨使围剿黄巢余寇，李国昌、李克用父子因功皆为节度使。宦官田令孜专权。）

唐僖宗中和四年（甲辰，公元 884 年）

春季，正月，任命鹿晏弘为兴元留后。

赐魏博节度使乐行达名字叫彦祯。

东川节度使杨师立由于陈敬瑄兄弟权力太大，受到唐僖宗宠爱太多，心里愤愤不平。陈敬瑄派遣高仁厚去讨伐韩秀昇，对高仁厚说："你讨伐成功回来，我一定上奏唐僖宗，用东川来奖赏你。"杨师立听到这件事，大怒道："大家都是藩镇，竟然把我的封疆送给别人，真是无法无天啊！"田令孜担心杨师立作乱，因此就以他没有出兵去防阻贼寇为由，征召杨师立担任右仆射。

黄巢的兵力还很强，周岌、时溥、朱全忠不能支持，共同向河东节度使李克用求援。二月，李克用率领番兵、汉兵五万从天井关出发；河阳节度使诸葛爽以河阳桥还没有修好为由，把军队驻扎在万善来拒绝李克用。李克用只能调回士兵，从陕州、河中渡过黄河东进。

杨师立收到诏书，大怒，不愿接受职务的更换，杀了传送诏书的使者和监军使，以讨伐陈敬瑄为名，发动军队，大将中有劝谏的便杀掉他，进兵驻扎到涪城，派遣他的将领郝蠲去偷袭绵州，没有攻下来。二月十五日丙午，唐僖宗任命陈敬瑄为西川、东川、山南西道都指挥、招讨、安抚、处置等使。三月初三日甲子，杨师立送檄文给跟从唐僖宗的百官以及各道的将领、官吏、士人、庶民，历数陈敬瑄十大罪状，自称聚集本道的将领、士兵以及八州的民兵共十五万人，将长驱直入讨伐陈敬瑄的罪过。唐僖宗下诏削去杨师立的官爵，任命眉州防御使高仁厚为东川留后，率领士兵五千人去讨伐杨师立，派西川押牙杨茂言担任行军副使。

朱全忠攻打黄巢的瓦子寨，占领了它。黄巢部将陕人李唐宾、楚丘人王虔裕向朱全忠投降。

婺州人王镇捉了刺史黄碣投降钱镠。刘汉宏派遣他的部将娄赉杀掉王镇，并取代了他的职位。浦阳镇守将蒋瓌请来钱镠的军队一起攻打婺州，生擒了娄赉回去。黄碣是闽人。

高骈侄子左骁卫大将军高澞列举吕用之的罪状，写了二十多张纸，秘密呈报给高骈，并且哭泣说："吕用之在府内假托神仙的胡说，来迷惑您的判断；在府外窃取指挥管辖的权力，来残害百姓；将领、臣子们怕死，没有人敢说话。时间一天天过去，他的羽翼即将长成，假如不除掉他，恐怕高家累世的功勋，有朝一日便要毁掉了。"高澞哀伤悲泣，不能言语。高骈说："你醉了吧！"下令派人扶高澞出去。第二天，高骈拿出高澞的状纸给吕用之看，吕用之说："高澞曾告诉我他贫穷困乏，我没有如他所愿地帮助他，所以才有这样的憾事。"说完就拿出高澞写的几张书信交给高骈看。高骈感到很惭愧，于是就禁止高澞出入府中；一个多月后，派高澞去管理舒州的事务。

盗贼陈儒攻打舒州，高澞向庐州求救。杨行愍力量不足不能去救援，与他的部将李神福商量，李神福认为不用动武就能把群盗驱逐出去。于是李神福就带了很多旗帜，从小路进入舒州，不多久，带领舒州的士兵撑着庐州的旗帜出来，指点规划地形，好像在布置大阵一般；群盗很害怕，夜里就逃走了。李神福是洺州人。

过了很久，盗贼吴迥、李本等又攻打舒州，高澞守不住，弃城逃走，高骈派人杀了高澞。杨行愍派遣他的部将合肥人陶雅、清流人张训等率领士兵去攻击吴迥、李本，把他们抓住并杀了，任命陶雅代理舒州刺史。秦宗权派遣他的弟弟率领士兵进犯庐州，占据了舒城。杨行愍派遣他的部将合肥人田颙攻击秦宗权的弟弟，把他赶跑了。

（以上为第十段，写西川杨师立与陈敬瑄相攻，高骈被吕用之蛊惑，是非不辨。）

前任杭州刺史路审中客居在黄州，听说鄂州刺史崔绍死了，招募士兵三千人占领了鄂州。武昌牙将杜洪也逐走了岳州的刺史，取代了他的职位。

黄巢包围陈州将近三百天了，赵犨兄弟与黄巢打了大大小小几百仗，虽然军队的粮食已经快吃完，但士气却更加稳固。李克用在陈州会合了许州、汴州、徐州、兖州的军队，这时尚让驻扎在太康。夏季，四月初三日癸巳，各路军队进兵攻取了太康。黄思邺驻扎在西华，各路军队又向他进攻，黄思邺逃走了。黄巢听到这个消息，很害怕，退军到故阳里，陈州的包围这才解除。

朱全忠听说黄巢即将到来，带领军队回到大梁。五月初三日癸亥，下了一场大雨，平地积水有三尺高，黄巢的军营被洪水冲垮了，又听说李克用就要来临，就带领军队从东北方奔向汴州，洗劫屠杀了尉氏的人民。尚让率五千名精锐的骑兵进逼大梁，到了繁台。宣武军的将领丰人朱珍、南华人庞师古把尚让击退了。朱全忠又向李克用告急。五月初六日丙寅，李克用与忠武都监使田从异从许州发兵。五月初八日戊辰，在中牟北边王满渡追上了黄巢，乘他们渡河到一半时，奋勇攻击，大破黄巢的军队，杀敌一万多人，贼寇于是溃散了。尚让率领他的部众投降了时溥，别将临晋人李谠、曲周人霍存、甄城人葛从周、冤句人张归霸和他的堂弟张归厚率领他们的部众投降了朱全忠。黄巢越过了汴州向北走。五月初九日己巳，李克用在封丘追击黄巢，又打败了他。五月初十日庚午的晚上，又下了大雨，贼寇惊慌恐惧向东逃走，李克用追赶他们，经过胙城、匡城。黄巢收集残余的部众将近一千人，向东奔赴兖州。五月十一日辛未，李克用追到冤句，骑兵中能跟上的才几百人，一天一夜走二百多里路，士兵、马匹都很疲乏，粮食也吃完了，于是回到汴州，准备装好粮食再追赶黄巢，俘获了黄巢的小儿子以及乘坐的车子、器用服饰、符信印玺等，还获得被黄巢掠走的男女共一万人，把他们全部遣散回原籍去。

五月十三日癸酉，高仁厚驻扎在德阳，杨师立派遣他的部将郑君雄、张士安占据鹿头关来抵抗高仁厚。

（以上为第十一段，写李克用进兵河南，大举剿灭黄巢余众。李克用解陈州之围，又败黄巢于汴，黄巢全军覆没，逃窜兖州。）

五月十四日甲戌，李克用到了汴州，在城外扎营；朱全忠一再邀请李克用入城，住在上源驿。朱全忠设置酒席，准备的音乐、馔食、器具都非常精美丰盛，礼节也很周到。李克用乘着喝酒气势很盛，讲的话有一些冒犯了朱全忠，朱全忠心中愤愤不平。到了黄昏，酒席结束，跟李克用来的人都喝得大醉。宣武军的将领杨彦洪秘密与朱全忠商量，用连接的车辆和树立的木栅来堵塞道路，发动军队围攻上源驿，呼喊声震天动地。李克用喝得烂醉，没有听到声音；他的亲兵薛志勤、史敬思等十多人奋力搏斗。侍从官郭景熄灭了蜡烛，扶着李克用躲到床下，用冷水浇他的脸，慢慢地将危难告诉他，李克用这才张开眼睛拿起弓箭一跃而起。薛志勤用弓箭射杀汴人，死的有几十个。不一会儿，四面烟火大起，逐渐燃烧过来，遇上天下大雨，雷电交加，天昏地暗，薛志勤扶着李克用率领左右部属几个人，翻墙突围，趁着雷电的闪光奔走，汴人守住桥梁，他们经过奋力作战方得以通过。史敬思在后面抵抗，奋勇战死。李克用登上尉氏城门，用绳索系在身上吊下去才逃脱，监军陈景思等三百多人，都被汴人杀死了。杨彦洪告诉朱全忠说："胡人在危急时一定骑马逃走，看见骑马的人就用箭射杀好了。"这一夜，杨彦洪骑着马正好在朱全忠的前面，朱全忠用箭射他，杨彦洪倒地而死。

李克用的妻子刘氏，聪明有谋略。李克用左右亲信先逃回来的报告汴人围杀李克用的消息，刘氏不动声色，立刻把他们斩了，暗中召集大将商议，谋划保护军队退却。天快亮时，李克用回到军营，想带兵去攻打朱全忠，刘氏说："您近来为国家征讨贼寇，救援东方各个将领的危急，现在汴州朱全忠无理，想要谋害您，您应当向朝廷申诉才对。假如擅自发动军队互相攻打，那么天下怎么能分清这事的是非曲直呢！而且朱全忠也有话可说了。"李克用听从她的话，带领军队离去，只写了一封信去责备朱全忠。朱全忠回答说："前天夜里的兵变，我完全不知道，是朝廷派遣使者和杨彦洪谋划要杀害你。杨彦洪已经死了，罪有应得，希望你能体察原谅。"

李克用的养子李嗣源，十七岁，跟随李克用从上源驿逃出，一路上穿过箭林石雨，独独没有受伤。李嗣源本来是胡人，名字叫邈佶烈，没有姓。李克用往往挑选出军队中骁勇善战的壮士，收养为义子，给回鹘人张政的小孩取名叫存信，给振武军的孙重进取名叫存进，给许州人王贤取名叫存贤，给安敬思取名叫存孝，都假冒姓李氏。

五月十六日丙子，李克用到许州以前的寨子，向周岌求取粮食，周岌以粮食缺乏来推辞，李克用于是从陕州渡过黄河回到晋阳。

（以上为第十二段，写朱全忠与李克用交恶。）

郑君雄、张士安坚守壁垒拒不出战，高仁厚说："如果进攻他们，那么对他们有利对我们有害；如果包围他们，那么他们会困乏窘迫，我们能以逸待劳。"于是布置了十二个寨子来包围他们。五月十七日丁丑，晚上二更时，郑君雄等发动精锐的军队袭击城北副使的寨子，杨茂言不能守住，率领部众抛弃寨子逃走。他旁边几个寨子的将士看到副使逃走，也跟着逃跑了。东川人合并军力向南攻击主帅所在的中军。高仁厚听说这事，大开寨门，点亮火把照着，亲自率士兵分成左右两翼埋伏在道路两旁。贼寇到达，看到寨门都打开了，不敢进去，退还。高仁厚发动埋伏的士兵两面夹击他们，东川兵崩溃逃亡。高仁厚的伏兵一直追至城下，迫使他们躲进沟堑中，斩杀俘获的东川兵很多，大获全胜而回。

高仁厚想到那些抛弃寨子逃跑的士兵，明天应该杀头的很多，因此秘密召见孔目官张韶，告诉他说："你赶快派遣步探子带领几十人分别去追回那些逃走的士兵，以你的意思告诉他们说：'幸好高仁厚没有离开寨子，不知道发生的事。你们赶快回寨子，明天早上到军营中去参见他，不用担忧的。'"张韶一向有忠厚长者的名声，大家都相信他，到了四更时，都回到了寨子里；只有杨茂言跑到张把才追上他。高仁厚听到各寨子里打更击鼓和平常一样，高兴地说："都回来了。"第二天早上，各将领到军营中会集，以为高仁厚真不知道这件事。坐了很久，高仁厚对杨茂言说："昨天夜里听说你身先士卒，跑到了张把，有没有这回事？"杨茂言回答说："昨夜听到贼寇进攻我们的中军，左右的人都说主帅您已经离去，我于是骑马追随您，后来明白这是假的，又回到寨子里。"高仁厚说："我和你都接受了唐僖宗的命令，率领军队讨伐贼寇。假如我高仁厚先逃走，你应当呵斥我下马，就地执行军法，代我总领军中事务，然后再上奏皇上。如今你抢先逃走，又说谎话进行欺骗蒙蔽，按理应该怎么办？"杨茂言拱手作揖说："应当处死。"高仁厚说："是该如此！"命令左右的人把杨茂言扶下去，斩首正法，各将领都吓得双腿发抖。高仁厚于是叫来昨夜俘虏的几十个人，解开绳索放他们回去。郑君雄等人听到这件事感到害怕，说："他们军队的法令严明到这样，从今以后不可再出兵了。"

五月二十日庚辰，时溥派遣他的部将李师悦率领士兵一万人去追击黄巢。

五月二十三日癸未，高仁厚在鹿头关城下布置军阵，郑君雄等人出动全部军队作战。高仁厚在阵后设下埋伏，假装败走。郑君雄等人追赶他们，中了埋伏，大败；当晚逃回梓州。陈敬瑄加派三千名士兵给高仁厚，用来进兵围攻梓州。

（以为第十三段，写高仁厚进讨杨师立，节节取胜。）

【点评】

本卷点评李克用收复长安、朱温降唐交恶李克用两件史事，为后梁、后唐的兴起与更替张本。

李克用收复长安。李克用先人为西突厥人，以朱邪为姓，后世自号为沙陀，本居于北庭金满州，安史之乱北庭没入吐蕃。李克用祖父朱邪执宜在唐德宗时，因不堪忍受吐蕃人的奴役，东走附唐，居盐州，部族隶属河西节度使范希朝。范希朝徙镇太原，朱邪执宜随从，居于定襄神武川，部众万骑，骁勇善战，号“沙陀军”。朱邪执宜死后，其子朱邪赤心领其众。唐懿宗咸通十年（公元869年），朱邪赤心奉命讨徐州庞勋之乱，立功拜单于大都护、振武军节度使，并赐皇室之姓，更名李国昌。李国昌，即李克用之父，已跻身于唐方面重镇大将。

李克用，勇武绝伦，能仰射双凫，其一目眇，军中戏称为“李鸦儿”，贵盛后称“独眼龙”。唐懿宗忧虑李国昌父子盛强，在咸通十三年（公元872年）诏命李国昌移镇为大同军防御使，李国昌拒命反于代北，兵败逃入鞑靼。黄巢入京师，唐僖宗下诏书从鞑靼召回李克用父子讨黄巢。僖宗广明二年（公元881年）十一月，李克用率领步骑一万七千人进军长安。广明三年（公元882年）正月，李克用出河中，行军至乾阬，黄巢震惊，说：“李鸦儿军来也。”其时唐官军四集，宰相王铎任诸道行营都统，率十四镇勤王之兵包围长安。沙陀军勇猛善战，为讨逆官军的灵魂与核心。二月，李克用败黄巢将黄邺于石隄谷，三月又败赵璋、尚让于良田陂，横尸三十里。李克用乘胜追击，与诸镇兵又大败黄巢于滑桥。黄巢军败，收缩入长安。李克用紧追，尾随黄巢军，从光泰门攻入长安，为诸军之冠。沙陀军神勇，如同一把尖刀直插敌军心脏，攻入望春宫昇阳殿。黄巢败逃，长安为唐官军收复。论功，李克用第一。唐僖宗拜李克用检校司空、同中书门下平章事，实职为河东节度使，李国昌也授任为雁门以北行营节度使。十月，李国昌卒，整个沙陀部众为李克用统领。

李克用收复长安，威震全国，唐末一颗政治新星由此冉冉升起。黄巢退出长安，经蓝田、商山攻入河南，下蔡州，围陈州，黄巢大将孟楷战殁。黄巢愤怒，誓死破陈州。从公元882年五月围城直到第二年三月仍未攻下。又是李克用率领五万沙陀军南下解围，黄巢才退走，陈州生灵免遭涂炭。黄巢在半渡黄河时遭遇沙陀军，全军溃散，黄巢副帅尚让投降官军。黄巢突出重围，李克用追击，一日一夜驰击二百里，直到黄巢出生地冤句，没有追上才停止。黄巢只剩一千多人的残部逃入山东，第二年死于泰山狼虎谷。黄巢之乱彻底平息，李克用建立了盖世之功。

但是李克用平灭了黄巢，并没有带来唐朝的中兴，规模更大的军阀混战方兴未艾。李克用在回师途中，路过汴州，遭到朱全忠的暗算，朱李交恶，成为唐末更大军阀混战的导火索。李克用也从一个平乱英雄，转换成一个攻城略地的大军阀。

朱温降唐交恶李克用。朱温，即后梁的建立者，弑帝篡唐的朱全忠，又名朱晃。朱全忠，宋州砀山午沟里人，排行第三，又称朱三。长兄朱全昱忠厚老诚，二兄朱存孔武有力，朱三尤为勇猛而凶悍。兄弟三人，家贫无业，替人做苦力。唐僖宗乾符四年（公元877年），朱三兄弟三人投入黄巢军中，黄巢攻岭南，朱存战死。朱三作战勇猛，数年间积功为黄巢大将。黄巢入长安，朱三为黄巢东南面行营先锋使，坐镇同州为同州防御使。同州是黄巢东面的门户，地位极其重要。

朱温反复无常，生性狡诈，在争战中渐生野心，观察时局，随波逐流等待机会。官军四集围攻黄巢于长安，朱温杀了黄巢监军严实，投降河中王重荣，被唐官军都统王铎任命为左金吾大将军、河南行营招讨副使，唐僖宗赐名为全忠，从此朱温称名朱全忠。

唐僖宗中和三年（公元 883 年）三月，僖宗任命朱全忠为汴州刺史、宣武军节度使，朱全忠成为专方面的大镇将领。唐僖宗重用朱全忠，初始目的是想利用朱全忠征讨黄巢。其时黄巢余部尚强，围攻陈州。朱全忠作为一个降将，根底不固，僖宗重用朱全忠以分唐将诸节镇的威权。最终还是李克用打败了黄巢。李克用追击黄巢到冤句，回师路过汴州，朱全忠忌功，想暗杀李克用。朱全忠假意盛情邀请李克用进城相叙。朱全忠灌醉李克用，在夜间偷袭李克用所住的上源驿站。李克用与几位亲将翻墙逃脱，九死一生回到军中。李克用欲整军攻打汴州，其妻刘氏有勇有谋，劝李克用回河东，上诉朝廷。唐僖宗昏庸，不问是非，一味和稀泥，目的是两存之使朱李相斗，朝廷坐收渔人之利。其结果是朱李敌对，蔡州秦宗权乘隙兴起，继黄巢而称帝，更大的祸乱在全国形成。

资治通鉴（白话本） 卷第二百五十六

唐纪七十二

唐僖宗中和四年至光启三年（公元884—公元887）

【起阏逢执徐（甲辰，公元884年）六月，尽强圉协洽（丁未，公元887年）三月，凡二年有奇】

【大事提要】

本卷记事起公元884年六月，讫公元887年三月，记事凡两年又九个月。当唐僖宗中和四年六月至光启三年三月。此时期全国军阀大混战，唐王朝中央完全失控。围剿黄巢，藩镇形式上听命于朝廷。此时黄巢已灭，藩镇失去一个共同敌人，唐僖宗受制于宦官田令孜，权威扫地，各地大小军阀肆行无忌。光启元年三月十二日僖宗还京，光启二年正月初八日僖宗被田令孜挟持第二次蒙尘，出逃兴元。僖宗还京不到十个月，京师长安再遭兵灾，化为灰烬。先是田令孜挟持僖宗以令藩镇，外结凤翔节度使李昌符、邠宁节度使朱玫对抗河中节度使王重荣。田令孜夺取王重荣所专盐利，更易节度使，挑起河北诸镇战端。王重荣抗命，朱玫、李昌符奉诏征讨。李克用援救王重荣，进兵长安，朱玫、李昌符也反戈一致上奏诛杀田令孜。于是田令孜挟僖宗出逃，李克用还师，朱玫控制京师，拥立襄王李煴另立朝廷，称帝号。河南蔡州节度使秦宗权收合黄巢余部，反叛朝廷，也称帝号。一时间三个皇帝鼎立，全国一片混乱。

僖宗惠圣恭定孝皇帝下之上

唐僖宗中和四年（甲辰，公元884年）

六月初三日壬辰，东川留后高仁厚奏报郑君雄已经杀掉杨师立出城投降。高仁厚围攻梓州很久没有攻下，于是写信射入城中，告诉城中的将领、士兵说：“我高仁厚不忍心城中的好人和坏人一同被杀掉，因此为了你们暂时推迟十天攻打，让你们自己来建立这个功劳。如果十天之内不把杨师立的人头送出来，我就要把军队分为五批，白天黑夜地来攻打你们，这对于我们是很安逸的，对于你们必定困乏不堪。假如五天还攻不下来，就四面围攻，这样就一定可以攻下了。你们好好考虑考虑吧！”过了几天，郑君雄大声对部下说：“唐僖宗所要诛杀的只是元凶首恶，与其他人没有什么关系。”大家高呼万岁，大声喧哗，冲进官府中，杨师立自杀，郑君雄提着他的头开城门投降。高仁厚到唐僖宗那儿献上杨师立的首级以及他的妻妾子女。陈敬瑄把杨师立的儿子钉在城北，陈敬瑄的三个儿子出去观看，被钉的杨师立儿子喊着说："这事早晚会轮到你们身上的，你们以后要努力来领取啊！"陈敬瑄的三个儿子骑着马回去了。唐僖宗任命高仁厚为东川节度使。

六月十五日甲辰，武宁军的将领李师悦与尚让一起追击黄巢到了瑕丘，打败了他。黄巢的部众几乎被消灭完了，逃到狼虎谷。六月十七日丙午，黄巢的外甥林言斩下黄巢及其兄弟妻子的头，要拿去进献给时溥；路上遇到沙陀的博野军，夺走了这些首级，并且斩下林言的头一起献给时溥。

蔡州节度使秦宗权纵容军队四处掠夺，侵占吞取邻近各道地方。天平节度使朱瑄，有部众三万人，朱瑄的堂弟朱瑾，勇猛为军中之冠。宣武节度使朱全忠遭到秦宗权的进攻，情势非常危急，向朱瑄求援。朱瑄派遣朱瑾率领军队前去救援朱全忠，在合乡打败了秦宗权。朱全忠感谢朱瑄的恩德，和朱瑄结拜为兄弟。

秋季，七月二十四日壬午，时溥派遣使者献上黄巢和他家人的首级以及姬妾，唐僖宗亲临大玄楼接受。唐僖宗问黄巢的姬妾说："你们都是有功勋、显贵人家的子女，世世代代受到国家的恩惠，为什么要跟从贼寇呢？"站在最前面的一个回答说："猖狂的贼寇凶残乱逆，国家用一百万军队来抵御，仍然守不住宗庙，被迫迁移流落到巴蜀一带。现在陛下用不能抗拒贼寇来责备一个弱女子，那么把国家的公卿将帅放在什么地位呢！"唐僖宗便不再问她们，在市场里把她们都杀了。人们争着拿酒给她们喝，其他的人都悲伤害怕昏昏欲醉，只有站在最前面的那个既不喝酒，也不哭泣，一直到行刑时，神色依然肃穆镇定。

朱全忠进攻秦宗权，在溵水把秦宗权打败了。

（以上为第一段，写高仁厚歼灭杨师立为东川节度使。黄巢败殁。兵败降于黄巢的蔡州节度使秦宗权继起为祸。）

李克用到了晋阳，大力修整盔甲、兵器，派遣榆次的镇将雁门人李承嗣献表章到唐僖宗那儿，陈述说："臣有击破黄巢的大功，但遭到朱全忠的暗算，仅仅免于一死，自将佐以下随行的三百多人以及他们的职官牌印都丢掉了，没有能够回来。朱全忠在东都、陕、孟等地贴出告示，说臣已经死了，军队也已经溃败，下令他所统辖的地方拦截打击臣的部众，屠杀斩首，一个也不要遗漏。臣的将士们都悲痛号泣，哭诉冤屈，要求报仇雪恨。臣认为朝廷最公正，应该等待陛下的诏命，安抚劝导大家，止息他们的怨怒，使他们回到原来的地方。臣请求派遣使者来考查询问，发兵去讨伐朱全忠。臣派遣臣的弟弟李克勤率领一万名骑兵在河中等候命令。"当时朝廷认为黄巢刚刚平定，正想对各方采取宽容的政策，看到了李克用献上的表章，担心又起动乱，只好派遣亲信宦官带着诏书，好言安抚李克用，从中进行调解。李克用前后总共八次上奏表章，说道："朱全忠妒忌有功又有才能的人，是个阴险狡猾、祸国殃民的贼寇，以后一定会成为国家的祸害。臣乞求皇上下诏削除朱全忠的官爵，臣自己率领本道的军队去讨伐他，不用国家供给粮食、开支薪饷。"唐僖宗多次派遣杨复恭等晓谕旨意，说道："朕深知卿的冤屈，但现在正是多事季节，姑且维持国家大局。"李克用始终郁郁不平。当时藩镇之间互相攻击的，朝廷不再为他们辨明是非曲直了。由此这些藩镇互相侵占吞并，只看力量的大小，都不禀告朝廷，也无所顾忌了。

八月，李克用上奏请求把本属振武节度的麟州划归河东节度，又请求任命他的弟弟李克脩为昭义节度使，朝廷都同意了。由此昭义分成了两个镇。朝廷又进封李克用为陇西郡王。李克用上奏罢免云蔚防御使，仍旧隶属河东，朝廷也听从了他的意见。

九月初二日己未，加封朱全忠为同平章事。

任命右仆射、大明宫留守王徽掌管京兆尹的事务。唐僖宗因为长安的宫殿、房屋被烧毁，所以长久滞留在蜀地没有回来。王徽招集安抚流亡散失的人，各家各户才稍微返回，又整修治理宫殿、房屋，百官、机构略微有了头绪。冬季，十月，关东地区藩镇上表请求唐僖宗回到京城。

朱全忠投降唐朝时，义成节度使王铎任都统，以唐僖宗的名义授予朱全忠官职。朱全忠当初镇守大梁，侍奉王铎很恭敬，王铎也依靠朱全忠作为帮手。随着朱全忠兵力越来越强，他也更加骄横傲慢，王铎知道朱全忠不能依靠了，上表请求回到朝廷。朝廷改任王铎为义昌节度使。

（以上为第二段，写朱全忠与李克用各拥兵自重，势力日炽。）

鹿晏弘到河中去时，王建、韩建、张造、晋晖、李师泰各率领自己的部众与鹿晏弘一同前往；等到占领兴元以后，鹿晏弘只任命王建等人做巡行视察的巡内刺史，没有给他们任命正式的官位。鹿晏弘为人多猜疑好妒忌，大家不依附他。王建、韩建一向很亲善要好，鹿晏弘特别妒忌两人，多次请两人到卧室中，招待二人，对他们格外优厚。王建、韩建互相商量说："鹿晏弘给我们说好听的，优待我们，是在怀疑我们啊！灾祸快要来到了。"田令孜秘密派人用丰厚的财物去引诱王建等人。十一月，王建、韩建与张造、晋晖、李师泰率领部众数千人逃奔到唐僖宗那儿，田令孜都收养他们做义子，赏赐给他们无数银钱，任命他们为诸卫将军，各率领原有的部众，号称"随驾五都"。又派遣禁兵去讨伐鹿晏弘，鹿晏弘丢下兴元逃走了。

起初，宦官曹知悫，本来是华原地方的富家子弟，有胆量，善谋略。黄巢攻陷长安，曹知悫回到乡里，聚集壮士，占据嵯峨山的南面，建立碉堡保卫自己，黄巢的部众不敢靠近。曹知悫多次派遣壮士换了衣服改变口音，仿效黄巢的部众，夜里潜入长安城去攻击贼寇的营帐，贼寇大惊，以为是鬼神；又怀疑自己的部下有叛变的，因此心中惶惶不安。朝廷知道后嘉勉了曹知悫，授给他内常侍的官，赐给他金紫服装。曹知悫听说唐僖宗将要回到长安，对人说："我施展了一点技艺，使得各路军队能够完成大功劳收复京城，那些陪同唐僖宗的臣子只是在那边来回踱步，没有起一点作用；等到了大散关，应该看一看哪个可以回来才让他进关。"朝廷听到了，担心他发动叛变；田令孜尤其憎恨他，秘密用唐僖宗的圣旨告诉邠宁节度使王行瑜，命令王行瑜杀死曹知悫。王行瑜暗中调动军队从嵯峨山的北面利用地势高的有利条件去袭击曹知悫。曹知悫没有防备，全营都被杀死了。田令孜从此更加骄横不法，干涉唐僖宗的言行，唐僖宗不能有所主张决断。唐僖宗忧虑田令孜的专权，常常告诉身边的人，有时甚至伤心落泪。

鹿晏弘带领军队向东边的襄州进发，秦宗权派遣他的部将秦诰、赵德諲率领军队与他会合，共同去攻打襄州，占领了它。山南东道节度使刘巨容逃奔到成都。赵德諲是蔡州人。鹿晏弘带领军队在襄、邓、均、房、庐、寿等州辗转掠夺，然后又回到许州。忠武节度使周岌听说鹿晏弘来了，丢下镇所逃走。鹿晏弘就占据了许州，自称为留后。朝廷没有能力征讨鹿晏弘，于是任命他为忠武节度使。

十二月初三日己丑，陈敬瑄上表辞去三川都指挥、招讨、制置、安抚等使，唐僖宗同意了。

起初，黄巢转往福建掠夺时，建州人陈岩聚集民众几千人来保卫乡里，号称"九龙军"。福建观察使郑镒奏请唐僖宗任命陈岩为团练副使。泉州刺史、左厢都虞候李连有罪，逃亡到溪谷洞穴中，陈岩打败了李连。郑镒畏惧陈岩的威势，上表请求让陈岩来代替自己的职位。十二月十六日壬寅，任命陈岩为福建观察使。陈岩治理事务有威严施恩惠，福建人得到了安宁。

义昌节度使兼中书令王铎，生活上很奢侈，经过魏州时，侍妾排列成行，她们的服饰器用非常鲜艳华美，像天下太平时一般。魏博节度使乐彦祯的儿子乐从训，在漳南高鸡泊埋伏了几百士兵，包围了他们并杀了王铎，王铎的宾客僚属等随从三百多人也都死了，又掠夺了王铎的财物和侍妾才返回。乐彦祯上奏说王铎是为强盗所杀，朝廷也无法追究。

赐邠宁军号称"静难"。

这一年，余杭镇使陈晟逐走睦州刺史柳超，颍州都知兵马使汝阴人王敬荛逐走颍州刺史，两人各治理州中的事务，朝廷因此分别任命他们为刺史。

均州贼寇的首领孙喜聚集部众几千人，谋划进攻州城，刺史吕烨不知道怎么办才好。都将武当人冯行袭在汉江南面埋伏了军队，自己搭乘小船去迎接孙喜，对他说："州里的百姓盼望好的州官，没有不诚心拥护的，但是您随从的士兵太多，大家害怕被抢劫掠夺，还在犹豫怀疑。不如您把军队安置在汉江以北，独自和心腹部属轻装前进，请让我在前面为您引导，告诉均州里的人，没有不归顺服从的。”孙喜认为冯行袭说得对，同意了。渡过了汉江以后，军吏们正上前迎接拜见，埋伏的军队突然发动攻击，冯行袭亲手袭击孙喜，把他斩了，跟随孙喜的人都被杀死，江北的军队望见这一情况都溃散逃亡了。山南东道节度使上奏冯行袭的功劳，唐僖宗下令任命冯行袭为均州刺史。均州的西部有座长山，正好是襄州、邓州进入蜀地的交通要道，众盗贼占据了这个地方，搜查抢夺各方送来的贡物、税收，冯行袭带兵去讨伐诛杀盗贼，前往蜀地的道路得以畅通。

凤翔节度使李昌言病重，他的堂弟李昌符担任留后的职务。李昌言死了，唐僖宗任命李昌符为凤翔节度使。

当时黄巢虽然已经平定了，但秦宗权的势力又强盛起来。秦宗权命令部将出兵，劫夺掠取邻近的各道，陈彦侵入淮南，秦贤侵入江南，秦诰攻陷襄、唐、邓等州，孙儒攻陷东都、孟、陕、虢等地，张晊攻破汝、郑，卢瑭攻打汴、宋，军队所到的地方，屠杀、斩首、焚烧、扫荡，几乎没有留下一个活人。他们的残暴远远超过了黄巢。军队出发，没有转运粮食，就用车子载着用盐腌的尸体跟在后面。北面到卫、滑，西面至关中、三辅，东面达青、齐，南面直抵江、淮，以上范围内州镇得以保全下来的只有一个城，放眼千里，再没有一户人家了。唐僖宗即将回到长安，害怕秦宗权作乱。

（以上为第三段，写僖宗受制于田令孜，心不能平。各地军阀混战，朝廷失控。鹿弘宴据许州，依附秦宗权，秦宗权势力日涨。）

唐僖宗光启元年（乙巳，公元 885 年）

春季，正月初二日戊午，唐僖宗下诏招抚秦宗权。

正月二十三日己卯，唐僖宗从成都出发，陈敬瑄送到汉州才返回。

荆南监军朱敬玫所招募的忠勇军凶狠蛮横，陈儒对他们很忧虑。郑绍业镇守荆南时，派遣大将申屠琮率领军队五千人到长安去攻打黄巢。军队返回后，陈儒告诉申屠琮，要他除掉忠勇军。忠勇军的将领程君从听到这一情况，率领他的部众逃奔到朗州。申屠琮追击他们，杀死一百多人。从此以后申屠琮又独断军政了。

雷满多次攻打掠夺荆南，陈儒用厚重的贿赂使雷满退兵。淮南的将领张瓌、韩师德背叛高骈，占据了复、岳两州，自称为刺史。陈儒请张瓌代理行军司马，韩师德代理节度副使，率领军队进攻雷满。韩师德带领军队登上巫峡大肆掠夺后，回到岳州。张瓌回来赶走陈儒取代了他的职位。陈儒要跑到唐僖宗那儿，被张瓌抓住囚禁起来。张瓌是渭州人，本性贪婪凶暴，荆南原有的将领几乎都被他杀尽了。

起先，朱敬玫多次杀害大将和富商，使自己富了起来，朝廷派遣中使杨玄晦来取代他的职位。朱敬玫留居在荆南，有一次晒衣服，被张瓌看到了。张瓌想占为己有，派遣士兵在晚上攻打朱敬玫，杀了他，抢走了朱敬玫的所有财物。张瓌憎恨牙将郭禹敏捷勇猛，想要杀死郭禹，郭禹纠集同党千人逃走了。正月初四日庚申，郭禹袭击归州，占领了它，自称为刺史。郭禹，就是青州人成汭，因为杀人逃亡，才改了姓名。

南康地方贼寇的首领卢光稠攻陷虔州，自称为刺史，任用同乡谭全播为自己出主意、定计划。

秦宗权向光州刺史王绪要求供给租赋，王绪无法供给；秦宗权大怒，发动军队去攻打他。王绪害怕了，出动光、寿两州士兵五千人，驱赶官吏和老百姓渡江，派刘行全为前锋，先后掠夺了江州、洪州和虔州，这个月，又攻陷了汀、漳两州，但是都不能守住这些地方。

秦宗权掠夺颍、亳两州，朱全忠在焦夷把秦宗权打败了。

二月初十日丙申，唐僖宗到达凤翔。三月十二日丁卯，回到京城。京城长满了荆棘，狐狸野兔到处乱跑，唐僖宗看到这般情景，心中感到十分凄惨，闷闷不乐。三月十四日己巳，大赦天下，改年号为光启。这时朝廷号令能够推行的，只有河西、山南、剑南、岭南这些地区的几十个州了。

秦宗权自称为帝，设置百官。唐僖宗下诏任命武宁节度使时溥为蔡州四面行营兵马都统去讨伐秦宗权。

（以上为第四段，写荆南监朱敬玫贪财丧身。唐僖宗由蜀还京，秦宗权称帝于蔡州。）

卢龙节度使李可举、成德节度使王镕不满李克用的强盛，而义武节度使王处存与李克用亲近要好，替自己的侄子王郜求娶李克用的女儿为妻。另外，河北的各镇，只有义武还属朝廷管辖，李可举等害怕王处存暗中伺机侵占恒山以东地区，最终成为自己的祸患，于是相互谋划说："易州、定州，本来就是燕国、赵国所留下来的地方。"约好共同灭掉王处存并瓜分他的土地；又游说云中节度使赫连铎攻打李克用的后方。李可举派遣他的部将李全忠率领军队六万人进攻易州。王镕派遣部将率领军队攻打无极。王处存向李克用告急，李克用派遣部将康君立等人率领军队前往救援。

闰三月，秦宗权派遣他的弟弟秦宗言去掠夺荆南。

起初，田令孜在蜀地招募新军五十四都，每都一千人，分别隶属于左、右两神策军，组成十个军来统领他们；又有南牙、北司的官员共一万多人。这时藩镇都各自垄断了所在地的租税，河南、河北、江、淮等地都不再向朝廷上缴租税，判户部、判度支、盐铁使三司没有转运调度的来源，度支只能收京畿、同、华、凤翔等几个州的租税，不够花费，也不能按时给予赏赐，士兵们常常有怨言。田令孜非常忧虑，不知道如何来解决这一问题。以前，安邑、解县两个地方的池盐都属盐铁使管理，设置官吏专门经营；中和元年以来，河中节度使王重荣独占其利，每年只献上三千车盐来供应国家的需要。田令孜上奏请求唐僖宗恢复旧有的制度让池盐隶属盐铁使。夏季，四月，田令孜亲自兼任两池榷盐使，收取盐利来供给军中的需求。王重荣多次上章奏诉讼这件事，唐僖宗派遣中使前往劝谕他，王重荣仍然不愿意。当时田令孜派遣了许多亲信去窥视各个藩镇，如有不依附自己的，就常常谋算他们。田令孜的养子匡祐出使河中，王重荣待他非常优厚，然而匡祐傲慢得太过分了，全军将士都愤怒不已。王重荣于是逐条诉说田令孜的罪恶，责备他放肆无礼。监军为匡祐说情，他才能脱身离去。匡祐回去以后，将这件事告诉田令孜，劝田令孜谋算王重荣。五月，田令孜调离王重荣任泰宁节度使，任命泰宁节度使齐克让为义武节度使，任命义武节度使王处存为河中节度使，又诏令李克用出动河东的军队援助王处存前往镇守。

卢龙的军队攻打易州，副将刘仁恭挖通隧道进入城中，攻下了易州。刘仁恭是深州人。李克用亲自率领军队去救援无极，打败了成德的军队。成德的军队退保新城，李克用再次进兵攻击，大败他们，攻下新城，成德的军队逃走了。李克用追到九门，斩首一万多人。卢龙的军队攻下了易州，骄傲麻痹了。王处存夜里派遣士兵三千人蒙上羊皮来到城下，卢龙的军队以为是羊群，争着出来抢夺。王处存奋力攻击，大破卢龙的军队，夺回易州，李全忠逃走了。

加官陕虢节度使王重盈为同平章事。

李全忠丧失军队以后，担心获罪，收聚余下的部众回去袭击幽州。六月，李可举被攻得窘迫危急，带领全家和亲族登楼自焚而死。李全忠自称为留后。

东都留守李罕之与秦宗权的部将孙儒对抗了好几个月；李罕之士兵少，粮食也完了，便抛弃东都，西行守卫渑池。秦宗权攻下了东都洛阳。

秋季，七月，任命李全忠为卢龙留后。

（以上为第五段，写田令孜专盐利，更易节度使，挑起河北诸镇战乱。）

七月二十三日乙巳，右补阙常濬向唐僖宗上疏，认为：“皇上无原则地宽容藩镇太过分了，是非功过不分清楚，齐头不足不分高低，以致天下混乱到了这个地步仍没有觉悟。难道不可以想一想几年前在骆谷处境的艰难危险，又怀着向西仓皇逃奔的主意吗？应该稍稍整理一下纲纪刑法来建立朝廷的威望啊！”田令孜的党羽对唐僖宗说：“这个奏章传到藩镇的耳朵里，岂不要招致他们猜忌愤怒！”七月二十八日庚戌，贬常濬为万州司户，不久，又赐他自杀。

沧州发生兵变，逐走节度使杨全玫，拥立牙将卢彦威担任留后，杨全玫出奔到幽州。任命保銮都将曹诚为义昌节度使，卢彦威为德州刺史。

孙儒占据了东都洛阳一个多月，焚烧宫室、官府、寺庙和民居，大肆掠夺洗劫一空后才离开，城中寂静无声，连鸡犬声也听不到了。李罕之又带领他的部众进入洛阳，在市的西边筑起了壁垒碉堡住了下来。

王重荣自以为有恢复京城的功劳，反被田令孜排斥，于是不肯到兖州去赴任，多次上表申论田令孜离间君臣的事实，列举田令孜的十大罪状。田令孜联合邠宁节度使朱玫、凤翔节度使李昌符与王重荣相对抗。王处存也向唐僖宗报告："幽、镇两州的军队刚刚退走，我不敢离开易州、定州。况且王重荣没有罪过，对国家有大的功劳，不应该轻易地变换他的官职。"唐僖宗下诏命令王重荣及早出发上路，八月，王处存带领军队到了晋州，刺史冀君武关闭城门不让他进入，只得退回。

洺州刺史马爽与昭义行军司马奚忠信不和，发动军队驻扎在邢州的南边，威逼孟方立诛杀奚忠信。后来马爽的部众溃散逃跑，马爽逃奔魏州。奚忠信派人贿赂乐彦祯杀了马爽。

秦宗权攻打邻道的二十多个州，都攻下来了；只有陈州距蔡州仅一百多里未被攻下，兵力也很弱，刺史赵犨每天与秦宗权交战，秦宗权竟不能使他屈服。唐僖宗下诏任命赵犨为蔡州节度使。赵犨感激朱全忠的支援，和朱全忠结为姻亲，凡是朱全忠所征调的，没有不立即送到的。

（以上为第六段，写田令孜挟僖宗以令藩镇，王重荣抗命。秦宗权为祸淮西，贼势日横。）

王绪到了漳州，由于道路险阻粮食短缺，命令军中"不要让年纪大、身体弱的人跟随，如有违反立即斩首！"只有王潮兄弟搀扶他们的母亲董氏在崎岖不平的道路上一起随军行走。王绪叫来王潮兄弟责备说："军有军法，没有无法纪的军队。你们违反了我的命令，如果不诛杀你们，那军队就没有法纪了。"王潮三兄弟说："每个人都有母亲，没有无母亲的人；将军为什么要使人抛弃自己的母亲呢！"王绪大怒，下令斩杀他们的母亲。三兄弟说："我们侍奉母亲如同侍奉将军一样，既然要杀我们的母亲，何必还用我们呢！请让我们先母亲而死。"将士们都为王潮兄弟求情，这才赦免了他们。

有一个能占卜吉凶的人告诉王绪说："军队里有王者之气。"于是王绪看到部将士卒有勇敢、谋略胜过自己的以及气质特别、身体魁梧的，就把他们杀掉。刘行全也被杀死了。军队里人人自危，说："刘行全是王绪的妹夫，而且是全军中最威猛的，仍免不了一死，何况我们这些人啊！"到了南安，王潮对前锋将领说："我们这些人离开了先祖的坟墓，抛弃了妻子儿女，奔波在外乡做盗贼，这哪里是我们所想要的呢！这是被王绪所逼迫威胁而造成的啊！现在王绪猜忌苛刻，不讲仁义，乱杀无辜的人，军队中杰出的人几乎都被王绪杀完了。您的须眉容貌像神仙一样，骑术射箭超过大家，又担任前锋要职，我实在为您感到危急啊！”前锋将领握住王潮的手，哭着问该怎么办才好。王潮遂替他谋划，在竹林中埋伏几十个壮士，等王绪到了，拔剑大叫跳出来，就在马上捉住王绪，把他反绑巡行军中，军中都高呼万岁。王潮推举前锋将领为主帅，前锋将领说：“我们今天不会成为被人宰割的鱼肉，都是您王潮的力量。上天要您王潮做主帅，谁还敢抢先呢！”互相推让了多次，最终拥戴王潮为将军。王绪叹息说：“王潮这个人在我的网中，我没能早杀掉他，这岂不是天意吗！”

王潮带领军队将要回光州去，约束他的部属，所过之处一丝一毫不能侵犯。行军到沙县，泉州人张延鲁等人由于刺史廖彦若贪婪残暴，率领有声望的老年人献上牛肉酒食，拦住了他们的去路，请求王潮留下来担任泉州的将领，王潮于是带领军队包围了泉州。

（以上为第七段，写王潮据泉州，为建立闽政权张本。）

九月二十七日戊申，任命陈敬瑄为三川及峡内诸州都指挥、制置等使。

蔡州秦宗权派遣秦宗言的军队包围荆南，马步使赵匡谋划拥戴前节度使陈儒复出，留后张瓌察觉此事，杀了赵匡和陈儒。

冬季，十月初二日癸丑，秦宗权在八角镇打败了朱全忠。

王重荣向李克用求救。李克用正在埋怨朝廷不治朱全忠的罪，因此选兵买马，聚结众多胡人，商量攻打汴州，回报王重荣说：“等我先消灭了朱全忠，回来再扫除这些鼠辈，好像秋风扫落叶一样容易。”王重荣说：“等您从关东回来，我已成为俘虏了。不如先除掉唐僖宗身边的恶人，再回兵擒拿朱全忠就容易多了。”当时朱玫、李昌符也暗中依附朱全忠，李克用于是向唐僖宗上言说：“朱玫、李昌符和朱全忠相互勾结，互为表里，想要共同消灭臣。臣不得不自救，已经聚集番兵、汉兵十五万，决定明年渡过黄河，从渭北讨伐他们两镇。臣不靠近京城，保证不使您受惊担忧。平定两镇以后，再回师消灭朱全忠以报仇雪耻。”唐僖宗派遣使者进行劝解，前后络绎不绝。

朱玫想让朝廷讨伐李克用，多次派人暗中潜入京城，烧毁库藏财物，或者刺杀唐僖宗身旁的侍者，扬言说是李克用所做的，于是京城震惊恐慌，每天都有谣言。田令孜派遣朱玫、李昌符率领本军和神策鄜、延、灵、夏等军各三万人，驻扎在沙苑，以讨伐王重荣。王重荣发兵抵挡，并向李克用告急，李克用带领军队前往救援。

十一月，王重荣调遣军队攻打同州，刺史郭璋出来迎战，战败被杀。王重荣和朱玫等相持了一个多月，李克用的军队到达，与王重荣都在沙苑筑起了壁垒驻扎下来，上表请杀田令孜以及朱玫、李昌符。唐僖宗下诏要他们和解，李克用不听。十二月二十三日癸酉，两军会战，朱玫、李昌符大败，各自逃回原来的镇所。败军经过处，焚烧掠夺，无所不为。李克用进逼京城。十二月二十五日乙亥夜里，田令孜侍奉唐僖宗从京城西边的开远门逃出去，跑到了凤翔。

当初，黄巢离开长安时，焚烧了长安城的宫室，各道的军队进城后，又纵兵掠抢，烧毁了官府、寺庙、民居的十分之六七；王徽多年来修缮整理，仅仅完成十分之一二；到这时又被乱兵焚烧掠夺，没有一点遗留了。

这一年，赐河中军号称“护国”。

（以上为第八段，写李克用进兵长安以图田令孜，唐僖宗再度蒙尘，京师化为灰烬。）

唐僖宗光启二年（丙午，公元 886 年）

春季，正月，镇海牙将张郁发动叛乱，攻下了常州。

李克用率领军队回到河中，与王重荣一起上表请唐僖宗回宫，并列举田令孜的罪状，请求将他处死。唐僖宗再次任命飞龙使杨复恭为枢密使。

正月初八日戊子，田令孜请唐僖宗到兴元去，唐僖宗并不愿意。这天夜里，田令孜带领军队进入行宫，劫持唐僖宗到宝鸡去，宦官和侍卫跟从的只有几百人，宰相、大臣都不知道。翰林学士承旨杜让能当晚侍奉唐僖宗在行宫中值宿，听到了这件事，跑步去追赶唐僖宗的车舆，出城十多里路，恰巧碰到一匹别人抛弃的马，没有缰绳勒住马头，只好解下衣带系在马的脖子上，骑马独自追上了唐僖宗。第二天，才有太子少保孔纬等几个人陆续赶到。杜让能是杜审权的儿子，孔纬是孔戣的孙子。宗正官供奉帝王祖庙的牌位到鄠县，途中遇到了盗贼，牌位都丢失了。追赶唐僖宗车舆的朝官到了盩厔，衣服、行装都被乱兵抢掠一空。

正月初十日庚寅，唐僖宗任命孔纬为御史大夫，命令他回去召来朝中百官，唐僖宗留在宝鸡等待他们。

当时田令孜凭借职位滥用权力，以致唐僖宗流离迁徙，天下人人都痛恨他。朱玫、李昌符也因被他利用感到耻辱，并且害怕李克用、王重荣的强盛，遂改变态度与李克用、王重荣合作。

萧遘因为邠宁奏事判官李松年到了凤翔，于是派遣李松年宣召朱玫赶快去迎接唐僖宗。正月十三日癸巳，朱玫带领骑兵五千人到了凤翔。孔纬到宰相跟前想用诏书宣召宰相到行在所。萧遘、裴澈因为田令孜在唐僖宗的身边，不愿去，就声称有病推脱。孔纬命令御史台的官吏催促百官去宝鸡唐僖宗那里，百官都推辞说没有官袍和朝笏不肯前往。孔纬又召见三院御史，哭着说："老百姓的亲戚、故旧有急难的，尚且应当赶去帮助他们。难道皇帝出奔在外，蒙受风尘，做臣子的人，多次召唤也不前去吗！"御史们请求给几天时间准备一下行装再出发。孔纬甩动衣袖，愤怒地站起来说："我的妻子病得快要死了也顾不上，你们既如此为自己打算，我就告辞啦！"于是去见李昌符，请李昌符派遣骑兵护卫自己到唐僖宗那里。李昌符为孔纬的行为所感动，送给行装和钱财，派遣骑兵送他去。

邠宁、凤翔的军队追赶逼近唐僖宗的行宫，在潘氏堡打败了神策指挥使杨晟，激战的鼓声传到了唐僖宗的行宫。田令孜侍奉唐僖宗从宝鸡出逃，留下禁兵驻守石鼻，在后抵拒。安置感义军在兴、凤两州，任命杨晟为节度使，驻守散关。当时军队、老百姓混杂在一起，刀尖箭镞处处可见，僖宗命神策军使王建、晋晖担任清道斩斫使。王建率领五百个手持长剑的战士在前奋勇开路，唐僖宗的座车才得以前进。唐僖宗把传国宝玺交给王建让他背着跟随，登上了大散岭。李昌符烧毁栈道一丈多，栈道快要折断，王建扶着唐僖宗从烟火中跳过。晚上，就住在临时搭成的板屋里，唐僖宗以王建的膝盖当枕头睡觉，醒了以后才吃点食物。唐僖宗解下了自己的袍子赐给王建说："因为这件衣服上有你流下的眼泪，所以赏赐给你！"唐僖宗才进入散关，朱玫已经包围了宝鸡。石鼻的军队溃败了，朱玫长驱直入攻打散关，但没有打下来。嗣襄王李煴，是唐肃宗的玄孙，身体有病，跟不上唐僖宗，留在遵涂驿，被朱玫抓获，李煴与朱玫一起回到凤翔。

正月三十日庚戌，李克用回到太原。

二月，王重荣、朱玫、李昌符再次上表请求诛杀田令孜。

任命前东都留守郑从谠暂时代理太傅职位并兼任侍中。

朱玫、李昌符派遣山南西道节度使石君涉建造木栅断绝险要的道路，烧毁运送邮件的驿站，唐僖宗只能改从其他道路前进。山路崎岖不平，朱玫的军队在后面紧紧追赶，危急紧迫的险情多次发生，经过了无数波折，唐僖宗的车驾才到达山南。三月初三日壬午，石君涉丢弃了镇守的地方逃归到朱玫那里。

三月初四日癸未，留在凤翔的百官萧遘等人谴责田令孜及其党羽韦昭度的罪状，奏请杀掉他们。当初，韦昭度因为与唐僖宗身边供奉僧澈的关系结交了宦官，最后当上宰相。僧澈的老师知玄鄙视僧澈的所作所为，韦昭度每次和僧澈到知玄那里去拜见他，知玄都不愿接待，便让他们到僧澈那里去喝茶。

山南西道监军冯翊人严遵美在西县迎接唐僖宗。三月十七日丙申，唐僖宗到达兴元。

（以上为第九段，写田令孜劫持唐僖宗幸兴元。）

三月十九日戊戌，任命御史大夫孔纬，翰林学士承旨、兵部尚书杜让能一起担任兵部侍郎、同平章事。

保銮都将李铤等人在凤州打败朱玫的军队。

诏命加封王重荣为应接粮料使，命令他调集本道的粮谷十五万斛以接济国家的需用。王重荣上表说田令孜还没有斩除，他不接受这个诏命。

任命尚书左丞卢渥为户部尚书，充当山南西道留后。任命严遵美为内枢密使，派遣王建领兵守卫三泉。晋晖和神策军使张造率领四都的军队驻扎在黑水，修理栈道使道路畅通无阻。任命王建遥领壁州刺史。将帅对州镇仅挂职名不亲往任职从这时开始。

陈敬瑄怀疑东川节度使高仁厚，想要除掉他。遂州刺史郑君雄发动军队攻下了汉州，向成都进发。陈敬瑄派遣他的部将李顺之迎战，郑君立战败被杀。陈敬瑄又发动维、茂的羌族军队攻打高仁厚，把高仁厚杀了。

朱玫因田令孜在唐僖宗的身边，始终无法把他除去，对萧遘说："皇上在外流离迁徙已经六年了。中原将士们冒着弓箭石块的危险去打仗，老百姓们供应军粮，战死饿死的人，十去七八，才得以恢复了京城。天下官民都在高兴皇上回到了宫中，皇上却把这勤王的功劳算在宦官田令孜等人的身上，给他们以荣耀，把治理国家的大权委托给他们，使得纲纪被败坏，藩镇骚扰，招来了变乱，产生了灾祸。我目前奉您的命令去迎接皇上，没有受到大家的信任和理解，反而像在威胁君主。我等报效国家的心意已经到了极点，跟贼寇作战的力量也已经用尽了，怎么能俯首帖耳，任凭那些宦官摆布制裁呢！李氏的皇子皇孙还很多，您为什么不改变一下以有利于国家呢？"萧遘回答说："皇上即位已有十多年，没有大的过错。正是由于田令孜在皇上身边专权，致使皇上坐立不安，睡不好觉，皇上每谈到这件事，眼泪都流个不停。近几天皇上本不想走，田令孜在他的住处布满了军队，胁迫他马上走，连等到天亮都不行。所有的罪过都在田令孜的身上，大家有谁不知道呢？你对皇室尽心尽力，正应当带领军队回到镇守的地方，恭敬地上表来迎接皇上。废立君主的大事，伊尹、霍光也感到很难，我萧遘不能听从你的命令。"朱玫出去后，宣布说："我拥立李氏的一个子孙为王，敢不同意的立即斩首！"

夏季，四月初三日壬子，朱玫逼迫在凤翔的百官尊奉襄王李煴暂时监理军国大事，禀承君命封爵拜官指挥群臣，还派遣大臣到蜀地去迎接皇帝，在石鼻驿和百官盟誓。朱玫要萧遘撰写册封李煴的文告，萧遘推辞说他的文思已经荒废衰退了，于是由兵部侍郎判户部郑昌图来撰写。四月初六日乙卯，李煴接受了册封的符命，朱玫自己兼任左、右神策十军使，率领百官奉李煴回京师；任命郑昌图为同平章事，判度支、盐铁、户部事，分别设置副使，御史大夫、中书、门下三司的事务全部委任郑昌图总揽。在河中的百官崔守潜等人向襄王李煴奉上表笺，恭贺他接受册封。

田令孜自己知道不会被天下的人所宽容，于是推荐枢密使杨复恭担任左神策中尉、观军容使，自己担任西川监军使，前往依附陈敬瑄。杨复恭排斥田令孜的同党，调出王建为利州刺史，晋晖为集州刺史，张造为万州刺史，李师泰为忠州刺史。

五月，朱玫任命中书侍郎、同平章事萧遘为太子太保，加封自己为侍中，诸道盐铁、转运等使；加官裴澈为判度支，郑昌图为判户部；任命淮南节度使高骈兼任中书令，代理江、淮盐铁、转运等使以及各道的行营兵马都统；任命淮南右都押牙、和州刺史吕用之为岭南东道节度使。朱玫用封官拜爵的办法来取悦各地的藩镇，派遣吏部侍郎夏侯潭宣示告谕河北地区，户部侍郎杨陟宣示告谕江、淮地区。各地藩镇接受襄王命令的有十分之六七，高骈于是奉上表笺奏劝襄王李煴即位为皇帝。

（以上为第十段，写朱玫擅立襄王李煴监国，对抗唐僖宗，高骈上书襄王李煴劝进。）

吕用之建立衙门设幕府，完全和高骈相同，凡是高骈的心腹及各将校中能担任事务的，都逼使他们听从自己的指挥，所作所为已不再咨询和禀告高骈了。高骈很怀疑吕用之，想暗中夺回他的权力，但是吕用之已经根深蒂固，高骈拿他没办法。吕用之知道了高骈对他的怀疑，非常害怕，询问他的同党前度支巡官郑杞、前主管庐州事宜的董瑾，郑杞说："高骈现在才怀疑你，已经晚了。"吕用之问该怎么办，郑杞说："曹操有这样一句话：'宁可我辜负天下人，也不许天下人辜负我。'"第二天，与董瑾共同写了一封信给吕用之，信中的话很机密，没有人知道它的内容。

萧遘称说有病回到了永乐县。

起初，凤翔节度使李昌符和朱玫共同谋划拥立襄王，襄王被拥立后，朱玫自己担任宰相，在朝廷专权。李昌符大怒，不肯接受朱玫加封的官职，而上表到兴元给唐僖宗。唐僖宗下令加封李昌符为检校司徒。

朱玫派遣他的部将王行瑜率领邠宁、河西的军队五万人去追击唐僖宗，感义节度使杨晟多次战败而退却，放弃散关逃走，王行瑜进兵驻扎到凤州。

这时候，各道上贡的赋税等多半送到长安给襄王，不送到兴元给唐僖宗。跟随唐僖宗到兴元的官吏、卫士都挨饿，唐僖宗悲伤流泪，不知道该怎么办。杜让能对唐僖宗说："杨复光和王重荣共同击破黄巢，收复京城，两人关系很好；杨复恭是杨复光的哥哥。如果派遣重要的大臣前往，向他们申明大义，并且传达杨复恭的心意，他们会回心转意归顺国家的。"唐僖宗听从他的意见，派遣右谏议大夫刘崇望出使河中，带着诏书告谕王重荣。王重荣立即听从命令，派遣使者上表并献上绢十万匹，并且请求讨伐朱玫来赎自己的罪过。

五月二十日戊戌，襄王李煴派遣使者到晋阳赐给李克用诏书，说：“唐僖宗行至半路，六军突然发动骚乱，唐僖宗受惊而死。我被藩镇们拥戴推举，现在已经接受册封。”朱玫也给李克用写信。李克用听到这些计谋都出自朱玫，大怒。大将盖寓对李克用说：“皇上流离迁徙，天下都把这个过错加在我们身上，今天不攻杀朱玫，废黜李煴，我们无法洗清这个过错。”李克用听从他的建议，烧掉李煴送来的诏书，囚禁了使者，移送檄文给邻近各道，说：“朱玫胆敢欺骗各方藩镇，宣称皇上已经死了。我这里已发动蕃、汉军队三万人进兵讨伐凶恶的逆贼朱玫，大家应当共同来建立这个大功。”盖寓是蔚州人。

秦贤掠夺宋州、汴州，朱全忠在尉氏的南边把秦贤打败了。五月十五日癸巳，派遣都将郭言率领步兵、骑兵三万人去攻打蔡州。

六月，任命扈跸都将杨守亮为金商节度、京畿制置使，率领军队两万人从金州出发，与王重荣、李克用共同讨伐朱玫。杨守亮本来叫訾亮，是曹州人，和弟弟訾信都做了杨复光的义子，改名叫守亮、守信。

李克用派遣使者上表说：“臣正发动军队渡过黄河去讨伐叛逆的贼党，迎接皇上，希望皇上能下诏书命令各道和臣同心协力为国效劳。”起先，山南的人都传说李克用和朱玫合作，人心恐惧不安。表文送到以后，唐僖宗拿出来给随从的官吏看，并且告谕山南的各镇，于是人心安定下来。然而李克用上的表仍然针对朱全忠，唐僖宗让杨复恭用书信告诉他说：“等到京兆、冯翊、扶风这三辅的事情安宁下来以后，另有安排和处置。”

衡州刺史周岳发动军队攻打潭州，钦化节度使闵勖招来淮西将领黄皓进入城中共同防守，黄皓杀了闵勖。周岳攻下了潭州，捉住黄皓，杀了他。

镇海节度使周宝派遣牙将丁从实攻打常州，赶走了张郁。张郁跑到海陵，去依靠镇遏使南昌人高霸。高霸是高骈的部将，镇守海陵，有百姓五万户，军队三万人。

秋季，七月，秦宗权攻下了许州，杀了节度使鹿晏弘。

王行瑜进攻兴州，感义节度使杨晟抛弃镇所逃走，占据文州。唐僖宗下诏命令保銮都将李铤，扈跸都将李茂贞、陈佩屯驻在大唐峰来抵拒王行瑜。李茂贞是博野人，本来姓宋，名叫文通，因为有功劳所以赐给他现在这个姓名。

朝廷更改钦化军名为武安军，任命衡州刺史周岳为节度使。

八月，卢龙节度使李全忠去世，任命李全忠的儿子李匡威为留后。

王潮攻下泉州，杀了廖彦若。王潮听说福建观察陈岩有威名，不敢侵犯福州的边境，派遣使者向陈岩投降。陈岩上表推举王潮担任泉州刺史。王潮沉着勇敢，聪明有谋略，取得泉州以后，召集关怀离散的百姓，平均赋税，治理兵器，官吏人民都心悦诚服。王潮将王绪囚禁起来，王绪感到惭愧，就自杀了。

九月，朱玫的部将张行实攻打大唐峰，李铤等人击退了李行实。金吾将军满存与朱玫的邠宁军作战，打败了邠守军，又攻下兴州，进兵驻守万仞寨。

李克脩攻打孟方立，九月十八日甲午，在焦冈活捉了孟方立的部将吕臻，攻下故镇、武安、临洺、邯郸、沙河等地。派遣大将安金俊担任邢州刺史。

在长安的百官及太子太师裴璩等劝襄王李煴进位为皇帝。冬季，十月，李煴即位做皇帝，改年号为建贞，遥尊唐僖宗为太上元皇圣帝。

（以上为第十一段，写李克用大军征讨朱玫，朱玫倒行逆施，拥立襄王李煴称帝。）

董昌对钱镠说："你如果能攻下越州，我就把杭州授给你。"钱镠回答说："好，不攻下来终究要为后患。"于是率领军队从诸暨赶往平水，开凿五百里长的山路，经由曹娥埭攻打。浙东将领鲍君福率领部众向钱镠投降。钱镠和浙东的军队作战，多次打败浙东军，进兵屯驻丰山。

感化军的牙将张雄、冯弘铎得罪了节度使时溥，聚集部众三百人，渡过长江，偷袭苏州，占据了它。张雄自称为刺史，部众逐渐聚集到五万人，战舰有一千多艘，自称天成军。

河阳节度使诸葛爽去世，大将刘经、张全义立诸葛爽的儿子诸葛仲方担任留后。张全义是临濮人。

李克脩攻打邢州，没有打下来，只好退了回去。

十一月十一日丙戌，钱镠攻下越州，刘汉宏逃到台州。

义成节度使安师儒把处理事务的大权委托给两厢都虞候夏侯晏、杜标，这两个人骄傲放肆，军营里的士兵都愤恨他们。小校张骁偷偷溜出去，聚集了二千人攻打滑州城。安师儒斩了夏侯晏、杜标两人的头来劝导他们，军队才逐渐平息下来。天平节度使朱瑄谋划攻打滑州，派遣濮州刺史朱裕率领军队，用计诱杀了张骁。朱全忠先派遣部将朱珍、李唐宾袭击滑州，入境后，遇到了大雪，朱珍等人一夜就奔驰到壁垒下，用成百架梯子一同爬上城墙，把滑州攻下来了，俘虏了安师儒回军。朱全忠任命牙将江陵人胡真担任义成留后。

田令孜要求到成都去医病，朝廷予以准许。

十二月，各路军队攻下了凤州，任命满存为凤州防御使。

杨复恭传送檄文到关中，说："谁能取得朱玫的首级，就赏给他静难节度使的官职。"王行瑜作战多次失败，深恐被朱玫治罪，与部下商量说："现在作战没有功绩，回去也是死路一条，不如和你们一起去斩下朱玫的首级，迎接皇上回来，获取邠宁节度使的爵位怎么样？"部下同意他的意见。十二月初十日甲寅，王行瑜从凤州擅自带领军队回到京城，朱玫正在处理事务，听说他回来了，大怒，叫来王行瑜，责备他说："你擅自回来，想要造反吗？"王行瑜回答说："我不造反，只想杀造反的人朱玫罢了！"于是捉住朱玫把他斩了，并且杀掉他的同党几百人。各路军队大乱，焚烧掠夺京城，老百姓因没有衣服穿被冻死的遍地都是。裴澈、郑昌图率领官吏二百多人侍奉襄王李熅跑到河中，王重荣假装迎接他们，抓住了李熅，把他杀了，囚禁了裴澈、郑昌图，众官吏被处死的大约有一半。

台州刺史杜雄引诱刘汉宏，把他捉住送到董昌那里，将他处斩。董昌将镇所迁到越州，自称为主持浙东军府事宜，派钱镠去掌管杭州的事务。

王重荣用匣子装了襄王李熅的首级送到唐僖宗那里，刑部请唐僖宗亲临兴元城的南楼举行接受进献左耳的典礼，百官都前往祝贺。太常博士殷盈孙认为："李熅是被贼臣朱玫所逼迫登上皇位的，应该说他的罪过只是不能以死殉节。根据《周礼》的制度，公族的人犯了死罪，国君要为他穿上丧服，不奏乐。现在李熅已经伏诛，应当废为平民，命令所在地埋葬他的首级。至于举行进献左耳的典礼，请等到朱玫的首级送来以后再举行。"唐僖宗听从他的意见。殷盈孙是殷侑的孙子。

（以上为第十二段，写董昌据越州，钱镠知杭州，为建立吴越张本。朱玫为部将所杀，襄王李熅走河中为王重荣所杀。）

河阳的大将刘经，畏惧李罕之难以控制，亲自带领军队镇守洛阳，在渑池袭击李罕之，被李罕之打败。刘经放弃洛阳逃走，李罕之追杀刘经的军队，几乎都杀光了。李罕之把军队驻扎在巩县，准备渡河，刘经派遣张全义率领军队抵挡他。当时诸葛仲方年小力弱，政权控制在刘经的手里，各将领大多不依附他。张全义于是和李罕之联合起来攻打河阳，被刘经打败，李罕之、张全义逃到怀州去防守。

原先，忠武决胜指挥使孙儒和龙骧指挥使朗山人刘建锋共同戍守蔡州，抵挡黄巢。扶沟人马殷隶属军营中，因才能勇敢出名。到秦宗权叛变，孙儒等人都归属了秦宗权。秦宗权派遣孙儒攻下了郑州，刺史李璠逃到大梁。孙儒进兵攻下河阳，留后诸葛仲方也逃到大梁。孙儒自称为节度使。张全义占据了怀州，李罕之占据了泽州，两人共同抗拒孙儒。

起初，长安人张佶在宣州官府中任幕僚，憎恨观察使秦彦的为人，抛弃官职离开了；经过蔡州，秦宗权留下张佶担任行军司马。张佶对刘建锋说："秦宗权刚强凶猛，又猜疑忌妒，离灭亡没有几天了，我们如何才能免于一死呢？"刘建锋正感到自己危险，于是就和张佶亲近起来。

寿州刺史张翱派遣部将魏虔率领一万人去劫掠庐州，庐州刺史杨行愍派部将田頵、李神福、张训去抵挡，在褚城打败了魏虔。滁州刺史许勍袭击舒州，刺史陶雅逃奔到庐州。高骈叫杨行愍改名为行密。

这一年，天平牙将朱瑾逐走泰宁节度使齐克让，自称为留后。朱瑾准备袭击兖州，向齐克让求婚，又把车子、服装修饰一新从郓州出发，暗中却隐藏着兵器、盔甲。迎亲的晚上，穿戴盔甲的士兵突然发起袭击，逐走了齐克让，朱瑾便取代了齐克让的职务。朝廷因此任命朱瑾为泰宁节度使。

安陆贼帅周通攻打鄂州，路审中逃离。岳州刺史杜洪乘虚进入鄂州，自称为武昌留后，朝廷于是正式任命杜洪担任武昌留后。湘阴贼帅邓进思又乘虚攻下了岳州。

秦宗言包围荆南两年，张瓌绕着城亲自率兵坚守，城中米价涨到一斗要四十缗，连盔甲、战鼓上的皮都被吃完了，夜里击打门板来戒备，死的人满地都是，一个枕着一个。秦宗言最后还是未能攻克荆南城而离去。

（以上为第十三段，写黄河南北、荆南、淮南、闽浙等地的军阀混战。）

唐僖宗光启三年（丁未，公元 887 年）

春季，正月，任命邠州都将王行瑜为静难军节度使，扈跸都头李茂贞兼任武定节度使，扈跸都头杨守宗为金商节度使，右卫大将军顾彦朗为东川节度使，金商节度使杨守亮改任山南西道节度使。顾彦朗是丰县人。

正月初七日辛巳，任命董昌为浙东观察使，钱镠为杭州刺史。

秦宗权自己认为兵力强过朱全忠十倍，然而多次被朱全忠打败，感到耻辱，想要用尽全力来攻打汴州。朱全忠担心自己士兵少，二月，派诸军都指挥使朱珍担任淄州刺史，到东道去招募士兵，约定在初夏时回来。

二月二十四日戊辰，削除三川都监田令孜的官爵，将他永远流放到端州去。然而田令孜依仗陈敬瑄的力量，竟然抗拒朝命不去端州。

代北节度使李国昌去世。

三月初九日癸未，唐僖宗下诏命令将李煴的宰相萧遘、郑昌图、裴澈在他们所在的地方集合民众斩首示众，他们都死在岐山县。当时朝廷中士人受李煴所封官职的很多，刑部准备把他们都处以死刑；杜让能竭力争辩，免死的人大约有十之七八。

三月十八日壬辰，唐僖宗到了凤翔，节度使李昌符担心唐僖宗回到京城以后虽然不惩办他以前的罪过，但恩惠赏赐一定很少，于是就以宫室还没有修建完整为理由，坚决要求唐僖宗暂时留驻在府舍，唐僖宗同意了他的要求。

太傅兼侍中郑从谠被免职，改任郑从谠为太子太保。

镇海节度使周宝招募亲近的卫兵一千人，号称“后楼兵”，供给的粮饷比镇海军增加一倍；镇海军的将士全都怨恨不平，后楼兵却越来越骄横，以至于不能驾驭约束。周宝沉溺于声乐女色，不亲自管理政事，修筑罗城长二十多里，兴建王侯的府第，老百姓深受劳役的痛苦。周宝和他的幕僚在后楼欢宴，有人说出镇海军的怨恨，周宝说："作乱的就把他们杀掉！"度支催勘使薛朗把周宝的话告诉了他的好友镇海军将领刘浩，劝告他要安抚止息士兵的怨恨，刘浩说："只有造反才能免于一死！"当晚，周宝喝得大醉，正要睡觉，刘浩率领他的同伙作乱，攻打官府房舍，放火把它烧了。周宝从睡梦中惊醒，急忙跳下床，赤脚奔到芙蓉门去呼叫后楼兵，后楼兵也造反了。周宝率领家人跑出青阳门，逃往常州，投靠刺史丁从实。刘浩杀了周宝的那些幕僚，三月十九日癸巳，迎接薛朗进入官府，推举他担任留后。周宝原先兼任租庸副使，城中的钱财货物堆积得像山一样高，这一天，被乱兵抢得一干二净。

高骈听说周宝失败了，列队庆贺，并派遣使者赠送细粉给周宝，挖苦他像碎屑一样。周宝大怒，把细粉扔在地上说："你身边有吕用之在，以后日子如何还不得而知呢！"扬州连年饥荒，城中每天有几千人饿死，街道集市因此冷落萧条了，灾异多次出现，高骈都认为这些灾异是应验周宝的失败。

山南西道节度使杨守亮妒忌利州刺史王建勇猛矫健，多次征召王建；王建害怕，不敢前往。前龙州司仓周庠对王建说："唐朝国运快要完了，藩镇之间互相攻打吞并，但都没有雄才大略，不能克服平息这么多的灾难。您勇敢又有谋略，深得士兵们的拥护，能建立大功的人除了您还能有谁呢！但是利州是个容易四面受敌的地方，难以维持长久的安定。阆州地方偏僻，人民富有，刺史杨茂实是陈敬瑄、田令孜的心腹，他不尽职责进贡物品，假如上表说明杨茂实的罪状，发动军队去讨伐他，可以不战而把他抓住。"王建听从周庠的意见，召集溪洞中的部落酋长，有部众八千人，顺着嘉陵江西下，去袭击阆州，赶走了刺史杨茂实，占据了这个地方，自称为防御使，招集接纳那些亡命之徒，军势更加强盛，杨守亮不能控制王建。

部将张虔裕对王建说："您乘皇上微弱时，占据了州郡，独揽大权；假如唐王朝复兴了，您就要断绝子孙啦！应该派遣使者上表章禀告皇上，仗义行师，这样就没有什么不利了！"部将綦毋谏又对王建说要招揽贤人，爱护百姓，静观天下的变化。王建听从了他们的意见。周庠、张虔裕、綦毋谏都是许州人。

起初，王建和东川节度使顾彦朗都在神策军中，共同讨伐贼寇。王建占据了阆州，顾彦朗害怕他侵犯暴虐东川，多次派遣使者问候和赠送礼物，又供给他军粮。王建于是就没有进犯东川。

当初，周宝听说淮南六合镇遏使徐约的军队很精良，便诱使徐约出兵去攻打苏州。

（以上为第十四段，写唐僖宗下诏流放田令孜，诛杀李煴所署伪朝百官。王建据阆州，为前蜀建立张本。）

【点评】

本卷点评黄巢授首、田令孜横恣、唐僖宗再度蒙尘三件史事。

黄巢授首。黄巢入长安，“甲骑如流，辎重塞途，千里络绎不绝”，军威雄壮。黄巢在长安建立大齐政权，势力达于极盛。可惜黄巢一向流动作战，多年来攻城略地，旋得旋失，千里转移，一忽儿河南，一忽儿江南，甚至远窜岭南，奔袭三千里入长安，流寇成性，忽视根据地建设，也就疏于行政管理和治国之术。黄巢入长安，在军事和政治两个方面犯了大错。军事上没有抓住战机，阻止僖宗入蜀，所以全国藩镇仍奉唐正朔，不听黄巢号令，黄巢很快陷入四面楚歌中。唐官军四集，诸镇合围长安，黄巢陷入了灭顶之灾。政治上，黄巢只对唐四品以下降官留任，三品以上全部停职，对不主动效命大齐的唐官杀无赦。这样不利于分化瓦解唐朝高层官僚，新政权得不到人气，政治基础不牢固，想要长久生存是不可能的。此外，黄巢建都长安不合时宜，关中狭窄，物产不足以承载大国首都，自西汉文景之后，京都长安就依赖中原漕转供给。唐都长安，后期要靠江淮物产支撑。黄巢在孤悬的长安建都，其实是坐以待毙。唐僖宗中和四年（公元 884 年）六月，黄巢被唐官军追杀于泰山狼虎谷，唐末大起义失败了。

黄巢虽死，但唐王朝也因遭受十年农民大起义的沉重打击而分崩离析。起义军从数千人发展到六十万人，南征北伐，横扫大半个中国，唐朝上百个州县城邑被攻没，不少官吏被惩处，地方豪强、门阀士族更遭到沉重打击。宋人王明清在《挥麈前录》卷二中说：“唐朝崔、卢、李、郑及城南韦、杜二家，蝉联珪组，世为显著，至本朝绝无闻人。”这说的是关中士族集团遭到灭顶之灾的情况。全国各地，凡农民军所到之处，豪绅、士族无不遭到打击。所以五代以后“取士不问家世，婚姻不问阀阅”。也就是说，在农民起义军打击下，唐末残存的士族终于被摧灭，成为历史的陈迹。豪强地主大量被歼灭，土地高度集中得到缓解。这些为五代和北宋的社会经济发展创造了有利条件，这就是黄巢起义的价值。

田令孜横恣。田令孜，四川人，本姓陈，字仲则，唐懿宗咸通年间随义父入内侍省为宦官，在内仆局的下属任马坊使。田令孜“颇知书，有谋略”。唐僖宗即位，破格提升田令孜为神策军中尉，执掌了禁军大权，成为权倾朝野的显赫人物。

唐僖宗李儇，又名李俨。僖宗是唐懿宗的第五子，受封为普王时就特别宠爱田令孜，同床卧起。僖宗昏庸，喜欢声色犬马，斗鸡打毬，田令孜导引固宠。田令孜的胞弟陈敬瑄用赌毬的方式赢毬当上了西川节度使。僖宗即位，一群蝗虫由东向西飞过天空，沿路吃光树叶、庄稼，最后落在长安城郊为灾，田令孜谎报说：“蝗虫不吃庄稼，并且抱着荆棘自杀了。”于是田令孜率文武百官向新皇帝祝贺，说蝗虫自杀是祥瑞，兆示新皇帝登基，五谷丰收。田令孜还卖官鬻爵，“除拜不待旨，假赐绯紫不以闻"，掠夺财货，残害平民，弄得朝廷百度崩弛，内外垢秽，终于爆发黄巢大起义，长安不守，奔逃西川。僖宗入蜀，一路上给田令孜加官晋爵，先封为十军十二观军容制置左右神策护驾使，又加封为左金吾卫上将军，兼判禁军军事，封晋国公。僖宗在四川，不得召宰相，不能谋群臣，如同一个囚徒。田令孜进奉声色，使宦官日夜与僖宗吃酒行乐，高呼万岁，僖宗在荒淫之中苟延岁月。僖宗还朝，田令孜反以匡佐之功受赏，威权振天下。田令孜擅权，唐僖宗成为傀儡，丧失了重整山河中兴唐朝的机会。田令孜外结邠宁、凤翔两镇节度使与河中王重荣争盐利，引发战争，拉开了唐末军阀大混战的序幕，罪大恶极。田令孜兵败，胁迫唐僖宗再度蒙尘，出逃山南。朝官、藩镇交相弹劾田令孜。此时僖宗病危，群臣瞩目寿王李晔，李晔是僖宗之弟，与田令孜有隙。田令孜内外交困，主动辞去官职，自请到剑南监军，连夜出逃西川去依附西川节度使陈敬瑄。数年后，田令孜与陈敬瑄都死于田令孜义子王建之手，结束了罪恶的一生。

唐僖宗再度蒙尘。唐僖宗李儇是一个纨绔子弟，专事游戏，十二岁被宦官拥立为皇帝，就是因为其好掌控。僖宗也一头栽到宦官的怀抱，呼田令孜为阿父，在田令孜的教唆下肆意耗费财物，还到市场上去夺取商人的宝货。僖宗朝，宦官气焰达于鼎盛，南北司矛盾也更加激化，统治阶层的腐败日盛一日，终于爆发了黄巢农民大起义，以至于长安不守。广明元年（公元 880 年），僖宗在田令孜的护卫下第一次蒙尘出逃，第二年入蜀到成都。僖宗出逃，没有通知南司，许多朝官因而丧生于黄巢之祸，只有北司宦官独得安全。僖宗入蜀后，更加依赖宦官，在田令孜掌控下花天酒地，很少与朝官见面。谏官孟昭图进谏，被田令孜贬出成都，又在路上被溺杀。宦官拥有绝对权威，南北司更加水火不容。

黄巢败没，唐僖宗回到长安，大权旁落田令孜之手，僖宗没有权威来重整山河，当时全国军阀林立，更大的藩镇割据方兴未艾。安史之乱以后，河北陷于藩镇割据，黄河之南的中原，大江南北广大地区都在唐朝之手。这些地区的藩镇兵力薄弱，尤其是江南地区更是兵备空虚，所以黄巢起义，如入无人之境。黄巢纵横南北，官兵镇压，在全国各地产生了许多新军阀，各地州县、藩镇在镇压起义军过程中纷纷拥兵割据。黄巢未灭，各地军阀有一个共同的打击目标，表面上维护唐朝的号令。黄巢死后，没有了共同的打击目标，各自拥兵自重，更大规模的军阀割据混战就差一根导火索来点燃了。南北司各自借重割据者来互相排斥，割据者也利用南北司的互斗来取得合法地位和扩大自己的势力。当时宣武镇朱全忠和河东镇李克用是最强大的两个割据者，朱李交恶与南北司冲突相结合，很快在全国形成了军阀大混战。公元 884 年以后，唐朝已是名存实亡，政令不出关中，全国疆域化为割据者的战场。

公元 885 年，田令孜外结邠宁节度使朱玫、凤翔节度使李昌符对抗河中节度使王重荣，要从王重荣手中收回安邑、解县池盐，引发战争，成为全国大混战的导火索。李克用气愤朝廷偏袒朱全忠，助王重荣攻击名义上的朝廷军。朱玫、李昌符战败，李克用进逼京师，田令孜胁迫唐僖宗第二次蒙尘，公元886年，僖宗一行逃往山南。朱玫、李昌符见田令孜败逃，改附李克用。这一回，大部分朝官憎恨田令孜，没有前往山南，这为朱玫、李昌符另立朝廷打下基础。李克用念念不忘攻击朱全忠，无意卷入与朱玫、李昌符的冲突，率兵返回太原。朱玫、李昌符与留京朝官拥立襄王李煴为皇帝，蔡州秦宗权趁机称帝。一时间，三个皇帝鼎立，唐末军阀大混战由此展开。

由上所述，唐僖宗的再度蒙尘，不仅丧失了唐王室中兴的机会，而且带来了两个严重后果，一是拉开唐末军阀大混战的序幕，二是将南北司的冲突激化成你死我活的争斗。两者矛盾交织，南司宰相崔胤外结朱全忠尽诛宦官，唐王室随着宦官这一肿瘤的割除，也寿终正寝。唐朝的灭亡重演了东汉覆亡的历史。黄巾大起义被镇压，并没有带来汉朝的复兴，而是全国军阀大混战，当祸国乱政的宦官被斩尽杀绝之时，也是旧王朝覆灭之日。无他，皇帝与宦官太近故也。唐僖宗就是李氏王朝的汉灵帝。

唐纪七十三

唐僖宗光启三年至文德元年（公元887—公元888）

【起强圉协洽（丁未，公元887年）四月，尽著雍涒滩（戊申，公元888年），凡一年有奇】

【大事提要】

本卷记事起公元887年四月，讫于公元888年，所载史事凡一年又九个月。当僖宗光启三年七月至文德元年。此时期，唐僖宗返京驾崩，其弟唐昭宗李晔即位，欲有一番作为。全国军阀混战，主战场仍在河南，其次为淮南、西川、河阳。河南中原争战，朱全忠围困秦宗权于蔡州，又败兖、郓节镇朱瑄、朱瑾。河北魏博镇内讧，众推罗弘信为留后，罗氏诛杀前任乐彦祯、乐从训父子，结好朱全忠。河南尹张全义逐走河阳节度使李罕之，李罕之投附李克用，张全义引朱全忠为援，引发朱李大战，李克用兵败。至此，朱全忠势盛，称雄河南河北，无人可敌。淮南战场，先是内讧，高骈部将毕师铎发动兵变诛吕用之，攻破广陵。吕用之出逃，以高骈名义招庐州刺史杨行密救广陵，毕师铎引援秦彦，秦彦兵败杀高骈，杨行密入据广陵。秦宗权又遣将孙儒来争广陵，杨行密败走。昭宗任命朱全忠为淮南节度使平乱，徐州时溥遮道，朱全忠军不得南下，奏请朝廷以杨行密为淮南留后。西川王建请命朝廷，得为永平军节度使，充行营诸军都指挥使，名正言顺讨伐陈敬瑄，军势日盛。

僖宗惠圣恭定孝皇帝下之下

唐僖宗光启三年（丁未，公元887年）

夏季，四月初一日甲辰，徐约逐走苏州刺史张雄，张雄率领他的部下逃往海上。

高骈听说秦宗权即将侵犯淮南，派遣左厢都知兵马使毕师铎率领一百名骑兵驻扎高邮。

当时吕用之专权处理政事，军队中有丰富经验的老将多数被他杀了，毕师铎因为自己是从黄巢那里投降过来的将领，常常感到危险。毕师铎有一个美丽的小妾，吕用之想要看看她，毕师铎不允许。吕用之就趁毕师铎外出时，偷偷地前去看她。毕师铎羞愧大怒，逐出他的爱妾。于是两人之间有了隔阂。

毕师铎将到高邮去，吕用之待他更加亲善，这使得毕师铎越来越疑惧，认为灾祸马上就要来临了。毕师铎的儿子娶了高邮镇遏使张神剑的女儿，毕师铎秘密与张神剑商量，张神剑认为没有这样的事。张神剑名叫雄，大家因为他擅长用剑，所以都叫他“神剑”。这时州府中也众说纷纭，认为毕师铎将要被诛杀。毕师铎的母亲派人告诉毕师铎说：“假如有这样的事，你自己努力去做，不要因为有老母、弱子而受到拖累啊！”毕师铎仍然犹豫不决。

正巧高骈的儿子四十三郎一向憎恨吕用之，想让毕师铎率领外边的镇将、官吏疏奏吕用之的罪恶，让他的父亲知道，就秘密派人欺骗毕师铎说：“吕用之近来多次报告高骈，想以此来算计你，已经有机密文书在张神剑那里，你应该防备啊！”毕师铎问张神剑说：“昨天夜里淮南节度使司有机密文书来，我与你是亲家，你为什么不说？”张神剑不明白，说：“没有这回事。”毕师铎自己不能安下心来，便回到军营中，和心腹商量，他们都劝毕师铎起兵诛杀吕用之，毕师铎说：“吕用之这几年来，大家都怨恨他，连神鬼也发怒了，怎么知道上天不会借用我的手去杀掉他呢！淮宁军使郑汉章，是我的同乡，过去归顺时是一名副将，向来痛恨吕用之，听到我的计划，一定非常高兴。”于是在夜里和一百名骑兵暗中到郑汉章那儿，郑汉章大为高兴，发动全部镇兵以及驱使居民总共一千多人跟随毕师铎到高邮去。毕师铎质问张神剑得到的机密文书事，张神剑大惊说：“没有这份机密文书。”毕师铎声音越来越大，脸色越来越严厉，张神剑激昂地说：“您看事情怎么这样不清楚！吕用之奸邪罪恶，为天地所不容。何况最近他又用重金贿赂当朝权贵得到岭南节度之职，但又不前去上任，有人说吕用之阴谋窃据这块土地。如果让他的心愿得以实现，我们这些人怎么能握着刀柄去侍奉他这个奸逆呢！一定要活剐这几个贼寇来答谢淮海的人民，不必再多说了。”郑汉章大喜，于是命令拿酒来，割破手臂，让血滴在酒中，共喝这血酒结盟。四月初二日乙巳，大家推举毕师铎担任节度使，撰写文告祭祀天地，在淮南境内发布檄书，宣布要诛杀吕用之以及张守一、诸葛殷。任命郑汉章为行营副使，张神剑为都指挥使。

（以上为第一段，写高骈部将毕师铎密谋发动兵变诛讨吕用之。）

张神剑因为毕师铎的成功或者失败还难以预料，所以请求自己带领的部队留在高邮，说：“一来为您做声援，二来供给你们粮食和军需品。”毕师铎很不高兴，郑汉章说：“张神剑的计划也很好，假如我们始终同心协力，事情成功那一天，俘获的男女、玉帛等财物大家一起享用，今天怎么可以再互相有意见呢！”毕师铎这才同意张神剑的要求。四月初五日戊申，毕师铎、郑汉章从高邮出发。

四月初七日庚戌，侦察骑兵探知这事，报告高骈，吕用之隐瞒了这个消息。

朱珍到达淄青十余天，前来应征招募的有一万多人，他又袭击青州，得到了马一千匹。四月初八日辛亥，动身返回，到了大梁，朱全忠高兴地说：“我的事情成功啦！”

当时蔡州军队正在侵犯汴州，秦宗权的部将张晊屯驻在汴州北郊，秦贤屯驻在板桥，各有部众几万人，排列成三十六寨，有二十多里路长。朱全忠对各将领说："他们养精蓄锐，先让士兵休息，再来攻打我们。但他们不知道朱珍招募士兵已经回来，还以为我们的兵少，害怕胆怯，只求防守而已。我们应该出其不意，先去攻击他们。"于是亲自带领军队去攻打秦贤的守寨，士兵们奋勇前进，争先恐后。秦贤没有准备，被连续攻下了四个守寨，被杀掉一万多人。蔡州军队大为吃惊，还以为是神兵下凡呢。

朱全忠又派遣牙将新野人郭言到河阳、陕、虢等地去招募士兵，招募了一万多人才回来。

毕师铎的军队很快就到了广陵城下，城里震动混乱。四月初九日壬子，吕用之带领部下精兵，以丰厚的赏赐诱惑他们，让他们出城去奋力作战。毕师铎的军队稍微后退了一点，吕用之才能拆断壕堑上的桥，堵住城门，加强防守。这一天，高骈登上延和阁，听到喧扰鼓噪的声音，左右的人把毕师铎叛变的消息报告给他。高骈大吃一惊，急忙叫来吕用之询问情况，吕用之才慢慢回答说："毕师铎的军队想要回来，被看门的卫兵阻止了。刚才我已根据情况做了安排，估计不用多久他们就会退散离去的。假如还不停止的话，只有请九天玄女手下的一位大力士来平定他们了，请您不必担心。"高骈说："最近我感到你虚妄不实的地方太多了，你要好好地做啊，不要使我像周宝那样败亡。"说完，神情久久地凄惨沮丧，吕用之感到惭愧、惶恐，退了出去。

毕师铎退兵驻扎在广陵城北山光寺，由于广陵城里精兵多，怕攻不下来，有些后悔。四月初十日癸丑，派遣他的部下孙约和他的儿子到宣州去，向观察使秦彦请求出兵支援，并且许诺秦彦等广陵城攻下来时迎接他去做统帅。这时，遇上毕师铎的门客毕鼎颜从城中逃出来，说："城里人心已经离散，吕用之忧愁窘困，假如坚持等下去，不用几天城里就溃散了。"毕师铎这才高兴起来。

这一天，天还未亮，高骈叫来吕用之，问他事情的始末，吕用之这时才如实回答。高骈说："我不想再出兵互相攻打了，你可以挑选一位温和诚实的大将，拿着我亲手写的信去告知毕师铎，如果他不听从，再另作处理。"吕用之退出去后，想到各将领与自己的过节，他们去一定不利于自己，四月十一日甲寅，派遣部属讨击副使许戡，带着高骈的手书以及吕用之的誓状和酒肉等出城去慰劳毕师铎。毕师铎开始时也希望高骈派出旧将来慰劳问候，能够全部说出吕用之的奸恶，披露宣泄一下心中压抑已久的愤恨，看到来的人是许戡，大骂道："梁缵、韩问他们在什么地方？竟然派遣这个可恶的人来！"许戡还没来得及开口说话，就被拉出去杀了。四月十二日乙卯，毕师铎把一封书信射进城，吕用之没有打开，就把它烧了。

四月十四日丁巳，吕用之派遣全副武装的士兵一百人到延和阁去见高骈，高骈大为吃惊，藏在寝室里，很久以后才出来，说：“节度使居住的地方，无缘无故派兵闯入，你们想造反吗？”命令左右的人把他们赶出去。吕用之害怕了，从内城南门逃出，举着马鞭子指着城说：“我不再进入这个地方了。”从此以后，高骈、吕用之才分离开来。

这一天夜里，高骈叫来他的侄子前左金吾卫将军高杰秘密商量军事。四月十五日戊午，安排高杰代理都牢城使，哭着勉励他，给他亲信五百人。

吕用之命令各个将领大举搜索城中壮年的男子，不论是朝中的文官，或者是普通的书生，都用锋利的刀子逼迫并捆绑他们登上城墙，命令他们分批站立在城墙上防守，从早晨到晚上，不能休息；又害怕他们和城外的军队暗中往来，多次变更他们防守的地方，家里人送食物给他们，都不知道他们在哪里。于是，城里的人也恨不得毕师铎早些攻进城中。

高骈派遣大将石锷护送毕师铎的小儿子和他母亲的书信以及高骈的亲笔信到扬子县交给毕师铎。毕师铎很快就送还他的儿子，说：“只要您杀掉吕用之、张守一给我看，我绝不敢辜负您的恩惠。我愿意用我的妻室子女做人质。”高骈担心吕用之屠杀毕师铎的一家，收下毕师铎的母亲、妻子，让她们住在使院里加以保护。

四月十八日辛酉，秦彦派遣他的部将秦稠带领军队三千人到扬子县援助毕师铎。四月十九日壬戌，秦稠的军队攻打南门，没有攻下来。四月二十日癸亥，又攻打罗城东南角，有好几次几乎就要把城攻下来了。四月二十一日甲子，罗城西南角防守的人烧了防御工事来响应毕师铎，毕师铎毁掉城墙，收纳那些人。吕用之率领他的部众一千人还在三桥北边作战，毕师铎快要抵挡不住了，正好高杰带领牢城兵从内城杀出，想要捉住吕用之去交给毕师铎。吕用之就打开参佐门向北逃走。高骈让梁缵率领昭义军一百多人保护内城。

四月二十二日乙丑，毕师铎放纵军队大肆掠夺。高骈不得已，下令撤除防备，和毕师铎在延和阁下以宾主的对等礼节见面。高骈安排毕师铎担任节度副使、行军司马，并且按制度加封为左仆射；郑汉章等人也都提升了不同的官职。

左莫邪都虞候申及，原来是徐州骁勇的将领，他去看高骈，对他说道：“毕师铎的党徒还不多，请您趁这个时候选择早就跟随您的亲信三十人，夜里从校场门出去，等到毕师铎发觉，要追也来不及了。然后您发动各镇的军队，再回来攻取府城，这是转祸为福的办法啊！您一两天内要把事情定下来，拖延的话恐怕就很难了，我申及也不能在您的左右侍奉您了。”说完掉下泪来，高骈心中犹豫，没有听他的意见。申及恐怕讲的话泄漏出去，于是就逃走躲藏起来，正遇到张雄到了扬州的东塘，申及便前往投靠张雄。

四月二十三日丙寅，毕师铎果然分派士兵防守各道城门，搜捕到吕用之的亲信党羽，把他们都杀了。毕师铎进入使院居住，秦稠的宣州军一千人分别守住官吏住宅以及各个仓库。四月二十四日丁卯，高骈送上公文请求解除所担任的职务，派毕师铎兼管府中的事务。

（以上为第二段，写毕师铎兵破广陵，吕用之出逃，亲党伏诛。）

毕师铎派遣孙约到宣城，催促秦彦赶快渡过长江。有人对毕师铎说：“您前些时发动军队造反，是因为吕用之这些人奸邪残暴，高骈高高在上，听不到看不见，不能区分是非进行处理，所以顺着大家的心意为地方除害。现在吕用之已经失败了，军府中也都肃清了，您应当仍旧侍奉、辅佐高骈，只要您总领兵权来发号施令，有谁敢不服从呢！吕用之只是淮南的一个叛将，只要送封信到他所在的地方，马上可以把他抓住斩首。这样，您外有推崇、侍奉长官的美名，内有兼并军队的实利，即使朝廷知道，也不算亏损做臣子的节操。假使高骈聪明的话，一定会内心感到羞愧，如果他依然不改，只是桌上一块可以任意宰割的肉罢了，为什么要把这一功业送给他人呢！如果这样，不只会受别人的牵制、管束，恐怕最终还要自相残杀。前天秦稠派兵先守住仓库，对您的怀疑已经可以看出来了。况且如果秦彦当了节度使，庐州的杨行密、寿州的张翱能屈居在秦彦的下位吗！我认为互相攻战的事端没完没了，哪里仅仅是淮南的民众遭受屠戮的灾难呢，恐怕您的功名成败也无法预知啊！不如现在就赶快阻止秦彦，不要让他渡过长江，秦彦假如能够揣度安全和危险之所在，一定不敢轻易前进。即使以后他责备您违反协定，您仍然不失为高骈的忠臣啊！”毕师铎很不以为然，第二天，将这事告诉郑汉章。郑汉章说：“这是一个有智谋的人啊！”派人到四处去寻找他，这个人害怕灾祸，竟然不再出来了。

四月二十五日戊辰，高骈把家搬到南边的府第，毕师铎派遣全副武装的士兵一百人护送，实际上是在囚禁他。这一天，秦稠的宣州军因为要求没有达到，便放火烧了进奉院两座楼的几十间房屋，珍宝、货物都被烧光了。四月二十六日己巳，毕师铎在府厅处理事务，凡是官吏没有兵权的都担任原先的职位，又把高骈迁往东边的府第。自从广陵城被攻陷以后，各路军队大肆掠夺，没有止境，到这时，毕师铎才任命先锋使唐宏担任静街使，来禁止军队的抢掠。

高骈原先担任盐铁使时，多年都不向朝廷进贡财物，所以在扬州的钱粮货物，堆积得像山一样。高骈作郊天祭祀大典和皇帝登楼宣布大赦时六军所用的仪仗服装，以及大殿中元旦的盛会、内府官署中供皇帝到来使用的器物，都镶嵌上金银、珠玉，雕刻盘旋的龙、收翼的凤，总共有几十万件，全部被乱兵抢掠一空，散入平民百姓家中，陈设在寝室里面。

四月二十七日庚午，抓住了诸葛殷，用木棍打死了他，将他的尸体丢在路旁，诸葛殷的仇家挖出他的眼睛，割断他的舌头，众人用瓦砾、石块砸他，不一会石块就堆积得像坟墓一般。吕用之失败时，他的同党郑杞首先投降毕师铎，毕师铎安排郑杞管理海陵这个地方卖盐的事。郑杞到了海陵，暗中记下镇遏使高霸的缺点过失，报告给毕师铎。高霸拿到了郑杞的这份记录，用木棍打郑杞的背部，砍断他的双手双脚，挖下他的眼睛，割下他的舌头，然后把他杀死。

蔡州的将领卢瑭屯兵在万胜镇，沿着汴水两岸驻军，用以切断通往汴州的交通。朱全忠乘着浓雾去袭击卢瑭，把他的士兵几乎都杀光了。于是蔡州的士兵都投奔张晊，驻扎在汴州北的赤冈。朱全忠又追击他们，杀了二万多人。蔡州的人非常恐惧，有时军队中也会互相惊扰。朱全忠这才回到大梁，让士兵休整。

四月二十八日辛未，高骈秘密地赠送金子给看守他的人。毕师铎听说了这件事，四月二十九日壬午，又把高骈迎到道院中居住，将高骈的子弟甥侄十多人一起囚禁起来。

（以上为第三段，写毕师铎引秦彦为援，幽囚高骈。高骈所聚财货宝物，悉为乱兵所掠。）

前任苏州刺史张雄率领他的部众从海上沿着长江往上走，驻扎在东塘，派遣他的部将赵晖进入并占据了上元县。

毕师铎进攻广陵时，吕用之伪造高骈的公文，使庐州刺史杨行密担任行军司马，带领军队前来援助。庐江人袁袭对杨行密说：“高骈昏乱迷惑，吕用之奸诈邪恶，毕师铎叛逆犯上，三个凶恶的人聚到了一起。他们向我们求援，这是上天要把淮南这个地方授给您啊！您赶快前去吧！”杨行密于是发动庐州所有的军队，又向和州刺史孙端借调士兵，合计有几千人一同出发，五月，到了天长镇。郑汉章跟随毕师铎出征时，留下他的妻子守淮口。吕用之率领部众攻打淮口，打了十多天仍打不下来，郑汉章带领军队前来救援。吕用之听到杨行密到了天长镇，就带领军队回去了。

五月初三日丙子，朱全忠出兵攻打张晊，大破他的军队。秦宗权听到这个消息，从郑州率领精锐的军队前来和张晊会合。

张神剑向毕师铎索要财物，毕师铎回答说要等待秦彦的命令。张神剑大怒，便率领他的部下投奔杨行密。另外海陵镇遏使高霸、曲溪人刘金、盱眙人贾令威全都率领他们的部众归属杨行密。杨行密的队伍增加到一万七千人，张神剑运送高邮的粮食来供给杨行密。

朱全忠向兖州、郓州请求救援，朱瑄、朱瑾率领军队前往援助，义成军也到了。五月初八日辛巳，朱全忠用四镇的军队在边孝村攻打秦宗权，大破秦宗权的部众，斩首两万多人。秦宗权在夜里逃走了，朱全忠追击秦宗权，直追到阳武桥才回来。朱全忠非常感谢朱瑄的救援，像对待自己哥哥一般对待他。蔡州军队防守东都、河阳、许、汝、怀、郑、陕、虢等地的，听到秦宗权已经失败，都放弃守地逃走了。

秦宗权从郑州出逃和孙儒从河阳出逃时，都把那地方的人屠杀了、房屋烧毁了才离开，秦宗权的势力从此一点点地衰弱了。朝廷任命扈驾都头杨守宗来掌管许州的事务，朱全忠派他的部将孙从益掌管郑州的事务。

钱镠派遣东安都将杜稜、浙江都将阮结、静江都将成及率领军队去讨伐薛朗。

五月二十一日甲午，秦彦率领宣歙的军队三万多人，乘着竹筏沿江顺流而下，赵晖在上元县拦击他们，杀死、淹死的士兵几乎有一半。五月二十三日丙申，秦彦进入广陵，自称暂时代理淮南节度使，仍以毕师铎任行军司马，补派池州刺史赵锽为宣歙观察使。五月二十五日戊戌，杨行密率领各路军队到达广陵城下，建造了八个营寨守住广陵周围的通道，秦彦紧闭了城门来防御杨行密的军队。

（以上为第四段，写秦彦入据广陵，高骈部属庐州刺史杨行密借高骈宣召之命起兵来争夺广陵。两军交战，杨行密初战取胜，秦彦困守广陵。）

六月初六日戊申，神策军的天威都头杨守立和凤翔节度使李昌符争抢道路，部下互相殴打，唐僖宗派遣中使劝谕他们停止争斗，但没有止住。这天晚上，值夜的卫兵严阵以待，防备不测。六月初七日己酉，李昌符带领士兵烧毁了行宫。六月初八日庚戌，又攻打大安门。杨守立与李昌符在大路上作战，李昌符战败，率领部众往陇州去防守。杜让能听说这场灾难，勇敢地跑进宫去服侍唐僖宗。韦昭度将他的家属扣押在军队中，发誓要诛杀造反的贼兵，所以军中士兵奋力作战战胜了叛兵。杨守立是杨复恭的义子。六月初十日壬子，任命扈驾都将、武定节度使李茂贞为陇州招讨使，去讨伐李昌符。

六月十二日甲寅，河中牙将常行儒杀了节度使王重荣。王重荣用法很严，到后期更加厉害。常行儒曾经被处罚过，感到羞耻，于是就作乱。晚上，攻打官府房屋，王重荣逃往别墅。第二天早晨，常行儒抓到王重荣把他杀了。唐僖宗下令派陕虢节度使王重盈担任护国节度使，又派王重盈的儿子王珙暂时代理陕虢留后。王重盈到了河中，抓住了常行儒，把他杀了。

六月十六日戊午，秦彦派遣毕师铎、秦稠率领军队八千人出城，向西攻打杨行密，秦稠战败被杀，士兵死的占十分之七八。城里没有东西吃，砍柴取火的路被断绝了，宣州的军队开始吃起人来。

六月二十日壬戌，亳州的将领谢殷赶走了刺史宋衮。

孙儒已经离开了河阳，李罕之召唤张全义到泽州来，与他一起收聚余下的部众。李罕之占据了河阳，张全义占据了东都，共同向河东请求支援。李克用派遣他的部将安金俊担任泽州刺史，率领骑兵来帮助他们；并上表请求任命李罕之为河阳节度使，张全义为河南尹。

当初，东都洛阳经过黄巢作乱后，遗留下来的百姓聚集在三个城里互相保护，后来又经过秦宗权、孙儒的残暴烧杀，只剩下了毁坏的城墙。张全义初到时，只看见白骨遍地，到处都是荆棘，居住的人不满一百户。张全义的部下仅一百多人，与他们一同保护中州城。四面的旷野里没有耕种的人。张全义于是在部下中选出十八个有才能、器度可以担当重任的，每人给一面旗帜、一张榜示，称之为屯将，使他们到河南十八县过去的村落中，竖起旗帜，张贴榜示，召集、关心那些流徙、散失的百姓，劝告并勉励他们种植庄稼。除了将杀人者处死以外，其余的只用竹板、荆条拷打一下而已，没有严酷的刑罚，没有繁重的租税，来归顺的百姓像上市场一样踊跃。又选出身强力壮的人，教他们作战的技巧，布阵的方法，用来防御寇盗的入侵。几年以后，都城中的行政商业区、娱乐的场所，都逐渐恢复到原来的规模，各县的户口，也大致恢复到过去的水平，所种的桑麻长得很茂盛，田野里没有空闲不耕种的土地。那些可以服兵役的人，大县多到七千人，小县也不少于二千人，于是上奏请求设置县令、佐吏来治理这些地方。张全义明察善断，没有人能欺骗他，而他处理政事务求宽大简便。出巡时，看到田里农作物长得好的，常常下马，和幕僚、佐吏一起观赏，叫来田地的主人，用酒食慰劳他们；养蚕种麦有好收成的，有时亲自到他们家里，叫出全家老幼，赏赐他们茶叶、丝绸、衣服及日用物品。民间都传说："张全义不喜欢声乐女妓，看到那些从来不笑；只有看到好的麦子、蚕茧才笑啊！"有让田地荒芜的人，张全义聚集民众用木板打他；有人告诉张全义说这人田地荒芜是因为缺乏人力和耕牛，张全义便召集这人的邻里们来，责备邻里说："这人真的是缺乏人力和耕牛吗？你们为什么不去帮助他呢？"大家都认错道歉，这才原谅了他们。打这以后邻里间互相帮助，互通有无，家家户户都有积蓄，大灾之年也不会有饥饿的情形出现，这里就成了富庶的地方了。

（以上为第五段，写唐僖宗返京途中的兵变，河中、河南的变局，王重荣为其部属所杀，张全义入据东都。张全义招聚流亡，劝之农桑，数年后东都恢复为富庶之乡。）

杜稜等人在阳羡打败了薛朗的部将李君晊。

秋季，七月十二日癸未，淮南将领吴苗率领他的部众八千人翻越城墙向杨行密投降。

八月初一日壬寅，李茂贞奏报陇州刺史薛知筹献城投降，杀了李昌符，灭了他的家族。

朱全忠带领军队经过亳州，派遣他的部将霍存袭击谢殷，把谢殷杀了。

八月初五日丙子，任命李茂贞为同平章事，充任凤翔节度使。

任命韦昭度掌理太保，兼任侍中。

朱全忠想要兼并兖州、郓州，但是因为朱瑄兄弟对自己有功，攻打他们没有理由，于是诬陷朱瑄，说他招揽引诱宣武的军士，写信去责备他。朱瑄回信很不客气，朱全忠就派遣他的部将朱珍、葛从周袭击曹州。八月十一日壬子，攻下了曹州，杀了刺史丘弘礼。又攻打濮州，在刘桥和兖州、郓州的军队大战一场，杀了好几万人，朱瑄、朱瑾仅自己逃跑了。这一仗后，朱全忠和兖州的朱瑄、郓州的朱瑾开始结下了怨仇。

秦彦因为张雄的兵力强盛，希望张雄能为自己所用，因此拿仆射的委任状授给张雄，拿尚书的委任状三件授给副将冯弘铎等人。广陵人争着用金银珠宝丝绸等物到张雄的军队里交换粮食，一根通天犀带只能换米五升，一床丝绸被子只能换糠五升。张雄的军队已经很富有了，就不愿再打仗了，不多久，又去帮助杨行密。

八月二十六日丁卯，秦彦出动城中全部士兵一万二千人，派遣毕师铎、郑汉章率领他们，在广陵城西列阵，有几里路长，军势很盛。杨行密安然睡在军营中，说："敌寇靠近了再来告诉我。"牙将李宗礼说："敌众我寡，我们应该紧闭城垒好好防守，慢慢再想办法退军。"李涛发怒说："我们奉命讨伐逆贼，为什么要谈论人多人少呢，大军已经到了这里，还能退到什么地方去？我李涛愿意率领自己的部队担任前锋，保证为您打败他们。"李涛是赵州人。杨行密于是把金银、布帛、粮食都储放在一个寨中，派遣老弱病残来防守，在旁边埋伏了很多精锐的士兵，自己率领一千多人去冲击毕师铎、郑汉章的军阵。两军才交战，杨行密诈败而逃走，广陵军队追赶他们，到了空寨中，争着去抢夺金银、布帛、粮食，埋伏的士兵从四面八方杀来，广陵军队大乱，杨行密发动军队攻击他们，几乎把他们俘虏、斩杀殆尽，堆积的尸体有十里路长，沟渎都被填满了。毕师铎、郑汉章独自逃走，免于一死。从此以后，秦彦再也不说要出兵了。

九月，任命户部侍郎、判度支张濬为兵部侍郎、同平章事。

高骈住在道院中，秦彦供给高骈的食品很少，左右的人都没有东西吃，以至于烧木像、煮皮带来吃，更有吃人的。秦彦和毕师铎出兵多次失败，怀疑高骈使用了巫术，外面围攻更加危急，又担心高骈一伙有做内应的人。有一个妖尼叫王奉仙，告诉秦彦说："扬州这个地方根据天象有大的灾害发生，一定要有一位地位高的人死了，这个地方才会平安无事。"九月初四日甲戌，秦彦命令他的部将刘匡时杀掉高骈，连高骈的子弟甥侄不论年龄大小，也都统统杀死，同埋在一个坑中。九月初五日乙亥，杨行密听到这个消息，率领士兵穿着白色丧服面向广陵城大哭了三天。

（以上为第六段，写朱全忠欲并兖、郓，与朱瑄、朱瑾交恶。秦彦出战杨行密，兵败而怒，诛杀高骈一门。）

朱珍攻打濮州，朱瑄派遣他的弟弟朱罕率领步兵、骑兵一万人前去援救。九月二十一日辛卯，朱全忠在濮州东的范县拦击朱罕的部队，抓住并杀了朱罕。

冬季，十月，秦彦派遣郑汉章率领步兵、骑兵五千人去攻打张神剑、高霸的寨子，攻破了他们。张神剑逃往高邮，高霸逃往海陵。

十月初七日丁未，朱珍攻下了濮州，刺史朱裕逃往郓州；朱珍又进兵攻打郓州。朱瑄要朱裕写一封信送给朱珍，欺骗他说约好作为内应。朱珍于晚上带领军队前往，朱瑄打开城门让朱珍的军队进入，然后再关闭城门杀了他们，死的有几千人，汴州的军队于是退了回去。朱瑄乘胜又攻下曹州，派他的部下郭词担任刺史。

十月十四日甲寅，立皇子李陞为益王。

杜稜等人攻下了常州，丁从实逃往海陵。钱镠侍奉周宝回到杭州，穿着盛有弓箭袋的衣服，以部将对上司的礼节，到郊外来迎接周宝。

杨行密围攻广陵城已经将近半年，秦彦、毕师铎打了大大小小几十仗，多数都战败了。城里没有粮食，米每一斗值五十缗钱，连草根、树皮都被吃光了，就用黏土做成饼子来吃，饿死的有一大半。宣州的士兵抢人到市场里去卖，驱赶、捆绑、屠杀他们就好像羊、猪一样，始终没有说一句话；堆积的尸骸、流出的血，布满了市场。秦彦、毕师铎也没有什么办法，只能皱眉蹙额而已。外面围攻更加紧急，秦彦、毕师铎愁苦烦闷，几乎没有一点生气，抱膝相对而坐，一天到晚忧心忡忡。杨行密也因为广陵城这么久还没有攻下，想要带领军队回去。十月二十九日己巳夜里，刮起了大风，下起了大雨，吕用之的部将张审威率领部下士兵三百人，凌晨埋伏在西边的壕堑中，等到守城的人换班时，偷偷地登上城墙，打开城门让部队进去。守城的人没有抵抗就溃散逃跑了。起初，秦彦、毕师铎相信和重用妖尼王奉仙，即使是打仗时间、赏罚轻重等事情，都听从她的意见。到这时又询问王奉仙说："怎么样才能度过这个危难？"王奉仙说："走是最好的办法。"于是从开化门出去逃往东塘。杨行密率领各路军队总共一万五千人进入城中，因梁缵不能向高骈尽臣节，反为秦彦、毕师铎效力，就在戟门之外把他斩了。韩问听到这个消息，跳到井里自杀而死。派高骈的从孙高愈代理副使的职务，要他重新改葬高骈及其族人。城中剩下的居民只有几百家，饥饿瘦弱得不成人样，杨行密用车子搬运军粮来赈济他们。杨行密自称为淮南留后。

（以上为第七段，写秦彦败走，杨行密入据广陵。）

秦宗权派遣他的弟弟秦宗衡率领士兵一万人渡过淮水，与杨行密争夺扬州，以孙儒为副将，张佶、刘建锋、马殷以及秦宗权的堂弟秦彦晖也一起去。十一月初二日辛未，到达广陵城的西边，占据了杨行密以前攻城时建立的寨子，杨行密军中的器械、物品没有运进城去的，被秦宗衡的军队夺得了。秦彦、毕师铎到了东塘，张雄不肯接纳他们。他们准备渡江到宣州去，秦宗衡召唤他们，于是，他们就带领军队回来，与秦宗衡会合。

不多久，秦宗权召秦宗衡回蔡州，去抵抗朱全忠。孙儒知道秦宗权的势力不会太长久了，便推说有病不去。秦宗衡多次催促他，孙儒很生气，十一月初五日甲戌这一天，和秦宗衡喝酒，在酒席上亲手杀了秦宗衡，把他的首级送到朱全忠那里。秦宗衡的部将安仁义向杨行密投降。安仁义，本来是沙陀的将领。杨行密把所有的骑兵都交给他带领，地位在田頵之上。孙儒分派士兵去抢掠邻近的几个州，没有多久，部队增加到几万人。由于城下缺乏食物，便和秦彦、毕师铎去袭击高邮。

当初，宣武都指挥使朱珍和排阵斩斫使李唐宾勇敢、谋略、功劳、名誉大致不相上下，朱全忠每次作战，和他们二人一同前往，没有打不赢的，可是他们两个人谁也不服谁。朱珍派人到大梁去迎接他的妻子，没有报告朱全忠，朱全忠生气了，派兵去追还他的妻子，杀了守门的人，使亲近的小吏蒋玄晖去召回朱珍，让李唐宾代理朱珍总领朱珍的部队。馆驿巡官冯翊人敬翔劝谏说："朱珍是不能轻易取代的，恐怕他因猜疑畏惧而发生变故。"朱全忠很后悔，派人赶紧追上去阻止。朱珍果然起了疑心，十一月初七日丙子晚上，朱珍摆设酒席招待各个将领。李唐宾怀疑他有另外的意图，斩断城门的铁闩，跑到大梁去，朱珍也抛弃了军队独自骑马跟到大梁来。朱全忠爱惜他们的才能，都没有处罚他们，送他们回濮州，然后带领军队回去了。

朱全忠有应变的机智，部将、佐吏们不能猜出朱全忠的所作所为，只有敬翔能够预先知道他的想法，常常帮助朱全忠补足没有想周到的地方，朱全忠非常高兴，为这么晚认识敬翔而感到遗憾，凡是军事机密、民政大事都询问敬翔的意见。

十一月十二日辛巳，高邮镇遏使张神剑率领部下二百人逃回扬州。十一月十七日丙戌，孙儒屠高邮城。十一月十九日戊子，高邮残存的士兵七百人溃散突围回来，杨行密恐怕他们要变乱，将他们分别归属在各个将领部下，在一个晚上把他们全活埋了。第二天，在张神剑的府第中把张神剑杀了。

杨行密担心孙儒乘胜攻取海陵，命令镇遏使高霸率领他的士兵、百姓都回到扬州府城，说："有违反命令的，就杀了他全族。"于是几万户人家抛弃资产、焚烧房屋、扶老携幼地迁入广陵城。十一月二十九日戊戌，高霸与他的弟弟高晤、部将余绕山、前常州刺史丁从实到了广陵，杨行密到城外去迎接他们，和高霸、高晤结拜为兄弟，将他们的部将、士兵安置在法云寺。

十一月三十日己亥，秦宗权攻陷郑州。

朝廷由于淮南长期战乱，闰十一月，任命朱全忠兼任淮南节度使、东南面招讨使。

（以上为第八段，写秦宗权遣将与杨行密争扬州，朝廷任命朱全忠兼淮南节度使东面招讨使平淮南之乱。）

陈敬瑄讨厌顾彦朗和王建两人亲近，担心他们联合起来图谋自己，就和田令孜商量。田令孜说："王建是我的养子，因为不被杨守亮所容纳，才做了贼寇。现在我写封信召唤他来，就可以罗致到你部下。"于是派遣使者用书信召唤王建，王建大喜，到梓州去见顾彦朗说："我的养父叫我去，我应当前去探望他。顺便进见陈敬瑄，想要求得一个大州，假如能够得到，我的愿望就满足了。"于是留下他的家属在梓州，率领部下精兵两千人，和侄子王宗鐬，养子王宗瑶、王宗弼、王宗侃、王宗弁一同西去。王琮瑶，就是燕人姜郅；王宗弼，是许人魏弘夫；王宗侃，是许人田师侃；王宗弁，就是鹿弁。

王建到了鹿头关。西川参谋李乂对陈敬瑄说："王建是一头老虎，为什么要请他来呢？他怎么肯做您的下属啊！"陈敬瑄后悔了，赶紧派人去阻止王建，并且增修防御工事。王建大怒，攻破鹿头关率军前进，在绵竹打败了汉州刺史张顼，于是又继续攻下汉州，进兵学射山；又在蚕此镇打败了西川将领句惟立，再攻下了德阳。陈敬瑄派遣使者去责备他，王建回答说："我的养父叫我来，到了这儿反而拒绝我，又加上被顾彦朗怀疑，真是进退两难没有出路了。"田令孜登上城楼安慰谕示他，王建和各将领在清远桥上，剪去头发，罗列参拜说："现在既然没有了投靠的地方，只得告别您去做贼寇了！"顾彦朗派遣他的弟弟顾彦晖担任汉州刺史，发动军队去帮助王建，急速攻打成都，三天还没有攻下来，就退兵回去，驻扎在汉州。

陈敬瑄向朝廷告急，唐僖宗下诏派遣中使对他们进行调解；又下令李茂贞用书信教谕他们，都没有听从。

（以上为第九段，写西川王建发兵取成都，连战皆捷，陈敬瑄告难于朝。）

杨行密想派遣高霸驻扎在天长以便抵拒孙儒。袁袭说："高霸是高骈的旧部将，常常脚踏两只船，我们胜了就来投奔我们，不胜他就叛变。现在把他安置在天长这个地方，就断了他的后路，不如把他杀了。"闰十一月初十日己酉，杨行密埋伏全副武装的士兵捉住了高霸和丁从实、余绕山，把他们都杀了。又派遣一千名骑兵到法云寺去袭击杀害他们的同伙，死的有几千人。这一天，下了大雪，法云寺外几个街市地面都被染红了。高晗逃走了，第二天，把高晗抓住并杀了他。

吕用之在天长时，欺骗杨行密说："我有银子五万锭，埋在居住的地方，把城攻下来的时候，我愿意把它作为慰劳您部下的资财。"闰十一月十一日庚戌，杨行密检阅士兵，回头看吕用之说："你许诺给我部下银子，怎么又食言了呢！"因此将他拿下系上刑具，命令田頵审问他，田頵报告说："吕用之和郑杞、董瑾谋划利用七月十五日中元节的晚上，邀请高骈到他的府第去举行黄箓大斋，乘着他入静时，用绳子勒死他，对外则声称高骈已经升天成为神仙了。接下来命令莫邪都率领各路军队推举吕用之为节度使。"这一天，把吕用之腰斩了，他的仇家挖他的躯体，割他的皮肉，一会儿就分割尽了，并且诛杀了吕用之的家族、同党。士兵们掘开吕用之厅堂的正中，得到一个桐木雕刻的人，在它的胸部写上高骈的姓名，手脚加上刑具，还在它身上钉了钉子。

袁袭告诉杨行密说："广陵城饥饿的情况已经到了极点，孙儒的蔡州军如果再次入侵，老百姓一定会更加穷困，不如暂时躲开他。"闰十一月十五日甲寅，杨行密派遣和州的将领延陵宗率领他的部下两千人回和州。闰十一月十六日乙卯，又命令指挥使蔡俦率领士兵一千人，装运军械、粮食的车子几千辆，回到庐州去。

赵晖占据了上元县，正遇周宝战败，浙西溃散的士卒多来归附他，部众扩大到几万人。赵晖于是骄傲自大起来，整修南朝时建造后被毁坏的台城来居住，衣服、器用奢侈、华丽，大大超越了礼制规定的标准。张雄在东塘，赵晖不和他互通问候；张雄沿江逆流而上，赵晖派兵在中流堵塞他们。张雄生气了，闰十一月十九日戊午，攻打上元县，把它攻下来了。赵晖逃往当涂，在途中被部下杀死。余下的部众投降张雄，张雄把降人全部活埋了。

朱全忠派遣亲近的客将张廷范送朝廷的命令给杨行密，任命杨行密为淮南节度副使，又任宣武行军司马李璠为淮南留后，派遣牙将郭言率领士兵一千人护送李璠。

感化节度使时溥自认为比朱全忠资格老，官为都统，但反而不能统领淮南这一地方，而朱全忠却得到了，心中既责怪又抱怨。朱全忠写信向时溥借道，时溥不允许。李璠到了泗州，时溥派兵去袭击李璠，郭言奋力作战，才得以逃脱回去。徐州的时溥、汴州的朱全忠从这时起结下了怨仇。

十二月二十五日癸巳，秦宗权所任命的山南东道留后赵德諲攻陷了荆南，杀了节度使张瓌，留下自己的部将王建肇守城才回去。这时，遗留下来的老百姓只有几百家。

饶州刺史陈儒攻陷了衢州。

上蔡贼寇的首领冯敬章攻陷了蕲州。

十二月二十七日乙未，周宝病死于杭州。

钱镠委派杜稜担任常州制置使。命令阮结等人进攻润州。十二月二十八日丙申，攻下了润州；刘浩逃走了，活捉了薛朗返回。

（以上为第十段，写杨行密诛杀吕用之。感化军节度使时溥不服朱全忠得淮南节度使之职，徐汴始交恶。）

唐僖宗文德元年（戊申，公元 888 年）

春季，正月十六日甲寅，孙儒杀死秦彦、毕师铎、郑汉章。秦彦等人投奔秦宗衡时，他们的部众仍有两千多人，后来逐渐被孙儒夺过去了。秦彦的裨将唐宏知道秦彦等人一定会灾祸临头，害怕受到牵连而死，于是诬告秦彦等暗中招引汴州朱全忠的军队。孙儒杀死秦彦等人，派唐宏担任马军使。

张守一和吕用之一同归附杨行密，又给各将领调制仙丹，另外又想干预军中的事务，杨行密生了气就把张守一杀了。

蔡州的将领石璠率领一万多人去掠夺陈州、亳州，朱全忠派遣朱珍、葛从周率领几千名骑兵去攻打石璠并活捉了他。正月二十五日癸亥，任命朱全忠为蔡州四面行营都统，代替时溥，各镇军队都受朱全忠的指派调度。

张廷范到了广陵，杨行密用优厚的礼节招待他；等听到李璠要来这里担任留后职务的消息后，生气了，有不接受的神色。张廷范秘密派人报告朱全忠，应该亲自率领大军前来镇守，朱全忠听从了他的意见，到了宋州，张廷范从广陵逃出来，说："现在还不是图谋杨行密的时候。"正月二十六日甲子，李璠也到了，说时溥的徐州军阻拦道路，朱全忠这才停止前往。

正月二十八日丙寅，钱镠杀了薛朗，挖出他的心来祭奠周宝，派阮结担任润州制置使。

二月，朱全忠上奏派杨行密担任淮南留后。

二月初七日乙亥，唐僖宗身体不适；二月十四日壬午，唐僖宗从凤翔出发，二月二十一日己丑，到达长安。二月二十二日庚寅，大赦天下，改年号为文德。任命韦昭度兼任中书令。

（以上为第十一段，写徐州时溥遮道，朱全忠不得入广陵，奏请杨行密为留后。僖宗还京师。）

魏博节度使乐彦祯，放纵无忌，不守法度，发动魏、博、贝、相、澶、卫六州的百姓去修筑魏州的罗城，方圆有八十里地，大家深感劳役的繁重。他的儿子乐从训，更加凶狠阴险，在漳南高鸡泊杀了王铎，魏州的百姓都憎恨他。乐从训聚集亡命之徒五百多人做亲兵，称为子将，众牙兵怀疑这事，骚动不安。乐从训害怕了，换了衣服逃到附近的县里。乐彦祯因而任命他担任相州刺史。乐从训派人到魏州搬运铠甲、兵器、金银、布帛，车辆在道路上来来往往，牙兵们更加怀疑。乐彦祯也害怕了，请求辞去职位，住在龙兴寺里当了和尚，大家推举都将赵文玣掌管留后的职务。

乐从训带领军队三万人攻到魏州城下，赵文玣不出来作战，大家杀掉他，推举牙将贵乡人罗弘信掌管留后的职务。起先，有人说："看到一个白胡须的老翁，说罗弘信应当做本地的长官。"赵文玣死后，大家聚集在一起呼喊着："谁想做节度使？"罗弘信出来回答说："白胡须的老翁已经命令我做了。"大家围着看他说："可以。"于是拥立罗弘信为魏博节度使。罗弘信率领军队出去与乐从训作战，打败了他。乐从训收聚余下的部队守住内黄县，罗弘信的军队把他包围了起来。

起先，朱全忠将要讨伐蔡州，派遣押牙雷邺用一万两银子到魏州去买米；牙兵们逐走了乐彦祯，在接待宾客的房舍里把雷邺杀了。乐从训战败后，就向朱全忠求救。

当初，河阳节度使李罕之和河南尹张全义割臂结盟，关系很好。李罕之很勇敢，但没有谋略，性格又贪婪、残暴，轻视张全义，听说他勤劳、节俭，致力于耕种，便嘲笑他说："这个人只是田里的一个农夫而已！"张全义听到了，毫不介意。李罕之多次要求粮食、布帛，张全义都给了他。但李罕之索求不止，河南这个地方不能供给，稍微不能如他所愿，就常常把河南地方的主管抓起来加上刑具送到河阳责打。河南的将士、佐吏都愤怒难忍。张全义说："李罕之所要求的，为什么不给他呢！"尽力侍奉李罕之，好像很害怕他的样子，李罕之愈加骄傲起来。李罕之的军队不种田，专门以抢劫、掠夺获取资本，以人肉为粮食。这时他发动所有的部众攻打绛州，绛州刺史王友遇向他投降；又攻打晋州，护国节度使王重盈秘密联合张全义来谋算他。张全义暗中发动民兵，晚上，乘着李罕之后方空虚袭击河阳，天亮后，攻进河阳的南城、北城、中潬城，李罕之跳过城墙徒步逃走，张全义把他的全家都俘虏了，于是兼代河阳节度使的官职。李罕之逃往泽州，向李克用求救。

（以上为第十二段，写魏博镇内讧，众推罗弘信为留后。河南尹张全义败李罕之，兼领河阳节度使。）

三月初一日戊戌，发生日全食。

三月初二日己亥，唐僖宗的病又发作了；三月初五日壬寅，僖宗的病越来越严重。唐僖宗的弟弟吉王李保，年长而且贤明能干，群臣都对他抱有希望。十军观军容使杨复恭请求立另一个弟弟寿王李杰。这一天，下达诏命，立李杰为皇太弟，监领军国大事。右军中尉刘季述派遣士兵到六王宅去迎接李杰，住进少阳院。宰相以下的官吏都到少阳院去拜见李杰。三月初六日癸卯，唐僖宗在灵符殿去世。遗留君命，皇太弟李杰改名李敏，任命韦昭度代理宰相的职位。

唐昭宗李敏即位，聪慧而美好，有威武的气概，喜欢文学。由于唐僖宗军政、刑法的命令不能推行，朝廷的威望一天比一天下降，唐昭宗有恢复先帝功业的志向，尊敬礼遇大臣，想得到贤士豪杰。初即帝位之时，朝廷上上下下的人都非常高兴。

朱全忠在宋州集中携带的粮食，准备攻打秦宗权；正遇上乐从训来求救，于是调动军队驻扎到滑州，派遣都押牙李唐宾等人率领步卒、骑兵三万人去攻打蔡州，派遣都指挥使朱珍等人分兵去救援乐从训。从白马渡河，攻下黎阳、临河、李固三个镇，进兵到内黄，打败了魏州罗弘信的军队一万多人，俘获了他的将领周儒等十人。

李克用派遣他的部将康君立担任南面招讨使，率领李存孝、薛阿檀、史俨、安金俊、安休休等五个将领以及骑兵七千人，帮助李罕之攻打河阳。张全义据城防守，城里的粮食都吃光了，向朱全忠请求救援，用自己的妻儿作为人质。

王建攻打彭州，陈敬瑄去救援它，王建才离去。王建大肆掠夺西川这一地区，益、彭、蜀、汉、嘉、眉、邛、简、资、雅、黎、茂等十二个州都遭受他的祸害。

夏季，四月初三日庚午，追尊唐昭宗的母亲王氏为恭宪皇后。

四月十五日壬午，孙儒袭击扬州，攻下了它；杨行密出走，孙儒自称为淮南节度使。杨行密想逃往海陵，袁袭劝他回到庐州去，再做进兵的打算，杨行密听从了袁袭的意见。

朱全忠派遣他的部将丁会、葛从周、牛存节率领军队几万人前往河阳救援。李存孝下令李罕之用步兵去攻城，自己率领骑兵在温县迎战。河东的军队战败了，安休休害怕被治罪，逃奔蔡州。朱全忠把汴州军队分出一部分去拦断通往太行的道路，康君立等人惧怕没有退路，率领军队回去了。朱全忠上表推举丁会担任河阳留后，又派张全义担任河南尹。丁会是寿春人，牛存节是博昌人。张全义感动朱全忠救援自己，因此尽心尽力归附他。朱全忠每次出去打仗，张全义主动供给他粮食、器具等物，从不缺少。

李罕之担任泽州刺史，同时兼领河阳节度使。李罕之留下他的儿子李颀事奉李克用，自己回到泽州，专门从事抢劫掠夺。怀州、孟州、晋州、绛州之间几百里地，州里没有刺史，县里没有县官，田里没有禾麦，城邑没有人烟的情况，几乎有十年了。河中、绛州之间有座摩云山，很高，老百姓聚居在上面，相互保护着，贼寇强盗不能接近，李罕之把它攻下来了，当时人们把他叫作“李摩云”。

乐从训把军队迁徙到洹水驻扎，罗弘信派部将程公信攻打乐从训，把乐从训杀了，与他父亲乐彦祯的首级一起悬挂在军门上。四月二十六日癸巳，罗弘信派遣使者带着很多钱币去犒劳朱全忠的军队，要求重新建立友好关系，朱全忠于是下令军队回去。唐昭宗下诏任命罗弘信暂时代理魏博留后的职位。

（以上为第十三段，写僖宗崩，昭宗即位。淮南孙儒败杨行密入据广陵，自称淮南节度使。魏博罗弘信杀前任乐彦祯、乐从训父子，与朱全忠交好。李罕之引李克用为援，张全义归附朱全忠。）

归州刺史郭禹攻打荆南，赶走了王建肇，王建肇逃奔黔州。唐昭宗下诏任命郭禹为荆南留后。荆南在兵荒马乱之后，只剩下了十七户人家。郭禹发奋图强，努力治理，安抚招集残剩的人民，经营商业，发展农业，后来几乎有上万户的人家了。当时各个藩镇都发动军队打仗，互相残杀，没有人重视让百姓休养生息这件大事，只有华州刺史韩建招集安抚流徙散失的老百姓，劝勉奖励大家种田植桑，几年之间，百姓富有，军队给养充足。当时的人称他们为“北韩南郭”。

秦宗权的别将常厚占据了夔州，郭禹和他的部将汝阳人许存攻打并夺取了它。

后来，朝廷任命郭禹为荆南节度使，王建肇为武泰节度使。郭禹上奏要求恢复原来的姓名成汭。

加封李克用兼任侍中。

五月初三日己亥，加封朱全忠兼任侍中。

赵德諲已经失掉了荆南，又考虑到秦宗权一定要失败的，五月初六日壬寅，带领山南东道的军队来投降，自己依附于朱全忠。朱全忠上表请派赵德諲担任自己的副职，唐昭宗下令以山南东道为忠义军，任命赵德諲为节度使，充当蔡州四面行营副都统。

朱全忠得到了洛州、孟州，就不用顾虑西面了，于是大举进攻秦宗权，在蔡州的南面把秦宗权打得大败，攻下了北关门。秦宗权屯兵防守蔡州的中城，朱全忠把各路将领分为二十八个寨子来包围秦宗权。

加封凤翔节度使李茂贞担任检校侍中。

陈敬瑄正和王建互相攻打，对朝廷交纳的贡品、赋税中断了。王建由于成都还很强盛，后退又没有地方可以抢掠，想要收兵。周庠、綦毋上谏认为不可以，周庠说："邛州的城墙沟堑完整坚固，食物能够支持好几年，可以占据这个地方作为根本。"王建说："我在军队中已经很久了，看到带领军队的人如果不倚仗皇帝的威望，那么部众就很容易离心；不如上疏陈述陈敬瑄的罪过，上表请求朝廷派大臣做将帅，我们可以辅佐他，那么就有成功的希望了。"于是派周庠起草表文，请求讨伐陈敬瑄来赎自己的罪过，并趁机要求给予自己邛州这个地方。顾彦朗也上表请求赦免王建的罪，把陈敬瑄迁徙到别的镇所去，来安定东、西两川。

起初，黄巢作乱的时候，唐昭宗还是寿王，随从唐僖宗逃到蜀地。当时事情非常仓促突然，各个王侯大多在山路上步行。寿王疲劳困乏，不能再向前走了，躺在一块大石头上。田令孜从后面赶来，催促他快走。寿王说："我的脚很疼，希望你能给我一匹马。"田令孜说："这里是深山，哪里能得到马！"于是用鞭抽打寿王，赶他向前走，寿王回头看着田令孜没有说话，心中怀恨他。等到当了皇帝，昭宗派人监领西川军，田令孜不服从命令。唐昭宗正愤恨各地藩镇骄横跋扈，想要用威势来制服他们。恰好得到顾彦朗、王建上的表章，认为田令孜所倚仗的只有陈敬瑄而已。六月，任命韦昭度兼中书令，代理西川节度使，又兼两川招抚制置等使，征调陈敬瑄担任禁军的龙武统军。

王建驻扎在新都，当时绵竹的土豪何义阳、安仁的费师懃等人，都在当地拥有军队来保卫自己，部众多的有一万人，少的也有一千人。王建派遣王宗瑶说服他们，他们都率领部众来归附王建，供给他财物粮食，王建的军队又壮大起来了。

在河南府设置佑国军，任命张全义为节度使。

秋季，七月，李罕之带领河东的士兵侵犯河阳，丁会把李罕之击退了。

升凤州为节度府，划分兴州、利州隶属凤州，任命凤州防御使满存为节度使、同平章事。

任命暂时代理魏博留后职位的罗弘信为节度使。

八月初三日戊辰，朱全忠攻下蔡州的南城。

（以上为第十四段，写成汭据荆南，朱全忠围困秦宗权于蔡州，王建请朝命征讨陈敬瑄，军势雄张。）

杨行密害怕孙儒的逼迫，想轻装突袭洪州。袁袭说："锺传平定江西已经很久了，兵力很强，粮食充足，不容易图谋他。赵锽刚刚得到宣州，趁乱世残暴欺压百姓，大家都不依附他。您最好用谦虚的言辞、丰厚的财物钱币去游说和州的孙端、上元的张雄，使他们从采石渡过长江去侵犯赵锽的边境，赵锽必定会来迎战。您再从铜官渡过长江与他们会合，这样一定可以攻破赵锽。"杨行密听从了袁袭的意见，派遣蔡俦守卫庐州，自己率领众将从糁潭渡过长江。

孙端、张雄被赵锽打败，赵锽的部将苏塘、漆朗率领军队二万人防守在曷山。袁袭说："您带领士兵快速赶到曷山，加固壁垒，搞好防守。对方将会再三求战，您都不要应战，对方就会认为我们是胆怯害怕了。乘着他们懈怠时，就可以攻破他们。"杨行密又听从了他的意见。结果苏塘等人大败，于是包围了宣州。赵锽的哥哥赵乾之从池州率领部队来救援宣州，杨行密派遣部将陶雅在九华山攻打赵乾之，打败了他。赵乾之逃奔到江西去。杨行密便派陶雅担任池州制置使。

九月，朱全忠因为来不及调运粮食，而且秦宗权兵力已经残破，不值得忧虑，就带领军队回去了。九月初二日丙申，派遣朱珍率领军队五千人护送楚州刺史刘瓒前往任所。

钱镠派遣他的堂弟钱球率领军队到苏州去攻打徐约。

冬季，十月，时溥的徐州兵阻拦朱珍、刘瓒前进。朱珍等攻击他们，占领了沛、滕两个县，斩杀、俘虏的人数以万计。

孟方立派遣他的部将奚忠信率领军队三万人袭击辽州。李克脩拦路迎击，大破奚忠信的军队，活捉了奚忠信送往晋阳。

十月二十七日辛卯，在靖陵埋葬了惠圣恭定孝皇帝，庙号僖宗。

陈敬瑄、田令孜听说韦昭度将要到来，便修理兵器装备，筑好城墙抵拒韦昭度。

十一月，时溥亲自率领步兵、骑兵七万人驻扎在吴康镇。朱珍与时溥作战，大破时溥的军队。朱全忠又派遣别将攻打宿州，刺史张友投降了。

十一月初三日丙申，秦宗权的别将攻陷许州，抓住了忠武留后王蕴，又占领了许州。

十二月，蔡州的将领申丛抓住秦宗权，折断他的脚把他囚禁起来，向朱全忠投降。朱全忠上表请求派申丛担任蔡州留后。

起初，感义节度使杨晟失去兴州、凤州以后，就去占据了文、龙、成、茂四个州。王建攻打西川，田令孜由于杨晟是自己过去的部将，派他代理威戎军节度使，使他守卫彭州。王建又攻打彭州，陈敬瑄部下眉州刺史山行章率领五万人在新繁筑起壁垒来救援杨晟。

十二月二十四日丁亥，任命韦昭度为行营招讨使，山南西道节度使杨守亮做他的副使，东川节度使顾彦朗担任行军司马；划分邛、蜀、黎、雅四个州设置永平军，任命王建为节度使，治所在邛州，代理行营诸军都指挥使。

十二月二十五日戊子，削除陈敬瑄的官爵。

山南西道节度使杨守亮攻陷了夔州。

（以上为第十五段，写杨行密失广陵，兵围宣州。秦宗权败歿。王建讨陈敬瑄，得朝命为永平军节度使，充行营诸军都指挥使。）

【点评】

本卷点评杨行密兴起淮南、张全义复兴东都、秦宗权为祸中原三件史事。

杨行密兴起淮南。杨行密，字化源，庐州合肥人，高大有力，能举重一百斤，与乡人田頵、陶雅、刘威等交好。杨行密年二十投身黄巢起义，在作战中被庐州刺史郑棨俘获，郑棨异其状貌，令其充当州兵，逐渐提升为庐州牙将。公元883年，杨行密杀都将，统领诸营，庐州刺史被迫让位，朝廷任命杨行密为庐州刺史，隶属淮南节度使高骈。杨行密部属刘威、陶雅、田頵、徐温等三十六人，号三十六"英雄"，这些人是杨行密的心腹骨干。公元887年，淮南节度使高骈被部将毕师铎围攻，宣歙观察使秦彦率师三万助毕师铎攻入扬州。秦彦自称淮南节度使，以毕师铎为行军司马。杨行密奉高骈之命救援，围攻扬州半年，秦彦、毕师铎在围城中乏粮，以人为食。扬州地处水陆交通要冲，人物殷阜，半年间，居民几乎被秦彦兵吃完。杨行密破城，只剩下几百户居民，全都是饿殍，一个个瘦弱不像人形，富饶的扬州成了一片废墟。秦彦不甘失败，引蔡州秦宗权救援。秦宗权遣其弟秦宗衡率领孙儒、刘建锋、马殷等来争扬州，蔡州兵十倍于杨行密。杨行密弃城回江南庐州。数年争战，孙儒败亡，杨行密重新占领扬州，朝廷任命杨行密为淮南节度使。杨行密招抚流亡，减轻租赋徭役，以茶盐与邻道通商以足军用。数年以后，民力恢复，淮南成为东南大镇。北起海州，南至虔州，东起常州，西至沔口（今湖北武汉），皆为淮南所有。朱全忠三次进攻，三次失败。杨行密建立吴国，后为南唐，历经五代，阻挡了北方政权统一南方。后梁、后唐两代统治者十分凶残。杨行密兴起，隔离南北，保护了江南人民生活的稳定与发展，在当时有着积极和进步的意义。杨行密割据淮南，在唐末群雄中最为开明，是一个比较得民心的地方政权。

张全义复兴东都。张全义，字国维，濮州临濮人。年少时以农家子服县役，数为县令困辱，愤而投身黄巢起义军中。黄巢入长安，任命张全义为吏部尚书、水运使。黄巢败没，张全义投奔河阳节度使诸葛爽，诸葛爽死后，事其子诸葛仲方。秦宗权遣将孙儒逐走诸葛仲方，张全义与李罕之分别据守河阳、洛阳，依附于朱全忠。李罕之据河阳，张全义据洛阳。洛阳为唐东都，多次兵灾之后成为一片废墟，户数不足一百。张全义据守以后披荆斩棘，招募流民，劝课耕织，亲自载以酒食在农忙时深入田间慰问。在洛阳筑南北二城以护民人。数年以后，人物完盛，洛阳恢复了生气，流民得到了安置。朱全忠劫迁唐昭宗到东都，缮理宫阙、府库，靠的是张全义之力。

张全义原名张言，唐昭宗赐名张全义。入梁，官拜河南尹，累迁至中书令，兼领忠武、陕虢、郑滑、河阳节度使，判六军诸卫事，天下兵马副元帅，封魏王。入唐，庄宗加拜张全义右师尚书令，改封齐王。

在唐末割据者中，多数是秦彦、孙儒那样的吃人野兽，也有张全义这样恤民的军阀。张全义历梁、唐两朝得以善终，良有以也。

秦宗权为祸中原。秦宗权，乱国贼子，许州人，为郡牙将。僖宗广明元年（公元 880 年），黄巢渡淮北上，秦宗权抗击有功，得授蔡州节度使。中和三年（公元 883 年），黄巢退出长安东走，秦宗权迎战不利，投降黄巢。黄巢覆灭，秦宗权转强。李克用与朱全忠交恶，朝廷田令孜专权与河中王重荣交恶，官军无力征讨蔡州，秦宗权趁机遣将四出攻掠，扩张地盘，部属秦彦、秦贤、秦浩、孙儒、张晊、卢塘等皆虎狼之徒，以杀人为乐事。秦彦攻淮南，秦贤攻江南，秦浩攻襄阳，孙儒攻洛阳，张晊攻汝、邓，卢塘攻汴州。各路共攻陷二十余州，只有赵犨兄弟所守徐州，朱全忠所守汴州未下，城门之外为贼疆场，乡村邑落被破坏无遗。贼众所到之处，残杀人物，焚烧都邑村落，西至关内，东到青徐，南至江淮，北到卫滑，中原大地，鱼烂鸟散，人烟断绝，荆榛蔽野。秦彦、孙儒最为野蛮，行军不带粮食，以人为食，军士盐尸而从。秦彦、孙儒入扬州，公然贩卖人肉，全城士民几乎被杀光。秦宗权还狂妄地称帝于蔡州。在唐末军阀割据中，秦宗权最为刻毒，他为祸中原，残害百姓，纯粹是一个魔王。两唐书将秦宗权入逆臣传，与安禄山、史思明、朱泚等人并列。在诸逆臣中，秦宗权最为凶顽。公元 888 年，秦宗权被其爱将申丛捕获，被打断双脚，囚送京师，与其妻俱斩于独柳之下。临刑前，秦宗权对监斩官京兆尹孙揆说："尚书明鉴，秦宗权难道是一个造反的人吗？只是表达忠心的方式不妥罢了。"可以说是无耻之尤，引得围观的人哈哈大笑。

唐纪七十四

唐昭宗龙纪元年至大顺二年（公元 889—公元 891）

【起屠维作噩（己酉，公元 889 年），尽重光大渊献（辛亥，公元 891 年），凡三年】

【大事提要】

本卷记事起公元 889 年，讫公元 891 年，记载史事凡三年。当唐昭宗龙纪元年至大顺二年。昭宗体貌明粹，有英气，感慨僖宗威令不振，朝廷日卑，发愿重整雄风，恢复先代圣主的业绩。他利用军阀混战，以朝命任命韦昭度征讨西川陈敬瑄，纳宰相张濬之谋，以朱全忠及河北三镇为主力讨伐李克用。此时朝廷既无郭子仪、李晟、李愬之英才用兵，又无李泌、陆贽之贤杰为之谋，韦昭度庸懦，张濬轻佻，结果韦昭度见逐于王建，张濬全军败没。昭宗城府深，巧借杨复恭义子李顺节以逐走杨复恭，继杀李顺节，朝纲仍然不振。宦官积恶已非一日，藩镇跋扈祸行全国，正气不伸，邪曲枉炽，一唐昭宗无如之何，盖大厦将倾，非独木能支也。此时期，军阀混战的主战场一是江南，二是西川。江南争战主要是据扬州的孙儒与杨行密争雄。杨行密得杭州钱镠之助，孙儒则有徐州时溥之援，各自无后顾之忧，故拼全力以战。孙儒凶残，常胜而不得人心，最后烧积聚，扫境渡江，孤注一掷，以图侥幸，取死之道。西川王建得势破成都，是此时期最大的赢家。中原争战，朱全忠与李克用互有胜败。

昭宗圣穆景文孝皇帝上之上

唐昭宗龙纪元年（己酉，公元 889 年）

春季，正月初一日癸巳，大赦天下，改年号为龙纪。

任命翰林学士承旨、兵部侍郎刘崇望为同平章事。

汴州的将领庞师古攻下了宿迁，把军队驻扎在吕梁。时溥前来迎战，大败，军队退回彭城防守。

正月二十日壬子，蔡州的将领郭璠杀死申丛，把秦宗权送往汴州。郭璠告诉朱全忠说："申丛谋划再拥立秦宗权。"朱全忠派郭璠担任淮西留后。

正月二十八日戊申，王建在新繁大败山行章，斩杀、俘获将近一万人，山行章仅能免于一死。杨晟害怕了，把军队迁徙驻扎到三交，山行章驻扎在濛阳，与王建对峙。

二月，朱全忠把秦宗权送到京师，在独柳将他斩了。京兆尹孙揆监斩，秦宗权在槛车中抬头对孙揆说："您看我秦宗权哪里是造反的人呢？只是对国家尽忠没有效果而已。"旁观的人都笑了。孙揆是孙逖的族孙。

三月，加封朱全忠兼任中书令，晋爵为东平郡王，朱全忠攻下蔡州以后，军队势力更加强大了。

加封忠义节度使赵德諲为中书令，加封蔡州节度使赵犨为同平章事，代理忠武节度使，以陈州作为治所。正遇上赵犨有病，把军府中的所有事务都交给他的弟弟赵昶去做，自己上表要求辞职。唐昭宗下令赵昶代理忠武节度使。不多久，赵犨就去世了。

三月初五日丙申，钱铼攻下了苏州，徐约逃亡到海上后死了。钱镠派海昌都将沈粲暂时管理苏州的事务。

夏季，四月，赐给陕虢军号叫保义。

五月十三日甲辰，润州制置使阮结去世，钱镠派静江都将成及来代替阮结。

李克用大举发动军队，派遣李罕之、李存孝攻打孟方立。六月，攻下了磁州、洺州。孟方立派遣大将马溉、袁奉韬率领士兵几万人来抵挡他们，在琉璃陂打了一仗。孟方立的军队大败，马溉、袁奉韬都被俘虏了，李克用乘胜进攻邢州。孟方立本性好猜忌，各个将领都怨恨他，到这时候都不替孟方立出力了，孟方立又惭愧又恐惧，服药自杀了。他的弟弟代理洺州刺史孟迁，一向深得士兵拥护，大家推举孟迁担任留后，向朱全忠求援。朱全忠向魏博节度使罗弘信借路，罗弘信不允许；朱全忠于是派遣大将王虔裕率领精兵几百人，从小路进入邢州去共同防守。

（以上为第一段，写朱全忠并灭秦宗权，军力大盛，与李克用再次交战。）

杨行密围攻宣州，城里的食物都吃光了，相互残杀，吃人肉充饥。指挥使周进思占据了宣州城赶走赵锽。赵锽将要逃往广陵，田頵追上他，把他抓住了。不久，城里的人捉住周进思向杨行密投降。杨行密进入宣州，各位将领争着去夺取金银布帛，只有徐温占据了米仓，煮粥给饥饿的人吃。徐温是朐山人。赵锽的部将宿松人周本，在军中最为勇敢，杨行密俘虏周本后又把他放了，用他做副将。赵锽失败后，左右的人都散了，只有李德诚跟着赵锽不离开，杨行密把同宗的女儿嫁给了李德诚。李德诚是西华人。杨行密上表向朝廷报告，唐昭宗下诏任命杨行密为宣歙观察使。

朱全忠与赵锽有旧交，派遣使者向杨行密索取赵锽。杨行密找袁袭商量，袁袭说："不如斩了赵锽的首级送给朱全忠。"杨行密听从了袁袭的意见。不多久，袁袭死了，杨行密哭着说："这是上天不想让我成大功业啊，为什么要折损我的心腹助手呢！我喜欢宽厚而袁袭每每劝我杀人，这大概是袁袭不能长寿的原因吧！”

孙儒派遣军队去攻打庐州，蔡俦率领州人向孙儒投降。

朱珍攻下萧县，占据了这个地方，与时溥对抗，朱全忠准备亲自去那里督战。朱珍下令各路军队都要整修马厩，李唐宾的部将严郊却懒惰怠慢，军吏责备他，李唐宾生气了，向朱珍申诉。朱珍也生了气，认为李唐宾无礼，拔出佩剑把李唐宾杀了，派遣使者骑马去向朱全忠报告，说李唐宾阴谋叛变。淮南左司马敬翔害怕朱全忠正在气头上，匆忙处理这个问题会不合适，所以留下使者，到了晚上，才心平气和地向朱全忠报告这件事，朱全忠果然大吃一惊。敬翔就替他出谋划策，诈称抓住了李唐宾的妻子并关在监狱中，派遣骑兵前往朱珍那儿慰问安抚。朱全忠听从了敬翔的计策，军队安定了下来。秋季，七月，朱全忠到萧县去，还未到达，朱珍出来迎接，朱全忠下令武士把朱珍抓起来，责备他擅自杀害将领，将朱珍处死了。各路将领霍存等几十个人叩头求情，朱全忠大怒，扔出坐床砸他们，他们才退回去。七月十七日丁未，朱全忠到了萧县，任命庞师古代朱珍为都指挥使。八月十七日丙子，朱全忠进攻时溥的营垒，正遇上大雨，朱全忠带领军队退回去了。

（以上为第二段，写杨行密得宣州，丢了庐州。朱全忠亲赴前线督阵讨时溥，会大雨而退兵。）

冬季，十月，平卢节度使王敬武去世。他的儿子王师范才十六岁，军中推举王师范做平卢留后。棣州刺史张蟾不服从他。唐昭宗下令任命太子少师崔安潜兼任侍中，代理平卢节度使。张蟾迎接崔安潜到棣州，与他一起讨伐王师范。

任命给事中杜孺休为苏州刺史。钱镠不高兴，派知州事沈粲担任制置指挥使。

杨行密派遣马步都虞候田頵等人去攻打常州。

十一月，唐昭宗改名为李晔。

唐昭宗将在圜丘举行祭天大典。按照以前惯例，护军中尉、枢密使都要穿前襟、后襟分开的衣服随从服侍；唐僖宗的时候，这些人已经穿上了上下衣相连的衣服并且手执朝笏；到这时，又下令有关官吏衙门制造礼法规定的法服。孔纬和谏官、礼官们都认为不可以，唐昭宗亲手写信告诉他们说：“你们所讨论的都很正确。但是事情要衡量大小轻重，不要因为小的瑕疵妨害了大的礼节。”于是宦官开始穿上佩剑的冕服随侍祠堂。十一月二十一日己酉，在圜丘举行了祭天大典，大赦天下。

唐昭宗在寿王府的时候，一向痛恨宦官。等到即位以后，杨复恭倚仗拥立之功，所作所为多不合法，唐昭宗心中很不满意；政治大事常和宰相商量。孔纬、张濬举出唐宣宗时所发生的事情劝谏唐昭宗抑制宦官权力。杨复恭经常坐着轿子到太极殿来。有一天，唐昭宗和宰相讲到四处造反的人，孔纬说：“在您的左右就有将要造反的人，何况是四面八方呢！”唐昭宗很惊讶地问他，孔纬指着杨复恭说：“杨复恭是您的家奴，却坐着轿子到前殿来，又养了很多壮士做义子，使他们统率禁兵，或者掌管方镇，这不是造反是什么呢！”杨复恭说：“以壮士做义子，是想要收拢士兵的心，保卫国家，哪里是造反呢！”唐昭宗说：“你想保卫国家，为什么不让他们姓李而要他们姓杨呢？”杨复恭无话可答。

杨复恭的义子天威军使杨守立，本来姓胡，名叫弘立，以勇敢果断在六军之中闻名，大家都害怕他。唐昭宗想要讨伐杨复恭，担心杨守立作乱，对杨复恭说：“我想要你的义子杨守立跟随我左右。”杨复恭向唐昭宗引见杨守立，唐昭宗赐给他新的姓名李顺节，委派他掌管六军营门的钥匙，不到一年，升为天武都头，兼领镇海节度使，不久又加封同平章事。等到谢恩的那一天，台省的官吏申请按班次和百官相见，孔纬批驳不用会集百官。李顺节官至同中书门下平章事，脸色很不高兴。有一天，说话中稍微提到了这事，孔纬说：“宰相为百官的师长，所以能按班次和百官相见。你的职位只是都头，而在政事堂中按班次和百官相见，你认为合适，能够心安吗？”李顺节不敢再讲这件事了。

朱全忠要求兼领盐铁专卖的职务，唯独孔纬坚持认为不可以，对进奏唐昭宗的官吏说：“朱全忠想要这一个职务，非起兵作乱不可！”朱全忠这才停止要求。

田頵攻打常州，挖通地道进入城中。半夜里，旌旗、全副武装的士兵出现在制置使杜稜的卧室中，将杜稜俘虏了，派三万名士兵驻守常州。

朱全忠派遣庞师古率领军队从颍上赶往淮南，去攻打孙儒。

十二月初七日甲子，王建在广都打败了山行章和西川骑将宋行能；宋行能逃回成都，山行章退守眉州。十二月十五日壬申，山行章向王建请求投降。

十二月二十一日戊寅，孙儒从广陵带领军队渡过长江。十二月二十五日壬午，逐走田頵，攻下了常州，派刘建锋防守。孙儒回到广陵，刘建锋又赶走了成及，攻取了润州。

前山南东道节度使刘巨容在襄阳的时候，有一个叫申屠生的人教他烧药炼黄金的方法。田令孜的弟弟经过襄阳时，刘巨容曾拿出黄金给他看。等到刘巨容住到成都，田令孜向他索求烧药炼黄金的方法，刘巨容不给他，田令孜怀恨在心。这一年，田令孜杀掉刘巨容，灭了他的全族。

（以上为第三段，写宦官杨复恭专横，唐昭宗阴欲除之。朱全忠求领盐铁，昭宗不允。）

唐昭宗大顺元年（庚戌，公元 890 年）

春季，正月初一日戊子，群臣为唐昭宗上尊号为圣文睿德光武弘孝皇帝，改年号为大顺。

李克用急迫地猛攻邢州，孟迁粮食吃完了，力量也用尽了，抓了王虔裕和汴州的士兵向李克用投降。李克用任命安金俊为邢洺团练使。

正月十五日壬寅，王建攻打邛州，陈敬瑄派遣他的大将彭城人杨儒率领士兵三千人帮助刺史毛湘守城。毛湘出战，出战一次败一次。杨儒登上城墙，看到王建的军队气势很盛，感叹地说："看来大唐的国运已经尽了，王建治理军队，严格而不残暴，大概可以庇护百姓吧！"于是率领自己的部下出城投降。王建收养他做义子，将他的姓名改为王宗儒。正月十八日乙巳，王建留下永平节度判官张琳为邛南招安使，自己带领士兵回到成都。张琳是许州人。

陈敬瑄派兵到犀浦、郫、导江等县分别安营设寨，布置守寨，发动城中的百姓，每户出一个壮丁，白天去挖一重又一重的壕沟，砍伐竹子、木头，搬运砖块、石头，夜晚就登上城墙，敲打木梆巡逻，没有休息的时候。

韦昭度在唐桥扎营，王建在东闾门外扎营，事奉韦昭度也很恭敬小心。

正月二十四日辛亥，简州的将领杜有迁抓了刺史员虔嵩投降王建，王建任命杜有迁掌管州里的事务。

汴州的将领庞师古等人率领部众，号称十万人，渡过淮水，扬言说要去救杨行密，攻下了天长镇。正月二十五日壬子，又攻下了高邮。

二月初三日己未，资州的将领侯元绰抓了刺史杨戡投降王建，王建任命侯元绰掌管州里的事务。

二月初九日乙丑，加封朱全忠代理中书令。

庞师古带领军队深入淮南，二月十三日己巳，在陵亭和孙儒作战。庞师古的军队战败了，只得退回去。

杨行密派遣他的部将马敬言带领士兵五千人，乘虚偷袭并占据了润州。李友带领士兵两万人驻扎在青城，将要攻打常州。安仁义、刘威、田頵在武进打败了刘建峰。马敬言、安仁义、刘威驻扎在润州。李友是合肥人，刘威是慎县人。

李克用率领军队去攻打云州防御使赫连铎，攻下了云州的东城。赫连铎向卢龙节度使李匡威请求救援，李匡威带领军队三万人前往云州。二月二十日丙子，邢洺团练使安金俊被流矢射死，河东万胜军使申信叛变投降赫连铎。正好幽州的军队也到达了，李克用只得率领军队回去。

时溥向河东李克用求救，李克用派遣他的部将石君和率领五百名骑兵赶往救援。

李克用巡视潞州，由于供奉的酒食不丰富，迁怒于昭义节度使李克脩，责骂以后又用鞭子抽打他。李克脩羞愧怨恨成疾，三月，便病死了。李克用向唐昭宗上表，任命他的弟弟决胜军使李克恭为昭义留后。

赐宣歙军号叫宁国，任命杨行密为节度使。

夏季，四月，宿州将领张筠逐走刺史张绍光，归附时溥。朱全忠率领各路军队讨伐张筠。时溥出动军队去掠夺砀山，朱全忠派遣牙内都指挥使朱友裕攻打时溥，杀死三千多人，抓住了石君和。朱友裕是朱全忠的儿子。

四月初十日乙丑，陈敬瑄派遣蜀州刺史任从海率领军队两万人去救援邛州。结果任从海战败，便想要以蜀州来投降王建，被陈敬瑄杀了。陈敬瑄派徐公鉥代理蜀州刺史。四月十一日丙寅，嘉州刺史朱实以全州向王建投降。四月二十一日丙子，僰道的土豪文武坚捉住戎州刺史谢承恩，向王建投降。

（以上为第四段，写王建兵围成都。朱全忠遣将深入淮南为孙儒所败。杨行密乘机兵取润州。朱杨联手夹击时溥，时溥北引李克用反夹击朱全忠。）

赫连铎、李匡威上表请求讨伐李克用，朱全忠也上表说："李克用终究要成为国家的祸患，现在乘着他失败的时候，请让臣率领汴、滑、孟三镇的军队和河北卢龙的李匡威、成德的王镕、魏博的罗弘信联合起来除掉他。请朝廷派臣做统帅吧！"

起初，张濬依靠着杨复恭才得以进身为朝廷所用，杨复恭中途被废黜，张濬便去依附田令孜而轻视杨复恭。等到杨复恭再次被朝廷重用时，便深深痛恨张濬。唐昭宗知道张濬和杨复恭有矛盾，就特别亲近、倚重张濬，张濬也以取得功劳名誉作为自己的责任，经常把自己比作东晋的谢安、本朝的裴度。李克用过去讨伐黄巢驻扎在河中时，张濬任都统判官。李克用轻视他的为人，现在听说张濬做了宰相，私下对传达诏书的使者说："张濬喜欢空谈而没有实际的作为，是使国家灭亡的人啊！唐昭宗中信他的虚名而重用他，将来扰乱天下的，一定是张濬这个人。"张濬听到这话十分怨恨李克用。

唐昭宗从容地和张濬讨论古今治乱的事情，张濬说："皇上这样英明聪慧，有所作为，可是在内受到宦官、在外受到藩镇的牵制，这正是做臣子的日夜痛心疾首的事啊！"唐昭宗问张濬当前最紧急的事情，张濬回答说："没有比用强大的军队来使天下人服从更重要的了。"唐昭宗于是广招士兵，集中到京师里来，多达十万人。

等到朱全忠等人请求讨伐李克用时，唐昭宗命令尚书、门下、中书三省及御史台的四品以上的官员商议这件事，认为不可以的占十分之六七，杜让能、刘崇望也认为不可以。张濬想要依靠朝廷外面的势力来排挤杨复恭，于是说："光启二年，先帝再次被迫迁到山南，是沙陀人逼迫造成的。臣常常顾虑他们和河朔地区的各个藩镇内外互相依靠，使得朝廷不能控制他们。现在河南的朱全忠、河北的李匡威共同要求讨伐李克用，这是千载难逢的好机会。只要求陛下给臣带兵的权力，十天个把月就可以把他们讨平。失去了现在这个机会不去讨伐他们，后悔就来不及了。"孔纬说："张濬的话有道理。"杨复恭说："先帝奔走流离，虽然说是因为藩镇专横暴戾，也是由于朝中的大臣措施不恰当的缘故。现在皇室刚刚安定下来，不应该再起战祸啊！"唐昭宗说："李克用有兴复国家的大功，破黄巢，收复京城，现在乘着他有危难的时候攻打他，天下的人会怎样来说朕呢？"孔纬说："陛下所说的是一时的规矩；张濬所说的是万世的利益啊！昨天臣等计算过派出士兵、运送粮食、犒劳赏赐等费用，一两年之内还不至于缺乏，只在陛下您决心去做罢了。”唐昭宗由于张濬、孔纬两位宰相所说的相符合，勉强听从了他们意见，说：“这件事今天就交给你们两人去办了，不要使我留下耻辱啊！”

五月，唐昭宗下诏削除李克用的官职、爵位，把他从皇族名册中清除出去，任命张濬为河东行营都招讨制置宣慰使，京兆尹孙揆担任他的副使，任命镇国节度使韩建为都虞候兼供军粮料使，任命朱全忠为南面招讨使，李匡威为北面招讨使，赫连铎为副使。

张濬上奏请求给事中牛徽担任行营判官。牛徽说：“国家在丧乱之后，想要做出英勇威武的举动，无缘无故地去激怒强大的敌寇，使诸侯们离心，我就要看到国家动荡变乱，人民流离失所了！”于是用身体衰老多病的理由推辞了。牛徽是牛僧孺的孙子。

（以上为第五段，写唐昭宗讲武于京师，误用虚谈士张濬为相，轻起战端，兴兵讨李克用。）

李克恭骄傲放纵，又不熟悉军事。潞州的人一向喜欢李克脩的简省俭约，而且李克脩的死亡并非是由于他有罪，潞州的人怜悯李克脩，因而将士们有了叛离的心意。起初，潞州的人背叛孟方立，牙将安居受等人招来河东的军队攻取潞州；等到孟迁以邢、洺、磁三州投靠李克用后，李克用宠爱、信任孟迁，任用孟迁为军城都虞候，孟迁的部下都担任了重要的职位。安居受等人既很怨恨，又感到害怕。

昭义有精锐的军队，号称“后院将”。李克用取得了邢、洺、磁三州后，将要谋取河朔地区，命令李克恭从“后院将”中挑选特别勇敢强悍的士兵五百人送到晋阳，潞州的人深感惋惜。李克恭派遣牙将李元审和小校冯霸的部众护送他们到晋阳去，到了铜鞮县，冯霸发动他们叛变，沿着山往南走，到了沁水县，部众已有三千人。李元审去攻打他们，被冯霸打伤，逃回潞州。五月十五日庚子，李克恭到李元审住的地方去看望他，安居受率领他的部下作乱，攻打他们并把房子烧毁了，李克恭、李元审都死了。大家推举安居受担任留后，依附于朱全忠。安居受派人去召唤冯霸，冯霸不来。安居受害怕了，逃出去，被田野的农夫杀死。冯霸带领军队进入潞州，自己担任留后。

这时朝廷正要讨伐李克用，听到李克恭死了，朝廷中的臣子都向唐昭宗祝贺。朱全忠派遣河阳留后朱崇节带领军队进入潞州，暂时代理留后。李克用派遣康君立、李存孝率领军队去包围潞州城。

五月二十七日壬子，张濬率领各路军队五十二都和邠、宁、鄜、夏等地俘虏的士兵合计五万人从京师出发，唐昭宗亲自到安喜楼为他饯行。张濬屏除左右的人对唐昭宗说："等我先除去外部的忧患，然后再替您清除内部的祸害。"杨复恭偷听到了这些话。两军的护军中尉在长乐坂为张濬饯行，杨复恭劝张濬喝酒，张濬推辞说醉了，杨复恭嘲弄他说："你秉承斧钺要去指挥作战了，现在是故作姿态吗！"张濬回答说："等到讨平贼寇回来以后，再让你看看什么是故作姿态！"杨复恭听了更加嫉恨他。

五月二十八日癸丑，免除了李罕之的官职、爵位。六月，任命孙揆为昭义节度使，代理招讨副使。

六月初三日丁巳，茂州刺史李继昌率领军队去援救成都。六月初五日己未，王建攻打并杀了李继昌。六月初七日辛酉，资州、简州都制置应援使谢从本杀了雅州刺史张承简，以州城投降王建。

孙儒向朱全忠要求和好相处，朱全忠上表朝廷任命孙儒为淮南节度使。不久，朱全忠杀了孙儒的使者，双方又成为仇敌了。

光启初年，德州刺史卢彦威赶走义昌节度使杨全玫，自称为留后，要求朝廷授给他节度使的仪仗，朝廷没有同意。这时候，王镕、罗弘信因为张濬已经出兵，便替卢彦威请求，于是朝廷任命卢彦威为义昌节度使。

张濬在晋州会合宣武、镇国、静难、凤翔、保大、定难等各路军队。

（以上为第六段，写张濬领兵五万出讨李克用，大会诸镇之兵于晋州。）

改义成军为宣义军。六月十七日辛未，任命朱全忠为宣武、宣义节度使。朱全忠因为徐州、扬州正有战事，征募士兵前往镇守，地方实在太辽阔了，于是辞掉宣义节度使，请求任命胡真为节度使，朝廷同意了朱全忠的要求；但是宣义地方的兵役、赋税等的进出，都受到朱全忠的控制，就好像他巡视的属地一样。等到胡真进入朝廷做了统军，终究还是委任朱全忠任宣武、宣义两镇节度使，免除了朱全忠兼管淮南军的事务。

秋季，七月，官军到了阴地关，朱全忠派遣勇猛矫健的将领葛从周率领一千名骑兵暗中从壶关出发，夜晚到了潞州，冲破包围进入了潞州。再派遣别将李谠、李重胤、邓季筠率领军队到泽州去攻打李罕之，又派遣张全义、朱友裕在泽州的北面驻扎军队，作为葛从周的呼应和支援。邓季筠是下邑人。朱全忠向唐昭宗上奏说，已派遣军队驻守潞州，请孙揆赶赴潞州镇守。张濬也担心昭义军被朱全忠的汴军占据，分派三千名士兵，由孙揆率领赶往潞州。

八月十二日乙丑，孙揆从晋州出发，李存孝听到这个消息，派三百名骑兵埋伏在长子县西边的山谷中。孙揆立起牙旗，拿着唐昭宗赏赐的节仗，穿着衣襟宽大的衣服，坐在有高大伞盖的车上，部众们簇拥着他前进。李存孝突然杀出，活捉了孙揆和赏赐旌节的中使韩归范，以及牙兵五百多人，在刁黄岭追击余下的部众，把他们都杀死了。李存孝给孙揆和韩归范加上刑具，用白色的熟绢捆绑起来，在潞州城下示从，说："朝廷派孙揆担任潞州的节度使，命令韩归范赏赐旌节，葛从周可以赶快回大梁去，让孙揆来管理政事。"于是捆了他们两人献给李克用。李克用把他们囚禁起来，不久又派人去引诱孙揆，想让他担任河东副使。孙揆说："我是皇上委派的大臣，因为兵败而死是我的本分，怎么能服从侍候你这个反臣呢！"李克用大怒，下令用锯子锯孙揆的身体，但锯不进去。孙揆骂道："你这个该死的狗奴！锯人应该先用木板把人夹住，你哪里知道呢！"于是就用木板把孙揆夹起来锯，一直到死，孙揆骂声都没有断过。

（以上为第七段，写昭义节度使孙揆兵败就义而死。）

八月十三日丙寅，孙儒攻打润州。

苏州刺史杜孺休到苏州任职，钱镠秘密地派沈粲去杀了杜孺休。正逢上杨行密的部将李友攻下了苏州，沈粲回到杭州；钱镠想把杀害杜孺休的罪过归于沈粲而杀他，沈粲逃奔到孙儒那里去。

王建退兵驻扎到汉州。

陈敬瑄搜刮富裕人家财物以供给军队使用，设置了征督院，用脚镣手铐、木棍荆杖等刑具来逼迫富人，命令他们说出自己的财物；凡是有财物的人如果隐藏不报，或者本来没有财物而强占别人东西据为己有，都紧急征用，老百姓都无法生存下来了。

李罕之向李克用报告情况危急，李克用派遣李存孝率领五千名骑兵去救援李罕之。

九月十九日壬寅，朱全忠在河阳驻扎军队。朱全忠的汴军开始包围泽州的时候，向李罕之呼喊说："你每每依靠河东李克用，轻易断绝和我们汴军的关系。现在张濬已包围了太原，葛从周攻入潞州府，十天个把月，李克用的沙陀军就没有藏身之地，你有什么路可以求生呢！"等到李存孝到了，挑选精壮的骑兵五百人，环绕汴军的寨子叫喊说："我们是沙陀军，正寻找藏身的人，想要得到你们的肉来喂饱士兵们；下令肥胖的人出来打吧！"汴州的将领邓季筠，也是很勇猛的，带领士兵出来作战，李存孝把他活捉了。这一个晚上，李谠、李重胤收聚部众逃走了。李存孝、李罕之随后追击，追到马牢山，大破他们的军队，斩首、俘获的人数以万计，一直追到怀州才返回。李存孝又带领军队攻打潞州，葛从周、朱崇节放弃潞州跑回去了。九月二十五日戊申，朱全忠在大庭广众下责备各个将领战败的罪过，杀了李谠、李重胤后才令军队回去。

李克用任命康君立担任昭义留后，李存孝担任汾州刺史。李存孝自以为活捉孙揆功劳大，应当镇守昭义，但是这职务却让康君立得到了，气得好几天没有吃饭，任意用刑杀害无辜的人，开始有背叛李克用的意向了。

李匡威攻打蔚州，俘虏了蔚州刺史邢善益，赫连铎率领吐蕃、黠戛斯的部众几万人攻打遮虏军，杀掉了遮虏军军使刘胡子。李克用派遣他的部将李存信去攻打赫连铎，没有取胜；又下令李嗣源担任李存信的副手，于是把赫连铎攻破了。李克用随后率领大部队继续攻打，李匡威、赫连铎都战败逃走了，俘获了李匡威的儿子武州刺史李仁宗和赫连铎的女婿，俘虏、斩首的人数以万计。

李嗣源为人谨慎自重，清廉节俭，各将领聚会的时候，都夸耀自己勇敢有谋略，只有李嗣源默不作声，慢慢地说道："你们都喜欢用嘴巴来攻击贼寇，我李嗣源只是用手来打击贼寇罢了。"大家听了都感到惭愧，不再自吹自擂了。

（以上为第八段，写李克用遣将救泽州、潞州，大败汴军。）

杨行密派他的部将张行周担任常州制置使。闰九月，孙儒派遣刘建锋攻下常州，杀掉张行周，进兵包围苏州。

邛州刺史毛湘，本来是田令孜亲近的官吏。王建攻打毛湘攻得很急，粮食已经吃完了，救兵也没有到来。闰九月初九日壬戌，毛湘对都知兵马使任可知说："我不忍心辜负田令孜，官吏、人民有什么罪过呢！你可以拿着我的头颅去投奔王建。"于是洗干净身躯等待死亡。任可知杀死毛湘以及他的两个儿子投降王建，士民们都悲痛得掉下了眼泪。闰九月二十一日甲戌，王建拿着永平军的仪仗进入邛州，任命节度判官张琳代理留后的职位。王建修缮邛州的城池，招抚安定夷、獠等部族，整治营建蜀州、雅州。冬季，十月初一日癸未，王建带领军队回到成都，蜀州的将领李行周赶走了徐公鉥，以城投降王建。

十月初三日乙酉，朱全忠从河阳到滑州去治理事务。派遣使者到魏州去请求支援粮食、马匹以及借路通行以便攻打河东，罗弘信不允许；又向镇州请求，镇州人也不同意。朱全忠于是从黎阳渡河去攻打魏州。

加封邠宁节度使王行瑜任侍中，佑国节度使张全义任同平章事。

官军从阴地关出发，一路行走到了汾州。李克用派遣薛志勤、李承嗣率领骑兵三千人在洪洞县驻扎，李存孝率领士兵五千人在赵城驻扎。镇国节度使韩建派壮士三百人夜间去偷袭李存孝的营寨，李存孝知道了，设下埋伏等待韩建。韩建的士兵初战不利，静难、凤翔的军队没有打仗就退走了。河东的军队往北乘胜追击，一直到晋州的西门。张濬出城作战，又失败了，官军死的有将近三千人。静难、凤翔、保大、定难的军队先渡河向西退去，张濬只有宫中的禁军和宣武的军队一共一万人，与韩建关闭城门坚守，从此不敢再出来。李存孝带领士兵攻打绛州，十一月，绛州刺史张行恭放弃守城逃走了。李存孝进攻晋州，打了三天，和他的部下商量说："张濬是宰相，捉住他没什么益处；皇帝的禁军，不适宜加害他们。"于是后退五十里驻扎，张濬、韩建从含口逃出去。李存孝攻取了晋、绛两个州，大肆掠夺了慈州和隰州。

先前，李克用遣送韩归范回朝廷时，附上表章申诉冤屈，说道：“臣父子三代，受到武宗、宣宗、懿宗、僖宗四朝的恩惠，攻破庞勋，翦除黄巢，黜退襄王李煴，保存了易州、定州，使得陛下今天能戴上通天冠，佩戴白玉玺，这未必不是臣的力量啊！如果因为攻打云州治我罪的话，那么拓跋思恭攻取鄜州、延州，朱全忠侵入徐州、郓州，为什么就不讨伐呢？奖赏他们而惩罚臣，臣怎么能没有话说呢！况且朝廷在危难的时候，称赞臣是韩信、彭越、伊尹、吕尚；等到安定以后，就骂臣是戎、羯、胡、夷。如今，天下掌握兵权建立功勋的人，难道不恐惧陛下以后骂他们吗！何况如果臣真有大罪的话，可以派六军来讨伐臣，自有常规的刑法处理臣，何必乘着臣现在衰弱的时候来攻取呢！现在既然张濬已经出兵，臣便很难束手就擒。臣已经聚集蕃人、汉人的士兵五十万，想要直接抵达蒲、潼等地，和张濬较量。如果臣不能取胜，甘愿被您革去官爵。不然的话，臣要率领轻捷的骑兵去敲打陛下的宫门，到宫殿前的台阶上向陛下叩头，在陛下屏风南面的座位前申诉遭奸佞小人的冤屈，在先帝的庙堂里交还君命敕令，然后再到司寇官那里去，恭敬地等待陛下的处罚。”表章送到的时候，张濬已经被打败了，朝廷震动恐慌。张濬与韩建越过王屋山到了河阳，拆除老百姓的房子做成木筏来渡河，全军散失、死亡殆尽。

这一次战役，朝廷依赖朱全忠以及河朔三镇。等到张濬到了晋州，朱全忠方联合徐、郓二州的军队，虽然派遣将领去攻打泽州，但自己并没有亲身去。出征的官军向镇州、魏州请求兵粮的支援，而镇州、魏州靠着河东做他们的防御屏障，也都不派出军队。只有华州、邠州，凤翔、鄜州、夏州的军队与张濬会合。军队还没有交战，孙揆就被俘虏了，幽州的李匡威、云州的赫连铎也都失败了，杨复恭又从中阻挠这件事，所以张濬的军队很快就溃散了。

十二月，孙儒攻下苏州、杀了李友。安仁义等人听到这个消息，烧毁了润州的房屋，在夜里逃走了。孙儒派沈粲守苏州，又派遣他的部将归传道坚守润州。

十二月二十日辛丑，汴州的将领丁会、葛从周攻打魏州，渡过黄河，攻下了黎阳、临河。庞师古、霍存攻下了淇门、卫县。朱全忠亲自带领大军紧跟在他们后面。

这一年，在上元县设置了昇州，任命张雄为刺史。

（以上为第九段，写讨晋官军大败而归。）

唐昭宗大顺二年（辛亥，公元 891 年）

春季，正月，罗弘信在内黄驻扎军队。正月初五日丙辰，朱全忠攻击罗弘信，打了五次仗，都获得了胜利，一直攻到永定桥，被斩首的有一万多人。罗弘信害怕，派遣使者带着很多钱财请求修好。朱全忠命令停止焚烧掠夺，归还罗弘信的俘虏，退兵回到河上。魏博这个地方从此以后完全服从朱全忠了。

正月初九日庚申，唐昭宗下令将太保、门下侍郎、同平章事孔纬贬为荆南节度使，中书侍郎、同平章事张濬贬为鄂岳观察使。任命翰林学士承旨、兵部侍郎崔昭纬为同平章事，御史中丞徐彦若为户部侍郎、同平章事。崔昭纬是崔慎由的侄子，徐彦若是徐商的儿子。

杨复恭派人在长乐坡劫持孔纬，斩断他的旌节，抢光了他的财物、行装，孔纬仅能免于一死。李克用又派遣使者上表说："张濬拿皇帝万世的基业，来谋取自己一时的功名，他知道臣与朱温有深仇大恨，暗中和朱温联合起来。臣现在身无官职爵位，又有罪人的名声，不敢回到陛下的藩属州镇去，只想在河中寄住，臣的一切行动，等着陛下的指挥调遣。"唐昭宗下诏再次贬谪孔纬为均州刺史，张濬为连州刺史。赐给李克用诏书，完全恢复李克用的官职爵位，诏命李克用回到晋阳。

（以上为第十段，写唐昭宗贬逐孔纬、张濬，悉复李克用官爵。）

孙儒带领淮州、蔡州的军队渡江，正月二十二日癸酉，从润州连续作战一直往南，田頵、安仁义多次战败后退，杨行密占领的都邑守卫都望风溃逃。孙儒的部将李从立快速推进到宣州的东溪，杨行密的守卫工作还没有做好，军中人心惶惶，感到害怕。夜里，杨行密派遣部将合肥人台濛率领五百名士兵驻扎在东溪的西边。台濛使士兵们来回传叫呼喊，往返多次。李从立以为大部队紧跟着来到，于是急速地带兵离开了。孙儒的前军到达溧水，杨行密派遣都指挥使李神福来抵抗。李神福表面上假装退兵，显出畏惧害怕的样子，孙儒的军队没有防备，李神福夜里率领精锐的士兵去偷袭，俘虏、斩首有一千人。

二月，加封李克用为守中书令，恢复李罕之的官职爵位；再次贬谪张濬为绣州司户。

韦昭度率领各道的军队十多万人去讨伐陈敬瑄，打了三年还没有打下来，军粮的供应跟不上，朝廷中议论要停止战事。三月二十五日乙亥，唐昭宗下令恢复陈敬瑄的官职爵位，命令顾彦朗、王建率领部众回到各自的镇所去。

王师范派遣都指挥使卢弘去攻打棣州刺史张蟾，卢弘却带领士兵回过头来攻打王师范。王师范派人拿了很多钱财去迎接卢弘，说："我王师范年幼无知，不能担当这朝廷的重任，希望能够退位，保全我的脑袋，这是您仁爱的表现啊！"卢弘因王师范年纪小，相信了他，没有防备。王师范秘密对小校安丘人刘鄩说："你如果能杀掉卢弘，我任命你为大将。"卢弘进入城中，王师范设宴招待他，暗中埋伏了武装的士兵，刘鄩在宴席座上杀了卢弘和他的几个党徒。王师范安慰告谕士兵们，重重奖赏了有功的人员，并进行了宣誓，亲自率领士兵攻打棣州，活捉张蟾并把他杀了；崔安潜逃回京师。王师范派刘鄩任马步副都指挥使。唐昭宗下诏任命王师范为平卢节度使。

王师范性情温和，做事谨慎，而且非常好学，每当本县的县令到任，王师范常常准备仪仗和侍卫去拜见；县令不敢承受这样的礼仪，王师范命令负责礼宾的人挟持县令，让他坐在正厅上视事，自称为“百姓王师范”，在厅上叩拜县令。有的僚属佐吏劝王师范不必这样，王师范说：“我敬重县令是不忘故乡，是要教育子孙不忘本啊！”

张濬到了蓝田，便逃奔到华州去投靠韩建，和孔纬秘密地向朱全忠求救。朱全忠上表给唐昭宗替孔纬、张濬申诉冤屈，朝廷不得已，只得任凭他们行动了。孔纬到了商州就返回，也客居在华州。

邢洺节度使安知建暗中和朱全忠相往来，李克用上表请求以李存孝代替安知建的职位。安知建感到恐惧，逃奔青州，朝廷任命安知建为神武统军。安知建率领部下三千人将到京师去，经过郓州时，朱瑄和李克用感情正好，埋伏士兵在黄河的岸上，把安知建杀了，并将他的首级送到晋阳李克用那里。

夏季，四月，有彗星出现在三台的位置，向东移动，进入太微星座，长有十丈多。

四月初五日甲申，大赦天下。

（以上为第十一段，写孙儒恃强。大发兵渡江与杨行密争江南。王师范年少智擒叛变的卢弘，领平卢节度使。）

成都城里缺乏食物，被抛弃的小孩满路都是。有老百姓暗中潜入围城的军营贩米，被巡逻的士兵抓到了，向韦昭度报告，韦昭度说：“全城的人饥饿得这么厉害，能忍心不救他们吗！”便放了他不再追问。也有去报告陈敬瑄的，陈敬瑄说：“只恨我没有办法来救济饥饿的人，他们能这样做，不要禁止。”因此贩卖粮食的人越来越多，但是所得到的也不过是一升半斗。他们截断竹筒，直径有一寸半，深有五分，用这个量米来卖，每一筒米价一百多钱。饿死的尸体到处都有，乱堆乱放。军队和百姓强的欺凌弱的，将领、官吏斩杀他们也无法禁止。于是订立了一套更加残酷的刑法，或者从腰部把人砍断，或者把人斜劈成两半。被处死的人前后相继不绝，然而犯法的人仍然止不住。大家听多了看多了习惯了这个，就不再对它害怕了。官吏和百姓一天比一天困迫，很多人谋划出去投降。陈敬瑄把他们的宗族、同党全部抓来一起杀掉，残酷狠毒到了极点。内外都指挥使、眉州刺史成都人徐耕，本性仁慈，受到他保护、救活的有几千人。田令孜说：“你掌握着生杀大权却不处罚一个人，是不是有什么其他的意图呢？”徐耕害怕了，夜里，提取俘获的囚犯在市场上杀了。

王建看到休战的诏令，说：“大功就要成了，为什么要放弃呢！”和周庠商量谋划。周庠劝王建请韦昭度回到朝中，自己单独攻打成都，把它攻下来并占领它。王建上表要求："陈敬瑄、田令孜的罪过不可以赦免，臣希望拼命来取得成功。"韦昭度不能奈何他，因此，也不能东返京师。王建游说韦昭度说："现在关东地区的藩镇互相攻击吞并，这是我们的心腹大病啊！您应该早些回到朝廷里，与唐昭宗商量谋划。陈敬瑄就像疥疮一样，用不了多少日子就可以制服，交给我王建，可以办成啦！"韦昭度犹豫未能决定。四月二十一日庚子，王建暗中命令东川将领唐友通等人在韦昭度的行辕门口把韦昭度的亲信骆保捉住，切成肉块吃了，说他盗取军中的粮食。韦昭度大感恐惧，马上推说有病，把印章、旌节授予王建，上公文派王建掌管节度使、招抚使、制置使等三使的留后职务，兼任行营招讨使，自己即日东回。王建送韦昭度到新都，在马前跪下向韦昭度敬酒，落泪跪拜后才分别。韦昭度一离开剑门县，王建就马上派士兵防守，不再让东川的军队进入。韦昭度回到京师，被任命为东都留守。

王建紧急攻打成都，绕城设置烽火与壕沟延续了五十里长。有一个以杀狗为生叫王鷂的人，请求假装获罪逃亡进入城中去游说，使他们上下离心，王建派他去了。王鷂入城后去见陈敬瑄、田令孜，对他们说："王建的士兵疲乏，粮食也吃完了，就要逃走啦！"又出来到市场里去卖茶，暗中对官吏、百姓们称述王建英勇威武，兵力强盛。因此陈敬瑄等人松懈防守的准备，而百姓则心生恐惧，感到危险。王建又派遣他的部将京兆人郑渥假装投降以便探察城中的情势。陈敬瑄派郑渥担任将领，让郑渥登上城墙参加防御，不久郑渥又采用欺诈的方法跑回来了。王建因此探明了城中的虚虚实实，任命郑渥担任亲从都指挥使，并改姓名叫王宗渥。

任命武安节度使周岳为岭南西道节度使。

（以上为第十二段，写唐昭宗赦陈敬瑄之罪，王建抗命，计夺韦昭度印节，仍以朝命攻围成都。）

李克用大举进攻赫连铎，在北河上打败了赫连铎的军队，进兵包围云州。

杨行密派部将刘威、朱延寿率领士兵三万人到黄池镇去攻打孙儒，刘威等人大败。朱延寿是舒城人。孙儒在黄池镇驻扎军队，五月，发生了大水灾，各个军营都淹没了，于是回到扬州，派他的部将康暀占据和州，安景思占据滁州。

六月二十八日丙午，立皇子李祐为德王。

杨行密派遣他的部将李神福攻打和州、滁州，康暀投降，安景思逃走了。

秋季，七月，李克用加紧攻打云州，赫连铎的粮食吃完了，逃奔吐谷浑部去，不久又回到幽州。李克用上表派大将石善友担任大同防御使。

朱全忠派遣使者和杨行密相约共同攻打孙儒。孙儒依仗自己的兵力强盛，想要先消灭杨行密，然后再抵挡朱全忠。他送牒文给各个藩镇，列举杨行密、朱全忠的罪过，并且说："等到平定宣州、汴州以后，自当带领军队进入朝廷，清除唐昭宗身边的坏人。”于是把扬州的房屋全部烧毁了，驱赶所有的壮年男子和妇女渡过长江，杀掉老弱用来作食物。杨行密的部将张训、李德诚暗中潜入扬州，扑灭余下的火苗，获得粮食几十万斛来赈济饥饿的百姓。泗州刺史张谏要求借几万斛粮食供给军队，张训用杨行密的命令把粮食赠送给他，张谏因此非常感激杨行密的恩德。

邢洺节度使李存孝劝李克用攻打镇州，李克用听从了李存孝的意见。八月，李克用向南巡视泽州、潞州，于是到了怀州、孟州的境内。

朱全忠派遣他的部将丁会攻打宿州，攻克了它的外城。

八月十八日乙未，孙儒从苏州出发，屯驻在广德，杨行密带领军队去抵抗孙儒。孙儒包围了杨行密的寨子，杨行密的部将上蔡人李简率领一百多人奋力作战，冲破寨子，把杨行密从包围中救出来。

（以上为第十三段，写李克用大破赫连铎，孙儒烧积聚，扫境南渡与杨行密决战，孤注一掷以图侥幸。）

王建攻打陈敬瑄更加急迫了，陈敬瑄出来应战总是失败，他管辖内的州县大多被王建攻下占领了。威戎节度使杨晟常常给陈敬瑄提供食物，王建出兵占据了新都，通往彭州的道路便断绝了。陈敬瑄出来慰问、勉励士兵，士兵都不响应。

八月二十四日辛丑，田令孜登上城楼对王建说：“我以前对你很好，现在你为什么如此围困我呢？”王建回答说：“义父对我的恩惠我怎么敢忘记啊！只是朝廷命令我讨伐不接受职务调动的人，我才不得不这样做。如果陈敬瑄能改变意图，我王建还有什么要求呢？”这一晚，田令孜亲自携带西川节度使的印章和旌节到王建的军营中授给王建，将领、士兵们都高呼万岁。王建万分感谢，掉下了眼泪，请求恢复义父子的关系如同当初那样。

先前，王建常常引诱他的将领、士兵们说：“成都城里繁荣兴盛，一旦得到了它，金银、布帛、美女等随你们的心意去拿，节度使的职位我与你们轮流做啦！”八月二十五日壬寅，陈敬瑄打开城门迎接王建。王建命令他的部将张勍担任马步斩斫使，派他先进入城中。于是告诉将领、士兵们说：“我和你们在三年中经历了上百场战斗，今天才得到这一座城市，你们不用担心不会富贵，但小心不要焚烧掠夺街坊市区，我已委派张勍去保护它了。他如果抓到了你们来告诉我，我还能赦免你们；如果他先斩首然后才向我报告，我也不能救你们啦！”不久后士兵有违反命令的，张勍抓了一百多人，都捶打他们的胸脯，把他们杀了，尸体堆积在市场里，部众们没有人再敢违反命令了。因此时人称呼张勍为“张打胸”。

八月二十六日癸卯，王建进入城中，自称为西川留后。小校韩武多次在节度使的厅堂前上马，牙司阻止他，韩武发怒说：“王建允许我轮流做节度使，在厅堂前上马有什么大不了呢！”王建秘密派人把韩武刺杀了。

当初，陈敬瑄抗拒朝廷的命令，田令孜想要盗取他的军政大权，对陈敬瑄说："您是尊贵的人，军队中的事务既繁重又辛苦，不如全部托付给我，我每天详细记载事情来请示您，您只要高高在上，坐享安逸悠闲就可以了。"陈敬瑄向来没有智慧、才能，很高兴地允许了。从此以后军队中的事务都不能按照自己的意思去做，一直到灭亡。王建上表请求派遣陈敬瑄的儿子陈陶担任雅州刺史，使陈敬瑄跟随陈陶到雅州去。第二年，陈敬瑄罢官回家，客居在新津，王建用一县的租金、赋税来供养他。

九月初六日癸丑，王建分别派遣士兵到各州，就地筹粮养活，改文武坚的姓名为王宗阮，改谢从本的姓名为王宗本。陈敬瑄的部将佐吏有器识、才干的，王建都以礼相待重用他们。

（以上为第十四段，写王建三年征战成都据有西川。）

六军十二卫观军容使、左神策军中尉杨复恭总领宿卫的军队，在朝廷中独揽大权。他的各个义子都担任节度使、刺史，又养了宦官义子六百人，都做了监军。义子龙剑节度使杨守贞、武定节度使杨守忠不再向朝廷输送贡品、赋税，还上表诽谤鄙薄朝廷。

唐昭宗的舅舅王瓌要求担任节度使，唐昭宗问杨复恭，杨复恭认为不可以，王瓌大怒，骂了杨复恭。王瓌在宫廷中进进出出，很有点权力，杨复恭非常憎恨他，奏请唐昭宗任命王瓌为黔南节度使，王瓌赴任到达吉柏津这个地方时，杨复恭命令山南西道节度使杨守亮在江中弄翻了王瓌的座船，王瓌的宗族、宾客都死了，然后向唐昭宗报告说是船坏了。唐昭宗知道这是杨复恭干的，因此深深地憎恨他。

李顺节尊宠显贵后，和杨复恭争夺权力，把杨复恭的秘密事情全部向唐昭宗报告，唐昭宗于是黜退杨复恭，任命杨复恭为凤翔的监军。杨复恭怨恨，不肯前往，推说有病，要求辞职。九月初八日乙卯，唐昭宗用上将军的职位使杨复恭退休归隐，赐给他几杖以表示对他的尊重。使者送去唐昭宗的诏命后返回，杨复恭暗中派他的心腹张绾把使者刺杀了。

加封护国节度使王重盈兼任中书令。

东川节度使顾彦朗去世，军中推举他的弟弟顾彦晖担任留后的职位。

冬季，十月初五日壬午，宿州刺史张筠向丁会投降。

十月初六日癸未，任命永平节度使王建为西川节度使。十月初七日甲申，废除永平军。王建得到了西川，关心政事，容忍采纳大家的直言批评，喜好施舍，乐于接纳贤士，用人能让大家发挥自己的才干，谦虚恭敬，节俭朴素；但是多猜忌，好杀人，各将领有功劳名誉的，大多被他找借口杀了。

杨复恭居住的地方靠近玉山营，他的义子杨守信担任玉山军使，多次前去看望杨复恭，有人向唐昭宗报告说杨复恭与杨守信阴谋造反。十月初八日乙酉，唐昭宗亲临安喜楼，安排士兵自卫，命令天威都将李顺节、神策军使李守节率领士兵去攻打杨复恭的住宅。张绾率领杨复恭家里的人进行抵抗，杨守信带领士兵去帮助杨复恭，李顺节等人攻打不下来。十月初九日丙戌，禁兵守卫含光门，等到官门开后，想要出去掠夺市街，遇到刘崇望。刘崇望停住马告诉禁军们说："皇上亲自在街的东边督促作战，你们都是宿卫的士兵，应该在楼前击杀寇贼，建立功名，不要贪图小利，自坏名声啊！"大家都说："是。"于是跟随刘崇望往东。杨守信的士兵远远望见军队冲杀过来，都溃散逃跑了。杨守信和杨复恭携带族人从通化门逃出，跑向兴元府。永安都头权安追赶他们，捉到张绾，把他斩了。杨复恭到兴元以后，杨守亮、杨守忠、杨守贞以及绵州刺史杨守厚以讨伐李顺节的名义，一起带兵抗拒朝廷。杨守厚也是杨复恭的义子。

（以上为第十五段，写唐昭宗借杨复恭义子李顺节之力逐走杨复恭。）

李克用攻打王镕，在龙尾冈大破镇州军队，斩杀俘获的数以万计，于是攻下了临城，又进兵攻打元氏、柏乡。李匡威带领幽州的士兵来救援王镕。李克用大肆掠夺了一番才返回，把军队驻扎在邢州。

十一月，曹州都将郭铢杀了刺史郭词，向朱全忠投降。

泰宁节度使朱瑾率领一万多人去攻打单州。

十一月十九日乙丑，时溥的部将刘知俊率领部众二千人向朱全忠投降。刘知俊是沛县人，徐州的勇将。时溥的军队从此以后一蹶不振了。朱全忠任命刘知俊为左右开道指挥使。

十一月二十五日辛未，寿州将领刘弘鄂憎恨孙儒的残忍强暴，以寿州投降朱全忠。

十二月初九日乙酉，汴州的将领丁会、张归霸与朱瑾在金乡作战，大破朱瑾的军队，杀死、俘获的很多，朱瑾的军队几乎都完了，只有朱瑾一人骑马逃走，才免于一死。

天威都将李顺节依仗着唐昭宗的恩宠骄纵蛮横，进出时常常随身带着士兵。两军中尉刘景宣、西门君遂憎恨他，向唐昭宗报告，担心李顺节会作乱。十二月十二日戊子，他们两人拿着诏书叫李顺节来，李顺节进入到银台门，两人邀请李顺节在仪仗所在的房里坐下聊天，供奉官似先知从后面斩下他的首级，随从们大声呼喊着跑出去了。于是天威、捧日、登封三都的士兵大肆掠夺永宁坊，到了晚上才停止。百官们都上表庆贺。

孙儒焚烧掠夺苏州、常州，带领军队逼近宣州，钱镠再次派遣士兵占据苏州。孙儒多次打败杨行密的军队，旌旗、器械、物资连绵不断，延续了一百多里路。杨行密向钱镠请求救援，钱镠派遣士兵并运送食物去帮助他。

任命顾彦晖为东川节度使，派遣中使宋道弼赐给他旌节。杨守亮使杨守厚囚禁宋道弼，夺走旌节，发动士兵去攻打梓州。十二月二十七日癸卯，顾彦晖向王建求救。十二月二十八日甲辰，王建派遣他的部将华洪、李简、王宗侃、王宗弼去援救东川。王建暗中对各个将领说："你们打败了贼寇后，顾彦晖一定会犒劳你们的军队，你们就在行营中举行的庆功宴会上，顺便把他抓起来，就不用再一次发动军队去进攻他了。"王宗侃攻破了杨守厚的七个寨子，杨守厚逃回绵州。顾彦晖准备了犒劳的礼物，各个将领也设宴答谢。王宗弼把王建的阴谋告诉了顾彦晖，顾彦晖于是推托有病没有出席。

起初，李茂贞的养子李继臻占据了金州，均州刺史冯行袭把它攻下来了，唐昭宗下诏任命冯行袭为昭信防御使，治理金州。杨守亮想要从金州、商州去偷袭京城，冯行袭迎击杨守亮，大破他的军队。

这一年，赐泾原军号叫彰义，增加统领渭、武两个州。

福建观察使陈岩病得很重，派遣使者拿书信去叫泉州刺史王潮来，想要把军政大权授给他。王潮还没有到达，陈岩就去世了。陈岩的妻弟都将范晖暗示将领、士兵们推举自己担任留后。

（以上为第十六段，写河北、徐淮、江南及陇蜀各地军阀混战。）

【点评】

本卷点评张濬出讨李克用、孙揆忠义、唐昭宗逐走杨复恭、王建取西川四件史事。

张濬出讨李克用。唐昭宗痛恨藩镇割据和宦官擅权，志欲革除唐朝政治上的这两大积弊，只可惜志大才疏，既无匡复之才，又无任贤之识，一时兴起，感情用事，加速了唐朝的灭亡。

张濬字禹川，河间人，颇涉猎文史，爱吹牛皮，自视甚高，行为轻浮，为乡里士友所不齿，愤愤不平。张濬隐于金凤山，学鬼谷子之术，想用游说来取卿相。僖宗乾符年间因枢密使杨复恭推荐得为太常博士，转度支员外郎。杨复恭失宠，张濬转投田令孜。田令孜失势，杨复恭复出，深恨张濬反复无常，两人有隙。于是，唐昭宗特别亲爱张濬，用以为相，抵制杨复恭。先前李克用讨黄巢，屯兵河中，宰相王铎兼行营都统，奏请张濬为都统判官。李克用见之，鄙薄张濬的为人。张濬自比谢安、裴度，以廓清天下为己任。李克用私下对诏使说："张濬虚谈之士，主上用以为相，往后引发祸乱，危害国家的人，一定是这位张公。"张濬听到后，衔恨不已。朱李交恶，昭宗不问是非和稀泥，张濬更毁短李克用，煽动昭宗征讨。张濬外连宣武朱全忠、幽州李匡威、云州赫连铎同时上奏请讨李克用。昭宗下诏廷议，四品以上朝官与议，十之六七认为不可，十之三四认为可。张濬耸动昭宗，以出讨立功来抑制杨复恭，认为这次出师是一箭双雕，既削藩镇，又除宦官。昭宗误信邪说，于是下诏兴师，削夺李克用一切官爵。昭宗大顺元年（公元890年）五月，张濬帅诸军五十二都及西北诸州所征发的杂虏军队五万人，再会合宣武、镇国、静难、凤翔、保大、定难诸镇官军于晋州。张濬不武，各镇所集乌合之众，人数虽众，非沙陀军之敌，又师出无名，官军一触即溃，张濬大败而归。这次出师，唐昭宗乘黄巢覆灭、秦宗权授首的时机，一声号令，能集聚诸镇之兵，表明朝廷已有一定权威，这是中兴的凭借。随着张濬出师的败北，唐王室威信扫地，唐昭宗非中兴之主，不过是一个轻狂急躁、无所作为的庸君。此次官军败北，轻启战端，拉开了唐末军阀大混战的序幕。唐王室中兴无望，它的覆灭，只是等待时日了。

孙揆忠义。孙揆，字圣圭，博州武水人。进士及第，历官户部巡官、中书舍人、刑部侍郎、京兆尹。昭宗讨李克用，以孙揆为兵马招讨副使，授昭义军节度使，以本道兵出战。李克用伏兵在半道击败孙揆，生俘孙揆。李克用以礼待孙揆，劝其为河东所用，孙揆大骂不止。李克用大怒，命人锯解分尸，行刑人手颤抖锯齿不前。孙揆大骂说："死狗奴，锯人要用木板夹，蠢东西连这都不知。"行刑人夹上木板，锯解了孙揆，而孙揆至死骂声不绝。

唐昭宗逐走杨复恭。杨复恭，字子恪，本姓林，因被枢密使宦官杨玄翼收为义子，改姓杨。杨玄翼之弟杨玄价收养一乔姓义子取名杨复光。所以杨复恭是杨复光的义兄，兄弟二人都是唐末大宦官，号杨门二兄弟。

懿宗咸通十年（公元869年），杨玄翼死，杨复恭接任父职，与大宦官田令孜同为枢密使。唐僖宗即位，爆发黄巢大起义，两人在镇压黄巢起义的方针上发生分歧，田令孜主张武力镇压，杨复恭主张招降。僖宗倒向田令孜，杨复恭被排挤，家居蓝田等待时局变化。僖宗第二次蒙尘，朝野一片反对田令孜之声，杨复恭东山再起，田令孜逃往西川。

杨复恭取代田令孜为神策军中尉，兼六军、十二卫观军容使，封魏国公，赐号"忠贞启圣定国功臣"，掌控了朝廷军政大权，"内外经略，皆出于复恭"。

唐昭宗即位，杨复恭以拥戴之功加开府、金吾上将军，专典禁军。杨复恭视新皇帝为玩偶，肆无忌惮扩张个人权力。他到处收养地方悍将为义子，布散各州郡任职，号"外宅朗君"，分掌地方军政。杨复恭又收养宦官六百多人为义子，监军诸道，天下威权，尽归杨门。宫中遍布耳目，昭宗举动皆知。国舅王瓌求授节度使之职，杨复恭遣人杀之于半道。宰相孔纬指责杨复恭目无皇上，杨复恭雇凶刺杀孔纬，孔纬机警，幸免于难。

张濬出师征讨李克用，也是朝官借用藩镇矛盾，欲依朱全忠兵力斥逐杨复恭。官军败北，也是朝官对宦官争斗的又一次失败。唐昭宗改变策略，离间杨复恭与义子的感情，用高官厚禄收买了勇冠三军的杨守立，赐姓李，改名顺节。杨守立本名胡弘立，杨复恭收为义子，官至天威军使。昭宗向杨复恭指名要杨守立入宫警卫，掌宫禁六军，异常宠信。这一回杨复恭失算，他很高兴地把义子杨守立安插在昭宗身边，没想到杨守立更名为李顺节之后，果真顺守节义，助昭宗驱走了杨复恭。不过唐昭宗只是利用杨守立，并非真心宠信他。驱走杨复恭之后，唐昭宗又杀了李顺节。君臣之间，尔虞我诈，不成体统，时势使然。君臣之间诚信底线被践踏，唐王朝的气数也就完了。

王建取西川。王建字光图，许州舞阳人，状貌伟岸，少时无赖，目不识丁，以屠牛、盗驴、贩私盐为业，被乡人称为“贼八王”。王建后从军为忠武军卒，稍迁队将。黄巢入长安，忠武军将鹿晏弘率兵八千从杨复光征战，杨复光分忠武兵为八都，每都千人，王建与鹿晏弘等八人为都将。黄巢败走长安，鹿晏弘也拥众东归，王建等五都西奔入蜀，僖宗得之大喜，号“随驾五都”，以属十军观容使田令孜，田令孜把王建等收为养子。

昭宗文德元年（公元 888 年），以宰相韦昭度为西川节度使，分邛、蜀、黎、雅为永平军，拜王建为节度使。陈敬瑄抗拒朝命，不接受韦昭度入蜀，昭宗即命韦昭度率将王建等征讨陈敬瑄。韦昭度庸懦无能，争战三年未能取胜。唐昭宗鉴于用兵河北之败，赦免李克用，恢复一切官爵，于是一同赦免陈敬瑄之罪，诏韦昭度罢兵。王建不从，计夺韦昭度印节，自认招讨，仍以朝命征讨陈敬瑄，急攻成都。田令孜登城呼王建叙父子之旧，王建以朝命讨不受代为辞，田令孜无可奈何劝陈敬瑄交出节度使牌印授王建。王建入成都领西川节度使，迁陈敬瑄于雅州，复以田令孜为西川监军。随后，王建杀陈敬瑄，并杀田令孜。

王建因时顺势割据西川，得益于昭宗讨蜀，是最大的赢家。

资治通鉴（白话本） 卷第二百五十九

唐纪七十五

唐昭宗景福元年至乾宁元年（公元 892—公元 894）

【起玄黓困敦（壬子，公元 892 年），尽阏逢摄提格（甲寅，公元 894 年），凡三年】

【大事提要】

本卷记事起公元 892 年，讫公元 894 年，载述史事凡三年。当唐昭宗景福元年至乾宁元年。此三年间各地军阀混战改变了格局，初步形成地区间的大军阀。雄踞中原的朱全忠，灭掉了徐州的时溥，转而用兵郓、兖，多次战败朱瑄、朱瑾，瑄、瑾孤立无助，指日可灭。朱全忠成为全国第一军阀，占有广阔的中原，四围诸镇皆非敌手。李克用稳固占有太原、河东，用兵河北诸镇，北破幽州，是仅次于朱全忠的第二大军阀。河北诸镇依违于朱全忠与李克用之间，只求自保。王建已全踞西川，诛杀了陈敬瑄、田令孜。杨行密经过数年争战，复据扬州，淮南为其所有。钱镠据杭州，王潮踞福州，地位不可动摇。由于朱全忠与李克用，争逐河北，无暇西顾，唐王室名义上保有共主地位。唐昭宗不识英才，不顾大局，歇后郑五为宰相，贻笑天下，又不听杜让能之谏，轻启战端，讨伐凤翔节度使李茂贞，结果兵败，加速了李茂贞坐大，又兼山南西道节度使，杜让能蒙晁错之冤而死。李茂贞凌蔑昭宗，唐王朝进一步衰弱。

昭宗圣穆景文孝皇帝上之中

唐昭宗景福元年（壬子，公元 892 年）

春季，正月二十一日丙寅，大赦天下，改年号为景福。

凤翔军李茂贞、静难军王行瑜、镇国军韩建、同州的王行约、秦州的李茂庄等五位节度使向唐昭宗报告说：杨守亮收容、隐藏反叛的臣子杨复恭，请出兵去讨伐他，要求加封李茂贞为山南西道招讨使。朝廷商议认为李茂贞如果得到山南西道招讨史的官职，就不可能再制驭李茂贞了。唐昭宗下诏调停这件事，李茂贞他们都不听。

王镕和李匡威合兵十几万人攻打尧山。李克用派遣他的部将李嗣勋还击他们，大败幽、镇两州的军队，斩杀、擒获三万人。

杨行密对各将领说：“孙儒的军队比我们多十倍，我们和他作战，已多次失利。想要退兵防守铜官，怎么样？”刘威、李神福说：“孙儒出动全部军队及物资从远处赶来，速战速决才对他有利。我们应该驻扎和占据险要的地方，坚壁清野，使他的军队不断疲困衰弱；又不时出动轻便的骑兵去抄掠他们运送的粮饷，夺取他们抢夺来的物资。这样使他们前进无法作战，后退又没有物资、粮饷，我们可以很容易地擒服他们！”戴友规说：“孙儒和我们争夺已有好几年了，双方胜负大致相当。现在他用全部力量来和我们决一死战，我们如果不抵抗放弃守城，正好中了他的计谋。淮南的士兵们跟随您渡江和从孙儒军队中前来投降的人很多，你应该派遣将领护送他们回淮南去，使他们恢复生产；孙儒的军队听说淮南的人民都安居乐业了，便会有想返回故乡的心愿，这样他们的人心动摇，哪里会不失败呢！”杨行密很高兴，听从了他们的意见。戴友规是庐州人。

（以上为第一段，写李茂贞等五节度使联兵讨杨复恭。孙儒与杨行密大战于江南，杨行密坚壁不出以老其师。）

威戎节度使杨晟和杨守亮等人约好共同攻打王建。二月初二日丁丑，杨晟出兵掠夺新繁、汉州等地方，派遣他的部将吕荛率领士兵两千人会合杨守厚攻打梓州。王建派遣行营都指挥使李简攻打吕荛，把他斩了。

二月初三日戊寅，朱全忠出兵攻打朱瑄，派遣他的儿子朱友裕率领士兵先行，驻军在斗门城。

李茂贞和王行瑜擅自带兵去攻打兴元。李茂贞多次上表要求做山南西道招讨使，写信给杜让能和西门君遂，信中蔑视朝廷。唐昭宗不能容忍，亲临延英殿，召集宰相、谏官进行商议。当时，宦官中有暗中和这两个藩镇互相勾结的，宰相们互相看着都不敢说话，唐昭宗很不高兴。给事中牛徽说：“先朝多灾多难，李茂贞实在有辅佐、保卫的功劳；几位姓杨的将领，仗着自己有实力，不服从朝廷，李茂贞紧急出兵去讨伐，他的心意也是在痛恨那些反叛的恶贼，只是不应该没有等待诏命罢了。最近听说军队经过山南，杀伤了很多人。陛下倘若不任命李茂贞为招讨使，用国家的法律来约束他，那么山南的人民都要被杀绝了。”唐昭宗说：“这话是对的。”于是任命李茂贞为山南西道招讨使。

二月初九日甲申，朱全忠到达卫州的南面，朱瑄率领步兵、骑兵一万人偷袭斗门城，朱友裕放弃军营逃走了，朱瑄占据了他的营寨。朱全忠不知道斗门城已被朱瑄夺取，二月初十日乙酉，带兵去斗门城，到的士兵都被朱瑄的郓州兵杀死了。朱全忠只得退军到瓠河镇。二月十二日丁亥，朱瑄攻打朱全忠，朱全忠大败逃走。张归厚在后面竭力作战，朱全忠才免于一死，副使李璠等人都战死了。

朱全忠上奏贬谪河阳节度使赵克裕。委派佑国节度使张全义兼任河阳节度使。

孙儒围攻宣州。当初，刘建锋为孙儒防守常州，后来率领士兵跟随孙儒攻打杨行密，甘露镇使陈可言便带领部下一千人占据了常州。杨行密的部将张训率领军队很快到达常州城下，陈可言匆忙出来迎战，张训亲手杀了陈可言，于是攻下常州，杨行密的别将又攻取了润州。

朱全忠连年攻打时溥，徐、泗、濠三州的人不能耕种收获，兖州、郓州、河东的军队来救援时溥，都没有成功，又遇到水灾，百姓死亡的有十分之六七。时溥更加窘迫艰难，请求与朱全忠和好相处，朱全忠说："你一定要迁移镇守的地方才可以。"时溥同意了。朱全忠于是奏请将时溥调往别的地方，命令别的大臣来镇守徐州。唐昭宗下诏任命门下侍郎、同平章事刘崇望为同平章事，充任感化节度使，任命时溥为太子太师。时溥担心朱全忠欺骗他，将他杀害，占据守城不接受诏命，刘崇望到了华阴又返回了。

（以上为第二段，写朱全忠连年进攻时溥，时溥势衰成困兽。）

忠义节度使赵德諲去世，他的儿子赵匡凝代任他的职位。

范晖骄奢失去部众的拥护，王潮派他的堂弟王彦复担任都统，弟弟王审知担任都监，率领军队攻打福州。老百姓自动运来粮食供应军队，平湖洞和滨海地区的蛮夷也都用兵船来支援他们。

二月二十六日辛丑，王建派遣族子嘉州刺史王宗裕、雅州刺史王宗侃、威信都指挥使华洪、茂州刺史王宗瑶率领军队五万人去攻打彭州，杨晟迎战失败，王宗裕等人包围了杨晟。杨守亮派遣他的部将符昭去救援杨晟，直接赶赴成都，在三学山扎营。王建马上叫华洪返回。华洪火速赶到，后面的军队还没集结，便派几百人夜里到距离符昭营地几里处，打击更鼓。符昭以为蜀地大军来到了，当晚就带领士兵逃走。

三月，任命户部尚书郑延昌为中书侍郎、同平章事。郑延昌是郑从谠的堂兄弟。

左神策勇胜三都都指挥使杨子实、杨子迁、杨子钊，都是杨守亮的义子。他们从渠州带兵去救援杨晟，知道杨守亮必定要失败，三月初八日壬子，率领他们的部众两万人向王建投降。

李克用和王处存联合起来攻打王镕，三月初九日癸丑，攻下了天长镇。三月十四日戊午，王镕在新市与他们作战，打败了他们，斩杀和俘虏三万多人。三月十七日辛酉，李克用退兵驻扎在栾城。唐昭宗下诏命令和平解决河东及镇、定、幽四镇的纠纷。

杨晟写信给杨守贞、杨守忠和杨守厚，要他们攻打东川来解除彭州被包围的困境，杨守贞等听从了他的意见。神策督将窦行实戍守梓州，杨守厚秘密引诱窦行实，让他作为内应；杨守厚到了涪城，窦行实做内应的事泄漏出来了，顾彦晖斩了窦行实。杨守厚只好逃走了。杨守贞、杨守忠的军队到达以后，没有停宿的地方，在绵州、剑州之间徘徊逗留，王建派遣他的部将吉谏去袭击杨守厚，攻破了他的阵势。三月十九日癸亥，西川将领李简在钟阳城迎击杨守忠，杀死和俘虏三千多人。夏季，四月，李简又在铜锌打败了杨守厚的军队，杀死和俘虏三千多人，投降的有一万五千人。杨守忠、杨守厚都逃走了。

四月十二日乙酉，在杭州设置了武胜军，任命钱镠为防御使。

（以上为第三段，写福州、西川、河北的混战。）

天威军使贾德晟，因为李顺节的死，心中怨恨愤怒，西门君遂憎恨他，上奏唐昭宗杀了贾德晟。贾德晟的部下一千多名骑兵逃到了凤翔，李茂贞的势力更加强大了。

李匡威出兵侵犯云州、代州。四月二十九日壬寅，李克用才带领军队从镇州回军晋阳。

时溥派遣军队向南侵扰，到达楚州。杨行密的部将张训、李德诚在寿河打败了时溥，乘胜攻取了楚州，抓住了刺史刘瓒。

加封邠宁节度使王行瑜兼任中书令。

杨行密多次打败孙儒的军队，攻破他在广德的军营，张训驻扎在安吉，截断了给孙儒供给粮饷的道路。孙儒的粮食吃完了，士兵们染上了瘟疫，孙儒派遣他的部将刘建锋、马殷把军队分作几路到各县去抢掠。六月，杨行密听说孙儒患了疟疾，六月初六日戊寅，出动军队去攻打他。正好遇到倾盆大雨，天昏地暗，孙儒的军队大败，安仁义攻破了孙儒五十多个寨子，田頵在军阵中活捉了孙儒，把他杀了，将首级传送到京师，孙儒的部众大多数都投降了杨行密。刘建锋、马殷收集剩余的部下七千人，向南逃到洪州，大家推举刘建锋为统帅，马殷为先锋指挥使，张佶为主谋人，等队伍到了江西，部众已有十余万人了。

六月二十五日丁酉，杨行密率领部众回到扬州；秋季，七月十四日丙辰，到了广陵，上表请求派田頵守卫宣州，安仁义守卫润州。

原先，扬州这个地方富庶居天下第一，当时人称扬州为第一，益州为第二。经过秦彦、毕师铎、孙儒、杨行密等人连年的战争，长江、淮河之间，东西千里，一片败落的景象。

（以上为第四段，写杨行密灭孙儒，复据扬州。）

王建包围彭州，很久还没有攻克，老百姓都逃窜、躲藏在山谷中；各个寨子每天出去掳掠百姓，掠夺财物，称作“淘虏”，军中将领先挑取那些好的，剩下的就分给士兵们，把这样做看得很平常。

有一个军士叫王先成，是新津人，本来是个读书人，因为天下大乱，就去当兵。王先成忖度王建手下各个将领，只有北寨的王宗侃最为贤明，就前往王宗侃处游说，对王宗侃讲道：“彭州本来是西川的属地，陈敬瑄、田令孜唤来杨晟，分割出文、龙、成、茂四个州授予他，伪造命令叫杨晟担任观察使，和他联合起来共同抗拒朝廷的命令。如今陈敬瑄、田令孜已经平定，但是杨晟仍然占据着这个地方。州民都知道西川是他们的节度使府，而王建是他们的主管，所以大军刚刚到达的时候，老百姓不入城却到山谷中躲避，以等待政府的招抚。现在大军到这里已经几个月了，百姓没有听到招集安抚的命令，军士们又跟着来掠夺他们，与强盗没有什么两样，抢劫他们的钱财，驱赶他们的牲畜，分取老弱妇女做奴婢，使父子兄弟流离失所，家家户户愁苦哀怨；那些住在山谷中的老百姓，露宿在暑天的暴雨中，不时受到蛇虎的伤害，孤苦危险，又饿又渴，没有地方可以诉说。他们开始因为杨晟不是他们的主管而不听从他的命令，如今王建不加以慰问、救济，他们就更加思念杨晟了。”王宗侃感到很凄惨，不知不觉多次移动座位，到王先成面前问话。王先成说：“还有比这个更加糟糕的：现在各个寨子每天早上出动六七百人到山谷中去搜掠百姓，一直到黄昏时才回来，没有防守准备的意图。这是靠着城中没有能人罢了，万一有个有智谋的人替城中人出谋划策，使他们乘虚袭击，事先埋伏精兵一千人在门内，登上城楼看搜掠百姓的人跑远了，就出动弓箭手、炮手各一百人，攻打营寨的一面，接着再派五百名役卒，背着柴草、土块填平壕沟做成道路，然后出动精兵奋力攻击，焚烧寨子；又在另外三面城下派出耀武扬威的军队，各寨都各自准备防御敌人，没有空暇救援别处，城中不能不断增加士兵进行补充。这样，能不打败仗吗！”王宗侃很惊恐地问：“如果真的出现这样的情况，该怎么办呢？”

王先成请求逐条列举写成疏状向王建报告，王宗侃立即命令王先成写成草稿，大意是说：“今天所报告的事情，必须宗裕、宗侃、华洪、宗瑶四面共同联合起来，王宗侃管辖的只有北面，如果报告的事情可以依从，那么请求用节度使的名义来推举施行。”疏状中总共写了七件事：“第一件，请召集安抚在山里的老百姓。第二件，请禁止各个寨子里的士兵和子弟，不能有一个人任意出去淘虏，在各个寨子旁七里的地方做上标志，在标志内可以任意砍柴、放牧，有敢越过标志的人斩首。第三件，请设置招集安抚百姓的寨子，寨子可容纳几千人以安置招回来的百姓，请王宗侃选择部下将领中谨慎、干练的人担任招安将，命令他们率领三十人日夜拿着兵器巡逻保卫。第四件，招集安抚百姓的事情必须委托一个人总管。如今榜帖既然已经颁下，各个寨子都派遣士兵到山中去招抚，老百姓看到了没有不吃惊怀疑的，好像老鼠看到猫一样，有谁肯来呢！想要招抚他们一定要有恰当办法，希望发下榜帖交给王宗侃专门管理这件事。第五件，请严格命令四面寨子的指挥使，把前些日子俘虏来的彭州男女老幼，全部集合在军营的场子里，如有父子、兄弟、夫妇相认的，让他们团聚在一起。牒文中写清人数，都送到招安寨，有敢私下藏匿一人的就把他斩首。再请求命令成都府中的各个营寨，也要他们严格搜索，如果有先前从军中送回去的百姓，酌量给他们资财、粮食，全部都送回招安寨。第六件，请在招安寨中设置九陇行县，任命前任南郑县令王丕代理县令的职务，县内设置曹局，用来安抚老百姓，选择他们子弟中健壮的人，给他们文告让他们到山中去招集自己的亲戚。他们知道了王建严格禁止侵扰掠夺，前些日子被士兵俘去的人，都得到了很好的安置，一定会欢呼跳跃，纷纷走下山，好像孩子回到母亲怀抱一般，不用几天就全部都出来了。第七件，彭州的土地适合种麻，老百姓还没有入山时，有很多沤过的麻藏起来了。应该让县令告诉大家，都回到田里去，把埋藏的沤麻卖掉，用这个收入作为资本，购置粮食，这样一定能够恢复原来的产业。”王建得到疏状后非常高兴，立即下令实行，全部如同王先成所申述的那样。

第二天，告示送到了各个军营，很有威严，没有人敢触犯。过了三天，山里的老百姓都出来了，赶往招安寨好像到市场上去一样，招安寨容纳不下，就拆了再扩建大的；慢慢有了做买卖的地方，老百姓把麻拿出来卖掉。大家看到村落中已没有受侵扰掠夺的危害，陆续告别县令，回到村落中去重操旧业。一个多月的时间，招安寨全部空了。

（以上为第五段，写蜀军士王先成献策七条以取彭州，招抚百姓，王建采纳，月余立见成效。）

七月二十七日己巳，李茂贞攻克了凤州，感义节度使满存逃奔到兴元。李茂贞又攻取了兴、洋两个州，都上表推荐他的子弟来镇守。

八月，任命杨行密为淮南节度使、同平章事，派田頵担任宣州留后的职务，安仁义担任润州刺史。

从孙儒那边投降来的士兵很多是蔡州人，杨行密挑选其中特别勇敢健壮的五千人，给他们丰厚的给养和赏赐，穿着黑衣，披着铠甲，号称“黑云都”，每当作战，派他们首先冲锋陷阵，周围的军队都很惧怕他们。

杨行密由于军中费用缺乏，想用茶叶和食盐来换取老百姓的布帛，掌书记舒城人高勖说：“战争刚刚过去，十户人家有九户是空的，又要侵犯他们的利益使他们困苦，老百姓将会再次叛离我们。不如拿出我们的所有的东西去和缺少这类东西的邻近各道进行贸易，这样就足以供应军队的需要；再挑选贤明能干的太守、县令提倡和勉励老百姓耕作纺织，几年时间，仓库自然就会充实起来。”杨行密听从了高勖的意见。田頵听到这件事后说：“这是贤人的话，利益实在深远啊！”杨行密对于骑马射箭这些技艺，都没有什么特长，但是他宽厚、俭朴，又有智慧、谋略，善于安抚驾驭将士们，和他们同甘共苦，待人接物能推心置腹，没有任何猜疑妒忌。杨行密一次早晨外出，跟随的人剪断了马后部的革带，拿走了上面装饰的黄金，杨行密知道了也不去追问，后来，仍和以前一样在早晨外出，大家都佩服他的度量。

淮南从毕师铎造成动乱起，遭受战争灾难已有六年，士民转移迁徙，几乎走光了。杨行密刚到这里时，赏赐给将领官吏的东西，布帛不过几尺，银钱不过几百，然而他能够靠着勤奋节俭来满足军队的需用，不是公家的宴会，从来不奏乐。杨行密招抚流散的百姓，轻徭薄赋，没有几年的工夫，官府和百姓都富有起来，几乎恢复到太平盛世时的状况。

（以上为第六段，写杨行密保境安民，轻徭薄赋，数年间扬州生息几复承平之旧。）

李克用向北巡视到了天安军，听说李匡威、赫连铎率领军队八万人侵犯云州，便派遣他的部将李君庆从晋阳带兵出发。李克用暗中进入新城，在神堆埋伏士兵，捉住了吐谷浑的巡逻骑兵三百人；李匡威等大为震惊。八月二十五日丙申，李君庆率领大军赶到，李克用迁入云州。八月二十六日丁酉，李克用出兵攻击李匡威等，大破他们的军队。八月二十八日己亥，李匡威等焚烧军营逃走了，李克用的军队一直追到蔚州东北的天成军，斩杀、俘虏的人无法计算。

八月三十日辛丑，李茂贞攻下了兴元，杨复恭、杨守亮、杨守信、杨守贞、杨守忠、满存逃往阆州。李茂贞上表请求朝廷任命他的儿子李继密暂时主持兴元府的事务。

九月，加封荆南节度使成汭为同平章事。

时溥逼迫监军上奏朝廷说将士们挽留他，不应召到京师任太子太师。冬季，十月，又任命时溥担任侍中、感化节度使。朱全忠上奏请求朝廷追回对时溥新的任命；唐昭宗发布诏令规劝朱全忠和时溥和解。

当初，邢、洺、磁三州的留后李存孝与李存信都是李克用的义子，但是他们不和睦。李存信受到李克用的宠信，李存孝在邢州，想要建立大功来超过李存信，于是建议攻取镇、冀两州；李存信从中阻止，李克用听从了李存信的意见。等到王镕攻尧山，李存孝去救援，未能获胜。李克用任命李存信为蕃汉马步都指挥使，与李存孝一同去攻打王镕，两个人互相猜忌，军队逗留观望不前。李克用另外派了李嗣勋等去攻打，才把王镕打败了。李存信回来，诬陷李存孝根本不想攻打贼寇，怀疑他和贼寇暗中有盟约。李存孝听到这事，自认为对李克用有功劳，但是李克用对他的信任反不及李存信，心中十分愤恨，又怕大祸临头，于是暗中联络王镕和朱全忠，上表把邢、洺、磁三州归顺朝廷，请求赐给他节度使的仪仗并会合各道的军队去讨伐李克用。唐昭宗下诏任命李存孝为邢、洺、磁三州节度使，但不同意会合各道军队讨伐李克用。

（以上为第七段，写李存孝愤怨李克用赏罚不公，以邢、洺、磁三州归顺朝廷。）

十一月，时溥手下的濠州刺史张璲、泗州刺史张谏献出这两个州，归附朱全忠。

十二月二十五日乙未，朱全忠派遣他的儿子朱友裕带领军队十万人攻打濮州，把它攻下来，抓住了刺史邵伦，于是命令朱友裕调动军队去攻打时溥。

孙儒的部将王坛攻下了婺州，刺史蒋瓌逃奔越州。

庐州刺史蔡俦挖开杨行密祖父的坟墓，和舒州刺史倪章联合军队，派遣使者送上印信向朱全忠求救。朱全忠憎恶蔡俦反复无常，收下他送来的印信，不派兵去救援，并且给杨行密通报消息。杨行密对朱全忠表示感谢，派遣行营都指挥使李神福率领军队去讨伐蔡俦。

唐穆宗时实行的《宣明历》逐渐出现误差，太子少詹事边冈完成新的历法，十二月，献给唐昭宗。唐昭宗把新历法命名为《景福崇玄历》。

十二月十二日壬午，王建派遣他的部将华洪在阆州攻打杨守亮，将其打败。王建派遣节度押牙延陵人郑顼出使到朱全忠那里。朱全忠询问剑阁的情况，郑顼极力陈说它的险要。朱全忠不相信，郑顼说："假如您不相信我的话，恐怕要耽误您的军机大事。"朱全忠听了哈哈大笑。

这一年，明州刺史锺文季去世，他的部将黄晟自称为明州刺史。

（以上为第八段，写朱全忠声威远播。）

唐昭宗景福二年（癸丑，公元 893 年）

春季，正月，时溥派遣军队攻打宿州，宿州刺史郭言战死。

东川留后顾彦晖和王建有矛盾以后，李茂贞想安抚顾彦晖，使顾彦晖听从自己，于是上奏唐昭宗请求赐给顾彦晖节度使仪仗；唐昭宗下诏任命顾彦晖为东川节度使。李茂贞又奏请派遣掌管兴元府事务的李继密救援梓州。不久，王建派遣军队在利州打败了东川、凤翔的军队。顾彦晖向王建求和，表示与李茂贞断绝关系；王建同意了。

凤翔节度使李茂贞自己要求镇守兴元府，唐昭宗下令任命李茂贞为山南西道兼武定节度使，任命中书侍郎、同平章事徐彦若为同平章事，充当凤翔节度使，又下令分出果州、阆州隶属于武定军。李茂贞想要同时得到凤翔这个地方，不接受唐昭宗的诏令。

二月初五日甲戌，加封西川节度使王建为同平章事。

李克用带领军队围攻邢州，王镕派遣牙将王藏海送信给李克用进行劝解。李克用大怒，斩杀王藏海，派军队攻打王镕，在平山县打败了镇州的军队。二月十二日辛巳，李克用攻打天长镇，十来天还没有攻下来。王镕派出三万名士兵前往救援，李克用在叱日岭下迎战，大败王镕的军队，斩首一万多人，其余士兵溃散逃走了。李克用的河东军没有食物，把被杀士兵的尸体晒成肉干来吃。

时溥向朱瑾求救，朱全忠派遣他的部将霍存率领骑兵三千驻扎在曹州以防备朱瑾的进攻。朱瑾率领军队两万人去救援徐州，霍存带领骑兵赶去，和朱友裕会合在石佛山下一起攻打徐州、兖州的军队，把他们打得大败，朱瑾逃回兖州。二月二十二日辛卯，徐州的军队再次出击，霍存战败身死。

李克用进兵攻下井陉，李存孝率领军队去救援王镕，于是进入镇州，和王镕商量大事。王镕又请求朱全忠派出军队救援，朱全忠正在和时溥打仗，不能派兵去救援他，但写了一封信给李克用说："我在邺下有十万精兵，由于我的制止，他们才没有出动。"李克用回信说："如果你在邺下真的驻扎有强兵，我恭候大军的降临；假如一定要分出胜负，请在常山脚下决一死战。"二月二十五日甲午，李匡威带领军队救援王镕，在元氏打败了李克用的河东军队，李克用率领军队回到邢州。王镕在藁城犒劳李匡威，用车子装了金银布帛二十万来酬谢他。

（以上为第九段，写李茂贞跋扈，李克用与王镕战，兵败元氏。）

朱友裕包围彭城，时溥多次出兵，朱友裕关闭营门不出战；朱瑾在夜里逃走了，朱友裕也不追赶。都虞候朱友恭写信给朱全忠诬陷朱友裕，朱全忠大怒，通过驿站传信给都指挥使庞师古，命令他代替朱友裕统率军队，并且审查朱友裕的事情。这封信误送到了朱友裕的手中，朱友裕非常害怕，带领二十名骑兵逃入山中，又偷偷到了砀山，躲在伯父朱全昱那里。朱全忠的夫人张氏听说这件事，让朱友裕独自一人骑马到汴州来见朱全忠，朱友裕在厅堂上痛哭流涕下跪求饶。朱全忠下令左右揪住他的头发，按住他的脖子，要把他斩了。张夫人快步跑过去抱住朱友裕，哭着说："你离开了手下的军队，一个人回来认罪，没有其他的图谋已经很明显了。"朱全忠醒悟了，免除了对朱友裕的处罚，让朱友裕暂时代理许州的职务。朱友恭本是寿春人李彦威，幼年时是朱全忠的家僮，朱全忠收养他为义子。张夫人是砀山人，足智有谋，朱全忠既敬重她又惧怕她，即使是军府中的要事，也常常和她谋划商量；有时带领军队出征，到了半路，张夫人认为不可取，派一个人把他叫回来，朱全忠立刻就返回了。

庞师古攻打石佛山的营寨，把它攻下来了。从此以后，时溥的徐州军队不敢再出来打仗。

李匡威救援王镕时，临出发前，家人为他送行。李匡威的弟弟李匡筹的妻子很美，李匡威喝醉酒后奸淫了她。二月，李匡威从镇州回来，到达博野，李匡筹占据了军府，自称留后，用节度使的符节追回行营的军队。李匡威的部众溃散了，他只能和一些亲近的人留在深州，进退无据，派遣判官李抱真向朝廷上奏，请求回到京城。京城多次遭受大的战乱，听说李匡威要来，街里的人非常恐慌，说："金头王李匡威要来图谋大唐皇位了。"士人百姓有的逃到山谷里躲藏起来。王镕因为李匡威是为了救援自己而失去了幽州，很感谢他，把李匡威迎到了镇州，为他建造府第，像对待自己父亲一样侍奉他。

（以上为第十段，写朱全忠张夫人之智略，李匡威淫乱失节镇。）

以渝州刺史柳玭为泸州刺史。柳氏从柳公绰以来，世代都因孝顺父母、尊敬兄长、重礼守法而为士大夫们所尊崇。柳玭担任御史大夫，唐昭宗想任命他为宰相，宦官们不喜欢他，所以被长期贬谪在外。柳玭曾经告诫他家中的子弟说："凡是门第高贵，是可怕而不是可恃的事。门第高贵的人，为人处事一定要注意，假如有一件事稍有差错，招来的罪过就会比别人严重得多，死了以后也没有脸去和地下的祖先相见，这就是所以令人忧虑的原因。门第高贵就容易产生骄傲的心理，家族兴盛就会被人嫉妒；他们美好的品行，出众的才学，别人不一定会信服，而稍微有一些美中不足，大家都会去指责他，这就是门第不可依恃的原因。因此富贵人家的子弟，学习应该更加勤奋，行为应该更加勤勉，这样也仅仅只能和一般人相比罢了！"

王建多次请求杀掉陈敬瑄、田令孜，朝廷不允许。夏季，四月初七日乙亥，王建派人告发陈敬瑄谋反作乱，在新津把他杀了。又告发田令孜与凤翔节度使暗中书信来往，把田令孜关进监狱，田令孜也死了。王建让节度判官冯涓起草表文上奏唐昭宗说："打开木笼放出猛虎，孔子不责备别人；在路上杀死两头蛇，孙叔敖不是为了自己。统兵在外的将领如果不能行使专杀的权力，那么得到的机会就要在奸臣的圈套中丧失。"冯涓是冯宿的孙子。

汴州的军队攻打徐州，几个月还没有打下来。通事官张涛写信给朱全忠说："进军的时间不好，所以没有功效。"朱全忠认为他说得对。敬翔说："现在我们攻打徐州已经好几个月了，耗费人力财力很多，徐州的士兵已经很困乏，不久就可以把徐州攻下来。假如让将士们听到了张涛的话，那么进攻的劲头就会松懈的。"朱全忠于是烧掉了张涛的信。四月十五日癸未，朱全忠亲自率领军队到达徐州。四月二十日戊子，庞师古攻下了彭城，时溥全族的人登上燕子楼自焚而死。四月二十一日己丑，朱全忠进入彭城，派宋州刺史张廷范担任感化留后的职务，上奏朝廷请求任命文官来做节度使。

李匡威在镇州，为王镕治理城郭沟堑，修好盔甲兵器，训练士卒军队，把王镕看作自己的儿子一样。李匡威因为王镕年纪小，又喜欢镇州这个地方的水土风俗，暗中阴谋夺取镇州。李抱真从京城回来，替李匡威出谋划策，私下给王镕的将士各种好处来笼络、取悦他们。王镕一家在镇州已有很长时间，镇州人拥护爱戴他，却不服从李匡威。李匡威父母的忌日，王镕到他住处去吊唁，李匡威外套白色丧服，里面穿着盔甲，埋伏好士兵把王镕劫持了，王镕赶忙上前去抱住李匡威说："我被李克用围困，几乎要灭亡了，靠着您的救援才有今天。您想得到镇、冀、深、赵四个州，这本来是我的愿望。不如和您一起回到府中，把节度使的职位让给您，那么军中的将士们就没有人会反抗您了。"李匡威认为很有道理，与王镕并排骑着马，排好军队进入府中。这时刮起大风，雷雨交加，屋顶上的瓦片都震动了。李匡威进入东偏门后，镇州王镕的亲兵立即把东偏门关上了，有个屠夫叫墨君和从城墙的缺口里跳出来，用拳头殴打李匡威卫兵，从马背上把王镕夹住，背起他登上了屋顶。镇州的士兵既然夺回了王镕，便攻打李匡威，把他杀了，李匡威的族人和同党也被一起杀死。王镕当时只有十七岁，身体瘦弱，被墨君和夹着走，脖子疼痛、头歪了好几天。李匡筹上奏朝廷称王镕杀了他的哥哥李匡威，要求发动军队去报仇，唐昭宗下诏不允许他这样做。

幽州将领刘仁恭带领军队守卫蔚州，过了期限仍没有人来替换，军队中的士兵都想回家。正遇到李匡筹自称为留后，守卫蔚州的士兵尊奉刘仁恭为统帅，回来攻打幽州，到了居庸关，被李匡筹的军队打败。刘仁恭逃奔河东，李克用以优厚的待遇接待他。

（以上为第十一段，写王建诛杀陈敬瑄、田令孜，朱全忠灭时溥，李匡威丧生于镇州。）

李神福围攻庐州。四月二十六日甲午，杨行密亲自率领军队到了庐州，田頵从宣州带领军队来和他会合。起初，蔡州人张颢以骁勇闻名，先事奉秦宗权，后来跟随孙儒，孙儒失败后，投靠杨行密，杨行密待他很优厚，派他率领军队守卫庐州。蔡俦叛变后，张颢又为蔡俦所用。当庐州被包围很危急时，张颢越过城墙来投降杨行密，杨行密把他派到银枪都使袁稹手下。袁稹因为张颢反复无常，向杨行密报告，请求杀死张颢。杨行密担心袁稹不能容纳张颢，把张颢安置在亲军。袁稹是陈州人。

王彦复、王审知攻打福州，很久没有攻下。范晖向威胜节度使董昌请求救援，董昌和陈岩是姻亲，派遣温州、台州、婺州军队五千人去救援范晖。王彦复、王审知因为福州城池坚固，救援的军队马上就要来到，士兵死伤的很多，向王潮报告，想停止进攻，以后再做打算，王潮不同意。他们又请王潮亲自前来军营，王潮回答说："士兵完了增加士兵，将领完了加派将领，士兵和将领都没有了，我就自己来。"王彦复、王审知害怕，亲自冒着弓箭、石头猛烈攻城。五月，城里食物吃完了，范晖知道守不住，夜里，把官印交给监军，离开福州逃跑了，前来救援的军队也回去了。五月初二日庚子，王彦复等进入福州城。五月初三日辛丑，范晖逃跑到沿海的地方，被军中将士杀死。王潮进入福州城，自称为留后，穿着丧服安葬了陈岩，把自己的女儿嫁给陈岩的儿子陈延晦，用丰厚的财物安抚他的家属。汀州、建州也向王潮投降，岭南到沿海边的二十多伙盗贼或投降或溃散。

闰五月，任命武胜防御使钱镠为苏杭观察使。又任命扈跸都头曹诚为黔中节度使，耀德都头李铤为镇海军节度使，宣威都头孙惟晟为荆南节度使，六月，任命捧日都头陈珮为岭南东道节度使，全都加官兼同平章事。当时李茂贞骄横跋扈，唐昭宗认为武将难以控制，想要用各王来代替他们，所以曹诚等四人都受恩加封晋爵，解除他们的兵权，命令他们前往镇所。

李匡筹出动军队攻打王镕的乐寿、武强两个县，以报王镕杀死李匡威的耻辱。

秋季，七月，王镕派遣军队去救援邢州，在平山被李克用打败了。七月初六日壬申，李克用进兵攻打镇州。王镕很害怕，请求拿出军粮二十万来帮助李克用攻打邢州，李克用同意了他的请求。李克用在栾城训练军队，会合王镕的军队一共三万人进驻任县，李存信的军队在琉璃陂驻扎。

七月二十一日丁亥，杨行密攻下了庐州，斩了蔡俦。左右的人请求挖掘蔡俦父母的坟墓，杨行密说："蔡俦因为挖掘了我的祖坟而获罪，我为什么要效法他呢？"

加封天雄节度使李茂庄为同平章事。

钱镠征调民夫二十万人以及十三都的军士修造杭州的外围城，四周有七十里长。

昇州刺史张雄去世，冯弘铎替代他担任刺史。

（以上为第十二段，写王潮据福州，钱镠筑城杭州。）

李茂贞依仗着有功劳骄傲蛮横，向唐昭宗上表及给杜让能写信，词语很不恭顺。唐昭宗十分愤怒，想要讨伐他。李茂贞又一次上表，大略是说："陛下您贵为万乘之主，却不能庇护皇舅王瓌一个人的性命；陛下您尊为九州之长，却不能斩杀杨复恭这个家伙。"又说："现在朝廷只看各节度使是强是弱，而不计较事情的是非曲直。"又说："对势力弱的，朝廷加以约束，施以刑法，一旦他们势力强盛，就对他们施加恩赏；处理事情斤斤计较，对人的安排权衡利害，没一件事能自主。"又说："军中形势变化很大，战争的胜负很难控制，我只是担心京城和附近一带的老百姓，会因此而遭受灾祸，不知道皇上流离迁徙，今后还要到哪里去？"唐昭宗更加愤怒，决心讨伐李茂贞，命令杜让能专门负责这件事。杜让能劝唐昭宗说："陛下初即帝位，国家还不安定，李茂贞离京城长安很近，臣认为不应该和他结下怨仇，如果万一不能战胜他，后悔也就来不及了。"唐昭宗说："如今皇室的地位越来越低下，朝廷的命令在都城以外不能推行，这是有志之士痛心疾首、悲愤难平的时候啊！吃药不到头昏眼花的程度，病就不会痊愈的。朕不能心甘情愿地做一个软弱无能的国君，默默地过日子，坐在那里看着别人来欺侮。卿只管给朕调集军粮，朕自己委派各王来统率军队，不管成功还是失败，都不会责怪追究你的！"杜让能说："陛下一定要兴兵讨伐，那么应该让朝廷内外全体大臣同心协力来完成陛下的心愿，不应当把这一重任只交给臣一个人。”唐昭宗说：“卿位居宰相，要和朕同甘共苦，不应该躲避这件事！”杜让能哭着说：“臣怎么敢躲避这件事呢！况且陛下所要做的这件事，是当年宪宗和皇帝的心愿；只是时机还不成熟，形势还不允许罢了。只恐怕以后臣会像汉景帝时的晁错一样遭受杀身大祸，还不能平息吴、楚七国叛乱的灾难。臣怎么敢不奉行诏令，以死来报国呢！”唐昭宗于是命令杜让能留在中书省，设计谋划，征调军队，一个多月没能回家。崔昭纬暗中勾结邠州、岐州，做他们的耳目，杜让能早上说的话，邠州、岐州晚上就一定会知道。李茂贞指使他的党羽纠集市民成百上千，拦住观军容使西门君遂的马诉说：“李茂贞没有罪过，不应当对他进行讨伐，使老百姓遭受战争的灾难。”西门君遂说：“这是宰相的事，不是我能够做到的。”市民又拦住崔昭纬、郑延昌乘坐的轿子诉说，两位宰相说：“这件事唐昭宗专门委任杜让能办理，我们事先都不知道。”市民于是乱扔砖瓦石块，两位宰相只能下了轿子到老百姓家里躲藏起来，人没有受到伤害，但官印和朝服都丢失了。唐昭宗下令逮捕发起这次闹事的人，把他们杀了，出兵讨伐的意愿更加坚决。京城里的老百姓有的逃到山谷中躲藏起来，即使动用严酷的刑罚也不能禁止。八月，任命继位的覃王李嗣周为京西招讨使，神策大将军李锣担任李嗣周的副使。

八月二十一日丙辰，杨行密派遣田頵率领宣州的军队两万人攻打歙州。歙州刺史裴枢据城固守，很久也没有攻下来。当时各将领当刺史的大多贪婪强暴，只有池州团练使陶雅待人宽厚，深得民心。歙州人说：“如果让陶雅来当歙州刺史，我们就听从您的命令。”杨行密立即任命陶雅为歙州刺史，歙州人就接纳了他。陶雅用完备的礼节去看望裴枢，送他回到朝廷里去。裴枢是裴遵庆的曾孙。

朱全忠命令庞师古调动军队去攻打兖州，与朱瑾作战，多次打败了朱瑾。

九月初二日丁卯，任命钱镠为镇海节度使。

李存孝在夜里侵犯李存信的军营，俘虏了奉诚军使孙考老。李克用亲自率领军队去攻打邢州，绕着邢州城挖了壕沟、筑了营垒。李存孝不断派出军队进行袭击，壕沟营垒不能完成。河东牙将袁奉韬秘密派人对李存孝说：“李克用只等到壕沟挖成就要回晋阳，你所惧怕的只是李克用而已，其他各个将领都不是你的对手。李克用假如回到晋阳，几尺宽的壕沟，怎么能阻挡你锐利的锋芒呢！”李存孝觉得很对，就止住军队不再出去袭击。过了十多天，壕沟营垒修造完毕，不论是飞还是走都不能越过，李存孝因此被围困住了。汴州的将领邓季筠跟着李克用攻打邢州，邓季筠骑着马轻装逃回汴州。朱全忠见了邓季筠很高兴，命令他统率亲军。

九月初十日乙亥，覃王李嗣周率领禁军三万人护送凤翔节度使徐彦若前往镇所，在兴平驻扎。李茂贞、王行瑜联军将近六万人，驻扎在盩厔进行抗击。朝廷禁军都是刚从街市上招募而来的年轻人，李茂贞、王行瑜所带领都是身经百战的边防士兵。九月十七日壬午，李茂贞等进军逼近兴平，禁军都望风逃散了，李茂贞等乘胜进攻三桥，京城大为震动，士民四处奔走，街市百姓又守在皇宫门前请求诛杀首先提议出兵征讨的人。崔昭纬存心要陷害太尉、门下侍郎、同平章事杜让能，暗中送信给李茂贞说："这次出兵征讨不是唐昭宗的意图，都是杜让能的主意。"九月十九日甲申，李茂贞在临皋驿摆好阵势，上表述说杜让能的罪过，请求诛杀他。杜让能对唐昭宗说："臣本来早就说过了，现在请让臣承担罪责来解除战事吧。"唐昭宗流泪不止，对杜让能说："和你诀别了！"这一天，就把杜让能贬为梧州刺史，唐昭宗的诏书大略是说："因没有听取卿士们很好的意见，与藩镇结下了很深的矛盾，最后商议之时，这样的看法越来越牢固。"又流放观军容使西门君遂到儋州，内枢密使李周潼到崖州，段诩到驩州。九月二十日乙酉，唐昭宗亲临安福门，将西门君遂、李周潼、段诩斩首，把杜让能进一步贬为雷州司户。唐昭宗派遣使者对李茂贞说："鼓动朕出兵的，是西门君遂、李周潼、段诩这三个人，不是杜让能的罪过。"任命宦官骆全瓘、刘景宣为左、右军中尉。

（以上为第十三段，写唐昭宗不听杜让能之谏，讨伐李茂贞，兵败再损君威，唐室益衰。）

九月二十七日壬辰，任命东都留守韦昭度为司徒、门下侍郎、同平章事，御史中丞崔胤为户部侍郎、同平章事。崔胤是崔慎由的儿子，他外表上看起来宽宏大量，实际上内心却奸诈阴险，和崔昭纬互相勾结，关系很深，所以能够做宰相。他的叔父崔安潜对亲近的人说："我的父亲、哥哥辛勤劳苦为崔家创立基业，最终要败在缁郎的手中！"缁郎是崔胤的小名。

李茂贞率领军队仍不解除对京城的威胁，表示只有朝廷杀掉杜让能后才回军凤翔，崔昭纬又在唐昭宗面前施加压力排挤杜让能。冬季，十月，唐昭宗命令杜让能和他的弟弟户部侍郎杜弘徽自杀。又下达诏令向内外宣告，说："杜让能举用违法的人而不用正直的人，对人的喜好和憎恶都凭一时决定，没有原则；他还收受贿赂，乱断官司，卖官卖爵，搜刮的钱财数不胜数。"从此以后，朝廷的一举一动都要向邠州、岐州报告，朝廷百官与宫内宦官也往往依附李茂贞、王行瑜以获得恩赏提拔。有崔鋋、王超这两个人，是邠州、岐州的判官，凡是唐昭宗所批示的意见，只要有人对此不满意，他们就去告诉崔鋋、王超，这两个人就唆使李茂贞、王行瑜送上表章进行论辩，朝廷稍微有些不同意，他们的言辞就不客气了。

唐昭宗又下制书重新任命李茂贞为凤翔节度使兼山南西道节度使，代理中书令，于是李茂贞占有了凤翔、兴元、洋州、陇州、秦州等十五州的全部地方。朝廷任命徐彦若为御史大夫。

十月初四日戊戌，任命泉州刺史王潮为福建观察使。

舒州刺史倪章弃城逃跑，杨行密任命李神福为舒州刺史。

邠宁节度使、代理侍中兼中书令王行瑜要求担任尚书令。韦昭度秘密上奏说："唐太宗任尚书令的官职执掌政务，由此登上帝位，从此以后不再将这个官职授给大臣。只有郭子仪由于有大功授给他尚书令，但他终身推辞谦让。王行瑜怎么可以轻易要求这个官职呢！"十一月，任命王行瑜为太师，赐给尚父名号，仍依旧例颁赐免罪的铁券。

十二月，朱全忠请求把盐铁转运使的官署迁到汴州去，以便于供给军队的需要。崔昭纬认为朱全忠刚刚打败了徐州、郓州的军队，兵力大大加强，如果再让他掌管盐铁，就不能够再控制、约束他了，于是赐给朱全忠诏书来劝导他。

汴州的将领葛从周攻打齐州刺史朱威，朱瑄、朱瑾带领军队救援朱威。

当初，武安节度使周岳杀死闵勖，占据了潭州。邵州刺史邓处讷听到这个消息后悲伤痛哭，各将领都去吊唁，邓处讷对他们说："我和你们都受到了闵勖的大恩，现在周岳无故杀死了他，我想和你们一起竭尽邵州的全部军力，替闵勖报仇，可以吗？"大家都回答说："好！"于是训练士卒，整修装备，过了八年，联合朗州刺史雷满共同攻打潭州，攻克潭州城后，斩杀了周岳，邓处讷自称为留后。

（以上为第十四段，写杜让能蒙晁错之冤而死，李茂贞得势，身兼凤翔、山南西道两节度使，奸险小人崔胤拜相。）

唐昭宗乾宁元年（甲寅，公元 894 年）

春季，正月初一日乙丑，大赦天下，改年号为乾宁。

李茂贞来京城朝见，安排大量军队保卫自己，几天后返回镇所。

任命李匡筹为卢龙节度使。

二月，朱全忠亲自率领军队攻打朱瑄，在鱼山驻扎。朱瑄与朱瑾联合进攻朱全忠，结果朱瑄的郓州军和朱瑾的兖州军大败，死的有一万多人。

任命右散骑常侍郑綮为礼部侍郎、同平章事。郑綮喜好诙谐，说话风趣，常写一些歇后诗讽刺时事。唐昭宗认为郑綮内藏才干，亲手把郑綮的姓名添加在朝官名录中，唐昭宗任命郑綮为宰相，听到的人大为吃惊。朝廷官吏前去告诉郑綮这一任命，郑綮笑着说："你们各位错了，即使天下都没有人了，也轮不到我郑綮做宰相啊！"官吏们说："这是出自唐昭宗的旨意。"郑綮说："果然如此，让别人怎么笑话我啊！"不多久，祝贺的客人来了，郑綮用手抓着头说："我歇后郑五当了宰相，国家大事怎么样，可想而知了！"郑綮一再推辞，唐昭宗不允许，只能去上任。

任命邵州刺史邓处讷为武安节度使。

彰义节度使张钧去世，上表请求任命他的哥哥张鐇担任留后的职务。

三月，黄州刺史吴讨献出州城向杨行密投降。

邢州城里食物吃完了，三月二十一日甲申，李存孝登上城楼对李克用说："儿蒙受父王的大恩才得到富贵，假如不是受到奸邪小人的迷惑，怎么能舍弃父子之情而去跟随您的仇敌呢！但愿能再见您父王一面，那么我死也没有什么遗憾啦！”李克用派刘夫人去看望他。刘夫人带着李存孝出来拜见李克用，李存孝跪下磕头向李克用谢罪说：“儿稍微立了一点功劳，李存信就逼迫我，使我落到了这个地步！”李克用大声斥责他说：“你给朱全忠、王镕写信，毁谤我有各种罪过，这也是李存信教你这样做的吗？”李克用把李存孝囚禁起来，送回晋阳，在牙门前将李存孝车裂处死。李存孝勇猛强悍，李克用手下的将领没有人比得上他；他常常率领骑兵担任先锋，所向披靡，没有敌手，李存孝身上穿着厚重的铠甲，腰间挂着弓箭，腿旁别着长矛，独自挥舞着铁鞭子冲锋陷阵，所到的地方万人莫敌，都吓退了。李存孝每次都带着两匹马跟随作战，骑着的马疲乏了，就在阵地上换骑另一匹马，进出就像飞一样。李克用爱惜李存孝的才干，心想临刑前各位将领一定会出来替李存孝求情，他就可以释放李存孝。不料各位将领嫉妒李存孝的能力，竟然没有一个人出来说话。李存孝被车裂处死后，李克用悲伤得有十多天不办理政事，私下里怨恨各位将领，但对李存信竟然没有半句谴责的话。又有一个叫薛阿檀的将领，他的勇敢和李存孝相当，也因为各位将领都嫉妒他，常感不得志，暗中与李存孝交往。李存孝被杀后，他担心事情败露，就自杀了。从此以后，李克用军队的实力逐渐衰弱下去，只有朱全忠最为强盛。李克用上表请求任命马师素担任邢洺节度使。

（以上为第十五段，写歇后郑五拜相。李克用诛李存孝，自毁长城。）

朱全忠派遣军中将领张从晦去慰问安抚寿州。张从晦欺负侮辱寿州刺史江彦温，而在夜里和各位将领饮酒作乐。江彦温怀疑张从晦要图谋自己，第二天，把和张从晦一起饮酒作乐的各位将领都杀了，写信向朱全忠谢罪，自己也自杀身死。军中将士推举江彦温的儿子江从顼来主持军队和寿州的事务。朱全忠为这件事把张从晦也腰斩处死。

五月，加封镇海节度使钱镠为同平章事。

刘建锋、马殷带领军队到醴陵，邓处讷派遣邵州指挥使蒋勋、邓继崇率领步兵、骑兵三千人守卫龙回关。马殷先到龙回关下，派遣使者去见蒋勋，蒋勋等拿出牛肉好酒来犒劳马殷的军队。马殷的使者对蒋勋说：“刘骧将军智勇过人，卜卦算命的人说他将来会在荆州、长沙这一带兴起。现在刘龙骧率领十万军队，装备精良，士兵勇敢，所向无敌；而你只有几千名乡兵来抵抗他，这实在是太难太难了。你不如先从龙回关撤退，以求取富贵荣华，回到故乡，这不是很好吗！”蒋勋等认为很有道理，对部下说：“从东边来的刘建锋和马殷的军队允许我们回故乡去。”士兵们都欢呼雀跃，丢下了旗帜、铠甲和仪仗逃走了。刘建锋命令先头部队穿上蒋勋士兵丢下的铠甲，打着他们的旗帜，赶往潭州。潭州的人以为是守邵州的军队回来了，没有什么防备。刘建锋的军队直冲入府，邓处讷正在宴请宾客，刘建锋把他抓住斩杀。五月初七日戊辰，刘建锋进入潭州，自称为留后。

王建攻打彭州，城里的人没有了粮食，只能吃人充饥，彭州内外都指挥使赵章出城投降。王先成要求修建一条龙尾道，连接到城上的短墙，以作攻城用。五月十五日丙子，王建的西川军登上彭州城，杨晟仍率领众将士奋战，刀子都虞候王茂权杀了杨晟。彭州马步使安师建被抓获，王建想要任命他做手下将领，安师建哭着辞谢说："我安师建发誓与杨晟同生共死，现在杨晟死了，我不忍心再活下去，只求快把我杀死，这就是对我的恩惠了。"王建再三劝说，安师建还是不肯依从，王建只好将安师建杀死，按礼节埋葬并祭奠他。王建更改赵章的姓名为王宗勉，更改王茂权的名字为宗训，又更改王钊的名字为宗谨，更改李绾的姓名为王宗绾。

五月三十日辛卯，中书侍郎、同平章事郑延昌被免去宰相职位，贬为右仆射。

朱瑄、朱瑾向李克用求救，李克用派遣骑兵将领安福顺和他的弟弟安福庆、安福迁率领精锐的骑兵五百人借道魏州，渡过黄河前去救援。

武昌节度使杜洪攻打黄州，杨行密派遣行营都指挥使朱延寿等前往救援。

六月初三日甲午，朝廷任命宋州刺史张廷范为武宁节度使，这是依从朱全忠的请求而任命的。

（以上为第十六段，写刘建封破潭州，王建下彭州。）

蕲州刺史冯敬章拦击朱延寿的淮南军队，朱延寿攻打蕲州，没有攻下来。

六月二十七日戊午，任命翰林学士承旨、礼部尚书李谿为同平章事；正在宣读这一命令的时候，水部郎中知制诰刘崇鲁从大臣队中奔出夺过诏书大声痛哭。唐昭宗召见刘崇鲁，问他是什么原因。刘崇鲁回答说："李谿是一个奸邪小人，依附杨复恭、西门君遂，所以才能在翰林院里任职，根本没有做宰相的才干，臣担心他会危害大唐的天下。"李谿因此被贬为太子少傅。李谿是李鄘的孙子。唐昭宗向李谿学习写文章，崔昭纬担心李谿当了宰相会分去自己的权力，所以指使刘崇鲁出来阻止。李谿十次上表进行申述，表内诋毁刘崇鲁说："刘崇鲁的父亲刘符贪赃枉法，事情被发觉后自杀了。他的弟弟刘崇望与杨复恭交情很深，刘崇鲁在庭中拜见田令孜，为朱玫起草篡夺帝位的表文，反过来却说是我结交这些宦官，这与怀抱赃物却口喊捉贼有什么两样呢！况且按照朝廷惯例，戴着粗绸巾系着浅色衣带的人不能进入宫中殿堂。臣如果真的没有才干，刘崇鲁自然应该呈上表章来论述，怎么能在宫中的正殿上大声痛哭呢！这对国家来讲实在是不吉利的，他丧失了做臣子的礼节，请求治他的罪。"唐昭宗下诏命令停止刘崇鲁的官职。李谿依然上表不止，请求将刘崇鲁诛杀或者流放，表文长达几千字，侮辱谩骂无所不至。

李克用大破吐谷浑，杀了赫连铎，活捉了白义诚。

秋季，七月，李茂贞派遣军队进攻阆州，把阆州攻下来了，杨复恭、杨守亮、杨守信率领他们的家族、同党突围逃走。

礼部侍郎、同平章事郑綮认为自己不能受到同僚的信赖，多次上表请求退位，唐昭宗同意他退位，授予太子少保官衔；任命御史大夫徐彦若为中书侍郎兼吏部尚书、同平章事。

绵州刺史杨守厚去世，他的部将常再荣献出绵州城向王建投降。

杨复恭、杨守亮、杨守信从商山逃奔河东，到了乾元县时，遇到华州军队，被他们抓获。八月，韩建把杨复恭父子三人献给朝廷，朝廷在独柳杀了他们。李茂贞献上杨复恭写给杨守亮的信，信上说了他辞官退位的原因："唐朝的江山本来是隋朝的旧基业，侄儿你只管储存粮食训练军队，不要向朝廷进贡。我当初在荆棘榛丛的艰难环境中拥立寿王，这才使他得到了皇位，没想到他即位后却废掉了我这个制定国家大策的功臣元老，世上竟有这样忘恩负义的门生天子！"

（以上为第十七段，写唐王室朝纲不振，臣属朝堂攻讦，全无体统。杨复恭伏诛。）

昭义节度使康君立到晋阳去拜见李克用。八月三十日己未，李克用聚集各位将领饮酒下棋，喝到畅快时，李克用谈到李存孝，不由得痛哭流涕不止。康君立向来和李存信关系很好，一言不慎触犯了李克用，李克用拔出剑来就向他砍去，将康君立囚禁在马步司的监狱中。九月初一日庚申，把康君立放出来时，他已经死了。李克用上表朝廷请求任命云州刺史薛志诚担任昭义留后的职务。

冬季，十月，封皇子李祤为棣王，李禊为虔王，李禋为沂王，李祎为遂王。

刘仁恭多次通过盖寓向李克用献计献策，希望能带一万名士兵去夺取幽州。李克用正在攻打邢州，分给他士兵几千人，想要使刘仁恭攻入幽州，但没有成功。幽州的李匡筹更加骄傲起来，多次侵犯河东的地界。李克用大怒，十一月，大规模出动军队去攻打李匡筹，攻下了武州，又进军包围新州。

任命泾原留后张镭为彰义节度使。

朱全忠派遣使者到泗州，使者侮辱轻视泗州刺史张谏，张谏献出泗州城向杨行密投降。杨行密派遣押牙唐令回带着茶叶一万多斤到汴州、宋州去做买卖，朱全忠抓住了唐令回，把茶叶全部抢走。扬州的杨行密和汴州的朱全忠之间开始有了怨仇。

十二月，李匡筹派遣大将率领步兵、骑兵几万人去救援新州，李克用挑选精壮的士兵在段庄迎战，大破李匡筹的军队，斩杀一万多人，活捉将校三百人，李克用把他们用绳子捆绑住，在新州城下示众。当夜，新州的军队投降了。十二月二十三日辛亥，李克用进攻妫州。十二月二十四日壬子，李匡筹又派遣军队出居庸关，李克用出动精锐的骑兵阻挡他的先头部队，使他的士兵疲乏，又派遣步将李存审从另外的道路绕到背后夹击李匡筹。李匡筹的幽州军队大败，被杀被抓获的人数以万计。十二月二十六日甲寅，李匡筹带着他的家族逃奔沧州，义昌节度使卢彦威看中了他的行李包裹、军用物资以及歌妓美妾，派出军队在景城攻击李匡筹，把他杀死了，并俘获了他的所有人马。李存审本来姓符，是宛丘人，李克用将他收养为义子。十二月二十八日丙辰，李克用进军幽州，幽州的大将请求投降。李匡筹向来昏庸软弱，他刚占据军府时，他的哥哥李匡威听到了，就对各位将领说："我做哥哥失去的，被弟弟得到了，仍然没有出我们李家的门，我又有什么可怨恨的呢！只是可惜李匡筹缺乏才干，没有能力保住这个地方，能够占据两年时间，已经是很幸运的了。"

加官匡国节度使王行约为检校侍中。

黄州刺史吴讨害怕杜洪的逼迫，交出官印请求杨行密派人来代替自己，杨行密任命先锋指挥使瞿章暂时代理黄州刺史的职务。

这一年，黄连洞的两万蛮人包围了汀州，福建观察使王潮派遣他手下的将领李承勋率领一万士兵去攻打他们，蛮人解除围攻离开，李承勋追击他们，到浆水口，打败了蛮人。福建一带大致安定了。王潮派遣下属官吏巡视各个州县，勉励百姓耕种纺织，确定租税数额，和邻近的各道保持友好关系，保护境内使大家休养生息，福建百姓都感到很安宁。

封州刺史刘谦去世，他的儿子刘隐住在贺江守丧，当地土著居民一百多人阴谋作乱，刘隐一个晚上把他们全杀了。岭南节度使刘崇龟征召刘隐补授右都押牙兼贺水镇使；不久，又上表请求朝廷任命刘隐担任封州刺史。

义胜节度使董昌推行政令苛刻暴虐，在正常的赋税之外，又增加了好几倍，拿来向朝廷进贡和内外馈送，每十天就向京城发送一大批贡品，有黄金一万两、白银五千铤、浙江的绸绢一万五千匹，其他物品也大致相当，派遣士兵五百人运送，有时遇到暴雨大雪或者台风洪水耽误了行程，这些士兵都要被处死。董昌向朝廷进贡的物品在当时是天下第一，因此朝廷认为董昌忠于国家，赏赐他的诏命一个接一个，官职升到司徒、同平章事，获得陇西郡王的王位。

董昌在越州为自己修造了一座祠堂，它的规模体制完全和越州的大禹庙一样，董昌命令民间求神祈福的老百姓，不能到大禹庙去，都要到他的祠堂。董昌要求做越王，朝廷没有准许，他不高兴地说："朝廷想要辜负我，我多年来向朝廷进贡的物品不计其数，而朝廷却舍不得给我一个越王的爵位！"有谄媚奉承的人对董昌说："大王与其做越王，何不称越帝呢！"于是民间谣传世道要变了，大家争先恐后挤在董昌的节度使府门喧哗叫闹，请求董昌称皇帝。董昌非常高兴，派人出去答谢说："时机还没有到来，时机到了我自然会称帝的。"他的下属官吏吴瑶、都虞候李畅之等人都劝董昌即皇帝位，于是官吏百姓献上歌谣、谶语以及吉祥的征兆，简直无法计算，开始时赏赐给他们几百缗钱，后来进献的人越来越多，赏赐的钱渐渐减少到五百、三百文。董昌说：“有谶语讲‘兔子上金床’，这就是指的我。我出生时是卯年，属兔，明年刚好又是卯年。明年二月的卯日卯时，就是我即位称帝的时候了。”

（以上为第十八段，写幽州李匡筹覆灭。）

【点评】

本卷点评李匡威丧身镇州、杜让能蒙晁错之冤、王先成建策王建取彭州、王潮入据福州四件史事。

李匡威丧身镇州。李匡威，范阳人，其父李全忠事李可举为牙将。李可举为卢龙节度使，镇幽州。李可举死，众推李全忠为留后。僖宗光启元年（公元885年），朝廷授李全忠为节度使，没多久李全忠死了，李匡威继任为卢龙节度使，有称雄天下之意，于是助云州赫连铎攻太原，与李克用为敌。镇州节度使王镕年少，十余岁继父为节镇。李克用攻王镕，王镕求救于李匡威。李匡威亲自领兵救王镕，临行，置酒大会，李匡威之弟兵马留后李匡筹之妻张氏，容貌绝美，李匡威逼淫之而后行。李匡筹大怒，于是据城自为留后，上奏朝廷，昭宗即授李匡筹检校太保、卢龙节度使。李匡威失节镇，部属散去无所归，王镕感念李匡威救援自己，迎请李匡威馆于镇州，以父事之。李匡威心怀不测，阴谋图镇州。李匡威父亲忌日，王镕来慰问，李匡威绑架王镕，要挟让出镇州。王镕十分镇定，反诓李匡威入牙城议事。李匡威轻视王镕，认为王镕年少无所作为，遂与王镕入牙城，王镕暗示，镇州将救走王镕，击杀李匡威。

起初，李匡威被李匡筹逐出幽州，李匡威叹息说：“哥哥丢了节镇，弟弟占有，还是一家。可惜匡筹无才守不住。”李匡威死后不久，李克用就攻克了幽州，完全应验了李匡威的判断。李匡威有知人之明，却无自知之明，一世豪杰，为弟所逐，丧身镇州，死于少年王镕之手，可为贪淫贪利者戒。俗话说“一叶障目，不见泰山”。李匡威的一双慧眼，为其人心不足所障，死于非命，既可恨，亦可悲。

杜让能蒙晁错之冤。西汉景帝时御史大夫晁错建削藩之策，激起吴楚七国反叛，以“诛晁错，清君侧”为名，景帝冤杀晁错，吴楚并不罢兵。唐昭宗欲行唐宪宗之志，不顾时移势转，唐皇室衰弱的现实，贸然兴兵，张濬征讨李克用，朝廷威权大损，已失之于前，今又因李茂贞上奏语言狂悖，再次兴兵，宰相杜让能谏其不可，昭宗不听。杜让能说：“陛下必欲兴兵，当与中外大臣共议，团结一心，不当以臣独任。”唐昭宗说：“卿位居宰辅，应当与朕休戚与共，不要推辞。”杜让能说：“不是臣贪生怕死，只因不合时宜，只怕臣蒙受晁错之冤，无济于事。臣只能奉诏，以死报陛下了。”事后，杜让能不幸而言中，昭宗讨伐李茂贞，输光了老本，冤杀了杜让能，自己也深陷贼臣之手。唐昭宗无识无才，既害人又害己，着实可悯。但唐昭宗不甘屈辱，奋曹髦之志，精神可嘉。

王先成建策王建取彭州。四川王建攻围彭州，久久不能下。彭州乡野士民藏匿山林。王建攻城的各营军士每天出动士兵进山掳掠，称为“淘虏”。淘虏所得，都将挑选自肥，其余分给士兵，老弱妇女沦为奴婢。彭州之民，不闻招安，只见抢掠，更加坚定意志，抗击王建军队。王建军中有一个军士叫王先成，新津人，原本是书生，世乱从军。他观察王建诸将，只有王宗侃不鼓励淘虏，在诸将中最贤。王先成于是献策王宗侃转呈王建，称招安七条。其一，发布招安令；其二，严禁各营士兵淘虏，违令者斩；其三，设置招安寨，专人管理，收容接受招安的民众；其四，报告王建由王宗侃专职总领招安事宜；其五，严令各营退出目前淘虏所得财物，所掠民众集于广场，使父子、兄弟、夫妇相认，各归其家，统统收容于招安寨听后安置，敢隐匿一人者斩；其六，选取地方土著的官吏和被淘虏释放的壮士，带着公文入山招安，宣传政策；其七，彭州土著士民，各归田里治理生业。王建得策大喜，立即施行。第二天就张榜申令，没有一个人敢犯禁令。三天后，藏匿山中之民悉数出山，一个月之后，招安寨全部空无一人，悉数归农，彭州不战而下。孔子有言，一言以丧邦，一言以安邦。王先成建言，助成王建称霸西川，可谓一言以兴邦。王建得策采纳，也是乱世中的一个贤明之主，他之所以能定霸西川，是因为他存有一分救民之心，这是秦宗权、孙儒等食人之兽类无法比拟的。

王潮入据福州。王潮，光州固始人，其弟王审知，字信通，家世为农，潮为县吏。唐末，黄巢大起义，寿州人王绪也拉起了队伍。王绪攻陷固始，召置王潮兄弟为军校。王绪受招安为光州刺史。公元885年，王绪被秦宗权攻击，率众南逃，入江西，转福建，沿路抢掠，裹胁游民，聚众数万。王绪性多猜疑，军中贤能者遭荼毒，部属人人自危。王潮因众怒囚禁王绪，自领其众为军主。王潮整肃军队，纪律严明，受到泉州民众的欢迎。泉州刺史贪暴，公元886年王潮取而代之，福建观察使陈岩正式授命王潮为泉州刺史。公元891年陈岩死，都将范晖自为留后。范晖不得人心，王潮使其弟王审知攻福州，经过三年征战攻下了福州。唐昭宗随后任命王潮为福建观察使，境内占山为王的二十多支盗贼被王潮悉数征服。王氏兄弟占有福建全境。公元897年王潮死，王审知接任，保境安民，劝课农桑，一方社会平安。公元907年，朱全忠代唐建立梁朝，封王审知为闽王。

资治通鉴（白话本） 卷第二百六十

唐纪七十六

唐昭宗乾宁二年至三年（公元 895—公元 896）

【起旃蒙单阏（乙卯，公元 895 年），尽柔兆执徐（丙辰，公元 896 年），凡二年】

【大事提要】

本卷记事起公元 895 年，讫公元 896 年，载述史事凡两年。当唐昭宗乾宁二年至乾宁三年。此时期全国割据军阀角力争胜，远交近攻，异常激烈。北方李克用与朱全忠势不两立，为主要战场。河北幽州刘仁恭助李克用，魏州罗弘信助朱全忠。南方淮南杨行密与苏杭钱镠争雄。钱镠北连朱全忠夹击杨行密，杨行密南连越州董昌夹击钱镠。董昌因称帝而速亡，助钱镠坐大与淮南争衡。马殷不意得长沙。关陇三镇，邠宁王行瑜、凤翔李茂贞、华州韩建连兵犯阙，欲废唐昭宗，昭宗出京入南山以避其锋，李克用发兵勤王，三帅各还本镇。李克用灭了王行瑜，驻兵渭桥，迎昭宗车驾还京师。李克用欲进兵西讨李茂贞，昭宗误听贵近之言，并存李克用与李茂贞以平衡势力，朝廷在夹缝中求生存。昭宗诏令李克用与李茂贞和解，李克用罢兵，断言李茂贞即将卷土重来。不久，李茂贞果然以昭宗令诸王典兵为名，再次兴兵犯阙，昭宗被迫出幸华州，唐皇室直接为藩镇所掌控，究其实，已亡矣。

昭宗圣穆景文孝皇帝上之下

唐昭宗乾宁二年（乙卯，公元 895 年）

春季，正月初三日辛酉，幽州几万军民竖起旗帜，敲锣打鼓、欢歌笑语地迎接李克用进入官署。李克用命令李存审、刘仁恭率领军队安定所属的各个州县。

正月初五日癸未，朱全忠派遣他的部将朱友恭围攻兖州。朱瑄从郓州带着兵器、粮食去救援朱瑾。朱友恭设下埋伏，在高梧打败了朱瑄的援军，把他携带的兵器、粮食全部夺走，还活捉了河东的将领安福顺、安福庆。

正月十一日己巳，任命给事中陆希声为户部侍郎、同平章事。陆希声是陆元方的第五代孙子。

正月十四日壬申，护国节度使王重盈去世。军中将士请求朝廷任命王重荣的儿子行军司马王珂主持留后的事务。王珂是王重盈哥哥王重简的儿子，王重荣收养他做义子。

杨行密上表列举朱全忠的罪恶，请求会合易州、定州、兖州，郓州、河东的军队一同讨伐他。

董昌将要称帝，召集手下将领、僚佐进行商议。节度副使黄碣说："现在大唐皇室虽然衰败，但是上天和百姓还没有厌弃它。春秋时的齐桓公、晋文公都是靠着辅助拥戴周天子才成就了称霸一方的大业。大王您受封陇西郡王，是从田间乡里逐渐兴起来的，受到了朝廷优厚的恩惠，官位到了节度使和宰相，荣华富贵已达到极点，为什么突然要做出这种毁灭全族的计划呢？我黄碣宁愿去死也要做大唐的忠臣，不愿为了活命而成为背叛国家的叛徒。"董昌大怒，认为黄碣是在蛊惑、扰乱人心，立即将黄碣斩首，并把他的头颅扔到茅厕，痛骂说："你这个奴才贼子辜负了我！好端端的圣明时代的三公高位不坐，却要先找死！"董昌杀了黄碣全家八十个人，把他们埋葬在同一个墓穴里。董昌又问会稽令吴镣，吴镣回答说："大王您不做真正的诸侯来传给子孙后代，却要做假皇帝来自取灭亡吗？"董昌也把吴镣的全族都杀掉了。董昌又对山阴令张逊说："你有很好的政绩，我清楚地知道，等我做了皇帝，任命你主管御史台的事务。"张逊说："大王您从石镜镇兴起，在浙东建立节度使的功业，享受荣华富贵将近二十年了，何苦效法李锜、刘闢那样背叛朝廷，最后遭受杀身之祸呢！浙东地方偏僻，处在海边，管辖范围虽然有台、明、温、处、婺、衢六个州，但您如果称帝的话，他们一定不会听从。您只能守着越州这一座空城，遭受天下人耻笑罢了！"董昌又将张逊杀掉，对大家说："没有这三个人，就不会有人再违背我了！"

二月初三日辛卯，董昌穿着皇帝的服装登上越州内城，即位称帝。董昌把进献的吉祥物品全部陈列在庭院中让大家来观看。以前，在唐懿宗咸通末年，吴、越之间流传谣言，说山中有一只大鸟，四只眼睛三条腿，叫喊"罗平天册"，看到这只大鸟的人就会有灾祸，于是老百姓都画像祭祀它。等到董昌背叛朝廷自称皇帝，他就说："这鸟就是我的凤凰。"于是自称为大越罗平国，改年号为顺天，给城楼题字为天册之楼，命令部下称自己为"圣人"。董昌任命前杭州刺史李邈、前婺州刺史蒋瓌、两浙盐铁副使杜郢、前屯田郎中李瑜为宰相。又任命吴瑶等人为翰林学士，李畅之等人为大将军。

董昌写信给钱镠，告诉钱镠，自己已经暂且即位做罗平国的皇帝，任命钱镠为两浙都指挥使。钱镠写信给董昌说："您与其关起门来偷偷摸摸称皇帝，使得家族和老百姓一同遭受灾祸，怎么比得上打开大门堂堂正正做节度使，终身享受富贵啊！到如今后悔改过，还来得及！"董昌不听，钱镠于是率领军队三万人赴越州城下，到了越州城西门迎恩门与董昌见面，再次劝告董昌说："您位居节度使和宰相，为什么要舍弃安宁而选取危险呢！我钱镠率领军队到这里来，就是等着您改过。即使您不顾惜自己的名誉和地位，但是乡里的士人和百姓有什么罪过，要随着您一起遭受灭族的灾祸！”董昌害怕了，送上二百万钱犒劳钱镠军队，抓住首先为他谋划称帝的吴瑶以及几个男女巫师送交钱镠，并且向唐昭宗请罪等待处治。钱镠带领军队返回，把这件事报告朝廷。

（以上为第一段，写董昌称帝丑剧。）

王重盈的儿子保义节度使王珙、绛州刺史王瑶发动军队攻打王珂，向朝廷上表说王珂并不是王家的儿子。又给朱全忠送去书信，说：“王珂本来是我家的奴仆，不应该做继承人。”王珂则向朝廷上表陈述说明，并且向李克用求援。唐昭宗派遣宦官传谕，让王珙、王瑶与王珂和解。

唐昭宗很器重李谿的文才学识，二月初七日乙未，又任命李谿为户部侍郎、同平章事。

朱全忠在单父县驻扎军队，声援正在围攻兖州的朱友恭。

李克用上奏请朝廷任命刘仁恭为卢龙留后，留下军队驻守幽州；二月二十四日壬子，李克用返回晋阳。

妫州人高思继兄弟，有武艺才干，为燕地的人所佩服，李克用任命他们为都将，分别掌管幽州的军队。他们部下的士兵，都是幽州山北的豪杰，刘仁恭畏惧他们。后来，戍守幽州的河东士兵残暴横蛮，高思继兄弟用军法来制裁这些人，处罚杀死很多人。李克用很生气，以此责备刘仁恭，刘仁恭告诉李克用说这是高思继兄弟干的，李克用就把他们都杀了。刘仁恭想收买燕地百姓的心，就把高氏的几个儿子安置在自己的身边，很好地安抚他们。

崔昭纬和李茂贞、王行瑜结交很深，把自己知道的唐昭宗的过失、朝廷的机密大事，都告诉李茂贞和王行瑜。邠宁节度副使崔鋋，是崔昭纬同族人。李谿再次做宰相后，崔昭纬派崔鋋告诉王行瑜说：“以前唐昭宗任命你担任尚书令的诏命已经颁发了，然而却被韦昭度从中阻拦。如今他又引进李谿同为宰相，相互勾结迷惑唐昭宗的听闻，我担心又要有杜让能那样的事发生了。”王行瑜于是和李茂贞共同上表称说李谿奸诈邪恶，韦昭度没有做宰相的才干，应该罢他们的官，让他们处在闲散的职位上。唐昭宗回答他们说：“军队征战的事情，朕和藩镇们共同商议；至于任命宰相，应该出自朕的心意。”王行瑜等还论争不休。三月，李谿又被罢免相位，改任太子少师。

王珙、王瑶请求朝廷任命河中的统帅，唐昭宗下诏任命中书侍郎、同平章事崔胤为同平章事，充当护国节度使；任命户部侍郎、判户部王抟为中书侍郎、同平章事。

（以上为第二段，写王重盈诸子内讧，李克用诛杀高思继兄弟。崔昭纬外结藩镇以固其位，并排挤韦昭度。）

王珂是李克用的女婿。李克用上表说王重荣有功于国家，请求赐给他的儿子王珂节度使仪仗。王珙用丰厚的礼物去结交王行瑜、李茂贞、韩建三位节度使，一再上表称说王珂不是王家的儿子，请求任命王珂为陕州刺史，王珙为河中节度使。唐昭宗传谕说已经先同意了李克用的奏请，便不再答应他们的要求。

加官王镕兼任侍中。

杨行密渡过淮河到达泗州，防御使台濛大肆装饰营帐来接待他，杨行密很不高兴。杨行密离开泗州后，台濛在杨行密住过的卧室里发现一件补过的衣服，赶紧派人把那件衣服送还杨行密。杨行密笑着说："我小时候家中贫穷，出身低微，不敢忘记过去。"台濛听后感到很惭愧。

杨行密攻打濠州，把它攻下来了，活捉了刺史张璲。

杨行密的军中士兵抢掠到一个徐州李姓人家的小孩，已经八岁了。杨行密收养他为义子，杨行密的长子杨渥憎厌他。杨行密对他的部将徐温说："这个小孩的资质、状貌、性情、见识和别人不一样，我料想杨渥一定容纳不下他，现在赏赐给你，做你的养子。"徐温给他起名叫知诰。徐知诰事奉徐温，勤劳和孝顺胜过徐温其他几个孩子。有一次徐知诰得罪了徐温，徐温用鞭子打他，并将他逐出家门；等到徐温回来时，徐知诰在门口跪拜迎接。徐温问他："你为什么还在这里？"徐知诰流着眼泪回答说："做儿子的离开了父母将到哪里去啊！父亲生气了，就到母亲那里，这是人的常情。"徐温因此更加疼爱徐知诰，派徐知诰管理家中的事务，家中的人没有不听他话的。等到徐知诰长大了，喜欢读书，擅长射箭，他的见识、器度很是不凡。杨行密常常对徐温说："徐知诰是个杰出人才，各位将领的儿子都比不上他。"

三月三十日丁亥，杨行密围攻寿州。

唐昭宗因为长安的郊野有很多强盗，有的甚至越过宫墙进入宫中或者侵犯皇家陵墓、宗庙，想命令宗室各王带领军队巡逻警戒，又想派他们到各地去安抚慰问藩镇。朝中大臣和宦官中掌权的人担心这样对自己不利，不断进呈奏章进行劝阻。唐昭宗不得已，于夏季四月，下诏全部停止。

朝廷因为董昌过去勤于进贡钱财、输送货物的功劳，这次他称帝背叛朝廷，好像是得了疯病，唐昭宗下诏赦免董昌的罪过，放他回到故里。

户部侍郎、同平章事陆希声被罢免相位，改任太子少师。

杨行密围攻寿州，没有打下来，准备退兵回去。四月初三日庚寅，他的部将朱延寿请求再攻打一次试试，一鼓作气把寿州打下来了，活捉了刺史江从勖。杨行密任命朱延寿暂时代理寿州团练使。

不多久，朱全忠的汴州军队几万人攻打寿州，州里兵力不足，官吏和老百姓都惶恐不安。朱延寿规定，军队每一面旗帜下有二十五名骑兵。他下令黑云队长李厚率领十旗的骑兵去袭击汴州军队，没有取胜。朱延寿将要斩杀李厚，李厚说因为敌众我寡才抵抗不住，希望能再增加士兵出战，如果不能胜利甘愿一死。都押牙汝阳人柴再用也替李厚求情。于是朱延寿给他增加五旗的骑兵。李厚拼死作战，柴再用也帮助他，朱延寿率领全部人马一起攻击，汴州军队战败退走了。李厚是蔡州人。

杨行密又派遣军队袭击涟水县，把它攻下来了。

钱镠上表说董昌自行称帝有叛逆大罪，不可以赦免，请求率领本道的军队去讨伐董昌。

太傅、门下侍郎、同平章事韦昭度以太保的官衔罢相退休。

四月十一日戊戌，任命刘建锋为武安节度使。刘建锋任命马殷为内外马步军都指挥使。

杨行密派遣使者到钱镠那里，说董昌已经认罪改过了，应该赦免他；又派遣使者到董昌那里，要他赶快向朝廷进贡财物。

河东节度使李克用派遣他的部将史俨、李承嗣率领一万名骑兵飞驰进入郓州救援，朱友恭退兵返回汴州。

五月，唐昭宗下诏削除董昌的官职爵位，委派钱镠去讨伐他。

（以上为第三段，写杨行密攻拔濠州、寿州以张其势。钱镠讨董昌。）

起初，王行瑜要求担任尚书令的官职，没有得到唐昭宗允许，因此怨恨朝廷。京城长安管辖区有八镇军队，隶属左、右神策军。郃阳镇靠近华州，韩建请求兼管这个地方；良原镇在邠州附近，王行瑜也想要得到它。宦官们说：“这都是皇帝禁军驻扎的地方，怎么能让他们得到呢！”王珂、王珙争夺河中，王行瑜、韩建以及李茂贞都替王珙请求，结果王珙没有得到，他们感到很耻辱。王珙派人告诉他们三位统帅说：“王珂不接受我的替代而做了河东李克用的女婿，这一定对你们不利，请发兵讨伐王珂。”王行瑜派他的弟弟匡国节度使王行约攻打河中，王珂向李克用求救，王行瑜于是和李茂贞、韩建各率领精兵几千人开赴朝廷。五月初八日甲子，到达京城长安，长安街坊的居民都逃跑躲藏起来了。唐昭宗来到安福门等待他们。三位统帅排开全副武装的士兵，在安福门下手舞足蹈地行跪拜礼。唐昭宗走到门楼前，亲自责问他们说：“你们不上表奏请并等待朝廷回答，就带领军队进入京城，你们的意图到底是什么？假如不能侍奉我，今天就请你们离开将位置让给贤明的人！”王行瑜、李茂贞汗流浃背，讲不出一句话，只有韩建大略说了一下进入朝廷的理由。唐昭宗宴请三位统帅，他们三人上奏说：“朝中大臣和宫内宦官互相勾结，结成朋党，败坏、扰乱朝廷大政。韦昭度讨伐西川决策失误，李谿担任宰相不合大家的心意，请杀掉他们。”唐昭宗没有答应。这一天，王行瑜等人在朱雀门外都亭驿把韦昭度、李谿杀了，又杀死枢密使康尚弼和几个宦官。他们又说："王珂、王珙的任用不分嫡庶和尊卑，请任命王珙为河中节度使，把王行约调到陕州，王珂调到同州。"唐昭宗都允许了。开始，三位统帅阴谋废掉唐昭宗，拥立吉王李保为帝；到这时候，听说李克用已经从河东起兵，王行瑜、李茂贞各留下两千名士兵守卫京城，与韩建一同辞别唐昭宗返回镇所。唐昭宗下令把户部尚书杨堪贬为雅州刺史。杨堪是杨虞卿的儿子，韦昭度的舅舅。

当初，崔胤任职河中节度使，河东进奏官薛志勤扬言说："崔胤虽然注重德行，但用他来替代王珂，不如长安城里光德坊的刘公对我主人李克用好。"光德坊的刘公，就是太常卿刘崇望。等到王行瑜等三位统帅进入朝廷，听说了薛志勤的话，就把刘崇望贬为昭州司马。李克用得知王行瑜等三镇军队侵犯京城，当天就派遣使者十三批去征发北边蕃族部落军队，约他们在下个月渡过黄河进入关中。

六月初四日庚寅，任命钱镠为浙东招讨使；钱镠再次发动军队攻打董昌。

六月初五日辛卯，任命前均州刺史孔纬、绣州司户张濬同为太子宾客。六月初六日壬辰，任命孔纬为吏部尚书，恢复他的官阶、爵位；六月初七日癸巳，又任命孔纬为司空，兼门下侍郎、同平章事。任命张濬为兵部尚书、诸道租庸使。当时孔纬住在华州，张濬住在长水，唐昭宗因为崔昭纬等人在外结交藩镇，形成朋党，互相倾轧，所以想起用刚直的人，因此突然任命孔纬、张濬。孔纬因为有病，乘车来到京城，见到唐昭宗，流着眼泪坚决推辞官职，唐昭宗不准许。

李克用率领蕃汉军队大举南下，向唐昭宗上表声称王行瑜、李茂贞、韩建派兵进攻京城，残杀朝中大臣，请求讨伐他们，又送去檄文给王行瑜、李茂贞、韩建三人，王行瑜等非常恐惧。李克用的军队到达绛州，绛州刺史王瑶关闭城门进行抵抗。李克用发动进攻，用了十天时间，把它打下来了，在军营门前杀了王瑶，并杀死城里抵抗的一千多人。秋季，七月初一日丙辰，李克用到了河中，王珂亲自到路上去迎接拜见他。

匡国节度使王行约在朝邑被打败了。七月初三日戊午，王行约放弃同州逃走；七月初四日己未，到了京城长安。王行约的弟弟王行实当时担任左军指挥使，他率领部下和王行约一起在长安西市大肆掠夺。王行实上奏说同州、华州已经陷落，李克用的沙陀军队就要到来，请唐昭宗到邠州去。七月初五日庚申，枢密使骆全瓘上奏请唐昭宗到凤翔。唐昭宗说："我收到了李克用的表章，他还驻军在河中。即使他的沙陀军队到了这里，我自有办法对付，你们只要各自安抚好手下的军队，不要使他们骚动不安。"

右军指挥使李继鹏，是李茂贞的义子，本来的姓名叫阎珪，与骆全瓘阴谋劫持唐昭宗到凤翔去。中尉刘景宣和王行实知道了，则想劫持唐昭宗到邠州，孔纬当面斥责刘景宣，认为唐昭宗不可以轻易地离开长安宫殿。傍晚时，李继鹏接连上奏请唐昭宗外出，于是王行约带领左军攻打李继鹏的右军，击鼓声、喊叫声震动了天地。唐昭宗听到发生变乱，登上承天楼，想下令制止他们。捧日都头李筠率领自己的军队，在承天楼前护卫唐昭宗。李继鹏指挥凤翔的军队攻打李筠，流箭擦过唐昭宗的衣服，落在承天楼的椽子上，身边侍卫的人搀扶着唐昭宗下楼。李继鹏又放火焚烧宫门，浓烟遮住了天空。当时有盐州六都军队驻扎在京城，左、右两军都很惧怕他们，唐昭宗急忙下令要他们进入宫内侍卫。他们到了以后，左、右两军都退走了，各自回到邠州和凤翔。长安城里大乱，互相抢劫掠夺，唐昭宗与各王以及亲近人员到李筠的军营躲避，护跸都头李居实率领部下紧接着也到达了。

有人传说王行瑜、李茂贞要亲自来迎接唐昭宗，唐昭宗害怕被他们逼迫。七月初六日辛酉，命令李筠、李居实的两都军队进行护卫，出了长安城南的启夏门到南山去，在莎城镇过夜。跟从唐昭宗的士民有几十万人，等到达南山的谷口，中暑而死的人有三分之一；夜里，又被强盗掠夺抢劫，哭声、喊叫声震动山谷。当时朝廷百官大多数来不及跟从唐昭宗，只有户部尚书、判度支及盐铁转运使薛王李知柔首先赶到，唐昭宗命令他暂时掌管中书省的事务和担任置顿使。

（以上为第四段，写凤翔李茂贞、邠宁王行瑜，华州韩建三镇连兵犯阙，唐昭宗蒙尘南山。）

七月初七日壬戌，李克用进入同州。崔昭纬、徐彦若、王抟到了莎城。七月初九日甲子，唐昭宗迁移到石门镇，命令薛王李知柔和知枢密院刘光裕返回京城，设置军队来守卫皇宫。七月十一日丙寅，李克用派遣节度判官王瓌奉上表文问候唐昭宗的生活起居情况。七月十二日丁卯，唐昭宗派遣内侍郗廷昱带着诏书前往李克用的军营，命令他和王珂各出动一万骑兵一起赶往新平讨伐王行瑜。唐昭宗又下令彰义节度使张鐇带领泾原的军队控制凤翔的李茂贞。

李克用派遣军队攻打华州。韩建登上城楼呼喊着说："我对您从没有失礼，为什么要攻打我呢？"李克用派人对他说："你是唐朝的臣子，却逼迫驱逐皇上，你这样称为有礼，那么天下还有谁可以叫无礼呢？"正好郗廷昱来到，说李茂贞率领三万军队抵达盩厔，王行瑜率领军队抵达兴平，都想要迎接唐昭宗去他们那儿。李克用于是解除对华州的围攻，把军队转移到渭桥安营扎寨。

任命薛王李知柔为清海节度使、同平章事，仍然代理京兆尹、判度支、充任盐铁转运使，等到平定动乱后再前往镇所。

唐昭宗在南山十多天，跟从唐昭宗到这里避乱的士民们每天都惊慌失措地互相传说："邠州、岐州的军队到来了！"唐昭宗派遣延王李戒丕到河中去，催促李克用赶快进兵。七月二十七日壬午，李克用的军队从河中出发。唐昭宗派遣供奉官张承业前往李克用的军营。张承业是同州人，多次奉唐昭宗的诏令出使李克用处，因此留在李克用的军中做监军。八月初五日己丑，李克用进军渭桥，派遣他的部将李存贞为前锋。八月初七日辛卯，攻下永寿县，又派遣史俨率领三千骑兵前往石门护卫唐昭宗。八月初九日癸巳，派遣李存信、李存审会同保大节度使李思孝进攻王行瑜的梨园寨，捉住了王行瑜的部将王令陶等，把他们押送到唐昭宗那里。李思孝本来姓拓跋，是拓跋思恭的弟弟。李茂贞害怕了，斩杀李继鹏，把他的头颅送到唐昭宗那里，呈上表章请求治他的罪；并且派遣使者向李克用求和。唐昭宗再次派遣延王李戒丕、丹王李允传谕李克用，命令他暂时赦免李茂贞，同心协力去讨伐王行瑜，等到消灭了王行瑜，朝廷再和他们商量如何处理李茂贞。唐昭宗还命令延王李戒丕、丹王李允拜李克用为兄长。

任命前河中节度使崔胤为中书侍郎、同平章事。

八月十四日戊戌，朝廷下令革除王行瑜的官职和爵位。八月十九日癸卯，任命李克用为邠宁四面行营都招讨使，保大节度使李思孝为北面招讨使，定难节度使李思谏为东面招讨使，彰义节度使张镭为四面招讨使。李克用派遣他的儿子李存勖到唐昭宗那里，李存勖当时才十一岁，唐昭宗对他的形状面貌惊奇不已，抚摸着他说："你是国家的栋梁之材，将来应该为我大唐李家尽忠啊！"李克用上表请唐昭宗回到京城长安，唐昭宗同意了，命令李克用派遣骑兵三千人驻扎在三桥做防御准备工作。八月二十七日辛亥，唐昭宗回到了京城长安。

八月二十八日壬子，司空兼门下侍郎、同平章事崔昭纬被罢相位，改任右仆射。

任命护国留后王珂、卢龙留后刘仁恭分别担任本镇的节度使。

当时宫殿已被焚烧破坏，还没有来得及修建清理，唐昭宗暂时住进尚书省，朝廷百官往往没有长袍、朝笏、仆人、马匹。

（以上为第五段，写李克用大举发兵勤王，迎昭宗还京。）

任命李克用为行营都统。

九月初十日癸亥，司空兼门下侍郎、同平章事孔纬去世。

九月十八日辛未，朱全忠亲自率领军队攻打朱瑄，在梁山进行交锋，朱瑄战败逃回郓州。

李克用率领军队猛攻梨园，王行瑜向李茂贞求救。李茂贞派遣军队一万人驻扎在龙泉镇，自己率领军队三万人在咸阳附近驻扎。李克用请求朝廷下诏命令李茂贞返回凤翔镇所，仍然削除他的官职、爵位，想分兵去讨伐他。唐昭宗认为李茂贞自己杀了李继鹏，前些时候已经赦免了他，不可以再削除他的官职、爵位去讨伐他，只是下令李茂贞回到自己的凤翔镇所，仍然命令李克用与李茂贞和解。又任命昭义节度使李罕之为检校侍中，充任邠宁四面行营副都统。史俨在云阳打败了王行瑜的邠宁军队，抓住了云阳镇使王令诲等人，献给朝廷。

王建派遣简州刺史王宗瑶等人率领军队前往朝廷解救危难。九月二十一日甲戌，在绵州驻扎。

董昌向杨行密求救，杨行密派遣泗州防御使台濛攻打苏州来救援他，并且向朝廷上表说，董昌已经悔过自新，愿意尽到职责，献上贡品，请恢复董昌的官职、爵位。杨行密又写信给钱镠说："董昌发了疯病自立为帝，你率领军队去劝阻时他已经害怕了，他又抓了鼓动他称帝的人送到你那里，不应该再去讨伐他了。"

冬季，十月初三日丙戌，河东的将领李存贞在梨园的北面打败了王行瑜的邠宁军队，斩杀一千多人，从此梨园军营关闭起来，不敢出战了。

朝廷贬谪右仆射崔昭纬为梧州司马。

魏国夫人陈氏，她的才能姿色在后宫称为第一。十月初五日戊子，唐昭宗把她赐给李克用。

李克用命令李罕之、李存信等加紧攻打梨园。城里粮食已经完了，王行瑜的军队弃城逃走。李罕之等拦住攻击他们，杀了一万多人，攻下了梨园等三个寨子，抓获了王行瑜的儿子王知进以及大将李元福等人。李克用进军在梨园驻扎。十月初七日庚寅，王行约、王行实放火烧了宁州然后逃跑。李克用上奏朝廷请求任命匡国节度使苏文建为静难节度使，催促他赶赴镇所，暂时先到宁州管事，着手招集安抚前来投降的人。

唐昭宗迁回皇宫居住。

朱全忠派遣都将葛从周攻打兖州，自己率领大军在后面跟随。十月二十日癸卯，包围了兖州。

杨行密派遣宁国节度使田頵、润州团练使安仁义攻打在杭州驻守的钱镠军队以救援董昌。董昌使湖州将领徐淑会合淮南将领魏约共同包围嘉兴。钱镠派遣武勇都指挥使顾全武去救援嘉兴，攻破了乌墩、光福两个寨子。淮南将领柯厚攻破苏州的水上栅栏。顾全武是余姚人。

义武节度使王处存去世，军中将士推举王处存的儿子节度副使王郜担任留后的职位。

任命京兆尹武邑人孙偓为兵部侍郎、同平章事。

王行瑜派遣精壮士兵五千人守卫龙泉寨，李克用带领军队攻打它。李茂贞派遣五千名士兵去救援王行瑜，在龙泉镇的西面扎下营寨。李罕之攻打李茂贞的凤翔军队，凤翔军队逃走了。十一月初五日丁巳，李克用攻下了龙泉寨。王行瑜逃入邠州，派遣使者向李克用请求投降。

齐州刺史朱琼献出齐州向朱全忠投降。朱琼是朱瑾的堂兄。

衢州刺史陈儒去世，他的弟弟陈岌代理他的职位。

李克用率领军队进逼邠州，王行瑜登上城楼，大声痛哭对李克用说："我王行瑜没有罪过，逼迫威胁皇上都是李茂贞和李继鹏做的，请您带兵到凤翔去讨伐李茂贞，我王行瑜愿意将自己捆绑起来回归朝廷。”李克用说：“你王行瑜身为‘尚父’为什么这样谦恭呢！我接受皇上诏令讨伐三个贼臣，你是其中的一个，你想将自己捆绑起来回到朝廷，这不是我可擅自做主的。”十一月十五日丁卯，王行瑜带着家族弃城逃跑了。李克用进入邠州，封闭了官府各个库房，安抚了城里百姓，命令指挥使高爽暂时代理巡抚军城事务，上奏催促苏文建赶快前来邠州。王行瑜逃到庆州地界，被部下杀死，王行瑜的头颅被送到朝廷。

（以上为第六段，写李克用破灭邠宁，王行瑜授首。杨行密助董昌攻钱镠。）

朱瑄派遣他的部将贺瓌、柳存以及河东将领薛怀宝率领军队一万多人袭击曹州，以图解除对兖州的包围。贺瓌是濮阳人。十一月十五日丁卯，朱全忠从中都县带领士兵在夜间追赶他们，天亮时，到了巨野县的南郊，赶上了他们，把军队几乎屠杀光了，活捉了贺瓌、柳存、薛怀宝，俘虏士兵三千多人。这一天黄昏以后，刮起了大风，沙尘弥漫，天昏地暗，朱全忠说：“这是杀人还不够造成的！”于是下令把抓获的俘虏全部杀掉。十一月十八日庚午，捆绑贺瓌等人在兖州城下示众，对朱瑾说：“你的哥哥已经战败了，你为什么还不早些投降。”

十一月二十五日丁丑，雅州刺史王宗侃攻下了利州，捉住刺史李继颙，把他杀了。

朱瑾派遣使者假装向朱全忠请求投降，朱全忠亲自到兖州城的延寿门下与朱瑾说话。朱瑾说：“我想要交出符节和官印，希望让我的堂兄朱琼前来领取。”

十一月二十九日辛巳，朱全忠派朱琼前往接收。朱瑾骑马站立在兖州城的桥上，吩咐骁勇果敢的董怀进埋伏在桥下，朱琼到了桥上，董怀进突然从桥下奔出，抓住朱琼带入城中。不一会儿，把朱琼的头颅扔出城外。朱全忠于是带领军队返回汴州，任命朱琼的弟弟朱玭为齐州防御使，杀了柳存、薛怀宝；因听说贺瓌的名声，释放并留用了他。

李克用从邠宁回到渭水北边驻扎。

加官静难节度使苏文建为同平章事。

蒋勋要求担任邵州刺史，刘建锋不准许。蒋勋于是和邓继崇发动军队，联合飞山、梅山的蛮人侵犯骚扰湘潭，占据了邵州，还派遣他的部将申德昌驻扎在定胜镇，以扼制潭州的军队。

十二月初二日甲申，阆州防御使李继雍、蓬州刺史费存、渠州刺史陈璠各自率领他们的军队投奔王建。

十二月初三日乙酉，李克用的军队在云阳驻扎。

王建上奏朝廷说：“东川节度使顾彦晖不出动军队为朝廷解难，反而掠夺我的军用物资，还派遣泸州刺史马敬儒切断峡路，请出兵讨伐顾彦晖。”十二月初六日戊子，王建的部将华洪在楸林大败顾彦晖的东川军队，俘虏斩杀几万人，攻克了楸林寨。

十二月十三日乙未，朝廷进封李克用为晋王，加官李罕之兼任侍中，任命河东大将盖寓兼任容管观察使；其余李克用的部将、佐吏及其儿子、孙子都进封官职爵位。李克用个性严厉急躁，身边的人稍有过失就被他处死，没有人敢违抗他；只有盖寓灵敏聪慧，能够揣测出他的心意，用委婉的词语来劝说，李克用没有不听从的。李克用有时错怪责罚手下将吏，盖寓必定会表面上使他火上加油，结果李克用常常消除了怒气放过他们；盖寓有所劝谏，一定举出近期发生的事情来做比喻；因此李克用喜爱他、信任他，所辖境内的将领官吏也都依附他，权力几乎和李克用相等了。朝廷和邻近各道派遣使者来到河东，他们赏赐赠送的钱财货物，先送到李克用家里，其次就送到盖寓的家里。朱全忠多次派遣人来挑拨离间李克用和盖寓的关系，甚至扬言说盖寓已取代了李克用，然而李克用对待盖寓却更加友好。

十二月十四日丙申，王建攻打东川军队，他手下将领王宗弼被东川的士兵抓获了，顾彦晖把王宗弼收养为义子。十二月十六日戊戌，通州刺史李彦昭率领部下军队两千人投降王建。

（以上为第七段，写李克用因勤王之功晋爵晋王。西川王建假勤王之名进兵东川，朱全忠借机大力攻讨郓、兖朱瑄与朱勤。）

李克用派遣掌书记李袭吉到朝廷谢恩，秘密地对唐昭宗说：“近些年来，关辅地区不安宁，乘着现在战胜的大好形势，去攻取凤翔，可以一劳永逸，这个时机不能丢失了。臣的军队驻扎在渭水北边，专门等待陛下的命令以便行动。”唐昭宗与朝廷中显贵以及近臣商量，有人说：“李茂贞假如被消灭，那么李克用的沙陀军队必然大大兴盛起来，这样朝廷就危险了！”唐昭宗于是颁赐诏书给李克用，褒奖他对朝廷的忠贞不二，说：“背叛朝廷不像个臣子，王行瑜最突出。自从我这次离开京城出逃以来，李茂贞、韩建都知道了自己的罪过，他们没有忘记朝廷的恩惠，进贡的物品一批接着一批。而且也应该让军队休息，让百姓安宁了。”李克用接到诏令以后就停止了行动。不久他私下对朝廷传达诏令的使臣说：“我看朝廷的意思，好像怀疑我有别的用意。然而不除掉李茂贞，关中就没有安宁的日子。”唐昭宗又下诏令免除李克用入朝拜见。李克用的佐吏中有人说：“现在我们已经靠近朝廷，怎么能不进京城去拜见皇上呢！”李克用犹豫不决，盖寓对李克用说：“以前王行瑜他们放纵士兵背叛朝廷，使得皇上流离迁徙，百姓奔散逃亡，如今皇上还不能够安下心来，人心还惶恐不安。大王如果带兵渡过渭水，我担心京城会再次惊恐、害怕。做臣子的对朝廷尽忠，在于为皇室赴难解危，而不在于入朝拜见皇上，愿您仔细考虑！”李克用笑着说："盖寓尚且不要我进入朝中，更何况是天下的人呢！"于是向朝廷上表说道："臣统率着大军，不敢随意进入朝廷拜见陛下，并且担心部下士兵会侵犯骚扰渭水北边的老百姓。"十二月二十九日辛亥，李克用率领军队东返晋阳。他的表章送到京城，君臣百姓上上下下才安定下来。唐昭宗下诏赏赐河东军队钱三十万缗。李克用离开后，李茂贞骄纵蛮横仍像过去一样，河西一带的州县大多被李茂贞占领了，李茂贞任命部将胡敬璋为河西节度使。

朱全忠离开兖州时，留下将领葛从周带着军队继续守卫兖州，朱瑾紧闭城门不出来交战。葛从周想要返回，四处宣扬说："天平、河东救援的军队快要到了，我带领军队往西北方向去拦击他们。"到了半夜，暗中带领军队又回到原来的营寨。朱瑾以为葛从周的精兵都走了，果然派出军队攻打寨子。葛从周率领军队突然杀出奋勇攻击，杀死一千多人，捉住了朱瑾的都将孙汉筠然后返回。

加官镇海节度使钱镠兼任侍中。

彰义节度使张镭去世，任命他的儿子张琏暂时代理留后的职位。

朱瑄、朱瑾多次遭受朱全忠的袭击，老百姓无法耕种庄稼，感到军中钱财人力都不足。他们向河东李克用告急，李克用派遣大将史俨、李承嗣率领几千名骑兵借路经过魏州去救援他们。

安州防御使家晟和朱全忠亲近的官吏蒋玄晖有怨仇，担心会有灾祸，就与指挥使刘士政、兵马监押陈可璠带领军队三千人袭击桂州，杀死经略使周元静并取代他的职位。家晟喝醉酒侮辱陈可璠，陈可璠亲手杀了家晟，推举刘士政掌管军府中的事务，陈可璠自己担任副使。朝廷就下诏任命刘士政为经略使。蒋玄晖是吴人。

（以上为第八段，写唐昭宗听信贵近之言，赦李茂贞之罪，诏李克用罢兵东归，痛失割除肘腋之患。）

唐昭宗乾宁三年（丙辰，公元 896 年）

春季，正月，西川将领王宗夔攻下了龙州，杀死龙州刺史田昉。

正月初五日丁巳，刘建锋派遣都指挥使马殷率领军队讨伐将勋，攻打定胜寨，把它攻下来了。

正月十九日辛未，安仁义率领军队乘船到达湖州，想要渡江去接应董昌。钱镠派遣武勇都指挥使顾全武、都知兵马使许再思守卫西陵，安仁义没有办法渡江。董昌派遣他的将领汤臼守卫石城山，袁邠守卫余姚。

闰正月，李克用派遣蕃、汉都指挥使李存信率领一万骑兵借路经过魏州前去救援兖州、郓州，在莘县驻扎。朱全忠派人对罗弘信说："李克用立志要吞并河朔地区，军队返回的时候，你那里令人担忧啊！"李存信管束士兵不严格，他的部下侵扰残害魏州百姓。罗弘信发怒了，调动军队三万人在夜里袭击李存信。李存信的军队战败溃逃，只能退守洺州，损失的士兵有十分之二三，丢弃的资财、粮食、兵器成千上万；史俨、李承嗣的军队被隔断了不能返回。罗弘信从此以后和河东的李克用断绝了关系，专心依附汴州的朱全忠。朱全忠正在图谋攻打兖州、郓州，担心罗弘信暗算他的后方，罗弘信每次向他赠送礼物，朱全忠必定对着罗弘信的使者面向北方行敬礼接受礼物，说："罗兄对我来说，年龄比我大，是长辈，本来就不是其他邻近各道所能比的。"罗弘信相信了他的话，朱全忠因此能够一心一意地攻打东边的兖州、郓州。

闰正月初五日丁亥，果州刺史周雄向王建投降。

二月十七日戊辰，顾全武、许再思在石城山打败了汤臼。唐昭宗同意杨行密的请求，赦免董昌，恢复他的官职、爵位。钱镠不听从唐昭宗的决定。

任命通王李滋兼管侍卫各将领的事务。

朱全忠推荐兵部尚书张濬，唐昭宗想要重新任命张濬为宰相。李克用上表请求发动军队攻打朱全忠，并且说："张濬如果早晨做了宰相，我傍晚就赶到宫廷来！"京城震动恐惧，唐昭宗颁下诏书劝他们和解。

三月，任命天雄留后李继徽为节度使。

（以上为第九段，写李克用发兵救郓、兖，魏博罗弘信助朱全忠，截击晋师。唐昭宗遣使和解朱、李二人。）

保大节度使李思孝向朝廷上表要求辞官退隐，推荐他的弟弟李思敬来代替自己。唐昭宗下诏让李思孝以太师的官衔退隐，任命李思敬为保大留后。

朱全忠派遣庞师古率领军队攻打郓州，在马颊打败了郓州的军队，于是到达郓州城下。

三月二十八日己酉，顾全武等攻打余姚，明州刺史黄晟派遣军队去帮助他们。董昌派遣他的部将徐章救援余姚，顾全武攻击并活捉了徐章。

夏季，四月初十日辛酉，黄河涨水，将要淹毁滑州城。朱全忠下令开通水道使黄河水分成两股，夹着滑州城向东流去，这样造成的灾祸更加严重。

李克用攻打罗弘信，猛攻洹水，杀死魏州士兵一万多人，接着又进军攻打魏州。

武安节度使刘建锋已经占据长沙遂了心愿，终日嗜好喝酒，不再亲自料理政事。长期值日的卫兵陈赡的妻子相貌很漂亮，刘建锋和她私通，陈赡知道后在袖子里藏了铁鞭把刘建锋打死了；各将领又杀了陈赡，迎接行军司马张佶担任留后。张佶进入节度使府时，他骑的马忽然踢他、咬他，伤了他的左大腿。当时马殷率领军队攻打邵州没有攻下，张佶向各将领辞谢说："马殷勇敢而且有谋略，待人宽厚，乐善好施，我比不上马殷，他才是真正的主帅。"于是用牒文请马殷回长沙。马殷犹豫不决没有动身，听直军将姚彦章对他说："您与刘建锋、张佶是一样的人，现在刘建锋遇祸死去，张佶伤了大腿，这是上天的安排，大家的期望，除了您以外还能有谁呢！”马殷于是派遣亲近的侍从都副指挥使李琼留下来继续攻打邵州，自己直接回长沙。

杨行密的淮南军与钱镠的镇海军在皇天荡展开激战，结果镇海军失利，杨行密于是进军围困苏州。

钱镠、锺传、杜洪畏惧杨行密的强盛，都向朱全忠请求救援。朱全忠派遣许州刺史朱友恭率领军队一万人渡过淮水，让朱友恭根据具体情况直接处理军务。

董昌派人侦察钱镠军队的情况，有说钱镠军队强大的，董昌就大怒，将他杀死；而说钱镠军队疲惫不堪、粮食已经吃完的，董昌就奖赏他。四月二十七日戊寅，袁邠献出余姚向钱镠投降。顾全武、许再思率领军队前进，到达越州城下。五月，董昌出战失败，收缩环城固守，顾全武等包围了他。董昌这时候才害怕了，去掉帝号，恢复称节度使。

马殷到了长沙，张佶坐着轿子进入节度使府，坐在那里接受马殷的拜见；完毕后，要马殷升堂治理政事，把留后的职位让给他，自己当即下来，率领部将、官吏祝贺马殷担任留后。张佶重新担任行军司马，代替马殷率领军队去攻打邵州。

五月初三日癸未，苏州常熟镇使陆郢献出州城响应杨行密，俘获了刺史成及。杨行密查看成及家里收藏的东西，只有图书、药物，认为成及很有德行，把他放回去，任命他为行军司马。成及拜谢杨行密并且流着泪说："我成及全家一百口在钱镠那里，我丢失了苏州不能以身殉职，怎么敢再求得富贵呢！愿用我一个人的生命来换取全家一百口的生命！”拿起佩刀就要自杀。杨行密急忙抓住成及的手，阻止他，让他住在节度使的府舍中。这个屋子里也有兵器，杨行密常常穿着单衣到他那里，与他一起喝酒吃饭，没有一点儿怀疑。

钱镠听说苏州失陷，急忙召来顾全武，派他到西陵去防备杨行密。顾全武说："越州是董昌这伙贼寇的大本营，为什么马上就要把它攻下来了反而要放弃它呢？请求先攻取越州，然后再收复苏州。”钱镠听从了顾全武的意见。

淮南将领朱延寿突然到了蕲州，包围了蕲州城。蕲州大将贾公铎正在郊外打猎，不能返回，把军队埋伏在树林中，命令两名勇士身上披着羊皮在夜里混入朱延寿所掠夺的羊群中，偷偷进入城内，约好半夜打开城门举起火把互相呼应。他们又披着羊皮回来复命。贾公铎按照约定时间于半夜带兵到了城南，城中火把高高举起，贾公铎奋力作战，突破包围进入城内。朱延寿吃惊地说："我常常担心他们会突破包围冲出来，他们却反而冲破包围进去了，像这样，蕲州城怎么能够马上攻下来呢！”朱延寿于是向杨行密报告，请求派军队中与贾公铎有旧交情的人手里拿着盟誓书信和金银布帛前去说服贾公铎，并且许诺和他结成姻亲。寿州团练副使柴再用请求前往，在城下与贾公铎说话，讲清楚利弊得失。几天以后，贾公铎和刺史冯敬章请求投降。杨行密任冯敬章为左都押牙，贾公铎为右监门卫将军。朱延寿进军攻下了光州，杀死光州刺史刘存。

（以上为第十段，写马殷坐收渔人之利得潭州。钱镠围困董昌于越州，杨行密救董昌攻拔苏州。淮南将反击朱全忠助钱镠下蕲州、光州。）

五月初六日丙戌，唐昭宗派遣宦官到梓州去劝说东川节度使顾彦晖、西川节度使王建和解。王建虽然奉诏令回到成都，但是仍然布置军队，局势没有真正得到缓和。

崔昭纬再次向朱全忠请求救援。五月初八日戊子，朝廷派遣宦官赐崔昭纬自杀，走到荆南，追上了崔昭纬，把他杀死。朝廷内外都感到大快人心。

荆南节度使成汭和他的部将许存沿着长江逆流而上去侵占土地，把沿岸的州县都夺取了。武泰节度使王建肇放弃黔州，收集剩余的部众守卫丰都县。许存又带领军队向西攻取渝、涪两个州，成汭任命他的部将赵武为黔中留后，许存为万州刺史。

成汭知道许存不得志，派人去刺探许存的动静，回来的人说："许存不治理州中的事务，每天出去踢球。"成汭说："许存将要逃走，所以先锻炼脚力。"便派遣军队去袭击许存，许存放弃万州逃走；许存的部众渐渐地投归成汭，驻扎在茅坝。赵武多次攻打丰都，王建肇守不住，与许存一同向王建投降。王建忌惮许存有勇有谋，想杀掉许存，掌书记高烛说："您正在招揽英雄豪杰以谋求称霸的事业，许存处境困难来投靠我们，为什么要杀掉他呢！"王建派许存去守卫蜀州，暗中让管理蜀州事务的王宗绾观察他。王宗绾秘密向王建报告说许存忠诚勇敢，办事谨慎，有良将的才干，王建这才放弃了先前的成见，把许存的姓名改为王宗播，然而王宗绾却不让王宗播知道是自己说了好话才使他免除灾祸的。原先就跟从王宗播的孔目官柳修业常常劝告王宗播要谨慎镇静以免除灾祸。这以后，王宗播做王建的部将，遇到强大的敌人，其他将领畏惧时，他总是奋勇向前，身先士卒；等到有了功劳，就经常称有病，不宣扬夸大自己，所以王宗播能够终身保全功名富贵。

五月十四日甲午夜晚，顾全武猛攻越州。五月十五日乙未早晨，攻下它的外城，董昌仍然占据内城进行抵抗。五月十八日戊戌，钱镠派遣董昌原先的部将骆团欺骗董昌说："接到朝廷的诏令，命令您辞官退隐到临安去。"董昌于是送上牌印，迁出内城住到清道坊。五月十九日己亥，顾全武派遣武勇都监使吴璋用船把董昌送往杭州，到了小江南面，就把董昌杀了，同时杀了他的家族三百多人，宰相李邈、蒋瓌以下官员一百多人。董昌被围困在越州城中时，贪婪吝啬一天比一天厉害，按照人口数目来计算征收老百姓的钱帛，减少士兵的粮食。等到越州被攻下后，府中储存金银财物的库房达到五百间，粮仓内有粮食三百万斛。钱镠把董昌的头颅送到京城长安，散发金银布帛以奖赏将领士兵，打开粮仓来救济贫困的老百姓。

李克用进攻魏博节度使罗弘信，侵扰掠夺遍及魏、博、贝、卫、澶、相六个州。

朱全忠从郓州召回葛从周，命令他带领军队在洹水扎营以救援魏博，留下庞师古继续攻打郓州。六月，李克用率领军队攻击葛从周，汴州军队在军阵前挖了很多沟坎，双方交战正激烈时，李克用的儿子铁林指挥使李落落的战马被沟坎绊倒了，汴州军队活捉了李落落。李克用亲自前往救援，他的战马也被绊倒，差一点被汴州军队擒获。李克用回身射中一个汴州将领，把他射死了，才免于被俘。李克用请求与朱全忠和好以赎回儿子李落落，朱全忠不允许，把李落落交给了罗弘信，让罗弘信杀了李落落。李克用率领军队返回晋阳。

葛从周从洹水带领军队渡过黄河，在杨刘镇驻扎，又去攻打郓州，与兖州、郓州、河东的军队在故乐亭交战，打败了他们。兖州、郓州属下的城镇都被汴州军队占据。兖州的朱瑾、郓州的朱瑄多次向李克用请求救援，李克用派军队前往，被罗弘信阻挡，不能向前。兖州、郓州从此以后一蹶不振了。

（以上为第十一段，写荆南节度使成汭得江滨之地而失勇将，钱镠得志破灭董昌。李克用救郓、兖受阻于魏博，为汴兵所败。）

起初，李克用驻扎在渭水以北，李茂贞、韩建惧怕李克用，侍奉朝廷的礼节非常恭敬。李克用离开以后，李茂贞、韩建向朝廷献上的贡品越来越少了，给唐昭宗的表章也态度傲慢。唐昭宗从石门返回京城长安后，在左、右神策军以外，又设置了安圣、捧宸、保宁、宣化等军队，挑选增补了几万人，派各王来统率他们。继任的延王李戒丕和覃王李嗣周又各自招募部下几千人。李茂贞认为朝廷扩军是想讨伐他，话语中有很多抱怨，和朝廷的裂痕一天天加深。李茂贞也整编军队并且扬言说要到朝廷去诉讼冤屈。京城里的士民争先恐后地逃亡，隐匿到山谷里去。唐昭宗下令通王李滋和李嗣周、李戒丕分别率领各路军队来保卫京城一带，李戒丕驻扎在三桥。李茂贞于是上表说："延王李戒丕无缘无故地发动军队来讨伐我，臣现在只有带领军队到朝廷来请罪了。"唐昭宗立即派遣使者向河东节度使李克用告急。六月十七日丙寅，李茂贞带领军队逼近京城一带，覃王李嗣周在娄馆迎战，被李茂贞打败了。

秋季，七月，李茂贞进军逼近京城长安。延王李戒丕说："现在关中地区的藩镇没有一个可依靠的，不如从鄜州渡过黄河，到太原去，臣请求先去太原告诉李克用。"七月十二日辛卯，唐昭宗下诏出巡鄜州。七月十三日壬辰，唐昭宗离开长安到了渭水之北。韩建派遣儿子韩从允手捧表章请唐昭宗到华州去，唐昭宗不允许。任命韩建为京畿都指挥、安抚制置及开通四面道路、催促诸道纲运使等职。然而韩建接二连三地送上要唐昭宗到华州的表章。唐昭宗以及随从的官员也不愿走得太远。七月十四日癸巳，到了富平，派遣宣徽使元公讯去会见韩建，和韩建当面商量去太原还是到华州。七月十五日甲午，韩建到达富平谒见唐昭宗，韩建下跪磕头哭着说："现在藩镇骄横跋扈的，不只是李茂贞一个人。陛下如果离开了先主的宗庙、园陵，到边远的地方去巡视，臣担心陛下渡过黄河以后，再也没有回来的时候了。如今华州的兵力虽然微弱，但是控制了关中三辅一带，也可以求得稳固。臣在这里积聚物资、训练军队已经有十五年了，华州距离西边的京城长安也不远，希望陛下能驾临华州，来图谋振兴光复的大事。”唐昭宗于是听从了韩建的意见。七月十六日乙未，唐昭宗在下邽县住宿。七月十七日丙申，到达华州，把韩建的节度使府作为行宫；韩建在龙兴寺处理政务。李茂贞于是进入长安。自从僖宗中和年间以来所修建的宫殿、市场、商店等全被李茂贞放火烧光了。

七月二十六日乙巳，任命中书侍郎、同平章事崔胤为同平章事，充任武安节度使。唐昭宗因为崔胤是崔昭纬的同党，所以把他调出朝廷。

七月二十七日丙午，任命翰林学士承旨、尚书左丞陆扆为户部侍郎、同平章事。陆扆是陕州人。

水部郎中何迎向朝廷上表推荐国子监“毛诗”博士襄阳人朱朴，说他的才能可以和东晋大臣谢安相比；道士许岩士也推荐朱朴，说他有经邦济世的才干。唐昭宗一连几天召见朱朴进行答对，朱朴有口才，善辩论，唐昭宗很赏识他，说：“朕虽然比不上太宗皇帝，但得到你就好像得到魏徵一样呀！”赏赐给朱朴金银布帛，并且也赏赐了何迎。

任命徐彦若为大明宫留守，兼任京畿安抚制置等使。

杨行密上表请求唐昭宗迁都到江淮，王建则请唐昭宗到成都去。

宰相惧怕韩建，不敢擅自决断政事。八月初八日丙辰，唐昭宗下诏命令韩建来商量朝廷政事；韩建上表坚决推辞，这才停止要他入朝的事。

韩建向各道发出檄文，命令他们输送物资粮食到唐昭宗这儿来。李克用听到了，感慨地说：“去年唐昭宗如果听从了臣的话，怎么会有今天这样的灾祸啊！”又说：“韩建是天下最愚笨的人，替乱臣贼子削弱大唐帝室，韩建不被李茂贞捉去的话，就一定会被朱全忠俘虏！”李克用便上奏说将和邻近各道发兵前来救援。

加封钱镠兼任中书令。

八月初五日癸丑，任命王建为凤翔西面行营招讨使。

八月初六日甲寅，任命门下侍郎、同平章事王抟为同平章事，充任威胜节度使。

（以上为第十二段，写唐昭宗使诸王典兵遭李茂贞之忌，再次称兵犯阙，昭宗出逃华州。）

唐昭宗愤慨天下战乱不断，不能安定，想得到杰出的人才破格任用。国子博士朱朴自己说：“臣如果能做宰相的话，只要一个多月就可以使天下太平。”唐昭宗相信了他的话。八月十七日乙丑，任命朱朴为左谏议大夫、同平章事。朱朴为人平庸、鄙陋、迂腐、冷僻，没有其他的长处。唐昭宗的诏令颁布以后，朝廷内外都大吃一惊。

八月十八日丙寅，加官韩建兼任中书令。

九月初二日庚辰，朝廷提升福建观察使司为威武军，任命观察使王潮为节度使。

任命湖南留后马殷兼管湖南军府的事务。马殷任用高郁为自己的谋士。高郁是扬州人。马殷畏惧杨行密、成汭的强大，商议用金银布帛来结交他们，高郁说："成汭没有什么可怕的。杨行密是您的仇敌，即使送给他一万两黄金，他也不肯来援助我们的啊！不如对上尊奉唐昭宗，对下安抚士民，训练军队，整修兵器，以谋求霸业，这样谁还能和我们为敌呢！"马殷听从了高郁的意见。

崔胤被调出京城去镇守湖南，是韩建的意图。崔胤暗中向朱全忠请求援助，并且要他整修东都洛阳的宫殿，向朝廷上表迎接唐昭宗到洛阳去。朱全忠和河南尹张全义上表请唐昭宗迁都洛阳，朱全忠仍然要求派出两万名士兵去迎接唐昭宗，并且说崔胤是忠臣，不应该把他调往外地任职。韩建害怕了，又上奏请再任崔胤为宰相，派遣使者告诉朱全忠应该暂时先求得安定，朱全忠这才停止了行动。九月十七日乙未，仍然任命崔胤为中书侍郎、同平章事。任命翰林学士承旨、兵部侍郎崔远为同平章事。崔远是崔珙弟弟崔玙的孙子。

九月十九日丁酉，朝廷将中书侍郎、同平章事陆扆贬为硖州刺史。崔胤怨恨陆扆取代了自己的职位，诬陷陆扆，说他是李茂贞的同党，所以朝廷将他贬职。

九月二十一日己亥，任命朱朴兼管户部，凡是军队财政赋税的事情，唐昭宗全部交给他掌管。任命孙偓为凤翔四面行营都统，又任命以前的定难节度使李思谏为静难节度使，兼任凤翔四面行营副都统。

任命保大留后李思敬为节度使。

河东将领李存信攻打临清，在宗城北边打败汴州将领葛从周，乘胜进军到达魏州的北门。

冬季，十月初五日壬子，朝廷加官孙偓为行营节度、招讨、处置等使。十月初十日丁巳，任命韩建暂时代理京兆尹，兼任把截使。十月十一日戊午，李茂贞向朝廷上表请罪，愿意改过自新，献上帮助修理宫殿的钱财；韩建又替李茂贞说好话求情，朝廷竟然不再出动军队去讨伐李茂贞。

（以上为第十三段，写唐昭宗受制于藩镇，诏命朝令夕改，一个崔胤小人的去留都做不了主。）

钱镠命令两浙的官吏百姓向朝廷上表，请求朝廷让钱镠兼管浙东。朝廷没有办法，又派王抟任吏部尚书、同平章事，任命钱镠为镇海、威胜两军节度使。十月二十九日丙子，朝廷把威胜军改名为镇东军。

李克用亲自率领军队攻打魏州，在白龙潭打败了魏州的士兵，一直追到魏州外城的观音门。朱全忠又派遣葛从周救援魏州，驻扎在洹水，他自己带领大队人马也相继赶去，李克用于是返回晋阳。

加官河中节度使王珂为同平章事。

十一月，朱全忠回到大梁，又派遣葛从周到东方去和庞师古会合，一起攻打郓州。

湖州刺史李师悦向朝廷要求节度使的仪仗，唐昭宗下诏在湖州设置忠国军，任命李师悦为节度使。十一月十二日戊子，朝廷派出授给他官职的凭证和仪仗的使者还没有到湖州境内，李师悦就去世了。杨行密向朝廷上表请求任命李师悦的儿子前绵州刺史李彦徽掌管州中的事务。

淮南将领安仁义攻打婺州。

十二月，东川军队在西川节度使王建管辖的汉、眉、资、简四州境内焚烧掠夺。

清海节度使薛王李知柔前往镇所到了湖南，广州牙将卢琚、谭弘玘守住地盘不让李知柔入境，由谭弘玘防守端州。谭弘玘交结封州刺史刘隐，许诺把自己的女儿嫁给刘隐为妻。刘隐假装同意这门亲事，以迎妻为借口，在船上埋伏全副武装的士兵，夜晚进入端州，斩杀了谭弘玘；于是袭击广州，又斩杀了卢琚。刘隐用军队的礼仪迎接李知柔进入广州主持节度使事务。李知柔向朝廷上表章任命刘隐为行军司马。

（以上为第十四段，写钱镠领镇海、威胜两军节度使，与杨行密分庭抗礼于东南。汴晋两军大战于魏州。薛王李知柔静难广州。）

【点评】

本卷点评董昌称帝，朱李争河北两件史事。

董昌称帝。董昌称帝是一场闹剧。董昌，杭州临安人。起初入籍地方军户，以行伍积功为石镜镇镇将。僖宗光启三年（公元887年），董昌官至义胜军节度使，贡输朝廷赋税，额外加二倍，克期送达，因此之故，累迁至检校太尉、同中书门下平章事，爵陇西郡王。董昌对郡王爵位大为不满，他要自称为越王，有人戏之曰："与其称越王，何不称越帝。"董昌兴奋至极，于是有投其好者，献祥瑞者有之，进民谣者有之，劝进请愿者有之，董昌飘飘然，五花八门的哄闹嚣嚣一片。节度副使黄碣、会稽令吴镣、山阴令张逊，三人劝谏，董昌将其满门抄斩，残暴至极。董昌沾沾自喜地对人说："我杀了这三个人，再没有人敢违背我的意志了。"公元895年，董昌违众称越帝，给了钱镠一个攻城略地的好机会。钱镠以诛逆为名，堂皇正大地进兵越州，董昌众叛亲离，去了帝号，钱镠仍不退兵，抓住时机，一举攻下越州。董昌被诛，钱镠据有浙江全境，董昌称帝，成就了钱镠的事业。董昌兵不满万，割据弹丸之地，一个十足的跳梁小丑，但这也标志着唐王朝气数已尽，割据称雄的地方强梁，一个个都是野心家。五代十国的纷争局面，从董昌称帝的这一滑稽闹剧中似乎已露端倪。

朱李争河北。朱全忠与李克用是唐末北方两个最大的军阀，至昭宗即位之时，朱全忠在河南，四围已无敌手，李克用雄踞太原、河东，居高临下，也只有朱全忠能与之相抗。唐皇室在关中，虽衰弱仍拥有天下共主之号，周边诸镇虽有觊觎之心而无有操控之力。李克用、朱全忠、唐皇室，三者在地理上鼎足而居。朱李交恶，朝廷不辨是非，诏命和解，两存之以平衡力量。张濬连引朱全忠进讨李克用，打破平衡，实乃自取灭亡之道，张濬，祸国之臣也。是役也，朱温最为主动而窃喜之。张濬胜，李克用败亡，是朝廷替朱全忠灭一巨敌，为其篡唐野心驱除也。张濬败，李克用胜，则李克用背负抗拒王师之恶名，亦为朱全忠野心之实现驱除也，而朱全忠则收维护唐皇室之美名以欺天下。至于官军，无论胜与败，都是加力推堕唐皇室于深渊，而于朱全忠，无论胜与败，皆获大利，形势使然。

朱李争雄，决胜于河北，亦形势使然。王夫之曰："河北归汴，则扼晋之吭；河北归晋，则压汴之脊"。(《读通鉴论》卷二十七）假若朱全忠空其巢穴入长安，李克用渡河袭汴，则朱氏坐毙。若李克用入长安，朱全忠率领洛阳、淮西、山南之众以扣关，河北诸镇之兵捣太原，则李克用立亡。河北不安定，朱李后院不稳，故两人都不敢入关中，或入而不敢久留，长时间用全力争河北，原因在此。刘仁恭、王镕、罗弘信、李罕之、朱瑄、朱瑾，横亘在朱李之间，他们的消长，决定朱李的兴亡。朱全忠必欲吃掉昔日盟友朱瑄、朱瑾，为的是安定后方。刘仁恭、李罕之背叛李克用，使朱全忠在河北的争夺中占了上风。但李克用未灭，朱全忠仍不敢西进，他处心积虑要唐王室迁都洛阳，便于就近篡逆。朱李争河北，没有了期，那么唐皇室东迁之时，即为灭亡之日。这一形势的发展，导致李茂贞、韩建凌轹唐皇室，起了推波助澜的作用。

资治通鉴（白话本） 卷第二百六十一

唐纪七十七

唐昭宗乾宁四年至光化二年（公元 897—公元 899）

【起强圉大荒落（丁巳，公元 897 年），尽屠维协洽（己未，公元 899 年），凡三年】

【大事提要】

本卷记事起公元 897 年，讫公元 899 年，载述史事凡三年。当唐昭宗乾宁四年至光化二年。此时期，唐王室为李茂贞、韩建所掌控，昭宗被困华州达两年之久。韩建跋扈不臣，逼迫唐昭宗解除诸王领兵，又遣散殿后四军，而后大杀诸王。此三年间，全国混战形势，李克用与朱全忠争夺河北仍是主战场。魏博依附朱全忠，幽州刘仁恭、潞州李罕之反叛李克用，一时间朱全忠势力大增，在争夺邢、洺、磁三州的战斗中，李克用为汴军所败。随后刘仁恭与朱全忠交恶，李克用摆脱了困境。西川王建并东川，威服南诏，为唐末西部最大军阀。马殷据湖南。朱全忠助钱镠夺回苏州，而在大举进攻淮南之时汴军全军覆没，杨行密站稳淮南，于是与钱镠和解换俘。王审知继王潮领节镇。东南杨行密、钱镠、王审知已形成不可动摇的鼎立之势。朱全忠灭郓、兖的朱瑄、朱瑾，全据中原，又在河北与李克用争逐中占了上风，天下无敌手。韩建、李茂贞唯恐朱全忠夺走唐昭宗，于是转而与李克用联手对抗朱氏，唐昭宗才得以返回京都苟延残喘。

昭宗圣穆景文孝皇帝中之上

唐昭宗乾宁四年（丁巳，公元 897 年）

春季，正月初八日甲申，韩建向朝廷上奏说："华州防城将张行思等控告睦、济、韶、通、彭、韩、仪、陈八王计谋杀害臣，要劫持车驾到河中去。"韩建憎恨诸王掌管军队，所以指使张行思等控告他们。唐昭宗大为吃惊，召见韩建说明情况；韩建推说有病不来。唐昭宗又下令诸王到韩建那里自己陈说，韩建上表说："诸王忽然到臣办事的地方来，臣猜测不出会发生什么事。臣仔细斟酌了这件事情，不应该和各王见面。"又说："诸王应该自己避开嫌疑，不可以轻举妄动。陛下如果因为兄弟手足之情想要宽容他们，那么请按照过去的制度，命令他们回到十六宅，精心挑选师傅，教他们诗书，不要让他们掌管军队干预朝政。"并且说："请求解散诸王手下没有组织纪律的士兵，用来光大《诗·周南·麟之趾》所称述的教化。”韩建担心唐昭宗不听从他的意见，带领手下精壮的士兵包围了唐昭宗的行营，表章奏疏不断地送上。唐昭宗没有办法，这天晚上，下诏命令各王所率领的军队士兵全部解散，放他们回田野乡里去，勒令各王回到十六宅，他们的盔甲、兵器一起交给韩建掌管。韩建又上奏说：“陛下挑选贤良任用能人，足可以清除祸乱，何必还要另外安置殿后的安圣、捧宸、保宁、宣化四军呢！很明显皇恩有厚薄的区分，背离了没有偏向、没有私党的原则。况且这四支亲军所聚集的都是街市中无所事事、奸邪狡猾的无赖小人，在太平盛世时还想着作乱惹祸，当朝廷面临灾难时一定不会为您效力。而现在却让这些人张开弓箭、拿着刀剑，紧跟在陛下的身边，臣实在为陛下感到担心、害怕，请把他们全部解散。”唐昭宗颁下诏书，也听从了韩建的意见。于是殿后的安圣、捧宸、保宁、宣化四军二万多人都被解散，唐昭宗的亲军全部没有了。捧日都头李筠，当初在石门镇跟从保卫唐昭宗，功劳数第一，韩建又上奏朝廷在大云桥把李筠杀了。接着韩建再上奏说：“玄宗末年，永王李璘暂时调出京城到江南任职，马上就图谋不轨；代宗时吐蕃入侵，拥立广武王李承宏；光启年间，朱玫作乱，在凤翔拥立襄王李煴。他们都是靠着拥立皇上的宗亲和支属来笼络民心。现在各王是奉陛下命令到四处去的，请求把他们都召回来。”还上奏说：“那些鼓吹仙术的方士出入宫廷，迷惑陛下的听闻，应该禁止他们进入皇宫。”唐昭宗下诏全部听从韩建的奏请。韩建知道把各王幽禁在他们的府第后，唐昭宗心里不高兴，于是上奏唐昭宗请立德王为太子，想用这来缓解唐昭宗的不快。正月十一日丁亥，唐昭宗下诏立德王李祐为皇太子，并改名为裕。

庞师古、葛从周合并军队攻打郓州，朱瑄士兵很少，粮食也吃完了，不再出城应战，只是引水灌满深深的壕沟进行固守。正月十五日辛卯，庞师古等在水流的西南方扎营，命令士兵建造浮桥。正月十七日癸巳，暗中挖开壕沟放水。正月二十日丙申，浮桥造成，庞师古在夜晚派遣中军首先渡过壕沟。朱瑄听到后，放弃郓州逃奔到中都县去，葛从周追赶朱瑄，田野里的农夫抓住了朱瑄和他的妻儿献给葛从周。

正月二十三日己亥，罢免了孙偓凤翔四面行营节度等使的官职，任命副都统李思谏为宁塞节度使。

钱镠派遣行军司马杜稜救援婺州。安仁义调动军队去攻打睦州，结果没有攻下便回来了。

朱全忠进入郓州，任命庞师古为天平留后。

朱瑾留下大将康怀贞守卫兖州，自己和河东将领史俨、李承嗣到徐州境内抢掠粮食以供给军队的需要。朱全忠听说这一消息，派遣葛从周率领军队袭击兖州。康怀贞得知郓州已经失守，汴州军队又突然来到，就投降了。二月初三日戊申，葛从周进入兖州，捉住了朱瑾的妻儿。朱瑾回到兖州，没有去处，只得带领他的部下前往沂州。沂州刺史尹处宾不肯接纳，朱瑾又奔赴海州防守；后来被汴州军队逼迫，与史俨、李承嗣率领海州百姓渡过淮水，投奔杨行密。杨行密在高邮迎接他们，上表请求朝廷让朱瑾遥领武宁节度使。

朱全忠收纳了朱瑾的妻子，带领军队返回汴州，朱全忠的妻子张夫人在封丘县迎接，朱全忠把收纳朱瑾妻子的事告诉张夫人。张夫人请求会见朱瑾妻子，朱瑾妻子行拜见礼，张夫人也还了礼，并且哭着说："兖州的朱瑾、郓州的朱瑄和司空朱全忠是同姓，相互结为兄弟，由于细小的事而产生怨恨，带领军队互相攻打，使得嫂子受到这样的侮辱。将来有一天汴州失守了，我也要像嫂子您今天这样啊！"朱全忠于是把朱瑾妻子送到佛寺去做尼姑，在汴桥杀了朱瑄。这样，天平军管辖的郓、齐、曹、棣四州，泰宁军管辖的兖、沂、密三州，感化军管辖的徐、宿二州，忠武军管辖的陈、许二州，宣义军管辖的郑、滑、濮三州，全部落入朱全忠的手中。只有王师范保全淄青一个道，也服从了朱全忠。李存信在魏州，听说兖州、郓州都被朱全忠攻占，便带领军队返回晋阳。

淮南军队以往擅长水战，不熟悉骑马射箭，等到杨行密得到了河东、兖州、郓州的士兵，军队声势大大振作起来。史俨、李承嗣都是河东节度使李克用手下骁勇的将领，李克用对他们去投奔杨行密感到很惋惜，派遣使者从小路到杨行密那里请求放回他们。杨行密同意了，也派遣使者前往李克用处建立友好关系。

（以上为第一段，写韩建解除唐宗室诸王所领之兵。朱全忠灭朱瑄、朱瑾，兼有天平、泰宁、感化、宣义、宣武诸镇全部领属之地，独霸中原。）

二月十三日戊午，王建派遣邛州刺史华洪、彭州刺史王宗祐率领军队五万人攻打东川，任命戎州刺史王宗谨为凤翔西面行营先锋使，在玄武县打败了凤翔节度使李茂贞的部将李继徽等。李继徽本来姓杨，名字叫崇本，是李茂贞的养子。

二月十四日己未，大赦天下。

唐昭宗到行庙祭献。

二月十五日庚申，王建任命决云都知兵马使王宗侃为应援开峡都指挥使，率领军队八千人奔赴渝州；任命决胜都知兵马使王宗阮为开江防送进奉使，率领军队七千人奔赴泸州。二月二十六日辛未，王宗侃攻下渝州，渝州刺史牟崇厚投降。二月二十八日癸酉，王宗阮攻下泸州，斩杀泸州刺史马敬儒。峡路开始打通了。

凤翔将领李继昭救援梓州，留下偏将防守剑门，西川将领王宗播打败李继昭并活捉了他。

二月三十日乙亥，门下侍郎、同平章事孙偓被免去职务，只保留本来的官位；中书侍郎、同平章事朱朴被免去职务，贬为秘书监。朱朴担任宰相掌理朝政后，说过的话都没有收效，朝外议论纷纷。太子詹事马道殷由于通晓天文，将作监许岩士由于医术精妙受到唐昭宗宠爱，韩建诬陷他们两人有罪而把他们杀了，并且说孙偓、朱朴与他们两人互相勾结，所以孙偓、朱朴被罢免了宰相的官职。

唐昭宗下诏任命杨行密为江南诸道行营都统，以讨伐武昌节度使杜洪。

张佶攻下了邵州，活捉邵州刺史蒋勋。

三月初一日丙子，朱全忠向朝廷上表，请求任命曹州刺史葛从周为泰宁留后，朱友裕为天平留后，庞师古为武宁留后。

保义节度使王珙攻打护国节度使王珂，王珂向李克用求救，王珙则向朱全忠求救。宣武将领张存敬、杨师厚在猗氏县的南边打败了河中的军队；河东将领李嗣昭则在猗氏县打败了陕州的军队，又在张店再次打败他们，于是解除了对河中的围困。杨师厚是斤沟人，李嗣昭是李克用弟弟李克柔的养子。

朝廷更名感义军为昭武军，治所设在利州，任命前静难节度使苏文建为昭武节度使。

夏季，四月，任命同州防御使李继瑭为匡国节度使。李继瑭是李茂贞的养子。

任命右谏议大夫李洵为两川宣谕使，前往劝说西川节度使王建与东川节度使顾彦晖和解。

四月初六日辛亥，钱镠派遣顾全武等率领军队三千人从海路去救援嘉兴。四月十四日己未，到了嘉兴城下，攻击淮南军队，把淮南军队打得大败。

杜洪受到杨行密的攻击，向朱全忠求救，朱全忠派遣他的部将聂金掳掠泗州，朱友恭攻打黄州。杨行密派遣右黑云都指挥使马珣等救援黄州。黄州刺史瞿章听说朱友恭到了，就放弃黄州城，带领部下往南守卫武昌寨。

四月十八日癸亥，两浙将领顾全武等攻破淮南军队十八个营寨，俘虏淮南将领魏约及士兵等三千人。淮南将领田頵驻扎在驿亭埭，两浙军队乘胜驱逐田頵。四月二十九日甲戌，田頵从湖州逃回，两浙军队追击再次打败了田頵，田頵部下死亡一千多人。

韩建憎恨刑部尚书张祎等人，上奏诬陷他们。张祎等人被朝廷贬职。

五月，加官奉国节度使崔洪为同平章事。

五月初七日辛巳，朱友恭在樊港建造浮桥，攻打武昌寨。五月初八日壬午，把它攻下来了，活捉瞿章，于是占领了黄州。马珣等人战败逃走。

五月十二日丙戌，王建下令节度副使张琳留守成都，亲自率领军队五万人攻打东川。王建把华洪的姓名改为王宗涤。

六月初五日己酉，钱镠到了越州，接受镇东节度使的仪仗。

李茂贞向朝廷上表说："王建攻打东川，战争有好几年了，从不听从朝廷的诏令。"六月初十日甲寅，把王建贬为南州刺史。六月十一日乙卯，任命李茂贞为西川节度使。任命覃王李嗣周为凤翔节度使。

六月十九日癸亥，王建攻下了梓州的南寨，捉住南寨将领李继宁。六月二十二日丙寅，宣谕使李洵到达梓州。六月二十五日己巳，李洵在张杷砦会见王建，王建指着手拿战旗的人说："攻打东川是军中士兵的意愿，不能强迫他们改变。"

覃王李嗣周赴凤翔上任，李茂贞不接受李嗣周来取代自己的职务，在奉天把李嗣周包围起来。

朝廷在容州设置宁远军，任命李克用手下大将盖寓兼任宁远节度使。

秋季，七月，加官荆南节度使成汭兼任侍中。

韩建写信给李茂贞。李茂贞解除了对奉天的围困，覃王李嗣周回到华州。

任命天雄节度使李继徽为静难节度使。

六月初六日庚戌，钱镠从越州回到杭州，派遣顾全武攻打苏州。六月二十二日乙未，攻下松江。六月二十五日戊戌，攻下无锡。六月二十八日辛丑，又占领常熟、华亭。

（以上为第二段，写东川与西川地区，东南杨行密与钱镠地区，两大地区激战。韩建掌控下的昭宗诏命，不行于诸镇。）

当初，李克用攻取幽州，向朝廷上表请求任命刘仁恭为节度使，留下防守的军队和心腹将领十人掌管机要事务；幽州的租税贡赋除了供给军队的需要外，都要运送到晋阳。等到唐昭宗到了华州，李克用向刘仁恭征调军队，又写信给成德节度使王镕、义武节度使王郜，想和他们联合起来共同平定关中地区的叛乱，侍奉唐昭宗返回京城长安。刘仁恭推辞说契丹前来抢劫，需要军队防守，请等契丹退走以后，再接受命令。李克用多次催促，使者不断地派出，几个月过去了，刘仁恭的军队仍然没有出发。李克用写信去责备他，刘仁恭把信丢在地上，大肆谩骂，把使者囚禁起来，还想杀害留在幽州守卫的河东将领，这些河东将领逃走，才免于一死。李克用大怒，八月，亲自率领军队去攻打刘仁恭。

唐昭宗想到奉天去亲自讨伐李茂贞，命令宰相商量这件事。宰相极力劝谏，唐昭宗才打消了这个念头。

延王李戒丕从晋阳回到华州，韩建上奏说："自从陛下即位以来，和京城附近的藩镇关系恶化，都是由于皇室各王掌管军队，一些凶恶的匪徒兴灾惹祸，造成陛下不能安稳。近来臣上奏请求罢免诸王的兵权，实在是忧虑会发生难以防备的变乱。如今听说延王李戒丕、覃王李嗣周正在策划阴谋，愿陛下圣明果断，在变乱还没有发生前就抑止它，这是国家的福气了。"唐昭宗说："哪里会这样啊！"好几天没有回答韩建。韩建于是和知枢密刘季述假借朝廷的命令发动军队包围了诸王所住的十六宅。诸王披头散发，有的爬上墙头，有的登到屋顶，高声呼叫道："皇上快来救我！"韩建把通、沂、睦、济、韶、彭、韩、陈、覃、延、丹等十一个王抓到华州西边的石堤谷，全部斩杀，以他们造反为名向唐昭宗报告。

朝廷贬谪礼部尚书孙偓为南州司马。秘书监朱朴先被贬谪为夔州司马，再次被贬谪为郴州司户。朱朴任宰相时，何迎一下子升官到右谏议大夫，这时候也被贬谪为湖州司马。

（以上为第三段，写韩建诛杀诸王，逼迫昭宗贬逐大臣。李克用下勤王之令，幽州刘仁恭拒不从命，李克用往讨。）

钟传想要讨伐吉州刺史襄阳人周琲，周琲率领他的部下逃奔广陵。

王建和顾彦晖打了五十多次仗，九月初一日癸酉，王建围攻梓州。蜀州刺史周德权对王建说："您和顾彦晖争夺东川已经三年，士兵们对打仗已感到疲乏，老百姓对运送军事物资也感到劳倦。东川的盗贼大多占据着州县，顾彦晖懦弱无能，又没有计谋，只想做苟且偷安的打算，对这些盗贼都用丰厚的利益来引诱，倚仗盗贼的救援，所以能够坚持守住而我们攻不下来。如今假如派遣人去向盗贼的头目说明祸福利害，前来投靠的赏给他官职，不肯服从的就派出军队威逼，这样顾彦晖所依仗的力量，反而被我们利用了。"王建听从了周德权的意见，顾彦晖的势力就更加孤立无援。周德权是许州人。

九月初五日丁丑，李克用率领军队到达安塞军。九月初九日辛巳，发动进攻。幽州将领单可及带领骑兵赶到，李克用正在喝酒，前锋将士报告说："幽州的贼寇来了！"李克用喝得酩酊大醉，说："刘仁恭在什么地方？"回答说："只看到单可及那些人。"李克用瞪大眼睛说："单可及那些人哪里是我的对手呢！"立即下令攻击他们。这一天大雾弥漫，人和物都看不清楚，幽州将领杨师侃埋伏军队在木瓜涧，河东军队在作战中大败，散失、死亡的有一大半。正巧遇上狂风暴雨雷电交加，幽州军队解除包围离去。李克用酒醒了以后才知道自己的军队吃了败仗，责备大将李存信等人说："我因为喝醉了酒耽误了大事，你们为什么不竭力争辩，提醒我呢！"

湖州刺史李彦徽想要献出湖州投靠杨行密，他的部下不服从。李彦徽逃奔广陵，都指挥使沈攸献出湖州归附钱镠。

任命彰义节度使张琏为凤翔西北行营招讨使，以讨伐李茂贞。

重新任命王建为西川节度使、同平章事。加封义武节度使王郜为同平章事。削除罢免新任西川节度使李茂贞的官职爵位，恢复李茂贞原来的姓名宋文通。

朱全忠取得兖州、郓州后，军队的力量更加强盛，于是大举进攻杨行密，派遣庞师古率领徐州、宿州、宋州、滑州的军队七万人在清口设置壁垒，准备进攻扬州；葛从周率领兖州、郓州、曹州、濮州的军队在安丰县设置壁垒，准备进攻寿州，朱全忠亲自率领军队屯驻在宿州。淮南军民知道后，非常震惊恐惧。

匡国节度使李继瑭听说朝廷要讨伐李茂贞，非常害怕，韩建又从旁游说动摇他。

李继瑭逃奔到凤翔去。冬季，十月，任命韩建为镇国、匡国两军节度使。

十月初十日壬子，主管遂州事务的侯绍率领部下两万人，十月十三日乙卯，主管合州事务的王仁威率领部下一千人，十月十六日戊午，凤翔将领李继溥带领救援东川的军队二千人，都向王建投降。王建进攻梓州越来越急迫。十月十八日庚申，顾彦晖聚集他的宗族和养子们一起喝酒，把以前擒获的西川将领王宗弼放回王建那里；喝酒喝到酣畅时，顾彦晖命令他的义子顾瑶杀死自己以及一起喝酒的人，然后再自杀。王建于是进入梓州，城中的军队还有七万人，王建命令王宗绾分兵前往昌州、普州等地巡视，降服这些地方，任命王宗涤为东川留后。

刘仁恭上奏说："李克用无缘无故率领军队来讨伐臣，臣已在木瓜涧打败了他的军队，请让臣自己担任统帅去讨伐李克用。"唐昭宗下诏不允许。刘仁恭又写信给朱全忠。朱全忠向朝廷上奏请求加官刘仁恭为同平章事，朝廷答应了。刘仁恭又派遣使者去向李克用道歉，说明自己离开李克用后不能心安的意思。李克用回信大略是说："如今你依仗朝廷赐给的节钺掌握军队，治理百姓，制定法规，提拔人才想要他们报答你的恩德，选用将领希望他们酬谢你的恩惠；但是你自己尚且做不到，对别人又怎么能够相信呢！我料定你会对自己的骨肉兄弟猜忌防范，会对同一营帐中的文武官员疑心妒忌，手里拿着干将宝剑而不敢授给别人，那么捧着装有盟誓的盘子又有什么话可以用来发誓呢！"

（以上为第四段，写王建并东川。李克用兵败幽州。朱全忠扬声大举攻淮南。）

十月二十二日甲子，立皇子李秘为景王，李祚为辉王，李祺为祁王。

加官彰义节度使张琏为同平章事。

杨行密和朱瑾率领军队三万人在楚州抵抗朱全忠的汴州军队，手下将领张训从涟水带领军队来和他们会合，杨行密任命张训为前锋。庞师古在清口驻扎军队，有人说："这个营寨地势低陷，不能长久停留。"庞师古不听。庞师古倚仗人多轻视对手，在住处常常下棋作乐。朱瑾堵塞淮水的上游，想用淮水灌淹庞师古的营地。有人告诉庞师古，庞师古认为他造谣惑众，把他斩杀了。十一月初二日癸酉，朱瑾与淮南将领侯瓒率领五千名骑兵暗中渡过淮水，打着汴州军队的旗帜，从北面直接奔赴庞师古的中军，张训越过栅栏冲进营帐。庞师古的士兵匆忙进行抵抗，淮水冲破堤防灌淹过来，汴州军队惊慌失措阵脚大乱。杨行密带领军队渡过淮水，与朱瑾等人两面夹攻庞师古。汴州军队大败，庞师古以及将领、士兵一万多人被杨行密的军队斩杀，其余的人马都溃散逃跑了。葛从周在寿州西北扎营，寿州团练使朱延寿打败了他的军队，葛从周后退驻扎到濠州，听说庞师古战败了，便逃了回去。杨行密、朱瑾、朱延寿乘胜追击葛从周，一直追到淠水。葛从周的军队渡河刚渡过了一半，淮南军队就攻打他们，有的被杀，有的溺死，军队几乎覆没，葛从周逃走才免于一死。遏后都指挥使牛存节下马步行战斗，各路军队方得以渡过淮水。汴州军队一连四天没有吃饭，又遇到天下大雪，冻死饿死的布满道路，回来的还不到一千人，朱全忠听说打了败仗，也逃回去了。杨行密写信给朱全忠说："庞师古、葛从周都不是我的对手，你应该亲自到淮上来和我决一死战。"

杨行密和各位将领集会庆贺，他对行军副使李承嗣说："开始我想先赶往寿州，你说不如先去清口，庞师古失败后，葛从周自然就逃走了，今天果然像你预料的那样。"赏给他钱一万缗，向朝廷上表请求任命李承嗣兼任镇海节度使。杨行密对待李承嗣和史俨很优厚，房屋府第，爱姬美妾，都挑选最好的赏赐给他们，所以他们两人对杨行密也尽心尽力，多次建立战功，最后死在淮南。杨行密因此能够保住据有长江、淮水之间的地盘，朱全忠不能够再与他争夺。

十一月初七日戊寅，唐昭宗立淑妃何氏为皇后。何皇后是东川人，生有德王李裕和辉王李祚。

威武节度使王潮的弟弟王审知，任观察副使，犯了过错，王潮对他鞭打加以惩处，王审知一点也不怨恨。王潮卧病在床，不用他的儿子王延兴、王延虹、王延丰、王延休，命令王审知掌管节度使事务。十二月初六日丁未，王潮去世，王审知把职位让给他的哥哥泉州刺史王审邽。王审邽认为王审知有功劳，坚决推辞不接受这个职位。王审知自称为福建留后，上表报告朝廷。

十二月二十一日壬戌，王建从梓州返回；十二月二十七日戊辰，到达成都。

这一年，南诏的国王舜化有上奏给唐朝皇帝的书函以及督爽官送给中书省用木板夹着的牒文，上面写的年号是中兴。朝廷想要用诏书来回复他们。王建上奏说："南诏不过是小小的蛮夷而已，用不着赐给他们诏书。臣镇守在西南，南诏国王一定不敢来侵犯边塞。"朝廷听从了王建的意见。

在黎州、雅州之间的大山深谷中居住的都是蛮人，与唐朝比较接近的有刘王、郝王、杨王三个王，他们都有自己的部落。西川节度使每年送给他们丝绸布帛三千匹，让他们监视南诏的活动，他们也接受南诏的贿赂来刺探成都的虚实。每次节度使到任，这三个王就率领酋长们到节度使府中来，节度使自认为这是朝廷的威德所造成的，就上表向朝廷报告。然而这三个王暗中却和节度使手下的大将互相勾结，节度使如果失去大将的拥护，那么大将就让各部蛮人扰乱生事。开始朝廷派往西川的节度使大多是文臣，不想惹事，所以这些大将常常凭借这个来获取利益，而南诏也利用这个多次在边地作乱造成危害。等到王建担任西川节度使，断绝了以往对刘王、郝王、杨王这三个王的赏赐，斩杀与这三个王串通一气的都押牙山行章来进行惩戒。邛崃关以南的地方，不再设置要塞和派遣侦察敌情的人，也不驻扎一兵一卒，蛮人也不敢入侵抢掠了。后来王建派遣王宗播攻打南诏，这三个王泄漏了军事秘密，王建就把他们召来杀了。

右拾遗张道古上疏说：“现在国家有五个危难，两个祸乱。过去汉文帝即位不久，就已经明白熟悉了国家的事务。如今陛下您登临帝位已有十年，然而仍不知晓国君驾驭臣下的方法。太宗皇帝对内安定中原，对外开拓四方蕃夷的疆土，天下的国家，没有不到朝廷里来称臣归附的。今天先代留下来的疆土，一天比一天缩小，几乎要丢完了。我虽然轻微卑贱，私下里却为皇上、朝廷、国家感到担忧。开始时受到奸臣的玩弄，到最后就要被乱臣贼子篡夺了！”唐昭宗大怒，把张道古贬为施州司户。又下诏历数张道古的罪状，向谏官们宣示。张道古是青州人。

（以上为第五段，写朱全忠大战杨行密，全军覆没，从此不敢南向争锋。王审知继位福州节镇，王建威服南诏。）

唐昭宗光化元年（戊午，公元 898 年）

春季，正月，两浙的钱镠、江西的锺传、武昌的杜洪、淄青的王师范分别派遣使者到朝廷里来，请求任命朱全忠为都统，去讨伐杨行密；唐昭宗下诏不同意。

加官平卢节度使王师范为同平章事。

任命兵部尚书刘崇望为同平章事，充当东川节度使；任命昭信防御使冯行袭为昭信节度使。

唐昭宗颁下诏书检讨自己的过失，下令各藩镇停止战争，恢复李茂贞的姓名、官职、爵位，凡是各道响应朝廷讨伐凤翔李茂贞的军队全部撤回。

正月二十二日壬辰，河中节度使王珂到晋阳亲自迎娶李克用的女儿，李克用派遣他的部将李嗣昭前往守卫河中。

李茂贞、韩建都送书信给李克用，说唐昭宗离开京城长安外出巡行已经好几年了，请求和睦相处不再对抗，共同辅助唐皇室，同时请李克用派出民工匠役帮助修筑宫室。李克用同意了他们的请求。

起初，王建攻打东川，顾彦晖向李茂贞求救，李茂贞命令部将率领军队前往救援，没有空闲向东逼迫唐昭宗，因此伪称已改过自新，与韩建一起辅助拥戴唐昭宗。听到朱全忠在洛阳营建宫室，多次上表朝廷要迎接唐昭宗去洛阳，李茂贞、韩建很恐慌，请求立即修复京城长安的宫殿，侍奉唐昭宗返回长安。唐昭宗下诏任命韩建为修宫阙使。各道都援助银钱及工匠物资；韩建派遣都将蔡敬思监督修复宫殿的事务。修复完善后，二月，韩建亲自前往长安察看。

钱镠请求把镇海军从润州迁往杭州，朝廷答应了他的要求。

恢复李茂贞担任凤翔节度使的职务。

三月二十日己丑，任命王审知充当威武留后。

朱全忠派遣副使万年县人韦震到朝廷奏事，请求兼任天平节度使，朝廷没有同意。韦震竭力争取，朝廷迫不得已，任命朱全忠为宣武、宣义、天平三镇节度使。

朱全忠委任韦震为天平留后，委任前台州刺史李振为天平节度副使。李振是李抱真的曾孙。

（以上为第六段，写朱全忠势大，李茂贞、韩建恐失昭宗，转而尊奉朝廷，李克用联合对抗朱氏。）

淮南将领周本救援苏州，两浙将领顾全武打败了周本。淮南将领秦裴带领三千士兵攻下了昆山并驻扎下来。

任命潭州刺史、判湖南军府事马殷主持武安留后的事务。当时湖南管辖的范围有七个州，贼寇头目杨师远占据衡州，唐世旻占据永州，蔡结占据道州，陈彦谦占据郴州，鲁景仁占据连州，马殷所掌握的只是潭州、邵州这两个州而已。

义昌节度使卢彦威，性情残忍暴虐，对邻近各道又不以礼相待。卢龙节度使刘仁恭争夺盐利，刘仁恭派遣他的儿子刘守文率领军队袭击沧州。卢彦威放弃沧州城，带领全家投奔魏州的罗弘信；罗弘信不接纳，于是他又投奔汴州的朱全忠。刘仁恭便夺取了沧、景、德三个州，委任刘守文为义昌留后。刘仁恭的兵力越来越强盛，自以为得到了上天的保佑、帮助，就有了并吞河朔地区的心愿，他向朝廷为儿子刘守文请求节度使的仪仗，朝廷没有同意。正遇上唐昭宗派出的使者到了范阳，刘仁恭对他说："节度使的仪仗我自己就有，只是想得到朝廷在京城长安颁赐的真品罢了，为什么我多次上表朝廷请求却被拒绝呢？替我向朝廷去说一说！"刘仁恭狂妄傲慢到了这样的地步。

朱全忠和刘仁恭友好亲善，正逢魏博军队去攻打李克用。夏季，四月初八日丁未，朱全忠到达钜鹿城下，打败河东李克用的军队一万多人，追赶李克用的败军一直到青山口。

任命护国节度使王珂兼任侍中。

四月二十八日丁卯，朱全忠派遣葛从周分兵攻打洺州。四月二十九日戊辰，攻下了洺州，斩杀刺史邢善益。

五月初一日己巳，大赦天下。

葛从周攻打邢州，刺史马师素放弃邢州城逃走。五月初三日辛未，磁州刺史袁奉滔自杀。朱全忠委任葛从周为昭义留后，守卫邢州、洺州、磁州这三个州，自己返回汴州。

任命武定节度使李继密为山南西道节度使。

朝廷听说王建已委任王宗涤为东川留后，于是召回刘崇望，任命刘崇望为兵部尚书，仍以王宗涤为东川留后。

湖南将领姚彦章向马殷进言，请他攻打衡、永、道、连、郴五个州，仍然推荐李琼为统军将领。马殷委任李琼和秦彦晖为岭北七州游弈使，张图英、李唐为副使，率领军队攻打衡州，斩杀杨师远，又带领军队奔赴永州，包围了永州一个多月，唐世旻逃跑后死去了。马殷委任李唐为永州刺史。

六月，任命濠州刺史赵珝为忠武节度使。赵珝是赵犨的弟弟。

秋季，七月，加官武贞节度使雷满为同平章事，加官镇南节度使锺传兼任侍中。

忠义节度使赵匡凝听说朱全忠的军队去年在清口打了败仗，便暗中归附杨行密。朱全忠派遣宿州刺史尉氏人氏叔琮率领军队去讨伐他。七月二十八日丙申，氏叔琮攻下了唐州，擒获随州刺史赵匡璘，在邓城打败了襄州的军队。

八月十三日庚戌，朝廷把华州改名为兴德府。

八月二十一日戊午，汴州将领康怀贞袭击邓州，把它攻下来了，擒获邓州刺史国湘。赵匡凝很害怕，派遣使者去汴州请求臣服于朱全忠，朱全忠同意了。

八月二十二日己未，唐昭宗从华州出发；八月二十五日壬戌，回到长安；八月二十七日甲子，大赦天下，改年号为光化。

唐昭宗想要各藩镇之间和睦相处，任命太子宾客张有孚为河东、汴州宣慰使，向李克用、朱全忠颁赐诏书，又命令宰相写信给他们，要他们和解。李克用想要接受诏书与朱全忠和解，但是又耻于由自己先提出，于是写信给王镕，让他先和朱全忠进行沟通。朱全忠不听从诏令。

九月初八日乙亥，加官韩建暂时代理太傅、兴德府尹，加官王镕兼任中书令，罗弘信暂时代理侍中。

九月二十二日己丑，东川留后王宗涤对王建说："东川受封的疆域有五千里，公文来回传送，每次都要超过几个月，请求分出遂、合、泸、渝、昌五个州另外设置一个镇。"王建上表向唐昭宗报告这件事。

（以上为第七段，写昭宗还京，遣使和解诸镇。马殷拓展势力达于岭北。刘仁恭侮辱漫骂朝廷。）

顾全武攻打苏州，苏州城里军队以及前来救援军队的粮食都吃完了。九月十七日甲申，淮南杨行密所任命的苏州刺史台濛放弃守城逃跑，救援军队也逃走了。顾全武攻下了苏州，又追击周本，在望亭打败了他。只有秦裴守住昆山没有被攻下，顾全武率领一万多人去进攻他们。秦裴多次出战，让病弱的士兵穿上铠甲拿着长矛，强壮的士兵张开弓弩，顾全武的军队常常因此而退却。顾全武送檄文给秦裴要他投降。顾全武曾经出家当过和尚，秦裴密封好信函表示要向他投降，顾全武大喜，召集各位将领打开信函，里面却是一卷佛经。顾全武很羞恼，说："秦裴不担忧死亡，还有空闲来戏弄我！"增派军队进攻昆山城，并引河水灌城，城墙塌了，粮食完了，秦裴这才投降。钱镠准备了供一千人吃的食物来等待他们。等到秦裴出城投降的时候，城中剩下的瘦弱的士兵总共不满一百人。钱镠气愤地说："你的军队衰弱到如此地步，为什么还敢长久地抵抗？”秦裴回答说：“我秦裴出于义气不辜负杨行密，现在因为力量用尽了，才向你们投降的，并不是从内心里要投降你们。”钱镠很赞赏秦裴说的话，顾全武也劝钱镠宽恕秦裴，钱镠听从了顾全武的意见。当时人们都称赞顾全武是个有德行的人。

魏博节度使罗弘信去世，军中将士推举他的儿子节度副使罗绍威担任留后。

汴州将领朱友恭率领军队从江淮一带返回，经过安州，有人告发安州刺史武瑜暗中和淮南杨行密相互勾结，阴谋攻击汴州军队。冬季，十月初三日己亥，朱友恭率领军队攻打安州，把武瑜杀了。

李克用派遣他的部将李嗣昭、周德威率领步兵骑兵二万人从青山出发，准备收复山东的邢、洺、磁三个州。十月初六日壬寅，进攻邢州。葛从周出城应战，把他们打得大败。李嗣昭等带领军队退入青山，葛从周追击他们，想要截断他们回去的道路。这时，步兵已经不战自溃了，李嗣昭正控制不住，遇上横冲都将李嗣源带领他的部下来到这里，对李嗣昭说：“如果我们也退走的话，那么势必支持不住了，我试着为你去攻打葛从周的军队。”李嗣昭说：“好！我请求跟在你的后面。”李嗣源于是解下马鞍，磨砺箭头，登上高处去布置战阵，左右前后指指画画，邢州军队猜测不出这样做的意图。李嗣源率领军队向前奋勇攻击，李嗣昭紧跟在后冲杀，葛从周的军队于是向后撤退。周德威是马邑人。

十月初七日癸卯，任命威武留后王审知为节度使。

任命罗绍威为魏博留后。

十月二十一日丁巳，任命东川留后王宗涤为节度使。

加官佑国节度使张全义兼任侍中。

王珙带领汴州军队侵犯河中。王珂向李克用报告情况危急。李克用派遣李嗣昭去救援王珂，在胡壁镇打败了汴州军队，汴州军队逃跑了。

前任常州刺史王柷，性格刚直耿介，很有威望。唐昭宗下诏书征召王柷，当时人都认为他要做宰相了。经过陕州时，王珙侍奉招待王柷很周到，请求用子侄的礼节来拜见他，王柷坚决推辞不肯接受。王珙发怒了，指使送行的人将王柷杀害，连同他的家人全部投进黄河，把他的资财行装全部夺走，然后向朝廷报告说王柷因为船翻了而死亡。朝廷不敢追查这件事。

闰十月，钱镠任命他的部将曹圭为苏州制置使，派遣王球攻打婺州。

十一月十九日甲寅，立皇子李祯为雅王，李祥为琼王。

任命魏博留后罗绍威为节度使。

衢州刺史陈岌向杨行密请求投降，钱镠派遣顾全武去讨伐陈岌。

朱全忠因为奉国节度使崔洪和杨行密互相勾结，派遣他的部将张存敬去攻打崔洪。崔洪害怕了，请求让他的弟弟都指挥使崔贤作为人质，并且说：“我手下的将领士兵顽固凶狠，不接受我的调派制约，请允许派遣两千人到您的手下随从征伐。”朱全忠答应了，召还张存敬。张存敬是曹州人。

（以上为第八段，写李克用与朱全忠均全力争河北，大战役不断。钱镠从杨行密手中夺回了苏州。）

十二月，昭义节度使薛志勤去世。

李克用平定王行瑜时，李罕之向李克用谋求邠宁节度使的官职。李克用说：“王行瑜依仗自己有功劳胁迫唐昭宗，所以我和你共同讨伐并将他杀死。昨天打败王行瑜，我首先上奏催促苏文建赶赴邠宁就职。现在这一奏疏刚刚送到唐昭宗那里，马上又要改变，朝廷内外的舆论，一定会喧哗吵闹，说我们所作所为和王行瑜一个样子。我和你情同兄弟，所以没有给你什么特别的恩惠，等到返回镇所，我再给你论功行赏好了。”李罕之不高兴地退了下去，私下和盖寓说：“我自从河阳失守以后，依靠大王的庇护，已经有很多年月了。近来我越来越衰老，对出征作战已感到厌倦，假如得到大王李克用和您的怜悯，赐给我一个小镇，让我能在几年之中停止出征作战，一心治疗疾病，然后再返回乡里养老，那就是我的幸运了。”盖寓为李罕之说情，李克用不答应。每当藩镇官出现空缺，商量人选时总不提到李罕之，李罕之心里感到忧伤沉闷。盖寓担心李罕之会产生异心，多次为他说话，李克用说：“我对于李罕之，怎么在乎一个小镇呢！只是李罕之这个人，像鹰一样，饥饿的时候能为你效劳，吃饱了以后就背离你飞走了。”

等到薛志勤去世，潞州这个地方十多天没有主帅，李罕之擅自带领泽州军队在夜里进入潞州，占据了潞州城，然后送上状文报告李克用说：“薛志勤死了，潞州老百姓没有主帅，我担忧别有用心的人发动变乱，所以就擅自进入潞州镇守安抚，现在请大王裁定。”李克用大怒，派人前去责备他。李罕之于是就派遣他的儿子李颢去朱全忠那里请求投降，捉住河东将领马溉等以及沁州刺史傅瑶送往汴州。李克用派遣李嗣昭率领军队讨伐李罕之。李嗣昭先攻下了泽州，俘获李罕之的家属把他们送到晋阳。

杨行密送回以前擒获的两浙将领成及等，以换回被两浙军队俘获的淮南将领魏约等，钱镠同意了。

韶州刺史曾衮发动军队攻打广州，广州将领王瓌率领战舰接应他们。清海行军司马刘隐一交战就打败了曾衮的军队。韶州将领刘潼重新占据了浈阳、浛洭这两个县，刘隐又去讨伐刘潼，把他斩杀。

（以上为第九段，写李罕之叛离李克用。杨行密与钱镠和解换俘。）

唐昭宗光化二年（己未，公元899年）

春季，正月十三日丁未，中书侍郎兼吏部尚书崔胤被免除官职，保留官衔；任命兵部尚书陆扆为同平章事。

朱全忠上表请求朝廷任命李罕之为昭义节度使，又上表请求朝廷将暂时代理河阳留后的丁会、武宁留后王敬尧、彰义留后张珂都任命为节度使。

杨行密和朱瑾率领军队几万人攻打徐州，驻扎在吕梁。朱全忠派遣骑兵将领张归厚救援徐州。

刘仁恭发动幽、沧、涿、瀛、莫、平、营、蓟、妫、檀、景、德十二个州的军队十万人，想要兼并河朔地区；先去攻打贝州，把它攻下来了，城里一万多户居民都被屠杀，将尸体扔进清河水中。因此各城都顽强固守坚决不投降，刘仁恭攻不下来了。刘仁恭攻打魏州，在城北面安营扎寨；魏博节度使罗绍威向朱全忠请求救援。

朱全忠把崔洪的弟弟崔贤送回蔡州，征发蔡州军队两千人到大梁。二月，蔡州将领崔景思等人杀死崔贤，劫持崔洪，驱赶蔡州的全部士兵和百姓渡过淮水投奔杨行密。士兵和百姓渐渐地都逃回了蔡州，到广陵的士兵和百姓不满两千人。朱全忠命令许州刺史朱友裕守卫蔡州。

朱全忠亲自率领军队去救援徐州，杨行密听到这个消息，带领军队离开了。汴州军队在下邳县追上了淮南兵，杀死一千多人。朱全忠到辉州时，得知淮南军队已经退走，于是返回汴州。

三月，朱全忠派遣他的部将李思安、张存敬率领军队去救援魏博，在内黄县驻扎。三月初十日癸卯，朱全忠又将中军驻扎在滑州。刘仁恭对他的儿子刘守文说："你的勇敢胜过李思安十倍，应当首先俘虏这无能的鼠辈，然后再活捉罗绍威！"于是派遣刘守文和他的妹夫单可及率领精兵五万人到内黄去攻打李思安。三月十四日丁未，李思安派遣他的部将袁象先在清河水的右侧埋伏士兵，他自己在繁阳迎战，假装打不赢而后退；刘守文追赶单可及，到了内黄的北边，李思安率领军队回头攻打，埋伏的士兵也发起进攻，两面夹击刘守文。幽州军队打了大败仗，单可及被杀，被斩杀俘获的将士有三万人，刘守文只身逃走，仅仅免于一死。单可及是幽州勇猛矫健的将领，号称"单无敌"，刘仁恭的军队失去了他，士气大大低落。李思安是陈留人。

这时，葛从周从邢州率领精锐的骑兵八百人已进入魏州。三月十五日戊申，刘仁恭攻打上水关、馆陶门，葛从周和宣义牙将贺德伦出魏州城迎敌，回头对看守城门的士兵说："前面有强大的敌人，不能让出城作战的将士有回城的打算。"命令关闭城门。葛从周等拼死作战，刘仁恭的军队又一次被打败，活捉了刘仁恭的部将薛突厥、王郃郎。第二天，汴州、魏州的军队乘着胜势联合起来追击刘仁恭，攻破他八个营寨，刘仁恭父子烧毁营寨逃跑了。汴州、魏州的军队长驱直入，到了临清，把刘仁恭的军队逼到永济渠里，被斩杀和溺死的人无法计算。镇州的王镕也派出军队在东边的深州、冀州、赵州一带拦击刘仁恭，从魏州到沧州五百里的范围内，死尸纵横重叠。刘仁恭从此以后一蹶不振，而朱全忠却更加骄傲蛮横了。贺德伦是河西的胡人。

（以上为第十段，写幽州刘仁恭扫境南下侵魏博，朱全忠遣将救援，连败刘仁恭、刘守光父子，幽州之众全军覆没，至是，刘仁恭一蹶不振。）

刘仁恭攻打魏州时，罗绍威派遣使者到河东去和李克用重新建立友好关系，并且请求李克用派出军队救援。李克用派遣李嗣昭率领军队去救援罗绍威。但这时刘仁恭已被汴州军队打败，罗绍威又和河东李克用断绝友好关系，李嗣昭带领军队返回。

葛从周乘着打败幽州刘仁恭的余威，从土门进攻河东，攻下了承天军；另一将领氏叔琮从马岭攻入，也打下了辽州乐平县，进军到榆次县驻扎。李克用派遣内牙军副周德威去迎击他们。

氏叔琮手下有一员勇将叫陈章，外号“陈夜叉”，是军中前锋。他向氏叔琮请求说：“河东军队所依仗的是周德威，请让我去捉拿他，希望给我一个州作为奖赏。”李克用听说后，告诫周德威不要大意。周德威说：“陈章不过是说说大话罢了。”两军在洞涡交战，周德威穿着便服前往挑战，对他部下将领说：“你们看到陈夜叉就走开。”陈章果然追赶周德威，周德威用铁制的马鞭子奋力猛击陈章，陈章掉下马来，被周德威活捉献给李克用。周德威又乘势攻打氏叔琮，大破他的军队，斩杀三千人。氏叔琮放弃营寨逃跑，周德威追赶不舍，出了石会关，又斩杀一千多人。葛从周也带领军队撤了回去。

三月二十四日丁巳，朱全忠派遣河阳节度使丁会攻打泽州，把它攻下来了。

婺州刺史王坛被两浙军队围困，向宣歙观察使田頵请求救援。夏季，四月，田頵派遣行营都指挥使康儒等去救援王坛。

五月初二日甲午，在遂州设置了武信军，划出遂、合等五个州隶属其下。

李克用派遣蕃汉马步都指挥使李君庆率领军队攻打李罕之。五月初七日己亥，包围了潞州。朱全忠出动军队驻扎在河阳；五月初九日辛丑，朱全忠派遣他的部将张存敬去救援李罕之；五月初十日壬寅，又派丁会率领军队前往增援；把河东军队打得大败。李君庆解除对潞州的包围离去。李克用诛杀李君庆及他的副将伊审、李弘袭；任命李嗣昭为蕃、汉马步都指挥使，代替李君庆去攻打潞州。

五月十八日庚戌，康儒等在龙丘县打败两浙钱镠的军队，擒获两浙将领王球，于是攻占了婺州。

六月初三日乙丑，李罕之病重。六月初五日丁卯，朱全忠向朝廷上表请求任命李罕之为河阳节度使，丁会为昭义节度使；不多久，又派遣他的部将张归霸守卫邢州，派遣葛从周代替丁会守卫潞州。

任命西川大将王宗佶为武信节度使。王宗佶，本姓甘，是洪州人。

六月十五日丁丑，李罕之在怀州去世。

（以上为第十一段，写河北诸镇依附朱全忠、李克用之间，叛离无常，引发朱李大战，互有胜败。）

保义节度使王珙，生性猜忌残忍，即使是对妻子、儿子和亲近的人，也常常不放心，唯恐生命不保。这时，军中发生变乱，王珙被部下杀死，大家都推举都将李璠担任留后的职务。

秋季，七月，朱全忠派往海州戍守的将领陈汉宾向杨行密请求投降。杨行密部下淮海游弈使张训认为陈汉宾的真正意图不得而知，与涟水防遏使庐江人王绾率领军队两千人直接奔赴海州，于是占据了海州城。

加官荆南节度使成汭兼任中书令。

马殷派遣他的部将李唐去攻打道州。蔡结聚集众多蛮人，在险要地带埋伏军队来对抗，把李唐的军队打败了。李唐说："蛮人所倚仗的只是山林而已，假如在平地上交战，怎么能够打败我呢？"于是下命令借助风势放火焚烧山林，天地间一片火海，蛮人都惊慌失措地逃跑了，因此攻下了道州，活捉了蔡结，把他斩杀。

朱全忠从潞州召回葛从周，派遣贺德伦去守卫潞州。八月初五日丙寅，李嗣昭带领军队到达潞州城下，又分兵去攻打泽州。八月初八日己巳，汴州将领刘玘放弃泽州逃跑，河东军队进兵攻下天井关，委任李孝璋为泽州刺史。贺德伦紧闭潞州城门不出战，李嗣昭每天派出骑兵环绕潞州城巡行，捕捉割草放牧的人，把潞州城附近三十里的稻谷和黍子都割光了。八月二十四日乙酉，贺德伦等放弃潞州城，在夜里逃走，直奔壶关县。河东将领李存审埋伏军队迎击他们，被杀死、俘获的很多。葛从周带领救援的军队到来，听说贺德伦等已经战败，就回去了。

九月十二日癸卯，任命凤翔节度使李茂贞为凤翔、彰义节度使。

李克用向朝廷上表请求任命汾州刺史孟迁为昭义留后。

淄青节度使王师范因为沂州、密州发生内乱，向杨行密请求派军队救援。冬季，十月，杨行密派遣海州刺史台濛、副使王绾带领军队前去救援，攻下了密州，把它交还王师范；将要攻打沂州，先派人前去侦察，回来报告说："城里偃旗息鼓，没有动静。"王绾说："他们一定是已经有了准备，而且救援的军队又离得很近，不能前去攻打。"各位将领说："密州已经攻下来了，沂州还能怎么样呢？"王绾阻止不了手下将领，于是在树林中埋伏军队等待他们。各位将领去攻打沂州没有打下来，援军也赶到了，只得带领士兵后退；沂州的军队乘机追击，王绾发动埋伏在树林中的军队打败了他们。

十一月，陕州都将朱简杀死李璠，自称为留后，依附朱全忠，仍然要求更改名字叫友谦，列入朱全忠的子侄行列。

加官忠义节度使赵匡凝兼任中书令。

马殷派遣他的部将李琼攻打郴州，活捉了陈彦谦，把他斩杀；又进军攻打连州，鲁景仁自杀。湖南各州全部被平定了。

十二月，加官魏博节度使罗绍威为同平章事。

（以上为第十二段，写马殷全据湖南，杨行密救援王师范。晋军呼应在泽潞攻击汴军，获得胜利。）

【点评】

本卷点评唐昭宗出幸华州、朱全忠兵败淮南、杨行密与钱镠和解换俘三件史事。

昭宗出幸华州。唐昭宗乾宁三年（公元896年）六月，昭宗增置禁军，选补数万人，使诸王率领，李茂贞认为是昭宗想要讨伐他，再次引军犯阙。七月，昭宗出奔渭北，遣使告太原，初欲北巡。华州镇国军节度使韩建近水楼台，遣其子韩从允奉表请昭宗幸华州。七月十五日，昭宗在富平召见韩建，面议去留。韩建顿首涕泣，恭敬有加，声称车驾渡河远去，恐无归期，华州教练士兵，磨砺兵器，积聚十有五年，离长安不远，愿昭宗临幸华州，再图复兴。其时杨行密表请昭宗迁都江淮，王建请昭宗幸蜀。昭宗及百官随从都不想远走，见韩建如此谦恭，于是车驾幸华州。皇帝到手，韩建显露狰狞，乾宁四年正月，引兵围行宫，胁迫昭宗下诏，解除诸王领兵，诸王回归十六宅，诸王所领禁军及殿后四军尽行解散，纵归田里。八月，韩建诬诸王谋反，杀尽十一王。昭宗讲武，本来想用以自卫，结果既陷子弟于死地，又使自己更招藩臣之忌，宗子尽而身随以弑，国随己亡，真是可悲。

昭宗志欲兴唐，然志大才疏，非中兴之主，他的所有举措，看似正义，其实乖张，不合时宜。昭宗初即位之时，天下虽然割裂，黄巢之灭，天下延颈而望治，尚有可为。山南、剑南、河西、岭南，人犹知有天子，如桀骜之董昌，仍按时贡奉，企求天子之号。如果此时昭宗择诸王之贤者分领节镇，收士民，练甲兵，以屏藩王室，京师平衡南司与北司，遣使和解雄猜者之间的争斗，天子垂拱以稳定为大局，选贤才以牧民，中兴之业未必不可为。昭宗急躁使性，听张濬之邪说，轻启干戈讨沙陀，一败而损威矣；继而不听杜让能之诤言，再次兴兵讨李茂贞，再败而威权扫地以尽，身陷孤城之中，而后讲武，使诸王典军，招藩镇之疑，无异于玩火自焚。韩建、李茂贞，酣睡于天子卧榻之侧，岂容天子自强。昭宗虑不及此，所以举措乖张，加速了唐朝的灭亡。

朱全忠兵败淮南。朱全忠与李克用长年争夺河北。李克用南联杨行密夹攻朱全忠，杨行密要立足淮南，亦不能容忍北边有强邻，北联李克用是必然之势。钱镠据苏浙，杨行密是最大的竞争对手，朱钱联合夹击杨行密也是必然之势。杨行密要站稳脚跟，实现割据淮南，北抗朱全忠，南击钱镠，都要立于不败之地。杨行密面对南北两个敌手，北强南弱，所以杨行密的对敌方针是南守北争。所谓南守，即对钱镠的斗争以进为守，和解、和睦为首位，争城争地伺机而行。所谓北争，即对朱全忠的斗争以守为进，争城争地寸土不让，乃至于主动向北进攻。一是救援朱瑄、朱瑾、王师范，二是配合太原李克用进兵河北，遥为之声援。公元903年，杨行密派遣大将王茂章救援王师范，大败汴军，杀了朱全忠之子朱友宁。朱全忠南犯，杨行密坚决抗击。公元895、897、903年朱全忠三次进攻淮南，三次败北。公元897年，朱全忠大发兵，分两路进攻淮南。大将庞师古率七万大军突进至清口，葛从周率主力突进至寿州西北为庞师古后继。杨行密集中兵力打击庞师古，又引淮水为助，大破庞师古军，汴军七万之众被水淹没，全军溃散，被杀溺殆尽，生还者不满一千人，庞师古丧身。葛从周闻风丧胆，不战而退，朱全忠也闻讯逃走。此役，淮南大胜，朱全忠大败，从此汴军不再大举南犯。杨行密由此站稳淮南，成为保卫江南的一道长城，使江南士民在五代走马灯换代的乱世中得以休养生息，具有重大的历史意义。

杨行密大胜朱全忠是以弱抗强，以少胜众。杨行密与朱瑾率领淮南三万余人，加上别将张训所领涟水之众，合计四万多人，数量只及庞师古七万大军之半。杨行密取胜原因有三。其一，杨行密所领淮南，北起海州，南至虔州，东起常州，西至沔口，淮水南部、长江东部诸州均为淮南所有，是一个大镇。杨行密轻徭薄赋，抚爱士众，在当时众多军阀中是一个比较得民心的首领。所以淮南之众，是万众一心，为保卫乡土而战，作战英勇，这是取胜的第一个原因。其二，杨行密取得对孙儒的胜利，士气正盛。孙儒所领蔡州兵凶悍好战，多经战阵，是一支精兵。杨行密从中挑选了五千人组建了一支突击队，号称"黑云都"，善于攻坚。此外，朱瑾失败，带来了他的精锐卫队。李克用所遣悍将李承嗣、史俨、史建章，带来一支沙陀精锐骑兵。从此，杨行密步骑配合作战，江南无敌手。李承嗣长期与汴军作战，知彼知己，清口之战的方略指画就出自李承嗣。兵精，策略周详，是杨行密取胜的第二个原因。其三，杨行密采用水攻，又由朱瑾与淮南将侯瓚率领五千淮南兵化装为汴兵，直插敌人心脏。巧用计谋，这是取胜的第三个原因。反观汴兵，将骄卒惰，主将不知彼不知己，还滥杀情报兵，不打败仗才是怪事。杨行密遗书朱全忠说："庞师古、葛从周，不是我的对手，朱公不服，那就亲自来淮南决一胜负。"

杨行密与钱镠和解换俘。钱镠字具美，杭州临安人，无赖，不喜事生业，以贩盐为盗治生。公元875年，浙西狼山守将王郢叛乱，攻掠浙东、浙西诸州，临安人董昌募土团抵抗王郢，钱镠从军为董昌土团偏将。公元881年，镇海节度使周宝任董昌为杭州刺史，董昌任钱镠为都指挥使。公元887年，唐僖宗任董昌为浙东观察使，钱镠为杭州刺史。公元893年，钱镠升任为镇海节度使，驻杭州，有兵十三都，成为浙西强镇。公元895年，董昌在越州称帝，钱镠得到机会攻杀董昌，全据浙江，仍然地小兵弱，北联朱全忠以求生存。公元907年，朱全忠代唐后封钱镠为吴越王。

钱镠为董昌一手培植，最后抓住时机一举灭董昌，也是一个雄略人物。杨行密面对强大的朱全忠，也无力吞掉钱镠，更何况钱镠也曾帮助自己击败孙儒。于是杨行密对钱镠采取睦邻政策，使吴越并存。公元896年，杨行密俘获钱镠将成及；公元897年，钱镠俘获了淮南将魏约。公元898年，杨行密主动放回成及，用成及交换魏约，示好于钱镠。其后淮南将田頵攻钱镠，杨行密制止，甚至逼反了田頵也在所不辞。人贵自知，在事业成功或顺境之时，善于自处，保持清醒，才是一个智勇双全的人。杨行密争天下的大局观和气量胜人一筹，说明他就是这样一个智勇双全的人。

唐纪七十八

唐昭宗光化三年至天复元年（公元900—公元901）

【起上章涒滩（庚申，公元900年），尽重光作噩（辛酉，公元901年），凡二年】

【大事提要】

本卷记事起公元900年，讫公元901年，载述史事凡二年。当唐昭宗光化三年至天复元年。两年间京师再发政治地震，唐昭宗先是被宦官废为太上皇，复辟后又被宦官劫持至凤翔，皇帝成为权臣、诸侯手中的玩物，纲纪荡然矣。祸皆起于崔胤尽诛宦官，神策军中尉、宦官刘季述发动宫廷政变废唐昭宗为太上皇，立太子即皇帝位。崔胤策动左神策军指挥使发动反政变诛杀刘季述，昭宗复辟，崔胤大权独揽。昭宗用枢密使宦官韩全诲掌控禁军以分崔胤之权，崔胤留凤翔兵两千以抗宦官。此时朱全忠兵服河北诸镇，身兼宣武、宣平、天平、护国四镇节度使，自谓天下无敌。韩全诲外结李茂贞自保，崔胤所留凤翔兵反为韩全诲所用。朱全忠与李茂贞都想挟天子以令诸侯，朝中南司崔胤、北衙韩全诲分别为其朝中代言人，水火不容。昭宗既无识人之智，又无乾纲独断之才，优柔寡断，不讷宰相韩偓之正言，苟且度日，等到朱全忠发兵西向，韩全诲劫持昭宗幸凤翔，回天无术矣。朱全忠入长安，劫持百官送华州。两个诸侯，一个劫天子，一个劫百官，朝廷分裂不全，标志唐王朝实际已亡，禅代之举，只待一个仪式罢了。

昭宗圣穆景文孝皇帝中之中

唐昭宗光化三年（庚申，公元900年）

春季，正月，宣州将领康儒攻打睦州；钱镠派遣他的堂弟钱銶去抵抗康儒。

二月初二日庚申，任命西川节度使王建兼任中书令。

二月十四日壬申，加官威武节度使王审知为同平章事。

二月二十四日壬午，任命吏部尚书崔胤为同平章事，充当清海节度使。

李克用大举征发军中士兵和老百姓修建晋阳城的城墙壕沟，押牙刘延业劝谏说："大王的威望震动华夏和四夷，应该宣扬军事力量、严守四方边境，不应该修建眼前的城墙壕沟，既损害自己的威望，又开启敌人的侵犯之心。"李克用向刘延业表示感谢，赏赐给他金银绢帛。

夏季，四月，加官定难军节度使李承庆为同平章事。

朱全忠派遣葛从周率领兖州、郓州、滑州、魏州四镇的军队十万人去攻打刘仁恭。五月初四日庚寅，打下了德州，斩杀刺史傅公和；五月十三日己亥，在沧州包围了刘守文。刘仁恭派遣使者用卑下的言辞和丰厚的礼物到河东李克用处去请求救援，李克用派周德威率领骑兵五千人从黄泽关出发，攻打邢州、洺州来救援刘仁恭。

邕州的军队发生叛乱，赶走了节度使李𫔍；李𫔍向邻道借兵平定了叛乱。

六月初七日癸亥，加官东川节度使王宗涤为同平章事。

司空、门下侍郎、同平章事王抟，通达事理，宽宏大量，当时称为良相。唐昭宗一向痛恨宦官枢密使宋道弼、景务脩专横跋扈。崔胤每天和唐昭宗商量要除去宦官，宦官也知道了他们的计划。因此南司三省所属各官员和北司宦官更加相互憎恨、妒忌，各自勾结藩镇作为援助，用来相互倾轧排挤，争权夺利。王抟担心这样会招致变乱，从容不迫地向唐昭宗进言说："君王办事应该认清大局，不能有私心，偏袒一方。宦官专权的弊病，谁不知道呢！但是他们的势力不能够马上消除干净，应当等待灾乱渐渐平定，才能逐步消除。希望陛下说话不要轻易泄漏，以加速奸人的变乱。"崔胤听到这话，就向唐昭宗进谗言诬陷王抟，说："王抟奸诈邪恶，已成为宋道弼这些人的外应。"唐昭宗怀疑这话是否真实。崔胤被罢免了宰相的职位后，猜想是王抟在排斥自己，更加痛恨王抟。到崔胤奉命离开京城去广州赴任，他就送信给朱全忠，详细告诉了王抟所说的话，要朱全忠向唐昭宗上表章来辩论是非，朱全忠就向唐昭宗上表说："崔胤不可以离开宰相这个职位。王抟和宦官互相勾结，内外呼应，一起危害国家。"表章接连送上，没有停止。唐昭宗虽然察觉其中实情，但迫于朱全忠的势力，无可奈何，只好把到了湖南的崔胤再召回京城长安。六月十一日丁卯，唐昭宗任命崔胤为司空、门下侍郎、同平章事，王抟被罢免相位，改任工部侍郎，又命宋道弼担任荆南监军，景务脩担任青州监军。六月十二日戊辰，又贬王抟为溪州刺史。六月十三日己巳，再贬王抟为崖州司户；宋道弼被远远流放到驩州，景务脩被远远流放到爱州，这一天，都被赐令自杀。王抟死在蓝田驿，宋道弼、景务脩死在霸桥驿。于是崔胤操纵控制了朝廷大权，势力威震朝野，宦官们都怒目而视，对崔胤非常愤恨。

（以上为第一段，写崔胤外结朱全忠专朝政，排抑异己之大臣，昭宗既无识人之智，又无刚毅独断之才，日益沦落为权臣掌上傀儡。）

刘仁恭率领幽州军队五万人去救援沧州，在乾宁军驻扎。葛从周留下张存敬、氏叔琮守卫沧州营寨，自己率领精兵在老鸦堤迎战刘仁恭，大败刘仁恭的军队，杀死三万人，刘仁恭逃走退守瓦桥。秋季，七月，李克用又派遣都指挥使李嗣昭率领军队五万人攻打邢州、洺州来救援刘仁恭，在内丘打败了汴州军队。王镕派遣使者在幽州刘仁恭、汴州朱全忠中间进行调解，正遇上长期下雨不停，朱全忠召回了葛从周。

七月二十五日庚戌，任命昭义留后孟迁为节度使。

七月二十九日甲寅，任命西川节度使王建兼任东川、武信军两道都指挥制置等使。

八月，李嗣昭又在沙门河打败了汴州军队，进兵攻打洺州。八月初十日乙丑，朱全忠率领军队救援洺州，还没有到达，李嗣昭已经攻下洺州，活捉刺史朱绍宗。朱全忠命令葛从周率领军队去攻打李嗣昭。

宣州将领康儒由于军队粮食已经吃完，只好从清溪逃回宣州。

九月，葛从周从邺县渡过漳水，在黄龙镇驻扎军队。朱全忠亲自率领中军三万人渡过洺水安营扎寨。李嗣昭放弃洺州城逃走，葛从周在青山口设下埋伏，进行拦击，大败李嗣昭的军队。

崔胤因为太保、门下侍郎、同平章事徐彦若的职位在自己的上面，所以憎恨他。徐彦若也自己要求引退去职。当时藩镇都被实力强大的臣子占据了，只有嗣薛王李知柔在广州任节度使，因而徐彦若要求让自己去替代李知柔。九月二十日乙巳，任命徐彦若为同平章事，充当清海节度使。

起初，荆南节度使成汭由于澧州、朗州本来是他的属地，被雷满占领，多次要求把它们划出来隶属荆南，朝廷没有同意，成汭心里很怨恨。等到徐彦若路过荆南，成汭设置酒宴招待，渐渐说起这件事。徐彦若说："您是一方长官，地位高贵，自认为可以比作齐桓公、晋文公，连雷满这样一个小小的强盗都攻不下来，还怨恨朝廷什么呢？"成汭听了很惭愧。

九月二十一日丙午，中书侍郎兼吏部尚书、同平章事崔远被罢免官职，保留官位，任命刑部尚书裴贽为中书侍郎、同平章事。裴贽是裴坦之弟弟的儿子。

朝廷升级桂管经略使为静江军，任命经略使刘士政为节度使。

朱全忠因为王镕和李克用相互勾结，就调动军队去讨伐王镕，攻下临城县，渡过滹沱河，又攻打镇州南门，焚烧它的关城。朱全忠亲自到了元氏县，王镕害怕了，派遣判官周式到朱全忠营中请求和好相处。朱全忠非常生气，对周式说："我多次写信告诉王镕，他竟然不听我的劝告！现在我的军队已经到达这里，不要再希望能够宽恕他！"周式说："镇州紧靠着太原，受到被侵犯糟蹋的困扰，四方的邻镇各求自我保全，不能互相救援体恤。王镕和李克用和好往来，是为了让老百姓免受战祸。如今您果真能够为大家除去祸害，那么天下有哪一个人不听从您的命令呢？岂止是一个镇州啊！您是唐朝的齐桓公、晋文公，应当崇尚礼义来完成称霸天下的大业；假如只是炫耀武力到处征讨，那么镇州虽然不大，但城墙坚固，食物充足，您即使拥有十万人的军队，也是不容易攻下镇州的啊！况且王氏已经五代在这里执掌兵权，时人推崇他们忠孝齐全，大家都想为他们而去死，难道可以图谋攻下镇州吗！”朱全忠笑着揽住周式的衣袖，请他进入营帐中，说：“我是和你在开玩笑哩！”于是派遣客将开封人刘捍进入镇州城见王镕，王镕用他的儿子节度副使王昭祚以及大将子弟作为人质，拿出有花纹的纺织品二十万匹犒劳朱全忠的军队。朱全忠带领军队返回，并把女儿嫁给王昭祚为妻。

（以上为第二段，写崔胤排斥右相徐彦若。朱全忠兵服成德节度使王镕。）

成德判官张泽对王镕说：“河东李克用是个强有力的对手。现在虽然有了朱全忠的援助，但譬如家里发生了火灾，怎么能够等待远方的水呢！那幽州的刘仁恭，沧州的刘守文，易州、定州的王郜，他们仍依附着李克用，不如劝说朱全忠趁着胜势，去降服他们，使得河北各镇合而为一，这样就可以对抗河东李克用了。”王镕又派遣周式前去说服朱全忠，朱全忠大为高兴，就派张存敬会合魏博的军队去攻打刘仁恭。九月二十九日甲寅，攻克了瀛州。冬季，十月初二日丙辰，夺取了景州，活捉刺史刘仁霸。十月初七日辛酉，又打下了莫州。

静江节度使刘士政听说马殷把岭北全部平定了，非常恐惧，派遣副使陈可璠在全义岭屯兵，以防备马殷的侵犯。马殷派使者和刘士政改善关系，陈可璠拒绝了；马殷就派遣他的部将秦彦晖、李琼等率领军队七千人去攻打刘士政。马殷的湖南军队到了全义县，刘士政又派遣指挥使王建武在秦城驻扎。陈可璠掠夺县民的耕牛犒劳军中将士，大家怨恨他，要求做湖南军队的向导，说：“这里西南方有一条小路，相距秦城只有五十里，路径狭窄仅仅能单骑通过。”秦彦晖派遣李琼率领骑兵六十人、步兵三百人袭击秦城，半夜里翻越城墙而入，活捉了王建武，等到天亮时，又回来了，用布带把王建武捆住，送到陈可璠的营垒下给他看，陈可璠还不相信，就斩下王建武的头，扔进营垒中，桂州军队惊慌恐惧。李琼趁机率领军队发动攻击，擒获陈可璠，他的部将、士兵两千人投降，把他们都杀死了。李琼率领军队又奔赴桂州，秦城以南的二十多个营垒全都望风逃散，于是包围了桂州；几天后，刘士政出城投降，桂州、宜州、岩州、柳州、象州这五个州都归附了湖南的马殷。马殷委任李琼为桂州刺史；不多久，又上表请朝廷任命他为静江节度使。

张存敬攻打刘仁恭，攻下了二十座城，将要从瓦桥赶赴幽州，因道路泥泞无法前进，于是率领军队向西攻打易州、定州；十月二十七日辛巳，攻下了祁州，杀死刺史杨约。

十月二十九日癸未，任命保义留后朱友谦为节度使。

张存敬攻打定州，义武节度使王郜派遣后院都知兵马使王处直率领军队几万人进行抵抗。王处直请求绕城修建木栅栏，等到张存敬的军队疲乏懈怠，再发动攻击。孔目官梁汶说："过去幽州、镇州军队三十万人来攻打我们，当时我们的人马不到五千，一战便打败了他们。如今张存敬的军队不过三万人，我们的人马是当时的十倍，为什么要表示怯懦，想依仗这个城来固守呢！"王郜于是派遣王处直在沙河迎战，结果被打得大败，死的人超过了半数，余下的士兵簇拥着王处直逃回定州。十月三十日甲申，王郜放弃了定州逃奔晋阳，军中将士推举王处直担任留后。张存敬进军包围定州，朱全忠也到了城下。王处直登上城楼呼喊说："我们事奉朝廷很忠诚，对您也没有冒犯，为什么要攻打我们？"朱全忠说："你们为什么要依附河东李克用？"王处直回答说："我的哥哥王处存和晋王李克用一起讨平黄巢立有功劳，受封的地盘互相靠近，并且是儿女亲家，友好相处，来往不断，这是人之常情。请从今以后改变这种关系。"朱全忠同意与王处直和好。王处直把罪责归于梁汶并杀了他的全族，用来告谢朱全忠，还拿出绢帛十万匹来犒劳朱全忠的军队。朱全忠于是率领军队返回，仍然上表朝廷，替王处直要求节度使的旌节和斧钺。王处直是王处存的同母弟弟。

刘仁恭派遣他的儿子刘守光率领军队救援定州，在易水之上驻扎；朱全忠派遣张存敬进行袭击，杀死六万多人。从此以后，河北各镇全部服从了朱全忠。

在这以前王郜向河东李克用告急。李克用派遣李嗣昭率领步兵、骑兵三万人直下太行，进攻怀州，把它打下来了，又接着进攻河阳。河阳留后侯言没有料到河东军队会突然到达，十分狼狈，进退失据。李嗣昭攻破了河阳城外的羊马城。正遇上佑国军将领阎宝率领军队前来救援，在壕沟外奋力作战，河东军队才退了回去。阎宝是郓州人。

（以上为第三段，写马殷扩地取桂州。朱全忠连战大破刘仁恭，河北诸镇皆服。）

当初，崔胤和唐昭宗秘密谋划把全部宦官杀死，等到宋道弼、景务脩死后，宦官们更加恐惧。唐昭宗从华州回到京城长安，一直愁眉不展，闷闷不乐，常常纵情喝酒，喜怒无常，左右的人尤其感到危险、害怕。于是左军中尉刘季述，右军中尉王仲先，枢密使王彦范、薛齐偓等人暗中商量说："唐昭宗轻浮、浅薄、多诈、善变，很难事奉；专门听任宰相衙门办理政事，我们这些人最终要遭到灾祸。不如奉立太子为皇帝，尊称主上为太上皇，招引岐州李茂贞、华州韩建的军队作为援助，控制各个藩镇，这样还有谁能加害我们呢！"

十一月，唐昭宗到禁苑中去打猎，因此设置了酒席，到了晚上，喝醉酒回到宫里，亲手杀死好几个宦官、侍女。第二天早晨，时间已是辰时、巳时，宫门仍然没有打开。刘季述到中书省告诉崔胤说："宫里一定有了变乱，我是内臣，可以根据情况进行处理，请让我进宫去看看发生了什么事情。"于是率领禁兵一千人破门而入，经过查访询问，知道了详细的情况。出来后，对崔胤说："皇上喝醉了酒杀人，像这样怎么可以治理天下呢！废黜昏君，拥立明主，自古以来都是这样做的，这是为了国家的大业，并不是不忠诚啊！”崔胤怕死，不敢违背刘季述。十一月初六日庚寅，刘季述召集百官到来，在宫殿中布置了军队，写了由崔胤等共同署名要求太子监国的联名状，出示给大家看，让大家签名；崔胤和百官不得已都签了名。唐昭宗在思政殿旁的乞巧楼，刘季述、王仲先在宣化门外埋伏全副武装的士兵一千人，和宣武进奏官程岩等十多个人进入宫殿请唐昭宗对话。刘季述、王仲先刚登殿，将士们大声呼喊，突然冲入宣化门，到了思政殿前，遇到宫中侍女，把他们都杀死了。唐昭宗见士兵闯入，惊慌得掉到了床下，爬起来将要逃走，刘季述、王仲先架着他让他坐好。宫女跑去报告皇后，皇后马上赶到，对刘季述等人拜请说：“军容使不要惊吓了皇上，有事听取你们意见和你们商量就是了。”刘季述等于是拿出百官签名的联名状报告唐昭宗，说：“陛下您厌倦了当皇上，朝廷内外都希望太子来监国，请您住到东宫去颐养天年。”唐昭宗说：“昨天和各卿玩乐饮酒，不知不觉喝得太多了，怎么会到这个地步呢！”刘季述等回答说：“这联名状不是我们所写，都是三省所属百官的意见，不能阻止他们。希望陛下暂且到东宫去，等事情稍稍安定一些，再迎接您回到正宫中来。”皇后说：“皇上您赶快听从军容使的话吧！”昭宗马上拿出传国宝玺交给刘季述，宦官扶着唐昭宗和皇后同乘一部车，跟随的嫔御侍从才十多个人，到少阳院去。刘季述用银制的马鞭在地上指画，责备唐昭宗说：“某一天某一件事，你不听从我的话，这是一条罪。”这样一直数了十次仍然没有停止。于是刘季述亲手锁上少阳院的大门，用熔化的铁水把锁封死，派遣左军副使李师虔率领军队包围了少阳院，唐昭宗一有动静就向刘季述报告。在墙上凿一个洞，把饭菜从洞里递进去。凡是兵器针刀都不许送入，唐昭宗想要银钱布帛全拿不到，想要纸张笔墨也不给。当时天气非常寒冷，嫔御公主没有衣被，号哭的声音传到院外来。刘季述等假传唐昭宗的诏书，命令太子监国，迎接太子进宫。十一月初七日辛卯，又假传唐昭宗的诏书，命令太子继承皇位，改名李缜。以唐昭宗为太上皇，皇后为太上皇后。十一月初十日甲午，太子即位为皇帝，把少阳院改名为问安宫。

刘季述加封百官爵位和品秩，所有参与此事的将领、士兵都受到优厚的赏赐，想要用这来讨众人的欢心。杀了睦王李倚；凡是受到唐昭宗宠信的宫人、左右的侍从、方士、僧人、道士，都用木棍打死。每夜杀了人，白天就用十辆车子把尸体装出来，一辆车子上有时只有一两具尸体，想要用这来树立威势。刘季述将要杀司天监胡秀林，胡秀林说：“你们拘禁了皇上，还想要多杀无辜的人吗！”刘季述忌惮他的话刚正不阿而停止了杀人。刘季述想杀死崔胤，因为畏惧朱全忠，只是解除了崔胤度支盐铁转运使的职位而已。

（以上为第四段，写宦官刘季述发动宫廷政变废昭宗为太上皇，奉太子即位。）

左仆射张濬辞官后住在长水县，到洛阳去拜见张全义，劝他匡正恢复唐昭宗的君位；又给各藩镇写信进行劝说。

进士无棣人李愚客居在华州，给韩建上书，大略说："我每次读书，看到父子、君臣中有伤教化、害礼义的人，恨不得把他杀了并陈尸在市场、朝廷里。您居守的华州是靠近潼关的重镇，皇上被拘禁受辱已有一个多月，您坐看着凶恶的叛逆胡作非为而忘掉出兵救援皇室的大事，我实在是不能理解啊！我私下考虑朝中的辅弼之臣，虽然有志恢复皇上的君位但没有兵权；各地的藩镇诸侯，虽然有兵权但没有这个志向。只有您忠贞仁义，国家要依靠您了。以前皇上被迫离京流离失所，您痛哭流涕迎接皇上来到华州，供给衣服饮食好多年，后来重新恢复宗庙、朝廷，您的大义感动人心，到今天人们仍在歌颂这件事。现在的形势和以前不同了，您处在重镇要冲，位兼节度使、宰相。自宫中发生变故以来，已经过了十天，如果您不发号施令率领部众首先谋划让皇上复位，仍然犹疑不决，一旦山东地区的藩镇诸侯倡义联合起来，发动军队西进，您想要平安无事，怎么能够呢？这是必然的形势啊！不如赶快传檄四方，使他们知道叛逆忠顺的道理，这样军队声威一振作，那么元凶首恶就会吓破了胆，十天左右，刘季述、王仲先两个叛贼的脑袋将传递于天下，没有比这更有利的策略了。"韩建虽然不能采纳李愚的计策，仍很优待他。李愚坚决推辞离开了。

朱全忠在定州巡视军营，听到京城长安发生变乱，十一月二十三日丁未，南下返回；十二月十四日戊辰，到了大梁。刘季述派遣养子刘希度到朱全忠这儿来，许愿把大唐江山交给他；又派遣供奉官李奉本拿着太上皇的诰文给朱全忠看。朱全忠犹豫不决，聚集幕僚、佐吏商量这件事。有人说："朝廷里的大事，不是藩镇所应该干预、知悉的。"独有天平节度副使李振说："皇室有灾难，这是成就霸业的资本。如今您是唐代的齐桓公、晋文公，国家安危和您有密切联系。刘季述只是一个宦官罢了，竟敢囚禁废黜皇上，您不去讨伐他，怎么能再来号令诸侯？况且幼主君位确定后，国家大权将全部落入宦官手中，这是把太阿宝剑的权柄交给他们啊！"朱全忠醒悟过来，立即囚禁了刘希度、李奉本，派遣李振到京城长安去探听情况。李振回来后，又派遣亲近的官吏蒋玄晖再到京城，和崔胤密谋策划；又召请宣武进奏官程岩赶赴大梁。

清海节度使薛王李知柔去世。

这年，加官杨行密兼任侍中。

睦州刺史陈晟去世，他的弟弟陈询自称为刺史。

太子即位已有几十天了，藩镇应该报送的笺表等公文大多没有送到。王仲先性情苛刻仔细，一向知道左、右军中积累下来的弊病很多，在担任中尉官职以后，就审核军中的钱财、谷物，查到隐藏、贪污犯罪的人，重重地加以鞭打，紧急追收他们欠下的财物；将领士兵们深感不安。有一位盐州雄毅军使孙德昭，担任左神策指挥使，自从刘季述废黜唐昭宗立太子为帝后，经常愤恨不平。崔胤听说了，派遣判官石戬和孙德昭交往。孙德昭每次饮酒到痛快时必定要感伤哭泣，石戬知道他忠诚，于是秘密把崔胤的意见告诉他说："自从皇上被囚禁以来，从内外大臣一直到军队士兵，谁不咬牙切齿呢！如今造反的只有刘季述、王仲先两个人罢了，您如果能杀死他们两人，迎接唐昭宗复位，那么富贵就可以极尽一时，忠义就可以流传千古；如果犹豫不决，那么功劳就要落到别人手中了。"孙德昭感谢说："我孙德昭只是一个小军官，国家大事，怎么敢擅自做主呢！假如崔相公有命令，我万死不辞。"石戬把这情况告诉崔胤，崔胤割下衣带，亲笔写下命令交给孙德昭。孙德昭又结交右军清远都将董彦弼、周承诲，计划在除夕夜里把军队埋伏在安福门外以等待机会起事。

（以上为第五段，写崔胤策动左神策军指挥使孙德昭发动政变，拥立昭宗复辟。朱全忠磨刀霍霍，借复辟之名觊觎长安。）

唐昭宗天复元年（辛酉，公元 901 年）

春季，正月初二日乙酉，王仲先入宫朝见，到了安福门，孙德昭把王仲先捉住杀死，马上快马奔向少阳院，敲门高喊说："逆贼王仲先已被杀死，请陛下出来慰劳将士们。"何皇后不相信，说："如果真是如此，把王仲先的首级拿来！"孙德昭献上王仲先的首级，唐昭宗与皇后才毁坏门扇出来。崔胤迎接唐昭宗到长乐门楼，率领百官前来祝贺。接着刘季述、王彦范也被周承诲捉来，刚要责问他们的谋逆行为，他们已经被乱棍打死了。薛齐偓跳井自杀，捞出来斩了首级。下令诛灭刘季述、王仲先、王彦范、薛齐偓四个人的全族，并且杀了他们的党羽二十多人。宦官侍奉太子藏在左军之中，献出传国宝玺。唐昭宗说："李裕年幼懦弱，被凶恶的叛逆立为皇帝，不是他的罪过。"下令他回到东宫去，贬黜为德王，恢复原名李裕。正月初三日丙戌，任命孙德昭为同平章事，充当静海节度使，赐姓名叫李继昭。

正月初三日丁亥，朝廷进位崔胤为司徒，崔胤坚决推辞；唐昭宗对他更宠信了。

正月初五日己丑，朱全忠听说刘季述等人已经被杀，便折断程岩的双脚，戴上刑具解送到京城长安，和刘希度、李奉本一起在市集处死，朱全忠从此更加看重李振。

正月初六日庚寅，任命周承诲为岭南西道节度使，赐姓名叫李继诲，又任命董彦弼为宁远节度使，也赐姓李，并为同平章事，周、董二人和李继昭都留在宫中守卫，十天才出宫回家一次。尽国库所有赏赐给他们，当时人叫他们为"三使相"。

正月初九日癸巳，晋爵朱全忠为东平王。

正月二十二日丙午，唐昭宗颁布敕令，说："近年来宰相在延英殿奏事，枢密使在旁侍立，争论纷纷；等到奏事完毕出来，又说皇上的旨意还未允当，再进行更改变动，扰乱朝廷大政。从今以后依照唐宣宗大中年间的旧制，等宰相奏事完毕，枢密使方能够进殿接受公事。”朝廷赐令左、右两军副使李师度、徐彦孙自尽，因为他们都是刘季述的同党。

凤翔、彰义节度使李茂贞前来朝见唐昭宗；加官李茂贞守尚书令，兼侍中，并进爵为岐王。

刘季述、王仲先已死，崔胤、陆扆向唐昭宗进言说：“灾祸变乱的产生，都是由于宦官掌握了军队。请求唐昭宗下令让崔胤掌管左军，陆扆掌管右军，这样藩镇诸侯就不敢侵犯欺负，王室就会受到尊崇了。”唐昭宗犹豫了两天还没有决定。李茂贞听到了，发怒说：“崔胤还没有夺得军权，就想要消灭藩镇诸侯啦！”唐昭宗召集李继昭、李继诲、李彦弼商量，他们都说：“我们好几代都在军中任职，没有听说过书生可以担任军队主帅的；如果把军队隶属于政府衙门，一定会有很多改变，不如把它归于内侍省宦官掌管方便。”唐昭宗于是对崔胤、陆扆说：“将士们不愿意隶属于文臣，你们不要再坚决要求了。”于是任命枢密使韩全诲、凤翔监军使张彦弘为左、右两军的中尉。韩全诲以前也是凤翔监军。又征调辞官归隐的前枢密使严遵美为两军中尉、观军容处置使。严遵美说：“一军尚且不能掌管，更何况是两军呢！”坚决推辞不出任。朝廷任命袁易简、周敬容为枢密使。

李茂贞离开京城返回镇所。崔胤认为宦官掌握军队，终究是心腹祸患，想用藩镇的军队来牵制他们，劝说李茂贞留下三千士兵在京城，充当皇宫的守卫，由李茂贞的养子李继筠来率领。左谏议大夫万年人韩偓认为这样做不行，崔胤说：“是士兵们自己不肯回去，不是我想留下他们。”韩偓说：“开始时为什么要召请他们前来京城呢？”崔胤无法回答。韩偓说：“留下这些士兵，家庭和国家都有危险，不留下这些士兵，家庭和国家都平安无事。”崔胤还是不听从。

（以上为第六段，写唐昭宗复辟，刘季述伏诛，崔胤权势达于顶峰。胤欲掌控神策军未果，讽李茂贞留兵宿卫京师，蹈东汉何进覆败之辙，胤罪不容诛。）

朱全忠已经降服河北，想要先攻取河中来牵制河东。正月十五日己亥，召集各位将领说：“王珂是个庸才，倚仗着太原李克用是他的岳父，骄横奢侈。我今天要攻取河中，斩断长蛇的腰部，各位替我用一根绳子来捆绑它！”正月十六日庚子，派遣张存敬率领军队三万人从汜水渡过黄河，由含山路出发去袭击河中，朱全忠自己率领中军紧跟在后面。正月二十四日戊申，张存敬到了绛州。晋州、绛州没有料到张存敬的军队会突然到来，都没有防守戒备。正月二十六日庚戌，绛州刺史陶建钊投降。正月二十八日壬子，晋州刺史张汉瑜也投降了。朱全忠派遣他的部将侯言守卫晋州，何絪守卫绛州，驻扎军队二万人用来扼制河东李克用增援军队的通行道路。朝廷害怕朱全忠率领军队向西攻入潼关，急忙颁赐诏书要他们和解。朱全忠不听。

王珂派遣使者秘密地到李克用那里报告情况危急，一批又一批使者在路上连接不断。李克用由于朱全忠的汴州军队已经先占据了晋州、绛州，援兵不能通过，无法前进。王珂的妻子李氏送信给李克用说：“女儿早晚就要成为汴州军队的俘虏了，父亲怎么忍心不来救我呢！”李克用回信说：“现在贼兵已经堵塞晋州、绛州，我的军队寡不敌众，如果前进就要与你一同灭亡，不如你和王珂带领全族回归朝廷。”王珂又写信给李茂贞说：“皇上刚刚恢复君位，下诏命令藩镇之间不要互相攻伐，共同来辅助王室。如今朱全忠不顾皇上的命令，首先发动军队攻打我，他的心思是可以想到的了。假如河中灭亡，那么同州、华州、邠州、岐州都不能自我保全。大唐的政权拱手交给朱全忠，看来是一定的了。您应当赶快统率关中各个藩镇的军队，坚决守卫潼关，并前来救援河中。我自己知道不勇猛，情愿在您的西边管辖一个小镇，这个地方就归您所有。关中的安危，国运的长短，都靠您这一举动了，希望您仔细地想一想啊！”李茂贞一向没有远大的计划、打算，所以没有回答王珂。

二月初一日甲寅，河东将领李嗣昭攻打泽州，把它攻下来了。

二月初二日乙卯，张存敬率领军队从晋州出发。二月初六日己未，到达河中，把它包围了。王珂处境危急，将要逃奔京城长安，但是人心离散，正巧浮桥坏了，流冰堵塞了黄河河道，行船非常困难，王珂带了他的家族几百人想在夜里上船渡河逃走，亲自告诉守卫城门的将士，都没有反应。牙将刘训对王珂说：“如今人心惶惶，骚动不安，假若夜里出城渡河，一定争着上船，出现混乱，一旦有人发难作乱的话，事情就难以预料了。不如暂时向张存敬表示归服的诚意，慢慢再来考虑是投降还是反抗。”王珂听从了刘训的意见。二月初九日壬戌，王珂在城角竖起白旗，派使者拿着令牌印信向张存敬请求投降。张存敬要求王珂打开城门，王珂说：“我和朱全忠两家有亲谊情分，请您暂时退一下，等到朱全忠来了，我亲自把这座城交给他。”张存敬同意了，并且派出使者前去禀告朱全忠。

二月十二日乙丑，朱全忠到了洛阳，听说王珂请求投降非常高兴，快速赶往河中。二月十五日戊辰，到达虞乡县，先到王珂父亲王重荣的墓前哭祭，表达了悲伤的心情；河中的将士百姓都很欢喜。王珂想要捆绑双手牵羊出城迎接，朱全忠急忙派人阻止他，说：“太师舅父王重荣的恩怎么能够忘记呢？假如你要这样做，我以后如何在九泉之下见舅父啊！”于是王珂用一般的礼节出城迎接朱全忠，两人握手感叹不已，然后并排骑着马一起进入城中。朱全忠上表朝廷请求任命张存敬为护国军留后，把王珂全族人迁往大梁。后来朱全忠派遣王珂进京入朝，又派人在华州把王珂杀死。朱全忠听到妻子张夫人病得很重，急忙从河中赶回汴州。

李克用派遣使者带着厚礼到朱全忠那里请求重新和好。朱全忠虽然派出使者前去答复，但是对李克用书信词语傲慢感到愤恨，决定发动军队去攻打李克用。

（以上为第七段，写朱全忠收降王珂，得河中。）

任命翰林学士、户部侍郎王溥为中书侍郎、同平章事。任命吏部侍郎裴枢为户部侍郎、同平章事。王溥是王正雅的从孙，经常出入崔胤的幕府，所以崔胤推荐他。

追赠被刘季述等杀害的睦王李倚谥号为恭哀太子。

加官幽州节度使刘仁恭、魏博节度使罗绍威兼任侍中。

三月初一日癸未，朱全忠到了大梁。三月二十一日癸卯，派遣氏叔琮等人率领军队五万人攻打李克用，从太行山进军；魏博都将张文恭从磁州的新口进军；葛从周率领兖州、郓州军队会同成德的军队从土门进军；洺州刺史张归厚从马岭进军；义武节度使王处直从飞狐进军；暂时代理晋州刺史的侯言率领慈州、隰州、晋州、绛州的军队从阴地关进军。氏叔琮进入天井关，又向泽州的昂车关进军。三月二十九日辛亥，沁州刺史蔡诃献城投降。河东都将盖玮到侯言那里投降，侯言命令他暂时代理沁州刺史的职务。三月三十日壬子，氏叔琮攻下泽州，刺史李存璋放弃守城逃走。氏叔琮又进攻潞州，昭义节度使孟迁向他投降。河东驻军将领李审建、王周率领步兵一万人、骑兵一千人到氏叔琮那里投降；氏叔琮率军直奔晋阳。夏季，四月初三日乙卯，氏叔琮出石会关，到洞涡驿驻扎。张归厚带领军队到达辽州。四月初五日丁巳，辽州刺史张鄂投降。别将白奉国会同成德的军队从井陉进入，四月初七日己未，攻下承天军，与氏叔琮军队烽火互相呼应。

四月二十二日甲戌，唐昭宗到太庙拜谒。四月二十五日丁丑，大赦天下，改年号为天复。为文宗时被杀的王涯等十七家平反昭雪。

当初，杨复恭担任中尉，借用度支使专卖酒曲一年所得的利润来供养左、右两军的需求，以后就不肯把这权利归还了。到这时候，崔胤起草敕文，想要压制宦官，就听任卖酒的人自己制造酒曲，只要每月交纳酒税金就行了。左、右两军先前所控制的酒曲，都催促他们减价出售，过了七月，就不能再卖了。

东川节度使王宗涤因为患病要求派人代替他，王建上表请求任命马步使王宗裕为东川留后。

氏叔琮等人率领军队到达晋阳城下，多次进行挑战，城里军民十分恐慌。李克用登上城楼布置守卫，连吃饭、喝水都顾不上。当时大雨下了十多天，城墙有许多地方坍塌毁坏了，李克用下令随时加以修补完备。河东将领李嗣昭、李嗣源凿通了暗门，在夜里出来攻打汴州军队的营寨，每次都有杀伤俘获。李存进在洞涡驿打败了汴州军队。这时汴州军队攻打晋阳的人马众多，但粮草供应跟不上，又长时间下雨，士兵患疟疾拉痢疾，朱全忠于是召回军队。五月，氏叔琮等从石会关返回，其他各道军队也相继退走。河东将领周德威、李嗣昭率领精锐骑兵五千人跟踪追击，斩杀俘虏的很多。起先，汾州刺史李瑭献上汾州，归附朱全忠的汴州军队。此时，李克用派遣他的部将李存审去攻打他，三天就攻下了汾州，捉住了李瑭，把他杀了。氏叔琮经过上党，孟迁带领全族跟随他到南方去。朱全忠派遣丁会代守潞州。

朱全忠向朝廷上奏请任命河中节度使，而暗中示意官吏、百姓请自己担任河中主帅。五月二十二日癸卯，任命朱全忠为宣武、宣义、天平、护国四镇节度使。

（以上为第八段，写朱全忠进兵太原，大败李克用，遇雨退军。朱全忠兼领宣武、宣平、天平、护国四镇节度使。）

五月二十八日己酉，加封镇海、镇东节度使钱镠代理侍中的官职。

崔胤停止左、右两军专卖酒曲，连同附近各藩镇专卖酒曲的权利也一起禁止了。李茂贞舍不得放弃这个专利，上表要求到朝廷论理，韩全诲请求唐昭宗答应他的要求。李茂贞到了京城长安，韩全诲与他来往密切。崔胤这才害怕起来，暗中进一步联络朱全忠，与李茂贞成为仇敌。

任命佑国节度使张全义兼任中书令。

六月十三日癸亥，朱全忠前往河中。

唐昭宗恢复君位，中书舍人令狐涣、给事中韩偓都参与了谋划，因此被提升为翰林学士，多次被召进宫中，询问国家机密大事。令狐涣，是唐宣宗时宰相令狐绹的儿子。当时，唐昭宗把军国事务全部委托给崔胤去办理，每次奏陈事情，唐昭宗和他从容商量，有时谈到天黑点起蜡烛。宦官们害怕、畏惧，不敢正眼看崔胤，有事先要问过他以后再去实行。崔胤立志要除掉全部宦官，韩偓多次规劝崔胤，说："事情禁绝得太过分了。这一些人也不能完全没有，恐怕他们的同党因为逼迫太急，再生出其他变乱来。"崔胤不听。六月十七日丁卯，唐昭宗单独召见韩偓，问道："宦官里面做坏事的很多，怎么样来处置他们呢？"韩偓回答说："东宫发生变乱，这些宦官哪一个不是一同为恶的呢！处置他们应当在正月诛杀刘季述等人时，现在已经失去时机了。"唐昭宗说："当时，你为什么不向崔胤说这件事呢？"韩偓回答道："我看到皇上的诏书说：'除了刘季述等四家以外，其余一个也不问罪。'对皇上来说，最重要的莫大于信誉，既然已经颁下了这样的诏书，就应该坚决去遵守它；假如再多杀一个人，那么人人都害怕死了。可是后来被杀的人已经不少了，这就是他们所以恐惧不安的原因。皇上您不如选择他们中间作恶多端、特别坏的几个人，明白地宣布他们的罪状，依法惩治他们，然后再安抚晓谕其余的人说：'我担心你们说我怀恨在心，从今以后没有疑虑了。'于是选择他们忠厚老实的人担任长官，其他人表现好的就奖励，有罪过的就惩罚，这样都可以安定无事了。现在在官府和私家的宦官有几万人，怎么能够全部杀死他们呢！行帝王之道，应该是用优厚待遇安定他们、公正态度驾驭他们。至于那些琐碎细小的权术，此生彼应，终究不能成就大的功业，这就像所谓想理丝结果越理越乱一样。况且现在朝廷的权力分散在四方，如果能先把这些权力收回来，那么事情就没有不可以办的了。"唐昭宗认为他的话讲得很对，说："这件事终究要托付给你。"

李克用派遣他的部将李嗣昭、周德威率领军队从阴地关出发，攻打隰州，刺史唐礼投降；又进攻慈州，刺史张瓌也投降了。

闰六月，任命河阳节度使丁会为昭义节度使，孟迁为河阳节度使，这是根据朱全忠的请求而任命的。

道士杜从法用妖法妄言诱使昌州、普州、合州的百姓作乱。王建派遣行营兵马使王宗黯率领军队三万人会合东川、武信的军队前去讨伐他们。王宗黯就是王吉谏。

崔胤请唐昭宗把宦官全部杀死，只用宫人掌管宫内各司的事情。宦官听到了一些风声，韩全诲等人哭泣着哀求唐昭宗，唐昭宗于是命令崔胤说："有事情要写成奏疏密封后送上来，不要再口头报告了。"宦官寻访识字的美女数人送进宫中，叫她们暗中侦察这件事，全部掌握了崔胤的秘密计划，唐昭宗一点也没有察觉到。韩全诲等人知道计划后非常恐惧，每次宴饮聚会，都流着眼泪互相诀别，日夜谋划能除去崔胤的办法。崔胤当时是统领户部、度支、盐铁三司使，韩全诲等人教唆禁军向唐昭宗喧哗叫嚷，控诉崔胤少给了他们冬天的衣服，唐昭宗不得已，解除崔胤盐铁使的职务。

这时朱全忠、李茂贞都有挟天子以令诸侯的意图，朱全忠想要唐昭宗到东都洛阳去，李茂贞想要唐昭宗到凤翔去。崔胤知道谋杀宦官的计划已经泄漏，事情很急迫，就写信给朱全忠，假称受有秘密的诏命，要朱全忠派遣军队来迎接唐昭宗，并且说："前些时皇上能恢复君位，都是您的良策，可是凤翔李茂贞却抢先一步入朝来夺取功劳。如今您不尽快赶来，必定会成为罪人，岂止是功劳被别人占去，而且还要被攻击讨伐了！"朱全忠收到崔胤的书信，秋季，七月初五日甲寅，急忙回大梁去发动军队。

西川龙台镇使王宗侃等去讨伐杜从法，把他平定了。

八月初五日甲申，唐昭宗问韩偓道："听说陆扆不乐意我恢复君位，在元旦那一天换了衣服，骑着小马出了启夏门，有这件事吗？"韩偓回答说："陛下恢复君位的谋划，只有我和崔胤等几个人知道，陆扆不知道这件事。突然间听说宫中有变乱，按照常情怎么会不惊慌害怕呢！换了衣服逃避，又有何妨呢！陛下责备他身为宰相没有以死赴难的志向是可以的，至于说他不乐意陛下恢复君位，恐怕是出于谗佞小人之口，希望陛下明察这件事！"唐昭宗于是停止了追查。

（以上为第九段，写崔胤力主尽诛宦官，韩偓主张惩其首恶，唐昭宗依违其间，取祸之道。）

韩全诲等人害怕被杀，密谋用武力来胁迫唐昭宗，于是和李继昭、李继诲、李彦弼、李继筠等互相勾结，只有李继昭不肯依从。有一天，唐昭宗问韩偓："你在外边听到了什么？"韩偓回答说："只听说宦官们忧愁害怕，和功臣李继昭、李继诲、李彦弼以及李继筠勾结，将要导致不安定，也不知道这是不是真的。”唐昭宗说：“这事不会是假的。近日李继诲、李彦弼这些人说话逐渐强硬，令人难以忍受。令狐涣想要我把崔胤及韩全诲等人召到内殿来，设置酒席使他们和解，怎么样？”韩偓回答说：“这样的话，他们就会更加凶恶狂悖了。”唐昭宗说：“那该怎么办呢？”韩偓说：“只有公开惩罚几个人，迅速将他们放逐出去，其他的人允许他们改过自新，这样差不多就可以平息了。如果一个也不问罪，他们必定知道您怀恨在心，更加不会自己安下心来，事情终究不能了结。”唐昭宗说：“好！”不久，宦官们倚仗党援已经结成，渐渐不遵诏令，唐昭宗把他们有的派出去作监军，有的贬斥去守陵寝，但他们都不去，唐昭宗也没有办法。

有人告诉杨行密说，钱镠被盗贼杀死了。杨行密派遣步军都指挥使李神福等率领军队去攻打杭州。两浙将领顾全武等布置了八个营寨进行抵抗。

九月初五日癸丑，唐昭宗紧急召见韩偓，对他说：“听说朱全忠想要到京城长安来清除我身旁的恶人，确实是尽忠心，然而必须叫他和李茂贞共同建立这个功劳；如果他们两帅互相争斗，那么事情就危险了。你替我告诉崔胤，要他火速写信给朱全忠和李茂贞，使他们能合作谋划，那就好了。”九月十四日壬戌，唐昭宗又对韩偓说：“李继诲、李彦弼等人骄傲专横愈来愈厉害，几天前与李继筠一同到内宫来，就在宫殿的东边叫宫中杂役唱歌劝酒，使人震惊害怕。”韩偓回答说：“臣知道他们一定会这样做的。这件事错在当初，元旦时，陛下您恢复君位，他们立功的时候，只应该用官职爵位、田地住宅、金银布帛来酬劳他们，不应该听任他们出入宫中。这些人向来没有知识，多次要求入朝奏对，有时甚至僭越身份改变荐举的人选，稍微不按照他们的意思去做，就产生怨恨；况且只知道贪财，被宦官们用厚利雇用收买，使得他们成为今天这个样子。崔胤原来留下卫兵，是要用来牵制宦官的，现在宦官和卫兵相互勾结起来，那该怎么办呢！汴州军队如果来到京城长安，一定会和岐州军队在宫前争斗，臣私下里深深感到失望痛心。”唐昭宗只能忧愁沮丧、闷闷不乐而已。

冬季，十月二十日戊戌，朱全忠率领大军从大梁出发，前往京城长安。

李神福和顾全武两军相持很久，李神福抓获了杭州军队俘虏，让他出入卧室。李神福对部下将领说：“杭州军队还很强大，我们的军队在今天夜里退回去。”那个被抓的杭州军队俘虏逃回去向顾全武报告，李神福下令不要追赶潜逃的俘虏。傍晚派遣老弱士兵先撤走，李神福自己殿后，命令行营都尉吕师造在青山镇埋伏军队。顾全武向来轻视李神福，率领部下追赶。李神福、吕师造两面夹击，大败顾全武的军队，斩杀五千人，活捉顾全武。钱镠听到这个消息，大吃一惊，流着泪说：“丧失了我的一个良将！”李神福进攻临安，两浙将领秦昶率领部众三千人向李神福投降。

韩全诲听说朱全忠将要到达，十月十九日丁酉，命令李继筠、李彦弼等率领军队劫持唐昭宗，要唐昭宗到凤翔去。皇宫各门都增派军队防守，人和文书进出搜查得非常严格。唐昭宗派人秘密地给崔胤送去亲笔书信，讲的话都很凄凉，末了说：“我为了宗庙、社稷的大计，照这个形势必须西去凤翔，你们只管向东走好了。真是令人惆怅！真是令人惆怅！”

十月二十日戊戌，唐昭宗派赵国夫人出宫告诉韩偓：“早晨以来李彦弼这些人无礼到了极点。皇上本想要召你入宫答对，但形势不许可了。”并且说：“皇上与皇后只是相对哭泣。”从此，翰林学士不能再进宫答对了。

十月二十五日癸卯，韩全诲等命令唐昭宗入阁召见百官，废除正月二十二日丙午颁布的宰相奏事枢密使不准在旁侍立的敕书，完全恢复唐懿宗咸通以来的惯例。这一天，在延英殿召开会议，韩全诲等就在旁侍立，共同商议国家大事。

十月二十九日丁未，神策都指挥使李继筠派遣部下士兵抢掠宫内库房中的珍宝财物、帷帐、车驾礼器等。韩全诲派人秘密把各王以及宫人先送往凤翔。

十月三十日戊申，朱全忠到了河中，上奏表章请求唐昭宗到东都洛阳去。京城长安大为恐惧，士民们都逃亡到山谷中去了。这一天，文武百官都没有入朝去见唐昭宗，宫殿前冷清得一个人也没有。

十一月初一日己酉，李继筠等率领士兵到宫门下，禁止人出入，各路军队大肆抢掠。士民穿着纸和短布衣的，满街都是。韩建任命他的幕僚司马邺主持匡国留后的事务。朱全忠带领宣武、宣义、天平、护国四镇的军队七万人直奔同州，司马邺向朱全忠投降。

韩全诲等因李继昭不与他们共同行事，就阻止李继昭，不让他见唐昭宗。当时崔胤的府第在长安东街的开化坊，李继昭率领部下六千多人以及关东各道在京城的士兵共同守卫这个地方；文武百官和士民为躲避祸乱都前去依附他。十一月初二日庚戌，唐昭宗派遣供奉官张绍孙召集百官，崔胤等都上表推辞不到。

十一月初四日壬子，韩全诲等在宫殿前布置军队，对唐昭宗说：“朱全忠率领大军进逼京城长安，想要劫持皇上到洛阳去，要求把帝位禅让给他；臣等请求侍奉陛下到凤翔，调集军队来抵抗朱全忠。”唐昭宗不同意，拿着剑登上乞巧楼。韩全诲等逼迫唐昭宗下楼，唐昭宗才走到寿春殿，李彦弼已经在宫内放起了火。这一天是冬至，唐昭宗独自坐在思政殿，翘着一只脚，另一只脚踏在栏杆上，殿内没有文武官员，旁边也没有服侍的人。过了一会儿，不得已，昭宗与皇后、妃嫔、诸王一共一百多人都上了马，痛哭之声不绝，出了宫门，回过头来看看宫殿，大火已在熊熊燃烧。这一天晚上，唐昭宗住在鄠县。

朱全忠派遣司马邺进入华州，对韩建说：“你不能早一点知道自己的过错前来归顺，又要烦劳我这支军队稍稍停留在华州城下了。”这一天，朱全忠从故市率领军队向南渡过渭水，韩建派遣节度副使李巨川请求投降，献上银子三万两资助军队。朱全忠于是率领军队向西南奔赴赤水。

十一月初五日癸丑，李茂贞在田家硙迎接唐昭宗，唐昭宗亲自下马表示慰问。十一月初六日甲寅，唐昭宗到了盩厔县；十一月初七日乙卯，停留一天。

（以上为第十段，写朱全忠与李茂贞争天子以令诸侯，朱全忠发兵西指，韩全诲与岐兵劫持昭宗西幸凤翔，宫城再度被付之一炬。）

朱全忠到零口镇西边，听说唐昭宗已经离开长安西行，和部下商量，又率领军队回到赤水。辞官归隐的原左仆射张濬对朱全忠说："韩建是李茂贞的同党，不先攻取韩建，将来一定会成为后患。"朱全忠听说韩建曾经上表章劝唐昭宗到凤翔去，于是率领军队进逼华州。韩建单骑来迎接谒见，朱全忠责备他，韩建回答说："我韩建不认得字，所有表章书信檄文，都是李巨川所写的。"朱全忠因为李巨川经常为韩建出谋划策，在军门把李巨川斩杀。朱全忠对韩建说："你是许州人，现在就可以衣锦还乡了。"十一月初九日丁巳，让韩建担任忠武节度使，处理陈州的事，派兵护送韩建赴任。派前商州刺史李存权掌管华州的事务，调忠武节度使赵珝担任匡国节度使。唐昭宗在华州的时候，四方的商人都聚集到这里，韩建征收很重的赋税，两年时间得钱九百万缗。到这时，朱全忠全部收为己有。

当时京城长安没有皇帝，唐昭宗所在的地方没有宰相，崔胤让太子太师卢渥等两百多人把名字写在状文上，请求朱全忠西去迎接唐昭宗，又派王溥到赤水去见朱全忠，商量迎接唐昭宗事宜。朱全忠回信说："前进怕有胁迫皇上的毁谤，后退又怀着辜负国家恩德的惭愧心情；但是，我不敢不努力去做。"十一月初十日戊午，朱全忠率领军队从赤水出发。

十一月十三日辛酉，以兵部侍郎卢光启暂时主管中书省的事务。唐昭宗在岐山停留三天，十一月十四日壬戌，到达凤翔。

朱全忠到了长安，宰相带领文武百官列队在长乐坡迎接他；第二天朱全忠西去，又列队在临泉驿送行。朱全忠奖赏李继昭保卫崔胤和文武百官的功劳，起初让他暂时代理匡国留后的职务，后来又留下他担任两街制置使，赏赐给他很多财物。李继昭献出他的全部部众士兵八千人。

朱全忠派遣判官李择、裴铸到凤翔向唐昭宗奏事，说："奉到秘密诏令和接得崔胤书信，命令臣带领军队前来朝见。"韩全诲等假传唐昭宗诏令回答说："朕躲避灾难来到这里，不是被宦官劫持，秘密诏令都是崔胤假造的。卿应该收兵回去保卫属地领土。"李茂贞派遣他的部将符道昭驻扎在武功县，来抵抗朱全忠。十一月十五日癸亥，朱全忠的部将康怀贞打败了符道昭的军队。

十一月十九日丁卯，任命卢光启为右谏议大夫，参与掌管机要事务。

十一月二十日戊辰，朱全忠到达凤翔，把军队驻扎在城东。李茂贞登上城楼对城外的朱全忠说："天子躲避灾难来到这里，不是臣下无礼劫持，是说坏话的人挑拨，才误导您到了此地。"朱全忠回答说："韩全诲劫持迁徙天子，臣今天来问罪，迎接护送天子回到京城长安宫中。您如果没有参与谋划，何须陈说表白！"唐昭宗多次下诏命令朱全忠回到镇所，朱全忠于是上表告辞。十一月二十三日辛未，朱全忠率领军队转移，向北奔赴邠州。

十一月二十六日甲戌，颁布制书：守司空兼门下侍郎、同平章事崔胤受责改任工部尚书，户部侍郎、同平章事裴枢免去职务，保留原任官衔。

十一月二十七日乙亥，朱全忠攻打邠州。十一月二十九日丁丑，静难节度使李继徽请求投降，恢复原来的姓名杨崇本。朱全忠把杨崇本的妻子作为人质迁往河中，命令他仍然镇守邠州。

朱全忠西入潼关时，韩全诲、李茂贞用唐昭宗的诏命向河东李克用征调军队，李茂贞并写信给李克用请求救援。李克用派遣李嗣昭率领骑兵五千从沁州出发直奔晋州，在平阳的北边和汴州军队交战，打败了汴州军队。

十一月二十七日乙亥，朱全忠从邠州出发；十一月三十日戊寅，驻扎在三原。十二月初五日癸未，崔胤到三原会见朱全忠，催促朱全忠去迎接唐昭宗。十二月十一日己丑，朱全忠派遣朱友宁攻打盩厔县，没有攻下来。十二月二十日戊戌，朱全忠亲自前往督战，盩厔军队投降，被全部屠杀。朱全忠命令崔胤带领文武百官以及京城长安居民全部迁住华州。

唐昭宗下诏任命裴贽充当大明宫留守。

清海节度使徐彦若去世，遗下表文推举行军司马刘隐代理留后的职位。

（以上为第十一段，写朱全忠入长安，劫持百官，迁置华州。复进兵围凤翔。）

李神福知道钱镠肯定没有死，而临安的城池非常坚固，久攻不克，想要返回，但担心被钱镠拦击，于是派人去守卫钱镠祖先的坟墓，禁止在它周围砍伐柴草，又让顾全武写信回家；钱镠派遣使者向李神福表示感谢。李神福在主要道路上悬挂了许多旗帜，假装作为营寨。钱镠以为淮南的大军到了，就请求和好相处。李神福接受了钱镠犒赏赠送的财物后返回。

朱全忠进入潼关时，戎昭节度使冯行袭派遣副使鲁崇矩听从朱全忠的命令。韩全诲派出宦官二十多人分路向江淮地区征调军队去驻扎金州，以便威胁朱全忠。冯行袭把这些宦官都杀了，收缴他们携带的诏令敕书送给朱全忠。韩全诲又派出使者向王建征调军队，朱全忠也派出使者向王建要求军队支援。王建表面上与朱全忠亲善友好，斥责李茂贞的罪行，而暗中劝说李茂贞要坚持固守，答应派遣军队救援。王建任命武信节度使王宗佶、前东川节度使王宗涤等为扈驾指挥使，率领军队五万人，声言前去迎接唐昭宗，实际上是去偷袭李茂贞的山南各州。

江西节度使锺传率领军队围困抚州刺史危全讽。天火烧了抚州城，士民们喧哗惊恐。各将领请求急速攻城，锺传说："乘人之危，不是仁义的做法。"于是祈祷说："这是危全讽的罪过，不要加害于百姓。"火不久就熄灭了。危全讽听说了这件事，向锺传谢罪，听从他的指挥，把女儿嫁给锺传的儿子钟匡时为妻。

锺传年轻时曾经打猎，有一次醉后遇见老虎，和它搏斗，老虎抓住了他的肩膀，锺传也抱住老虎的腰不放，旁边的人共同杀死了老虎，锺传才幸免于难。锺传显贵以后，对这件事很悔恨，常常告诫各个儿子说："士人处世贵在运用智慧谋略，不要效法我空手与老虎搏斗。"

武贞节度使雷满去世，他的儿子雷彦威自称为留后。

（以上为第十二段，写西川王建大兴兵声言迎车驾以助李茂贞，实际袭夺李茂贞山南诸州。）

【点评】

本卷点评马殷扩地取桂州、刘季述废唐昭宗、崔胤留岐兵宿卫三件史事。

马殷扩地取桂州。马殷，字霸图，许州鄢陵人。原蔡州秦宗权部属，隶孙儒为裨将。孙儒与杨行密争淮南兵败，马殷与刘建锋率残兵七千人逃往洪州，在江西聚众数万，攻入湖南，取长沙。唐僖宗任刘建锋为湖南节度使，马殷为马步军都指挥使。公元896年，军士杀刘建锋，众推马殷为节度使。马殷争战，数年间全据湖南。至公元900年，马殷攻取桂管五州。马殷界临的强敌是东边的淮南杨行密。杨行密西进，为马殷所阻，马殷为了自存，对朱全忠十分恭顺，借朱氏之力遏制淮南。公元907年，朱全忠代唐，封马殷为楚王。当年马殷击败淮南军，夺得岳州。公元908年，马殷出兵岭南，打败岭南割据者刘隐，兼并了岭南六个州。马殷闭境自保，带给了湖南、岭南士民安定，这是马殷在唐末乱世中对历史的贡献。

刘季述废唐昭宗。刘季述，原本是宫中低级宦官，积资累迁做到枢密使。宰相崔胤与昭宗谋，欲杀尽宦官，外结朱全忠为援。宦官则外结李茂贞以自保。光化三年（公元900年）六月，崔胤奏请昭宗流放宦官左右中尉景务脩、宋道弼，并赐死于道。刘季述、王仲先继任左右中尉，十分怀恨崔胤，伺机反扑。

其时，唐昭宗从华州还京师，惊悸未定，整日闷闷不乐，性情乖张，醉酒杀人。刘季述、王仲先借机以皇后令幽囚唐昭宗于少阳院，废为太上皇，奉太子即位，大肆杀戮唐昭宗平时亲近的人。刘季述通款于朱全忠，告以将弑帝，奉献唐社稷，而实欲借朱全忠之手杀尽百官，挟天子以令诸侯。崔胤致信朱全忠举兵入朝尽杀宦官。朱全忠狐疑，首鼠两端，把崔胤的信转给刘季述，火上浇油，激化京师内斗。崔胤巧辩，称朱全忠所转之信乃奸人所为，刘季述吃不准朱全忠心意，反与崔胤和解。崔胤则把和解之事告知朱全忠，用以表示忠心。朱全忠恼羞自己为刘季述所卖，转身与崔胤谋诛刘季述。天平节度副使李振建言朱全忠诛宦官以建桓文之功，坚定了朱全忠的立场，于是朱全忠派李振到京师与崔胤合谋复辟昭宗，诛杀刘季述。适逢都将孙德昭、董从实因盗没官钱受责于王仲先，为崔胤所利用。孙德昭又引别将周承诲相助。三人在崔胤策划下，于十二月晦除夕之夜发动兵变，诛杀了刘季述、王仲先等一干宦官，并夷三族，昭宗复辟。昭宗论功行赏，孙德昭、董从实、周承诲三人赐姓李。孙德昭更名李继昭，任命为检校太保，静海军节度使。董从实更名为李彦弼，任命为检校司徒，容管节度使，两人并同中书门下平章事。周承诲更名为李继诲，亦任命为检校司徒，邕管节度使。三人同加“扶倾济难忠烈功臣”，图形凌烟阁，号称“三使相”，荣耀无比。崔胤建大功，专国政。昭宗经过这一番废立的折腾，威权扫地。

崔胤留岐兵宿卫。昭宗复辟后，崔胤上奏说：“祸难的兴起，根源就是宦官掌握了军权，请把禁军交给宰相典领。”昭宗厌恶崔胤外结朱全忠，认为军权还是交给家奴掌管放心，于是以枢密使韩全诲、凤翔监军使张彦弘为左、右中尉。韩全诲亦前任凤翔监军，任中尉后与李茂贞亲善。

崔胤未能掌控禁军，心有不甘，又害怕宦官掌控军权继续为害朝廷，就想借藩镇之兵来平衡宦官权力，暗示李茂贞留兵三千在京师，由李茂贞的儿子李继筠统领宿卫宫禁。左谏议大夫韩偓认为这样做十分危险。韩偓说：“京师驻留藩镇之兵，家国两危，不留家国两安。”崔胤不听，重蹈东汉何进召董卓之兵入京危害家国的覆辙。崔胤才德两失，非靖难之臣，只顾眼前，毫无远识，不听忠言，一意孤行，貌似忠臣，委实一个祸国之臣。

资治通鉴（白话本） 卷第二百六十三

唐纪七十九

唐昭宗天复二年至三年（公元902—公元903）

【起玄黓阉茂（壬戌，公元902年），尽昭阳大渊献（癸亥，公元903年）正月，凡一年有奇】

【大事提要】

本卷记事起公元902年，讫公元903年正月。载述史事凡一年又一个月。当唐朝昭宗天复二年至天复三年正月。此一年大事为汴、岐两镇争夺天子控制权，以及唐皇室宦官被全歼始末。先是汴晋两军晋阳大战，李克用丧师夺气。朱全忠势盛，欲西劫天子，唐昭宗晋爵杨行密为吴王，钱镠为越王，诏诸道讨逆朱全忠。岐王李茂贞与吴王杨行密夹击朱全忠不胜，王师范举义旗失败，困守孤城于凤翔的李茂贞请降朱全忠，诛杀了韩全诲等72个宦官，朱全忠解围，昭宗还京师，崔胤大诛宦官，诏诸镇尽杀监军。司马光论宦官祸国之因。东南藩镇，杨行密助钱镠摆脱困境，乘势扩张，兵进鄂岳。

昭宗圣穆景文孝皇帝中之下

唐昭宗天复二年（壬戌，公元902年）

春季，正月初六日癸丑，朱全忠率领军队再次驻扎在三原，后又驻扎到武功县。河东将领李嗣昭、周德威攻打慈州、隰州，借以分散朱全忠的兵势。

正月二十日丁卯，任命给事中韦贻范为工部侍郎、同平章事。

正月二十九日丙子，任命给事中严龟充当岐、汴和协使；赐朱全忠姓李，与李茂贞结为兄弟。朱全忠没有听从。

当时李茂贞不出城迎战。朱全忠听说有河东军队侵犯，二月初一日戊寅率领军队返回河中。

李嗣昭等人攻打慈州、隰州，把它攻下来了，进军逼近晋州、绛州。二月十二日己丑，朱全忠派遣他哥哥的儿子朱友宁率领军队会合晋州刺史氏叔琮攻击河东军队。李嗣昭偷袭攻占了绛州，汴州将领康怀英又夺回了它。李嗣昭等驻扎在蒲县。二月十八日乙未，汴州军队十万人在蒲南扎营，氏叔琮在夜晚率领军队切断河东军队的归路，并进攻他们的营寨，大败河东军队，杀死、俘获一万多人。二月二十二日己亥，朱全忠从河中赶来，二月二十八日乙巳，到达晋州。

盗贼掘开唐懿宗的简陵。

西川军队到了利州，昭武节度使李继忠放弃守城逃奔凤翔；王建任命剑州刺史王宗伟为利州制置使。

三月初四日庚戌，唐昭宗和李茂贞以及宰相、学士、中尉、枢密宴饮，酒喝得正高兴时，李茂贞和韩全诲离开了。唐昭宗问韦贻范："朕为什么到这个地方来？"韦贻范回答说："臣在外边不知道。"一再追问，韦贻范不做回答。唐昭宗说："卿怎么能够在朕的面前乱说不知道呢？"又说："卿既然通过正当途径取得宰相职位，就应当按照国家大法来办理公事，如果有不对的地方，一定遵照旧例来处理。"唐昭宗怒目看着韦贻范，小声说："这贼子还得拷打二十大板。"回头对韩偓说："这样的人也称得上宰相！"韦贻范多次拿大杯子劝唐昭宗喝酒，唐昭宗没有立即接酒杯，韦贻范就把酒杯直送到唐昭宗的嘴边。

三月十二日戊午，氏叔琮、朱友宁进攻李嗣昭、周德威的营寨。当时汴州军队排阵有十里长，而河东军队不过几万人，深入敌人境内，士兵心中恐惧。周德威出战失败，秘密命令李嗣昭率领后军先离开，周德威自己随即率领骑兵也撤退了。氏叔琮、朱友宁率领军队长驱直入，河东军队惊慌、溃散，活捉了李克用的儿子李廷鸾，河东军队的兵器粮草等物几乎全部丢光了。朱全忠命令氏叔琮、朱友宁乘胜进攻河东。

李克用听说李嗣昭等战败，派遣李存信带领亲兵前去迎战，到清源县时，遇到了汴州军队，李存信逃回晋阳；汴州军队攻取了慈、隰、汾三州。三月十五日辛酉，汴州军队包围晋阳，在晋祠扎营，攻打晋阳的西门。周德威、李嗣昭收集余下的部众，沿着西山返回晋阳。晋阳城中的军队还没有集合好，氏叔琮攻城非常急促，每次巡视围城军队的时候，总是穿着宽松的衣服，系着大的带子，表示非常悠闲。

李克用白天黑夜登上城楼，没有时间睡觉吃饭。李克用召集各位将领商议退保云州。李嗣昭、李嗣源、周德威说："我们在这里，一定能够守得住。大王不要有退保云州的打算，以免动摇人心！"李存信说："关东、河北地区都受到朱温控制。我们兵力缺少，地方狭小，防守这一座孤城。敌人环城修造营垒、挖掘壕沟，长期围困来制服我们。我们上天无路，入地无门，只有坐着等死。现在情势已经非常危急，不如暂且进入北方少数部族中，慢慢再想办法进取。"李嗣昭极力争辩，李克用不能最后决定。刘夫人对李克用说："李存信只是北川牧羊人的小孩罢了，哪里知道长远地打算啊！大王您常常讥笑王行瑜轻率地弃城逃走，死在别人手中，今天反而要效法他吗！况且大王从前住在鞑靼，几乎不能免于灾难，靠着朝廷多事，才能够再回来，如今只要一离开守城，就会有无法预测的灾祸发生，哪里能够到达塞外呢！"李克用这才打消了退保云州的念头。过了几天，逃散的士兵又集合起来，军府才渐渐安定下来。李克用的弟弟李克宁担任忻州刺史，听说汴州军队到了，中途又回到晋阳，说："这城是我战死的地方，离开它将到哪里去呢！"大家心里都安定了。

三月十六日壬戌，朱全忠回到河中，派遣朱友宁率领军队向西去攻打李茂贞，驻扎在兴平、武功之间。李嗣昭、李嗣源多次率领敢死队在夜里进入氏叔琮的营寨，杀死士兵，捕获俘虏，汴州军队惊慌混乱，防备守卫应接不暇，又遇上瘟疫流行，三月二十一日丁卯，氏叔琮率领军队退走了。李嗣昭与周德威率领军队追赶汴军，追击到石会关，氏叔琮留下几匹马以及旌旗在高坡顶上。李嗣昭等以为有埋伏的军队，于是带兵返回，又攻下了慈、隰、汾三州。从此以后，李克用好几年不敢与朱全忠相争。

（以上为第一段，写李克用援救李茂贞，招致汴兵大举进攻，晋兵巢穴晋阳差点不保。会疾疫大起，汴兵退走。）

李克用以节度使文书向幕府咨询，说："不贮备军粮，用什么来聚集部众？不购置兵器，用什么来战胜敌人？不修筑城池，用什么防御抵抗？在利益和危害之间，请你们商量谋划！"掌书记李袭吉发表意见，大略是说："国家富裕不在于仓库里储备的物资，军队强大不在于人数的多少；老百姓都归附有德行的君主，鬼神总是要降灾给骄傲自满的人；与其有聚敛搜括民财的臣子，不如有盗窃国家钱财的官吏；苛政同吃人的猛虎一样厉害。所以散发了鹿台的钱财，周武王兴盛起来了；齐国的仓库被火焚毁，晏婴入朝表示庆贺。"又说："我以为更改法制不如教养百姓，推行新制怎么比得上遵循旧法呢！韩建在华州积蓄钱财无数，到头来全部归了朱温；王珂更改法制像麻一样多，一下子就投降了敌人；中山城并不是不高峻，但王部不能守住它，蔡上军队并不是不多，但秦宗权最终失败。这些事情原因非常明显，可以作为警戒。况且称霸诸侯的国家没有贫穷的君主，强悍将领的手下没有懦弱的士兵。我希望大王崇尚德政，爱护百姓，去掉奢侈，减省赋役，设防险要，固守边境，训练军队，勤务农事。平定动乱要选用武臣，治理政事则选用文官。钱谷进出有账簿登记，判刑执法有律令依据。诛杀奖赏大权由自己掌握，下边就没有作威作福的弊端。身边亲近的人大多品行端正，大家就不会有被诬陷诽谤的担忧。顺应天时而杜绝欺骗诬罔，敬奉鬼神而禁止淫滥的祭祀，那么不求富裕国家自然富裕起来，不求安定国家也自然安定了。对外可以打败元凶朱温，对内可以振兴颓废习俗，名声高过春秋五霸，道德冠于上古八元。至于计算百姓的赋税、制定房屋的规模、增加酒曲的专利，检查田亩的收入，这些对于开拓国土，建立家邦，恐怕还不算迫切。"

李克用的亲军都是沙陀部族的胡人，喜好侵犯暴虐百姓，河东百姓深受其苦。李克用的儿子李存勖把情况报告后，李克用说："这些人跟随我打仗几十年了，近来库房的财物不足，各路军队靠出卖马匹来维持供给；如今四方藩镇都用重赏来招募士兵，我如果逼急他们，那么他们都要散去了，我怎么和他们一起来保卫这个基业啊！等到天下稍为安定后，再来清理管制他们好了。”李存勖小时候机警聪敏，很勇敢，有谋略。李克用被朱全忠围困，疆界一天天缩小，忧虑始终露在脸上。李存勖进言说：“事物不到极点就不会走向反面，恶人不到极点也不会走向死亡。朱全忠倚仗他的奸诈和力量，穷凶极恶，并吞消灭四邻的藩镇，弄得百姓怨恨，天神愤怒。如今又攻击逼迫皇上，窥伺帝位，这是他走到了极点，将要灭亡了！我家世世代代忠贞，今天虽然形势危急，力量也不及他，但可以问心无愧。父王应该从容静观，等待朱全忠衰弱下去，怎么能够轻易地沮丧灰心，使大家失望呢！”李克用很高兴，立即命令摆设酒席演奏音乐，然后才休息。

刘夫人没有小孩。李克用的宠姬曹氏生了李存勖，刘夫人待曹氏更加好了。李克用因此越发敬重刘夫人，各姬妾有了孩子，就要刘夫人做他们的母亲。刘夫人教养这些孩子，都像自己亲生的孩子一样。

（以上为第二段，写李克用征询僚属强国之术。夫人刘氏及其子存勖意气洋洋，激励李克用奋发图强。）

唐昭宗任命左金吾将军李俨为江淮宣谕使，亲笔写信赐给杨行密，授予杨行密东面行营都统、中书令、吴王的官爵，以讨伐朱全忠。任命朱瑾为平卢节度使，冯弘铎为武宁节度使，朱延寿为奉国节度使。加官武安节度使马殷为同平章事。淮南、宣歙、湖南等道立功的将士，听任杨行密用行营都统牒文，按照制度来迁升递补，然后再上表向唐昭宗报告。李俨是张濬的儿子，唐昭宗赐他姓李。

夏季，四月二十一日丁酉，崔胤从华州来河中，流着眼泪向朱全忠诉说，担心李茂贞劫持唐昭宗到蜀地去，应该及时迎接唐昭宗东归，形势不允许再延缓了。朱全忠与崔胤宴饮，崔胤亲自拿着拍板，为朱全忠唱歌劝酒。

四月二十五日辛丑，回鹘派遣使者前来进贡物品，请求派出军队救援国难。唐昭宗命令翰林学士承旨韩偓回信同意他们的请求。四月二十九日乙巳，韩偓进言说：“回鹘这些戎狄是野兽的心肠，不可以依靠信赖。他们看到我们国家百姓生活富庶，财物众多，但是城邑荒废残颓，武器破旧士兵疲乏，一定有轻视中原的心理，开启他们贪婪的念头。并且从唐武宗会昌年间以来，回鹘被中原打败，恐怕他们乘着我们危难报复怨仇。赐给他们可汗的书信应当告诉他们，小小的寇贼，不需要他们前来救援；表面上感谢他们的好意，实际上是阻止他们的阴谋。”唐昭宗听从了韩偓的意见。

兵部侍郎、参与掌管机要事务的卢光启被罢免为太子太保。

杨行密遣送顾全武回杭州，以便换回秦裴。钱镠非常高兴，遣送秦裴返回扬州。

汴州将领康怀贞在莫谷攻打凤翔将领李继昭，把他打得大败。李继昭是蔡州人，本来姓符，名字叫道昭。

五月初五日庚戌，温州刺史朱褒去世，他的哥哥朱敖自称为刺史。

凤翔人听说朱全忠就要来攻打，都很害怕。五月初八日癸丑，城外的居民都迁入城中。五月十四日己未，朱全忠率领精兵五万人从河中出发，到了东渭横桥，遇到连日阴雨，停留了十天。

五月二十五日庚午，工部侍郎、同平章事韦贻范的母亲去世，宦官推荐翰林学士姚洎担任宰相。姚洎和韩偓商量，韩偓说："如果你考虑长久的利益，那么不如推辞不当宰相为好；假如这是出于皇上的意思，那么没有什么不可以的。况且汴州军队早晚就要包围过来，凤翔这座孤城很难守住。你的家族在东边，怎么可以不考虑呢！"姚洎于是上表推说自己有病，唐昭宗也没有同意他当宰相。

镇海、镇东节度使彭城王钱镠晋封为越王。

六月初二日丙子，任命中书舍人苏检为工部侍郎、同平章事。当时韦贻范在家守丧，向李茂贞推荐苏检和姚洎。唐昭宗既然不用姚洎，李茂贞和宦官们担心唐昭宗自己用人，协力推荐苏检，于是用了他。

六月初三日丁丑，朱全忠在虢县驻军。

武宁节度使冯弘铎处在宣州的田頵和扬州的杨行密之间，常常感到自己不安全；但是仗着自己有强大的战船，不侍奉宣州、扬州两道。宁国节度使田頵想要图谋他，招募冯弘铎的工人建造战舰。工人说："冯弘铎在远处找来坚硬的木材，所以他的战船能够长久地使用，现在这里没有这种木材。"田頵说："你们只管去建造好了，我只要用一次就行了。"冯弘铎的部将冯晖、颜建劝说冯弘铎先攻打田頵，冯弘铎听从了他们的意见，率领军队南进，扬言攻打洪州，实际上是袭击宣州。杨行密派人去阻止冯弘铎的行动，冯弘铎不听。六月初七日辛巳，田頵率领水军在曷山迎击冯弘铎，把冯弘铎打得大败。

六月初十日甲申，李茂贞出动军队，由自己亲自率领，与朱全忠的军队在虢县北边进行激战，被打得大败而回，死了一万多人。六月十二日丙戌，朱全忠派遣他的部将孔勍从散关出发攻打凤州，把凤州攻下来了。六月十三日丁亥，朱全忠进军驻扎在凤翔城下。朱全忠穿着朝服面向着凤翔城哭泣，说："臣只是想迎接皇上车驾返回宫中，不是和岐王李茂贞来争斗输赢的。"于是环绕着凤翔城建立了五个营寨。

（以上为第三段，写朱全忠再次大发兵围攻凤翔与李茂贞争天子。唐昭宗册封杨行密为吴王，钱镠为越王，诏诸道讨逆朱全忠。）

冯弘铎收集余下的部众沿着长江顺流而下，准备入海。杨行密担心冯弘铎将来成为祸害，派使者去犒劳他的军队，并且告诉他说："你的部下仍然很强盛，为什么要把自己弃置于海外呢！我的地方虽然很小，但容纳你的部众是足够的了。让将士官吏们都得到合适的安排，怎么样！”冯弘铎左右的将士官吏全都大声痛哭，听从命令。冯弘铎到了东塘，杨行密亲自乘着轻快的小船来迎接他，跟随的只有十多个人，穿着便服，没有带兵器，登上冯弘铎的船，安慰晓谕大家，全军都非常感激、喜悦。杨行密委任冯弘铎为淮南节度副使，供给他的食宿条件都很优厚。

当初，冯弘铎派遣牙将丹徒人尚公迺到杨行密那里要求把润州归属自己管辖，杨行密不同意。尚公迺大声嚷道：“你如不肯听从，只怕抵挡不住我们大船的攻击。”到这时，杨行密对尚公迺说：“还记得当初要求润州所说的话吗？”尚公迺谢罪说：“将士官吏各为其主，只恨没有成功罢了。”杨行密笑着说：“你侍奉我杨行密如能同事奉冯弘铎一样，就没有什么可忧虑的了！”

杨行密任命李神福为升州刺史。

杨行密发动军队去讨伐朱全忠，派副使李承嗣暂时代理淮南节度使府中的事务。军中的官吏想要用大船运送粮食，都知兵马使徐温说：“水路已经很久没通行了。芦苇堵塞了航道，请用小艇运送，也许比较容易通行。”军队到达宿州，正遇上下雨不停，装载很多物资的大船不能前进，士兵们没有足够的粮食吃，然而小艇先到了。杨行密因此认为徐温才能出众，开始和他商量军中大事。杨行密攻打宿州，没有攻下，因为粮食运送跟不上而退兵回扬州。

秋季，七月，孔勍攻下了成、陇两州，士兵没有经过战斗就占领了。到了秦州，秦州人据城防守，于是从故关返回。

韦贻范当宰相时，经常接受别人的贿赂，许愿人家担任官职；后来因为母亲去世免官居丧，每天被讨债的人喧哗打扰。韦贻范的亲吏刘延美，积欠人家的更多，所以对韦贻范重新恢复官职极为迫切，每天派人去两中尉、枢密以及李茂贞那儿要求。唐昭宗命令韩偓起草恢复韦贻范官职的诏书，韩偓说：“可以斩断臣的手腕，但这个诏书不能起草！”随即上疏辩论说，韦贻范遭受母亲丧事还没有几个月，急忙让他复官，实在是骇人听闻，有损国家的体制。派去监视学士院的两个宦官发怒说：“韩学士不要拿死来开玩笑！”韩偓把疏奏交给他们，脱去衣服睡觉了。这两个宦官不得已把疏奏进呈唐昭宗。唐昭宗立即命令停止草拟诏书，并赐敕令褒扬奖赏韩偓。八月初一日乙亥，百官已按次排好班等候上朝，但没有诏书可以宣布。宦官们喧嚷说是韩侍郎不肯起草诏书，听到的人大吃一惊。李茂贞进宫见唐昭宗说：“陛下任命宰相而学士不肯起草诏书，这与谋反有什么不同！”唐昭宗说：“你们这些人推荐韦贻范，我没有违背你们的意见；韩学士不起草诏书，朕也不违背他。何况他所陈述的事情，道理明白，为什么不依从呢！”李茂贞听了很不高兴，从宫中出去了，到了中书省，看到苏检说：“奸恶邪佞的小人结成朋党，和过去一样！”情绪激动，愤愤不平了很长时间。韦贻范仍然到处钻营谋求复官，李茂贞对人说：“我实在不知道书生们的礼节，被韦贻范所误，应当在邠州安置他。”韦贻范这才停止了活动。刘延美跳井自杀了。

（以上为第四段，写杨行密大家气度与御人之术，冯弘铎归服。韦贻范无耻求官；韩偓鲠正，不屈于宦官与镇帅。）

保大节度使李茂勋率领军队驻扎在三原，救援李茂贞；朱全忠派遣他的部将康怀贞、孔勍去攻打李茂勋，李茂勋逃走了。李茂勋是李茂贞的堂弟。

当初，孙儒死的时候，他的士兵大多跑到浙西，钱镠喜欢他们骁勇强悍，编为中军，号称武勇都。行军司马杜稜向钱镠劝谏说："这些人狼子野心，将来必定成为大患，请用本地人代替他们。"钱镠不听。

钱镠到衣锦军，命令武勇右都指挥使徐绾率领部下治理沟渠，镇海节度副使成及听到士兵们的怨言，报告钱镠，请求停止劳役，钱镠没有听从成及的意见。八月十三日丙戌，钱镠亲自宴请各位将领，徐绾阴谋在宴席上杀死钱镠，没有成功，推说有病先出去了。钱镠感到奇怪，八月十四日丁亥，命令徐绾率领他的部下先回杭州。到达杭州外城，徐绾放纵士兵焚烧抢掠。武勇左都指挥使许再思带领迎候的军队与徐绾的部下会合，进逼节度使所居的牙城。钱镠的儿子钱传瑛和三城都指挥使马绰等关闭城门进行抵抗，牙将潘长袭击徐绾，徐绾后退驻扎在龙兴寺。钱镠回杭州，到达龙泉，听说变乱，急忙奔赴杭州城北，派成及竖起钱镠的旗帜，打着钱镠的鼓与徐绾交战，而自己穿了便服乘坐小船，在夜里到牙城的东北角，翻过城墙进入城内。打更的士兵靠着鼓在睡觉，钱镠亲手杀了他，城中的人才知道钱镠到了。武安都指挥使杜建徽从新城前来救援，徐绾聚集木柴将要焚烧北门，杜建徽把这些木柴全部烧掉了。杜建徽是杜稜的儿子。湖州刺史高彦听说钱镠遇到灾难，派遣他的儿子高渭率领军队前来救援，到了灵隐山，徐绾埋伏的军队把高渭击杀了。

当初，钱镠修筑护卫杭州的罗城，对部下说："十步就有一个可以瞭望的城楼，称得上是坚固的了。"掌书记余杭人罗隐说："罗城的城楼不如向内修筑。"到了这时候，人们都认为罗隐的话应验了。

（以上为第五段，写钱镠不纳忠言，招降纳叛突发兵变，患生肘腋，受困杭州。）

李茂贞出动军队于夜晚袭击奉天，俘虏了汴州将领倪章、邵棠后返回。八月二十二日乙未，李茂贞派遣大批军队，与朱全忠交战，没有取胜；傍晚回来，汴州军队追击，几乎攻入凤翔城的西门。

八月二十六日己亥，朝廷再次起用前户部侍郎、同平章事韦贻范，命令姚洎起草诏书。韦贻范也不谦让，立即上表谢恩，第二天，就到职处理事务。

西川军队请求借路过兴元勤王，山南西道节度使李继密派遣士兵戍守三泉县进行防御，八月二十八日辛丑，西川前锋将领王宗播攻打三泉县，没有攻下，退兵守卫山上的营寨。亲吏柳修业对王宗播说："您全族都归附了王建，不替他拼死作战，如何保全自己呢？"王宗播命令他的部众说："我和你们一起奋力作战，来取得功名；不成功，就死在这里！"于是攻下了金牛、黑水、西县、褒城四个寨子。军校秦承厚攻打西县时，箭穿过左眼，直到右眼，箭头留在里边拿不出来。王建亲自用舌头去舔他的伤口，脓血流出来后箭头也出来了。王宗播攻打马盘寨，李继密战败，逃回汉中。西川军队乘胜攻到汉中城下，王宗涤率领部下首先登上城楼，于是攻克了汉中。李继密请求投降，迁往成都。西川得到士兵三万人，骑兵五千人。王宗涤进入汉中城内驻扎。王建说："李继密过去跟随李茂贞残害京畿三辅地区，因为他投降了，不忍心杀他。"恢复他的姓名叫王万弘，随时召见他。西川各将领都欺侮、轻视他，王万弘终日饮酒，连唱歌、演戏的人也嘲笑、戏弄他。王万弘非常忧愁烦闷，醉后跳到水池中淹死了。

唐昭宗下诏任命王宗涤为山南西道节度使。王宗涤很勇敢、有谋略，深得部众的拥护，王建妒忌他。王建建造节度使大门，用朱红色绘画，蜀人把他叫作"画红楼"，王建认为"画红"和王宗涤原来的姓名华洪相应；王宗佶等人也妒忌王宗涤的功劳，又制造流言诽谤他。王建召王宗涤到成都，责问他。王宗涤说："三蜀已经大致平定了，大王听信谗言，可以杀功臣了。"王建命令亲随马军都指挥使唐道袭夜里给王宗涤喝酒，用绳子把他勒死。成都市民为这事进行罢市，全军士兵为王宗涤伤心流泪，像死了亲戚一样。王建任命指挥使王宗贺暂时代理兴元留后的职位。唐道袭是阆州人，开始以舞童的身份侍奉王建，后来逐渐参与了军事谋划。

（以上为第六段，写西川王建掠地山南，忌杀功臣。）

九月初二日乙巳，朱全忠因为长时间下雨，士兵们多病，召集各将领商量带领军队返回河中。亲从指挥使高季昌、左开道指挥使刘知俊说："天下的英雄，看着我们讨伐李茂贞快一年了；如今李茂贞已经困迫，为什么要放弃这里回去呢！"朱全忠担心李茂贞坚守不出战，高季昌建议用计策引诱骗他出来。于是招募能够进入城中做间谍的人，骑士马景请求前往，说："这次前去一定会死，希望大王能收养抚恤我的妻子儿女。"朱全忠感到悲伤，便阻止他，马景坚决要去。当时朱全忠派遣朱友伦从大梁调发军队，第二天将要到达，应当出兵迎接他们。马景请求就在这个时候给他骏马混在众骑兵中出去，朱全忠依从了他的要求，命令各路军队都让马匹、将士吃饱喝好。九月初四日丁未早晨，把旗帜都放倒，士兵们埋伏起来，军营中寂静得像没有人一样。马景和众骑兵一起出营，突然跃马向西，假装逃跑，进入凤阳城报告李茂贞说："朱全忠全军都逃走了，只留下受伤、患病的士兵将近一万人守卫营寨，今天晚上也要走了，请赶快攻打他们！"于是李茂贞打开城门，出动全部人马去攻打朱全忠的营寨。朱全忠在军中击鼓，所有的军营都出动，发动士兵攻击李茂贞的军队，又派遣几百名骑兵去占据凤翔城门，凤翔军队进退不得，自相践踏，被杀的被杀，受伤的受伤，几乎覆没。李茂贞从此意气沮丧，开始商量和朱全忠讲和，送唐昭宗返回京城长安，不再用诏书勒令朱全忠回镇了。朱全忠上表奏请任命高季昌为宋州团练使。高季昌是硖石人，本来是朱友恭的仆人。

九月初五日戊申，武定节度使李思敬献出洋州城投降王建。

九月初八日辛亥，李茂贞派出全部骑兵到相邻的各州去寻求粮食和草料。九月初九日壬子，朱全忠挖掘像蚰蜒行地形状的壕沟来包围凤翔，设置由狗守护的犬铺和挂着铃铛的铃架，使城内和城外隔绝。

九月二十日癸亥，任命李茂贞为凤翔、静难、武定、昭武四镇的节度使。

（以上为第七段，朱全忠用诈计大破李茂贞于凤翔。）

有人劝说钱镠渡过钱塘江东去守卫越州，用来避开徐绾、许再思叛乱的威胁。杜建徽手握宝剑大声怒斥那人说："事情如果不能成功，就一同死在这里，怎么能够再渡江到东方去呢！"

钱镠担心徐绾等占据越州，派遣大将顾全武率领军队去那儿守卫。顾全武说："越州不值得前往，不如到广陵去。"钱镠问道："这是什么缘故？"顾全武回答说："听说徐绾等密谋召唤田頵，田頵一到，淮南军队再来帮助他，就不好对付了。"杜建徽说："孙儒发难的时候，大王对杨行密有恩德，现在前去告诉他，他应该有所回报。"钱镠命令顾全武去向杨行密报告情况危急，顾全武说："空手去没有用，请以大王的儿子作为人质。"钱镠让他的儿子钱传瓘装扮成顾全武的仆人，和他一起到广陵去，并且向杨行密的女儿求婚。经过润州时，团练使安仁义喜爱钱传瓘清秀漂亮，打算用十个仆人来和他交换。顾全武在半夜里贿赂看门人逃走了。

徐绾等果然召请田頵，田頵率领军队前往，先派遣亲近的官吏何饶对钱镠说："请大王到东边的越州去，空出节度使府官署来等待我们，不要因为这个使得士兵们被杀死！"钱镠回答说："军中发生叛乱，哪里没有这种事呢！你身为节度使，却帮助贼寇叛乱。要作战就赶快来，又何必说这个大话！"田頵修筑壁垒断绝往来的道路，钱镠很忧虑，招募能够夺取田頵所筑壁垒的人，答应赏给他一个州。衢州制置史陈璋率领士兵三百人出城奋力攻击，于是夺取了田頵修筑的壁垒，钱镠立即任命陈璋为衢州刺史。

（以上为第八段，写杭州叛兵引田頵为援，钱镠求救于杨行密。）

顾全武到达广陵，告诉杨行密说："假如让田頵得志，一定会成为大王的祸患。大王召田頵回来，钱王请把他的儿子钱传瓘作为人质，并且向您的女儿求婚。"杨行密答应了他的要求，把女儿嫁给钱传瓘为妻。

冬季，十月，李俨到了扬州。杨行密开始建立制敕院，每次有封赏授官，就告诉李俨，在紫极宫玄宗皇帝像前陈列制书，再行拜礼，然后才退下。

王建攻下了兴州，任命军使王宗浩为兴州刺史。

十月初六日戊寅晚上，李茂贞的义子李彦询率领三团步兵投奔汴州军队。十月初七日己卯，李彦韬紧跟着也投奔了。

十月初八日庚辰，朱全忠派遣幕僚司马邺捧表进入凤翔城。十月十二日甲申，又派遣使者献上熊脂。从这以后，进献食物、丝帛等连续不断。唐昭宗都先给李茂贞，让他打开看，李茂贞也不敢打开。十月十四日丙戌，朱全忠又派遣使者要求与李茂贞商量讲和，老百姓出城砍柴采薪的都不检查没收。十月十五日丁亥，朱全忠上表请求修理宫殿和迎接唐昭宗回京。十月十七日己丑，唐昭宗派国子司业薛昌祚、内使王延缋携带诏书赐给朱全忠。

十月二十一日癸巳，李茂贞又派出军队攻击凤翔城西的汴州军队营寨，结果战败退回。朱全忠给投降的人穿大红色的长袍，让他们招呼城中的人，凤翔士兵在夜里用绳子系住坠下城逃走和借着出城砍柴不归的很多。这以后李茂贞有时派军队出城攻击汴州军队，大多不执行他的命令，反而逃散回城。李茂贞怀疑唐昭宗与朱全忠之间有密约。十月三十日壬寅，又在唐昭宗住处的北边墙外，增派军队防守保卫。

十一月初一日癸卯，保大节度使李茂勋率领他的部众一万多人救援凤翔，在城北山坡上驻扎，点燃烽火和城中互相呼应。

十一月初二日甲辰，唐昭宗派赵国夫人探明学士院中两位中使都不在，急召韩偓、姚洎来，在土门外暗中相见，拉着手感伤流泪。姚洎请唐昭宗赶快回去，担心被别人看见，唐昭宗马上离开了。

朱全忠派遣他的部将孔勍、李晖率领军队乘虚袭击鄜州、坊州。十一月初十日壬子，攻下坊州。十一月十二日甲寅，下大雪，汴州军队在夜间冒雪行进，五更时，到达鄜州城下，鄜州人没有防备，汴州军队进入城中，城里士兵还有八千人，战斗到中午，鄜州人才被打败，擒获留后李继璙。孔勍安抚慰问李茂勋和将士的家属，使他们安居，不受到骚扰，命令李晖暂时代理军府中的事务。李茂勋听到这消息，带领军队逃走。

汴州军队每天晚上击鼓鸣号，城里好像在地震一样。攻城的人骂城上防守的人是“劫天子贼”，城上防守的人骂攻城的人是“夺天子贼”。这年冬天，下大雪，城里食物吃完了，冻死、饿死的人不计其数；有的躺下还没有死就已经被人割肉剔骨。市场中出卖人肉，每斤价值一百钱，狗肉每斤价值五百钱。李茂贞储备的食物也吃完了，拿狗肉、猪肉供给唐昭宗食用。唐昭宗在市场上卖掉自己和小皇子的衣服以供需要，削松木片浸水来喂御马。

［十一月十四日丙辰］，户部侍郎、同平章事韦贻范去世。

十一月二十一日癸亥，朱全忠派人割除城外的草以困城中。十一月二十二日甲子，李茂贞增派士兵守卫行宫的大门，各宦官估计自己不能免除灾难，互相指责埋怨。

苏检多次替韩偓谋划担任宰相，对李茂贞及中尉、枢密讲这件事，并且派遣亲近的官吏去告诉韩偓。韩偓发怒说："你与韦贻范从被贬的地方召回来后，一个月就当了宰相，直到今天没有什么作为。现在的形势已是朝不保夕，还想拿这个宰相来玷污我吗！"

田颓急攻杭州，准备舟船将要从西陵渡过钱塘江。钱镠派遣他的部将盛造、朱郁抵抗并打败了田颓。

十二月，李茂勋派遣使者向朱全忠请求投降，改名李周彝。于是李茂贞管辖的山南州镇都落到王建手中，关中州镇都落到朱全忠手中，他只空守凤翔孤城。李茂贞秘密谋划杀死宦官来赎罪，写信给朱全忠说："祸乱的发生，都是韩全诲引起的。我迎接唐昭宗到这里，是为了防备其他的盗贼。您既然有志匡复国家，请您迎接护送唐昭宗回到长安宫中，我带领破损的盔甲和残存的士兵，跟着您尽自己的力量。"朱全忠回信说："我带领军队到这里，正是因为唐昭宗流离失所。您能够和我同心协力，本来是我的愿望。"

（以上为第九段，写李茂贞山南之地为王建所夺，关中之地为朱全忠所有，困守凤翔孤城，众叛亲离，粮尽食人，议与朱全忠和解。）

杨行密派人召回田颓，说："你不回来，我就另外派人代理镇守宣州。"十二月初八日庚辰，田颓将要返回，向钱镠索取犒劳军队的钱二十万缗，并且要求钱镠的儿子作为人质，把自己的女儿嫁给他。钱镠对各个儿子说："谁肯作田颓的女婿？"没有人答应。钱镠想派遣他的小儿子钱传球，钱传球不愿意。钱镠发怒，要杀掉他。次子钱传瓘请求前往，吴夫人哭着说："为什么要把儿子送入虎口呢！"钱传瓘说："解除国家的危难，哪里敢爱惜自己啊！"再拜以后就出去了，钱镠哭着送他。钱传瓘随从几个人从城北门系着绳子坠下城。田颓与徐绾、许再思一起回宣州。钱镠收回钱传球掌管的内牙兵印。

越州客军指挥使张洪因是徐绾的同党而感到不安，率领步兵三百人逃奔衢州，衢州刺史陈璋接纳了他。温州将领丁章赶走了刺史朱敖，朱敖逃奔福州。丁章占据了温州，田颓派遣使者去拉拢丁章，取道衢州，陈璋听任他们来往。钱镠因此怨恨陈璋。

十二月二十五日丁酉，唐昭宗召集李茂贞、苏检、李继诲、李彦弼、李继岌、李继远、李继忠到行宫一起进食，商量与朱全忠和解。唐昭宗说："从十六宅各王以下，每天冻死饿死的有好几个人。在宫内的各王以及公主、妃嫔，一天吃粥，一天吃汤饼，现在也吃完了。你们的意思怎么样呢？”大家都没有回答。唐昭宗说：“应当赶快和解罢了！”

凤翔士兵十多人在左银台门拦住韩全诲，大声喧哗责骂说：“全境生灵涂炭，全城都要饿死，都是因为你们军容使几个人！”韩全诲向李茂贞叩头诉说这件事，李茂贞说：“士兵们知道什么！”命令侍者倒了两杯酒，与韩全诲对着喝完就作罢了。韩全诲又向唐昭宗诉说，唐昭宗也进行劝解。李继昭对韩全诲说：“从前杨复恭毁掉杨守亮一族，如今你韩全诲也要毁掉我李继昭一族吗！”恣意谩骂，随后就出城去投降朱全忠，恢复原姓符，名字叫道昭。

这一年，虔州刺史卢光稠攻打岭南，占领了韶州，派他的儿子卢延昌守卫，进兵包围潮州。清海留后刘隐发动军队打跑了卢光稠，乘胜进攻韶州。刘隐的弟弟刘陟认为卢延昌有虔州军队的援助，不能匆忙攻取；刘隐不听他的话，于是包围了韶州。正遇到江水上涨，粮草运送跟不上，卢光稠从虔州带领军队前来救援韶州。他的部将谭全播埋伏精锐军队一万人在山谷中，用瘦弱的士兵进行挑战，在韶州城南大败刘隐的军队，刘隐逃回去了。谭全播把全部功劳让给各位将领，卢光稠更加器重谭全播。

岳州刺史邓进思去世，他的弟弟邓进忠自称为岳州刺史。

（以上为第十段，写钱镠得杨行密之助，与田頵和解，转危为安。唐昭宗敦促李茂贞与朱全忠和解，韩全诲末日来临。）

唐昭宗天复三年（癸亥，公元903年）

春季，正月初二日甲辰，朝廷派遣殿中侍御史崔构、供奉官郭遵诲前往朱全忠的军营。正月初四日丙午，李茂贞也派遣牙将郭启期前往商量和解的事情。

平卢节度使王师范，很喜爱学习，以忠义自勉，治理政事既有声誉又有实迹。朱全忠包围了凤翔，韩全诲发布唐昭宗的诏书征召各藩镇军队前来凤翔救援。王师范看见诏书，泪水沾湿了衣襟，说：“我们身为皇室的屏障，怎么能对唐昭宗如此困窘耻辱的处境坐视不管？各自拥有强大的军队，就只为保护自己吗！”正遇上张濬从长水写信给他，劝他为伸张正义发动军队。王师范说：“张濬的话正合我的心意，还有什么可以犹豫的呢！即使力量不足，也应当把生死置之度外而去做。”

当时关东的军队大多跟随朱全忠在凤翔，王师范分别派遣各将领伪装成进献物品的使者和商贩，把兵器包裹起来，用小车装载，进入汴、徐、兖、郓、齐、沂、河南、孟、滑、河中、陕、虢、华等州，约定在同一天一起发动，讨伐朱全忠。前往各州的人大多数因事情泄漏被捉住，只有行军司马刘鄩得以到达兖州。当时泰宁节度使葛从周率领他的军队全部驻扎在邢州，刘鄩先派人伪装成卖油的混进城中，侦察到城内的虚实以及军队进城的地点。正月初四日丙午，刘鄩率领精兵五百人在夜晚从水洞进入城中，到天亮时，兖州城全部平定，市民都不知道发生了变故。刘鄩占据了葛从周的府署房舍，拜见葛从周的母亲，每天早晨前去探望，对待葛从周的妻子，也很礼貌；对待葛从周的子弟掌理的职务和供应的物资也和原来完全一样。

这一天，青州牙将张居厚率领壮士二百人推着小车到了华州的东城。掌管华州事务的娄敬思怀疑他们有些异常，把小车打开查看。这些壮士大声呼叫，杀了娄敬思，攻打西城。崔胤当时在华州，率领众人进行抵抗，张居厚没有攻下西城，逃到商州，被追上抓住了。

朱全忠留下节度判官裴迪守卫大梁，王师范派遣差役送信到大梁。裴迪问他东方的情形，差役脸色变了。裴迪察觉到事情有变化，让左右的人退下再追问，差役把实情全部讲出。裴迪来不及报告朱全忠，紧急请马步都指挥使朱友宁率领军队一万多人到东方去巡视兖州、郓州。朱友宁召回在邢州驻扎的葛从周，共同攻打王师范。朱全忠听到事变的消息，也分派一部分军队先返回，让朱友宁一起统率他们。

（以上为第十一段，写朱全忠后方空虚，平卢节度使王师范起兵勤王，分遣诸将偷袭各州，事皆不谐。）

正月初六日戊申，李茂贞单独进见唐昭宗，中尉韩全诲、张彦弘，枢密使袁易简、周敬容等都不能到唐昭宗面前答对。李茂贞请求诛杀韩全诲等人，与朱全忠和解，护送唐昭宗回长安。唐昭宗听后很高兴，立即派遣宦官率领凤翔的士兵四十人收押韩全诲等人，把他们斩杀。任命御食使第五可范为左军中尉，宣徽南院使仇承坦为右军中尉，王知古为上院枢密使，杨虔朗为下院枢密使。这一天晚上，又斩杀李继筠、李继诲、李彦弼以及皇宫内诸司使韦处廷等十六人。正月初七日己酉，派遣韩偓及赵国夫人到朱全忠的军营；另外又派遣使者用口袋装了韩全诲等二十多人的首级送给朱全忠看，说："以前胁迫扣留皇上，害怕罪责离间君臣，不愿亲睦和解的，都是这些人。今天我和李茂贞决心把他们杀死，你可以明白告诉各路军队，以消除大家的愤怒。"正月初九日辛亥，朱全忠派遣观察判官李振拿着表文进宫向唐昭宗致谢。

韩全诲等人已经被杀，然而朱全忠的包围还没有解除。李茂贞怀疑崔胤教唆朱全忠一定要攻取凤翔，于是禀告唐昭宗紧急召唤崔胤，命令他率领百官从华州奔赴凤翔。前后四次下诏令，三次赐给朱书御札，言语非常恳切周到，全部恢复他以前的官职、爵位，崔胤竟然推说有病不来。李茂贞感到害怕，也亲自给崔胤写信，措辞很谦恭卑下。朱全忠也写信叫崔胤来，并且开玩笑说："我不认识皇上，必须您来辨别是真的还是假的。"崔胤这才前来凤翔。

正月十二日甲寅，凤翔才打开城门。正月十四日丙辰，朱全忠巡视各个营寨，到城北，有凤翔军队从北山上下来，朱全忠怀疑他们要逼近自己，派兵进攻他们，擒获他们的将领李继钦。唐昭宗派遣赵国夫人、冯翊夫人到朱全忠的军营查问是什么原因，朱全忠派遣亲吏蒋玄晖拿着表文进宫上奏唐昭宗。

李茂贞请求让他的儿子李侃娶平原公主为妻，又想把苏检的女儿嫁给景王李秘为妃，借以巩固自己的地位。平原公主是何后的女儿，何后感到很为难。唐昭宗说："只要能使我们平安离开这里，何必担忧你的女儿！"何后这才同意了。正月二十日壬戌，平原公主嫁给了宋侃为妻；景王李秘娶苏氏为妃。

当时在凤翔被杀掉的宦官已有七十二人，朱全忠又秘密令人在京兆地区搜捕辞官家居、没有随从唐昭宗到凤翔的宦官，杀了九十个人。

正月二十二日甲子，唐昭宗离开凤翔，到朱全忠的军营。朱全忠穿上素色衣服，等待处罚。唐昭宗命令客省使宣布圣旨，免除朱全忠的罪过，去掉亲、勋、翊三卫立仗，只留下左、右金吾将军一人报平安，让朱全忠穿公服入内致谢。朱全忠见到唐昭宗，叩头流泪；唐昭宗命令韩偓把他扶起来。唐昭宗也流着泪说："宗庙和国家，靠着卿才能再次安定，朕和宗族，也倚赖你才能再次逢生。"亲自解下玉带赐给朱全忠。稍为休息了一下，就动身离开。朱全忠独自骑着马在前面引导了十多里路，唐昭宗向他告辞。朱全忠于是命令朱友伦率领军队护送唐昭宗，自己留下一部分后面的队伍，焚烧撤除各个营寨。朱友伦是朱全忠二哥朱存的儿子。

当天晚上，唐昭宗住宿在岐山。正月二十五日丁卯，唐昭宗到达兴平，崔胤才率领百官迎接谒见。唐昭宗再次任命崔胤为司空、门下侍郎、同平章事，照旧管领户部、度支、盐铁三司的事务。正月二十七日己巳，唐昭宗进入长安。

正月二十八日庚午，朱全忠、崔胤一同进宫奏对。崔胤上奏说："建国初年天下太平的时候，宦官不掌管军队和干预朝政。自从玄宗天宝以后，宦官越来越强盛了。唐德宗贞元末年，分羽林卫为左、右神策军以便随从护卫，开始命令宦官主管这些事，以两千人作为定制。从此，宦官参与掌管机密事务，夺取了政府各司的权力，上下相互弥补结合，一起去做不法勾当。从大的说，联结煽动藩镇作乱，倾覆危害国家；从小的说，用官爵和诉说案件做交易，败坏朝廷的政治。王室衰弱混乱，正是由于这个原因，不铲除它的根源，灾祸终究是不会停止的。请全部罢免宦官的各司使，他们的事务都归还政府来管理，派往各道的监军也全部召回到朝廷里来。"唐昭宗依从了崔胤的建议。这一天，朱全忠用军队把宦官第五可范等几百人驱赶到内侍省，把他们全部杀死，喊冤哀号的声音，响彻了宫廷内外。那些出使到外地去的宦官，下诏命令就在当地把他们收捕处死，只留下品秩卑微、年幼体弱的宦官三十人来供洒扫之用。又命令成德节度使王镕挑选五十个人进宫充当敕使，因为那个地方风俗淳厚，人性谨慎朴质。唐昭宗怜悯第五可范等人有的没有罪过，写文章来祭奠他们。从此以后，宣读传达诏命，都是由宫人出入办理；左、右神策两军所统辖的内外八镇军队，也都归属左右龙武、羽林、神策等六军，任命崔胤兼领六军十二卫的事务。

（以上为第十二段，写朱全忠劫得唐昭宗返长安，韩全诲等大小宦官全被诛杀。）

臣司马光评论说：宦官掌权，成为国家的祸患，它的由来已经很久了。大致说来，因为宦官经常出入宫廷，皇帝从小到大和宦官亲近熟悉，不像三公六卿那样，进入宫廷见面有一定的时间，有敬畏恐惧的感觉。宦官中间有性情乖巧、动作灵便的，有言语雄辩、谈吐敏锐的，有善于察言观色、迎合君主的志向兴趣的，接受命令就没有违背抵触的担心，使唤差遣就有称心满意的结果。如果不是圣明杰出的君主，能洞察知晓事物的情理，考虑祸患的深远，除了服侍奉养之外，不再委任宦官掌管各项事务，那么这些在内宫的宦官因为近在君主身旁而一天天地亲密，在外朝的大臣因为不经常和君主见面而一天天地疏远。宦官甘美的言辞、卑恭的请求，君主有时就会依允，像水一样浸润肌肤的诉说，君主有时就会听从。于是黜退、升迁、刑罚、奖赏的国家政令，不知不觉转移到亲近的宦官手中而君主却不能自知，好像饮了陈年的美酒，喜欢它的味道而忘掉了它会使人醉倒一样。这样，黜退、升迁、刑罚、奖赏等大权旁落而国家不会危险祸乱的，从未有过。

东汉的衰亡，宦官最为骄纵蛮横，然而宦官都是借助君主的权力，好像城狐社鼠倚势为奸，来扰乱天下，还没有像唐朝这样能够劫持、胁迫君主如同控制婴儿，操纵废弃、拥立的权力，往东往西全凭自己的心意，使君主惧怕他们就像骑着虎狼，挟着毒蛇一般。之所以会成为这样，没有别的原因，是东汉的宦官不掌握兵权，唐朝的宦官掌握兵权的缘故。

唐太宗鉴于前代的弊端，对宦官严加抑制，使宦官的官阶不能超过四品。唐玄宗开始毁坏旧有的章程，尊崇宦官，重用宦官，晚年让高力士审阅批复章奏，甚至任用罢免将军、宰相这样的大事，唐玄宗也常常和高力士商量，所以太子以下所有的王公都畏惧地侍奉他，宦官的势力从此兴盛起来了。到了中原动荡不安，唐肃宗在灵武即位，集中军队，李辅国以东宫太子旧属的身份参与军事谋划，由于皇帝对他宠爱过度，使他骄横放纵，不能再加以控制，竟使皇帝连爱子和慈父都庇护不了，在忧虑害怕中去世。唐代宗登上帝位，仍然按照他父亲的路子走，程元振、鱼朝恩先后当政，掌握刑罚、赏赐的大权，一手遮天，堵塞蒙蔽皇帝的耳目，看待皇帝如同丢弃的裘衣，欺凌宰相好像对待奴仆俘虏一般。所以来瑱效忠入朝为相，遭到程元振的谗言毁谤，竟然被处死；吐蕃入侵深入到京城附近，宦官竟隐匿军情不报，使得皇帝狼狈逃往陕州；李光弼一代名将，遭到怀疑妒忌，心中烦闷怨恨，以至于病死；功高位重的郭子仪，被排斥罢官，闲居在家，还保不住祖先的坟墓；仆固怀恩含冤受抑，没有地方申诉，于是抛弃了功勋，叛变作乱。唐德宗刚即位的时候，大力整顿朝纲法纪，宦官的势力稍稍被削弱。但从兴元年间返京后，猜疑、妒忌各将领，认为李晟、浑瑊都不可相信，削夺了他们的全部兵权，而任命窦文场、霍仙鸣为中尉，让他们掌管宫廷的值宿警卫，从此以后，宫中的兵权落在宦官手中了。唐宪宗末年，吐突承璀想要废掉皇帝嫡子遂王李恒，拥立庶子澧王李恽，终于酿成陈洪志的变乱。唐敬宗宝历年间过分亲近宦官，刘克明和苏佐明叛变为逆，这以后绛王李悟以及文宗、武宗、宣宗、懿宗、僖宗、昭宗六个皇帝，都是宦官拥立的，宦官更加骄横霸道。王守澄、仇士良、田令孜、杨复恭、刘季述、韩全诲是宦官中的首领，以至于自称为“定策国老”，把皇帝看成门生，这种情况已是根深蒂固，病入膏肓，不可救药了！唐文宗深深愤恨宦官这个样子，立志要除掉他们，但像宋申锡那样贤德的人，尚且不能有所作为，反而遭到祸殃；更何况李训、郑注这些反复无常的小人，想要用一个早晨的阴谋诡计，来剪除积累数代如胶似漆凝聚坚固的朋党，最终导致鲜血流满宫廷道路，尸体堆积在台省的门前，公卿大臣接连被杀，满门被灭，皇帝装聋作哑，饮酒不止，泪流满面，不敢出声，把自己比作周赧王、汉献帝，不是很可悲吗！以唐宣宗的严厉果断、明察秋毫，尚且闭目摇头，自称畏惧他们，何况唐懿宗、唐僖宗那样骄奢淫逸，只要有歌舞美女、蹋毬打猎来满足自己的欲望，而把一切政事都交给宦官，称他们为父亲，这本来就没有什么可以感到奇怪的了。贼寇玷污宫殿，唐僖宗两次逃奔梁州、益州，都是田令孜所造成的。唐昭宗不能忍受这样的耻辱，想要竭力清洗宦官，但是任用的人不恰当，所作所为适得其反。开始时是张濬在平阳全军覆没，增长了李克用嚣张跋扈的气势；杨复恭逃亡到山南，又开启了宋文通不守臣节的心思；最后则在皇宫里激烈交战，箭头射中皇帝的衣服，唐昭宗到莎城流亡漂泊，在华阴寄居暂住，又被幽禁在东宫受辱，被劫持胁迫到岐阳。崔胤没有办法，再召朱全忠发兵讨伐。朱全忠率领军队包围岐阳城，皇帝再度遭受寒暑之苦，连干粮也不能正常供给，王侯在饥寒交迫中饿死冻僵，然后韩全诲才被杀死，皇帝才能东回长安，剪除消灭韩全诲的同党，没有一个遗漏的，但是唐朝的宗庙社稷因此也就成了坟墓废墟！这样看来，唐朝宦官的祸乱，开始于唐玄宗，兴盛于唐肃宗、唐代宗，大成于唐德宗，到唐昭宗时达到了极点。《易经》说：“踩到了霜上，就知道严寒冰冻将要到来。”治理国家的人，应该防微杜渐，怎么可以不小心对待宦官的起始呢！以上这些是宦官所造成的灾祸中特别昭著的事例。其余像伤害贤能、招致祸乱、出卖官职、收贿减刑、败坏军队、毒害百姓等事情很多很多，不能把它们一件件都列举出来。

说到宦官的官职，开始于夏禹、商汤、周文王三王的时代，在《诗经》、

《礼记》中有具体的记载。这是为了谨慎遵守宫廷里的规矩，沟通宫廷内外的意见，怎么可以没有呢？比如周幽王时《巷伯》痛恨谗言邪恶，晋献公时寺人披忠诚侍奉君主，汉和帝时郑众推辞赏赐，汉灵帝时吕强直言谏劝，其他又如曹日昇解救患难，马存亮消降祸乱，杨复光讨伐贼寇，严遵美辞让权位，张承业竭尽忠心，他们中间难道没有贤能人才吗？只是国君不应当与他们谋划商量国家政事和提拔贬黜官吏，使得他们能够作威作福，足以主宰别人的命运罢了。如果宦官有人犯罪，小则处以刑罚，大则杀死他，不予宽恕赦免。这样，即使让宦官专横跋扈，又有谁敢呢？怎么可以不明察好坏，不辨别是非，想要像割草、杀禽兽那样除尽杀绝，能够不造成祸乱吗？因此，前有袁绍实行屠杀导致董卓削弱汉室，后有崔胤承袭袁绍的办法而造成朱全忠篡夺皇位，虽然痛快地发泄一时的愤恨，但唐朝紧跟着就灭亡了。这好比是厌恶衣服上的污垢就烧掉衣服，忧虑树木里的蛀虫就砍伐树木，这造成的危害不是更多了吗！孔子说：“人如果不仁爱，痛恨过分，就会发生祸乱。”说的就是这个意思啊！

（以上为第十三段，写司马光论唐代宦官之祸。）

王师范派遣使者把发动军队讨伐朱全忠的事告诉李克用，李克用送去书信赞扬他。河东监军张承业也劝说李克用发动军队去救援凤翔。李克用攻打晋州，听说唐昭宗已经东回京城长安，就停止了进攻。

杨行密以唐昭宗名义加官朱瑾为东面诸道行营副都统、同平章事，任命昇州刺史李神福为淮南行军司马、鄂岳行营招讨使，任命舒州团练使刘存担任他的副手，率领军队去攻打杜洪。杜洪的部将骆殷守卫永兴，弃城逃走了。县民方诏占据永兴城投降。李神福说：“永兴是一个大县，是输送军用物资和粮食的依靠，得到永兴等于已经得到鄂州的一半了。”

（以上为第十四段，写李克用势弱，救援王师范不力。杨行密扩张势力，进兵鄂岳。）

【点评】

本卷点评汴岐两镇争天子、李克用兵败晋阳、王师范讨逆、司马光论宦官之祸四件史事。

汴岐两镇争天子。公元901年，朱全忠并河中，势力大盛，进兵五万围晋阳，李克用请和。朱全忠表请昭宗幸东都，发出了劫夺天子的信号，京都大骇，士民逃窜山谷。十一月，韩全诲与留京岐兵逼迫昭宗、皇后、嫔妃、诸王一百余人奔凤翔，崔胤搬起石头砸了自己的脚。朱全忠率众取华州，入关中，劫夺了百官。朝廷分裂，汴岐两镇争天子，朱李交兵关中整一年，西川王建乘势夺取李茂贞山南。在朱全忠与王建夹攻下，李茂贞迅速瓦解，困守凤翔孤城，眼见大势已去，诛杀了韩全诲向朱全忠请降。公元903年正月，朱全忠拥帝还长安，杀宦官第五可范等数百人，只留幼弱者三十人以备洒扫。昭宗诏令诸镇尽诛监军。朱全忠扮演了东汉末董卓入京诛宦官的角色，崔胤则扮演了何进与袁绍的双重角色，一是效何进招朱全忠入京，二是效袁绍力主杀尽宦官。崔胤虽如愿以偿，不久自己也人头落地，唐王室也归于灭亡。

当时，唐王朝三大矛盾交织。其一，是藩镇与中央政权的矛盾；其二，是宦官与朝官的矛盾，南北司水火不容；其三，朝官之间的朋党之争，小人充斥朝廷。藩镇割据是当时最大的祸患。唐朝自安史之乱以后，藩镇坐大，黄巢乱起，推动藩镇布列全国，唐皇室令不行于诸镇，京都成了一座困守的孤城。河北山东，列镇相望，战争最烈。唐昭宗时，藩镇气焰尤为嚣张。凤翔李茂贞、汴州朱全忠、太原李克用、邠州王行瑜、华州韩建、镇州王镕、幽州李匡威、同州王行约，个个有野心，无不虎视关中。当崔胤与韩全诲交恶之时，朱全忠据有郓、青、曹、棣、兖、沂、徐、宿、陈、许、郑、汴、滑、濮十四州，李茂贞占有山南、梁、洋、凤、岐、陇、泾、原等州，身兼凤翔和山南两道节度使，李克用被削弱，李茂贞与朱全忠成为最大的两个强镇。宦官韩全诲与李茂贞相结，崔胤与朱全忠交通，形成两大集团的斗争，把三大矛盾纠结在一起。等到李茂贞势蹙，朱全忠挟制天子，宦官尽数被诛，崔胤等百官亦被诛戮，唐王室积聚的三大矛盾冰消雪解，唐王朝也就灭亡了。

李克用兵败晋阳。李克用雄踞太原、河东，原本强于朱全忠。当秦宗权攻击朱全忠之时，李克用请命天子，失去夹击朱全忠的战机。公元895年，邠、岐、华三镇联兵犯阙，李克用得到昭宗授命为邠宁四面行营都招讨使，进兵关中，王行瑜授首，李茂贞势衰，李克用没有乘胜进击，丧失了挟天子以令诸侯的大好时机。李克用回师太原，从此走了下坡路。公元896年，李克用救援兖、郓朱瑾、朱瑄被魏博镇罗弘信拦击败还，魏博也就此归附于朱全忠。此后朱李争河北，连年大战，成德、义武两镇又倒向朱全忠。朱全忠得势，于公元901年进兵河中，再逼河东，李克用城守晋阳，朱全忠围攻，李克用不敌求和。朱全忠放胆入关中，李茂贞求援于太原，以诏命征兵李克用，李克用发兵相救，与汴兵战于平阳北。朱全忠回师大举围攻晋阳，李克用连连败北，晋阳几乎不保。朱全忠退兵，李克用气馁，此后数年不敢与朱全忠交兵。所幸夫人刘氏有智慧谋略，嗣子李存勖英姿勃发，夫人与虎子激励李克用奋发图强，才又振作起来。

李克用势衰有三大原因。其一，军无谋主，少了灵魂。其二，李克用缺失驭人之术，赏罚不公，杀大将李存孝，误用刘仁恭，鹰养李罕之，都是失招，削弱了自身力量。其三，李克用所领亲兵，遗留沙陀游牧习气，掠夺成性，没有纲纪。李存勖曾劝李克用整顿纪律，李克用说："这些部属跟随我征战几十年，我没有恩惠施及，若再用纪律约束，他们都跑散了，我拿什么来守河东。"由此可见，李克用本无帝王之志，仍是一个劫夺者，他之不敌朱全忠也就在情理之中。李克用值得欣慰的是其子李存勖青出于蓝而胜于蓝，最终实现了李克用的临终遗嘱，灭了朱梁。李克用地下有知，亦可瞑目了。

王师范讨逆。王师范，青州人，平卢节度使王敬武之子，十分好学，以忠义自许。年十六父死，自称留后。朱全忠围凤翔，唐昭宗诏诸镇赴难，王师范得到消息哭曰："吾为国守藩，皇上遭危难，不去扶持，行吗？"于是与杨行密联盟，高举义旗讨逆。王师范趁朱全忠后方空虚，大胆地派出诸将，化装成商人，车载兵仗包装成商品。刘鄩袭兖州，王师范入河南，徐，沂、郓等十余州同日并发，虽然只有刘鄩在兖州得手，其余各州的偷袭都没有成功，但王师范的讨逆行动，可圈可点，忠义精神难能可贵。王师范与入援的淮南大将王茂章并肩作战，杀了朱全忠派来讨伐的大将朱友宁。朱友宁是朱全忠的养子，骁勇善战。最后，朱全忠亲率大军臣服了王师范，等到篡唐之后再追究朱友宁之死，族灭了王师范一门两百余人。无论少长，全部坑杀。

朱全忠灭唐，没有赴难死国的人，王师范讨逆，以其行动实践了他的诺言："即使力量不足，唯有以死报国。"王师范讨逆时，尚不足二十岁，年少死国，忠义奋发，悲壮成仁，令人叹腕。

司马光论宦官之祸。唐末宦官之祸是东汉宦官之祸的一次重演，简直就是克隆一样，宦官被杀尽，国随以亡。这只是一个现象，不能作为历史的结论。司马光引孔子的话说："人而不仁，疾之已甚，乱也。"（《论语·泰伯》）似乎在说，因为要杀尽宦官，激起宦官的强烈反抗，导致了国家的灭亡；反过来说，不杀尽宦官，只诛首恶，国家就不亡了呢？司马光的这个逻辑是不能成立的。司马光认为，只要人主不要宦官参政，一发现过恶就加以惩治，宦官就不敢为非了。事实上这只是一种理想，一个集权纵欲的帝王，永远做不到。正如司马光所说，宦官出入宫禁，人主自幼及长与之亲狎，使唤起来没有违忤之患，办起事来极尽人主之意，近者亲，远者疏，人情之常。所以宦官时有卑辞之情，浸润肤受之诉，人主无不从，日渐成习，大权旁落。免除宦官之祸，只正人君之品行，靠其自律，根本办不到。废集权，禁绝宦官，这是司马光的时代办不到的。所以司马光总结的宦官之祸，罗列的经验教训，只能是纸上空谈，实际是做不到的。因为个人集权的制度不除，相伴的宦官制度不除，宦官之祸就必然要重演。万恶之源的个人集权不除，历史就没有教训的功能。即使没有宦官，个人集权的恶源还在，集权者的秘书、司机、保健医生都可以成为变种的宦官。历代宦官之祸的一再重演，其实就是个人集权者大权旁落的形式之一而已。

司马光指出，宦官中亦有善者，但这无补于大局。因为宦官制度，其实就是中国封建集权制度的肿瘤，它始终伴随着封建王朝的兴衰更替而周期性地为祸社会，流毒全国，给当时的政治带来危害，给当时的人民带来灾难。诚然，宦官中也不乏个别有识之士和杰出人物。在秦国发展史上有推荐商鞅变法的景监；西汉有大音乐家李延年；东汉有经学家郑众、改进造纸术的蔡伦、支持清流派朝官与十常侍做斗争的吕强；五代时后唐宦官张承业是一个辅弼贤臣；北宋宦官多有功于边陲，张崇贵、王中正、李宪都建功于西北，还有水利专家程昉；至于明代航海家郑和，七次下西洋的壮举，更是青史垂名，光照千古。宦官不是一个阶级，它只是皇帝的家奴，宦官本身有压迫者和被压迫者。专权乱政的宦官只是宦官中的上层。下层宦官更遭受多重压迫。所以在清代竟发生了宦官参加天理教，有刘得财、杨进忠、王福禄、刘金等人起义反抗朝廷。入宫为宦官的人，情况也极为复杂。不少人怀有野心，自阉入宫，此类宦官既有野心，亦善权术，大多擅权乱政。更多的人是家贫为阉寺，或犯罪被阉发落为宦官，如专秦政的赵高就是一个罪犯。在乱世时代，战俘年轻秀俊者有许多被处置为宦官。所以被迫为宦官的人，其遭遇本是可怜可悯。不过就总体而论，百分之七八十乃至更多的宦官，都是自幼被阉。他们作为刑余之人，身心遭受了严重的摧残。阉寺处在深宫之中，目睹皇上和嫔妃花天酒地的豪奢生活和不可一世的权势，日久天长，怎不染上权力之欲。皇室的奢侈，使宦竖们不知稼穑之艰难，他们哪能体恤人民疾苦。阉宦不知书，如明代大宦官魏忠贤就目不识丁。在这种氛围之下的宦官，一旦擅权，十之八九皆为祸患。所以，个别宦官的贤明，不能改变整体宦官的卑污。宦官的身份是奴才，他们掌权本来不合法，而是假借皇帝之权以肆虐，如同狗仗人势。大多宦官奴性十足，是十足的狗奴才。尽管宦官多数遭遇可悯，但他们奴才之本性，也由其遭遇和地位所铸成，无法为他们唱赞歌。祸国之宦官，即使遭遇集体屠杀，命运可悲，但也是咎由自取，罪有应得。

资治通鉴（白话本） 卷第二百六十四

唐纪八十

唐昭宗天复三年至天祐元年（公元903—公元904）

【起昭阳大渊献（癸亥，公元903年）二月，尽阏逢困敦（甲子，公元904年）闰月，凡一年有奇】

【大事提要】

本卷记事起公元903年二月，讫公元904年闰四月，载述史事凡一年又四个月。当唐昭宗天复三年二月至天祐元年闰四月，此时期最重大的事件是朱全忠东败王师范，西服李茂贞，完全掌控了唐王室。山东王师范奉诏讨朱全忠，杨行密遣将王茂章助王师范。二王联兵大败汴兵，杀大将朱友宁。朱全忠返回洛阳率二十万大军征讨，大破王师范，王师范请降，并以其弟为质。至此，江淮之北，黄河之南，西起关陇，东至大海，广阔中原尽为朱氏所有，太原李克用势衰，天下无人与朱全忠争锋。朱全忠谓天下已定，撕下面具，密表唐昭宗，以离间君臣为名杀崔胤，随后又以李茂贞进逼为辞迫使昭宗迁都洛阳。昭宗左右亲随全遭诛戮，宿卫兵及侍奉之人皆朱全忠心腹，昭宗成为一囚龙。西川王建奉诏勤王，借机兼并荆南。杨行密平定田頵叛乱，固有淮南，与北方李克用遥应，是牵制朱全忠的两支力量。

昭宗圣穆景文孝皇帝下之上

唐昭宗天复三年（癸亥，公元903年）

二月初一日壬申，唐昭宗颁布诏令："近来在凤翔府所任命的官员，全部免除职务。"当时宦官都被杀死，只有河东监军张承业、幽州监军张居翰、清海监军程匡柔、西川监军鱼全禋以及辞官家居的严遵美，因为被李克用、刘仁恭、杨行密、王建藏匿起来，才得以保全性命，李克用等杀了其他的囚犯来应付诏令。

二月初三日甲戌，门下侍郎、同平章事陆扆受责降为沂王李禋的辅相、分司。唐昭宗回到京城长安，赐给各道诏书，唯独凤翔李茂贞没有。陆扆说："李茂贞的罪过虽然很大，但朝廷还没有和他决绝。如今只有他没有诏书，这让人看来是朝廷的度量不大。"崔胤发怒了，上奏唐昭宗将陆扆贬斥。宫人宋柔等十一个人都是由韩全诲进献入宫的，还有僧人、道士和宦官关系密切的二十多人，一起送交京兆尹用木杖打死。

唐昭宗对韩偓说："崔胤虽然尽忠，但是和你相比，多有心机权术。"韩偓回答说："凡是治理天下的人，万国都密切注意，眼看耳听，怎么可以用心机权术来欺骗他们呢！不如推心置腹以诚相待，这样虽然按日计算会感到不足，但按年来计算就有剩余了。"

二月初五日丙子，工部侍郎、同平章事苏检，吏部侍郎卢光启，一起被赐令自杀；二月初六日丁丑，中书侍郎、同平章事王溥被降为太子宾客、分司。这些人都是崔胤所憎恨的。

二月初七日戊寅，唐昭宗赐朱全忠号称"回天再造竭忠守正功臣"，赐他的幕僚佐吏敬翔等人号称"迎銮协赞功臣"，将领朱友宁等人号称"迎銮果毅功臣"，都头以下号称"四镇静难功臣"。

唐昭宗商议褒奖尊崇朱全忠，想要任命皇子担任诸道兵马元帅，让朱全忠做副元帅。崔胤请求让辉王李祚担任诸道兵马元帅，唐昭宗说："濮王李裕年长。"崔胤秉承朱全忠秘密的旨意，认为李祚年纪小对自己有利，坚持请求让李祚为元帅。二月初八日己卯，任命李祚为诸道兵马元帅。二月初九日庚辰，加封朱全忠摄理太尉，充任诸道兵马副元帅，进爵位为梁王。任命崔胤为司徒兼侍中。

崔胤依仗朱全忠的权势，独揽朝政，为所欲为，唐昭宗的一言一行都要向他禀报。朝廷大臣跟随唐昭宗去凤翔的，被贬职和放逐到外地的有三十多人。刑罚、赏赐完全取决于崔胤的喜好与憎恶，朝廷内外的官吏都惧怕他，怕到并脚站立不敢迈步的程度。

（以上为第一段，写朱全忠进爵梁王。崔胤仗朱全忠之势，专权自恣，韩偓等重臣遭贬逐。）

任命敬翔摄理太府卿，朱友宁兼任宁远节度使。朱全忠上表奏请以符道昭为同平章事，充任天雄节度使，派遣军队护送他去秦州上任，因岐州军队阻塞道路没能到达而返回。

当初，翰林学士承旨韩偓进士及第时，御史大夫赵崇担任主考官。唐昭宗从凤翔返回长安，想任用韩偓为宰相，韩偓推荐赵崇和兵部侍郎王赞来代替自己。唐昭宗想听从韩偓的意见，崔胤怀恨赵崇等分散自己的权力，就要朱全忠入宫争辩这件事。朱全忠进见唐昭宗说："赵崇是轻薄之徒中的魁首，王赞没有可用的才干，韩偓怎么能随便推荐他们担任宰相呢！"唐昭宗看到朱全忠很愤怒，不得已，于二月十二日癸未把韩偓贬为濮州司马。唐昭宗秘密地和韩偓挥泪告别，韩偓说："朱全忠这个人已经不能再和从前相比了。臣能够被贬得远远地老死在外地也算是幸运的了，不忍心看见篡位弑君的耻辱！"

二月十八日己丑，唐昭宗命令朱全忠给李茂贞去信，要李茂贞把平原公主送回来；李茂贞不敢违抗，急忙将平原公主送回。

二月二十一日壬辰，任命朱友裕为镇国节度使。

二月二十四日乙未，朱全忠上奏留下步兵、骑兵一万人驻在原来神策左、右两军的营署，派朱友伦担任左军宿卫都指挥使；又派汴州将领张廷范担任宫苑使，王殷担任皇城使，蒋玄晖充当左右两街使。于是朱全忠的党徒遍布宫廷禁卫和整个京辅地区。

二月二十七日戊戌，朱全忠向唐昭宗告辞，返回大梁，唐昭宗在寿春殿设宴招待他，又到延喜楼为他饯行。唐昭宗在楼前轩廊和朱全忠挥泪告别，让他在楼前上马。唐昭宗又赐诗给朱全忠，朱全忠也和诗献给唐昭宗；另外又献上了《杨柳枝辞》五首。文武百官在长乐驿按班次列队送别。崔胤独自送到霸桥，自己设置饯行的酒席，到了深夜二更，崔胤才返回城中。唐昭宗又召见崔胤询问朱全忠是否平安，并设酒宴，演奏音乐，一直到四更时才结束。

任命清海节度使裴枢为门下侍郎、同平章事，这是朱全忠举荐的。

李克用的使者返回晋阳，讲述崔胤专横霸道的情景。李克用说："崔胤身为臣子，在外依赖贼寇的势力，对内胁迫自己的君主；既掌管朝政，又把握军权。权力越大结怨就越多，势力和君主相当就要生出事端。国亡家破，就在眼前了！"

朱全忠将要动身时，上奏说："李克用和我本来没有大的仇怨，恳求唐昭宗对李克用厚加恩宠，派遣大臣去安抚慰问，使他知道我的心意。"河东进奏吏把这事报告李克用，李克用笑着说："这贼寇想要进攻淄青，怕我在后面牵制他罢了！"

三月十七日戊午，朱全忠回到大梁。王师范的弟弟王师鲁围攻齐州，朱友宁率领军队把王师鲁打跑了。王师范派遣军队增援刘鄩，朱友宁打败了这些援兵。因此兖州的援助断绝了，葛从周带领军队包围了兖州。朱友宁进兵攻打青州；三月二十七日戊辰，朱全忠统率四镇及魏博的军队十万人继续开往青州。

（以上为第二段，写崔胤排斥韩偓。朱全忠返回大梁兵伐王师范。）

淮南将领李神福围攻鄂州，望见城中堆积着很多荻草，对监军尹建峰说："今天晚上为您把这些荻草烧了。"尹建峰不相信。当时，杜洪向朱全忠求救，李神福派遣部将秦皋乘坐轻快的小船到滠口，在树梢高举起火炬。杜洪以为救兵到了，果然焚烧荻草来呼应他们。

夏季，四月初九日己卯，任命朱全忠主持元帅府的事务。

主持温州事务的丁章被木工李彦杀死，他的部将张惠占据了温州。

王师范向淮南杨行密求救。四月二十五日乙未，杨行密派遣部将王茂章率领步兵、骑兵七千人去救援王师范，又派遣其他将领率领军队几万人去攻打宿州。朱全忠派遣部将康怀英救援宿州，淮南军队逃走了。

杨行密派遣使者去见马殷，说朱全忠骄横跋扈，请马殷和朱全忠绝交，约定两人结成兄弟。湖南大将许德勋说："朱全忠虽然无道，但是他挟持唐昭宗以命令诸侯，明公一向尊奉王室，不可轻易和朱全忠绝交。"马殷听从了许德勋的意见。

杜洪向朱全忠请求救援，朱全忠派遣他的部将韩勍率领一万人屯驻在滠口，派遣使者前去告诉荆南节度使成汭、武安节度使马殷、武贞节度使雷彦威，命令他们出动军队救援杜洪。成汭畏惧朱全忠的强大，并且想要侵占江、淮的土地来扩充自己的地盘，发动水军十万人，沿着长江东下。成汭建造巨大的战舰，花了三年时间才完工，这些战舰的规模样式就好像陆上府第官署一般，称为"和州载"，其余称为"齐山"、"截海"、"劈浪"之类的，数量很多。掌书记李珽劝谏说："现在每艘战舰载士兵一千人，稻米又多一倍，遇到紧急情况战舰不能移动。杨行密的军队剽悍轻捷，很难和他们争胜。武陵雷彦威、长沙马殷都是我们的仇敌，怎么能不考虑后顾之忧呢！不如派遣骁勇的将领屯驻巴陵，大军和他们隔岸相对，我们坚守营垒不要出战，不过一个月的时间，杨行密的军队粮食吃完就会自己退走，鄂州的包围自然也就解除了。"成汭不听，李珽是李憕的第五代孙子。

王建这时乘着李茂贞势力削弱的时机，出兵攻打秦州、陇州。王建派遣判官韦庄到长安进贡财物，也向朱全忠谋求和好相处。朱全忠派遣押牙王殷到成都酬答，王建设宴招待。王殷说："蜀地的士兵确实很多，只是缺少马匹而已。"王建变了脸色说："蜀地道路险恶，山河阻隔，骑兵没有办法施展本领，然而马匹并不缺乏。你稍留一些日子，我当和你共同来检阅他们。"于是聚集各州的马匹，在星宿山进行大规模检阅，计有官马八千匹，私马四千匹，部队非常整齐。王殷赞叹佩服。王建本来是骑将，因此得到蜀地以后，在文州、黎州、维州、茂州购买胡地出产的马匹，十年时间，就达到了这个数目。

五月初七日丁未，李克用部下云州都将王敬晖杀死刺史刘再立，叛变投降刘仁恭。李克用派遣李嗣昭、李存审率领军队去讨伐他。刘仁恭派遣将领率领五万士兵去救援王敬晖。李嗣昭退兵守卫乐安，王敬晖率领部众抛弃守城逃走了。起先，振武将领契苾让赶走驻防的将领石善友，占据守城叛变。李嗣昭等率领军队攻打，契苾让自焚而死。李嗣昭等率领军队攻打振武城，杀死叛乱的吐谷浑人两千多名。李克用恼怒李嗣昭、李存审没能擒获王敬晖，就用木棍笞打他们，并削去他们的官职。

成汭率领军队还没有到达鄂州，马殷派遣大将许德勋率领水军一万多人，雷彦威派遣部将欧阳思率领水军三千多人在荆江口会合，乘着成汭后方空虚袭击江陵。五月初十日庚戌，他们攻下了江陵，把江陵的百姓和财物全部掠夺一空而离去。成汭的将士家破人亡，财产丢尽，都没有了斗志。

李神福听说成汭率领水军将要到达，亲自乘坐小船前去察看，对各将领说："他们的战舰虽然很多，但相互之间没有连接，很容易制服，应当迅速攻击他们！"五月十二日壬子，李神福派遣部将秦裴、杨戎率领几千士兵在洞庭湖君山迎击成汭，大破他的水军，乘着风势放火焚烧成汭的战舰，士兵都溃散逃跑，成汭投水自杀了，李神福缴获成汭的战舰两百艘。韩勍听到这个消息，也带领士兵退走了。

许德勋返回途中经过岳州，刺史邓进忠打开城门准备牛酒慰劳军队，许德勋对他讲明利害祸福，邓进忠于是带领全族人口迁往长沙。马殷任命许德勋为岳州刺史，邓进忠为衡州刺史。

（以上为第三段，写朱全忠判元帅府事，天下兵权尽归朱全忠。荆南节度使成汭为湖南马殷所并。）

雷彦威狡猾残忍，有他父亲雷满的遗风，常常乘船去焚烧掠夺四邻的地界。所以荆州、鄂州之间，几乎到了没有人烟的地步。

李茂贞畏惧朱全忠，认为自己担任的尚书令官职在朱全忠之上，所以多次向唐昭宗上表，要求解除尚书令的职务。唐昭宗于是下诏任命李茂贞为中书令。

崔胤上奏说："左右龙武、羽林、神策等军，名存实亡，护卫力量孤单薄弱；请求每军招募步兵四将，每将二百五十人，骑兵一将一百人，六军总共六千六百人，挑选其中健壮的人，分批轮流侍奉护卫。"唐昭宗同意了崔胤的意见。下令六军诸卫副使、京兆尹郑元规订立标准在街市进行招募。

朱全忠上表奏请任命颍州刺史朱友恭为武宁节度使。

朱友宁进攻博昌，攻了一个多月还没有攻下来。朱全忠大怒，派遣客将刘捍前往督战。刘捍到后，朱友宁驱赶壮丁十多万人，背着木头石块，牵着牛和驴子，到博昌城南修筑土山，完成后，把壮丁、牲畜、木头、石块排列在一起填土捶实，喊冤号叫的声音在几十里外都听得到。不久攻陷了博昌城，将城中的百姓全部杀死。又进兵攻下临淄，抵达青州城下，派遣别将攻打登州、莱州。

淮南将领王茂章会合王师范的弟弟莱州刺史王师诲攻打密州，把它攻下来了，斩杀刺史刘康乂，任命淮海都游弈使张训为刺史。

六月初六日乙亥，汴州军队攻下登州。王师范率领登州、莱州军队在石楼抵抗朱友宁，筑了两道栅栏。六月初七日丙子夜晚，朱友宁攻打登州城外的栅栏，栅栏中情况危急，王师范催促王茂章出战，王茂章按兵不动。朱友宁攻破登州栅栏，进攻莱州栅栏。天快亮时，王茂章估计朱友宁军队已经疲乏，才与王师范合兵出战，把朱友宁的军队打得大败。朱友宁从旁边高峻的土山上骑马奔驰杀敌，马突然跌倒，青州将领张土把朱友宁斩杀，将首级送到淮南。王师范、王茂章的军队向北追击朱友宁的军队一直到米河，被俘虏斩首的数以万计，魏博军队几乎覆没。

（以上为第四段，写王师范与淮南将王茂章合兵大破汴兵，朱全忠将朱友宁战死。）

朱全忠听说朱友宁死了，亲自率领军队二十万人日夜兼程赶往救援。秋季，七月十四日壬子，到达临朐，命令众将攻打青州。王师范率领军队应战，被汴州军队打得大败。王茂章紧闭城垒不出战，以表示怯懦害怕，而侦察到汴州军队稍微松懈时，就率领军队毁坏栅栏冲出去袭击，打到兴头上又退回来坐下，召集各将领饮酒，不久又冲出去奋战。朱全忠登上高处观战，看到这个情形，就问投降的人，知道敌方将领是王茂章，感叹地说："假如我能得到这个人做将领，那天下就不值得再劳我去平定了！"黄昏时，汴州军队退了回去。王茂章估计敌众我寡，不能取胜，这个晚上，就带领军队返回淮南。朱全忠派遣曹州刺史杨师厚追击他们，在辅唐追到了。王茂章命令先锋指挥使李虔裕率领五百名骑兵殿后，李虔裕拼死作战，杨师厚抓住李虔裕并把他杀了。杨师厚是颍州人。

张训听说王茂章已经离去，对各将领说："汴州军队即将到来，用什么来防御呢？"各将领请求焚烧全城，大大地掠夺一番再回淮南。张训说："不可以。"于是封闭府库，在城上树起旗帜，让老弱士兵先走，自己率领精兵殿后离去。朱全忠派遣左踏白指挥使王檀攻打密州，军队到达后，看见城上旗帜，因怀疑有伏兵，几天后才敢入城。王檀见府库、城邑全都完好无损，就不再追赶了。张训全军返回淮南。朱全忠任命王檀为密州刺史。

（以上为第五段，写朱全忠率二十万大军破王师范军，淮南兵遁走。）

七月二十九日丁卯，任命山南西道留后王宗贺为节度使。

睦州刺史陈询背叛钱镠，率领军队攻打兰溪，钱镠派遣指挥使方永珍前去攻击陈询。武安都指挥使杜建徽与陈询是姻亲，钱镠怀疑杜建徽，杜建徽也不辩解。恰巧陈询的亲信属吏前来投奔钱镠，得到杜建徽写给陈询的书信，都是劝谏告诫的话，钱镠这才高兴了。杜建徽堂兄杜建思诬陷杜建徽私自贮藏兵器，阴谋作乱。钱镠派人前去搜索，杜建徽正在吃饭，使者直接进入他的卧室内，杜建徽连看都不看他一眼，钱镠因此更加亲近重用杜建徽。

八月初一日戊辰，朱全忠留下齐州刺史杨师厚攻打青州，自己返回大梁。

八月十三日庚辰，加官西川节度使、西平王王建摄理司徒，晋爵为蜀王。

前渝州刺史王宗本向王建进言，请出动士兵去攻取荆南。王建听从了他的意见，任命王宗本为开道都指挥使，率领军队下三峡。

当初，宁国节度使田頵打败冯弘铎，亲自到广陵向杨行密表示感谢，并要求把池州、歙州划给自己作为巡视的属地，杨行密没有允许。杨行密左右的人一直到狱吏，都向田頵索要财物，田頵发怒说："难道你们这些狱吏知道我将被关进监狱吗！"等到回去时，指着广陵城的南门说："我不能再进入此城了！"田頵兵力强盛，财物充足，喜好攻打掠取。杨行密平定淮南以后，想要保境安民，因此每每压抑阻止田頵，田頵不听。等到杨行密和钱镠化解怨仇亲善友好，田頵就更加痛恨杨行密，暗中已有叛变的志向。李神福对杨行密说："田頵一定会谋反，应当早一点图谋对策。"杨行密说："田頵有大的功劳，他谋反的形迹还没有显露出来，现在杀他，各将领都要人人自危了！"田頵有一个良将叫康儒，与田頵商量事情意见大多不合，杨行密知道这情况后，提升康儒为庐州刺史。田頵认为康儒对自己有二心，就杀掉他的全族。康儒说："我死了，你田頵灭亡的日子也就没有几天了！"田頵于是和润州团练使安仁义一同起兵，安仁义把杨行密在扬州东塘的战舰全部焚烧了。

田頵派遣两名使者假扮作商人，到寿州去约请奉国节度使朱延寿。杨行密的部将尚公迺遇到了田頵的两名使者，说："你们不是商人。"杀死其中一人，搜得书信，把这情况向杨行密报告。杨行密从鄂州召回李神福，李神福担心杜洪进行拦击，扬言奉命攻打荆南，部署士兵准备舟船；到黄昏时，就顺着江水东下，这才告诉将士们是去讨伐田頵。

八月二十二日己丑，安仁义袭击常州，常州刺史李遇迎战，破口痛骂安仁义。安仁义说："李遇敢辱骂我，一定是有了防备。"于是就带领军队回去了。八月二十五日壬辰，杨行密任命王茂章为润州行营招讨使，去攻打安仁义，没有打下来，又派徐温率领军队与王茂章会合。徐温改换军队的衣服旗帜，看上去像王茂章的部众。安仁义不知道对方增加了军队，再次出战。徐温奋力攻击，把安仁义打败了。

杨行密的夫人是朱延寿的姐姐。杨行密玩弄侮辱朱延寿，朱延寿怨恨愤怒，暗中和田頵交结谋反。田頵派遣前进士杜荀鹤到寿州去，与朱延寿互相勾结；又派遣杜荀鹤到大梁去告诉朱全忠。朱全忠大喜，派遣军队屯驻在宿州以接应他们。杜荀鹤是池州人。

杨师厚在临朐屯兵，扬言将到密州去，把财物器械等留在临朐。九月初六日癸卯，王师范出动军队攻打临朐。杨师厚埋伏士兵奋力攻击，把王师范打得大败，杀死一万多人，俘获王师范的弟弟王师克。第二天，莱州军队五千人救援青州，杨师厚进行拦击，把他们几乎全部斩杀擒获，于是将营寨迁移到青州城下。

朱延寿与田頵通谋逐渐被泄露出来，杨行密知道后假装患了眼病，对朱延寿的使者讲话时常常认错东西，有时还撞到柱子上跌倒。杨行密对夫人朱氏说："我的眼睛不幸失明，孩子们年纪都还小，军府中的事务应当全部交给三舅朱延寿管理。"朱氏多次写信告诉朱延寿。杨行密又亲自派遣使者召唤朱延寿到广陵来，暗中命令徐温做好防备工作。朱延寿到了广陵，杨行密迎到寝室门口，把朱延寿抓起来杀了。他手下的士兵慌乱，徐温晓谕他们，士兵都听从了命令。于是斩杀朱延寿的兄弟，废黜了夫人朱氏。

起初，朱延寿应召前往广陵时，他的妻子王氏对他说："您这次到广陵，吉凶难以预知，希望每天派一个使者来给我报平安！"有一天，使者没有到来，王氏说："情况明白了！"于是安排家僮仆役，发给他们兵器，关闭了大门。当逮捕他们的骑兵一到，她就召集家人，聚拢珍宝财物，点燃上百支火炬焚烧府舍，说："我发誓不把自己洁白无瑕的身体让仇人侮辱。"说完跳到火里自杀了。

朱延寿执法严厉，喜欢以少击多，曾经派遣二百人与汴州军队作战，有一个人应该留下来，却请求前去杀敌，朱延寿认为他违抗命令，立即将他斩首。

（以上为第六段，写田頵反叛杨行密，朱延寿与之通谋被诛。王建进爵蜀王。）

田頵袭击昇州，俘获李神福的妻儿，对待她们很好。李神福从鄂州东下，田頵派人对他说："明公如能见机行事，我与明公分地称王；不然的话，明公的妻儿不能活命！"李神福说："我从士兵开始跟随吴王杨行密，今天当了上将，从道义上说不能因为妻儿改变自己的志向。你田頵有老母亲，毫不顾念而反叛，连君为臣纲、父为子纲、夫为妻纲的大道理尚且不知道，哪里值得再和你说呢！"杀了田頵的使者率领军队前进，士兵都被感动激励。田頵派遣他的部将王坛、汪建率领水军迎战。九月初十日丁未，李神福到了吉阳矶，与王坛、汪建相遇。王坛、汪建绑缚了李神福的儿子李承鼎给李神福看，李神福命令左右的人向他们放箭射击。李神福对各将领说："敌人众多，我军人少，应该出奇兵来取得胜利。"到了傍晚，两军会合激战，李神福假装战败，带领战船逆流向上游逃走。王坛、汪建追赶，李神福又调转船头返回，顺流而下进行攻击。王坛、汪建的楼船排列着火炬，李神福命令军中士兵说："看到火炬就攻击他们。"王坛、汪建的军队都熄灭了火炬，旗帜交错杂乱，李神福顺着风势放火，焚烧他们的战船，王坛、汪建大败，士兵烧死淹死的很多。九月十一日戊申，又在皖口交战，王坛、汪建仅仅能免于一死。李神福擒获徐绾，杨行密用槛车押着徐绾，把他送到钱镠那里。钱镠挖出徐绾的心，用来祭奠高渭。

田頵听说王坛、汪建战败，亲自率领水军迎战。李神福说："贼寇抛弃守城前来，这是上天要灭亡他啊！"李神福临江坚守壁垒不出来应战，派遣使者报告杨行密，请求发动步兵断绝田頵的归路。杨行密派遣涟水制置使台濛率领军队接应李神福。王茂章攻打润州，很久没有攻下，杨行密又命令王茂章带领军队会合台濛一同攻击田頵。

九月十四日辛亥，汴州将领刘重霸攻下棣州，捉住刺史邵播，将他杀死。

九月十七日甲寅，朱全忠到洛阳去，患了病，又回到大梁。

九月二十一日戊午，王师范派遣副使李嗣业及弟弟王师悦向杨师厚请求投降，说：“我不是胆敢违背恩德，而是因为韩全诲、李茂贞用皇上朱笔写的书信命令我起兵，我不敢违令。”仍然请求让他的弟弟王师鲁作为人质。这时朱全忠听说李茂贞、杨崇本将要起兵进逼京畿地区，担心他们再次劫持唐昭宗西去凤翔，想要迎接唐昭宗建都洛阳，于是接受了王师范的投降，挑选各将领守卫登、莱、淄、棣等州，并且立即派王师范暂时代理淄青留后的职位。王师范说明先前派遣行军司马刘鄩率领军队五千人占据兖州，并非他的擅自行动，希望朱全忠能宽免刘鄩的罪过；另外也派使者去告诉刘鄩。

田頵听说台濛即将到达，亲自率领步兵、骑兵迎战，留下他的部将郭行悰率领精兵二万人以及王坛、汪建的水军屯驻在芜湖，用来抵抗李神福。侦察敌情的人报告说：“台濛的营寨狭小，只能容纳二千人。”田頵轻视台濛，不召集外地的军队来助战。台濛进入田頵的地界，把军队分成几部，轮流列阵前进。军中有人笑他怯懦，台濛说：“田頵是久经战阵的老将，多智谋，不能不防备他。”冬季，十月初二日戊辰，台濛与田頵在广德相遇。台濛先把杨行密的书信遍赐田頵的各个将领，这些将领都下马叩拜接受了。台濛乘着田頵的将士士气受到挫折，发兵攻击，田頵的军队于是战败了。双方又在黄池作战，军队一交战，台濛就假装逃走。田頵率领军队追击，遇到埋伏，被打得大败，逃回宣州闭城防守。台濛率领士兵包围宣州，田頵紧急召回在芜湖屯驻的军队，但不能入城。郭行悰、王坛、汪建以及当涂、广德各地戍守的将领都率众投降。杨行密因为台濛已经打败田頵，命令王茂章仍旧带领军队去攻打润州。

（以上为第七段，写田頵连战皆败，王师范兵败降朱全忠，并以其弟为质。）

当初，夔州刺史侯矩跟随成汭救援鄂州，成汭兵败自杀后，侯矩逃回夔州。正遇上王宗本率领军队到来，十月初八日甲戌，侯矩献出夔州投降，王宗本于是平定了夔、忠、万、施四个州。王建仍旧任命侯矩为夔州刺史，把他的姓名改为王宗矩。王宗矩是易州人。蜀地有人议论，认为瞿塘峡是蜀地险峻的要冲，于是放弃归、峡两州，把军队驻扎在夔州。

王建任命王宗本为武泰留后。武泰军旧的治所在黔州，王宗本因为当地潮湿多瘴气瘟疫，请求将治所迁往涪州，王建同意了他的要求。

葛从周急速攻打兖州，刘鄩让葛从周的母亲坐着由人抬着的板车登上城楼，对葛从周说：“刘将军侍奉我和你没有什么不同，你的妻子也过着安逸的生活，各人都为自己的主子效力，你要好好明白这个道理。”葛从周叹着气退了回去，攻城因此缓和了下来。刘鄩挑选妇人及年老有病不能抵抗敌人的百姓，让他们全都出去，只与年轻力壮的人同甘共苦，分享衣服食物，坚守城池来抵抗敌人。他的号令整齐严肃，士兵不做残暴的事，百姓都能安居乐业。过了一段时间，外面的援助断绝了，节度副使王彦温翻越城墙出去投降，城上的士兵很多跟着他去了，不能制止。刘鄩派人从容平和地告诉王彦温说：“士兵不是一向跟随你的，不要多带出去。”又派人在城上巡行宣示，说：“士兵不是一向跟随节度副使而胆敢擅自前往的，把他的全族杀死！”士兵都惶惑恐惧，不敢出城。敌人果然怀疑王彦温，在城下把他斩杀了，因此士兵防守的心思更加坚定了。等到王师范兵力越来越衰弱，葛从周用祸福得失来晓谕他，刘鄩说：“我接受王师范的命令守卫兖州城，一旦看到王师范失去权势，不等待他的命令就投降，这不是侍奉尊长的态度。”到王师范的使者来了，十月十一日丁丑，才出城投降。

葛从周为刘鄩准备行装，送他前往大梁。刘鄩说：“降将没有得到梁王朱全忠宽宥释放的命令，怎么敢骑着马，穿着裘衣呢！”于是穿着素色的衣服，骑着驴到大梁。朱全忠赏赐给他衣冠腰带，刘鄩推辞了，请求穿着囚服进见，朱全忠不允许。朱全忠慰劳刘鄩，让他喝酒，刘鄩以酒量小来推辞。朱全忠说：“你攻取兖州，量多大啊！”任命他为元从都押牙。这时四镇的将领、官吏都是功臣和旧交，刘鄩一下子以降将的身份位居他们之上，各将领在廷中行军礼拜见他，刘鄩坐着接受拜见，神态如常，朱全忠更加惊异他的才能出众，不多久，就上表奏请任命刘鄩为保大留后。

（以上为第八段，写刘鄩智计胆略超群，使朱全忠折服，虽身为囚虏被拔擢为保大留后。）

葛从周长久患病，朱全忠任命康怀英为泰宁节度使来代替葛从周。

宿卫都指挥使朱友伦与客人在左军玩击毬游戏，掉下马来摔死。朱全忠悲痛愤怒，怀疑是崔胤故意做的，凡是和朱友伦一同游戏的十多个人都被杀死。朱全忠派遣自己哥哥的儿子朱友谅代管皇宫中的值宿警卫。

山南东道节度使赵匡凝派遣军队袭击荆南，雷彦威的朗州军队弃城逃走，赵匡凝上表请求任命他的弟弟赵匡明为荆南留后。当时唐昭宗势微力弱，各道的贡品赋税大多不向朝廷上供，只有赵匡明兄弟派人运送贡赋到京城长安，从来没有间断过。

杨行密向钱镠请求派出军队支援，钱镠派遣方永珍驻扎润州，堂弟钱镒驻扎宣州；又派遣指挥使杨习攻打睦州。

凤翔的李茂贞、邠州的李继徽多次出兵逼近京畿地区，朱全忠怀疑他们又有劫持唐昭宗西去凤翔的阴谋。十一月，出动骑兵驻扎到河中。

十二月初九日乙亥，田頵率领敢死队几百人出战，台濛假装败退表示兵力微弱。田頵的军队越过壕沟战斗，台濛急速进行反击。田頵不能取胜，往回向守城跑去，桥梁陷落，田頵掉下马来，被斩首。田頵的部众仍在战斗，直到看见台濛拿出了田頵的首级，才溃散逃亡，台濛于是攻下了宣州。

当初，杨行密和田頵同乡里，从小就很要好，两人结为兄弟。等到田頵的首级送到广陵，杨行密看了不禁感伤落泪。杨行密赦免了田頵的母亲殷氏，并和自己的孩子以儿孙的礼节来侍奉她。

杨行密任命李神福为宁国节度使，李神福因为杜洪还没有平定，坚决推辞不肯接受。宣州长史合肥人骆知祥善于管理钱财粮食，观察牙推沈文昌写文章精妙敏捷，曾经替田頵起草檄文骂杨行密。杨行密任命骆知祥为淮南支计官，沈文昌为节度牙推。沈文昌是湖州人。

起初，田頵每次作战都不能取胜，就想杀掉钱传瓘，田頵的母亲和宣州都虞候郭师从经常保护钱传瓘。郭师从是合肥人，田頵的妻弟。田頵败亡后，钱传瓘回到杭州，钱镠任命郭师从为镇东都虞候。

（以上为第九段，写山南东道节度使赵匡凝袭取荆南，表其弟赵匡明为荆南留后。田頵败殁。）

十二月十五日辛巳，任命礼部尚书独孤损为兵部侍郎、同平章事。独孤损是独孤及的从曾孙。中书侍郎兼户部尚书、同平章事裴枢被罢职，降为左仆射。

以左仆射辞官归隐的张濬住在长水县，王师范发动军队攻打朱全忠时，张濬参与了谋划。朱全忠将要阴谋篡夺帝位，担心张濬煽动藩镇反对，就示意张全义设法除掉他。十二月三十日丙申，张全义派遣牙将杨麟率领军队伪装成抢劫的强盗，包围张濬的住宅把张濬杀了。永宁县吏叶彦向来受到张濬的厚待，知道杨麟就要来到，秘密告诉张濬的儿子张格说："张相公的灾祸是没有办法避免的，你应当自己谋求生路。"张濬对张格说："你留在这里就要一起死，你逃走就能为我家留下子孙。"张格哭着拜辞而去。叶彦率领义士三十人护送他渡过汉水才返回。张格于是从荆南进入蜀地。

卢龙节度使刘仁恭熟悉契丹的情况，常常挑选将领训练士兵，乘着秋季越过摘星岭深入契丹地界去攻击他们，契丹十分惧怕刘仁恭。每次下霜时，刘仁恭就派人焚烧边塞的野草，契丹的马匹大多数饿死了，经常用好马贿赂刘仁恭来买牧地。契丹王耶律阿保机派遣他的妻兄述律阿钵率领一万名骑兵侵犯渝关，刘仁恭派遣他的儿子刘守光守卫平州。刘守光假装与述律阿钵和好，在城外设置帐篷犒劳招待他，酒喝到畅快时，埋伏的士兵把述律阿钵抓进城里。契丹部众大声痛哭，契丹王耶律阿保机用贵重的财物来贿赂，向刘仁恭求情，刘仁恭这才把述律阿钵放了回去。

当初，崔胤借助朱全忠的兵力来诛杀宦官。朱全忠打败了李茂贞后，并吞了关中，声威震天下，于是有了篡夺帝位的志向。崔胤害怕了，与朱全忠表面上仍然亲近和好，内心里渐渐背离，于是对朱全忠说："长安城太靠近李茂贞了，不能不做防守的准备。宫廷中的六军十二卫，只有空名，请招募士兵来充实它，使您没有西顾的忧虑。"朱全忠知道崔胤的意图，表面上顺从崔胤，暗地里让属下壮士去应募，打入内部来观察崔胤的变化。崔胤没有察觉，与郑元规等人修缮整治兵器，日夜赶工不休息。等到朱友伦摔死，朱全忠更加怀疑崔胤，并且想把唐昭宗迁徙到洛阳建都，担心崔胤有不同的看法而阻止这件事。

（以上为第十段，写张濬、崔胤心系唐王室，朱全忠诛杀张濬，猜疑崔胤。）

唐昭宗天祐元年（甲子，公元 904 年）

春季，正月，朱全忠秘密向唐昭宗上表说，司徒兼侍中、判六军十二卫事、充盐铁转运使、判度支崔胤专擅大权，扰乱国家，离间君臣，连同他的党羽刑部尚书兼京兆尹、六军诸卫副使郑元规，威远军使陈班等人，请将他们全部杀掉。正月初九日乙巳，唐昭宗颁布诏令责罚崔胤改任太子少傅、分司，贬郑元规为循州司户、陈班为溱州司户。正月初十日丙午，又下诏令公布崔胤等人的罪状；任命裴枢判左三军事、充盐铁转运使，独孤损判右三军事、兼判度支。崔胤招募来的士兵全部让他们回去。任命兵部尚书崔远为中书侍郎，翰林学士、左拾遗柳璨为右谏义大夫，都为同平章事。柳璨是柳公绰的从孙。正月十二日戊申，朱全忠秘密命令宿卫都指挥使朱友谅率领军队包围了崔胤的住宅，杀死崔胤及郑元规、陈班和崔胤的亲信好几个人。

当初，唐昭宗在华州时，朱全忠多次上表请唐昭宗迁都洛阳，唐昭宗没有同意，朱全忠却经常命令东都留守佑国军节度使张全义缮修宫室。

朱全忠攻克邠州的时候，把静难军节度使杨崇本的妻子作为人质留在河中。杨崇本的妻子很漂亮，朱全忠和她通奸，后来又把她还给杨崇本。杨崇本大怒，派遣使者对李茂贞说："唐皇室将要灭亡了，您怎么忍心坐视不管呢！"于是和李茂贞联合出兵侵逼京畿地区，又恢复姓名为李继徽。

正月十三日己酉，朱全忠率领军队驻扎河中。正月二十一日丁巳，唐昭宗亲临延禧楼，朱全忠派遣牙将寇彦卿捧着奏表，陈说邠州李继徽、岐州李茂贞的军队已经逼近京城地区，请求唐昭宗迁都洛阳。等到唐昭宗下楼，裴枢已经得到朱全忠的书信，催促文武百官东去洛阳。正月二十二日戊午，被驱赶迁徙上路的士民们，哭叫着布满了道路，大骂道："贼臣崔胤叫朱温来倾覆我们的国家，使得我们颠沛流离到这种地步！"老百姓扶老携幼，前后相继，一个多月还没有走完。

正月二十六日壬戌，唐昭宗从长安出发，朱全忠任命他的部将张廷范为御营使，毁坏长安的宫室、百官和民间的房舍，取出木材，抛入渭水中，顺着黄河漂浮东下。长安从此成为一片废墟。

（以上为第十一段，写朱全忠密表崔胤专权乱国，离间君臣，请并其党皆诛之。崔胤死，朱全忠又以李茂贞进逼京师为名，迫使昭宗迁都洛阳，毁长安宫室及百官府衙、民舍，长安成废墟。）

朱全忠征发河南、河北各镇的壮丁、工匠几万人，命令张全义整修营建东都的宫室。江、浙、湖、岭依附朱全忠的各镇，都运送钱物到洛阳来帮助修建。

正月二十八日甲子，唐昭宗到达华州，老百姓夹道欢呼万岁，唐昭宗哭着对他们说："不要欢呼万岁了，朕不再是你们的君主啦！"唐昭宗住在兴德宫，对侍臣说："俗语道：'纥干山头将要冻死的雀儿，为什么不飞到能够活的地方去快乐。'朕今天漂泊流离，不知道究竟要到什么地方！"说着眼泪哭湿了衣襟，左右的人不能抬头仰视他。

二月初十日乙亥，唐昭宗到达陕州，由于东都洛阳的宫室还没有建成，就在陕州暂时停留。

二月十一日丙子，朱全忠从河中来朝见唐昭宗，唐昭宗邀请朱全忠到寝室见何皇后，何皇后哭着说："从今以后我们夫妇都托付给你了！"

二月十九日甲申，立皇子李祯为端王，李祈为丰王，李福为和王，李禧为登王，李祐为嘉王。

唐昭宗秘密派遣使者拿着亲笔书信向王建告知急难。王建任命邛州刺史王宗祐为北路行营指挥使，率领军队会同凤翔李茂贞的部众去迎接唐昭宗，到了兴平，遇到朱全忠的汴州军队，不能前进就退回去了。王建开始用墨笔手令任命官员，并且说道："等皇上回到长安再上表报告。"

三月十二日丁未，任命朱全忠兼管左右神策及六军诸卫的事务。三月十八日癸丑，朱全忠在私人府第设置酒席，邀请唐昭宗赴宴。三月二十日乙卯，朱全忠辞别唐昭宗，先去洛阳监督修建宫室。唐昭宗和他一起宴请群臣。宴会散后，唐昭宗单独留下朱全忠和忠武节度使韩建继续饮酒，何皇后出来，亲自捧着玉杯给朱全忠敬酒，晋国夫人可证在唐昭宗的耳边轻轻地讲话。韩建踩朱全忠的脚示意，朱全忠以为他们在图谋自己，便不喝酒，假装喝醉出去了。朱全忠奏请将长安改为佑国军，任命韩建为佑国节度使，郑州刺史刘知俊为匡国节度使。

三月二十二日丁巳，唐昭宗又秘密派遣使者用绢写的诏令向王建、杨行密、李克用等告急，命令他们集合率领各藩镇来图谋匡复国家，诏令说："朕到了洛阳，就会被朱全忠幽禁起来，诏令敕书都出自朱全忠的手中，朕的意愿再也不能传达了！"

（以上为第十二段，写洛阳宫未成，唐昭宗暂驻跸于陕，手诏四方诸镇勤王。）

杨行密遣送钱传瑑和他的妻子以及顾全武返回钱塘。

杨行密任命淮南行军司马李神福为鄂岳诏讨使，再次率领军队攻打杜洪。朱全忠派遣使者去见杨行密，请他不要派兵去攻打鄂岳，恢复旧日的友好关系。杨行密回报说："等唐昭宗返回长安，然后停止征战，重修旧好。"

夏季，四月十六日辛巳，朱全忠上奏称洛阳的宫室已经建成，请唐昭宗早日出发去洛阳，表文、章奏接连不断。唐昭宗多次派遣宫人告诉朱全忠说，皇后刚生了婴儿，不能上路，请等到十月份再东去洛阳。朱全忠怀疑唐昭宗故意徘徊不前是为了等待事变，大怒，对牙将寇彦卿说："你赶快到陕州，当天就催促皇上出发前来。"闰四月初三日丁酉，唐昭宗从陕州出发。闰四月初八日壬寅，朱全忠在新安县迎接唐昭宗。唐昭宗在陕州时，司天监上奏说："星气有变化，时间在今年秋天，向东走不吉利。"所以唐昭宗想要在十月份才去洛阳。这时，朱全忠命令医官许昭远告发医官使阎祐之、司天监王墀、内都知韦周、晋国夫人可证等谋害元帅朱全忠，把他们全部收捕杀死。

闰四月初九日癸卯，唐昭宗在谷水旁休息。自从崔胤被杀以后，六军全都溃散逃亡了，余下来侍奉打毬的和内园供差遣的小儿总共只有两百多人，跟随唐昭宗一起东去洛阳。朱全忠仍然嫉恨他们，在帐幕中用饮食招待他们，把他们都用绳子勒死了。朱全忠预先挑选了两百多个大小和他们相似的人，穿上他们的衣服，代替他们侍从护卫唐昭宗。唐昭宗开始没有察觉，过了几天才明白过来。从此唐昭宗左右掌理事务、供给驱使的都是朱全忠的人了。

闰四月初十日甲辰，唐昭宗从谷水出发，进入皇宫，亲临正殿，接受文武百官朝贺。闰四月十一日乙巳，到光政门宣布大赦天下，改年号为天祐。把陕州改称为兴唐府。颁布诏令讨伐李茂贞、杨崇本。

闰四月十四日戊申，敕令宫内各司除了留下宣徽两院等九使外，其余都停止废弃；仍然不让内夫人领管各司。任命蒋玄晖为宣徽南院使兼枢密使，王殷为宣徽北院使兼皇城使，张廷范为金吾将军、充街使；又任命韦震为河南尹兼六军诸卫副使，征召武宁留后朱友恭为左龙武统军，保大节度使氏叔琮为右龙武统军，主管宫中值宿警卫。这些人都是朱全忠的心腹。

闰四月十九日癸丑，任命张全义为天平节度使。

闰四月二十一日乙卯，任命朱全忠为护国、宣武、宣义、忠武四镇节度使。

镇海、镇东节度使越王钱镠请求封为吴越王，朝廷不允许。朱全忠在主管官员面前为钱镠说情，于是改封钱镠为吴王。

朝廷把魏博改名为天雄军。闰四月二十九日癸亥，晋封天雄节度使长沙郡王罗绍威为邺王。

（以上为第十三段，写唐昭宗入洛阳，大赦，改元天祐。左右亲近遭屠戮，宿卫侍奉之人皆朱全忠心腹。）

【点评】

本卷点评朱全忠迁昭宗于洛阳，崔胤、张濬之死两件史事。

朱全忠迁昭宗于洛阳。迁昭宗于东都洛阳，直接掌控唐王室，便于就近禅代，这是朱全忠的政治构想，他分为三个步骤来完成。第一步，借崔胤之手排除异己，贬逐韩偓等唐室忠臣。天复三年（公元 903 年）正月，李茂贞屈服，朱全忠拥帝唐昭宗还长安。朱全忠与崔胤杀灭宦官，帝室的一个基础完全毁除。朱全忠留兵万人守卫宫阙，留昭宗暂居长安，崔胤专擅朝政，大权独揽，崔胤排除异己，韩偓等忠臣被贬逐，唐昭宗真成了一个孤家寡人。崔胤自鸣得意，其实在为朱全忠做驱除。第二步，朱全忠臣服山东王师范，彻底解除后顾之忧，同时加冕头上光环，捞取政治资本。天复三年二月，昭宗给朱全忠加号为“回天再造竭忠守正功臣”，以辉王李祚为诸道兵马元帅，朱全忠为副元帅，加爵梁王。四月，以朱全忠判元帅府事，天下兵权尽归朱全忠。七月，朱全忠以诸道兵马副元帅之尊，大发兵征讨王师范，九月王师范请降，杨行密收缩回淮南。自此，中原再没有人敢与朱全忠抗衡。朱全忠的声威远在诸镇之上，可以放手来逼宫了。第三步，朱全忠杀崔胤，逼昭宗迁都洛阳。天复四年（公元 904 年）正月，朱全忠密表崔胤专权乱国，离间君臣，请并其党皆诛之。朱全忠同时密令朱友谅杀崔胤。接着朱全忠称朱茂贞逼京畿，逼迫昭宗迁往洛阳。长安宫阙被付之一炬。昭宗在途密诏告急于王建、杨行密、李克用等勤王，诸镇鞭长莫及。闰四月，昭宗到达东都，大赦，改元天祐。昭宗的贴身侍从，甚至击毬侍奉、内园小儿二百余人，全被朱全忠杀害，更换成新人。昭宗举目无故人。

崔胤、张濬之死。崔胤、张濬两个祸国之臣，志大才疏，主观上想振兴唐王室，客观上酿成祸国之事，两人并非国贼，而是反对朱全忠篡逆，崔胤外结朱全忠，两人互相利用，彼此心里都十分明朗。朱全忠把崔胤尽诛宦官的信转送韩全诲，欲假韩全诲之手杀崔胤。韩全诲首鼠两端，表示亲善朱全忠，骨子里是李茂贞同党，朱全忠最后选择了崔胤来诛除宦官，扫除唐王室的一个根基。宦官已被清除，留崔胤无益有祸，崔胤的大限也就到了。崔胤以应对李茂贞为名，扩充禁卫六军以自保，朱全忠选出汴兵以应募，崔胤全然不知。朱全忠兵围凤翔，此时闲居长水的张濬致书诸镇讨逆，王师范起兵，张濬预其谋。朱全忠逼迁昭宗于洛阳，阴谋篡夺，忧虑张濬扇动诸镇，密令张全义杀之。张全义派牙将杨麟装扮为盗匪劫杀张濬。张濬令其子张格逃逸留种，自己迎受灾难降临。崔胤、张濬，晚节死于国难，亦可谓义士。

朱全忠不仅是一个枭雄，在政治上的权谋诈术也冠绝一时，崔胤、张濬都不是对手。

资治通鉴（白话本） 卷第二百六十五

唐纪八十一

唐昭宗天祐元年至唐昭宣帝天祐三年（公元904—公元906）

【起阏逢困敦（甲子，公元904年），五月，尽柔兆摄提格（丙寅，公元906年），凡二年有奇】

【大事提要】

本卷记事起公元904年五月，讫公元906年，凡二年又八个月。当唐昭宗天祐元年五月至唐昭宣帝天祐三年。此时期朱全忠加紧逼宫，为禅代称帝扫清道路。朱全忠的清道工作，在政治上也分了三个步骤。第一步，弑昭宗，立幼帝，以便掌控。天祐元年八月，朱全忠弑昭帝，立辉王李祚为帝，改名李柷，年十三，是为哀帝。此举也是篡唐的预演，禅代前的火力侦察。第二步，大杀朝士。第三步，加官兵马元帅，这本是由皇太子储君担当的官职，朱全忠任此职，比封王、加九锡的禅代程序更为直接。名义上拥唐的诸镇，李茂贞与王建结亲，联合杨崇本、李克用、刘仁恭、杨行密、赵匡凝以兴唐为辞，共讨朱全忠，因各镇力弱，又无统属，讨逆行动雷声大，雨点小，没有形成对朱全忠的军事征讨，朱全忠反而主动出击，攻没山南东道，扩张了势力。淮南杨行密病殁，其子杨渥继位，部属叛乱，自顾不暇。太原李克用自保。朱全忠篡唐条件完全成熟。

昭宗圣穆景文孝皇帝下之下

唐昭宗天祐元年（甲子，公元904年）

五月初二日丙寅，加官河阳节度使张汉瑜为同平章事。

唐昭宗在崇政殿宴请朱全忠和文武百官，宴席散后，又召朱全忠到内殿宴饮。朱全忠起了疑心，不肯进去。唐昭宗说："朱全忠不想来，可以叫敬翔来。"朱全忠指使敬翔离去，说："敬翔也喝醉了。"五月初七日辛未，朱全忠回东方去。五月十一日乙亥，到了大梁。

忠义节度使赵匡凝派遣水军逆流而上到三峡，去攻打王建所辖的夔州。主管渝州事务的王宗阮等打败了赵匡凝的水军。万州刺史张武造了粗大的铁索拦断长江水流中央的航道，在两端设立栅栏，称为"锁峡"。

六月，李茂贞、王建、李继徽传布檄文联合军队前来讨伐朱全忠。朱全忠任命镇国节度使朱友裕为行营都统，率领步兵、骑兵几万人攻打他们。命令保大节度使刘鄩放弃鄜州，率领军队到同州驻扎。六月二十日癸丑，朱全忠率领大军从大梁出发，向西讨伐李茂贞等人。秋季，七月初二日甲子，路过东都洛阳，入城朝见唐昭宗。七月初十日壬申，到了河中。

西川各将领劝说王建乘着李茂贞衰弱的机会，去攻占凤翔。王建以这个问题询问节度判官冯涓，冯涓说："军队是凶恶的器具，残害百姓，耗费钱财，不可穷兵黩武。现在梁王朱全忠、晋王李克用两虎相争，势不两立，如果他们联合起来，组成一支军队攻打蜀地，即使诸葛亮再生，也无法抵挡了。凤翔这个地方，是蜀地的屏障，不如和李茂贞和睦亲善，结为婚姻亲家。无事时就致力农业生产，训练军队，保卫、巩固边界，有事时就察看时机，对方有了隙缝再行动，这样可以万无一失。"王建说："好！李茂贞虽然是一个庸才，但他有强悍的名声，远近的人都怕他，与朱全忠争胜虽然力量不足，但保卫自己则绰绰有余，使他成为我的屏障，利益是很多的。"于是和李茂贞建立亲善友好关系。七月十四日丙子，李茂贞派遣判官赵锽前往西川，为他的侄儿天雄节度使李继勋求婚；王建把女儿嫁给李继勋为妻。李茂贞多次向王建索求财物和兵器盔甲，王建都给了他。

王建征收的赋税很重，没有人敢说话。冯涓借王建生日的机会进献颂词，先赞美他的功德，然后再说老百姓的困苦。王建既惭愧又感激，致谢说："能像你这样忠言直谏，何愁不能成就功业呢！"赏赐给冯涓金银绢帛。从此以后，赋税的征收就稍微减轻了一些。

当初，朱全忠从凤翔迎接唐昭宗返回京城长安，见德王李裕眉清目秀，并且已经成年，很憎恶他，私下对崔胤说："德王曾经为刘季述所立，窃居帝位，怎么能够再留下他呢！您为什么不和皇上去说啊！"崔胤把朱全忠的话向唐昭宗说了。唐昭宗问朱全忠，朱全忠回答说："皇上父子之间的事情，臣怎么敢私下来议论！这是崔胤在出卖我。"唐昭宗自从离开长安以后，每日都担心发生意外，和皇后整天沉湎在酒中，有时相对哭泣。朱全忠派枢密使蒋玄晖侦察唐昭宗的言行，一举一动都知道。唐昭宗从容不迫地对蒋玄晖说："德王是朕的爱子，朱全忠为什么一定要杀死他？"说着流下了眼泪，咬破中指流血不止。蒋玄晖把这一切全部报告朱全忠，朱全忠更加感到不安。

当时李茂贞、杨崇本、李克用、刘仁恭、王建、杨行密、赵匡凝往来檄文，都谈论到要兴复皇室。朱全忠正率领军队西讨岐州、邠州，因为唐昭宗有英武之气，担心宫中产生变乱，想要另立幼主，这样才便于将来图谋禅让取代。于是朱全忠派遣判官李振到洛阳，与蒋玄晖以及左龙武统军朱友恭、右龙武统军氏叔琮等人谋划这件事。

八月十一日壬寅，唐昭宗在何皇后殿，蒋玄晖挑选龙武牙官史太等一百人在夜里去敲打宫门，说前线有紧急军事奏报，想当面见唐昭宗。夫人裴贞一打开宫门看见士兵，说："有紧急军事奏报为什么要带士兵？"史太把她杀了。蒋玄晖问："皇上在哪里？"昭仪李渐荣走近窗口大声叫道："宁可杀了我们，不要伤害皇上！"唐昭宗正喝醉了，急忙起身，穿着单衣绕柱逃跑，史太追上把他杀了。李渐荣用身子遮住唐昭宗，史太也把她杀了。史太又要杀何皇后，何皇后向蒋玄晖苦苦哀求，这才放了她。

八月十二日癸卯，蒋玄晖假造诏书，称李渐荣、裴贞一谋杀唐昭宗，应该立辉王李祚为皇太子，把李祚改名李柷，代理军事政事。又假造皇后的命令，叫皇太子在灵柩前即位为皇帝。宫中惊恐害怕，大家不敢哭出声来。八月十五日丙午，唐昭宣帝即皇帝位，这时年龄只有十三岁。

（以上为第一段，写李茂贞与王建结亲，联合杨崇本、李克用、刘仁恭、杨行密、赵匡凝以兴复为辞，共讨朱全忠。朱全忠西征，恐东都生变，弑昭宗，立辉王李祚为皇太子，改名柷，年十三，是为哀帝。）

李克用再次派张承业担任监军。

淮南将领李神福攻打鄂州，没有打下来，就生了病，返回广陵。杨行密另派舒州团练使泌阳人刘存代他为招讨使；李神福不久就去世了。宣州观察使台濛也去世了，杨行密派自己的儿子牙内诸军使杨渥为宣州观察使。右牙都指挥使徐温对杨渥说："吴王卧病在床，您是他的嫡子，却被派到外地镇守，这一定是奸臣的阴谋。以后召您回来，不是我派遣的使者以及吴王的令书，您要特别小心，不要立即就来！"杨渥哭着道谢后去上任了。

九月初八日己巳，唐昭宣帝尊何皇后为皇太后。

朱全忠率领军队北边驻扎在永寿县，南边到了骆谷。凤翔、邠宁的军队竟然都不出来迎战。九月初十日辛未，朱全忠率领军队回东方。

冬季，十月初一日辛卯，发生日食。

朱全忠听到朱友恭等人杀死了唐昭宗，假装震惊万分，号啕痛哭，扑倒在地上，说："这些奴才们违背了我，使我千秋万代要蒙受恶名了！"十月初三日癸巳，到达东都洛阳，伏在唐昭宗的灵柩上痛哭流涕，又晋见唐昭宣帝，陈说杀死唐昭宗不是自己的心意，请求讨伐叛贼。先前，护卫皇帝的士兵有人在市场上抢米。十月初四日甲午，朱全忠上奏朱友恭、氏叔琮不能约束士兵，侵犯扰乱了市场，朱友恭被贬为崖州司户，恢复原来的姓名叫李彦威，氏叔琮被贬为白州司户；不久都赐令自尽。李彦威临死时大声喊道："出卖我来堵塞天下人的指责，对鬼神怎么交代！做事情像这样，还指望有后代吗！"

十月初六日丙申，天平节度使张全义来朝见唐昭宣帝。十月初七日丁酉，又任命朱全忠为宣武、护国、宣义、天平节度使；任命张全义为河南尹兼忠武节度使、判六军诸卫事。十月十五日乙巳，朱全忠辞别唐昭宣帝返回镇所，十月二十日庚戌，到了大梁。

镇国节度使朱友裕在梨园行营去世。

光州守将背叛杨行密，向朱全忠投降。杨行密派遣军队包围光州，光州与鄂州都向朱全忠报告危急。十一月初八日戊辰，朱全忠亲自率领军队五万人从颍州渡过淮河，在霍邱县驻扎，分派士兵去救援鄂州。淮南军队解除了对光州的包围返回广陵，按兵不动，不出来应战。朱全忠分别命令各将领大肆掠夺淮南以使它穷困。

钱镠暗中派遣衢州罗城使叶让去刺杀刺史陈璋，事情泄露了。十二月，陈璋斩杀叶让叛变，向杨行密投降。

当初，马殷的弟弟马賨，生性沉着勇敢，侍奉孙儒，担任百胜指挥使；孙儒死后，侍奉杨行密，多次立有战功，升为黑云指挥使。杨行密曾经顺便问到他的兄弟，这才知道他是马殷的弟弟，大为惊讶，说："我常常对你器度奇伟感到吃惊。你果然不是平常的人，应当送你回去。"马賨哭着推辞说："我只是淮西残留的士兵罢了，大王没有杀我反而宠爱任用我。湖南离这儿不远，曾得到哥哥的音信。我事奉大王很久了，不愿意回去。"杨行密坚决让他回去。这一年，马賨返回长沙，杨行密亲自到郊外为他饯行。

马賨到了长沙，马殷上表请任命他为节度副使。有一天，马殷商量向唐昭宣帝进贡的事，马賨说："杨行密地广兵强，与我们边界相连，不如和他建立友好关系，从大的方面说可以作为紧急时的援助，从小的方面说也有通商的利益。"马殷变了脸色，说："杨行密不能侍奉唐昭宣帝，一旦朝廷发兵讨伐他，罪过将会连累到我们。你赶快放弃这种主张，不要给我招来灾祸！"

当初，清海节度使徐彦若临终上表推举副使刘隐暂时代理清海留后的职位。朝廷任命兵部尚书崔远为清海节度使。崔远到了江陵，听说岭南盗贼很多，又担心刘隐不接受替代，不敢继续前去。朝廷召崔远返回京城长安。刘隐派遣使者用贵重的财物去巴结朱全忠，朱全忠于是上奏请求任命刘隐为清海节度使。

（以上为第二段，写朱全忠得知昭宗被弑，佯惊，痛哭，还东都杀朱友谅、氏叔琮塞责以欺天下。）

昭宣光烈孝皇帝

唐昭宣帝天祐二年（乙丑，公元905年）

春季，正月，朱全忠派遣各将领率领军队进逼寿州。

润州团练使安仁义勇敢果断，深得士兵的拥护，所以淮南将领王茂章攻打润州，过了一年还打不下来。杨行密派遣使者对安仁义说：“你的功劳我不会忘记。只要你能约束自身，前来归顺，我定当让你担任行军副使，只是不掌握兵权罢了。”安仁义没有听从。王茂章挖地道进入城中，这才攻下了润州。安仁义带领全族人上楼，大家都不敢逼近。开始时攻城各将领看到安仁义就骂他，独有李德诚不这样做。到这时候，安仁义叫李德诚登上楼来，对他说：“你有礼貌，我今天把这个功劳给你。”并且将自己的爱妾赠送给他。于是把弓箭扔在地上，李德诚扶着安仁义下楼，连同他的儿子一起在广陵街市斩首。

两浙军队在睦州包围了陈询，杨行密派遣西南招讨使陶雅率领军队去救援。军营中夜里受惊吓，士兵大多越过营垒逃亡了。左右及裨将韩球跑来报告陶雅，陶雅安安稳稳地睡着不理会。不一会儿，营中自行安定下来，逃亡的士兵都回来了。钱镠派遣他的堂弟钱镒以及指挥使顾全武、王球进行抵御，被陶雅打败，陶雅俘虏了钱镒和王球返回广陵。

正月十一日庚午，朱全忠任命李振主持青州的事务，代替王师范。

朱全忠包围寿州，寿州人关闭营垒，不出来作战。朱全忠于是带领士兵从霍邱回去。二月初二日辛卯，到了大梁。

李振到达青州。王师范带领全族人西迁，到濮阳后，换上素服坐着驴子前去请罪。到了大梁，朱全忠以对待客人的礼节对待他。朱全忠上表请求任命李振为青州留后。

二月初九日戊戌，朝廷任命安南节度使、同平章事朱全昱为太师，退职家居。朱全昱是朱全忠的哥哥，憨厚朴实，没有才能，原先兼管安南，朱全忠自己请求将朱全昱免职。

这一天是社日，朱全忠派遣蒋玄晖邀请唐昭宗的儿子德王李裕、棣王李祤、虔王李禊、沂王李禋、遂王李袆、景王李祕、祁王李祺、雅王李禛、琼王李祥，在九曲池设置酒宴，酒喝得正畅快时，把他们全部用绳子勒死，将尸体扔入九曲池中。

朱全忠派遣他的将领曹延祚率领军队与杜洪共同守卫鄂州。二月十一日庚子，淮南将领刘存攻下了鄂州，捉住杜洪、曹延祚以及汴州士兵一千多人送往广陵，把他们全部杀死。杨行密任命刘存为鄂岳观察使。

二月二十日己酉，把圣穆景文孝皇帝葬在和陵，庙号叫昭宗。

三月十一日庚午，任命王师范为河阳节度使。

三月十九日戊寅，任命门下侍郎、同平章事独孤损为同平章事，充任静海节度使；任命礼部侍郎、河间人张文蔚为同平章事。三月二十五日甲申，任命门下侍郎、同平章事裴枢为左仆射，崔远为右仆射，都不再参与政事。

（以上为第三段，写杨行密攻拔润州，杀叛将润州团练使安仁义，又攻拔鄂州杀武昌节度使杜洪。朱全忠杀德王裕等昭宗九子。）

起初，柳璨考中进士，不到四年就当了宰相。柳璨本性奸诈灵巧，举止轻浮。当时唐昭宗左右都是朱全忠的心腹，柳璨想尽办法去迎合他们。与柳璨同时位列宰相的裴枢、崔远、独孤损都是朝廷中德高望重的人，心中看不起柳璨，柳璨因此怨恨他们。和王李福的师傅张廷范原来是一个戏子，朱全忠宠爱信任张廷范，柳璨就上奏请求任命张廷范为太常卿。裴枢说："张廷范是有功劳的大臣，有方镇可以安置他，为什么要他担任掌管礼乐的太常卿呢！这恐怕不是朱元帅的意思。"意见相持不下。朱全忠听到这些话，对宾客僚佐们说："我常常认为裴枢的器量见识真诚纯朴，非同一般，不会合于轻薄浮躁之流。现在看裴枢这个议论，本来的面目显露出现了。"柳璨因此在朱全忠面前诬陷裴枢和崔远、独孤损，所以这三人都被免除了宰相的职务。

任命吏部侍郎杨涉为同平章事。杨涉是杨收的孙子，为人平和宽厚，谦恭谨慎，听到要他担任宰相，杨涉和家人相对哭泣，告诉他的儿子杨凝式说："这是我家的不幸，一定会连累到你的。"

加官清海节度使刘隐为同平章事。

四月初四日壬辰，河东都押牙盖寓去世，留下书信劝李克用要减少营建费用，减轻百姓赋税，广泛征求贤良人才。

夏季，四月十二日庚子，有彗星出现在西北方。

淮南将领陶雅会合衢州、睦州的军队攻打婺州，钱镠派遣他的弟弟钱镖率领军队去救援婺州。

五月，礼院上奏，唐昭宣帝即位应该在南郊进行祭祀。敕令在十月初九日甲午这一天举行祭祀典礼。

五月初七日乙丑，彗星的长度横贯整个天空。

柳璨依仗朱全忠的势力，肆意作威作福。正遇上彗星出现，占卜的人说："君臣都有灾祸，应该用诛杀来应和天意。"柳璨借此向朱全忠上书列举他平日感到不满意的人，说："这些人都聚集徒众横加议论，怨恨不满，口是心非，应该治他们罪来堵住灾异。"李振也对朱全忠说："朝廷之所以不能治理好，都是因为官吏中轻浮浅薄的人扰乱了国家法纪的缘故。况且大王想要图谋大事，这些人都是朝廷中难以制服的，不如将他们全部除掉。"朱全忠认为很对。五月十五日癸酉，贬独孤损为棣州刺史，裴枢为登州刺史，崔远为莱州刺史。五月十七日乙亥，贬吏部尚书陆扆为濮州司户，工部尚书王溥为淄州司户。五月二十二日庚辰，贬太子太保辞官归隐的赵崇为曹州司户，兵部侍郎王赞为潍州司户。其余有的门第高贵，有的科举及第，在三省台阁任职、以名节自居、声望政迹稍为显著的，都被指责为轻浮浅薄，没有一天无贬官驱逐的，朝中官员被贬逐一空。五月二十三日辛巳，再贬裴枢为泷州司户，独孤损为琼州司户，崔远为白州司户。

五月二十六日甲申，忠义节度使赵匡凝派遣使者和王建建立友好关系。

六月初一日戊子，敕令赐裴枢、独孤损、崔远、陆扆、王溥、赵崇、王赞等人在当地自杀。

当时朱全忠在白马驿聚集裴枢等被贬斥的朝中官员三十多人，一个晚上把他们全部杀死，将尸体扔入黄河。起初，李振多次参加进士考试，最后还是没有考上，所以很嫉妒痛恨科举出身的高级官吏。他对朱全忠说："这些人常常自以为是德行高洁的清流，应该把他们扔入黄河，使他们成为浊流！"朱全忠笑着采纳了李振的建议。

李振每次从汴州到洛阳，朝廷中必定会有被放逐贬谪的官员，当时人称他为鸱枭。看见朝廷中的官员，他总是颐指气使，旁若无人，傲慢到了极点。

朱全忠曾经和幕僚佐吏以及游客坐在大柳树下面，朱全忠自言自语说："这棵柳树适合做车毂。"大家都没有答话。有几个游客起来附和说："是适合做车毂。"朱全忠勃然大怒，厉声斥责说："书生们喜欢顺着别人说话来玩弄人，就像这些人一样！车毂必须用榆木制作，柳木怎么能够制作呢！"回头看着左右的人说："还等什么！"左右几十个人，揪住那几个说"适合做车毂"的游客，全部打死。

六月初二日己丑，以司空辞官家居的裴贽被贬为青州司户，不久被赐死。

柳璨余怒不息，他所注视的人，还不止几十个，张文蔚竭力劝阻，才停止继续迫害。

当时士大夫为躲避祸乱，大多不到朝廷里来。六月初五日壬辰，敕令各州县督促遣送他们，不得停留不进。前司勋员外郎李延古，是李德裕的孙子，辞去官职住在河南府的平泉庄，诏令下达后没有到京城洛阳来。六月二十一日戊申，责罚李延古担任卫尉寺主簿。

秋季，七月初六日癸亥，以太子宾客辞官家居的柳逊被贬为曹州司马。

（以上为第四段，写柳璨倾巧轻佻，以浮华之名谮害朝士，贬逐公卿，朱全忠一夕杀朝士三十余人，朝廷为之一空。）

七月十三日庚午晚上，天雄牙将李公佺和牙军谋划作乱，罗绍威发觉了他们的行动，李公佺焚烧官府房舍，抢劫掠夺了一番，逃奔去沧州。

八月，王建派遣前山南西道节度使王宗贺等率领军队到金州去攻打昭信节度使冯行袭。

朱全忠因为赵匡凝东边和杨行密交往，西边与王建结成婚姻亲家，八月初九日乙未，派遣武宁节度使杨师厚率领军队去攻打他。八月十三日己亥，朱全忠带领大军前往接应。

处州刺史卢约派遣他的弟弟卢佶攻下温州，张惠逃奔福州。

钱镠派遣方永珍去救援婺州。

当初，礼部员外郎知制诰司空图抛弃官职居住在虞乡县王官谷，唐昭宗多次征召他，他都不出来做官。柳璨用诏书征召他，司空图害怕了，到洛阳入朝进见，假装衰老而又粗野，连朝笏也拿不住，掉在地上，丧失了仪态。柳璨于是又颁下诏书，大略是说："既是自命清高，傲视世人，又好比夸口移山，沽名钓誉。"又说："既不是伯夷，又不是柳下惠，很难处身在公平正直的朝廷里，可以放他回到山里去。"司空图是临淮人。

杨师厚攻下唐、邓、复、郢、随、均、房七个州，朱全忠军队驻扎在汉江北岸。九月初五日辛酉，朱全忠命令杨师厚在阴谷口建造浮桥。九月初七日癸亥，率领军队渡过汉江。九月初八日甲子，赵匡凝率领军队两万人在汉江边上列阵，杨师厚与他作战，把他打得大败，于是逼近襄阳城下。这一天晚上，赵匡凝焚烧了襄阳城，率领他的族人和部下将士沿着汉江逃奔广陵。九月初九日乙丑，杨师厚进入襄阳城。九月初十日丙寅，朱全忠跟着也到了。

赵匡凝到达广陵，杨行密跟他开玩笑说："您在藩镇时，每年把金银布帛进献给朱全忠，今天战败了，才来依附我吗？"赵匡凝说："诸侯事奉天子，每年输送贡品、交纳赋税是应尽的职分，这哪里是给贼寇朱全忠！今天前来依附您，正是因为不顺从贼寇的缘故。"杨行密用丰厚的礼遇接待他。

（以上为第五段，写朱全忠兼并山东东道，节度使赵匡凝奔淮南。）

九月初十日丙寅，册封皇弟李禔为颍王，李祐为蔡王。

九月十一日丁卯，荆南节度使赵匡明率领军队两万人，抛弃守城逃往成都。九月十二日戊辰，朱全忠任命杨师厚为山南东道留后，率领军队攻打江陵。到乐乡时，荆南牙将王建武派遣使者去迎接杨师厚，向他投降。朱全忠任命都将贺瓌为荆南留后。朱全忠不久又上表奏请任命杨师厚为山南东道节度使。

王宗贺等进攻冯行袭，每一仗都打胜了。九月二十日丙子，冯行袭放弃金州，逃奔均州，他的部将全师朗献城投降。王建把全师朗的姓名改为王宗朗，补为金州观察使，分割出渠、巴、开三州归王宗朗管辖。

九月二十九日乙酉，唐昭宣帝颁下诏令，宣布改在十一月十九日癸酉，亲自举行郊祀的典礼。

淮南将领陶雅、陈璋攻下婺州，俘获刺史沈夏返回。杨行密任命陶雅为江南都招讨使，歙、婺、衢、睦观察使；任命陈璋为衢、婺副招讨使。陈璋攻打暨阳，两浙将领方习打败了陈璋，方习进兵攻打婺州。

濠州团练使刘金去世，杨行密任命刘金的儿子刘仁规主持濠州事务。

杨行密的长子宣州观察使杨渥，一向没有好名声，节度使府中的人都轻视他。杨行密卧病在床，命令节度判官周隐召回杨渥。周隐为人朴直、愚昧，回答说："宣州司徒杨渥轻易听信谗言，喜好击毬饮酒，不是保全家业的人主，其余的孩子年纪都小，不能控制驾驭各将领。庐州刺史刘威，从低贱时起就跟随您，一定不会辜负您。不如让他暂时代理节度使府事务，等到几个孩子长大以后再把军权交给他们。"杨行密不回答。左右牙指挥使徐温、张颢对杨行密说："大王您一生出生入死，冒着矢石的危险，为子孙后代建立基业，怎么能够让别人去占有它呢！"杨行密说："我死也放心了。"周隐是舒州人。

有一天，将领佐吏来探问病情，杨行密用眼睛示意幕僚严可求留下来。大家出去以后，严可求说："大王如有不测，节度使府的事务将怎么处理呢？"杨行密说："我已经命令周隐去召回杨渥，如今苦撑着等待他来。"严可求和徐温到周隐那儿，周隐没有出来见面，召回杨渥的牒文仍放在桌子上。严可求立即和徐温拿了牒文，派遣使者到宣州去召回杨渥。严可求是同州人。杨行密任命润州团练使王茂章为宣州观察使。

（以上为第六段，写杨行密病重，遗意部属立其长子杨渥为淮南节度使继任人。）

冬季，十月初一日丙戌朔，任命朱全忠为诸道兵马元帅，单独开设元帅府。

这一天，朱全忠部署安排将士，将要返回大梁，忽然改变计划，想要乘胜攻打淮南。敬翔劝谏说："现在出兵还不到一个月，就平定了襄阳、荆州两大藩镇，开辟疆域几千里。远近的人听到了，没有不震惊畏惧的。这个威望值得珍惜，不如暂时回去停止战争，等待机会然后再发动攻击。"朱全忠不听。

朝廷更名昭信军为戎昭军，仍然分割出均州隶属于它。

十月初六日辛卯，朱全忠从襄州出发。十月初七日壬辰，到达枣阳，遇到大雨。从申州到光州的道路险阻狭窄，到处都是积水，人马疲乏，士兵还没有穿上冬衣，许多人逃跑了。朱全忠派人对光州刺史柴再用说："你投降，我任命你为蔡州刺史；不投降，将要屠杀全城人！"柴再用严加防守，做好准备工作，全副武装登上城楼，看见朱全忠，拜伏行礼，非常恭敬，说："光州城很小，兵力也很弱，不值得惹大王发威动怒。大王您如果先攻下寿州城，我怎么敢不听从您的命令呢！"朱全忠在光州城东停留了十天后走了。

起居郎苏楷是礼部尚书苏循的儿子。苏楷向来就没有才能、品行，乾宁年间考中进士，唐昭宗在武德殿复试后将他废黜，并且永远不准他再入科场考试。十月初九日甲午，苏楷率领同僚向唐昭宣帝上奏说："谥号的好坏，臣子不能够私下干预。先帝的谥号有太多的溢美之词，请求再详细商议。"这件事交到太常去办理。十月十二日丁酉，张廷范上奏更改唐昭宗的谥号为恭灵庄愍孝皇帝，庙号为襄宗，唐昭宣帝下诏依从张廷范的意见。

杨渥到达广陵。十月十六日辛丑，杨行密借皇帝名义任命杨渥为淮南留后。

十月二十三日戊申，朱全忠从光州出发，迷失道路多走了一百多里，又遇到下雨，等到抵达寿州，寿州军民已经坚壁清野来等待他。朱全忠想要包围寿州，但没有树木可以用来修建栅栏，于是只得退兵驻扎在正阳镇。

十月二十八日癸丑，朝廷把成德军改名为武顺军。

（以上为第七段，写朱全忠为诸道兵马元帅，别开幕府。改昭信军为戎昭军，成德军为武顺军。）

十一月初二日丙辰，朱全忠渡过淮河往北去，柴再用包抄袭击他的后军，杀了三千人，获得器械粮草数以万计。朱全忠后悔不听敬翔的话，更加暴躁愤怒。十一月十三日丁卯，回到大梁。

在这以前，朱全忠急于要通过禅让称帝，秘密让蒋玄晖等人谋划这件事。蒋玄晖与柳璨等商议：由于魏、晋以来，都是先封大国，加赐九锡给予特殊的礼遇，然后再接受禅让，应当按这个程序进行。因此先授任朱全忠为诸道元帅，以表示循序渐进，并且派刑部尚书裴迪为送官告使。朱全忠勃然大怒。宣徽副使王殷、赵殷衡嫉妒蒋玄晖专擅大权、深得宠信，想要得到他的位置，因此向朱全忠诬陷蒋玄晖说："蒋玄晖、柳璨等想要延续唐代的皇位，所以拖延禅让这件事以等待事变的发生。"蒋玄晖听说后很害怕，亲自到寿春，对朱全忠做详细解释。朱全忠说："你们巧言叙述一些不相干的事情来阻止我，如果我不受九锡之礼，难道就不能做天子了吗？"蒋玄晖说："唐朝的气数已经完了，天命托付到大王身上，无论愚蠢的人还是聪明的人都深信不疑了。我和柳璨等人不敢违背大王的恩德，只是因为如今晋地的李克用、燕地的刘仁恭、岐地的李茂贞、蜀地的王建都是我们的劲敌，大王您马上接受帝位，他们的心里不服；不能不设法慢慢地讲明道理，然后再取代帝位，这是为了大王您创立万世的基业。"朱全忠责骂他说："你这个奴才果然要造反了！"蒋玄晖惶恐不安，立即告辞回洛阳，与柳璨商议行九锡之礼。这时唐昭宣帝将举行郊祀大典，文武百官已经在学习礼仪，裴迪从大梁回到洛阳，讲了朱全忠发怒时说的话："柳璨、蒋玄晖等人想要延续唐代的皇位，所以才要让唐昭宣帝举行郊祀祭天的典礼。"柳璨等非常害怕。十一月十六日庚午，敕令改在明年正月上旬的辛日再举行郊祀祭天。赵殷衡本来姓孔名循，是朱全忠奶妈的养子，所以冒充姓赵，后来逐渐显贵了，才恢复原来的姓名。

十一月十八日壬申，赵匡明到达成都，王建用客礼来接待他。

唐昭宗发丧，朝廷派遣告哀使司马卿前往成都宣谕王建，到这时候才进入蜀地的境内。西川掌书记韦庄替王建谋划，派武定节度使王宗绾告诉司马卿说："蜀地的将士，世世代代受唐王室的恩惠，去年听说皇帝东迁洛阳，前后上了二十个表文，都没有回应。不久有逃亡的士兵从汴州前来，听说昭宗皇帝已经被朱全忠谋害了。蜀地将士正在日夜枕戈以待，想为先帝报仇雪恨。不知道如今使者到我们这儿来，想要宣告什么事情？您应该自己考虑是退还是进。"司马卿于是回洛阳去了。

十一月二十六日庚辰，吴武忠王杨行密去世。淮南将领佐吏共同请宣谕使李俨借皇帝名义君命任命杨渥为淮南节度使、东南诸道行营都统，兼侍中、弘农郡王。

柳璨、蒋玄晖等商议加朱全忠九锡之礼，朝中官吏大多心怀怨怒，愤愤不平，只有礼部尚书苏循扬言说："梁王朱全忠功业显赫伟大，天命所归，朝廷应该迅速把帝位让给他。"朝中官吏没有人敢违抗。十一月二十七日辛巳，任命朱全忠为相国，总揽一切政事。以宣武、宣义、天平、护国、天雄、武顺、佑国、河阳、义武、昭义、保义、戎昭、武定、泰宁、平卢、忠武、匡国、镇国、武宁、忠义、荆南等二十一道为魏国，进封朱全忠为魏王，并加九锡之礼。朱全忠怨恨他们拖延迟缓，推辞不肯接受。十二月初四日戊子，命令枢密使蒋玄晖捧着唐昭宣帝亲笔诏书到朱全忠处宣旨。十二月初九日癸巳，蒋玄晖从大梁返回洛阳，说朱全忠的怒气还没有消除。十二月初十日甲午，柳璨上奏说："大家的希望都归向梁王朱全忠，陛下应该放弃这沉重的负担，现在正是时候。"当天就派遣柳璨到大梁去传达唐昭宣帝禅让帝位的意思，朱全忠拒绝接受。

（以上为第八段，写杨行密辞世，长子杨渥继为淮南节度使。朱全忠急于受禅，柳璨、蒋玄晖等人为之策划，认为应依魏晋以来故事，先封大国，加九锡，殊礼，次第行之，然后受禅。）

当初，柳璨陷害朝中官吏太多了，朱全忠也憎恨他。柳璨与蒋玄晖、张廷范日夜宴饮聚会，深相勾结，替朱全忠谋划禅让帝位的事。何太后哭着派遣宫人阿虔、阿秋向蒋玄晖转达意愿，告诉他来日禅让帝位以后，保全她母子性命。王殷、赵殷衡诬陷蒋玄晖说："蒋玄晖和柳璨、张廷范在积善宫夜宴，对着何太后焚香发誓，约定兴复唐王朝的帝位。"朱全忠相信了他们的话。十二月十一日乙未，朱全忠把蒋玄晖以及丰德库使应顼、御厨使朱建武等收押在河南府的监狱里；任命王殷暂时主持枢密的事务，赵殷衡暂时代理宣徽院的职务。朱全忠三次上表辞让进封魏王并加九锡的诏命。十二月十三日丁酉，唐昭宣帝颁下诏书同意朱全忠的辞让，再任命他担任天下兵马元帅，然而朱全忠已经改建大梁的府舍为宫殿了。这一天，斩杀蒋玄晖，用木杖打死应顼、朱建武。十二月十六日庚子，取消枢密使和宣徽南院使，只设置宣徽使一名，任命王殷担任，赵殷衡担任副使。十二月十七日辛丑，敕令停止宫人宣布传达诏命以及参与朝会。追削蒋玄晖的官职，看成是凶恶叛逆的百姓，命令河南府把他的尸体放到都门外，聚集百姓当众焚烧。

蒋玄晖死后，王殷、赵殷衡又诬陷蒋玄晖私下服侍何太后，让宫人阿秋、阿虔联络沟通。十二月二十五日己酉，朱全忠秘密命令王殷、赵殷衡在积善宫害死何太后，敕令追废何太后为平民，阿秋、阿虔都在殿前用大竹板打死。十二月二十六日庚戌，因为皇太后的丧事，停止上朝三天。

十二月二十七日辛亥，唐昭宣帝颁布敕令，因为宫廷内乱，停止来年正月上旬辛日举行祭祀天地和祖宗的典礼。

十二月二十九日癸丑，守司空兼门下侍郎、同平章事柳璨被贬为登州刺史，太常卿张廷范被贬为莱州司户。十二月三十日甲寅，在洛阳上东门外斩杀柳璨，在京城闹市车裂张廷范。柳璨临刑时大声喊叫说："负国贼子柳璨，死得应该啊。"

西川将领王宗朗不能守住金州，就焚烧城邑，逃奔成都。戎昭节度使冯行袭又占领了金州，上奏称说："金州荒凉破败，乞求迁徙治所到均州。"朝廷同意了他。改任冯行袭统领武安军。

陈询守不住睦州，逃奔到广陵，淮南招讨使陶雅占据了睦州。

杨渥离开宣州时，想要带着他的帐幕和亲兵随行，观察使王茂章不同意，杨渥很愤怒。等到继承他父亲杨行密的职位后，派遣马步都指挥使李简等率领军队去袭击王茂章。

湖南军队侵犯淮南，淮南牙内指挥使杨彪把他们击退了。

（以上为第九段，写朱全忠改修大梁府舍为宫阙，三表辞封魏王、加九锡之命，怒其迟缓，改为天下兵马元帅，诛杀柳璨等人，又弑何太后。）

唐昭宣帝天祐三年（丙寅，公元906年）

春季，正月初八日壬戌，灵武节度使韩逊上奏说吐蕃七千多名骑兵在宗高谷扎营，将要攻打嗢末以及攻取凉州。

李简的军队突然到达宣州，王茂章估计守不住，就率领部下投奔两浙钱镠。他的亲兵上蔡人刁彦能以母亲年老为借口，没有和王茂章一起走。刁彦能登上城楼告诉士兵说："淮南军府命令我招集晓谕你们，大军就要到来了。"士兵因此安定下来。陶雅担心王茂章切断他的归路，率领军队返回歙州，钱镠又夺取了睦州。钱镠任命王茂章为镇东节度副使，把他的名字改为王景仁。

正月十一日乙丑，加官静海节度使曲承裕为同平章事。

当初，田承嗣镇守魏博，挑选、招募六州骁勇善战的士兵五千人为牙军，给他们的给养赏赐非常丰厚，借此来保卫自己，做自己的心腹亲信。从此以后牙军父子继承相传，亲戚朋党如胶似漆般坚固，时间久了更加骄横，稍微不顺他们的心意，就消灭旧的主帅更换新的，从唐穆宗长庆年间史宪诚以来，主帅都立于他们之手。天雄节度使罗绍威心里憎恨他们，但是因为力量小不能制服他们。朱全忠包围凤翔时，罗绍威派遣军将杨利言秘密地把情况告诉朱全忠，想要借用他的军队来消灭牙军。朱全忠由于当时军情紧急，没有空闲时间调出军队来帮助罗绍威，但暗中答应了他。等到李公佺作乱，罗绍威更加害怕，再派遣牙将臧延范催促朱全忠。朱全忠于是发动河南各镇军队十万人，派遣他的部将李思安率领，会合魏博、镇冀的军队驻扎在深州乐寿县，声称要去攻打沧州，讨伐刘守文接纳天雄叛将李公佺的罪过。又正遇上朱全忠嫁给罗绍威儿子罗廷规的女儿去世，朱全忠派遣客将马嗣勋在袋子里装满兵器铠甲，挑选长期警卫的士兵一千人装扮成挑夫，率领他们进入魏博，假装说是前来会葬。朱全忠自己率领大军跟在他们的后面，说是到行营去。魏博的牙军都没有怀疑他们。正月十六日庚午，罗绍威秘密派人进入武器库把弓弦和铠甲系带弄断。当天晚上，罗绍威率领他的家奴宾客几百人，和马嗣勋一起攻击牙军。牙军想要应战，但弓箭铠甲都不能用了，于是全营牙军都被杀死，一共有八千家，连婴儿小孩也没有留下一个。第二天早晨，朱全忠率领军队进入城中。

正月十七日辛未，任命暂时代理宁远留后的庞巨昭和岭南西道留后叶广略同为节度使。

正月二十六日庚辰，钱镠前往睦州。

西川将领王宗阮攻打归州，俘获归州将领韩从实。

陈璋听说陶雅返回歙州，也从婺州撤退守卫衢州。两浙将领方永珍等攻下了婺州，进兵围攻衢州。

杨渥派遣先锋指挥使陈知新攻打湖南。三月十二日乙丑，陈知新攻下岳州，逐走刺史许德勋，杨渥任命陈知新为岳州刺史。

三月二十五日戊寅，朝廷任命朱全忠为盐铁、度支、户部三司都制置使。三司的名称就从这时开始。朱全忠推辞不接受。

夏季，四月初一日癸未，发生日食。

（以上为第十段，写天雄节度使罗绍威引汴兵诛灭魏博累世牙兵八千家，婴孺无遗。以朱全忠为盐铁、度支、户部三司使，三司之名始于此。）

罗绍威消灭了牙军以后，魏博各军都很恐惧，罗绍威虽然多次安抚晓谕他们，但是他们猜忌怨恨更加厉害了。朱全忠在魏州城东扎营几十天，将要北上巡视行营，遇到天雄牙将史仁遇发动叛乱，聚集部众几万人占据了高唐县，自称为天雄留后，天雄镇所巡视管辖的各县大多数响应他。朱全忠调动军队进入魏州城，派遣使者召唤行营的军队回来攻打高唐县，到了历亭县，魏州的士兵在行营里作乱，与史仁遇相呼应。元帅府左司马李周彝、右司马苻道昭攻打作乱的士兵，被杀死的几乎有一半，又进攻高唐县，把它攻下来了，城中的士兵、百姓不论长幼都被杀掉。活捉了史仁遇，用锯子把他锯死了。

先前，史仁遇向河东李克用和沧州刘守文请求救援，李克用派遣他的部将李嗣昭率领三千名骑兵攻打邢州来救援史仁遇。当时邢州的士兵只有两百人，团练使牛存节守卫邢州，李嗣昭攻打了七天也没有打下来。朱全忠派遣右长直都将张筠率领几千名骑兵帮助牛存节守卫邢州，张筠在马岭埋伏军队，攻击李嗣昭，把他打败了，李嗣昭逃跑离去。

义昌节度使刘守文派遣军队一万人攻打贝州，又攻打冀州，攻下了蓨县，又进攻阜城。当时镇州大将王钊在宗城攻打魏州叛将李重霸。朱全忠派王钊回去救援冀州，沧州刘守文的军队离去了。四月二十四日丙午，李重霸抛弃守城逃走，汴州将领胡规追击，把李重霸杀了。

镇南节度使锺传任命养子钟延规为江州刺史。锺传去世，军中拥立他的儿子钟匡时为留后。钟延规怨恨不立自己为留后，派遣使者向淮南杨渥投降。

五月初五日丁巳，朱全忠前往洺州，巡视北边地区，察看军事防备，然后返回，进入魏州。

五月二十四日丙子，废除戎昭军，连同均州、房州划属忠义军；任命武定节度使冯行袭为匡国节度使。

杨渥任命昇州刺史秦裴为西南行营都招讨使，率领军队前往江西攻打锺匡时。

六月初二日甲申，又恢复忠义军为山南东道。

朱全忠由于长安和邠州、岐州相邻，多次发生战争，上奏将佑国节度使韩建迁往淄青，任命淄青节度使长社人王师重为佑国节度使。

秋季，七月，朱全忠攻下相州。当时魏博的乱兵分别占据了贝、博、澶、相、卫五个州以及魏博的各县邑，朱全忠派遣各将领攻击讨伐，到这时全部平定了，于是率领军队南还。

朱全忠留在魏州半年，罗绍威根据需要供给，所杀的牛、羊、猪近七十万钱，物资粮食和这个相当，用来贿赂赠送的财货又近百万钱。到朱全忠离开时，积蓄贮藏全花完了。罗绍威虽然除掉了威胁自己的牙军，然而魏博军队从此衰弱了。罗绍威很后悔这件事，对人说："聚集六州四十三个县的铁，也铸不成这样的大错啊！"

七月二十一日壬申，朱全忠到达大梁。

（以上为第十一段，写魏州诸军愤怨罗绍威诛牙军，纷起作乱，朱全忠发兵往讨，军旅供应，耗尽魏州积蓄，罗绍威深悔之。）

秦裴到了洪州，在蓼洲驻扎。各将领请求依着江水建立营寨，秦裴不听；锺匡时果然派遣他的部将刘楚占据了这个地方。各将领抱怨秦裴，秦裴说："锺匡时的勇将只有刘楚一个人罢了，如果他率领部众守城，是不能立刻攻下来的，我因此故意让出要害的地方引诱他出来。"不久，秦裴攻破营寨，俘获刘楚，于是包围了洪州，饶州刺史唐宝请求投降。

八月初四日乙酉，李茂贞派遣他的儿子李侃到西川做人质，王建派李侃主持彭州的事务。

朱全忠由于幽州的刘仁恭、沧州的刘守文父子互相支援，成为魏州的威胁，想要先攻取沧州。八月二十三日甲辰，率领军队从大梁出发。

两浙军队包围衢州，衢州刺史陈璋向淮南报告危急，杨渥派遣左厢马步都虞候周本率领军队迎接陈璋。周本到达衢州，浙人就解除了包围，在城下布设战阵，陈璋率领部众投归周本，两浙军队占领衢州。吕师造说："浙人离我们很近却不发动攻击，是轻视我们，请攻打他们！"周本说："我奉命来迎接陈璋，今天他也到了，为什么还要再打仗呢！他们一定有所准备，来等待我们攻打。"于是率领军队返回。周本走在最后，浙人在后边跟踪，周本中途设下埋伏，把两浙军队打得大败。

九月初一日辛亥，朱全忠从白马渡过黄河。九月十七日丁卯，到达沧州，在长芦县驻扎军队，沧州军队不出来应战。罗绍威运送粮食，从魏州到长芦县五百里路，前后连续不断；又在魏州建造元帅府舍，经过的驿站、凉亭，供给酒食、帐幕、各种器具，从上到下几十万人，没有一样不准备周全。

秦裴攻下洪州，俘获锺匡时等五千人返回。杨渥自己兼任镇南节度使，任命秦裴为洪州制置使。

静难节度使杨崇本率领凤翔、保塞、彰义、保义四镇的军队攻打夏州，匡国节度使刘知俊拦击坊州的军队，斩首三千多级，擒获坊州刺史刘彦晖。

（以上为第十二段，写淮南军攻下洪州，杨渥自兼镇南节度使。）

刘仁恭去救援沧州，屡战屡败。于是对境内百姓下达命令说："男子十五岁以上，七十岁以下，全部自己准备兵器、粮食到行营里来。军队出发以后，如果有一个人还在乡里，立刻用刑，绝不宽赦！"有人劝谏说："如今老弱全部出发，妇女不能转运粮饷。这命令如果一定执行的话，被滥杀的人太多了。"刘仁恭这才下令可以拿起兵器的人全部出发，在他们脸上刺“定霸都”三个字，读书人就在他的手腕或胳膊上刺“一心事主”四个字，于是境内的士人百姓，除了小孩婴儿之外，没有不刺字的。刘仁恭总共招集士兵十万人，在瓦桥驻扎。

这时汴州军队修建营垒包围沧州，连飞鸟、老鼠都不能通过。刘仁恭惧怕他们强盛，不敢出战。城中粮食吃完了，就把泥土搓成丸子吞食，有的互相掠夺来吃。朱全忠派人对刘守文说：“援兵看情形是不能赶来了，为什么不早一些投降！”刘守文登上城楼回答朱全忠说：“我和幽州的刘仁恭是父子关系。梁王您正在用大义征服天下，假如儿子背叛父亲前来，将如何用他呢？”朱全忠因为刘守文言辞坦直而感到惭愧，所以延缓了攻击。

冬季，十月初六日丙戌，王建开始在蜀地设立行台。王建面向东方舞拜，放声大哭，说道：“自从昭宗皇帝东迁洛阳以后，君主的制命就不能通行了。臣请求暂时设立行台，用李晟、郑畋的旧时成例，秉承制命封官拜爵。”于是用榜帖文书告诉所属的藩镇州县。

刘仁恭向河东李克用请求救援，前后派出使者一百多批。李克用痛恨刘仁恭反复无常，始终没有同意。他的儿子李存勖劝谏说：“如今天下的形势，归降朱温的已经占了十分之七八，即使像魏博、镇州、定州那样强大的藩镇，也没有不依附他的。自黄河以北，能成为朱温忧虑的，只有我们和幽州、沧州了。现在幽州、沧州被朱温围困，我们不与他们同心协力来抗拒朱温，不符合我们的利益。谋取天下的人不应该只顾及小的怨仇，况且他们曾经困迫我们，而我们却解救他们的危急，用恩德安抚他们，这样做一下子就可以把名声和实利都得到了。这是我们复兴振作的大好时机，千万不要失去它。”李克用觉得很对，就和部将、佐吏商议召请幽州军队一同攻打潞州，说：“对于他们来说，可以解除包围，对于我们来说，可以开拓疆土。”于是答应和刘仁恭和好，召请他的军队。刘仁恭派遣都指挥使李溥率领军队三万人前来晋阳，李克用派遣他的部将周德威、李嗣昭率领军队与李溥一同攻打潞州。

（以上为第十三段，写朱全忠大举围攻沧州，刘仁恭求救于李克用，李克用攻潞州以牵制朱全忠。）

夏州向朱全忠告急。十月十八日戊戌，朱全忠派遣刘知俊和他的部将康怀贞前往救援。杨崇本率领六镇的军队五万人，在美原县驻扎。刘知俊等发动攻击，杨崇本被打得大败，返回邠州。

武贞节度使雷彦恭多次侵犯荆南，荆南留后贺瓌关闭城门进行防守。朱全忠认为贺瓌胆怯，任命颍州防御使高季昌代替贺瓌的职位，又派遣驾前指挥使倪可福率领军队五千人戍守荆南来防备吴杨渥、蜀王建的侵犯。雷彦恭的朗州军队退了回去。

十一月，刘知俊、康怀贞乘胜攻打鄜、延等五个州，把它们攻下来了。加官刘知俊为同平章事，任命康怀贞为保义节度使。邠州、岐州的军队从此一蹶不振。

湖州刺史高彦去世，他的儿子高澧接替高彦的职位。

十二月初七日乙酉，钱镠上表推荐行军司马王景仁；唐昭宣帝下诏任命王景仁兼领宁国节度使。

朱全忠分派步兵、骑兵几万人，派遣行军司马李周彝率领他们，从河阳出发去救援潞州。

闰十二月十七日乙丑，废除镇国军兴德府，恢复为华州，隶属匡国节度，又割出金州、商州隶属佑国军。

当初，唐昭宗被杀的噩耗传到潞州，昭义节度使丁会率领将士们穿上丧服痛哭流涕了很久。等到李嗣昭攻打潞州，丁会全军向河东李克用投降。李克用任命李嗣昭为昭义留后。丁会拜见李克用，哭着说："我丁会不是没有力量守卫潞州。梁王朱全忠欺凌虐待唐王室，我虽然受到他推荐提拔的恩惠，实在不能容忍他的所作所为，所以才来归附您，听从您的命令。"李克用对待丁会非常优厚，地位在各将领之上。

闰十二月二十一日己巳，朱全忠命令各军队修整作战的器具，将要攻打沧州。闰十二月二十四日壬申，听说潞州失守。闰十二月二十六日甲戌，率领军队返回。

在这以前，朱全忠征调河南、河北的粮草，通过水路、陆路运往军中，各营的粮草堆积如山。朱全忠返回前，命令把这些粮草全部烧掉，浓烟、火焰蔓延了几里路，粮草装在船上，就把船凿通沉入水中。刘守文派人给朱全忠送信说："您为了百姓的缘故，赦免我的罪过，解除包围而离开，这是您的恩惠。沧州城里有几万人，已经几个月没粮食吃了，与其把粮食烧掉成为烟灰，沉入水中成为泥土，希望求得剩余的粮草来解救百姓。"朱全忠留下几个仓库的粮食送给他，沧州百姓靠着这个得到接济。

河东军队进攻泽州，打不下来就撤退了。

吉州刺史彭玕派遣使者向湖南马殷请求投降。彭玕本来是赤石洞蛮人的首领，锺传任命彭玕为吉州刺史。

（以上为第十四段，写李克用攻拔潞州，朱全忠解沧州之围而去。）

【点评】

本卷点评朱全忠弑帝，柳璨、蒋玄晖之死，罗绍威诛杀牙兵三件史事。

朱全忠弑帝。天祐元年（公元 904 年），朱全忠逼昭宗迁洛阳，昭宗诏令诸镇勤王。当时李茂贞、杨崇本、李克用、刘仁恭、王建、杨行密、赵匡凝移檄往来，皆以兴复为辞。八月，朱全忠西讨李茂贞，忧虑昭宗在洛阳生变，于是派判官李振到洛阳，密令枢密使蒋玄晖与左龙武统军朱友恭、右龙武统军氏叔琮弑杀昭宗，立幼君，以便禅代。八月十一日壬寅，蒋玄晖等选龙武牙官史太等一百余人夜叩宫门弑杀昭宗，以及夫人裴贞一、昭仪李渐荣。是日，昭宗诸子德王以下九王遇难，皆为蒋玄晖杀于席内，投尸九曲池。八月十二日，蒋玄晖矫皇太后令嫁祸于李渐荣、裴贞一弑帝，宣立昭宗第九子辉王李祚为太子。李祚当年十三岁，八月十五日丙午在昭宗灵柩前即位，是为哀帝。

朱全忠闻讯昭宗已被弑，故作惊诧，号哭于地。十月初三日癸巳，朱全忠回到洛阳，拜伏昭宗灵柩前恸哭，又到哀帝面前表白自己不知情，发誓惩治奸贼。十月初四日，朱全忠奏称朱友恭、氏叔琮管束士卒不严，侵扰市铺，贬朱友恭为崖州司户，复称原名李彦威，贬氏叔琮为白州司户，随后又赐二人自尽。李彦威临刑高声叫骂说："朱全忠出卖我李彦威来推托弑帝的罪责，堵塞天下民众的嘴，可是骗不了鬼神，姓朱的做事太恶毒，一定断子绝孙。"十月十五日，朱全忠回到大梁。

自古以来，弑帝篡国的野心家，不知天下有羞耻二字，个个心肠如蛇蝎，但像朱全忠这样卸磨杀驴的行事还是不多见。朱全忠狠毒而下作，难怪李彦威要骂他断子绝孙了。不过李彦威之死，也不令人同情。他的愤怒，可为那些替奸人做鹰犬的奴才者诫！

柳璨、蒋玄晖之死。柳璨，字炤之，是唐忠臣柳公绰的族孙。柳璨年少好学，家境贫寒少孤，苦读成才，知名当世，任史馆直学士。昭宗好文，柳璨被人推荐，得到昭宗宠爱，拔擢为翰林学士。崔胤死后，昭宗一手提升柳璨为谏议大夫同中书门下平章事，柳璨从一个布衣升为宰相，前后四年，一路直升，为近世少有。柳璨受到昭宗的如此恩宠，不知图报，反以加倍的出卖灵魂投靠朱全忠，与蒋玄晖、张廷范沆瀣一气，柳璨不遗余力策划篡夺事宜。天祐元年五月初七日乙丑，天空出现彗星，占星者说："彗星现，君臣有灾，要用诛杀来消灾。"柳璨借机进言朱全忠大杀朝士。六月初一日戊子，朱全忠一夜诛杀朝士大夫三十余人于白马驿，投尸黄河，使为浊流。蒋玄晖是朱全忠的心腹，昭宗东迁洛阳，朱全忠安置蒋玄晖为枢密使，监控昭宗及宫中动静。张廷范，以优人为朱全忠所爱，昭宗东迁时为御营使，跳跃升职，旬月之间进位金吾卫将军、河南尹。柳璨为相，秉承朱全忠旨意，奏用张廷范为太常卿，掌礼仪。于是柳璨、蒋玄晖、张廷范三人共议朱全忠受禅篡唐事宜，成为三人策划班子。柳璨等建议朱全忠为相国，总百揆，先封魏王大国，以宣武等二十一道为魏邑，加九锡殊礼。朱全忠认为迟缓，一怒之下，诛杀三人。柳璨临刑大呼曰："负国贼柳璨，早就该死了。"李彦威临刑大骂朱全忠断子绝孙，柳璨临刑大骂自己该死，可见柳璨、蒋玄晖等文奴才比李彦威等武奴才更要等而下之。柳璨等人之所为，恰如《庄子·列御寇》所讲寓言，宋人曹商使秦，得到从车一百辆的赏赐。庄子说:“秦王有病，请医生治疗，吸吮脓疮的医生，赏车一辆，吸吮肛门上痔疮的医生，赏车五辆。所治愈下，得车愈多。”柳璨等人，有奶便是娘，奴性十足，吸吮痔疮之徒，死得一点也不冤。柳璨自骂为“负国贼”，还算他有自知之明。

罗绍威诛杀牙兵。魏博镇自田承嗣以来，牙兵皆选用魏博所属魏州、博州、贝州、卫州、澶州、相州六州的壮士组成，世代相继，赏赐优厚，任节帅的心腹。这种家族亲兵，父子相继，亲党胶固，日渐骄惰，小不如意，就杀旧帅，立新帅，自史宪诚以来，魏博节帅都是牙兵所立。罗绍威十分厌恶牙兵的骄纵。他向朱全忠借兵十万，用阴谋手段诛杀牙兵八千多家，婴孺无遗。牙兵骄纵，应当整顿，但罪不至死。即使犯死罪，不是反叛大逆，也应只罪其身，婴孺无遗，实在过分。罗绍威此举，灭绝人性，激起六州士卒相继反叛，朱全忠拥兵十万，坐镇平叛，长达半年，罗绍威供给，杀牛羊豕近七十万头，资给相当，赠送的财物又是一百万。朱全忠退军之时，魏博镇的库藏积蓄，消耗一空。尤其是魏博镇六州士卒，被杀一空，魏博镇从此衰落，罗绍威只能依附朱全忠，仰人鼻息。罗绍威后悔不迭，朱全忠大获其利。